제 10 판

Probability and Statistical Inference

수리통계학

제 10 판

Probability and Statistical Inference

수리통계학

Robert V. Hogg • Elliot A. Tanis • Dale L. Zimmerman 지음

백장선 • 손영숙 • 정재식 옮김

Pearson

자유아카데미

Pearson Education South Asia Pte Ltd
9 North Buona Vista Drive
#13-05/06 The Metropolis
Tower One
Singapore 138588

Pearson Education offices in Asia: *Bangkok, Beijing, Ho Chi Minh City, Hong Kong, Jakarta, Kuala Lumpur, Manila, Seoul, Singapore, Taipei, Tokyo*

3 2 1
23 22 21

Cover Art: © Alexandra Jursova/Moment/Getty Images

발행일: 2021년 2월 25일
공급처: 자유아카데미(031-955-1321/main@freeaca.com)
ISBN: 978-981-3137-32-5(93310)
가 격: 39,000원

Pearson

http:/pearsonapac.com/

역자 서문

이 책은 2019년에 출간된 Robert Hogg, Elliott Tanis, Dale Zimmerman의 저서 《Probability and Statistical Inference》 10판을 번역한 것이다. 저자 서문에 소개되어 있듯이 10판에서는 새로운 절이 추가되고, 25개 이상의 예제와 75개 이상의 연습문제가 새롭게 추가되었다.

이 책은 독자가 쉽게 이해할 수 있도록 기본적인 이론과 많은 예로 구성되어 있어, 온라인에서 책을 판매하는 유명한 웹사이트에서 오랫동안 좋은 평을 받고 있다. 학부 수리통계 수업 기준으로 두 학기 수업에 적합하도록 구성되었지만, 고학년 학생이나 상황에 따라서는 한 학기 수업 교재로도 가능하다. 지금까지 이 책의 번역본이 많은 대학에서 교재로 사용되었고 학생들에게 오랫동안 사랑을 받았기 때문에 10판 번역본도 필요하리라 생각되어 다시 번역을 하게 되었다.

그동안의 호평과 기대에 부응하기 위해 10판부터 역자가 한 명 추가되었다. 역자들은 대학에서 오랫동안 수리통계를 강의하면서 이 책의 구성과 내용에 만족하여 계속 번역에 참여하고 있다. 10판 번역본도 많은 학생에게 유용하게 쓰이길 바란다.

이 책이 나오기까지 도움을 준 분들에게 진심으로 감사의 마음을 전한다. 특히 편집 및 교정을 위해 놀라운 실력으로 수고해준 편집자 박민정, 문승연에게 감사 인사를 드린다.

2021년 2월

역자 일동

저자 서문

저자 Elliot Tanis와 Dale Zimmerman은 Robert Hogg 교수님이 《수리통계학》 9판까지 엄청난 공헌을 하셨다는 것을 언급하고 싶다. Hogg 교수님은 2014년 12월 23일에 돌아가셨지만 그의 통찰은 여전히 10판에도 이어지고 있다. 지금도 우리는 일상과 업무에서 그의 영향을 받고 있으니 그에게 빚을 지고 있다고 할 수 있다.

내용과 학습계획

이 책은 두 학기 교육과정을 목적으로 계획되었지만 한 학기 과정으로도 가르칠 수 있다. 이 책을 학습하기 위해서는 기초수학의 지식이 필요하지만 그렇다고 확률론이나 통계학이 필요한 것은 아니다.

10판에서는 25개 이상의 새로운 예제와 75개 이상의 새로운 연습문제를 포함했다. 그러나 각 장은 대부분 9판과 동일하게 구성되었다. 1~5장은 조건부 확률, 독립성, 베이즈 정리, 이산형 · 연속형 분포, 적률생성함수를 포함한 수학적 기댓값, 이변량 분포, 주변 · 조건부 분포, 상관계수, 확률변수의 함수와 그 분포, 중심극한정리, 체비셰프 부등식 등을 포함한 확률론에 또다시 집중한다. 이번에는 초기하분포에 관한 절을 추가했으며 9판의 1장과 2장에 산재되어 있던 내용에 합했다. 또한 왜도지수와 함께 기댓값과 분산에 대한 전확률의 법칙과 같은 새로운 주제를 추가했다. 강력한 확률에 관한 1~5장의 지식은 모든 학생에게 중요하지만, 특히 보험통계를 전공하는 학생이 보험계리사 자격시험 Exam P를 준비하는 데 큰 도움이 될 것이다.

6~9장은 통계적 추론에 관한 내용이다. 9판과 마찬가지로 기술통계량과 순서통계량, 최우추정과 적률추정을 포함한 점추정, 충분통계량, 베이지안 추정, 단순선형회귀, 구간추정, 가설검정 등을 다루었다. 백분위수정합, 최우추정의 불변성과 같은 새로운 주제를 추가하고 분산에 대한 가설검정의 새로운 절을 새롭게 구성했는데 그 안에 분산과 두 분산의 비율에 대한 구간추정을 포함했다. 평균, 분산, 비율, 회귀계수에 대한 신뢰구간, 백분위수에 대한 분포무관 신뢰구간, 재표집 방법(특히 부트스트랩 방법) 등을 제시했다. 통계적 가설검정에서는 평균(분포무관 검정 포함), 분산, 비율, 회귀계수에 대한 표준적인 검정, 검정력과 표본크기, 최량기각역(네이만-피어슨)과 우도비 검정 등을 다룬다.

좀 더 응용적인 면에서는 적합도와 분할표의 연관성을 검정하기 위한 카이제곱 검정, 일반 계획법을 포함한 분산분석, 통계적 품질관리를 설명한다.

첫 학기 학습 내용에는 1~5장의 대부분의 주제가 포함되어야 한다. 두 번째 학기에는 1학기에서 빠진 부분과 6~9장의 대부분을 다룬다. 좀 더 기본적인 학습 내용만 가르친다면 어려운 절을 생략해도 무방하며, 강의자가 재량에 따라 주제의 순서를 바꾸어도 된다. 통상적인 비모수적 방법과 베이즈 방법은 독자적인 장으로 구성하지 않고 관련된 내용에서 적절히 다루었다. 많은 사람은 통계적 품질관리의 응용에 관한 내용을 마지막 절에서 다루는 것을 선호한다.

부가사항

이 책의 자료는 다음 사이트에서 얻을 수 있다.
https://www.pearson.com/math-stats-resources.

감사의 글

많은 조언과 함께 연습문제와 예제의 자료를 제공해준 동료, 학생, 친구에게 감사드린다. 9판을 검토해준 Maureen Cox, Lynne Seymour, Kevin Keen, Clifford Taylor, Melanie Autin, Aubie Anisef, Manohar Aggarwal, Joseph Huber, Christopher Swanson, Mark Mills, Matthew Bognar에게 특별히 감사 인사를 전한다. David Schweitzer도 많은 조언을 주었고 Hongda Zhang은 새로운 문제의 해답을 작성해주었다. 또한 Jody Callahan 편집장의 훌륭한 제안과 Kyle Siegrist의 정확한 검토를 치하하며, 사무실을 제공하고 격려해준 아이오와대학교와 호프대학교에도 감사드린다. 이 모든 것을 준비하는 동안 가족이 가장 많이 이해해주었다. 아내 Elaine과 Bridget에게 감사하며, 그들의 인내와 사랑에 진심으로 경의를 표한다.

Elliot A. Tanis(tanis@hope.edu)
Dale L. Zimmerman(dale-zimmerman@uiowa.edu)

차례

들어가는 글

통계학이라는 학문은 자료의 수집과 분석을 다룬다. 특히 과학과 산업의 변화와 관련이 있는 컴퓨팅 기술의 발전은 축적된 방대한 양의 자료를 조사하기 위해 더 많은 통계학자가 필요하다는 인식을 고취했다. 우리는 자료가 정보와 동등하지 않다는 것을 알고 있다. 일단 자료(희망컨대 양질의 자료)를 수집하면 자료를 이해하기 위해 통계학자의 필요성이 더욱 대두된다. 즉, 결론을 내리는 데 필요한 정보를 제공하기 위해 자료를 분석해야 한다. 이러한 수요에 비추어보면 통계학이라는 학문에는 최대의 기회이다. 따라서 더 많은 유능한 젊은 친구들이 통계학을 공부해야 할 필요가 있다.

자료가 중요한 역할을 하는 분야를 떠올려본다면 회계, 보험통계, 대기과학, 생명과학, 경제, 교육평가, 환경과학, 역학, 금융, 유전학, 제조업, 홍보, 의학, 제약업, 심리학, 사회학, 스포츠 등 끝도 없을 것이다. 통계학은 이 모든 분야에서 유용하기 때문에 응용과학으로 반드시 배워야 한다. 그럼에도 불구하고 이러한 응용분야에서 깊이 있게 공부하기 위해서는 연구 중인 각 상황에 적합한 모형 개발의 중요성을 이해해야 한다. 어떤 모형도 실제 상황과 완벽하게 일치하지는 않지만 실제 상황의 근사 모형으로 어떤 모형이 매우 유용할 수 있다. 적절하게 사용되기 위해, 통계학에서 적당한 모형은 확률적으로 특정한 수학적 근거를 요구한다. 따라서 예제와 연습문제에서 응용을 언급하지만, 이 책은 사실 통계적 추론에 필요한 확률적 모형의 이해를 위한 수학에 관한 것이다.

어떤 의미에서 통계적 기술은 사실 과학적인 방법의 핵심이다. 관측을 통해 추측하고 이러한 추측을 검정한다. 자료를 수집하고 분석해 추측의 진실에 대한 정보를 제공한다. 가끔 자료에 의해 추측이 입증되기도 하지만, 종종 추측을 수정하고 이를 검정하기 위해 더 많은 자료를 수집하기도 한다. 이러한 반복 과정 중 통계학은 특히 실험 계획, 자료 분석, 결과 추론 부분에서 중요한 역할을 한다. 제품 품질 개선, 더 좋은 서비스 제공, 신제품이나 새로운 서비스 홍보, 에너지 수요 예측, 정확한 질병 분류 등 특정한 조치를 취하는 데 관련된 정보가 통계학을 통해 제공된다.

통계학자들은 자신의 추론에 종종 오차가 있다는 것을 인식하고 있다. 그래서 그들은 실수할 확률을 계산해 이를 최소화하려고 노력한다. 이러한 불확실성이 존재하는 것은 자료에 변동성이 있기 때문이다. 실험이 겉보기에는 같은 조건하에서 반복되더라도 결과는 그때그때 다르다. 이러한 불확실성을 고려해 통계학자는 통계 추정치의 오차 구조를 설명하면서 자료를 가능한 한 잘 요약하려고 노력한다.

이것이 배워야 할 중요한 교훈이다. 거의 모든 곳에 변동이 존재한다. 이러한 변동을 이해하는 것이 통계학자의 일이다. 흔히 제조업에서는 제품이 일관되도록 변동을 줄이려고 한다. 다시 말해 차 문을 목푯값에 거의 일치하도록 생산해 변동이 줄어들면 자동차를 제조할 때 차 문이 더 잘 맞을 것이다.

통계학을 공부하는 학생은 변동의 본질과 변동의 확률적 모형 개발의 필요성에 대해 이해해야 한다. 이러한 불확실성에도 불구하고 우리는 추론을 하고 결론을 내리는 것을 피할 수 없다. 그러나 이러한 추론과 결론은 선택한 확률모형의 엄청난 영향을 받는다. 어떤 사람은 다른 사람보다 모형 개발을 잘해서 더 좋은 추론과 결론에 도달한다. 각 모형에 필요한 가정은 주의 깊게 확인해야 한다. 우리는 독자가 훌륭한 모형 개발자로 거듭나기를 바란다.

끝으로 현대 통계분석이 얼마나 컴퓨터에 의존하는지 언급하고자 한다. 통계학자와 컴퓨터 과학자가 탐색적 자료 분석과 '데이터마이닝' 분야에서 함께 일하는 추세가 증가하고 있다. 오늘날 통계적 소프트웨어 개발이 매우 중요하며, 결과적으로 잘되면 이는 복잡한 자료 분석에 필요하다. 이 두 분야가 갈수록 밀접한 관계를 유지한다는 측면에서 독자에게 통계학과 컴퓨터공학에서 제공하는 핵심 교과목을 수강하라고 조언하고 싶다.

회사나 대학원 프로그램에서 통계학, 컴퓨터 과학, 혹은 둘의 경계인 데이터 과학을 전공하는 학생에 대한 수요가 클 것이다. 그들은 분명히 통계학이나 컴퓨터 과학 혹은 복수전공으로 대학원 학위를 받을 수 있다. 하지만 이보다 더 중요한 것은 보험과학, 산업공학, 금융, 홍보, 회계, 경영과학, 심리학, 경제학, 법학, 의학, 보건학 등 다른 분야의 대학원에 진학하는 것도 꽤 바람직하다는 것이다. 매우 많은 분야가 '수리화'되어 대학원에서 통계나 컴퓨터 과학을 전공한 사람을 찾고 있다. 이들은 다른 분야에서 스타가 되기도 한다. 우리는 독자가 통계학을 더 공부하고 싶도록 흥미를 돋우고 싶다. 그렇게 된다면 독자는 성공적인 커리어의 많은 기회를 발견하게 될 것이다.

Probability

01 확률

1.1 확률의 성질

통계학자가 무엇을 하는지 대중에게 설명하기란 일반적으로 어렵다. 많은 사람들은 통계학자를 숫자 다루기를 즐기는 수학 공부벌레 정도로 생각하며, 그러한 생각도 일부 일리가 있다. 하지만 우리가 좀 더 큰 시각으로 보면, 통계학자가 다양한 분야에서 엄청나게 도움이 될 수 있다는 것을 많은 사람들이 인식하고 있음을 알 수 있다.

다음을 살펴보자.

1. 어떤 문제 혹은 상황에서 통계학이 고려되어야 할 때, 통계학자는 종종 연구원 혹은 과학자들과 함께 작업하도록 요청받는다.
2. 우리가 상황을 더 잘 이해하는 데 도움이 되는 어떤 측도(measure)가 필요하다고 하자. 측정문제는 종종 매우 어렵다. 그래서 좋은 측도를 개발하는 것은 가치 있는 기술이다. 일례로 고등교육에서 좋은 교수법을 우리가 어떻게 측정할 것인가? 비록 학생 평가와 같은 다양한 측도가 과거에 사용되어 왔지만, 우리는 그 질문에 대한 만족스러운 답을 얻지는 못했다.
3. 측정도구가 개발된 후에, 우리는 관측을 통해 자료를 수집해야 한다. 수집된 자료는 설문조사 혹은 실험의 결과일 수 있다.
4. 통계학자는 수집된 자료를 이용하여 종종 기술통계학과 시각적인 방법을 통해 결과를 요약한다.
5. 이런 요약이 상황을 분석하는 데 사용된다. 여기에서 통계학자가 통계적 추론이란 것을 할 수 있다.
6. 마지막으로, 자료와 자료 분석에 기초하여 작성된 권장사항을 포함한 보고서가 제

시된다. 종종, 그러한 권장사항이 질문 혹은 관련된 인자들 중 일부를 바꿔서, 설문 조사 혹은 실험을 다시 실시하라는 것일 수 있다. 종종 자료 분석이 추가 실험을 제안하기 때문에, 이것이 과학적 방법이라 일컫는 영역에서 통계학이 사용되고 있는 방식이다. 따라서 과학자들은 해답을 찾는 과정에서 다양한 가능성을 고려해야 하고 유사한 실험을 여러 번 반복해야 한다.

통계학 분야는 **자료 수집**과 **분석**을 다룬다. 겉보기에 동일한 조건하에서 측정된 자료라 할지라도, 결과들은 종종 다르다. 이런 변동성에도 불구하고 통계학자는 어떤 패턴을 찾으려 노력한다. 하지만, 이런 '노이즈(noise)' 때문에 모든 자료가 그 패턴에 적합한 것은 아니다. 이러한 변동성에도 불구하고, 통계학자는 여전히 패턴을 설명하는 최고의 방법을 결정해야 한다. 따라서 통계학자는 자료 분석에서 실수가 있을 것을 알고 있다. 그래서 그러한 실수를 가능한 한 최소화하고 가능한 실수에 대한 한계를 제시하려 노력한다. 이런 한계를 고려함으로써 의사결정자들은 자료와 자료 분석을 어느 정도 신뢰할 지를 결정할 수 있다. 만일 한계가 넓다면, 아마도 더 많은 자료가 수집되어야 할 것이다. 하지만 만일 한계가 좁다면, 연구에 관련된 사람은 결정을 내리고 그에 따라 진행하고자 할 것이다.

변동성은 피할 수 없는 현실이다. 그래서 적절한 통계 방법들이 내재된 변동성하에서 수집된 자료를 우리가 이해할 수 있도록 도울 수 있다. 이러한 변동성 때문에, 불확실성을 포함한 채 의사결정이 이루어진다. 예를 들어, 어떤 의학연구원은 유행성 이하선염에서 새로운 백신의 효과에 관심이 있을 것이다. 어떤 농업경제학자는 생산량의 증가가 새로운 유전형질을 가진 밀 때문인지를 결정해야 한다. 어떤 기상학자는 비가 올 확률 예측에 관심이 있다. 주 의회에서는 속도제한을 낮추는 것이 사고를 줄이는지를 결정해야 한다. 대학 입학사정관은 신입생의 학업수행능력을 예측해야 한다. 어떤 생물학자는 특정 종류의 새가 한 번에 알을 몇 개나 품는지를 예측하는 데 관심이 있다. 어떤 경제학자는 실업률을 추정하고자 한다. 환경문제 전문가는 새로운 규제가 오염 감소 효과가 있는지 시험한다.

위에서 언급한 통계적용 가능 분야를 검토할 때, 독자들은 좋은 통계란 다양한 연구에서 신중한 사고와 밀접한 관련이 있음을 인식해야 한다. 일례로, 학생들은 계속 반복되는 과학적 방법에서 통계학이 어떻게 사용되는지 알아야 한다. 우리는 자연을 관찰하고 질문을 던진다. 그런 다음 이러한 질문에 실마리가 되는 실험을 하고 자료를 수집한다. 그리고 수집된 실험 자료를 분석해 분석 결과와 우리의 예상을 비교하고, 새로운 질문을 던진다. 혹은 여러분이 통계학이 중요한 '계획–실행–연구–조치' 사이클(cycle)의 명백한 일부라고 말하고 싶다면, 질문이 제기되고 조사가 계획된 다음 실행된다. 이 결과에 대한 자료를 연구하고 분석한 다음, 종종 새로운 질문을 제기하는 식으로 조치를 한다.

통계학에는 다양한 측면이 존재한다. 어떤 사람들은 자료를 수집하고 수집된 관측치를 이해하는 데 관심이 있다. 어떤 경우는 답이 명백해서 통계적 방법에 대한 지식이 거의 필요 없다. 하지만 어떤 사람이 연구를 좀 더 깊이 하고자 한다면, 다양한 패턴의 추정치와 관련된 오차 구조를 설명하는 데 도움이 되는 어떤 이론이 필요함을 바로 알게 될 것이다. 즉, 어떤 순간에 복잡한 자료를 이해하기 위해 적절한 확률과 수학적 모형이 필요하다. 통계 모형의 근간이 되는 통계학과 확률론 기본 지식이 사람들로 하여금 이러한 일을 할 수 있는 모형을 제공한다. 그래서 이 책에서 우리는 통계학의 응용적 측면보다 수리적인 측면을 더 중요하게 여긴다. 하지만 독자들이 통계적 방법론의 많은 중요한 응용분야를 이해할 수 있도록 돕기 위해 충분한 예제 또한 제공한다.

통계학을 공부할 때, 우리는 결과를 분명하게 예측할 수 없는 실험을 고려한다. 그러한 실험을 **확률실험**(random experiment)이라 부른다. 비록 실험이 수행되기 전에 확률실험의 특정 결과를 명백하게 예측할 수 없지만, 모든 가능한 결과는 알려져 있어서 설명하거나 아마 나열할 수 있다. 모든 가능한 결과의 집합을 S로 표기하고 **표본공간**(sample space)이라 부른다. 표본공간 S가 주어졌을 때, A를 결과들의 집합인 S의 부분집합이라 하자. 즉, $A \subset S$이다. 이때, A는 **사상**(event)이라 불린다. 확률실험이 시행되고 실험의 결과가 A에 포함될 때, 우리는 **사상 A가 발생했다**(event A has occurred)고 말한다.

확률을 공부할 때, 집합(set)과 사상(event)은 같은 의미로 사용된다. 그래서 독자들은 **집합대수**(algebra of sets)를 살펴보려 할 것이다. 여기에서 우리는 독자들에게 용어 몇 가지만 상기시키려 한다.

- $\emptyset$는 **공집합**(null or empty set)을 나타낸다.
- $A \subset B$는 A가 B의 **부분집합**(subset)임을 의미한다.
- $A \cup B$는 A와 B의 **합집합**(union)이다.
- $A \cap B$는 A와 B의 **교집합**(intersection)이다.
- A'은 A의 **여집합**(complement)이다(즉, A에 속하지 않은 S의 모든 원소).

이러한 집합들 중 몇 가지는 그림 1.1-1의 음영 부분으로 표현했고, S는 사각형 내부이다. 이런 그림들을 **벤다이어그램**(Venn diagram)이라 부른다.

통계학자에 의해 종종 사용되는 사상과 관련된 특별한 용어들은 다음과 같다.

1. $A_1, A_2, \ldots, A_k$가 **상호배반사상**(mutually exclusive event)이라는 것은 $A_i \cap A_j = \emptyset, i \neq j$, 즉 $A_1, A_2, \ldots, A_k$가 서로 소집합임을 의미한다.
2. $A_1, A_2, \ldots, A_k$가 **포괄적 사상**(exhaustive event)이라는 것은 $A_1 \cup A_2 \cup \cdots \cup A_k = S$를 의미한다.

그래서 만일 $A_1, A_2, \ldots, A_k$가 **상호배반이고 포괄적 사상**(mutually exclusive and

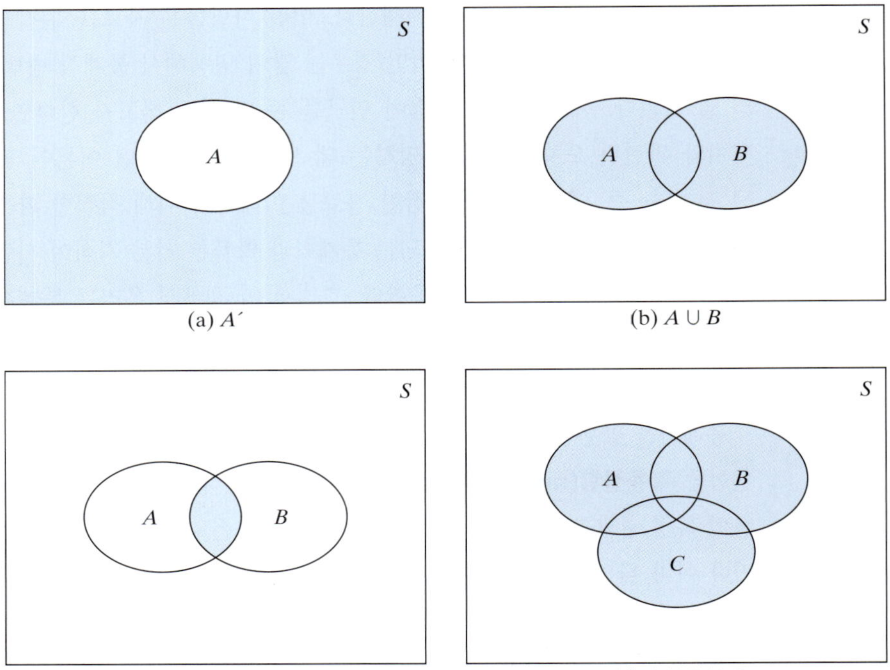

(a) A' (b) $A \cup B$

(c) $A \cap B$ (d) $A \cup B \cup C$

그림 1.1-1 집합대수

exhaustive event)들이면, 우리는 $A_i \cap A_j = \emptyset$, $i \neq j$, $A_1 \cup A_2 \cup \cdots \cup A_k = S$가 성립함을 알 수 있다.

집합 연산들은 몇 가지 성질을 만족한다. 예를 들어, 만일 A, B, C가 S의 부분집합이라 하면 다음이 성립한다.

교환법칙

$$A \cup B = B \cup A$$
$$A \cap B = B \cap A$$

결합법칙

$$(A \cup B) \cup C = A \cup (B \cup C)$$
$$(A \cap B) \cap C = A \cap (B \cap C)$$

분배법칙

$$A \cap (B \cup C) = (A \cap B) \cup (A \cap C)$$
$$A \cup (B \cap C) = (A \cup B) \cap (A \cup C)$$

드모르간 법칙

$$(A \cup B)' = A' \cap B'$$
$$(A \cap B)' = A' \cup B'$$

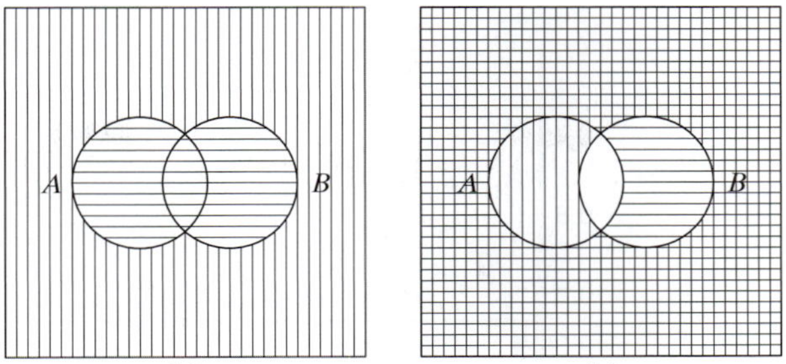

그림 1.1-2 벤다이어그램으로 나타낸 드모르간 법칙

드모르간 법칙(De Morgan's Laws) 첫 번째를 증명하기 위해 벤다이어그램이 사용된다. 그림 1.1-2(a)에서 $A \cup B$는 수평선으로 표시되고, $(A \cup B)'$은 수직선으로 표시되었다. 그림 1.1-2(b)에서 A'은 수평선으로, B'은 수직선으로 표현되었다. 만일 어떤 원소가 A'과 B'에 모두 속하면 그 원소는 $A' \cap B'$에도 속한다. 따라서 수평선과 수직선이 교차한 영역은 $A' \cap B'$을 나타낸다. 명백히 이 교차된 영역은 그림 1.1-2(a)의 수직선으로 표시된 영역과 같다.

우리는 $P(A)$로 표현되고 종종 A가 발생할 가능성이라 불리는 사상 A의 확률이 무엇인지를 정의하는 데 관심이 있다. A의 확률에 대한 이해를 돕기 위해, 실험을 여러 차례(즉, n번) 반복하는 것을 고려하자. 우리는 이러한 반복을 **시행**(trials)이라 한다. n번 시행에서 사상 A가 발생한 실제 횟수를 사상 A의 빈도라 부르고 $\mathcal{N}(A)$로 표시한다. 비율 $\mathcal{N}(A)/n$은 이러한 실험의 n번 반복에서 사상 A의 **상대도수**(relative frequency)라 한다. 상대도수는 n이 작을 때 보통 매우 불안정하지만, n이 커지면 안정되는 경향이 있다. 이러한 사실이 우리가 사상 A와 하나의 숫자, 즉 상대도수가 안정화되는 값 p와 연계하도록 제안한다. 이 숫자 p는 향후의 같은 실험에서 사상 A의 상대도수가 이 값 근처가 되는 숫자로 여겨진다. 따라서 비록 우리가 어떤 확률실험의 결과를 정확히 예측할 수는 없지만, 만일 p를 안다면, n이 상당히 큰 경우에 우리는 사상 A와 관련된 상대도수를 상당히 정확하게 예측할 수 있다. 사상 A에 할당된 숫자 p는 사상 A의 **확률**(probability)이라 하고 $P(A)$로 표시한다. 즉, $P(A)$는 어떤 확률실험 시행횟수가 무한정 증가할 때 그 확률실험 결과에서 사상 A의 비율을 나타낸다.

다음 예제가 위에서 언급한 아이디어 일부를 설명하는 데 도움이 된다.

예제 1.1-1 공평한 육면체 주사위를 6번 던진다. 만일 k번째($k = 1, 2, \ldots, 6$) 시행에서 k가 적힌 면이 나왔다면, 일치가 발생했다고 한다. 만일 6번 시행에서 적어도 1번 일치가 발생하면 실험은 성공이라 하고 그렇지 않으면 실패라 하자. 표본공간은 $S = \{성공, 실패\}$이고 사상 $A = \{성공\}$이다. 우리는 $P(A)$에 어떤 값을 할당하고자 한다. 따라서 컴퓨터를 이

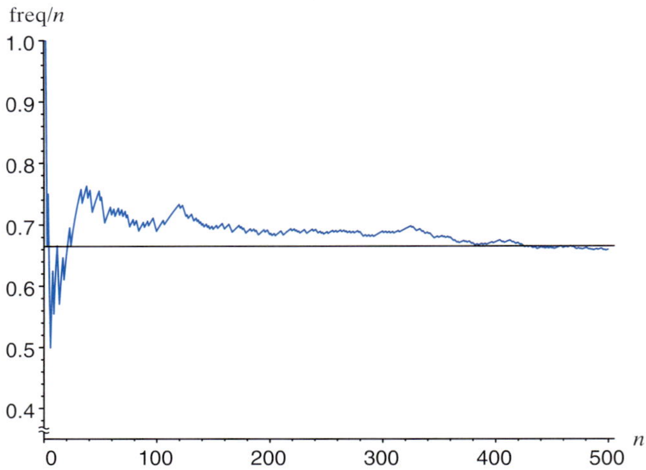

그림 1.1-3 최소 한 번의 일치를 갖는 실험의 비율

용해 이 실험을 500회 반복했다. 그림 1.1-3은 이 실험의 결과를 보여주고, 실험 결과의 일부를 다음 표에 요약했다.

n	$\mathcal{N}(A)$	$\mathcal{N}(A)/n$
50	37	0.740
100	69	0.690
250	172	0.688
500	330	0.660

사상 A의 확률이 직관적으로 명확하지 않지만, 예제 1.4-6에서 $P(A) = 1 - (1 - 1/6)^6 = 0.665$임을 보일 것이다. 모의실험도 이 값을 분명히 지지한다(비록 증명은 아니지만). ■

예제 1.1-1은 모의실험이 확률을 경험적으로 계산하는 데 도움이 되지만, 가끔 직관이 확률을 계산하는 데 사용될 수 없다는 것을 보여준다. 다음 예는 직관이 어떤 사상의 확률 계산에 도움이 되는 예를 보여준다.

예제 1.1-2 한 변의 길이가 4인치인 정사각형 타일로 된 바닥에 직경 2인치인 디스크를 임의로 던진다. 디스크가 온전히 하나의 타일에 놓이는 사상을 C라 하자. $P(C)$에 해당하는 값을 찾기 위해, 디스크의 중심을 고려하자. 디스크가 온전히 하나의 타일에 놓이기 위해서 중심이 어디에 놓여야 하는가? 만일 여러분이 그림을 그려 보면, 중심이 변의 길이가 2인 정사각형 안에 놓이고 그 중심이 타일의 중앙에 놓여야 함은 자명하다. 이 사각형의 넓이가 4이고 타일의 넓이가 16이므로, $P(C) = 4/16$라 하는 것이 이치에 맞다. ■

종종 A의 확률이 실험의 본질에 의해 쉽게 계산되기도 한다. 예를 들어, 임의로 3개의 숫자로 구성된 복권이 있을 때, 우리는 1,000개의 가능한 세 자리 숫자 각각이 뽑힐 확률이 같을 것을 기대한다. 즉, 1/1,000이다. 만일 $A = \{233, 323, 332\}$이면 $P(A) = 3/1{,}000$이다. 혹은 만일 $B = \{234, 243, 324, 342, 423, 432\}$이면, $P(B) = 6/1{,}000$일 것이다. 많은 다른 확률실험과 관련된 사상의 확률을 계산하는 것은 이처럼 간단하지는 않다. 예제 1.1-1이 그런 경우를 보여준다.

그래서 우리는 n이 클 때 사상 A의 상대도수 $\mathcal{N}(A)/n$이 안정화할 때 갖는 값 $P(A)$를 사상 A와 연결 짓고 싶어 한다. 집합 A에 대해 평가되는 $P(A)$ 같은 함수는 **집합함수**(set function)라 불린다. 이 절에서 우리는 확률집합함수 $P(A)$와 그것의 성질 몇 가지를 논의한다. 다음 절에서는 확률집합함수가 특정한 실험에서 어떻게 정의되는지를 논의한다.

확률집합함수가 어떤 성질을 만족해야 하는지를 정하기 위해, 상대도수 $\mathcal{N}(A)/n$가 가진 특성을 고려하자. 예를 들어, $\mathcal{N}(A)/n$는 항상 음이 아니다. 만일 A가 표본공간 S와 같으면, 실험 결과는 항상 S에 포함되고, 따라서 $\mathcal{N}(S)/n = 1$이다. 또한, 만일 A와 B가 상호배반사상이면, $\mathcal{N}(A \cup B)/n = \mathcal{N}(A)/n + \mathcal{N}(B)/n$이다. 이 같은 사실들이 다음 정의의 동기부여에 도움이 되길 희망한다.

정의 1.1-1

확률(probability)이란 표본공간 S에 속해 있는 각 사상 A에 대해 사상 A의 확률이라고 하는 수 $P(A)$를 지정하는 실숫값 집합함수 P이며 다음의 성질을 만족한다.

(a) $P(A) \ge 0$

(b) $P(S) = 1$

(c) 사상 $A_1, A_2, A_3, \ldots$들이 $i \neq j$에 대해 $A_i \cap A_j = \emptyset$을 만족하면, 양의 정수 k에 대해

$$P(A_1 \cup A_2 \cup \cdots \cup A_k) = P(A_1) + P(A_2) + \cdots + P(A_k)$$

그리고 사상의 수가 무한이지만 셀 수 있는 경우에는 다음이 성립한다.

$$P(A_1 \cup A_2 \cup A_3 \cup \cdots) = P(A_1) + P(A_2) + P(A_3) + \cdots$$

다음 정리들이 확률집합함수의 몇 가지 중요한 특징을 보여준다. 이러한 정리들을 고려할 때, 이론적인 개념과 증명을 이해하는 것이 중요하다. 하지만, 만일 독자들이 상대도수 개념을 이해하고 있다면, 정리들 또한 직관적으로 이해가 될 것이다.

정리 1.1-1 사상 A에 대해 $P(A) = 1 - P(A')$이다.

증명 [그림 1.1-1(a) 참고]

$S = A \cup A'$이며 $A \cap A' = \emptyset$이므로

정의 1.1-1의 성질 (b), (c)에 의해 $1 = P(A) + P(A')$이다.

따라서 $P(A) = 1 - P(A')$이다.

예제 1.1-3 하나의 공평한 동전을 같은 면이 연속적으로 관측될 때까지 계속 던진다. 이때, 사상 $A = \{x: x = 3, 4, 5, \ldots\}$, 즉 같은 면을 연속적으로 관측하기 위해 동전을 세 번 혹은 그 이상 던지는 사상이다. 아마 $P(A)$를 계산하는 가장 쉬운 방법은 먼저 A의 여사건 확률 $A' = \{x: x = 2\}$를 계산하는 것이다. 동전을 두 번 던졌을 때, 가능한 결과는 $\{HH, HT, TH, TT\}$이고, 동전이 공평하기 때문에 이 네 결과 각각을 관측할 확률이 같다고 가정하는 것이 합리적이다. 따라서

$$P(A') = P(\{HH, TT\}) = \frac{2}{4}$$

정리 1.1-1에 의해

$$P(A) = 1 - P(A') = 1 - \frac{2}{4} = \frac{2}{4}$$

■

정리 1.1-2 $P(\emptyset) = 0$

증명 정리 1.1-1에서 $A = \emptyset$라 하면 $A' = S$이다. 이때

$$P(\emptyset) = 1 - P(S) = 1 - 1 = 0$$

정리 1.1-3 두 사상 A, B가 $A \subset B$를 만족하면, $P(A) \le P(B)$이다.

증명 $A \subset B$이기 때문에 다음과 같이 표현하는 것이 가능하다.

$$B = A \cup (B \cap A'), \quad A \cap (B \cap A') = \emptyset$$

따라서 성질 (c)에 의해

$$P(B) = P(A) + P(B \cap A') \ge P(A)$$

를 만족하는데, 이는 성질 (a)에 의해 $P(B \cap A') \ge 0$이기 때문이다.

정리 1.1-4 사상 A에 대해 $P(A) \leq 1$이다.

증명 $A \subset S$이기 때문에 정리 1.1-3과 성질 (b)에 의해 다음을 얻는다.

$$P(A) \leq P(S) = 1$$

정리 1.1-4와 함께 성질 (a)가, 사상 A에 대해 다음이 성립함을 보여준다.

$$0 \leq P(A) \leq 1$$

정리 1.1-5 임의의 두 사상 A, B에 대해

$$P(A \cup B) = P(A) + P(B) - P(A \cap B)$$

증명 [그림 1.1-1(b) 참고] 사상 $A \cup B$는 상호배반사상의 합사상으로

$$A \cup B = A \cup (A' \cap B)$$

이며 정의 1.1-1의 성질 (c)에 의해 다음과 같다.

$$P(A \cup B) = P(A) + P(A' \cap B) \tag{1.1-1}$$

그러나 다음은 상호배반사상들의 합이다.

$$B = (A \cap B) \cup (A' \cap B)$$

따라서

$$P(B) = P(A \cap B) + P(A' \cap B)$$

그리고

$$P(A' \cap B) = P(B) - P(A \cap B)$$

이 식의 오른쪽을 식 (1.1-1)에 대입하면 다음과 같이 된다.

$$P(A \cup B) = P(A) + P(B) - P(A \cap B)$$

예제 1.1-4 어느 특정 모집단의 남성 중에서 30%가 흡연자, 40%가 비만, 그리고 25%가 흡연자이며 비만이다. 이 모집단에서 한 남자를 임의로 선택하고, 이 사람이 흡연자인 사상을 A 그리고 비만인 사상을 B라 하자. 이때, 다음이 선택된 남자가 흡연자이거나 혹은 비만일 확률이다.

$$\begin{aligned} P(A \cup B) &= P(A) + P(B) - P(A \cap B) \\ &= 0.30 + 0.40 - 0.25 = 0.45 \end{aligned}$$

■

정리 1.1-6 임의의 사상 A, B, C에 대해

$$P(A \cup B \cup C) = P(A) + P(B) + P(C) - P(A \cap B) \\ -P(A \cap C) - P(B \cap C) + P(A \cap B \cap C)$$

증명 [그림 1.1-1(d) 참조]

$A \cup B \cup C = A \cup (B \cup C)$라 놓고 정리 1.1-5를 적용하라. 자세한 것들은 연습문제로 남겨두겠다.

예제 1.1-5 지난해에 TV로 스포츠를 시청하는 사람들에 대해 설문조사가 이루어졌다. $A = \{$축구 시청$\}$, $B = \{$농구 시청$\}$, $C = \{$야구 시청$\}$이라 하자. 조사그룹에서 임의로 한 사람을 선택하면 결과는 다음과 같다. $P(A) = 0.43$, $P(B) = 0.40$, $P(C) = 0.32$, $P(A \cap B) = 0.29$, $P(A \cap C) =0.22$, $P(B \cap C) = 0.20$, $P(A \cap B \cap C) = 0.15$. 따라서 이 사람이 적어도 이 스포츠 중 하나를 본 확률은 다음과 같다.

$$\begin{aligned} P(A \cup B \cup C) &= P(A) + P(B) + P(C) - P(A \cap B) - P(A \cap C) \\ &\quad -P(B \cap C) + P(A \cap B \cap C) \\ &= 0.43 + 0.40 + 0.32 - 0.29 - 0.22 - 0.20 + 0.15 \\ &= 0.59 \end{aligned}$$

■

어떤 확률집합함수가 표본공간 $S = \{e_1, e_2, \ldots, e_m\}$에서 정의되는데, 여기에서 각 e_i는 실험에서 나올 수 있는 가능한 결과이다. 정수 m은 확률실험을 통해서 얻을 수 있는 총 경우의 수이다. 만일 각각의 결과들이 같은 발생확률을 가지면, 이 m개의 결과들은 동일하게 **발생 가능**(equally likely)하다 말한다. 즉, 다음과 같다.

$$P(\{e_i\}) = \frac{1}{m}, \qquad i = 1, 2, \ldots, m$$

만일 어떤 사상 A에 있는 결과들의 수가 h이면, 정수 h는 사상 A에 속한 원소의 수라 한다. 이 경우에 $P(A)$는 사상 A에 속한 원소를 실험이 종료되었을 때 총 가능한 원소의 수로 나눈 값과 같다. 즉, 결과들이 동일하게 발생하는 조건하에서 다음을 얻는다.

$$P(A) = \frac{h}{m} = \frac{\mathcal{N}(A)}{\mathcal{N}(S)}$$

여기서 $h = \mathcal{N}(A)$는 A가 발생한 횟수이고 $m = \mathcal{N}(S)$는 S가 발생한 수이다. 예제 1.1-15에서 이러한 확률배정에 대해 좀 더 이론적으로 접근한다.

사상 A에 확률 h/m를 할당하기 위해서는 각 결과들 $e_1, e_2, \ldots, e_m$이 동일한 확률 $1/m$을 가져야 한다는 가정을 강조해야 한다. 이 가정이 우리 확률모형에서 중요한 부분

이다. 만일 그것이 응용분야에서 현실적이지 않다면, 사상 A의 확률은 이렇게 계산될 수 없다. 사실 우리는 예제 1.1-3에서 표본공간 내 모든 가능한 결과들 $S = \{HH, HT, TH, TT\}$가 동일한 관측 확률을 갖는다고 가정하는 것이 현실적으로 보이기 때문에 이 사실을 이용했다.

예제 1.1-6 52장으로 구성된 한 벌의 카드에서 임의로 1장의 카드를 선택한다. 이때, 표본공간 S는 $m = 52$장의 다른 카드로 구성된 집합이다. 그리고 각각의 카드가 선택될 확률이 1/52로 동일하다고 가정하는 것이 합리적이다. 따라서 만일 사상 A가 킹(13)으로 구성된 집합이라면, 한 벌의 카드에 총 $h = 4$장의 킹이 있기 때문에 $P(A) = 4/52 = 1/13$이다. 즉, 52장의 카드가 각각 뽑힐 확률이 같을 때 킹 카드가 뽑힐 확률이 1/13이다. ■

예제 1.1-6에서는 h와 m을 결정하는 데 어려움이 없기 때문에 계산이 매우 쉽다. 하지만 1장의 카드 대신, 중복 없이 13장의 카드를 임의로 뽑는다고 가정하자. 뽑힌 13장의 카드를 표본공간에서의 하나의 결과로 생각할 수 있어서 이런 각각의 결과들은 동일한 확률을 갖는다고 가정하는 것이 합리적이다. 예를 들어, 스페이드 7개와 하트 6개가 뽑힐 확률을 계산하기 위해 앞의 방법을 이용하면, 13장 카드의 모든 가능한 구성 m뿐만 아니라 방금 얘기한 구성의 경우의 수 h를 셀 수 있어야 한다. 이렇게 복잡한 상황에서는 h와 m을 결정하는 더 좋은 방법이 필요하다. 세는 좋은 방법 중 몇 가지는 1.2절에서 논의한다.

연습문제

1.1-1 한 무리의 부상환자 중에서, 28%는 물리치료사와 척추지압사를 방문하지만 8%는 둘 다 방문하지 않는다. 물리치료사를 방문할 확률이 척추지압사를 방문할 확률보다 16% 더 많다고 한다. 이 무리에서 임의로 뽑힌 한 사람이 물리치료사를 방문할 확률은 얼마인가?

1.1-2 카드 한 벌에서 임의로 카드 1장을 뽑는다. 표본공간 S는 52장 카드 모임이다. 확률집합함수가 각 결과에 확률 P를 할당한다고 가정하고

$A = \{x : x$가 잭, 퀸, 혹은 킹$\}$

$B = \{x : x$가 9, 10, 혹은 잭 그리고 x는 빨간색$\}$

$C = \{x : x$가 클럽$\}$

$D = \{x : x$가 다이아몬드, 하트, 혹은 스페이드$\}$

라 하자. 다음을 계산하라.

(a) $P(A)$, **(b)** $P(A \cap B)$, **(c)** $P(A \cup B)$
(d) $P(C \cup D)$, **(e)** $P(C \cap D)$

1.1-3 공평한 육면체 주사위를 계속 던질 때 3이 먼저 관측되는 시행을 고려하자. 사상 A는 3이 첫 번째 시행에서 관측되는 사상이라 하고, 사상 B는 3을 관측하기 위해 적어도 실험을 두 번 시행하는 사상이라 하자. 각 면이 나오는 확률이 1/6이라 가정할 때 다음을 계산하라.

(a) $P(A)$, **(b)** $P(B)$, **(c)** $P(A \cup B)$

1.1-4 $P(A \cup B) = 0.76$이고 $P(A \cup B') = 0.87$일 때 $P(A)$를 계산하라.

1.1-5 공평한 육면체 주사위를 3번 던지는 실험에서 $A_1 = \{$첫 번째 시행에 1 혹은 2$\}$, $A_2 = \{$두 번째 시행에 3 혹은 4$\}$, $A_3 = \{$세 번째 시행에 5 혹은 6$\}$이라 하자. $P(A_i) = 1/3(i = 1, 2, 3)$, $P(A_i \cap A_j)$ $(1/3)^2(i \neq j)$ 그리고 $P(A_1 \cap A_2 \cap A_3) = (1/3)^3$이 주어졌을 때, 다음을 계산하라.

(a) 정리 1.1-6을 이용해 $P(A_1 \cup A_2 \cup A_3)$을 계산하라.

(b) $P(A_1 \cup A_2 \cup A_3) = 1 - (1 - 1/3)^3$을 계산하라.

1.1-6 카지노에서 사용되는 보통의 룰렛바퀴에는 1, 2, ⋯, 36, 0, 00으로 구성된 총 38개 슬롯이 있다. 0과 00 슬롯은 초록색이고, 나머지는 검은색과 빨간색 반반이다. 또한 1부터 36까지 정수 중에서 반은 홀수, 반은 짝수, 그리고 0과 00은 홀수도 짝수도 아니다. 공이 바퀴를 돌다가 슬롯 중 하나에서 멈춘다. 각 슬롯이 1/38로 동일한 확률을 갖는다고 가정하고, 이 공이 어느 슬롯에서 멈출지에 관심이 있다.

(a) 표본공간 S를 정의하라.

(b) $A = \{0, 00\}$일 때 $P(A)$를 계산하라.

(c) $B = \{14, 15, 17, 18\}$일 때 $P(B)$를 계산하라.

(d) $D = x : x$는 $\{$홀수$\}$일 때 $P(D)$를 계산하라.

1.1-7 직선 위의 한 점을 임의로 선택해 직선을 두 부분으로 나누기로 한다. 긴 조각이 작은 조각보다 최소 2배 이상 길 사상의 확률을 계산하라.

1.1-8 사상들 $A_1, A_2, \ldots, A_m$이 상호배반이고 포괄적이며, $S = A_1 \cup A_2 \cup \cdots \cup A_m$이다.

(a) 만일 $P(A_1) = P(A_2) = \cdots = P(A_m)$이면 $P(A_i) = 1/m, i = 1, 2, \ldots, m$임을 밝혀라.

(b) 만일 $h < m$에 대해, $A = A_1 \cup A_2 \cup \cdots \cup A_h$이고 (a)가 성립할 때 $P(A) = h/m$임을 밝혀라.

1.2 경우의 수

이 절에서 우리는 어떤 확률실험의 사상과 관련 있는 결과의 경우의 수를 결정하는 데 유용한 방법을 공부한다. 곱의 원리부터 시작하자.

곱의 원리(multiplication principle): 확률실험 E_1이 n_1개의 결과를 그리고 각각의 가능한 결과에 대해 실험 E_2가 n_2개의 가능한 결과를 가진다고 하자. 이때, E_1과 E_2로 구성된 복합실험 E_1E_2는 n_1n_2개의 가능한 결과를 갖는다.

예제 1.2-1 암컷(F)과 수컷(M) 쥐가 한 마리씩 있는 우리로부터 쥐를 한 마리 선택하는 실험을 E_1이라 하자. 선택된 쥐에게 약 A(A), 약 B(B), 혹은 위약(P) 중 하나를 투여하는 실험을 E_2라 하자. 이때 복합실험의 결과는 (F, P)와 같이 순서쌍으로 표현된다. 사실 모든 가능한 결과들의 집합, 즉 총 (2)(3) = 6가지는 아래와 같이 나타낼 수 있다.

$$(F, A)\ (F, B)\ (F, P)$$
$$(M, A)\ (M, B)\ (M, P)$$

곱의 원리를 설명하는 다른 방법은 그림 1.2-1에서처럼 나무 그림을 이용하는 것이다. 쥐의 성별에 대해 $n_1 = 2$가지 가능성이 있고, 각 결과에 대해 $n_2 = 3$가지 약이 투약 가

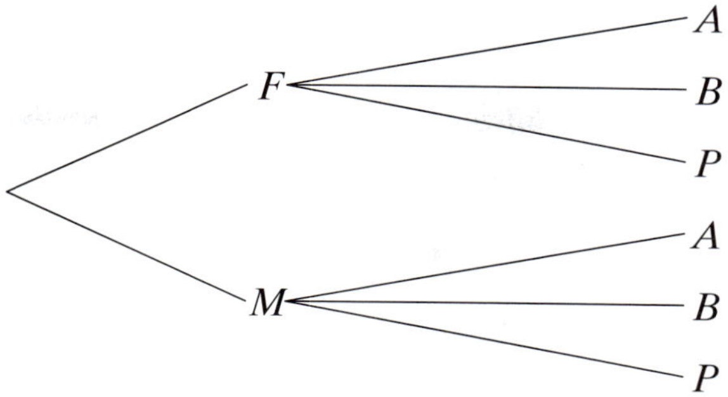

그림 1.2-1 나무 그림

능하다는 것을 이 그림이 잘 보여준다.

명백히, 곱의 원리는 3개 이상 연속된 실험에도 확장될 수 있다. 각 실험 E_i가 n_i $(i = 1, 2, \ldots, m)$개의 가능한 결과를 가질 때, 실험 E_1을 수행 후에 E_2를, 그리고 마지막으로 E_m을 수행하는 복합실험 $E_1E_2 \cdots E_m$은 $n_1n_2 \cdots n_m$가지 가능한 결과를 갖는다.

예제 1.2-2 어느 카페에서는 여러분이 원하는 대로 샌드위치를 주문할 수 있다. E_1: 여섯 종류의 빵, E_2: 네 종류의 고기, E_3: 네 종류의 치즈, E_4: 12가지 다른 고명. 가능한 서로 다른 종류의 샌드위치 수는, 만일 여러분이 빵을 하나 고르고, 고기를 선택하거나 혹은 선택하지 않은 경우, 치즈를 선택하거나 혹은 선택하지 않은 경우, 그리고 고명을 선택하지 않은 경우부터 최대 12개까지 고명을 선택하는 경우, 곱의 원리에 의해, 각 고명을 선택하거나 혹은 그렇지 않은 경우로 생각해보면 $(6)(5)(5)(2^{12}) = 614{,}400$가지 다른 샌드위치 조합이 가능하다. ■

비록 곱의 원리가 상당히 단순해서 이해하기 쉽지만, 다양한 경우의 수를 계산할 때 매우 유용하다.

n개의 자리에 n개 다른 물체가 놓인다고 하자. 첫 번째 자리에는 n개가 모두 놓일 수 있고, 두 번째 자리에는 $n - 1$개, $\ldots$, 그리고 마지막 자리에는 1개만 가능하다. 따라서 곱의 원리에 의해 $n(n-1)\cdots(2)(1) = n!$ 가지 가능한 배열이 존재한다.

$n!$ 기호는 'n 팩토리얼'로 읽는다. $0! = 1$로 정의하는데, 즉 0개 자리는 0개 물체로 채워지는 한 가지뿐이다.

정의 1.2-1

n개의 서로 다른 개체에 대한 $n!$가지의 배열 각각을 n개 개체의 **순열**(permutation)이라고 한다.

예제 1.2-3 4개의 문자 a, b, c, d를 순서대로 나열하는 경우의 수는 $4! = 24$이다. 하지만 위의 4개 문자를 사용하되 반복이 허용되면 가능한 네 자리 문자 코드는 $4^4 = 256$인데, 이유는 각 문자가 4번 반복이 가능하기 때문이다. ■

만약 r개 $(r \le n)$자리를 서로 다른 n개의 물체에서 r개를 골라 채운다면, 가능한 순서 배열의 수는 다음과 같다.

$$_nP_r = n(n-1)(n-2)\cdots(n-r+1)$$

즉, 첫 번째 자리에는 n개가 모두 놓일 수 있고, 두 번째는 $(n-1)$개, 그리고 r번째 자리는 $[n-(r-1)] = (n-r+1)$개가 놓일 수 있다. 팩토리얼을 이용하면 다음과 같다.

$$_nP_r = \frac{n(n-1)\cdots(n-r+1)(n-r)\cdots(3)(2)(1)}{(n-r)\cdots(3)(2)(1)} = \frac{n!}{(n-r)!}$$

정의 1.2-2

$_nP_r$의 배열 각각을 **n개의 개체 중 r개를 선택해 배열한 순열**(permutation of n objects taken r at a time)이라고 한다.

예제 1.2-4 26개 영어 알파벳에서 가능한 네 자리 문자 코드의 수는 다음과 같다.

$$_{26}P_4 = (26)(25)(24)(23) = \frac{26!}{22!} = 358{,}800$$ ■

예제 1.2-5 10명으로 구성된 어떤 클럽에서 회장, 부회장, 간사, 그리고 총무를 뽑는 방법의 수는 다음과 같다.

$$_{10}P_4 = 10 \cdot 9 \cdot 8 \cdot 7 = \frac{10!}{6!} = 5{,}040$$ ■

n개 개체를 포함한 집합이 있을 때, 여기에서 r개 개체를 선택하는 문제를 고려하자. 개체들이 뽑히는 순서가 중요할 수도 그렇지 않을 수도 있다. 게다가 선택된 개체를 다음 개체를 뽑기 전에 복원하는 것도 가능하다. 따라서 몇 가지 정의를 제시하고 가능한 경우의 수를 계산하는 데 곱의 원리가 어떻게 사용되는지 알아보자.

정의 1.2-3

n개의 개체를 포함하고 있는 집합으로부터 순서를 고려하여 r개의 개체를 추출할 때, 선택된 r개의 개체 집합을 **크기 r인 순서표본**(ordered sample of size r)이라고 한다.

정의 1.2-4
개체를 추출할 때 다음번 개체가 추출되기 전에 추출한 개체를 다시 돌려놓으며 추출하는 방법을 **복원추출**(sampling with replacement)이라고 한다.

곱의 원리에 의해, n개 개체를 포함한 집합에서 크기 r의 순서표본의 수는 복원추출이 가능할 때 n^r가지이다.

예제 1.2-6 정육면체 주사위를 7번 던지는 실험에서 가능한 순서표본의 수는 $6^7 = 279{,}936$이다. 주사위 던지는 실험은 집합 $\{1, 2, 3, 4, 5, 6\}$에서 복원추출하는 것과 같다. ■

예제 1.2-7 항아리에 $0, 1, \ldots, 9$의 번호가 적힌 10개의 공이 들어 있다. 만일 4개의 공을 한 번에 하나씩 복원추출하면, 가능한 순서표본의 수는 $10^4 = 10{,}000$이다. 이는 0000과 9999 사이의 네 자리 정수이다. ■

정의 1.2-5
일단 추출된 개체를 다시 돌려놓지 않으며 추출하는 방법을 **비복원추출**(sampling without replacemenet)이라고 한다.

곱의 원리에 의해, n개 개체를 포함한 집합에서 비복원추출에 의한 크기 r의 순서표본의 수는 다음과 같다.

$$n(n-1)\cdots(n-r+1) = \frac{n!}{(n-r)!}$$

이는 n개 개체에서 한꺼번에 r개를 뽑는 순열의 수 ${}_nP_r$과 같다.

예제 1.2-8 52장 한 벌의 카드로부터 비복원추출에 의해 5장의 카드를 뽑을 때, 가능한 순서표본의 수는 다음과 같다.

$$(52)(51)(50)(49)(48) = \frac{52!}{47!} = 311{,}875{,}200$$ ■

참고 비복원추출할 때는 반드시 $r \le n$이지만 복원추출할 때는 r이 n보다 클 수 있다.

종종 추출 순서는 중요하지 않고 추출된 r개 개체에만 관심이 있다. 즉, n개의 서로 다른 개체들로 구성된 집합에서 크기 r인 가능한 부분집합의 수에 관심이 있다. 크기 r인 (비순서) 부분집합의 수를 계산하기 위해, 우리는 먼저 n개의 서로 구별되는 개체들로부터 크기 r인 순서표본의 수를 두 가지 다른 방법으로 계산한다. 그다음 두 답을 같다고 놓으면, 우리는 크기 r인 (비순서) 표본의 수를 계산할 수 있다.

n개의 서로 다른 개체들로부터 추출된 크기 r인 (비순서) 부분집합의 수를 C라 하자. r개의 개체들로 이루어진 C개의 비순서 부분집합 중 먼저 하나를 고른 다음 r개 개체들의 순서를 지정함으로써 ${}_nP_r$ 순서표본들을 얻을 수 있다. 순서 지정이 $r!$만큼 가능하므로, 곱의 원리에 의해 $(C)(r!)$ 순서표본이 가능하다. 그래서 $(C)(r!) = {}_nP_r$이다. 따라서

$$(C)(r!) = \frac{n!}{(n-r)!}$$

혹은

$$C = \frac{n!}{r!\,(n-r)!}$$

우리는 이 답을 ${}_nC_r$ 혹은 $\binom{n}{r}$로 표시한다. 즉

$${}_nC_r = \binom{n}{r} = \frac{n!}{r!\,(n-r)!}$$

따라서 n개의 다른 개체들로 이루어진 집합은 다음과 같은 크기 $r(r \le n)$인 비순서 부분집합을 갖는다.

$$\binom{n}{r} = \frac{n!}{r!\,(n-r)!}$$

추출순서가 의미 없을 때 n개 개체들로부터 비복원으로 r개의 개체를 추출하는 경우의 수는 $\binom{n}{r} = {}_nC_r$이고, 뒤에 나온 식은 'n choose r'을 의미한다.

정의 1.2-6

${}_nC_r$개의 비순서 부분집합 각각을 **n개의 개체 중 r개를 선택하는 조합**(combination of n objects taken r at a time)이라 한다. 여기서

$${}_nC_r = \binom{n}{r} = \frac{n!}{r!\,(n-r)!}$$

예제 1.2-9 52장의 카드 한 벌로부터 한 번에 5장의 카드를 뽑는 경우의 수는 다음과 같다.

$$_{52}C_5 = \binom{52}{5} = \frac{52!}{5!\,47!} = 2{,}598{,}960$$ ■

예제 1.2-10 52장의 카드 한 벌로부터 한 번에 13장의 카드를 뽑는 경우의 수는 다음과 같다.

$$_{52}C_{13} = \binom{52}{13} = \frac{52!}{13!\,39!} = 635{,}013{,}559{,}600$$ ■

$\binom{n}{r}$은 이항전개에서 등장하기 때문에 종종 **이항계수**(binomial coefficient)로 불린다. 이항전개 식이 이를 설명해준다.

$$(a+b)^n = \sum_{r=0}^{n} \binom{n}{r} b^r a^{n-r} \tag{1.2-1}$$

$(a+b)^n = (a+b)(a+b)\cdots(a+b)$의 우측 전개식에서 각 항들은 n개의 $(a + b)$인자에서 a 혹은 b 둘 중 하나를 선택한다. 따라서 $b^r a^{n-r}$이 가능한데 이는 r개의 인자에서 b가 그리고 $n - r$개 인자에서 a가 뽑힐 때 가능하다. 하지만 이렇게 선택하는 방법이 $\binom{n}{r}$ 가지이므로, 이 값이 식 (1.2-1)처럼 $b^r a^{n-r}$의 계수가 된다.

몇 가지 n과 r값에 대한 이항계수들이 부록 B의 표 1에 나와 있다. n과 r의 어떤 조합에서 표는 다음과 같은 사실을 이용한다.

$$\binom{n}{r} = \frac{n!}{r!\,(n-r)!} = \frac{n!}{(n-r)!\,r!} = \binom{n}{n-r}$$

즉, n개의 개체에서 r개를 추출하는 경우의 수와 $n - r$개를 추출하는 경우의 수가 같다.

예제 1.2-11 52장의 카드 한 벌로부터 5장의 카드 한 패를 뽑는 $\binom{52}{5} = 2{,}598{,}960$가지 경우가 있는데, 각각이 동일한 확률로 뽑힌다고 가정하자. 카드 5장이 모두 스페이드인 경우(사상 A)의 수는 다음과 같다.

$$N(A) = \binom{13}{5}\binom{39}{0}$$

이는 13장의 스페이드에서 5장을 뽑는 경우 $\binom{13}{5}$, 그다음 다른 39장에서 스페이드가 0개 뽑힌 경우 $\binom{39}{0} = 1$이기 때문이다.

$$\binom{13}{5} = \frac{13!}{5!8!} = 1{,}287$$

따라서 5장 모두 스페이드일 확률은 다음과 같다.

$$P(A) = \frac{N(A)}{N(S)} = \frac{1{,}287}{2{,}598{,}960} = 0.000495$$

사상 B는 킹이 3장 그리고 퀸이 2장이라고 하자. 킹 3장을 뽑는 방법은 $\binom{4}{3}$가지이고 퀸 2장을 뽑는 방법은 $\binom{4}{2}$가지이다. 곱의 원리에 의해 사상 B의 경우의 수는

$$N(B) = \binom{4}{3}\binom{4}{2}\binom{44}{0}$$

이고, 여기에서 $\binom{44}{0}$은 44장의 카드에서 킹이나 퀸을 0개 뽑는 경우의 수이고 이는 당연히 1이다. 따라서

$$P(B) = \frac{N(B)}{N(S)} = \frac{\binom{4}{3}\binom{4}{2}\binom{44}{0}}{\binom{52}{5}} = \frac{24}{2{,}598{,}960} = 0.0000092$$

마지막으로 사상 C는 킹이 2장, 퀸이 2장, 잭이 1장이라고 하자. 이때

$$P(C) = \frac{N(C)}{N(S)} = \frac{\binom{4}{2}\binom{4}{2}\binom{4}{1}\binom{40}{0}}{\binom{52}{5}} = \frac{144}{2{,}598{,}960} = 0.000055$$ ■

이제 두 종류의 개체들이 n개 섞여 있는 집합을 고려하자—한 종류 r개 그리고 다른 종류 $n-r$개. n개의 서로 다른 개체들의 순열은 $n!$가지이지만 이 경우에는 개체들이 모두 구별되는 것은 아니다. 구별되는 배열의 수를 계산하기 위해, 먼저 n개 자리 중 첫 번째 종류의 개체들을 위한 자리 r개를 고르는데, 방법은 $\binom{n}{r}$가지 존재한다. 그다음 남은 자리를 다른 종류의 개체들로 채운다. 따라서 구별되는 배열의 수는 다음과 같다.

$$_nC_r = \binom{n}{r} = \frac{n!}{r!\,(n-r)!}$$

정의 1.2-7

n개의 개체 중 r개는 한 종류이고 나머지 $n - r$개는 다른 한 종류인 n개 개체의 ${}_nC_r$가지 순열들의 각각을 **구별 가능한 순열**(distinguishable permutation)이라고 한다.

예제 1.2-12 동전을 10회 던져 앞면과 뒷면의 연속된 결과들이 관측된다. 앞면이 4회 그리고 뒷면이 6회가 되는 가능한 결과들의 수는 다음과 같다.

$$\binom{10}{4} = \frac{10!}{4!\,6!} = \frac{10!}{6!\,4!} = \binom{10}{6} = 210$$

■

예제 1.2-13 붉은 등 도롱뇽(Plethodon cinereus)은 북미 북동 산림에서 가장 흔한 도롱뇽 종이고 3가지 알려진 색 변이가 존재한다—붉은색 등, 회백색 등, 그리고 적우증(검은 반점이 있는 붉은색). 포식자에 의해 발견되어 포획되는 것을 피하는 그들의 능력에 있어 색 변이들 간에 차이가 있는지에 대한 연구에서, 붉은색 4마리와 회백색 5마리가 통제되는 산림 환경에 놓여졌다. 포식자에 의해 잡힌(그리고 먹힌) 순서가 기록된다. 한 가지 색 도롱뇽만을 고려하면, 그들이 잡히는 가능한 순서는

$$\binom{9}{4} = \frac{9!}{5!4!} = 126$$

가지다.

■

앞의 결과가 확장될 수 있다. n개 개체들로 구성된 집합에서 n_1개가 유사하고, n_2개가 유사하고, $\ldots$, n_s개가 유사하다고 가정하자. 여기에서 $n_1+n_2+\cdots+n_s = n$이다. 이때 n개 개체들의 서로 구별되는 순열의 수는 다음과 같다(연습문제 1.2-8 참조).

$$\binom{n}{n_1, n_2, \ldots, n_s} = \frac{n!}{n_1!\,n_2!\,\cdots\,n_s!} \tag{1.2-2}$$

예제 1.2-14 통제되는 산림 환경에 8마리 붉은 등 도롱뇽, 즉 붉은색 3마리, 회백색 3마리, 그리고 적우증이 있는 2마리가 놓여졌다. 이 도롱뇽들이 포식자에 잡히는 순서에 대한 가능한 경우의 수는 다음과 같다.

$$\binom{8}{3, 3, 2} = \frac{8!}{3!\,3!\,2!} = 560$$

■

$(a + b)^n$의 전개식에서 이항계수를 정할 때 사용된 논리가 $(a_1+a_2+\cdots+a_s)^n$의 전개로 확장될 수 있다. $n_1+n_2+\cdots+n_s = n$일 때, $a_1^{n_1}a_2^{n_2}\cdots a_s^{n_s}$의 계수는

$$\binom{n}{n_1, n_2, \ldots, n_s} = \frac{n!}{n_1!\, n_2! \cdots n_s!}$$

이고, 이는 종종 **다항계수**(multinomial coefficient)라 불린다.

n개의 개체에서 r개를 추출할 때, 우리는 종종 가능한 경우의 수에 관심이 있다. 순서표본인 경우, 복원추출인 경우 n^r가지 그리고 비복원추출인 경우 ${}_nP_r$가지 가능하다. 비순서표본인 경우, 비복원추출 시 ${}_nC_r$가지 가능하다. 실험이 공정하게 수행된다면, 각 선행 결과들의 발생 가능성이 동일하다.

참고 확률을 공부할 때 자주 필요한 것은 아니지만, n개의 개체에서 순서가 무관하고 복원추출 시 크기 r인 가능한 표본의 수를 계산하는 것은 흥미롭다. 예를 들어, 정육면체 주사위를 10회 던지면 얼마나 많은 비순서 결과들을 얻을 것인가? 가능한 경우의 수를 계산하기 위해, 선택된 r개 개체를 위해 r개 0 리스트를 고려하자. 다음 r개 개체를 n개 집합으로 나누기 위해 $(n-1)$개 | 표시를 삽입한다. 첫 번째 집합은 첫 번째 종류의 개체 등. 그래서 만일 주사위 예제에서 $n = 6$이고 $r = 10$이면, 가능한 한 가지 결과는

$$0\,0\,|\,|\,0\,0\,0\,|\,0\,|\,0\,0\,0\,|\,0$$

인데, 이것은 1이 2회, 2는 0회, 3은 3회, 4는 1회, 5는 3회, 그리고 6은 1회 관측됨을 의미한다. 일반적으로, 각 결과는 r개 0과 $(n-1)$개 | 표시의 순열이다. 구별되는 각 순열은 하나의 비순서표본과 같다. 그래서 복원추출에 의해 n개 개체로부터 추출되는 크기 r의 비순서표본의 수는 다음과 같다.

$${}_{n-1+r}C_r = \frac{(n-1+r)!}{r!\,(n-1)!}$$

주사위 예제에서 이는 $15!/(10!\,5!) = 3{,}003$이다.

연습문제

1.2-1 피트니스 센터에 번호키 자물쇠가 있다. 비밀번호는 세 자리 숫자 $d_1 d_2 d_3$이고, d_i, $i = 1, 2, 3$은 $0, 1, 2, 3, \ldots, 9$ 중 하나이다. 얼마나 많은 비밀번호 조합이 가능한가?

1.2-2 미국의 어느 주에서 다음과 같은 규칙을 사용하면, 얼마나 많은 서로 다른 자동차 번호판이 가능한가?

(a) 처음 2개 알파벳 그리고 4자리 정수(숫자는 0으로 시작 가능하고 문자와 숫자는 모두 중복 가능)

(b) 처음 3개 알파벳 그리고 3자리 정수

1.2-3 IOWA에 있는 알파벳을 이용해 만들 수 있는 네 자리 비밀번호의 수는 몇 가지인가?

(a) 만약 중복이 허용되지 않으면?

(b) 만약 중복이 허용되면?

1.2-4 0~9까지의 숫자 중에서 한 번에 하나씩 임의로 뽑는데 중복이 허용되는 복권이 있다. 여러분이 뽑은 네 숫자의 임의의 순열이 당첨번호와 같으면 당첨된다. 여러분이 다음과 같은 숫자를 선택했을 때 당첨될 확률을 구하라.

(a) 6, 7, 8, 9

(b) 6, 7, 8, 8

(c) 7, 7, 8, 8

(d) 7, 8, 8, 8

1.2-5 미국 메이저리그 야구 결승전은 아메리칸 리그(American League) 우승팀과 내셔널 리그(National League) 우승팀 간의 7전 4선승제이다. 만일 결승전 경기 수가 다음과 같을 때, 얼마나 많은 다른 결론이 가능한가? (예를 들어, ANNAAA는 아메리칸 리그 팀이 6경기 만에 우승함을 의미한다.)

(a) 4게임

(b) 5게임

(c) 6게임

(d) 7게임

1.2-6 3명의 학생(S)과 6명의 교수(F)가 새로운 학교 방침에 대해 토론을 한다.

(a) 방청석 앞에 놓인 테이블에 9명의 토론 참여자들이 나란히 앉는 방법의 수는 몇 가지인가?

(b) 학생(S)과 교수(F)로만 구별한다면 나란히 앉는 방법의 수는 몇 가지인가?

(c) 새로운 정책에 대한 참여자의 의견을 듣고 여러분이 9명의 참여자 각각에 대해 Good 혹은 Poor로 평가하기로 되어 있다. 즉, 각 참여자에게 G 혹은 P 성적을 매긴다. 얼마나 많은 다른 성적표가 가능한가?

1.2-7 52장의 카드 한 벌로부터 임의로 13장을 비복원으로 추출한다. 다음과 같은 13장이 뽑힐 확률을 구하라.

(a) 스페이드 5장, 하트 4장, 다이아몬드 3장, 클럽 1장

(b) 스페이드 5장, 하트 4장, 다이아몬드 2장, 클럽 2장

(c) 스페이드 5장, 하트 4장, 다이아몬드 1장, 클럽 3장

(d) 한 무늬에서 5장, 다른 무늬에서 4장을 뽑는다고 하자. 이때 나머지 두 무늬가 3:1일 확률이 2:2일 확률보다 큰가?

1.2-8 식 (1.2-2)를 증명하라.

힌트: 처음 n_1개를 뽑는 방법은 $\binom{n}{n_1}$가지, 다음으로 남은 $n - n_1$개에서 n_2개를 뽑는 방법은 $\binom{n-n_1}{n_2}$가지이다. 마지막으로 곱의 원리를 사용하라.

1.2-9 52장의 카드 한 벌로부터 비복원으로 5장을 뽑는다. 다음과 같이 뽑힐 확률을 구하라.

(a) 포카드(4장은 같은 숫자 그리고 1장은 다른 숫자)

(b) 풀하우스(2장이 같은 숫자 그리고 나머지 3장도 같은 숫자)

(c) 쓰리카드(3장이 같은 숫자 그리고 나머지는 각각 다른 숫자)

(d) 투 페어(2장이 같은 숫자가 2쌍 그리고 1장은 다른 숫자)

(e) 원 페어(2장이 같은 숫자 그리고 나머지 3장은 각각 다른 숫자)

1.3 조건부 확률

예제를 통해 조건부 확률의 개념을 소개한다.

예제 1.3-1 외관상 비슷한 튤립 구근 20개가 있는데, 표 1.3-1에 정리된 것처럼, 이 중 8개는 일찍 개화하고, 12개는 늦게 개화한다. 그리고 13개는 빨간색, 7개는 노란색이라고 한다. 만약 하나를 임의로 선택했을 때, 뽑힐 확률이 모두 동일하다면, 이것이 빨간(R) 튤립일

표 1.3-1 튤립 조합

	이른 개화(E)	늦은 개화(L)	합계
빨간색(R)	5	8	13
노란색(Y)	3	4	7
합계	8	12	20

확률은 $P(R) = 13/20$이다. 그러나 자세한 조사를 통해 꽃이 일찍(E) 혹은 늦게(L) 개화할지 알 수 있다고 하자. 만약 일찍 개화하는 튤립만을 고려한다면, 표본공간에서 단지 8개에만 관심이 있다. 따라서 이러한 제한하에서 사상 R의 확률은 5/8가 자연스럽다. 즉, $P(R|E) = 5/8$. 여기에서 $P(R|E)$는 사상 E가 발생했을 때 사상 R의 확률이라 한다.

$$P(R \mid E) = \frac{5}{8} = \frac{N(R \cap E)}{N(E)} = \frac{N(R \cap E)/20}{N(E)/20} = \frac{P(R \cap E)}{P(E)}$$

여기에서 $N(R \cap E)$와 $N(E)$는 각각 사상 $R \cap E$와 E에 해당하는 수이다. ■

이 예제는 많은 공통 상황에 대한 예시가 된다. 즉, 어떤 목적을 위해 우리는 표본공간 S의 부분집합인 B에 해당하는 실험 결과들에만 관심이 있다. 이것은 그러한 목적에 맞는 표본공간이 사실상 B임을 의미한다. 이제 우리는 새로운 표본공간인 B와 함께 확률 집합함수를 정의하는 문제에 직면하게 된다. 즉, 주어진 사상 A에 대해, 사상 B에 속하는 확률실험 결과들만을 고려해 사상 A의 확률 $P(A|B)$를 정의하고자 한다. 앞 예제가 이런 정의에 대한 실마리를 제공한다. 즉, 각 결과들이 동일하게 발생하는 실험에서, $P(A|B)$를

$$P(A \mid B) = \frac{N(A \cap B)}{N(B)}$$

으로 정의하는 것이 의미가 있고 여기에서 $N(A \cap B)$와 $N(B)$는 각각 $A \cap B$와 B에 속한 결과들의 수이다. 만약 분자와 분모를 표본공간의 수 $N(S)$로 나누면

$$P(A \mid B) = \frac{N(A \cap B)/N(S)}{N(B)/N(S)} = \frac{P(A \cap B)}{P(B)}$$

이 된다. 따라서 다음과 같은 정의에 이르게 된다.

정의 1.3-1

$P(B) > 0$일 때 사상 B가 발생했다는 조건하에 사상 A가 일어날 **조건부 확률**(conditional probability)은 다음과 같다.

$$P(A \mid B) = \frac{P(A \cap B)}{P(B)}$$

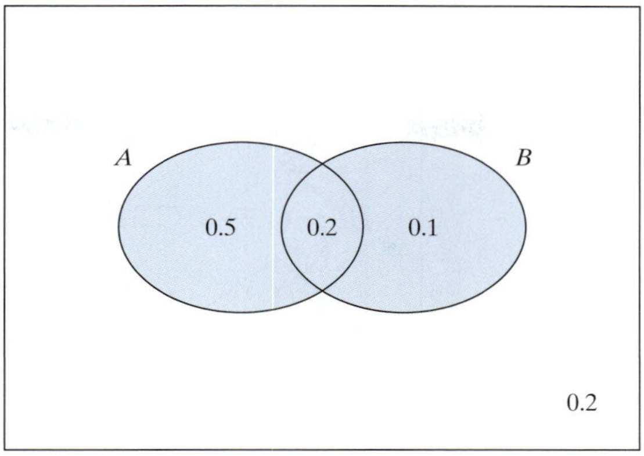

그림 1.3-1 조건부 확률

이 정의는 다음 예제에서 공식적으로 사용된다.

예제 1.3-2 만일 $P(A) = 0.4$, $P(B) = 0.5$, $P(A \cap B) = 0.3$이면 $P(A|B) = 0.3/0.5 = 0.6$, $P(B|A) = P(A \cap B)/P(A) = 0.3/0.4 = 0.75$이다. ■

우리는 '주어진 조건' B를 $P(A|B)$를 정의하기 위한 새로운 표본공간으로 생각할 수 있는데, 사상 A에서 B에 포함되는 부분의 확률을 계산하고자 한다. 다음 두 예제가 이런 아이디어를 설명해준다.

예제 1.3-3 $P(A) = 0.7$, $P(B) = 0.3$, $P(A \cap B) = 0.2$라고 가정하자. 이 확률들은 그림 1.3-1 벤 다이어그램에 나타나 있다. 실험의 결과가 B에 속한다고 알려졌을 때, A의 확률은 얼마인가? 우리는 사실상 표본공간을 B로 제한하고 있다. 확률 $P(B) = 0.3$ 중에서, 0.2는 $P(A \cap B)$에 대응되므로 A에 대응된다. 즉, B의 확률 중 $0.2/0.3 = 2/3$가 A에 대응된다. 물론 공식적인 정의에 의해 다음을 얻는다.

$$P(A \mid B) = \frac{P(A \cap B)}{P(B)} = \frac{0.2}{0.3} = \frac{2}{3}$$ ■

예제 1.3-4 2개의 공평한 정사면체 주사위를 던져서 눈의 합을 계산한다. 합이 3인 사상을 A라 하고, 합이 3 혹은 5인 사상을 B라 하자. 합이 3 혹은 5가 나왔을 때, 합이 3일 조건부 확률은 다음과 같다.

$$P(A \mid B) = \frac{P(A \cap B)}{P(B)} = \frac{P(A)}{P(B)} = \frac{2/16}{6/16} = \frac{1}{3}$$

이 예제에서, 합이 3 혹은 5인 경우에만 관심이 있고, 발생확률이 동일한 6가지 중에서,

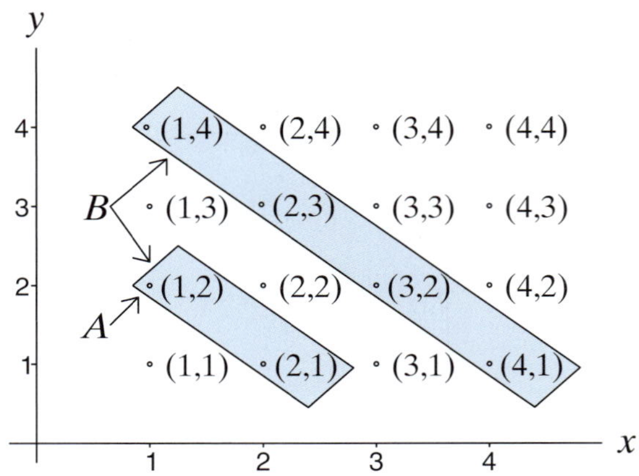

그림 1.3-2 주사위 예제

합이 3인 경우는 2가지다(그림 1.3-2와 연습문제 1.3-7 참조). ■

조건부 확률이 확률함수에 대한 성질을 만족한다. 즉, $P(B) > 0$일 때 다음과 같다.

(a) $P(A \mid B) \geq 0$

(b) $P(B \mid B) = 1$

(c) 만일 $A_1, A_2, A_3, \ldots$이 상호배반사상들이면, 양의 정수 k에 대해

$$P(A_1 \cup A_2 \cup \cdots \cup A_k \mid B) = P(A_1 \mid B) + P(A_2 \mid B) + \cdots + P(A_k \mid B),$$

그리고 사상의 수가 무한히 셀 수 있는 경우에 대해

$$P(A_1 \cup A_2 \cup \cdots \mid B) = P(A_1 \mid B) + P(A_2 \mid B) + \cdots$$

$P(A \cap B) \geq 0$, 그리고 $P(B) > 0$이기 때문에 성질 (a)는 자명하다.

$$P(A \mid B) = \frac{P(A \cap B)}{P(B)} \geq 0$$

성질 (b)도 다음과 같은 이유로 성립한다.

$$P(B \mid B) = \frac{P(B \cap B)}{P(B)} = \frac{P(B)}{P(B)} = 1$$

(c)의 두 번째 부분에서

$$\begin{aligned} P(A_1 \cup A_2 \cup \cdots \mid B) &= \frac{P[(A_1 \cup A_2 \cup \cdots) \cap B]}{P(B)} \\ &= \frac{P[(A_1 \cap B) \cup (A_2 \cap B) \cup \cdots]}{P(B)} \end{aligned}$$

이므로 성질 (c)도 성립한다. 그러나 $(A_1 \cap B), (A_2 \cap B), \ldots$가 또한 상호배반사상이다. 따라서 다음과 같다.

$$\begin{aligned} P(A_1 \cup A_2 \cup \cdots \mid B) &= \frac{P(A_1 \cap B) + P(A_2 \cap B) + \cdots}{P(B)} \\ &= \frac{P(A_1 \cap B)}{P(B)} + \frac{P(A_2 \cap B)}{P(B)} + \cdots \\ &= P(A_1 \mid B) + P(A_2 \mid B) + \cdots \end{aligned}$$

성질 (c)의 첫 번째 부분도 유사하게 증명된다.

정리 1.2-1부터 1.2-6까지 모두 조건부 확률에 대해서도 성립한다. 예를 들어, 다음은 사실이다.

$$P(A' \mid B) = 1 - P(A \mid B)$$

많은 경우, 실험의 본질 때문에 사상의 조건부 확률이 분명하다. 다음 예제가 이를 보여준다.

예제 1.3-5 어느 축제에서 보드에 풍선이 25개가 있는데 이 중 10개는 노란색, 8개는 빨간색, 7개는 초록색인 게임이 있다. 참가자는 상품을 타기 위해 풍선을 향해 다트를 던져서 그중 하나를 임의로 맞춘다. 첫 번째로 맞춘 풍선이 노란색일 때, 다음에도 노란색 풍선이 맞을 확률은 얼마인가? 남아 있는 24개 풍선 중에서 9개가 노란색이므로 이 조건부 확률로 적당한 값은 9/24이다. ■

예제 1.3-5에서, 첫 번째로 노란색 풍선이 맞는 사상을 A, 그리고 두 번째도 노란색인 사상을 B라 하자. 첫 번째, 두 번째 모두 노란색 풍선이 맞을 확률에 관심이 있다고 하자. 즉, 우리는 $P(A \cap B)$에 관심이 있다. 이 예제에서

$$P(B \mid A) = \frac{P(A \cap B)}{P(A)} = \frac{9}{24}$$

따라서 $P(A)$를 곱하면 다음과 같다.

$$P(A \cap B) = P(A)P(B \mid A) = \left(\frac{10}{25}\right)\left(\frac{9}{24}\right) = \frac{3}{20} \tag{1.3-1}$$

식 (1.3-1)은 우리가 $P(A)$와 조건부 확률 $P(B|A)$를 알 때, 두 사상 A와 B의 교집합 확률을 계산하는 일반적인 규칙을 제공한다.

정의 1.3-2

2개의 사상 A와 B가 모두 일어날 확률인 $P(A \cap B)$는 **곱의 법칙**(multiplication rule)에 의해 다음과 같이 정해진다.

$P(A) > 0$이라면

$$P(A \cap B) = P(A)P(B \mid A)$$

혹은 $P(B) > 0$이라면

$$P(A \cap B) = P(B)P(A \mid B)$$

종종, 확률실험의 특성을 고려했을 때, $P(A \cap B)$보다 $P(B)$와 $P(A \mid B)$ 계산이 더 쉽다는 합리적인 가정을 할 수 있다. 이때 $P(A \cap B)$는 이 값들을 가지고 계산할 수 있다. 이 방법이 예제 1.3-6과 1.3-7에 예시로 사용된다.

예제 1.3-6 그릇에 파란 칩 7개와 빨간 칩 3개가 있다. 여기에서 임의로 2개의 칩을 비복원으로 뽑는다. 첫 번째 칩이 빨간색(A)일 확률과 두 번째 칩이 파란색(B)일 확률을 계산하고자 한다. 다음과 같은 확률계산이 합리적이다.

$$P(A) = \frac{3}{10} \text{ 그리고 } P(B \mid A) = \frac{7}{9}$$

첫 번째는 빨간색 그리고 두 번째는 파란색일 확률은 다음과 같다.

$$P(A \cap B) = \frac{3}{10} \cdot \frac{7}{9} = \frac{7}{30}$$

■

많은 경우에 다르게 보이는 방법들을 이용해 어떤 확률을 계산하는 것이 가능하다. 예를 들어, 예제 1.3-6에서 2개 모두 빨간색일 확률을 계산해보자. 예제에서 이 값은 다음과 같다.

$$\frac{3}{10} \cdot \frac{2}{9} = \frac{1}{15}$$

하지만 우리는 이 확률을 다음과 같은 조합을 이용해 계산할 수 있다.

$$\frac{\binom{3}{2}\binom{7}{0}}{\binom{10}{2}} = \frac{\frac{(3)(2)}{(1)(2)}}{\frac{(10)(9)}{(1)(2)}} = \frac{1}{15}$$

따라서 우리의 생각이 기저에 깔린 가정과 일치한다면, 당연히 같은 값을 얻는다.

예제 1.3-7 외양간에 외봉 낙타 8마리와 쌍봉 낙타 7마리가 있다. 낙타들이 외양간에서 임의의 순서대로 한 번에 한 마리씩 나올 때, 7번째 낙타가 3번째 쌍봉 낙타일 확률은 다음과 같이 계산된다. 처음 6마리에 쌍봉 낙타가 2마리 포함된 사상을 A라 하고, 7번째 나온 낙타가 쌍봉인 사상을 B라 하자. 따라서 우리가 계산하고자 하는 확률은 $P(A \cap B)$이다. 이때

$$P(A) = \frac{\binom{7}{2}\binom{8}{4}}{\binom{15}{6}} = 0.2937 \quad \text{그리고} \quad P(B \mid A) = \frac{5}{9} = 0.5556$$

따라서 원하는 확률 $P(A \cap B)$는 두 수의 곱이다.

$$P(A \cap B) = (0.2937)(0.5556) = 0.1632$$

■

곱의 원리는 사상이 3개 혹은 그 이상인 경우에도 확장될 수 있다. 사상이 3개인 경우, 사상이 2개인 경우의 곱의 원리를 이용하면 다음과 같다.

$$\begin{aligned} P(A \cap B \cap C) &= P[(A \cap B) \cap C] \\ &= P(A \cap B)P(C \mid A \cap B) \end{aligned}$$

그리고

$$P(A \cap B) = P(A)P(B \mid A)$$

따라서

$$P(A \cap B \cap C) = P(A)P(B \mid A)P(C \mid A \cap B)$$

이런 종류의 주장이 곱의 원리를 사상이 3개보다 많은 경우에 확장할 때 사용될 수 있다. 그리고 사상이 k개인 경우 일반적인 공식은 수학적 귀납법에 의해 증명될 수 있다.

예제 1.3-8 52장의 한 벌의 카드로부터 임의로 4장을 순차적으로 비복원추출한다. 스페이드, 하트, 다이아몬드, 클럽 순으로 추출될 확률은 다음과 같다.

$$\frac{13}{52} \cdot \frac{13}{51} \cdot \frac{13}{50} \cdot \frac{13}{49}$$

이는 곱의 원리의 확장과 관련된 확률의 적절한 계산을 통해 나온 결과이다. ■

다른 종류의 예로 이 절을 마무리한다.

예제 1.3-9 한 초등학교 남학생 왼쪽 호주머니에는 파란 구슬 5개, 하얀 구슬 4개가 있고 오른쪽 호주머니에는 파란 구슬 4개, 하얀 구슬 5개가 있다. 왼쪽 호주머니에서 임의로 구슬 하나를 오른쪽 주머니로 옮긴 후, 오른쪽 주머니에서 하나를 꺼낼 때 파란 구슬일 확률은 얼마인가? 기호 표시를 위해 BL, BR, WL은 각각 왼쪽 호주머니에서 파란 구슬, 오른쪽

호주머니에서 파란 구슬, 그리고 왼쪽 호주머니에서 하얀 구슬을 의미한다. 이때 구하는 확률은 다음과 같다.

$$\begin{aligned} P(BR) &= P(BL \cap BR) + P(WL \cap BR) \\ &= P(BL)P(BR \mid BL) + P(WL)P(BR \mid WL) \\ &= \frac{5}{9} \cdot \frac{5}{10} + \frac{4}{9} \cdot \frac{4}{10} = \frac{41}{90} \end{aligned}$$

■

예제 1.3-10 어느 보험회사에서는 자동차보험과 주택보험을 포함한 다양한 종류의 보험을 판매한다. 자동차보험만 가진 사람들을 A_1, 주택보험만 가진 사람들을 A_2, 자동차보험과 주택보험 둘 다 가진 사람을 A_3, 그리고 자동차보험과 주택보험 외에 다른 보험을 가진 사람을 A_4라 하자. 이 회사의 보험 가입자 중에서 임의로 선택된 한 사람에 대해 $P(A_1) = 0.3$, $P(A_2) = 0.2$, $P(A_3) = 0.2$, $P(A_4) = 0.2$라고 하자. 자동차 혹은 주택보험 가입자가 적어도 하나를 갱신하는 사상을 B라 하자. 과거의 경험에 비추어 조건부 확률들은 $P(B|A_1) = 0.6$, $P(B|A_2) = 0.7$, $P(B|A_3) = 0.8$이다. 임의로 선택된 사람이 자동차 혹은 주택보험 가입자라 할 때, 이 사람이 보험 중에서 적어도 하나를 갱신할 확률은 얼마인가? 구하는 확률은 다음과 같다.

$$\begin{aligned} P(B \mid A_1 \cup A_2 \cup A_3) &= \frac{P(A_1 \cap B) + P(A_2 \cap B) + P(A_3 \cap B)}{P(A_1) + P(A_2) + P(A_3)} \\ &= \frac{(0.3)(0.6) + (0.2)(0.7) + (0.2)(0.8)}{0.3 + 0.2 + 0.2} \\ &= \frac{0.48}{0.70} = 0.686 \end{aligned}$$

■

예제 1.3-11 어느 전자제품은 2개의 부품 C_1과 C_2로 구성되어 있어서 부품 중 적어도 하나만 제대로 작동하면 전자제품은 작동할 것이다. 전원을 켜면, C_1이 바로 고장이거나, C_2가 바로 고장이거나, 혹은 둘 다 바로 고장 나지 않는다. 이 사상들의 확률이 각각 0.01, 0.01, 0.98이다. 만일 어떤 부품도 바로 고장 나지 않으면, 두 부품이 적어도 한 시간은 작동한다. 하지만 부품 하나가 바로 고장 나면, 다른 부품도 한 시간 이내에 고장 날 확률이 0.03이다. 이때 전자제품이 처음 한 시간 이내에 고장 날 확률은 다음과 같다.

$$P(C_1 \text{ 고장})P(C_2 \text{ 고장}|C_1 \text{ 고장}) + P(C_2 \text{ 고장})P(C_1 \text{ 고장}|C_2 \text{ 고장}) =$$
$$(0.01)(0.03) + (0.01)(0.03) = 0.0006$$

■

연습문제

1.3-1 HIV 검사를 위해 흔히 사용되는 방법이 ELISA(enzyme-linked immunosorbent assay) 검사이다. 이 검사를 받은 100만 명에 대한 결과가 다음 표와 같다.

	B_1: HIV 보유	B_2: HIV 보유하지 않음	합계
A_1: 양성반응	4,885	73,630	78,515
A_2: 음성반응	115	921,370	921,485
합계	5,000	995,000	1,000,000

100만 명에서 임의로 1명을 추출할 때, 다음의 확률을 구하라.

(a) $P(B_1)$

(b) $P(A_1)$

(c) $P(A_1|B_2)$

(d) $P(B_1|A_1)$

(e) (c)와 (d)는 무엇을 말하는가?

1.3-2 어떤 사람이 왼쪽 혹은 오른쪽 시력이 좋은 사상을 각각 A_1과 A_2라 하자. 또한 두 손을 깍지를 낄 때, 왼손 혹은 오른손 엄지가 가장 위에 있는 사상을 각각 B_1과 B_2라 하자. 통계학을 수강하는 학생들을 조사해 다음과 같은 표를 얻었다.

	B_1	B_2	합계
A_1	5	7	12
A_2	14	9	23
합계	19	16	35

한 학생을 임의로 추출할 때, 다음 확률을 구하라.

(a) $P(A_1 \cap B_1)$

(b) $P(A_1 \cup B_1)$

(c) $P(A_1|B_1)$

(d) $P(B_2|A_2)$

(e) 만일 학생들은 깍지를 끼고 있고 여러분은 오른쪽 시력이 좋은 사람을 고르고 싶다면, 여러분은 '오른손 엄지가 위' 혹은 '왼손 엄지가 위'에 있는 학생 중 누구를 골라야 하는가? 이유는 무엇인가?

1.3-3 어떤 수컷 초파리의 눈 색깔 유전자는 R(빨간색)과 W(흰색) 대립형질을 가지고 있고 암컷 또한 같은 대립형질을 가지고 있다고 하자. 이들로부터 태어난 새끼는 부모로부터 각각 하나씩 눈 색깔 유전형질을 물려받는다.

(a) 새끼의 눈 색깔 유전형질의 표본공간을 정의하라.

(b) 가능한 4가지 조합 모두 동일한 확률을 가정하자. 만일 새끼가 2개의 R 혹은 R과 W 하나씩으로 구성된 유전형질을 가지면, 눈은 빨간색으로 보인다. 새끼의 눈이 빨간색일 때, 유전형질 둘 다 R일 조건부 확률은 얼마인가?

1.3-4 한 항아리에 2개의 오렌지색 공과 2개의 파란색 공이 들어 있다. 비복원으로 2개의 공을 임의로 추출하고, 여러분은 이 중 적어도 하나가 오렌지색이라고 알고 있다. 두 공이 모두 오렌지색일 확률은 얼마인가?

1.3-5 한 항아리에 숫자 1부터 4가 적힌 공 4개가 있다. 공은 비복원으로 한 번에 하나씩 추출한다. 만일 m이 적힌 공이 m번째 뽑히면 일치가 발생한다. i번째 추출에서 일치가 발생한 사상을 A_i라 하자. $i = 1, 2, 3, 4$이다.

(a) 각 i에 대해 $P(A_i) = \frac{3!}{4!}$임을 밝혀라.

(b) $i \neq j$에 대해 $P(A_i \cap A_j) = \frac{2!}{4!}$임을 밝혀라.

(c) $i \neq j, i \neq k, j \neq k$에 대해 $P(A_i \cap A_j \cap A_k) = \frac{1!}{4!}$임을 밝혀라.

(d) 적어도 하나의 일치가 발생할 확률이 다음과 같음을 밝혀라.

$$P(A_1 \cup A_2 \cup A_3 \cup A_4) = 1 - \frac{1}{2!} + \frac{1}{3!} - \frac{1}{4!}$$

(e) 항아리에 공이 n개인 경우로 확장하라. 적어도 하나의 일치가 발생할 확률이 다음과 같음을 밝혀라.

$$\begin{aligned} P(A_1 \cup A_2 \cup \cdots \cup A_n) &= 1 - \frac{1}{2!} + \frac{1}{3!} - \frac{1}{4!} + \cdots + \frac{(-1)^{n+1}}{n!} \\ &= 1 - \left(1 - \frac{1}{1!} + \frac{1}{2!} - \frac{1}{3!} + \cdots + \frac{(-1)^n}{n!}\right) \end{aligned}$$

(f) n이 무한대로 커짐에 따라, 이 확률의 극한은?

1.3-6 r명으로 구성된 학급에서 학생들의 생일을 고려할 때 1년은 365일로 가정하자.

(a) 반복을 허용할 때, 얼마나 많은 서로 다른 생일 순서표본이 가능한가?

(b) (a)에서 학생들의 생일은 서로 다르다고 할 때 (비복원) 가능한 순서표본은?

(c) (a)에서 모든 순서표본이 동일한 확률을 갖는다고 가정하면, 적어도 2명이 생일이 같을 확률은?

(d) r이 얼마일 때 (c)의 확률이 1/2이 되는가? 이 숫자가 놀라울 정도로 작은가?

힌트: r을 찾기 위해 계산기나 컴퓨터를 이용하라.

1.3-7 주사위 도박 'craps'에서는 육면체 주사위 2개를 굴려 나온 눈의 합을 계산한다. 처음에 합이 7 혹은 11이면 도박꾼이 이기고, 합이 2, 3, 12이면 도박꾼이 진다. 만일 합이 4, 5, 6, 8, 9, 10이면 이 숫자는 도박꾼의 점수라 불린다. 일단 이 점수가 정해지면, 규칙은 다음과 같다—만일 도박꾼이 이 숫자보다 먼저 7을 얻으면 도박꾼이 지고 반대면 도박꾼이 이긴다.

(a) 주사위를 2개 던지는 실험의 표본공간을 열거하라. 각각은 1/36의 확률을 갖는다.

(b) 도박꾼이 처음에 이길 확률을 구하라. 즉, 주사위 합이 7 혹은 11일 확률인 $P(7 \text{ or } 11)$을 계산하라.

(c) 첫 주사위 합이 8일 때, 도박꾼이 7보다 먼저 8을 얻어 승리할 확률을 계산하라. 게임의 이 단계에서 결과 7과 8에만 관심이 있다. 따라서 확률 $P(8|7 \text{ or } 8)$을 계산하라.

(d) 도박꾼이 처음에 8을 얻고 이길 확률은 $P(8)P(8|7 \text{ or } 8)$이다. 이 확률이 (5/36)(5/11)임을 밝혀라.

(e) 이 도박에서 도박꾼이 이길 확률이 0.49293임을 밝혀라.

힌트: 도박꾼은 여러 가지 상호배반적인 경우의 하나로 이길 수 있다—처음에 7이나 11로 혹은 처음에 4, 5, 6, 8, 9, 10 중에서 하나의 점수가 정해진 다음 7보다 먼저 이 점수를 얻어서 이긴다.

1.3-8 첫 번째 항아리에 빨간 공 8개와 파란 공 7개가 들어 있다. 두 번째 항아리에는 빨간 공은 모르고 파란 공 9개가 들어 있다. 각 항아리에서 공 하나씩을 임의로 추출할 때, 두 공이 같은 색일 확률이 151/300이다. 두 번째 항아리에는 빨간 공이 몇 개 들어 있는가?

1.4 독립사상

어떤 두 사상에 대해, 한 사상의 발생이 다른 사상의 발생 확률에 영향을 줄 수도, 그렇지 않을 수도 있다. 후자인 경우에 두 사상은 독립이라 한다. 하지만 독립의 공식적인 정의를 보기 전에 먼저 한 예를 살펴보자.

예제 1.4-1 하나의 동전을 두 번 던져 앞면 혹은 뒷면을 관찰한다. 이때 표본공간은 다음과 같다.

$$S = \{HH, HT, TH, TT\}$$

각 결과에 확률을 1/4씩 할당하는 것이 합리적이다. 다음과 같이 사상을 정의하자.

$$A = \{\text{첫 번째 동전이 앞면}\} = \{HH, HT\}$$
$$B = \{\text{두 번째 동전이 뒷면}\} = \{HT, TT\}$$
$$C = \{\text{둘 다 뒷면}\} = \{TT\}$$

이때 $P(B) = 2/4 = 1/2$이다. 한편, 사상 C가 발생했다면, $C \subset B$이기 때문에 $P(B|C) = 1$이다. 즉, 사상 C의 발생을 인지했을 때 B의 확률이 달라진다. 만일 사상 A가 발생했다면

$$P(B \mid A) = \frac{P(A \cap B)}{P(A)} = \frac{1/4}{2/4} = \frac{1}{2} = P(B)$$

이다. 그래서 A의 발생은 B의 확률에 영향을 주지 않는다. 사상 B의 확률이 사상 A의 정보에 의존하지 않아서 우리는 A와 B를 독립사상이라 한다. 좀 더 수학적으로 설명하면, $P(A) > 0$ 그리고 $P(B) > 0$ 조건하에서

$$P(B \mid A) = P(B) \text{ 혹은 } P(A \mid B) = P(A)$$

첫 번째 식과 곱의 원리에 의해

$$P(A \cap B) = P(A)P(B \mid A) = P(A)P(B)$$

두 번째 식도 동일한 결과를 제시한다.

$$P(A \cap B) = P(B)P(A \mid B) = P(B)P(A)$$

이 예제가 독립사상에 대한 다음 정의의 동기부여가 된다. ■

정의 1.4-1

사상 A와 B가 **독립**(independent)이기 위한 필요충분조건은 $P(A \cap B) = P(A)P(B)$이다. 그렇지 않은 경우 A와 B는 **종속**(dependent)사상들이다.

독립인 사상들은 종종 **통계적으로 독립**(statistically independent, stochastically independent), 혹은 **확률적 의미에서 독립**(independent in a probabilistic sense)이라 부르지만 많은 경우에 오해의 소지가 없다면 수식어 없이 독립이라고 한다. 만일 $P(A) = 0$ 혹은 $P(B) = 0$이면 $(A \cap B) \subset A$ 그리고 $(A \cap B) \subset B$이므로 $P(A \cap B) = 0$이 성립하기 때문에 항상 정의는 성립한다. 따라서 $P(A \cap B) = P(A)P(B)$의 왼쪽과 오른쪽이 모두 0으로 같다.

예제 1.4-2 정육면체 주사위 2개(빨간 주사위와 하얀 주사위)를 던지는 실험에서, 사상 A = {빨간 주사위는 4}, 사상 B = {두 주사위 합은 홀수}라 하자. 동일한 가능성을 가진 36개의 결과에서, 6개가 사상 A에 속하고, 18개는 사상 B에 속하고, 3개는 사상 $A \cap B$에 속한다.

이때

$$P(A)P(B) = \frac{6}{36} \cdot \frac{18}{36} = \frac{3}{36} = P(A \cap B)$$

가 성립하므로 A와 B는 정의 1.4-1에 의해 독립이다. ■

예제 1.4-3 정육면체 주사위 2개(빨간 주사위와 하얀 주사위)를 던지는 실험에서, 사상 $C = \{$빨간 주사위는 5$\}$ 그리고 사상 $D = \{$합이 11$\}$이라 하자. 동일한 가능성을 가진 36개의 결과에서, 6개가 사상 C에 속하고, 2개는 사상 D에 속하고, 1개는 사상 $C \cap D$에 속한다. 이때

$$P(C)P(D) = \frac{6}{36} \cdot \frac{2}{36} = \frac{1}{108} \neq \frac{1}{36} = P(C \cap D)$$

가 성립하므로 C와 D는 정의 1.4-1에 의해 종속이다. ■

정리 1.4-1 만약 A와 B가 독립사상이면, 다음 쌍들의 사상은 독립이다.

(a) A and B';

(b) A' and B;

(c) A' and B'.

증명 우리는 조건부 확률이 확률함수의 공리들을 만족함을 알고 있다. 따라서 만일 $P(A) > 0$이면 $P(B|A) = 1 - P(B'|A)$이다. 가설에 의해 $P(B|A) = P(B)$이기 때문에,

$$\begin{aligned} P(A \cap B') &= P(A)P(B' \mid A) = P(A)[1 - P(B \mid A)] \\ &= P(A)[1 - P(B)] \\ &= P(A)P(B') \end{aligned}$$

만일 $P(A) = 0$이면 $P(A \cap B') = 0$이고 따라서 $P(A \cap B') = P(A)P(B')$이 성립한다. 결과적으로 A와 B'은 독립사상이다. (b)와 (c)의 증명은 연습문제로 남겨둔다.

독립사상의 정의를 3개 이상의 사상에 확대하기 전에 다음 예를 살펴보자.

예제 1.4-4 공평한 육면체 주사위를 두 번 던지는 실험에서, 사상 A, B, C를 다음과 같이 정의하자.

$A = \{$첫 번째 주사위 눈이 홀수$\}$

$B = \{$두 번째 주사위 눈이 홀수$\}$

$C = \{$합이 홀수$\}$

이때 $P(A) = P(B) = P(C) = 1/2$이다. 게다가

$$P(A \cap B) = \frac{1}{4} = P(A)P(B)$$

$$P(A \cap C) = \frac{1}{4} = P(A)P(C)$$

$$P(B \cap C) = \frac{1}{4} = P(B)P(C)$$

이므로 사상 A, B, C는 **쌍으로 독립**(pairwise independent)이다. 하지만 $A \cap B \cap C = \emptyset$이기 때문에 다음과 같은 결과를 얻는다.

$$P(A \cap B \cap C) = 0 \neq \frac{1}{8} = P(A)P(B)P(C)$$

즉, 3개의 사상이 상호 독립이 되기 위해서는 무엇인가 부족해 보인다. ■

이 예제가 다음 정의에서 두 번째 조건에 대한 근거를 설명해준다.

정의 1.4-2

사상 A, B, C가 **상호 독립**(mutually independent)이기 위한 필요충분조건은 다음 두 가지를 모두 만족해야 한다.

(a) A, B, C 중에서 각각 쌍별로 독립이어야 한다. 즉 다음과 같다.

$$P(A \cap B) = P(A)P(B), \qquad P(A \cap C) = P(A)P(C),$$
$$P(B \cap C) = P(B)P(C)$$

(b) $P(A \cap B \cap C) = P(A)P(B)P(C)$

정의 1.4-2는 사상이 4개 혹은 그 이상인 경우의 상호 독립으로 확장될 수 있다. 이런 확장에서, 각각의 쌍, 세 쌍, 네 쌍 등은 이런 종류의 곱의 원리를 만족해야 한다. 만일 오해의 소지가 없다면, 여러 사상을 고려할 때 수식어 **상호**를 생략하고 **독립**만 사용한다.

예제 1.4-5 로켓은 보조 시스템이 내장되어 있다. 만일 부품 K_1이 고장 나면, K_1 대신 K_2가 사용된다. 만일 K_2도 고장 나면, K_3이 사용되는 시스템이다. 각 부품이 고장 날 확률이 0.15이고, 이 부품들의 고장은 상호독립적인 사상이라 하자. 부품 K_i, $i = 1, 2, 3$이 고장 나는 사상을 A_i라 하자. 세 부품 모두 고장 나면 시스템이 작동하지 않으므로, 시스템이 작동할 확률은 다음과 같다.

$$\begin{aligned} P[(A_1 \cap A_2 \cap A_3)'] &= 1 - P(A_1 \cap A_2 \cap A_3) \\ &= 1 - P(A_1)P(A_2)P(A_3) \\ &= 1 - (0.15)^3 \\ &= 0.9966 \end{aligned}$$

이 시스템의 신뢰도를 높이는 한 가지 방법은 부품을 더 추가하는 것이다. 예를 들어, 만일 네 번째 부품 K_4가 이 시스템에 추가된다면, 시스템이 작동할 확률은 다음과 같다.

$$P[(A_1 \cap A_2 \cap A_3 \cap A_4)'] = 1 - (0.15)^4 = 0.9995$$

만일 A, B, C가 상호독립사상이라면, 다음 사상들 또한 독립이다.

(a) A 그리고 $(B \cap C)$

(b) A 그리고 $(B \cup C)$

(c) A' 그리고 $(B \cap C')$

게다가 A', B', C'도 상호독립이다. (이 결과의 증명과 예시는 연습문제로 남겨둔다.)

많은 실험은 상호독립인 n회 실험으로 구성되어 있다. 만일 각 실험의 결과들이 서로 관련이 없다면, 각 결과들이 다른 시행과 관련이 있는 사상들과는 확률적 의미에서 독립이어야 한다. 즉, 만일 사상 A_i가 i번째$(i = 1, 2, \ldots, n)$ 시행과 관련이 있으면 다음이 성립한다.

$$P(A_1 \cap A_2 \cap \cdots \cap A_n) = P(A_1)P(A_2)\cdots P(A_n)$$

예제 1.4-6 공평한 육면체 주사위를 독립적으로 6회 던진다. $i = 1, 2, \ldots, 6$번째 시행에서 숫자 i가 관측되면, i번째 시행에서 일치라 하고, 이러한 사상을 A_i라고 하자. 이때 $P(A_i) = 1/6$ 그리고 $P(A_i') = 1 - 1/6 = 5/6$이다. 만일 적어도 한 번 일치가 발생하는 사상을 B라 하면, B'은 일치가 발생하지 않은 사상이다. 따라서 다음과 같다.

$$\begin{aligned} P(B) &= 1 - P(B') = 1 - P(A_1' \cap A_2' \cap \cdots \cap A_6') \\ &= 1 - \frac{5}{6} \cdot \frac{5}{6} \cdot \frac{5}{6} \cdot \frac{5}{6} \cdot \frac{5}{6} \cdot \frac{5}{6} = 1 - \left(\frac{5}{6}\right)^6 \end{aligned}$$

예제 1.4-7 어느 회사에서 한 달 동안 적어도 한 번 사고가 발생할 확률이 $(0.01)k$이고, 여기에서 k는 그 달의 일수이다(예를 들어, 2월은 28일이다). 사고의 수는 매월 독립이라 하자. 만일 회사의 1년이 1월부터 시작할 때, 첫 번째 사고가 4월에 발생할 확률은 다음과 같다.

P(1, 2, 3월에는 무사고, 4월에는 적어도 사고가 한 번)

$$\begin{aligned} &= (1 - 0.31)(1 - 0.28)(1 - 0.31)(0.30) = (0.69)(0.72)(0.69)(0.30) \\ &= 0.103 \end{aligned}$$

예제 1.4-8 3명의 품질관리원이 제품의 중요한 부품을 검사한다. 그들의 결함 발견확률이 각각 0.99, 0.98, 0.96이다. 우리가 독립을 가정하면, 적어도 1명이 결함을 발견할 확률은 다음과 같다.

$$1 - (0.01)(0.02)(0.04) = 0.999992$$

결함을 1명만 발견할 확률은 다음과 같다.

$$(0.99)(0.02)(0.04) + (0.01)(0.98)(0.04) + (0.01)(0.02)(0.96) = 0.001376$$

연습 삼아 다음 확률도 계산하라—**(a)** 2명이 결함을 찾을 확률, **(b)** 3명 모두 결함을 발견할 확률.

예제 1.4-9 어느 사람이 5일 연속 즉석 복권을 매일 1장씩 구매하고 매일 당첨될 확률이 1/5이라 하자. 독립 시행을 가정하면 다음과 같다.

$$P(WWLLL) = \left(\frac{1}{5}\right)^2\left(\frac{4}{5}\right)^3$$

$$P(LWLWL) = \frac{4}{5}\cdot\frac{1}{5}\cdot\frac{4}{5}\cdot\frac{1}{5}\cdot\frac{4}{5} = \left(\frac{1}{5}\right)^2\left(\frac{4}{5}\right)^3$$

구매한 복권 중 2장이 당첨 그리고 3장은 꽝일 확률은 다음과 같다.

$$\binom{5}{2}\left(\frac{1}{5}\right)^2\left(\frac{4}{5}\right)^3 = \frac{5!}{2!3!}\left(\frac{1}{5}\right)^2\left(\frac{4}{5}\right)^3 = 0.2048$$

왜냐하면 당첨 복권을 구매한 날짜를 고르는 방법이 $\binom{5}{2}$이고 각각의 경우에 당첨확률이 $(1/5)^2(4/5)^3$이기 때문이다.

연습문제

1.4-1 사상 A와 B는 독립이고 $P(A) = 0.7$, $P(B) = 0.2$라 하자. 다음을 계산하라.

(a) $P(A \cap B)$

(b) $P(A \cup B)$

(c) $P(A' \cup B')$

(d) $P[(A \cup B)']$

(e) $P(A' \cap B)$

1.4-2 사상 A와 B는 독립이고 $P(A) = 1/4$, $P(B) = 2/3$라 하자. 다음을 계산하라.

(a) $P(A \cap B)$

(b) $P(A \cap B')$

(c) $P(A' \cap B')$

1.4-3 $P(A) = 0.8$, $P(B) = 0.5$, $P(A \cup B) = 0.9$이면, A와 B는 독립사상인가? 답에 대한 이유를 설명하라.

1.4-4 3명의 축구 선수가 승부차기를 하려고 한다. 선수 i가 골을 넣는 사상을 A_i, $i = 1, 2, 3$이라 하자. A_1, A_2, A_3는 상호독립이고 $P(A_1) = 0.5$, $P(A_2) = 0.7$, $P(A_3) = 0.6$이라 가정하자.

(a) 한 선수만 성공할 확률을 계산하라.

(b) 두 선수가 성공할 확률을 계산하라.

1.4-5 A, B, C는 상호독립이고 $P(A) = 0.5$, $P(B) = 0.8$, $P(C) = 0.9$라 가정하자. 다음 확률을 계산하라.

(a) 세 사상이 모두 발생할 확률

(b) 두 사상만 발생할 확률

(c) 어느 사상도 발생하지 않을 확률

1.4-6 두 사상 A와 B가 있다.

(a) 만일 두 사상이 상호배반이면, A와 B는 항상 독립인가? 만일 아니라면, 독립이 될 수 있는지 설명하라.

(b) 만일 $A \subset B$이면, A와 B가 독립이 될 수 있는지 설명하라.

1.4-7 한 항아리에 빨간 공 2개와 하얀 공 4개가 들어 있다. 독립적으로 표본을 연속으로 5회 복원추출한다.

(a) 연속적으로 뽑힌 5개 공에서 인접한 공의 색깔이 다를 확률을 계산하라.

(b) (a)에서 비복원추출로 바꾸면 확률은 어떻게 되는가?

1.4-8 한 항아리에 빨간 공과 하얀 공이 각각 10개씩 들어 있다. 항아리에서 공을 임의로 한 번에 하나씩 추출한다. 추출 방법이 다음과 같을 때, 4번째 하얀 공이 4번째, 5번째, 6번째, 7번째로 뽑힐 확률을 계산하라.

(a) 복원

(b) 비복원

(c) 메이저리그 야구 경기 결승에서, 아메리칸 리그(빨간색)와 내셔널 리그(흰색) 팀이 7전 4선승제 경기를 한다. 이 연습문제에서 제시된 항아리 모형이 4차, 5차, 6차, 7차전까지 갈 확률을 계산하는 데 사용될 수 있다고 생각하는가? 만일 그렇다면, 복원과 비복원 중 어느 것을 사용해야 한다고 생각하는가?

1.4-9 어떤 학급의 학생 12명이 각자 12면체 주사위를 하나씩 받았고, 각 학생들은 1부터 12까지 고유번호가 있다.

(a) 만일 학생들이 각자의 주사위를 던지면, 적어도 한 번의 일치(4번 학생의 주사위가 4가 나옴)가 발생할 확률은 얼마인가?

(b) 만일 여러분이 이 학급의 학생이라면, 다른 11명의 학생 중 적어도 1명이 여러분과 같은 숫자, 즉 일치할 확률은 얼마인가?

1.4-10 공평한 n면체 주사위를 독립적으로 n회 던진다. $i = 1, 2, \ldots, n$번째 시행에서 숫자 i가 관측되면 일치가 발생한다.

(a) 적어도 한 번의 일치가 발생할 확률이 다음과 같음을 밝혀라.

$$1 - \left(\frac{n-1}{n}\right)^n = 1 - \left(1 - \frac{1}{n}\right)^n$$

(b) n이 무한대로 커질 때, 이 확률의 극한을 구하라.

1.4-11 미국 적십자에 따르면, 미국 백인(Caucasians)들의 8가지 주요 혈액형 비율은 다음 표와 같다. 이 표에는 주어진 혈액형을 가진 사람이 자신의 피를 제공할 수 있는 혈액형까지 포함되어 있다.

혈액형	인구비율	공여 가능 혈액
A−	7%	A−, A+, AB−, AB+
A+	33%	A+, AB+
B−	2%	B−, B+, AB−, AB+
B+	9%	B+, AB+
AB−	1%	AB−, AB+
AB+	3%	AB+
O−	8%	A−, A+, B−, B+, AB−, AB+, O−, O+
O	37%	A+, B+, AB+, O+

이 모집단에서 두 사람이 (독립적으로) 임의로 추출된다고 가정하자.

(a) 두 사람이 서로에게 피를 제공할 수 있는 확률은 얼마인가?

(b) 첫 번째 뽑힌 사람이 두 번째 사람에게 피를 제공할 수 있는 확률은 얼마인가?

(c) 적어도 한 사람이 다른 사람에게 피를 제공할 수 있는 확률은 얼마인가?

1.5 베이즈 정리

베이즈 정리를 설명하는 예제와 함께 이 절을 시작한다.

예제 1.5-1 그릇 B_1에는 빨간색 칩 2개와 흰색 칩 4개, 그릇 B_2에는 빨간색 칩 1개와 흰색 칩 2개, 그릇 B_3에는 빨간색 칩 5개와 흰색 칩 4개가 들어 있다. B_1, B_2, B_3가 각각 그릇 B_1, B_2, B_3가 선택될 사상이라 할 때, 그릇이 선택될 확률은 다음과 같이 다르게 주어졌다— $P(B_1) = 1/3$, $P(B_2) = 1/6$, $P(B_3) = 1/2$. 실험은 일단 주어진 확률로 그릇을 선택하고, 다음 그 그릇에서 임의로 하나의 칩을 추출한다. 이때 빨간색 칩이 추출될 확률 $P(R)$을 계산하자. 이 확률은 어떤 그릇이 선택되는지 그리고 선택된 그릇에서 빨간색 칩이 뽑힐 확률에 따라 달라진다. 즉, 사상 R은 상호배반사상들 $B_1 \cap R$, $B_2 \cap R$, $B_3 \cap R$의 합집합이다. 따라서 다음과 같다.

$$\begin{aligned} P(R) &= P(B_1 \cap R) + P(B_2 \cap R) + P(B_3 \cap R) \\ &= P(B_1)P(R \mid B_1) + P(B_2)P(R \mid B_2) + P(B_3)P(R \mid B_3) \\ &= \frac{1}{3} \cdot \frac{2}{6} + \frac{1}{6} \cdot \frac{1}{3} + \frac{1}{2} \cdot \frac{5}{9} = \frac{4}{9} \end{aligned}$$

이제 실험 결과는 빨간색 칩이고, 하지만 어떤 그릇에서 나왔는지는 모른다고 하자. 따라서 이 칩이 그릇 B_1에서 나왔을 조건부 확률, 즉 $P(B_1|R)$을 계산한다. 조건부 확률의 정의와 앞의 결과를 이용하면 다음과 같다.

$$\begin{aligned} P(B_1 \mid R) &= \frac{P(B_1 \cap R)}{P(R)} \\ &= \frac{P(B_1)P(R \mid B_1)}{P(B_1)P(R \mid B_1) + P(B_2)P(R \mid B_2) + P(B_3)P(R \mid B_3)} \\ &= \frac{(1/3)(2/6)}{(1/3)(2/6) + (1/6)(1/3) + (1/2)(5/9)} = \frac{2}{8} \end{aligned}$$

같은 방식으로,

$$P(B_2 \mid R) = \frac{P(B_2 \cap R)}{P(R)} = \frac{(1/6)(1/3)}{4/9} = \frac{1}{8}$$

그리고

$$P(B_3 \mid R) = \frac{P(B_3 \cap R)}{P(R)} = \frac{(1/2)(5/9)}{4/9} = \frac{5}{8}$$

원래 확률들 $P(B_1)$, $P(B_2)$, $P(B_3)$과 비교하면 조건부 확률 $P(B_1|R)$, $P(B_2|R)$, $P(B_3|R)$이 여러분의 직관과 일치하게 변했다. 일단 빨간색 칩이 관측되면, B_3은 B_1과

B_2보다 빨간색 칩 비중이 높으므로 B_3에 해당하는 조건부 확률은 원래 확률보다 커진다. B_1과 B_2의 경우에는 일단 빨간색 칩이 관측되면, 조건부 확률이 원래 확률보다 작아진다. 종종 원래 확률은 **사전확률**이라 하고 조건부 확률은 **사후확률**이라 한다.

예제 1.5-1의 결과를 일반화해보자. B_1, B_2, ..., B_m이 표본공간 S의 **분할**(partition)이라 하자. 즉, 다음과 같다.

$$S = B_1 \cup B_2 \cup \cdots \cup B_m \text{ 그리고 } B_i \cap B_j = \emptyset, i \neq j$$

물론, 사상들 B_1, B_2, ..., B_m은 상호배반이고 포괄적이다(상호배반인 집합들의 합이 표본공간 S와 같다). 게다가 사상 B_i의 사전확률이 양수라 하자. 즉, $P(B_i) > 0$, $i = 1, \ldots, m$이다. 만일 A가 어떤 사상이면, A는 m개의 상호배반인 사상들의 합이다. 즉, 다음과 같다.

$$A = (B_1 \cap A) \cup (B_2 \cap A) \cup \cdots \cup (B_m \cap A)$$

따라서

$$\begin{aligned} P(A) &= \sum_{i=1}^{m} P(B_i \cap A) \\ &= \sum_{i=1}^{m} P(B_i)P(A \mid B_i) \end{aligned} \tag{1.5-1}$$

이고, 이는 **전확률의 법칙**(law of total probability)이라 불린다. 만일 $P(A) > 0$이면 다음과 같다.

$$P(B_k \mid A) = \frac{P(B_k \cap A)}{P(A)}, \qquad k = 1, 2, \ldots, m \tag{1.5-2}$$

식 (1.5-1)의 $P(A)$를 식 (1.5-2)에 대입하면, **베이즈 정리**(Bayes' theorem)를 얻는다.

$$P(B_k \mid A) = \frac{P(B_k)P(A \mid B_k)}{\displaystyle\sum_{i=1}^{m} P(B_i)P(A \mid B_i)}, \qquad k = 1, 2, \ldots, m$$

조건부 확률 $P(B_k|A)$는 종종 B_k의 **사후확률**(posterior probability)로 불린다. 다음 예제들은 베이즈 정리의 적용 예이다.

예제 1.5-2 어느 공장에서 기계 3대(I, II, III)가 같은 길이의 용수철을 생산하고 있다. 생산 제품 중에서, 각 기계의 불량률은 2%, 1%, 3%이다. 공장에서 생산한 총생산량 중에서 기계 I은 35%, 기계 II는 25%, 기계 III은 40%를 생산한다. 하루에 생산된 용수철에서 임의로 하나를 뽑을 때, 전확률의 법칙에 의해, 뽑힌 용수철이 불량품일 확률 $P(D)$는 다음과 같다.

$$P(D) = P(I)P(D \mid I) + P(II)P(D \mid II) + P(III)P(D \mid III)$$
$$= \left(\frac{35}{100}\right)\left(\frac{2}{100}\right) + \left(\frac{25}{100}\right)\left(\frac{1}{100}\right) + \left(\frac{40}{100}\right)\left(\frac{3}{100}\right) = \frac{215}{10{,}000}$$

만일 불량품이 뽑혔다면, 그것이 기계 III에 의해 생산되었을 조건부 확률은, 베이즈정리에 의해 다음과 같다.

$$P(III \mid D) = \frac{P(III)P(D \mid III)}{P(D)} = \frac{(40/100)(3/100)}{215/10{,}000} = \frac{120}{215}$$

기계 III이 기계 I과 II보다 불량률이 높기 때문에, 불량품이 관측된 후에 기계 III의 사후확률이 사전확률보다 커짐을 알 수 있다. ■

예제 1.5-3 팹테스트(pap smear)는 자궁경부암을 진단하기 위해 사용하는 검사이다. 이 암을 가진 여성 중 16%는 위음(false negative)이다. 즉, 다음과 같다.

$$P(T^- = \text{음성판정} \mid C^+ = \text{암환자}) = 0.16$$

따라서

$$P(T^+ = \text{양성판정} \mid C^+ = \text{암환자}) = 0.84$$

정상인 여성 중 10%는 위양(false positive)이다. 즉, 다음과 같다.

$$P(T^+ \mid C^- = \text{정상}) = 0.10$$

따라서

$$P(T^- \mid C^- = \text{정상}) = 0.90$$

미국에서 여성 10만 명당 평균적으로 8명이 이 암에 걸린다. 즉, 다음과 같다.

$$P(C^+) = 0.00008, \text{ 그러므로 } P(C^-) = 0.99992$$

전확률의 법칙과 베이즈 정리에 의해 다음과 같다.

$$P(C^+ \mid T^+) = \frac{P(C^+ \cap T^+)}{P(T^+)}$$
$$= \frac{(0.00008)(0.84)}{(0.00008)(0.84) + (0.99992)(0.10)}$$
$$= \frac{672}{672 + 999{,}920} = 0.000672$$

이것은 검사(pap smear)에 의해 양성인 100만 명 중 오직 672명만이 실제로 암환자임을 의미한다. 이렇게 낮은 비율은 이 검사의 가치에 대해 의문이 들게 한다. 이 검사가 효과적이지 못한 이유는 이 암을 가진 여성 비율이 너무 낮아서 검사의 오진율(즉, 0.16과 0.10)이 매우 높기 때문이다.

연습문제

1.5-1 그릇 B_1에는 흰색 칩이 2개, 그릇 B_2에는 빨간색 칩이 2개, 그릇 B_3에는 흰색 칩과 빨간색 칩이 2개씩, 그릇 B_4에는 흰색(W) 칩 3개와 빨간색(R) 칩 1개가 들어 있다. 그릇 B_1, B_2, B_3, B_4를 선택할 확률은 각각 1/2, 1/4, 1/8, 1/8이다. 이런 확률로 그릇이 선택되고 선택된 그릇에서 임의로 칩 하나를 추출할 때 다음을 구하라.

(a) 흰색 칩이 추출될 확률 $P(W)$

(b) 흰색 칩이 추출되었을 때, 그릇 B_1이 선택됐을 조건부 확률 $P(B_1|W)$

1.5-2 어떤 의사가 혈압과 부정맥(불규칙적인 심장박동)의 관계에 관심이 있다. 의사가 환자들을 혈압상태에 따라 고혈압, 정상, 저혈압으로 나누고 심장박동에 따라 정상과 부정맥으로 나누는 분류를 통해 다음과 같은 사실을 발견했다—(a) 고혈압은 16%, (b) 저혈압은 19%, (c) 부정맥은 17%, (d) 부정맥 환자 중 고혈압은 35%, (e) 혈압이 정상인 환자 중 부정맥은 11%. 이때 심장박동이 정상이고 저혈압인 환자의 비율은 얼마인가?

1.5-3 어느 병원 응급실 환자들이 상태에 따라 위중환자 20%, 중환자 30%, 그리고 안정적인 환자 50%로 분류된다. 위중환자 중 30%가 죽고, 중환자 중 10%가 죽고, 안정적인 환자 중 1%가 죽는다. 어떤 환자가 죽었을 때, 이 환자가 위중환자였을 조건부 확률은 얼마인가?

1.5-4 어떤 화학자가 본인이 제조한 혼합물에서 불순물을 검출하려고 한다. 확률 0.9로 불순물을 검출하는 검사가 있다. 하지만 이 검사는 불순물이 없을 때, 불순물이 있다고 5 %정도 잘못된 판단을 한다. 이 화학자가 20% 정도 불순물이 있는 혼합물을 생산한다. 즉, 80%는 불순물이 없다. 이 화학자가 생산한 혼합물에서 임의로 하나를 선택하여 검사했더니 불순물이 있다는 결과가 나왔다. 이때 실제로 이 혼합물에 불순물이 들어 있을 조건부 확률은 얼마인가?

1.5-5 인구의 약 0.05%에서 발병하는 질병을 진단하는 새로운 검사가 있다. 이 검사가 완벽하지 않아서 질병이 있는 환자를 99% 정도 검출해낸다. 뿐만 아니라 질병이 없는 환자를 질병이 있다고 3% 정도 잘못 검출한다. 임의로 한 사람을 선택하고 검사 결과가 양성(질병)으로 판단되었다. 다음의 조건부 확률을 계산하라.

(a) 그 사람이 질병이 있을 확률

(b) 그 사람이 질병이 없을 확률

1.5-6 어떤 그룹의 사람들에 대한 연구 초기에, 15%는 골초(heavy smoker), 30%는 적절한 흡연자(light smoker), 그리고 55%는 비흡연자로 분류되었다. 5년간의 연구에서, 비흡연자에 비해 골초의 사망률은 5배 그리고 적정한 흡연자의 사망률은 3배 높게 나타났다. 임의로 선택된 한 참가자가 5년 기간 내에 사망했다. 이 참가자가 비흡연자일 확률을 계산하라.

1.5-7 어느 병원이 독감백신의 40%를 회사 A에서 그리고 60%는 회사 B에서 납품을 받는다. 납품된 각 상자에는 수많은 백신 병들이 들어 있다. 회사 A에서 납품한 약병 중 3%가 효과가 없고, 회사 B에서 납품한 약병 중 2%가 효과가 없다. 병원에서 하나의 상자를 골라 임의로 25개 약병을 선택해 검사했더니 2개가 효과가 없었다. 이 상자가 회사 A에서 납품되었을 조건부 확률은 얼마인가?

역사적 해설

많은 확률론자들은 프랑스 귀족 드메레(Chevalier de Méré)가 도박을 좋아해, 주사위 던지기를 통해 그가 관측하면서 생긴 퍼즐 혹은 문제를 파스칼(Blaise Paskal)에게 설명하려 했던 1654년에 확률에 관한 수학이 시작되었다고 말한다. 물론, 도박은 이전에도 있었고, 사실 이보다 거의 200년 전쯤에 성프란치스코의 수도사 파치올리(Luca Paccioli)가 본질적으로 같은 문제를 제안했다.

> *A*와 *B*가 공평한 게임(game of balla)을 하고 있다. 그들은 한 사람이 6번을 먼저 이길 때가지 게임을 계속한다. 하지만 게임은 *A*가 5번 그리고 *B*가 3번 이겼을 때 중간에 멈췄다. 판돈은 어떻게 나눠야 하는가?

그리고 드메레가 문제를 제기했던 시기보다 100년도 훨씬 전에, 16세기 도박사이면서 의사였던 카르다노(Girolamo Cardano)가 많은 주사위 문제에 대한 답을 찾았지만, 드메레의 문제는 풀지 못했다. 드메레는 이것을 관찰했다—하나의 공평한 주사위를 4번 던지면, 적어도 6을 한 번 관찰할 확률이 1/2보다 살짝 크다. 하지만, 같은 비율로, 만일 주사위 2개를 24번 던지면, 적어도 한 쌍의 6을 관측할 확률이 1/2보다 살짝 작은 것처럼 보였다. 최소한 드메레는 그것에 베팅해 돈을 잃었다. 그가 이 문제를 가지고 파스칼에게 접근했을 때가 이때다. 홀로 이 문제를 푸는 것을 원치 않았기 때문에, 파스칼은 젊고 총명한 수학자 페르마(Pierre de Fermat)와 연대를 형성했다. 확률론의 시초가 바로 1654년 파스칼과 페르마의 서신 교환이다.

오늘날 확률론 지식을 가진 보통 학생들도 두 문제를 쉽게 풀 수 있다. 퍼즐에서, *B*는 다음 3경기를 이기면 최종 승리하는데, 이 확률은 공평한 경기기 때문에 $(1/2)^3 = 1/8$이다. 따라서 *A*가 최종 승리할 확률은 $1 - 1/8 = 7/8$이고, 판돈은 7대 1로 나눠야 한다. 주사위 문제는, 주사위를 4번 던져 6이 적어도 한 번 나올 확률은 다음과 같다.

$$1 - \left(\frac{5}{6}\right)^4 = 0.518$$

반면에 한 쌍의 주사위를 24회 던져 한 쌍의 6을 적어도 한 번 관측할 확률은 다음과 같다.

$$1 - \left(\frac{35}{36}\right)^{24} = 0.491$$

드메레가 이 확률들의 작은 차이를 발견하기 위해 엄청나게 많은 시행 결과를 관측했다는 것이 놀랍다.

부연설명하면, 퍼즐에 대한 해답은 일반화, 즉 이항분포와 유명한 파스칼 삼각형(Pascal trinagle)으로 이어진다. 물론 페르마도 '페르마의 마지막 정리'와 관련된 유명한 수학자였다.

1701년에 태어난 베이즈(Reverend Thomas Bayes)는 비국교도(영국교회의 대부분 의식을 거부했던 신교도)였다. 그는 생전에 수학에 관한 논문을 하나도 출판하지 않았지만, 두 작품이 그의 사후에 발표되었다. 그중 하나는 베이즈 정리의 핵심과 사후확률을 생성하기 위해 자료를 이용해 사전확률을 수정하는 전통적인 방법을 포함하고 있다. 그것은 현대 통계학자들의 신베이지안 운동과 연관되어 있을 정도로 현대 통계학에 많은 영향을 끼쳤다. 6.8절에서 이 방법론을 자세히 설명한다.

02 이산형 분포

2.1 이산형 확률변수

표본공간 S의 원소가 숫자가 아니면 S를 기술하기가 어렵다. 이제 우리는 확률실험의 각 결과(S의 한 원소 s)가 하나의 실수 x에 연결되는 규칙을 어떻게 사용할 수 있는지를 논할 것이다. 하나의 예를 가지고 논의를 시작하자.

예제 2.1-1 우리에서 임의로 쥐를 선택해 성별을 확인한다. 가능한 결과는 암컷 그리고 수컷이다. 따라서 표본공간은 $S = \{$암컷, 수컷$\} = \{\mathrm{F}, \mathrm{M}\}$이다. 이때 표본공간 S에서 $X(\mathrm{F}) = 0$ 그리고 $X(\mathrm{M}) = 1$을 만족하도록 함수 X를 정의한다. X는 표본공간 S를 정의역으로 실수 집합 $\{x : x = 0, 1\}$을 치역으로 갖는 함수이다. 우리는 이 함수 X를 확률변수라 하며, 그리고 이 예제에서 X와 관련된 공간은 $\{x : x = 0, 1\}$이다. ■

이제 확률변수의 정의를 알아보자.

정의 2.1-1

표본공간 S를 갖는 확률실험이 주어졌을 때, 각 원소 $s \in S$에 오로지 하나의 실수 $X(s) = x$를 대응시키는 함수 X를 확률변수라 한다. X의 공간은 실수의 집합 $\{x : X(s) = x, s \in S\}$이고, $s \in S$는 원소 s가 집합 S에 속함을 의미한다.

참고 확률변수와 그들의 확률분포에 대한 예제들이 제공되기 때문에, 독자들은 어떤 확률실험을 관측할 때 실험자가 어떤 형태로 측정해야 한다는 것을 곧 알게 될 것이다. 이러한 측정치가 확률변수의 결과로 여겨질 수 있다. 우리는 단지 X의 공간의 부분집합, A에 속한 측정치들의 확률이 궁금하다. 만일 모든 부분집합 A에 대해 이 값들이 알려지면, 이 확률변수의 확률분포를 알게 된다. 실제로는 이 분포를 정확히 모르는 경우가 매우 많다. 그래서 통계학자들이 이 분포에 대해 추론을 한다. 즉, 확률변수들에 대한 확률모형을 만든다. 실제 상황을 적절하게 모델링하는 통계학자들의 능력이 가치 있는 특징이다. 이 장에서 우리는 확률변수의 공간이 정수의 집합으로 구성된 확률모형 몇 가지를 소개한다.

집합 S의 원소가 실수일 수도 있다. 이런 경우에는 $X(s) = s$가 되고, 그래서 X는 항등함수이며 X의 공간은 다시 S가 된다. 이런 상황이 예제 2.1-2에서 소개된다.

예제 2.1-2 공평한 정육면체 주사위 하나를 던지는 실험을 고려하자. 이 실험의 표본공간은 $S = \{1, 2, 3, 4, 5, 6\}$이고, 각 원소들은 주사위를 던졌을 때 나오는 눈이다. 각 $s \in S$에 대해 $X(s) = s$이다. 따라서 확률변수 X의 공간은 $\{1, 2, 3, 4, 5, 6\}$이다.

만일 우리가 각 결과에 1/6확률을 할당하면, 예를 들어, $P(X = 5) = 1/6$, $P(2 \le X \le 5) = 4/6$, $P(X \le 2) = 2/6$가 합리적인 할당으로 보인다. 이 예제에서, $\{2 \le X \le 5\}$는 $\{X = 2, 3, 4, 5\}$를 의미하고 $\{X \le 2\}$는 $\{X = 1 \text{ 혹은 } 2\}$를 의미한다. ■

여기에서 학생들은 다음 두 가지 어려움을 분명히 인식할 것이다.

1. 많은 실제 상황에서는 사상에 할당된 확률을 모른다.
2. 표본공간 S 위에서 함수 X를 정의하는 방법은 다양하기 때문에, 어떤 함수를 사용해야 하는가?

사실, 특별한 경우에 이러한 문제에 대한 해답을 찾는 것이 응용통계에서 주요 관심사다. (2)를 고려하면, 통계학자들이 결과에서 무엇을 측정할지를 결정해야 한다. 즉, 결과를 얼마나 잘 '수량화'할 수 있는가? 이런 측정문제는 매우 어려워서 실제 프로젝트 참여를 통해서만 답을 할 수 있다. (1)에 대해서는, 우리가 종종 반복적인 관측(샘플링)을 통해 이런 확률 혹은 비율을 추정할 필요가 있다. 예를 들어, 아이오와대학교 병원에서 태어난 신생여아 중 몸무게가 7파운드보다 작은 비율은 얼마인가? 여기에서 신생여아가 결과이고, 우리는 그녀의 일면(몸무게)만 측정했다. 하지만 그녀를 측정하는 방법은 다양하다. X가 파운드 단위 몸무게면, 확률 $P(X < 7)$에 관심이 있고, 이 확률은 반복적인 관측을 통해 추정이 가능하다. 이를 추정하는 한 가지 방법은 많은 관측 후에 $\{X < 7\}$인

경우의 상대도수를 사용하는 것이다. 추가 가정이 가능하다면, 이 확률을 추정하는 다양한 방법에 대해 공부를 한다. 수리통계학이 관심 있는 영역이 바로 여기다. 즉, 특정한 모형을 가정하면, 결론을 얼마나 잘 이끌어내는지 혹은 예측을 얼마나 잘하는지를 통계학 이론으로 설명할 수 있음을 알게 된다.

많은 경우에, 실험자가 표본공간 위에서 정확히 어떤 함수 X를 정의할지가 분명하다. 예를 들어, 'craps'란 주사위 게임은 한 쌍의 주사위 눈의 합(X)에 관심이 있다. 따라서 바로 X의 공간이 나오고, 이것을 같은 문자 S로 표기한다. 결국 주사위 게임에서 선수는 X와 관련된 확률만 관심이 있다. 따라서 편리하게도 많은 경우에 X의 공간을 표본공간으로 생각해도 된다.

확률변수 X의 공간이 S라 하자. S의 많은 부분집합 A에서 확률이 어떻게 분포하는지 알고 있다고 하자. 즉, 모든 $A \subset S$에 대해, 확률 $P(X \in \mathrm{A})$ 계산이 가능하다. 이런 의미에서 확률변수 X의 분포를 얘기한다. 물론 이는 X의 공간 S와 관련된 확률의 분포를 의미한다.

실수의 부분집합인 1차원 공간 S를 갖는 확률변수를 X라 하자. 공간 S는 셀 수 있는 만큼의 점들을 포함하고 있다고 하자. 즉, 유한개이거나 혹은 S의 점들이 양의 정수와 1:1 대응관계를 가진다. 그런 집합 S를 이산 점들의 집합 혹은 이산(discrete) 표본공간이라 한다. 게다가, 확률변수 X는 **이산형**(discrete type) 확률변수라 하고, X는 이산형 분포를 갖는다고 한다.

이산형 확률변수 X에 대해, 확률 $P(X = x)$는 종종 $f(x)$로 표시하고, 함수 $f(x)$는 **확률질량함수**(probability mass function)라 한다. 어떤 저자들은 $f(x)$를 확률함수, 빈도함수, 혹은 확률밀도함수라 한다. 이산형인 경우 우리는 '확률질량함수'를 사용하고, 이후부터는 약자 pmf로 표기한다.

이산형 확률변수 X의 pmf를 $f(x)$라 하고, X의 공간을 S라 하자. 각 $x \in S$에 대해, $f(x) = P(X = x)$이기 때문에, $f(x)$는 반드시 음수는 아니다. 그리고 각 $P(X = x)$는 x가 발생할 것으로 예측되는 비율이기 때문에 합이 1이 되어야 한다. 더욱이 사상 $A \subset S$와 관련된 확률을 결정하기 위해, A의 모든 x값의 확률을 더해야 한다.

정의 2.1-2

이산형 확률변수 X의 확률질량함수 $f(x)$는 다음의 성질을 만족하는 함수이다.

(a) $f(x) > 0, \qquad x \in S$

(b) $\displaystyle\sum_{x \in S} f(x) = 1$

(c) $\displaystyle P(X \in A) = \sum_{x \in A} f(x), \quad A \subset S$

$x \notin$ S에 대해, $f(x) = 0$이다. 따라서 $f(x)$의 정의역은 실수의 집합이다. 우리가 pmf $f(x)$를 정의하고 "그 외에는 0"이라고 말하지 않아도, 이는 공간 S의 모든 x에서 $f(x)$가 정의되었고, 그 외에는 $f(x) = 0$을 의미한다. $x \in S$에 대해, 확률 $P(X = x) = f(x) > 0$이고 S가 X와 관련된 모든 확률을 포함하고 있기 때문에, S를 X의 공간뿐만 아니라 X의 받침 혹은 **지지**(support)라 한다.

가끔 누적확률에 관심이 있는데, 우리는 다음과 같이 정의된 함수를 **누적분포함수**(cumulative distribution function)라 하고 간단히 cdf로 표시한다.

$$F(x) = P(X \le x), \qquad -\infty < x < \infty$$

cdf는 종종 확률변수 X의 **분포함수**(distribution function)라 한다. 몇몇 확률변수의 cdf값들이 부록 B에 주어졌으며 우리가 사용할 때 언급하겠다(표 2, 3, 4, 5a, 6, 7, 9 참조).

어떤 pmf가 공간에서 상수일 때, 분포가 그 공간에서 **균일**(uniform)하다고 말한다. 일례로, 예제 2.1-2에서 X는 $S = \{1, 2, 3, 4, 5, 6\}$에서 이산형 균일분포를 갖고 pmf는 다음과 같다.

$$f(x) = \frac{1}{6}, \qquad x = 1, 2, 3, 4, 5, 6$$

이 결과를 1부터 m까지 양의 정수에서 이산형 균일분포를 갖는 X로 확장할 수 있다. 그러면 pmf는 다음과 같다.

$$f(x) = \frac{1}{m}, \qquad x = 1, 2, 3, \ldots, m$$

$k = 1, 2, \ldots, m - 1$에 대해 X의 cdf는 다음과 같이 정의된다.

$$F(x) = P(X \le x) = \begin{cases} 0, & x < 1 \\ \dfrac{k}{m}, & k \le x < k+1 \\ 1, & m \le x \end{cases}$$

이 함수는 $x = 1, 2, \ldots, m$에서 점프 크기 $1/m$을 갖는 계단함수이다.

이제 X가 균일분포가 아닌 예를 보자.

예제 2.1-3 공평한 사면체 주사위 2개를 던져 다른 결과가 나오면 큰 값을, 그리고 같은 결과가 나오면 같은 값을 X라 하자. 이 실험의 표본공간은 $S_0 = \{(d_1, d_2): d_1 = 1, 2, 3, 4, d_2 = 1, 2, 3, 4\}$이고 여기에서 16개 모두 확률은 1/16이다. 따라서 $P(X = 1) = P[\{(1, 1)\}] = 1/16$, $P(X = 2) = P[\{(1, 2), (2, 1), (2, 2)\}] = 3/16$, 그리고 유사하게 $P(X = 3) = 5/16$, $P(X = 4) = 7/16$이다. 즉, X의 pmf는 다음과 같이 표현된다.

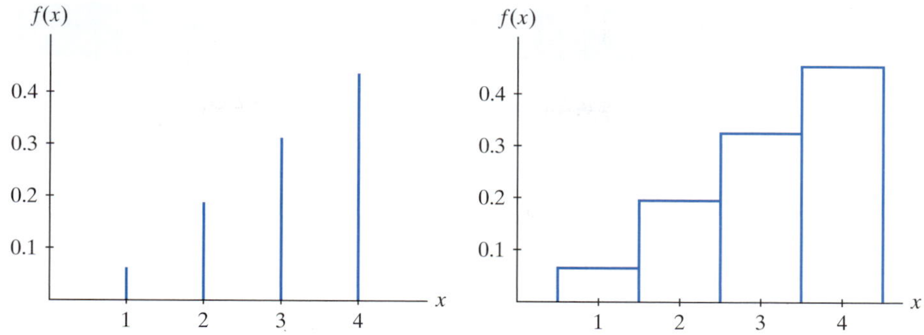

그림 2.1-1 선그래프와 확률히스토그램

$$f(x) = P(X = x) = \frac{2x - 1}{16}, \qquad x = 1, 2, 3, 4 \tag{2.1-1}$$

이 외에 $f(x) = 0$을 추가할 수도 있다. 하지만 만일 추가하지 않아도 독자들은 $x \notin S = \{1, 2, 3, 4\}$에 대해 $f(x) = 0$임을 알아야 한다. ■

X의 pmf 그림을 보여줌으로써 어떤 특정한 확률분포에 대해 이해가 더 잘 되기도 한다. pmf가 0보다 큰 곳에서의 그림은 점들의 집합 $\{[x, f(x)]: x \in S\}$이다. 여기에서 S는 X의 공간이다. pmf의 시각적 이해를 돕기 위해 막대그래프와 확률히스토그램 2가지 그래프가 사용될 수 있다. 확률변수 X의 pmf $f(x)$의 **막대그래프**(bar graph)는 S에 있는 각각의 x에서, $(x, 0)$부터 $[x, f(x)]$까지 이어진 수직선들이다. 만일 X가 정숫값들로 구성되면, pmf $f(x)$의 **확률히스토그램**(probability histogram)은 밑변의 길이가 1이고 높이가 $f(x)$인 사각형으로 표현되는데, 여기에서 각 $x \in S$가 중심이 된다. 따라서 각 사각형의 면적은 해당되는 확률 $f(x)$와 같고, 확률히스토그램의 총면적은 1이다.

그림 2.1-1은 식 (2.1-1)에 주어진 pmf $f(x)$의 막대그림과 확률히스토그램을 보여준다.

1.1절에서 우리는 사상 A의 확률 $P(\mathrm{A})$와 어떤 실험을 n번 반복해 얻은 사상 A의 상대빈도 $\mathcal{N}(\mathrm{A})/n$와의 관계에 대해 논의했다. 이제 이 논의를 확장하려 한다.

어떤 확률실험을 n번 반복한다. 실험 결과가 x인 사상을 $A = \{X = x\}$라 하자. 이때 우리는 상대도수 $\mathcal{N}(A)/n$가 $f(x)$에 가까울 것을 예상한다. 다음 예제가 이런 성질을 보여준다.

예제 2.1-4 공평한 사면체 주사위를 2번 던지는 실험에서, X를 두 결과의 합이라 하자. 가능한 X의 값들은 2, 3, 4, 5, 6, 7, 8이다. 이때 X의 pmf는 $x = 2, 3, 4, 5, 6, 7, 8$에서 $f(x) = (4 - |x - 5|)/16$으로 주어진다. 즉, $f(2) = 1/16$, $f(3) = 2/16$, $f(4) = 3/16$, $f(5) = 4/16$, $f(6) = 3/16$, $f(7) = 2/16$, $f(8) = 1/16$이다. 만일 이 16개 점이 각각 확률 1/16을 가

표 2.1-1 두 사면체의 주사위 눈의 합

x	x의 관측치	x의 상대도수	$\{X = x\}$의 확률, $f(x)$
2	71	0.071	0.0625
3	124	0.124	0.1250
4	194	0.194	0.1875
5	258	0.258	0.2500
6	177	0.177	0.1875
7	122	0.122	0.1250
8	54	0.054	0.0625

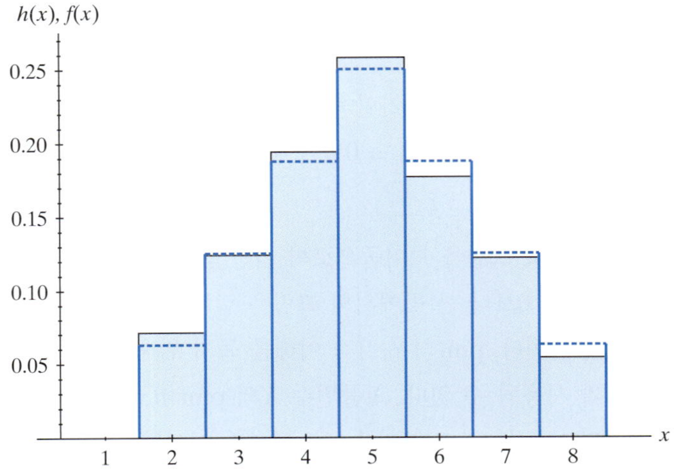

그림 2.1-2 두 사면체 주사위 눈의 합

지면, 직관적으로 맞아 보인다. 한 점 (1, 1)에서만 $X = 2$, 두 점[(2, 1)과 (1, 2)]에서 $X = 3$ 등. 컴퓨터에서 가상실험을 1,000번 했다. 표 2.1-1이 가상실험의 결과 그리고 상대도수와 그에 대응되는 확률을 보여준다.

표 2.1-1의 결과를 보여주기 위해 그래프가 사용될 수 있다. X의 pmf $f(x)$의 확률히스토그램이 그림 2.1-2에서 점선으로 표시되었다. x값에 대응되는 관측된 상대도수를 음영 히스토그램으로 표현하고 그 위에 확률히스토그램이 겹쳐져 있다. 음영 히스토그램은 **상대도수 히스토그램**(relative frequency histogram)이다. 이산형 확률실험에서 자료의 상대도수 히스토그램은 관련된 확률변수의 확률히스토그램을 모를 때 이것의 추정치를 제공한다. (추정은 이 책의 후반부에서 자세히 다룬다.) ■

연습문제

2.1-1 X의 pmf가 $f(x) = x/9, x = 2, 3, 4$라 하자.

(a) 이 pmf의 막대그래프를 그려라.

(b) 이 pmf의 확률히스토그램을 그려라.

2.1-2 주어진 $f(x)$가 확률변수 X의 pmf가 되도록 상수 c를 결정하고, pmf의 막대그래프를 그려라.

(a) $f(x) = x/c, \quad x = 1, 2, 3, 4$

(b) $f(x) = cx, \quad x = 1, 2, 3, \ldots, 10$

(c) $f(x) = c(1/4)^x, \quad x = 1, 2, 3, \ldots$

(d) $f(x) = c(x + 1)^2, \quad x = 0, 1, 2, 3$

(e) $f(x) = x/c, \quad x = 1, 2, 3, \ldots, n$

(f) $f(x) = \dfrac{c}{(x+1)(x+2)}, \quad x = 0, 1, 2, 3, \ldots$

힌트: (f)에서, $f(x) = c[1/(x + 1) - 1/(x + 2)]$를 이용하라.

2.1-3 X의 pmf가 $f(x) = (5 - x)/10, x = 1, 2, 3, 4$라 하자.

(a) pmf의 막대그래프를 그려라.

(b) 컴퓨터에서 모의실험을 통해 다음과 같은 X의 독립 관측치를 얻었다. 이를 활용하여 표 2.1-1과 같은 표를 작성하라.

3 1 2 2 3 2 2 2 1 3 3 2 3 2 4 4 2 1 1 3

3 1 2 2 1 1 4 2 3 1 1 1 2 1 3 1 1 3 3 1

1 1 1 1 1 4 1 3 1 2 4 1 1 2 3 4 3 1 4 2

2 1 3 2 1 4 1 1 1 2 1 3 4 3 2 1 4 4 1 3

2 2 2 1 2 3 1 1 4 2 1 4 2 1 2 3 1 4 2 3

(c) 그림 2.1-2처럼 확률히스토그램과 상대도수 히스토그램을 그려라.

2.1-4 공평한 한 쌍의 육면체 주사위를 던지는 실험에서, 두 결과가 다르면 작은 값을 그리고 두 결과가 같으면 공통된 값을 X라 하자.

(a) 적절한 가정과 함께, X의 pmf를 찾아라.

(b) X의 pmf의 확률히스토그램을 그려라.

(c) 두 결과값의 차의 절댓값을 Y라 하자. Y의 pmf $g(y), y = 0, 1, 2, 3, 4, 5$를 구하라.

(d) $g(y)$의 확률히스토그램을 그려라.

2.1-5 X의 pmf를 $f(x) = (1 + |x - 3|)/11, x = 1, 2, 3, 4, 5$라 하자. X의 pmf의 막대그래프를 그려라.

2.1-6 어느 공장에서 일주일 동안 발생한 사고의 수를 X라 하자. X의 pmf는 다음과 같다고 하자.

$$f(x) = \frac{1}{(x+1)(x+2)} = \frac{1}{x+1} - \frac{1}{x+2},$$
$$x = 0, 1, 2, \ldots$$

$X \geq 1$가 알려졌을 때, $X \geq 4$의 확률, $P(X \geq 4|X \geq 1)$을 구하라.

2.2 수학적 기댓값

확률분포의 중요한 특징을 요약할 때 매우 중요한 개념이 수학적 기댓값인데, 예제와 함께 소개한다.

예제 2.2-1 약간의 추가 돈이 필요한 어느 젊은 사업가가 그의 친구들이 참여하고 싶어 할 확률게임을 고안하고자 한다. 그가 제안한 게임은 참가자가 공평한 주사위를 하나 던져서 나온 결과에 따라 금액을 받는다. 만일 사상 $A = \{1, 2, 3\}$이 발생하면, 1달러를 받고, 만일

$B = \{4, 5\}$가 발생하면 2달러를, 그리고 $C = \{6\}$이 발생하면 3달러를 받는다. 만일 돌려받는 상금을 X라 하면, X의 pmf는 다음과 같다.

$$f(x) = (4 - x)/6, \qquad x = 1, 2, 3$$

즉, $f(1) = 3/6$, $f(2) = 2/6$, $f(3) = 1/6$이다. 게임을 많이 반복하면, 1달러 상금은 시행횟수의 약 3/6, 2달러 상금은 약 2/6, 3달러 상금은 약 1/6 정도로 발생한다. 따라서 평균 상금은 다음과 같다.

$$(1)\left(\frac{3}{6}\right) + (2)\left(\frac{2}{6}\right) + (3)\left(\frac{1}{6}\right) = \frac{10}{6} = \frac{5}{3}$$

즉, 젊은 사업가는 '평균적으로' 5/3달러를 지불할 것으로 예측한다. 이를 상금의 수학적 기댓값이라 한다. 게임 참가비로 2달러를 받으면, 그는 게임을 한 번씩 할 때마다 평균적으로 1/3달러를 벌 것이다. 이 수학적 기댓값은 다음과 같이 쓸 수 있다.

$$E(X) = \sum_{x=1}^{3} xf(x)$$

그리고 그리스 문자 μ로 표기하는데, 이는 X의 평균 혹은 X 분포의 평균이라 부른다. ■

X의 다른 함수인 $u(X)$에 관심이 있다고 하자. 이를 $Y = u(X)$라 하자. 물론 Y도 확률변수이고 pmf를 갖는다. 예를 들어, 예제 2.2-1에서, $Y = X^2$의 pmf는 다음과 같다.

$$g(y) = (4 - \sqrt{y})/6, \qquad y = 1, 4, 9$$

즉, $g(1) = 3/6$, $g(4) = 2/6$, $g(9) = 1/6$이다. 게다가, Y공간을 S_Y라 하면, Y의 평균은 다음과 같다.

$$\mu_Y = \sum_{y \in S_Y} y\,g(y) = (1)\left(\frac{3}{6}\right) + (4)\left(\frac{2}{6}\right) + (9)\left(\frac{1}{6}\right) = \frac{20}{6}$$

젊은 사업가의 게임 참가자들은 게임을 위해 기꺼이 4달러를 낼 것이다. 왜냐하면 이기면 5(9 − 4)달러를 벌고 지면 3(4 − 1)달러를 잃기 때문이다. 젊은 사업가는 매 게임마다 평균적으로 2/3(4 − 10/3)달러를 벌 것으로 기대한다. $Z = X^3$에 의한 게임은 참가비를 10달러 받는다면, 참가자들에게 더 매력적이다. 이때 참가자는 17(27 − 10)달러를 벌거나 9(10 − 1)달러를 잃을 것이다. 나중 경기에 대한 자세한 사항은 연습문제 2.2-4에서 다룬다.

어떤 경우든, 기댓값을 기억하는 것이 중요하다.

$$E(Y) = \sum_{y \in S_Y} y\,g(y) = \sum_{x \in S_X} x^2 f(x) = \frac{20}{6}$$

즉, 두 공식 모두 같은 값을 준다. 비록 우리가 일반함수 $u(X)$에 대해서 증명은 안 했지만, 만일 $Y = u(X)$이면 아래 식이 성립함을 이 단순한 예제에서 보였다.

$$\sum_{y \in S_Y} y\,g(y) = \sum_{x \in S_X} u(x)\,f(x)$$

이런 논의가 X의 함수에 대한 기댓값의 더 일반적인 정의를 제안한다.

정의 2.2-1

공간 S를 갖는 이산형 확률변수 X의 pmf가 $f(x)$이고

$$\sum_{x \in S} u(x)f(x) \qquad \text{혹은} \qquad \sum_{S} u(x)f(x)$$

가 존재하면, 그 합을 $u(X)$의 수학적 기댓값 혹은 기댓값이라 하고 $E[u(X)]$로 표기한다. 즉 다음과 같다.

$$E[u(X)] = \sum_{x \in S} u(x)f(x)$$

우리는 기댓값 $E[u(X)]$을 $u(x)$, $x \in S$의 가중평균으로 생각할 수 있는데, 여기에서 가중치는 확률 $f(x) = P(X = x)$, $x \in S$가 된다.

참고 $u(X)$의 수학적 기댓값의 일반적인 정의는 합이 절대수렴하기를 요구한다. 즉,

$$\sum_{x \in S} |u(x)|\,f(x)$$

가 수렴하고 유한이길 요구한다. 절대수렴이 필요한 이유는 다음 식을 증명할 때 x 합에서 항들의 순서 재배치가 필요하기 때문이다.

$$\sum_{x \in S_X} u(x)f(x) = \sum_{y \in S_Y} yg(y)$$

이 책에서 각 $u(x)$는 절대수렴을 만족한다.

예제 2.2-2 확률변수 X가 다음과 같은 pmf를 갖는다.

$$f(x) = \frac{1}{3}, \qquad x \in S_X = \{-1, 0, 1\}$$

$u(X) = X^2$이라 하자. 그러면 다음과 같다.

$$E(X^2) = \sum_{x \in S_X} x^2 f(x) = (-1)^2\left(\frac{1}{3}\right) + (0)^2\left(\frac{1}{3}\right) + (1)^2\left(\frac{1}{3}\right) = \frac{2}{3}$$

그러나 확률변수 $Y = X^2$의 받침(support)은 $S_Y = \{0, 1\}$이고

$$P(Y = 0) = P(X = 0) = \frac{1}{3}$$
$$P(Y = 1) = P(X = -1) + P(X = 1) = \frac{1}{3} + \frac{1}{3} = \frac{2}{3}$$

즉,

$$g(y) = \begin{cases} \frac{1}{3}, & y = 0 \\ \frac{2}{3}, & y = 1 \end{cases}$$

이고 $S_Y = \{0, 1\}$이다. 따라서 다음과 같고, 이는 앞의 결과를 다시 확인시켜준다.

$$\mu_Y = E(Y) = \sum_{y \in S_Y} y\, g(y) = (0)\left(\frac{1}{3}\right) + (1)\left(\frac{2}{3}\right) = \frac{2}{3}$$ ■

추가 예제를 보기 전에, 수학적 기댓값에 대한 몇 가지 유용한 사실을 정리했다.

정리 2.2-1 수학적 기댓값 E가 존재하는 경우 다음 성질들을 만족한다.

(a) c가 상수이면, $E(c) = c$

(b) c가 상수이고 u가 함수이면,

$$E[c\,u(X)] = cE[u(X)]$$

(c) c_1과 c_2가 상수이고 u_1과 u_2가 함수이면,

$$E[c_1u_1(X) + c_2u_2(X)] = c_1E[u_1(X)] + c_2E[u_2(X)]$$

증명 우선 (a)의 증명은, $\sum_{x \in S} f(x) = 1$이기 때문에 다음과 같다.

$$E(c) = \sum_{x \in S} cf(x) = c\sum_{x \in S} f(x) = c$$

다음 (b)의 증명은 다음과 같다.

$$\begin{aligned} E[c\,u(X)] &= \sum_{x \in S} c\,u(x)f(x) \\ &= c\sum_{x \in S} u(x)f(x) \\ &= c\,E[u(X)] \end{aligned}$$

마지막으로 (c)의 증명은 다음과 같다.

$$E[c_1u_1(X) + c_2u_2(X)] = \sum_{x\in S}[c_1u_1(x) + c_2u_2(x)]f(x)$$
$$= \sum_{x\in S} c_1u_1(x)f(x) + \sum_{x\in S} c_2u_2(x)f(x)$$

여기에서 (b)를 이용하면 다음과 같다.

$$E[c_1u_1(X) + c_2u_2(X)] = c_1E[u_1(X)] + c_2E[u_2(X)]$$

성질 (c)는 수학적 귀납법에 의해 항이 2개 이상인 경우로 확장될 수 있다. 즉, 다음과 같다.

$$(c') \quad E\left[\sum_{i=1}^{k} c_i\, u_i(X))\right] = \sum_{i=1}^{k} c_i\, E[u_i(X)]$$

성질 (c') 때문에 수학적 기댓값 E를 종종 **선형**(linear) 혹은 **분배**(distributive) 연산자(operator)라 부른다.

예제 2.2-3 확률변수 X는 다음과 같은 pmf를 갖는다.

$$f(x) = \frac{x}{10}, \qquad x = 1, 2, 3, 4$$

이때 X의 평균은 다음과 같다.

$$\mu = E(X) = \sum_{x=1}^{4} x\left(\frac{x}{10}\right)$$
$$= (1)\left(\frac{1}{10}\right) + (2)\left(\frac{2}{10}\right) + (3)\left(\frac{3}{10}\right) + (4)\left(\frac{4}{10}\right) = 3$$
$$E(X^2) = \sum_{x=1}^{4} x^2\left(\frac{x}{10}\right)$$
$$= (1)^2\left(\frac{1}{10}\right) + (2)^2\left(\frac{2}{10}\right) + (3)^2\left(\frac{3}{10}\right) + (4)^2\left(\frac{4}{10}\right) = 10$$

그리고

$$E[X(5 - X)] = 5E(X) - E(X^2) = (5)(3) - 10 = 5$$ ■

예제 2.2-4 $u(x) = (x - b)^2$이라 하고, 여기에서 b는 X의 함수가 아니며 $E[(X - b)^2]$은 존재한다고 하자. $E[(X - b)^2]$이 최소가 되는 b값을 찾기 위해 다시 정리하면 다음과 같다.

$$\begin{aligned} g(b) = E[(X-b)^2] &= E[X^2 - 2bX + b^2] \\ &= E(X^2) - 2bE(X) + b^2 \end{aligned}$$

이 식을 최소로 하는 b를 찾기 위해, b에 대해 미분하여 0으로 놓고 풀면 다음과 같다.

$$\begin{aligned} g'(b) &= -2E(X) + 2b = 0 \\ b &= E(X) \end{aligned}$$

$g''(b) = 2 > 0$이므로, X의 평균 $\mu = E(X)$가 $E[(X - b)^2]$을 최소로 만드는 b가 된다. ■

예제 2.2-5 어떤 실험이 성공확률 $p \in (0, 1)$와 실패확률 $q = 1 - p$를 갖는다. 첫 번째 성공이 발생할 때까지 이 실험을 독립적으로 반복한다. 성공이 X번째 시행에서 발생했다고 하자. X의 공간은 명백히 $S_X = \{1, 2, 3, 4, \ldots\}$이다. $x \in S_X$에 대해, 확률 $P(X = x)$는 얼마인가? 이를 위해서 우리는 반드시 $x - 1$개 실패 그다음 성공을 관측해야 한다. 따라서 독립성에 의해 이 확률은 다음과 같다.

$$f(x) = P(X = x) = \overbrace{q \cdot q \cdots q}^{x-1\, q's} \cdot p = q^{x-1}p, \qquad x \in S_X$$

p와 q가 양수이고,

$$\sum_{x \in S_X} q^{x-1}p = p(1 + q + q^2 + q^3 + \cdots) = \frac{p}{1-q} = \frac{p}{p} = 1$$

이므로, 이 **기하분포**(geometric distribution)의 평균은 다음과 같다.

$$\mu = \sum_{x=1}^{\infty} xf(x) = (1)p + (2)qp + (3)q^2p + \cdots$$

그리고

$$q\mu = (q)p + (2)q^2p + (3)q^3p + \cdots$$

위의 첫 번째 식에서 두 번째 식을 빼면 다음과 같다.

$$\begin{aligned}(1-q)\mu &= p + pq + pq^2 + pq^3 + \cdots \\ &= (p)(1 + q + q^2 + q^3 + \cdots) \\ &= (p)\left(\frac{1}{1-q}\right) = 1\end{aligned}$$

즉,

$$\mu = \frac{1}{1-q} = \frac{1}{p}$$

예시로, $p = 1/10$이면, 우리는 평균적으로 한 번의 성공을 관측하기 위해 시행이 $\mu = 10$번 필요할 것으로 기대한다. 이는 우리의 직관과 분명히 일치한다. ■

연습문제

2.2-1 연습문제 2.1-2에 주어진 각 분포에 대해 $E(X)$를 계산하라.

2.2-2 X는 다음과 같은 pmf, $f(x) = \log_{10}(\frac{x+1}{x})$, $x = 1, 2, \ldots, 9$를 갖는 이산형 확률변수이다(벤포드 분포). $E(X) = 9 - \log_{10}(9!)$임을 밝혀라.

2.2-3 확률변수 X는 어떤 환자가 병원에 머무르는 날짜의 수라 하자. X의 pmf는 다음과 같다.

$$f(x) = \frac{5-x}{10}, \qquad x = 1, 2, 3, 4$$

만일 이 환자가 병원에 머무르는 처음 이틀은 하루에 200달러씩 보험회사로부터 받고, 셋째 날부터는 매일 100달러씩 받는다면, 입원으로 인한 보험금 기대금액은 얼마인가?

2.2-4 예제 2.2-1에서 $Z = u(X) = X^3$이라 하자.

(a) Z의 pmf인 $h(z)$를 구하라.

(b) $E(Z)$를 계산하라.

(c) 만일 젊은 사업가가 게임당 10달러를 참가비로 받으면, 그는 게임당 평균적으로 얼마를 벌 것으로 기대하는가?

2.2-5 어느 도박 게임에서, 1달러 베팅으로 1달러, 2달러, 3달러를 각각 75/216, 15/216, 1/216 확률로 딸 수 있다. 1달러를 잃을 확률은 125/216이다. 이 게임에서 얻은 소득을 X라 할 때 $E(X)$를 계산하라. 베팅에서 이기면, 베팅 금액 1달러에다 해당하는 상금(1달러 , 2달러, 혹은 3달러)까지 돌려받는다.

2.2-6 미국 카지노에서 사용되는 룰렛 바퀴는 38개 슬롯이 있고, 빨간색 18개, 검은색 18개, 초록색 2개로 구성되어 있다. 프랑스 카지노에서 사용되는 룰렛 바퀴는 37개 슬롯이 있고, 빨간색 18개, 검은색 18개, 초록색 1개로 구성되어 있다. 공을 바퀴에 굴려 어느 슬롯에 떨어질 확률은 모두 같다. 참가자가 빨간색에 베팅한다고 하자. 만일 1달러를 베팅하면, 공이 빨간색 슬롯에 떨어져 이겼을 때 1달러를 받는다. (베팅금액은 돌려준다.) 만일 검은색이나 초록색 슬롯에 떨어지면 1달러를 잃는다. 각각의 나라에서 참가자가 기대하는 금액을 계산하라.

(a) 미국

(b) 프랑스

2.2-7 craps라는 도박 게임에서(연습문제 1.3-7 참조), 참가자는 1달러 베팅에, 확률 0.49293으로 1달러를 따거나 확률 0.50707로 1달러를 잃는다. 참가자가 게임에서 기대하는 금액은 얼마인가?

2.3 특별한 수학적 기댓값

2.2절에서, $\mu = E(X)$를 확률변수 X의 (혹은 확률변수 X 분포의) 평균이라 불렀다. 일반적으로 확률변수 X는 공간 $S = \{u_1, u_2, \ldots, u_k\}$를 갖고 $f(x)$가 pmf일 때, 각 점들에서 확률 $P(X = u_i) = f(u_i) > 0$을 갖는다. 물론,

$$\sum_{x \in S} f(x) = 1$$

이고, 확률변수 X의 **평균**(mean)은 다음과 같다.

$$\mu = \sum_{x \in S} x f(x) = u_1 f(u_1) + u_2 f(u_2) + \cdots + u_k f(u_k)$$

즉, 2.2절에서의 기호로는 $\mu = E(X)$이다.

이제 u_i는 원점에서 i번째 점까지의 거리이다. 역학에서, 거리와 가중치의 곱은 적률(moment)이라 한다. 그래서 $u_i\, f(u_i)$는 길이 u_i를 갖는 하나의 적률이다. 이런 곱들의 합이 거리들과 가중치들의 시스템 적률이다. 실제로 이것을 원점에 대한 1차 적률이라 부르는데, 이유는 거리는 원점으로부터 측정되고 단순히 거리의 1차 멱(power)이 사용되기 때문이다. 하지만 만일 우리가 평균에 대한 1차 적률을 계산하면 다음과 같다.

$$\begin{aligned}\sum_{x \in S} (x - \mu) f(x) &= E[(X - \mu)] = E(X) - E(\mu) \\ &= \mu - \mu = 0\end{aligned}$$

즉, μ에 대한 1차 적률은 0이다. 역학에서 μ는 중심이라 한다. 마지막 식은 지렛목이 중앙(μ)에 놓이면, 양의 적률의 합($x > \mu$)이 음의 적률의 합($x < \mu$)과 같기 때문에 가중치들이 균형을 이룬다.

예제 2.3-1 다음과 같은 pmf를 갖는 예제 2.2-1에서 소개된 확률변수를 다시 고려하자.

$$f(x) = \frac{4 - x}{6}, \qquad x = 1, 2, 3$$

앞에서 $E(X) = 5/3$임을 보였다. 따라서 음의 적률

$$\left(1 - \frac{5}{3}\right) \cdot \frac{3}{6} = -\frac{2}{6} = -\frac{1}{3}$$

이 양의 적률의 합

$$\left(2 - \frac{5}{3}\right) \cdot \frac{2}{6} + \left(3 - \frac{5}{3}\right) \cdot \frac{1}{6} = \frac{6}{18} = \frac{1}{3}$$

과 같다. ■

통계학자는 종종 평균 μ에 대한 2차 적률을 계산하는 것에 관심이 있다. 거리를 제곱하기 때문에 2차 적률이라 부르고, 이는 $E[(X-\mu)^2]$과 같다. 즉,

$$\sum_{x \in S}(x-\mu)^2 f(x) = (u_1-\mu)^2 f(u_1) + (u_2-\mu)^2 f(u_2) + \cdots + (u_k-\mu)^2 f(u_k)$$

이런 거리들 제곱의 가중평균을 확률변수 X(혹은 그것의 분포)의 **분산**(variance)이라 한다. 분산의 양의 제곱근은 X의 **표준편차**(standard deviation)라 하고, 그리스 문자 σ로 표기한다. 따라서 분산 σ^2을 Var(X)라 한다. 즉, $\sigma^2 = E[(X-\mu)^2] = \text{Var}(X)$이다. 예제 2.3-1의 확률변수 X에서 평균이 $\mu = 5/3$이므로 분산은

$$\sigma^2 = \text{Var}(X) = \left(1-\frac{5}{3}\right)^2 \cdot \frac{3}{6} + \left(2-\frac{5}{3}\right)^2 \cdot \frac{2}{6} + \left(3-\frac{5}{3}\right)^2 \cdot \frac{1}{6} = \frac{60}{108} = \frac{5}{9}$$

이고 따라서 표준편차는 다음과 같다.

$$\sigma = \sqrt{\sigma^2} = \sqrt{\frac{5}{9}} = 0.745$$

분산은 다음과 같이 다른 방식으로 계산될 수 있다.

$$\begin{aligned}\sigma^2 = E[(X-\mu)^2] &= E[X^2 - 2\mu X + \mu^2] \\ &= E(X^2) - 2\mu E(X) + \mu^2 \\ &= E(X^2) - \mu^2\end{aligned}$$

즉, 분산 σ^2이 원점에 대한 2차 적률과 평균의 제곱의 차이와 같다. 예제 2.3-1의 확률변수에서

$$\begin{aligned}\sigma^2 &= \sum_{x=1}^{3} x^2 f(x) - \mu^2 \\ &= 1^2\left(\frac{3}{6}\right) + 2^2\left(\frac{2}{6}\right) + 3^2\left(\frac{1}{6}\right) - \left(\frac{5}{3}\right)^2 = \frac{20}{6} - \frac{25}{9} = \frac{30}{54} = \frac{5}{9}\end{aligned}$$

이고, 이는 앞에서 계산한 것과 일치한다.

예제 2.3-2 공평한 육면체 주사위를 던져 나온 눈의 수를 X라 하자. 합리적인 확률 모형에 의한 pmf는 다음과 같다.

$$f(x) = P(X=x) = \frac{1}{6}, \qquad x = 1, 2, 3, 4, 5, 6$$

X의 평균은 다음과 같다.

$$\mu = E(X) = \sum_{x=1}^{6} x\left(\frac{1}{6}\right) = \frac{1+2+3+4+5+6}{6} = \frac{7}{2}$$

원점에 대한 2차 적률은 다음과 같다.

$$E(X^2) = \sum_{x=1}^{6} x^2\left(\frac{1}{6}\right) = \frac{1^2+2^2+3^2+4^2+5^2+6^2}{6} = \frac{91}{6}$$

따라서 분산은

$$\sigma^2 = \frac{91}{6} - \left(\frac{7}{2}\right)^2 = \frac{182-147}{12} = \frac{35}{12}$$

이고, 표준편차는 $\sigma = \sqrt{35/12} = 1.708$이다. ■

비록 대부분의 학생들이 $\mu = E(X)$는 어떤 의미에서 X의 분포의 중앙에 대한 측도라고 이해하지만, 분산과 표준편차에 대해 감을 잡는 것은 어려워한다. 다음 예제는 표준편차가 공간 S에 속한 점들의 산포, 혹은 퍼짐에 대한 측도임을 설명한다.

예제 2.3-3 확률변수 X가 pmf $f(x) = 1/3$, $x = -1, 0, 1$을 가진다. 평균은 다음과 같다.

$$\mu = \sum_{x=-1}^{1} xf(x) = (-1)\left(\frac{1}{3}\right) + (0)\left(\frac{1}{3}\right) + (1)\left(\frac{1}{3}\right) = 0$$

따라서 분산 σ_X^2은

$$\begin{aligned}\sigma_X^2 &= E[(X-0)^2] \\ &= \sum_{x=-1}^{1} x^2 f(x) \\ &= (-1)^2\left(\frac{1}{3}\right) + (0)^2\left(\frac{1}{3}\right) + (1)^2\left(\frac{1}{3}\right) \\ &= \frac{2}{3}\end{aligned}$$

이고, 표준편차는 $\sigma_X = \sqrt{2/3}$이다. 다른 확률변수 Y의 pmf $g(y) = 1/3$, $y = -2, 0, 2$이다. 평균은 0이고, $\text{Var}(Y) = 8/3$, 그래서 Y의 표준편차는 $\sigma_Y = 2\sqrt{2/3}$임을 쉽게 보일 수 있다. 여기에서 Y의 표준편차는 X 표준편차의 2배인데, 이는 Y의 확률이 X보다 2배 넓게 퍼져 있음을 반영한다. ■

예제 2.3-4 확률변수 X는 처음 m개 양의 정수에서 균일분포를 가진다. X의 평균은 다음과 같다.

$$\begin{aligned}\mu = E(X) &= \sum_{x=1}^{m} x\left(\frac{1}{m}\right) = \frac{1}{m}\sum_{x=1}^{m} x \\ &= \left(\frac{1}{m}\right)\frac{m(m+1)}{2} = \frac{m+1}{2}\end{aligned}$$

X의 분산을 알아보기 위해, 먼저 다음을 계산한다.

$$\begin{aligned}E(X^2) &= \sum_{x=1}^{m} x^2\left(\frac{1}{m}\right) = \frac{1}{m}\sum_{x=1}^{m} x^2 \\ &= \left(\frac{1}{m}\right)\frac{m(m+1)(2m+1)}{6} = \frac{(m+1)(2m+1)}{6}\end{aligned}$$

따라서 X의 분산은 다음과 같다.

$$\begin{aligned}\sigma^2 = \mathrm{Var}(X) &= E[(X-\mu)^2] \\ &= E(X^2) - \mu^2 = \frac{(m+1)(2m+1)}{6} - \left(\frac{m+1}{2}\right)^2 \\ &= \frac{m^2-1}{12}\end{aligned}$$

예를 들어, 확률변수 X가 공평한 육면체 주사위를 던져 나오는 결과라면, X의 pmf는

$$f(x) = \frac{1}{6}, \qquad x = 1, 2, 3, 4, 5, 6$$

이고, X의 평균과 분산은 각각 다음과 같다.

$$\mu = \frac{6+1}{2} = \frac{7}{2}, \qquad \sigma^2 = \frac{6^2-1}{12} = \frac{35}{12}$$

이는 예제 2.3-2의 계산과 일치한다. ■

이제 X를 평균 μ_X이고 분산 σ_X^2인 확률변수라 하자. 물론 a와 b가 상수이면 $Y = aX + b$ 또한 확률변수이다. Y의 평균은 다음과 같다.

$$\mu_Y = E(Y) = E(aX+b) = aE(X) + b = a\mu_X + b$$

게다가 Y의 분산은 다음과 같다.

$$\sigma_Y^2 = E[(Y-\mu_Y)^2] = E[(aX+b-a\mu_X-b)^2] = E[a^2(X-\mu_X)^2] = a^2\sigma_X^2$$

따라서 $\sigma_Y = |a|\sigma_X$이다. 예제 2.3-3에서, 두 분포 간의 관계는 $Y = 2X$로 설명될 수

있다. 그래서 $\sigma_Y^2 = 4\sigma_X^2$ 그리고 결과적으로 $\sigma_Y = 2\sigma_X$인데, 우리는 이것을 앞에서 확인했다. 게다가 X에서 상수를 더하거나 빼는 것은 분산에 영향을 주지 않는다. 예를 들어, 상수 $a = 1$ 그리고 $b = -1$일 때, $\text{Var}(X - 1) = \text{Var}(X)$이다. 또한 상수 $a = -1$ 그리고 $b = 0$인 경우, $\text{Var}(-X) = \text{Var}(X)$이다.

r이 양의 정수인 경우, 만일

$$E(X^r) = \sum_{x \in S} x^r f(x)$$

가 유한이면, 원점에 대한 분포의 r차 **적률**(moment)이라 한다. 게다가 아래의 기댓값은 b에 대한 분포의 r차 적률이라 한다.

$$E[(X - b)^r] = \sum_{x \in S} (x - b)^r f(x)$$

주어진 양의 정수 r에 대해, $E[(X)_r] = E[X(X-1)(X-2)\cdots(X-r+1)]$은 r차 계승적률(factorial moment)이라 한다. 2차 계승적률은 2차 적률과 1차 적률과의 차이와 같다.

$$E[X(X-1)] = E(X^2) - E(X)$$

분산을 계산하는 다른 공식이 있다. 이 공식은 2차 계승적률을 이용해서 종종 계산을 간소화 한다. 먼저 $E(X)$와 $E[X(X - 1)]$값을 계산한다. 이때 $\sigma^2 = E[X(X-1)] + E(X) - [E(X)]^2$인데, 왜냐하면 기댓값의 분배성질에 의해 $\sigma^2 = E(X^2) - E(X) + E(X) - [E(X)]^2 = E(X^2) - \mu^2$이기 때문이다.

평균과 분산 다음으로 중요한 적률이 평균 μ에 대한 3차 적률이다. 즉, 다음과 같다.

$$E[(X - \mu)^3] = \sum_{x \in S} (x - \mu)^3 f(x)$$

이것을 $(\sigma^2)^{3/2}$으로 나누면, 그 결과 $\gamma = E[(X - \mu)^3]/\sigma^3$는 X의 **왜도**(index of skewness)라 부르는 단위무관(scale-free) 값이다. 왜도는 X의 pmf 형태에 대해 무언가를 알려준다. 만일 X의 분포가 $(X - \mu)$의 pmf와 $-(X - \mu)$의 pmf가 같다는 의미에서 **대칭**(symmetric)이라면, 왜도는 0이다. 왜냐하면 이 경우 다음과 같기 때문이다.

$$E[(X - \mu)^3] = E[\{-(X - \mu)\}^3] = -E[(X - \mu)^3] \tag{2.3-1}$$

여기에서 동일한 분포를 갖는 두 확률변수는 동일한 적률(모든 차수)을 갖기 때문에 첫 번째 식은 사실이다. 식 (2.3-1)의 가장 왼쪽과 가장 오른쪽 값이 같고 부호는 반대이므로, 둘 다 0이어야 한다. 그러나 이 결과의 역은 성립하지 않는다. 즉, 비대칭 분포들의 왜도가 0이 될 수 있다.

식을 풀어 쓰면 다음과 같다.

$$E[(X-\mu)^3] = E(X^3 - 3X^2\mu + 3X\mu^2 - \mu^3) = E(X^3) - 3\mu E(X^2) + 2\mu^3$$
$$= E(X^3) - 3\mu(\sigma^2 + \mu^2) + 2\mu^3 = E(X^3) - 3\mu\sigma^2 - \mu^3$$

이 3차 중심적률(central moment)식을 사용하는 것이 종종 왜도 계산을 쉽게 해준다.

■

예제 2.3-5 예제 2.3-3에서 소개된 확률변수 X는 다음과 같은 pmf를 갖는다.

$$f(x) = 1/3, \qquad x = -1, 0, 1$$

X의 분포가 대칭이어서 $E(X) = 0$이고 따라서

$$E[(X-\mu)^3] = \sum_{x=-1}^{1} (x-0)^3 f(x) = (-1)^3 \cdot \frac{1}{3} + 0^3 \cdot \frac{1}{3} + 1^3 \cdot \frac{1}{3} = 0$$

이 되므로 첨도는 0이다.

■

만일 어떤 확률변수의 확률히스토그램이 단봉(single peak)이고, 봉우리 왼쪽보다 오른쪽에 더 확률이 많고, 확률막대의 높이가 봉우리에서 멀어짐에 따라 왼쪽보다 오른쪽에서 더 서서히 감소한다면, 왜도는 양수이고 우리는 분포가 **오른쪽으로 치우쳤다**(skewed to the right)고 말한다. 만일 방금 언급한 봉우리의 오른쪽보다 왼쪽에 확률이 더 많고 확률히스토그램 막대의 높이가 오른쪽보다 왼쪽에서 더 서서히 감소하면, 왜도는 음수이고 우리는 분포가 **왼쪽으로 치우쳤다**(skewed to the left)고 말한다.

예제 2.3-6 예제 2.3-1에서 소개된 확률변수 X는 다음과 같은 pmf를 갖는다.

$$f(x) = \frac{4-x}{6}, \qquad x = 1, 2, 3$$

$E(X) = 5/3$이고 $\text{Var}(X) = 5/9$임을 기억하자. $P(X=1) > P(X=2) > P(X=3)$이기 때문에, 확률은 가장 높은 왼쪽에서부터 오른쪽으로 갈수록 천천히 작아진다. 3차 적률은

$$E(X^3) = 1^3 \cdot \frac{3}{6} + 2^3 \cdot \frac{2}{6} + 3^3 \cdot \frac{1}{6} = \frac{23}{3}$$

이고 왜도는

$$\left[\frac{23}{3} - 3 \cdot \frac{5}{3} \cdot \frac{5}{9} - \left(\frac{5}{3}\right)^3\right] \Big/ \left(\frac{5}{9}\right)^{3/2} = \left(\frac{207-75-125}{27}\right) \Big/ \left(\frac{5\sqrt{5}}{27}\right) = \frac{7\sqrt{5}}{25}$$

로 양수이다. ■

이제 분포의 적률을 생성하는 데 도움이 되는 함수, 적률생성함수를 정의하자. 비록 이러한 생성 특성이 매우 중요하지만, 유일성이 심지어 더 중요하다. X의 적률을 계산하기 위해 그것이 어떻게 사용될 수 있는지를 보여주기 전에, 우선 우리는 이 새로운 함수를 정의하고 그다음 유일성을 설명한다.

정의 2.3-1

이산형 확률변수 X의 pmf는 $f(x)$, 공간은 S라 하자. $-h < t < h$에 대해

$$E(e^{tX}) = \sum_{x \in S} e^{tx} f(x)$$

가 존재하고 유한이 되는 양수 h가 있다면, 다음과 같이 정의되는 함수를 X의(혹은 X의 분포의) **적률생성함수**(moment generating function)라 한다.

$$M(t) = E(e^{tX})$$

이 함수는 종종 약어로 mgf라 한다.

만일 $t = 0$이면, $M(0) = 1$인 것은 자명하다. 게다가 만일 X의 공간이 $S = \{b_1, b_2, \ldots\}$이면, 적률생성함수는 다음과 같다.

$$M(t) = e^{tb_1} f(b_1) + e^{tb_2} f(b_2) + e^{tb_3} f(b_3) + \cdots$$

이때, e^{tb_i}의 계수는 확률 $f(b_i) = P(X = b_i)$이다. 따라서 만일 두 확률변수가 (혹은 두 확률함수가) 같은 적률생성함수를 갖는다면, 그들은 반드시 동일한 확률분포를 가져야 한다. 즉, 만일 두 확률변수가 같은 공간 $S = \{b_1, b_2, \ldots\}$을 갖고, 확률질량함수는 각각 $f(x)$와 $g(y)$이며, 만일 모든 t, $-h < t < h$에 대해

$$e^{tb_1} f(b_1) + e^{tb_2} f(b_2) + \cdots = e^{tb_1} g(b_1) + e^{tb_2} g(b_2) + \cdots \tag{2.3-2}$$

이 성립하면, 수학적 변환이론(mathematical transform theory)에 의해

$$f(b_i) = g(b_i), \qquad i = 1, 2, 3, \ldots$$

이 성립한다. 그래서 이산형 확률변수의 적률생성함수가 그 확률변수의 분포를 유일하

게 결정한다는 것을 알 수 있다. 다시 말해, 만일 mgf가 존재하면, 이 mgf와 관련된 확률분포는 유일하게 존재한다.

> **참고** 식 (2.3-2)가 $f(b_i) = g(b_i)$를 요구하는 이유를 이해하는 데 기초 대수가 도움이 된다. 그 식에서, $e^t = w$라 놓고 공간 S의 모든 점이 양의 정수인데, 이 중에서 가장큰 정수는 m이라 하자. 식 (2.3-2)는 셀 수 없을 정도 많은 w값들에 대해 두 w의 m차 식이 같다는 것을 의미한다. 대수의 기본이론(fundamental theorem of algebra)에 의해 두 다항식의 계수는 같다. 즉 $f(b_i) = g(b_i)$, $i = 1, 2, \ldots, k$이다.

예제 2.3-7 만일 X의 mgf가

$$M(t) = e^t\left(\frac{3}{6}\right) + e^{2t}\left(\frac{2}{6}\right) + e^{3t}\left(\frac{1}{6}\right), \qquad -\infty < t < \infty$$

이면 X의 공간이 $S = \{1, 2, 3\}$이고, 관련된 확률은 다음과 같다.

$$P(X = 1) = \frac{3}{6}, \qquad P(X = 2) = \frac{2}{6}, \qquad P(X = 3) = \frac{1}{6}$$

우리는 이것이 예제 2.3-1에 소개된 확률분포임을 알 수 있다. ■

예제 2.3-8 X의 mgf가 다음과 같다.

$$M(t) = \frac{e^t/2}{1 - e^t/2}, \qquad t < \ln 2$$

우리가 $M(t)$를 테일러 전개하기 전에는 $e^{b_i t}$의 계수를 알 수 없다. 다음 전개를 이용하면 $e^t/2 < 1$이다.

$$(1 - z)^{-1} = 1 + z + z^2 + z^3 + \cdots, \qquad -1 < z < 1$$

그래서 $t < \ln 2$일 때

$$\begin{aligned}\frac{e^t}{2}\left(1 - \frac{e^t}{2}\right)^{-1} &= \frac{e^t}{2}\left(1 + \frac{e^t}{2} + \frac{e^{2t}}{2^2} + \frac{e^{3t}}{2^3} + \cdots\right)\\ &= (e^t)\left(\frac{1}{2}\right)^1 + (e^{2t})\left(\frac{1}{2}\right)^2 + (e^{3t})\left(\frac{1}{2}\right)^3 + \cdots\end{aligned}$$

이 된다. 즉, x가 양의 정수일 때

$$P(X=x)=\left(\frac{1}{2}\right)^x$$

이고, 같은 의미로, X의 pmf는 다음과 같다.

$$f(x)=\left(\frac{1}{2}\right)^x, \qquad x=1,2,3,\ldots$$

우리는 이것이 예제 2.2-5의 $p=1/2$인 기하분포의 pmf임을 알 수 있다. ■

라플라스 변환이론(theory of Laplace transforms)에 의해, $-h<t<h$에 대해 $M(t)$의 존재가 $t=0$에서 $M(t)$의 모든 차수의 미분이 존재함을 의미한다. 따라서 $M(t)$는 $t=0$에서 연속이다. 게다가 수열이 균일 수렴(converge uniformly)할 때, 미분과 합은 교환이 가능하다. 그래서 다음과 같다.

$$M'(t)=\sum_{x\in S} xe^{tx}f(x)$$
$$M''(t)=\sum_{x\in S} x^2e^{tx}f(x)$$

그리고 양의 정수 r에 대해 다음이 성립한다.

$$M^{(r)}(t)=\sum_{x\in S} x^re^{tx}f(x)$$

$t=0$이면

$$M'(0)=\sum_{x\in S} xf(x) = E(X)$$
$$M''(0)=\sum_{x\in S} x^2f(x) = E(X^2)$$

이고, 일반적으로

$$M^{(r)}(0)=\sum_{x\in S} x^rf(x) = E(X^r)$$

이 된다. 특히 적률생성함수가 존재하면, 다음이 성립한다.

$$M'(0)=E(X)=\mu \qquad \text{그리고} \qquad M''(0)-[M'(0)]^2=E(X^2)-[E(X)]^2=\sigma^2$$

앞에서 논의했듯이, X의 적률은 $M(t)$의 미분을 통해 얻을 수 있다. 이 기법을 사용할 때, 먼저 $M(t)$ 식의 합을 계산하고 그런 다음 X의 적률 계산을 위해 결과를 미분한다. 다음 예제는 1차 적률과 2차 적률 그리고 기하분포의 평균과 분산을 계산하기 위해 적률생성함수를 사용하는 예를 보여준다.

예제 2.3-9 확률변수 X의 분포가 예제 2.2-5의 기하분포라 하자. 즉, X의 pmf가 다음과 같다.

$$f(x) = q^{x-1}p, \qquad x = 1, 2, 3, \ldots$$

여기에서 $p \in (0, 1)$ 그리고 $q = 1 - p$이다. 이때 X의 mgf는 다음과 같다.

$$\begin{aligned} M(t) = E(e^{tX}) &= \sum_{x=1}^{\infty} e^{tx}q^{x-1}p = \left(\frac{p}{q}\right)\sum_{x=1}^{\infty}(qe^t)^x \\ &= \left(\frac{p}{q}\right)[(qe^t) + (qe^t)^2 + (qe^t)^3 + \cdots] \\ &= \left(\frac{p}{q}\right)\frac{qe^t}{1 - qe^t} = \frac{pe^t}{1 - qe^t}, \qquad \text{만일 } qe^t < 1 \text{ 혹은 } t < -\ln q \end{aligned}$$

여기에서 h는 양수이다. X의 평균과 분산을 계산하기 위해, $M(t)$를 미분한다.

$$M'(t) = \frac{(1 - qe^t)(pe^t) - pe^t(-qe^t)}{(1 - qe^t)^2} = \frac{pe^t}{(1 - qe^t)^2}$$

그리고

$$M''(t) = \frac{(1 - qe^t)^2pe^t - pe^t(2)(1 - qe^t)(-qe^t)}{(1 - qe^t)^4} = \frac{pe^t(1 + qe^t)}{(1 - qe^t)^3}$$

물론, $M(0) = 1$ 그리고 $t = 0$에서 미분 가능하기 때문에 $M(t)$는 $t = 0$에서 연속이다. $1 - q = p$이므로,

$$M'(0) = \frac{p}{(1 - q)^2} = \frac{1}{p} = \mu$$

$$M''(0) = \frac{p(1 + q)}{(1 - q)^3}$$

따라서 다음과 같다.

$$\sigma^2 = M''(0) - [M'(0)]^2 = \frac{p(1 + q)}{(1 - q)^3} - \frac{1}{p^2} = \frac{q}{p^2}$$

■

연습문제

2.3-1 다음 이산형 분포들의 평균, 분산, 왜도를 계산하라.

(a) $f(x) = 1, \qquad x = 5$

(b) $f(x) = 1/5, \qquad x = 1, 2, 3, 4, 5$

(c) $f(x) = 1/5, \qquad x = 3, 5, 7, 9, 11$

(d) $f(x) = x/6, \qquad x = 1, 2, 3$

(e) $f(x) = (1 + |x|)/5, \qquad x = -1, 0, 1$

(f) $f(x) = (2 - |x|)/4, \qquad x = -1, 0, 1$

2.3-2 X의 pmf, $f(x)$가 아래와 같이 주어질 때,

(i) 확률함수로서 pmf를 그리고 **(ii)** 평균, **(iii)** 표준편차, **(iv)** 왜도를 계산하라.

(a)

$$f(x) = \begin{cases} \dfrac{2^{6-x}}{64}, & x = 1, 2, 3, 4, 5, 6 \\ \dfrac{1}{64}, & x = 7 \end{cases}$$

(b)

$$f(x) = \begin{cases} \dfrac{1}{64}, & x = 1 \\ \dfrac{2^{x-2}}{64}, & x = 2, 3, 4, 5, 6, 7 \end{cases}$$

2.3-3 한 벌의 카드에서 임의로 1장을 뽑는 실험을 고려하자. 뽑힌 카드의 숫자를 확률변수 X(에이스 $= 1$, 잭 $= 11$, 퀸 $= 12$, 킹 $= 13$)라 할 때, X의 공간이 $S = \{1, 2, 3, \ldots, 13\}$이다. 실험이 공평하게 진행될 때, 13가지 결과의 확률은 얼마인가? 그리고 이 확률분포의 평균 μ를 계산하라.

2.3-4 확률변수 X를 정수 1부터 m까지 중에서 임의로 뽑힌 정수라 하자. $E(X) = \text{Var}(X)$를 만족하는 m은 무엇인가?

2.3-5 10,000달러짜리 제품에 대한 보증서에는 만일 1년 이내에 고장 나면 8,000달러를, 2년 이내에 고장 나면 6,000달러, 3년 이내는 4,000달러, 4년 이내는 2,000달러, 그리고 그 후에는 0달러를 보상받기로 되어 있다. 이 제품이 1년 이내에 고장 날 확률이 0.1이고, 다른 해들의 고장끼리는 서로 독립이라 하자. 보증서의 기댓값은 얼마인가?

2.3-6 사면체 주사위 2개를 던지면 나오는 눈의 수가 큰 것을 확률변수 X라고 할 때, X의 pmf는 다음과 같다.

$$f(x) = \frac{2x-1}{16}, \qquad x = 1, 2, 3, 4$$

X의 평균과 분산을 계산하라.

2.3-7 어느 객관식 시험 문제에서, 5개의 보기가 있고, 그중 하나가 정답이다. 한 학생이 답을 그냥 찍을 때, 4번 문제에서 처음으로 정답이 나올 확률은 얼마인가?

2.3-8 사과가 3파운드 봉지에 자동으로 포장된다. 사과 한 봉지가 3파운드보다 덜 나간 빈도는 4%이다. 만일 여러분이 정량보다 가벼운 봉지를 찾기 위해 봉지를 임의로 선택해서 무게를 잰다면, 선택한 봉지의 수가 다음과 같을 확률은 얼마인가?

(a) 적어도 20봉지

(b) 기껏해야 20봉지

(c) 정확히 20봉지

2.3-9 확률변수 X는 공평한 동전 던지기 실험에서 앞면−뒷면을 연속적으로 관찰하기 위해 필요한 실험횟수라 하자.

(a) X의 pmf를 계산하라.

(b) X의 mgf가 $M(t) = e^{2t}/(e^t - 2)^2$임을 밝혀라.

(c) mgf를 이용해 X의 평균과 분산을 계산하라.

(d) 확률 $P(X \le 3)$, $P(X \ge 5)$, $P(X = 3)$을 계산하라.

2.3-10 집합 $\{1, 2, 3, 4, 5\}$에 있는 정수들의 임의의 순열이 주어졌을 때, X를 자기 위치에 있는 수의 개수라 하자. 이때 X의 적률생성함수는 다음과 같다.

$$M(t) = \frac{44}{120} + \frac{45}{120}e^t + \frac{20}{120}e^{2t} + \frac{10}{120}e^{3t} + \frac{1}{120}e^{5t}$$

(a) X의 평균과 분산을 계산하라.

(b) 적어도 하나의 정수가 자기 위치에 있을 확률을 계산하라.

(c) X의 pmf의 확률히스토그램을 그려라.

2.4 이항분포

이 절에서 설명할 확률실험에 대한 확률모형은 응용분야에서 자주 등장한다. 흔히 **베르누이 시행**(Bernoulli trial)이라 부르는 **베르누이 실험**(Bernoulli experiment)은 실험의 결과가 이를테면 성공 혹은 실패와 같이 2개의 상호배반(예: 여성 혹은 남성, 삶과 죽음, 불량품과 정품)이고 포괄적인 방법 중 하나이다. 베르누이 실험이 독립적으로 여러 번 실행될 때 그리고 성공확률 p가 매 시행마다 같을 때, 일련의 **독립적인 베르누이 시행**(independent Bernoulli trial)이 발생한다. 게다가, $q = 1 - p$는 실패확률이라 하고 우리는 q와 $1 - p$를 번갈아 사용할 것이다.

예제 2.4-1 무 씨앗이 발아하면 성공이라 하고, 발아할 확률이 0.8이라 하자. 만일 우리가 씨앗을 10개 심고 각 씨앗의 발아는 서로 독립이라 할 때, 이는 성공확률이 $p = 0.8$인 베르누이 실험의 10회 독립 시행이다. ■

예제 2.4-2 미국 미시간주에는 당첨확률이 0.006인 일일복권이 있다. 독립을 가정할 때, 12일 연속으로 구매한 복권은 $p = 0.006$인 베르누이 실험의 12회 독립 시행이다. ■

X가 다음과 같이 정의된 베르누이 시행과 관련된 확률변수라 하자.

$$X(\text{성공}) = 1 \qquad \text{그리고} \qquad X(\text{실패}) = 0$$

즉, 두 결과인 성공과 실패는 각각 1과 0으로 표현된다. 이때, X의 pmf는

$$f(x) = p^x(1-p)^{1-x}, \qquad x = 0, 1$$

이고, 우리는 X가 **베르누이 분포**(Bernoulli distribution)를 갖는다고 한다. X의 기댓값은

$$\mu = E(X) = \sum_{x=0}^{1} x\,p^x(1-p)^{1-x} = (0)(1-p) + (1)(p) = p$$

이고 X의 분산은

$$\begin{aligned}\sigma^2 &= \text{Var}(X) = \sum_{x=0}^{1}(x-p)^2 p^x(1-p)^{1-x} \\ &= (0-p)^2(1-p) + (1-p)^2 p = p(1-p) = pq\end{aligned}$$

이며, 따라서 X의 표준편차는 다음과 같다.

$$\sigma = \sqrt{p(1-p)} = \sqrt{pq}$$

n회 베르누이 시행에서, X_i를 i번째 시행과 관련된 베르누이 확률변수라 하자. n번의 독립적인 베르누이 시행의 관측치는 0과 1로 구성된 n개 세트일 것이다. 우리는 이런 집합을 베르누이 분포에서 나온 크기 n인 **확률표본**(random sample)이라 한다.

예제 2.4-3 수백만 장의 복권 중 20%가 당첨이다. 만일 복권 5장을 구매하면, 한 가지 가능한 결과는 (0, 0, 0, 1, 0)인데, 이는 4번째 복권만 당첨이고 나머지는 꽝이다. 복권들 사이에 독립을 가정하면, 이런 결과가 나올 확률은 다음과 같다.

$$(0.8)(0.8)(0.8)(0.2)(0.8) = (0.2)(0.8)^4$$ ■

예제 2.4-4 5개의 무 씨앗을 심으면, 한 가지 가능한 결과는 (1, 0, 1, 0, 1), 즉 첫 번째, 세 번째, 다섯 번째 씨앗은 발아하고 나머지 둘은 발아하지 않는 경우다. 만일 발아할 확률이 $p = 0.8$이면, 독립을 가정할 때, 이 결과가 나올 확률은 다음과 같다.

$$(0.8)(0.2)(0.8)(0.2)(0.8) = (0.8)^3(0.2)^2$$ ■

일련의 베르누이 시행에서, 우리는 종종 성공의 순서가 아니라 성공의 횟수에만 관심이 있다. 확률변수 X를 n번의 베르누이 시행에서 관측된 성공의 수라고 하면, X의 가능한 값들은 $0, 1, 2, \ldots, n$이다. 만일 $x = 0, 1, 2, \ldots, n$번 성공이 발생한다면, 실패는 $n - x$번 발생한다. n번 시행에서 성공 x번을 위한 자리를 고르는 경우의 수는 다음과 같다.

$$\binom{n}{x} = \frac{n!}{x!(n-x)!}$$

이때 시행들이 독립적으로 이루어지고 매 시행에서 성공과 실패 확률이 각각 p 그리고 $q = 1 - p$이면, 자리를 고르는 각 방법에 해당하는 확률은 $p^x(1-p)^{n-x}$이다. 따라서 X의 pmf, 즉 $f(x)$는 $\binom{n}{x}$개의 상호배반사상들의 확률들의 합이다. 즉 다음과 같다.

$$f(x) = \binom{n}{x} p^x(1-p)^{n-x}, \qquad x = 0, 1, 2, \ldots, n$$

이를 이항확률이라 부르고, 확률변수 X는 **이항분포**(binomial distribution)를 따른다고 한다.

정리하면, 이항실험은 다음 성질을 만족한다.

1. 베르누이 실험이 n번 시행된다.
2. 시행들은 독립이다.

3. 매 시행에서 성공확률은 상수 p이고 실패확률은 $q = 1 - p$다.
4. 확률변수 X는 n번 시행에서 성공 횟수이다.

이항분포는 $b(n, p)$로 표시하고, X의 분포는 $b(n, p)$라 말한다. 상수 n과 p는 이항분포의 모수라 부른다. 각각 독립 시행의 수 n 그리고 매 시행에서 성공확률 p와 대응된다. 이때 X의 분포가 $b(12, 1/4)$이면, X는 성공확률 $p = 1/4$인 베르누이 분포로부터 크기 $n = 12$인 확률표본에서 성공 횟수임을 의미한다.

예제 2.4-5 당첨확률이 20%인 즉석복권에서, 구매한 복권 $n = 8$개에서 당첨된 복권의 수를 X라 하면, 독립을 가정할 때 2개가 당첨될 확률은 다음과 같다.

$$f(2) = P(X = 2) = \binom{8}{2}(0.2)^2(0.8)^6 = 0.2936$$

확률변수 X의 분포는 $b(8, 0.2)$이다. ■

예제 2.4-6 모수 n과 p가 확률분포에 미치는 영향에 대한 이해를 돕기 위해, 4개의 확률히스토그램이 그림 2.4-1에 주어졌다. ■

예제 2.4-7 예제 2.4-1에서, $n = 10$ 독립 시행에서 발아한 씨앗의 수 X는 $b(10, 0.8)$이다. 즉 다음과 같다.

$$f(x) = \binom{10}{x}(0.8)^x(0.2)^{10-x}, \qquad x = 0, 1, 2, \ldots, 10$$

특히

$$\begin{aligned} P(X \le 8) &= 1 - P(X = 9) - P(X = 10) \\ &= 1 - 10(0.8)^9(0.2) - (0.8)^{10} = 0.6242 \end{aligned}$$

이다. 또한 약간의 계산을 통해 다음을 알 수 있다.

$$P(X \le 6) = \sum_{x=0}^{6}\binom{10}{x}(0.8)^x(0.2)^{10-x}$$

■

위 예제에서 누적확률은 다음과 같이 정의된 X의 누적분포에 의해 계산이 가능하다.

$$F(x) = P(X \le x), \qquad -\infty < x < \infty$$

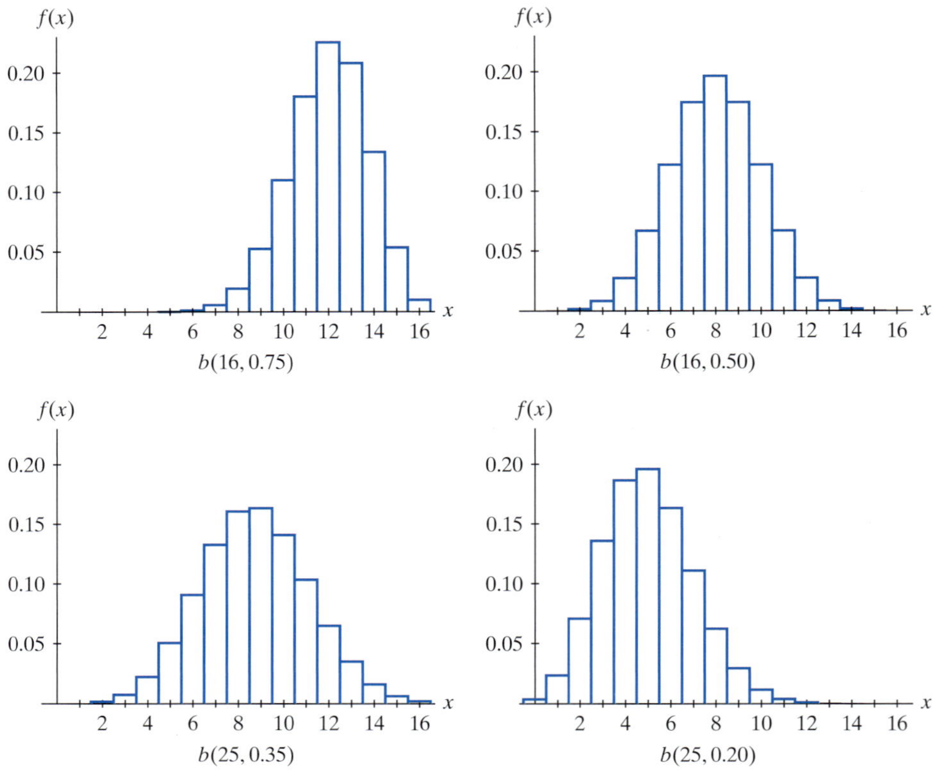

그림 2.4-1 이항 확률히스토그램

이항분포 $b(n, p)$를 따르는 확률변수 X와 관련된 사상의 확률을 계산하기 위해, 종종 누적함수를 이용하는 것이 유용하다. 몇 개의 n값과 p값에 대한 이런 누적함수 표는 부록 B 표 2에 제공된다.

예제 2.4-7에 주어진 이항분포, 즉, $b(10, 0.8)$의 분포함수는 다음과 같으며, $[x]$는 x를 넘지 않는 가장 큰 정수이다.

$$F(x) = P(X \le x) = \sum_{y=0}^{[x]} \binom{10}{y} (0.8)^y (0.2)^{10-y}$$

이 분포함수의 그래프가 그림 2.4-2에 주어졌다. 이 계단함수의 정수에서 계단 높이가 이 정수에서의 확률이다.

예제 2.4-8 H5N1은 조류독감이라 불리는 새들의 심각한 호흡기 질환을 야기하는 독감 바이러스다. 비록 사람이 감염되는 경우는 드물지만, 감염되면 치명적이다. 세계보건기구(WHO)에 따르면, 사람에서 치사율이 60%다. 보고된 25건 중에서 이 병에서 생존한 사람의 수를 X라 하자. 독립을 가정할 때, X의 분포는 $b(25, 0.4)$가 된다. 부록 B 표 2로부터, 10명

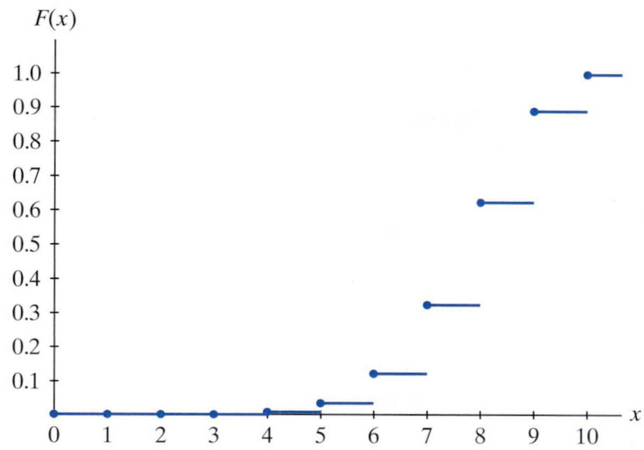

그림 2.4-2 $b(10, 0.8)$ 분포의 분포함수

이하가 생존할 확률은

$$P(X \le 10) = 0.5858$$

이고, 정확히 10명이 생존할 확률은 다음과 같다.

$$\begin{aligned} P(X = 10) &= \binom{25}{10}(0.4)^{10}(0.6)^{15} \\ &= P(X \le 10) - P(X \le 9) \\ &= 0.5858 - 0.4246 = 0.1612 \end{aligned}$$

■

비록 이항분포 $b(n, p)$에 대한 확률이 p가 0.5보다 작거나 같은 몇 가지 경우에 대해서만 부록 B 표 2에 주어졌지만, 다음 예제는 이 표가 p가 0.5보다 큰 경우에도 사용될 수 있음을 보여준다. 나중에 우리는 이항분포 확률을 다른 분포 확률로 근사하는 것을 공부한다. 게다가, 이항분포 확률계산을 위해 계산기를 사용하거나 혹은/그리고 미니탭 같은 통계패키지를 이용할 수도 있다.

예제 2.4-9 미국 국민 65%가 미국 대통령이 업무를 잘 수행하고 있다고 생각한다. 미국인 $n = 8$명의 확률표본을 뽑아 찬성하는 사람의 수를 Y라 하자. 이때 Y의 분포는 $b(8, 0.65)$이다. $P(Y \ge 6)$을 계산하기 위해 $X = 8 - Y$, 즉 반대하는 사람의 수를 고려하면 다음과 같이 표현할 수 있다.

$$P(Y \ge 6) = P(8 - Y \le 8 - 6) = P(X \le 2)$$

$q = 1 - p = 0.35$는 뽑힌 사람이 반대할 확률이기 때문에, X의 분포는 $b(8, 0.35)$가 된다(그림 2.4-3 참조). 부록 B 표 2로부터, $P(X \le 2) = 0.4278$이므로, $P(Y \ge 6) = 0.4278$이 된다.

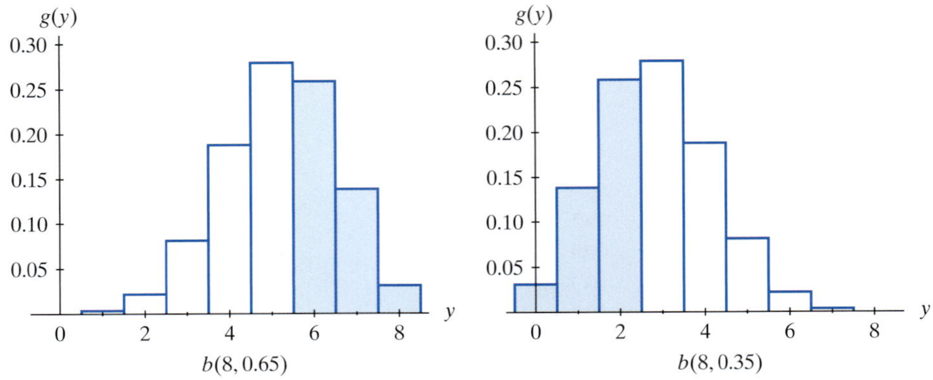

그림 2.4-3 대통령 직무수행 예제 히스토그램

유사하게,

$$\begin{aligned} P(Y \le 5) &= P(8 - Y \ge 8 - 5) \\ &= P(X \ge 3) \ = \ 1 - P(X \le 2) \\ &= 1 - 0.4278 \ = \ 0.5722 \end{aligned}$$

그리고

$$\begin{aligned} P(Y = 5) &= P(8 - Y = 8 - 5) \\ &= P(X = 3) \ = \ P(X \le 3) - P(X \le 2) \\ &= 0.7064 - 0.4278 \ = \ 0.2786 \end{aligned}$$

n이 양의 정수일 때, 이항전개식은 다음과 같다는 것을 알고 있다.

$$(a+b)^n = \sum_{x=0}^{n} \binom{n}{x} b^x a^{n-x}$$

따라서 이항전개식에서 $b = p$ 그리고 $a = 1 - p$로 두면, 이항 확률들의 합은 다음과 같으며, 이는 $f(x)$가 pmf라는 사실로부터 당연하다.

$$\sum_{x=0}^{n} \binom{n}{x} p^x (1-p)^{n-x} = [(1-p)+p]^n = 1$$

이제 이항전개식을 이용해 이항 확률변수의 mgf를 계산하고, 이를 이용해 평균과 분산을 계산해보자.

적률생성함수는 이항전개식에서 $a = 1 - p$ 그리고 $b = pe^t$에 의해

$$\begin{aligned} M(t) = E(e^{tX}) &= \sum_{x=0}^{n} e^{tx}\binom{n}{x}p^x(1-p)^{n-x} \\ &= \sum_{x=0}^{n}\binom{n}{x}(pe^t)^x(1-p)^{n-x} \\ &= \left[(1-p)+pe^t\right]^n, \qquad -\infty < t < \infty \end{aligned}$$

이 된다. 이항분포의 pmf에서 p^x와 같이, pmf가 지수함수를 포함한 어떤 인자를 가지면 mgf 계산이 다소 쉽다는 것은 흥미롭다.

$M(t)$의 1차 도함수는

$$M'(t) = n[(1-p)+pe^t]^{n-1}(pe^t)$$

이고, 2차 도함수는

$$M''(t) = n(n-1)[(1-p)+pe^t]^{n-2}(pe^t)^2 + n[(1-p)+pe^t]^{n-1}(pe^t)$$

이다. 따라서 이항분포 평균은

$$\mu = E(X) = M'(0) = np$$

이고, 분산은 다음과 같다.

$$\begin{aligned} \sigma^2 = E(X^2) - [E(X)]^2 &= M''(0) - [M'(0)]^2 \\ = n(n-1)p^2 + np - (np)^2 &= np(1-p) \end{aligned}$$

p가 매 시행에서 성공확률일 때, n번 시행에서 성공횟수의 기댓값은 np이고, 이는 우리의 직관과 일치한다.

적률생성함수는 이항분포 $b(n, p)$의 $E(X^3)$ 그리고 왜도를 계산하는 데도 사용될 수 있다(연습문제 2.4-6 참조). 그리고 $p < 0.5$이면 왜도는 음수, $p = 0.5$이면 0, 그리고 $p > 0.5$이면 양수임을 보이는 데도 사용될 수 있다. 이 결과는 그림 2.4-1의 이항확률히스토그램에서 보인 왜도와 일치한다.

$n = 1$인 특별한 경우에, X는 베르누이 분포를 따르고 적률생성함수는 실수 t에 대해

$$M(t) = (1-p) + pe^t$$

이며, 평균 $\mu = p$ 그리고 분산 $\sigma^2 = p(1-p)$이다.

예제 2.4-10 어떤 공정에 의해 생산된 제품 10개 중에서 평균적으로 하나가 불량품이라는 사실이 오랜 관측을 통해 밝혀졌다. 생산라인에서 임의로 5개를 골라 검사할 때, X를 $n = 5$ 중에서 불량품 개수라 하자. 따라서 X는 $b(5, 0.1)$이다. 게다가 평균과 분산은 다음과 같다.

$$E(X) = 5(0.1) = 0.5, \qquad \text{Var}(X) = 5(0.1)(0.9) = 0.45$$

예를 들어, 기껏해야 불량품이 1개일 확률은 다음과 같다.

$$P(X \le 1) = \binom{5}{0}(0.1)^0(0.9)^5 + \binom{5}{1}(0.1)^1(0.9)^4 = 0.9185$$ ■

연습문제

2.4-1 항아리에 빨간색 공 7개와 흰색 공 11개가 들어 있다. 항아리에서 하나를 임의로 꺼낼 때 빨간색 공이면 $X = 1$, 흰색 공이면 $X = 0$이라 하자. X의 pmf, 평균, 분산을 계산하라.

2.4-2 5지선다형 6문제가 있다. 각 문제에서 하나만 정답(C)이고 나머지 4개는 정답이 아니다(I). 한 학생이 임의로 그리고 독립적으로 답을 추측할 때, 다음을 구하라.

(a) 1번과 4번 문제만 맞힐 확률

(b) 두 문제를 맞힐 확률

2.4-3 유기금속 세라믹에 대한 분자전구체의 무기 합성에 관한 실험에서, 5단계 반응에서 마지막 단계는 금속과 금속의 결합 형태를 포함한다. 그런 결합이 발생할 확률이 $p = 0.2$다. $n = 25$회 실험에서 성공한 반응의 횟수를 X라 하자.

(a) X가 4보다 작거나 같을 확률을 구하라.

(b) X가 5보다 크거나 같을 확률을 구하라.

(c) X가 6일 확률을 구하라.

(d) X의 평균, 분산, 표준편차를 구하라.

2.4-4 면적이 1인 정사각형 $\{(x, y): 0 \le x < 1, 0 \le y < 1\}$에서 2,000개의 점을 독립적으로 그리고 무작위로 선택한다. W는 $A = \{(x, y): x^2 + y^2 < 1\}$에 속한 점들의 개수라 하자.

(a) W의 분포는 얼마인가?

(b) W의 평균, 분산, 표준편차를 구하라.

(c) $W/500$의 기댓값은 얼마인가?

(d) 컴퓨터를 이용해 2,000쌍의 난수를 만들어 W의 값을 계산하고 이를 이용해 π의 값을 추정하라.

(e) 3차원 공간에서 반경이 1인 구의 부피 $V = (4/3)\pi$를 추정하기 위해 (d)를 어떻게 확장할 수 있는가?

(f) n차원 공간에서 반경이 1인 구의 부피를 추정하기 위해 이 기술을 어떻게 확장할 수 있는가?
힌트: Γ함수를 이용한 답은 (식 3.2-2 참조) 다음과 같다.

$$V_n = \pi^{n/2} / \Gamma(n/2 + 1)$$

2.4-5 운전 중에 다른 짓(예: 전화하기, 과자 먹기, 혹은 문자 메시지 보내기)을 하는 미국 운전자의 비율이 대략 80%이다. $n = 20$명의 확률표본에서, 운전 중 다른 짓을 하는 사람의 수를 X라 하자.

(a) X의 분포를 구하라.

(b) X의 평균, 분산, 표준편차를 구하라.

(c) 다음 확률을 계산하라—**(i)** $P(X = 15)$, **(ii)** $P(X > 15)$, **(iii)** $P(X \le 15)$.

2.4-6 이항분포 $b(n, p)$의 왜도를 계산하라. 그리고 이 왜도가 $p < 0.5$일 때는 음수, $p = 0.5$이면 0, $p > 0.5$이면 양수임을 밝혀라.

2.4-7 5,000만 장에서 1/10이 당첨인 어느 복권이 있다. 만약 여러분이 복권을 (a) 10장 혹은 (b) 15장 구매했을 때, 적어도 1장이 당첨될 확률은 얼마인가?

2.4-8 어느 병원이 독감 백신의 40%를 A회사에서, 50%를 B회사에서, 10%는 C회사에서 공급받는다. 과거 경험에서, A회사 제품의 3%, B회사 제품의 2%, 그리고 C회사의 5%가 불량이었다. 병원에서는 각 상자에서 5병씩 검사를 한다. 5병에서 적어도 1병이 불량이면, 이 상자가 C회사에서 왔을 확률은 얼마인가?

2.4-9 여러분이 주식 중개인에게 전화를 하면 60%는 통화가 되고, 그 외에는 다른 고객과 통화중이거나 혹은 사무실 밖에 있어 통화가 안 된다. 여러분이 한 달 동안 (독립적으로) 5번 전화를 한다면, 다음의 확률을 구하라.

(a) 5번 모두 통화할 확률

(b) 정확히 3번 통화할 확률

(c) 적어도 1번 통화할 확률

2.4-10 X의 mgf가 다음과 같이 주어졌을 때, pmf를 정의하고 평균, 분산, 표준편차를 계산하라.

(a) $M(t) = 1/3 + (2/3)e^t$

(b) $M(t) = (0.25 + 0.75e^t)^{12}$

2.5 초기하분포

$N = N_1 + N_2$개의 유사한 물건에서, $N_1 > 0$개는 두 그룹 중 하나(예: 빨간색 칩)에 속하고, $N_2 > 0$개는 두 번째 그룹(예: 파란색 칩)에 속한다. 이 N개에서 $n(1 \le n \le N_1 + N_2)$개를 임의로 그리고 비복원으로 추출한다. 이때, X를 첫 번째 그룹에 속한 물건의 개수라 하자. 음이 아닌 정수 x가 $x \le n$, $x \le N_1$, 그리고 $n - x \le N_2$를 만족할 때, 우리는 확률 $P(X = x)$를 계산하고자 한다. 즉, n개에서 정확히 x개는 첫 번째 그룹에 속하고, $n - x$개는 두 번째 그룹에 속할 확률이다. 물론, 우리는 첫 번째 그룹에서 x개를 $\binom{N_1}{x}$가지 방식으로 뽑을 수 있고, 두 번째 그룹에서 $n - x$개를 $\binom{N_2}{n-x}$가지 방식으로 뽑을 수 있다. 곱의 원리에 의해, 2개의 곱 $\binom{N_1}{x}\binom{N_2}{n-x}$가 총 n개를 뽑는 방법의 수와 같다. $N = N_1 + N_2$개에서 n개를 뽑는 방법이 $\binom{N}{n}$가지이므로, 원하는 확률은

$$f(x) = P(X = x) = \frac{\binom{N_1}{x}\binom{N_2}{n-x}}{\binom{N}{n}}$$

이고, 공간 S는 부등식 $x \le n$, $x \le N_1$ 그리고 $n - x \le N_2$를 만족하는 음이 아닌 정수 x들의 모임이다. 즉, $\max(n - N_2, 0) \le x \le \min(n, N_1)$을 만족하는 x들이다. 우리는 이 확률변수 X를 모수 N_1, N_2, 그리고 n을 갖는 **초기하분포**(hypergeometric distribution)라 하고, $HG(N_1, N_2, n)$으로 표시한다.

예제 2.5-1 초기하분포 예제 몇 개가 그림 2.5-1에 주어졌다. 모수 N_1, N_2, n값들은 그림에 주어졌다. ■

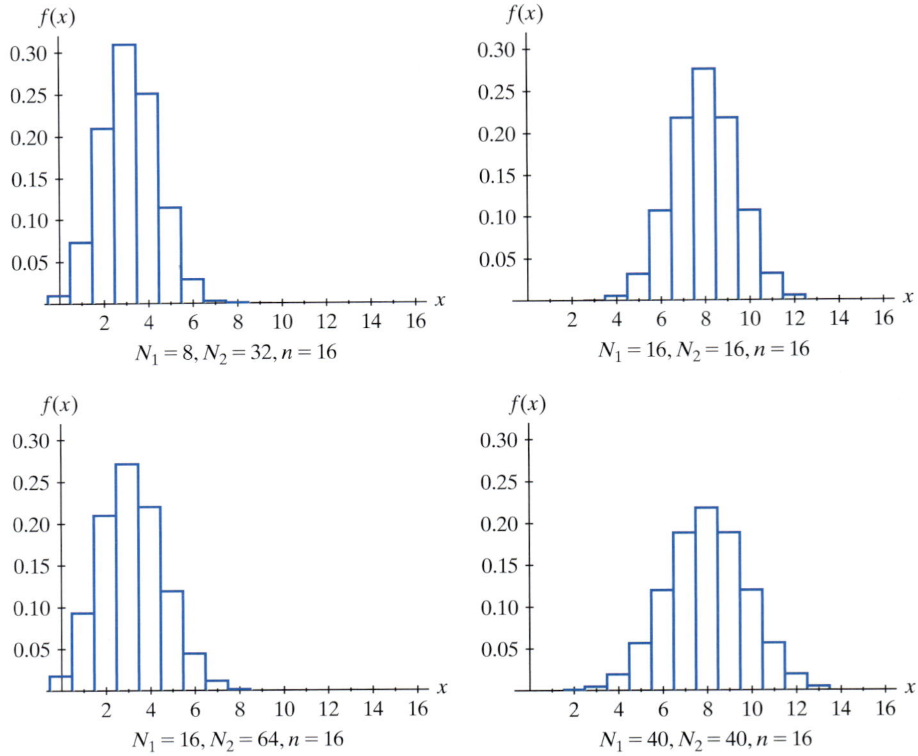

그림 2.5-1 초기하 확률히스토그램

예제 2.5-2 작은 연못에 고기 50마리가 있는데, 이 중 10마리는 표시가 되어 있다. 어느 낚시꾼이 임의로 그리고 비복원으로 잡은 7마리 중에서, X를 표시된 고기의 수라 하면, 정확히 2마리가 표시된 고기일 확률은 다음과 같다.

$$P(X=2)=\frac{\binom{10}{2}\binom{40}{5}}{\binom{50}{7}}=\frac{(45)(658{,}008)}{99{,}884{,}400}=\frac{246{,}753}{832{,}370}=0.2964 \qquad \blacksquare$$

예제 2.5-3 100개 퓨즈로 이루어진 로트가 다음 절차에 의해 조사를 받는다. 퓨즈 5개를 임의로 선택해서 검사해 5개 모두 옳은 전류량에서 울리면, 이 로트는 통과된다. 로트에는 20개의 불량 퓨즈가 들어 있다고 하자. 확률변수 X를 5개 표본 내의 불량 퓨즈 수라 하면, 이 로트가 통과될 확률은 다음과 같다.

$$P(X=0) = \frac{\binom{20}{0}\binom{80}{5}}{\binom{100}{5}} = \frac{19{,}513}{61{,}110} = 0.3193$$

좀 더 일반적으로, X의 pmf는 다음과 같다.

$$f(x) = P(X=x) = \frac{\binom{20}{x}\binom{80}{5-x}}{\binom{100}{5}}, \qquad x = 0, 1, 2, 3, 4, 5$$

이제 초기하분포의 평균을 알아보자. 정의에 의해

$$\mu = E(X) = \sum_{x\in S} x \frac{\binom{N_1}{x}\binom{N_2}{n-x}}{\binom{N}{n}}$$

만일 $0 \in S$면, 합에서 첫 번째 항이 0이며, 그래서 다음과 같다.

$$E(X) = \sum_{x\in S, x\neq 0} x \frac{\binom{N_1}{x}\binom{N_2}{n-x}}{\binom{N}{n}} = \sum_{x\in S, x\neq 0} x \frac{N_1!}{x!(N_1-x)!} \frac{\binom{N_2}{n-x}}{\left(\frac{N}{n}\right)\binom{N-1}{n-1}}$$

물론, $x \neq 0$일 때, $x/x! = 1/(x-1)$이다. 그러므로 다음과 같다.

$$\begin{aligned} E(X) &= \left(\frac{n}{N}\right) \sum_{x\in S, x\neq 0} \frac{(N_1)(N_1-1)!}{(x-1)!(N_1-x)!} \frac{\binom{N_2}{n-x}}{\binom{N-1}{n-1}} \\ &= n\left(\frac{N_1}{N}\right) \sum_{x\in S, x\neq 0} \frac{\binom{N_1-1}{x-1}\binom{N_2}{n-1-(x-1)}}{\binom{N-1}{n-1}} \end{aligned}$$

그러나 $x \geq 0$일 때, 마지막 식에서 더해지는 항은 Y가 $HG(N_1-1, N_2, n-1)$ 분포일 때 $P(Y = x-1)$이다. 모든 가능한 $x-1$의 값에서 이 확률들을 더하기 때문에, 합은 1이다. 따라서 다음과 같다.

$$\mu = E(X) = n\left(\frac{N_1}{N}\right) \tag{2.5-1}$$

이는 우리의 직관과 일치한다. 즉, 우리는 빨간색 칩의 개수 X가 추출할 공의 개수 n과 전체에서 빨간색 칩의 비율 N_1/N의 곱과 같기를 기대한다.

다음으로 초기하분포의 분산을 알아보자. 다음이 주어졌을 때

$$E[X(X-1)] = \frac{(n)(n-1)(N_1)(N_1-1)}{N(N-1)}$$

X의 분산은 $E[X(X-1)] + E(X) - [E(X)]^2$이다. 즉, 다음과 같다.

$$\sigma^2 = \frac{n(n-1)(N_1)(N_1-1)}{N(N-1)} + \frac{nN_1}{N} - \left(\frac{nN_1}{N}\right)^2$$

식을 정리하면 분산은 다음과 같다.

$$\sigma^2 = n\left(\frac{N_1}{N}\right)\left(\frac{N_2}{N}\right)\left(\frac{N-n}{N-1}\right) \tag{2.5-2}$$

이 절의 초반에 언급되었던 비복원추출 대신에, 이제 우리는 $N = N_1 + N_2$개에서 n개를 복원추출한다. 이 경우, 우리가 첫 번째 그룹에서 나온 물건을 성공이라 하고, X를 뽑힌 물건 중 첫 번째 그룹에 속한 물건의 개수라 하면, X의 분포는 $b(n, p)$이고 여기에서 $p = N_1/N$이다. 게다가,

$$E(X) = n\left(\frac{N_1}{N}\right) \qquad \text{그리고} \qquad \text{Var}(X) = n\left(\frac{N_1}{N}\right)\left(1 - \frac{N_1}{N}\right) = n\left(\frac{N_1}{N}\right)\left(\frac{N_2}{N}\right)$$

이다. 이러한 X의 적률들을 식 (2.5-1)과 (2.5-2)에 주어진 비복원추출하에서 얻어진 결과들과 비교하면, 평균은 추출 방식에 관계없이 같지만, 분산은 비복원추출에서 조금 작다($n = 1$인 경우만 두 가지 방식의 분산이 같다). 하지만 추출 방식에 따른 분산 차이가 $N \to \infty$(n이 고정)에 따라 0으로 수렴한다. 그림 2.5-2에 N_1, N_2, n의 다양한 조합에 대한 $b(n, N_1/N)$과 $HG(N_1, N_2, n)$의 확률히스토그램들이 비교된다. 같은 줄의 왼쪽과 오른쪽 그림을 비교함으로써, n이 고정되었을 때 N의 증가가 확률에 미치는 영향을 관찰할 수 있다.

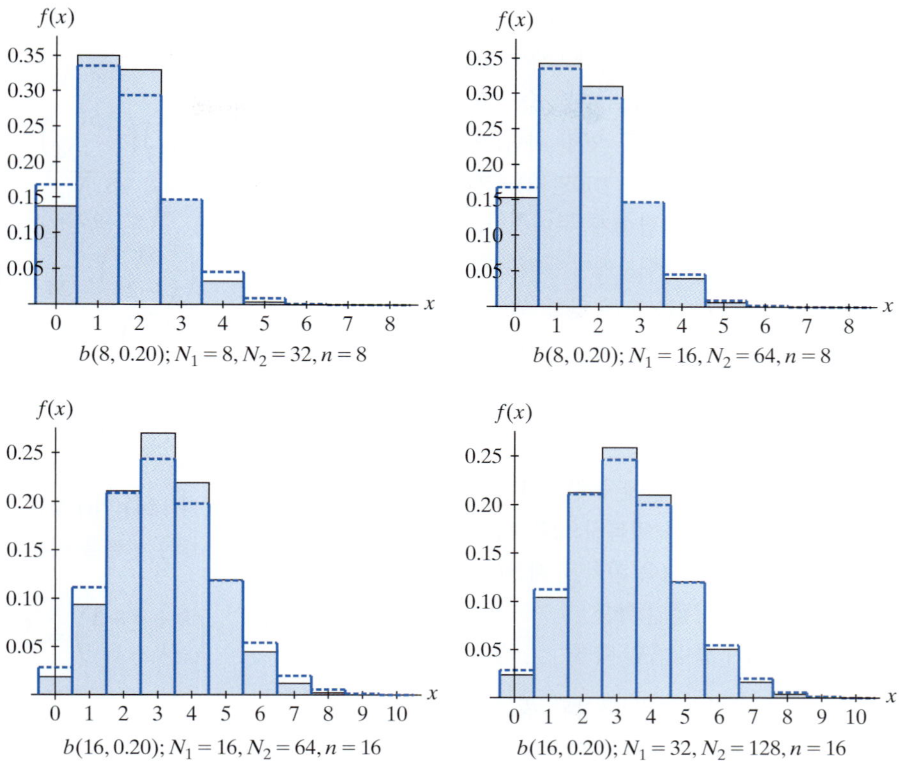

그림 2.5-2 이항 및 초기하(음영 표시) 확률히스토그램

연습문제

2.5-1 100개의 전구로 구성된 하나의 로트에, 5개 불량전구가 있다. 검수자가 임의로 10개를 검사할 때, 적어도 1개의 불량전구를 발견할 확률은 얼마인가?

2.5-2 어느 교수가 학생들에게 에세이 문제 6개를 주었고 이 중에서 3개를 시험에 출제한다. 어떤 학생이 세 문제를 공부할 시간만 있다. 공부한 문제 중에서 다음과 같은 일이 발생할 확률은 얼마인가?

(a) 적어도 한 문제가 시험에 나올 확률

(b) 세 문제 모두 시험에 나올 확률

(c) 정확히 두 문제가 시험에 나올 확률

2.5-3 52장 한 벌의 카드로부터 임의로 그리고 비복원으로 5장을 고른다. X는 5장에서 얼굴이 그려진 카드(킹, 퀸, 잭)의 수라 하자. X의 관측치 40개가 다음과 같다.

2 1 2 1 0 0 1 0 1 1 0 2 0 2 3 0 1 1 0 3

1 2 0 2 0 2 0 1 0 1 1 2 1 0 1 1 2 1 1 0

(a) X의 pmf가

$$f(x) = \frac{\dbinom{12}{x}\dbinom{40}{5-x}}{\dbinom{52}{5}}, \qquad x = 0, 1, 2, 3, 4, 5$$

임을 밝히고, 따라서 $f(0) = 2{,}109/8{,}330$, $f(1) = 703/1{,}666$, $f(2) = 209/833$, $f(3) = 55/833$, $f(4) = 165/21{,}658$, $f(5) = 33/108{,}290$ 임을 밝혀라.

(b) 이 분포의 확률히스토그램을 그려라.

(c) 0, 1, 2, 3의 상대도수를 작성하고 확률히스토그램에 이 상대도수 히스토그램을 겹쳐 그려라.

2.5-4 미시간주 복권 LOTTO 47은, 1부터 47까지 적힌 공에서 6개를 임의로 골라 당첨자를 선정한다. 복권 구매자는 원하는 서로 다른 숫자 6개를 고른다. 상금은 숫자 6개를 모두 맞힌 사람(잭팟), 숫자 5개(2,500달러), 숫자 4개(100달러), 그리고 숫자 3개(5달러)를 맞힌 사람에게 주어진다. 복권은 1달러이고 이 돈은 복권 구매자에게 돌려주지 않는다. 다음을 구하라—(a) 6개를 모두 맞힐 확률, (b) 5개를 맞힐 확률, (c) 4개를 맞힐 확률, (d) 3개를 맞힐 확률, (e) 잭팟이 1,000,000달러일 때 상금의 기댓값, (f) 잭팟이 2,000,000달러일 때 상금의 기댓값.

2.5-5 50개 한 묶음 로트에 불량품 3개가 있다고 하자. 임의로 표본 10개를 비복원으로 추출할 때, X를 불량품의 수라 하자. 다음 확률을 계산하라.

(a) 정확히 1개가 불량품일 확률

(b) 기껏해야 1개가 불량품일 확률

2.5-6 25개 정사각형으로 구성된 빙고카드에서, 24개에는 숫자가 적혀 있고 정중앙은 비어 있다. 빙고카드에 적힌 숫자들은 1부터 75까지 중에서 임의로 그리고 비복원으로 고른다. 'cover-up'이라는 게임을 할 때, 어떤 사람이 1부터 75까지 숫자가 적힌 공들로부터 임의로 그리고 비복원으로 카드에 적힌 숫자 각각을 다 덮을 때까지 뽑는다. 이때 카드에 적힌 모든 숫자를 덮기 위해 뽑은 공의 수를 X라 하자.

(a) $x = 24, 25, \ldots, 75$에 대해, X의 pmf가 다음과 같음을 밝혀라.

$$f(x) = \frac{\binom{24}{23}\binom{51}{x-24}}{\binom{75}{x-1}} \cdot \frac{1}{75-(x-1)}$$

$$= \frac{\binom{51}{x-24}}{\binom{75}{x}} \cdot \frac{24}{x} = \frac{\binom{x}{24}}{\binom{75}{24}} \cdot \frac{24}{x}$$

(b) 나올 가능성이 가장 큰 X값은 무엇인가? 다시 말해, 이 분포의 모드(mode)는 무엇인가?

(c) X의 평균이 $(24)(76)/25 = 72.96$임을 보이기 위해 다음 조합성질을 이용하라.

$$\binom{k+n+1}{k+1} = \sum_{x=k}^{n+k} \binom{x}{k}$$

(d) 다음을 밝혀라.

$$E[X(X+1)] = \frac{24 \cdot 77 \cdot 76}{26} = 5{,}401.8462$$

(e) 다음을 밝혀라.

$$\text{Var}(X) = E[X(X+1)] - E[X] - [E(X)]^2$$

$$= \frac{46{,}512}{8{,}125} = 5.7246 \text{ 그리고 } \sigma = 2.39$$

2.6 음이항분포

일련의 독립적인 베르누이 시행에서 정확히 r번째 (r은 고정된 양의 정수) 성공이 발생할 때까지 실험을 진행하는 상황을 고려하자. r번째 성공을 관찰할 때까지 필요한 총 시행횟수를 X라 하자. 즉, X는 r번째 성공이 발생한 시행횟수이다. 확률의 곱셈법칙에 의해, X의 pmf인 $g(x)$는 처음 $x-1$번 시행에서 정확히 $r-1$번 성공할 확률

$$\binom{x-1}{r-1} p^{r-1}(1-p)^{x-r} = \binom{x-1}{r-1} p^{r-1} q^{x-r}$$

과 r번째 시행에서 성공할 확률 p의 곱

$$g(x) = \binom{x-1}{r-1} p^r (1-p)^{x-r} = \binom{x-1}{r-1} p^r q^{x-r}, \; x = r, r+1, \ldots$$

으로 표현된다. 우리는 이를 X가 **음이항분포**(negative binomial distribution)를 갖는다고 한다.

> **참고** 이 분포를 음이항분포라 부르는 이유는 다음과 같다. 음의 지수 $-r$을 갖는 이항$(1-w)$의 함수 $h(\mathrm{w}) = (1-w)^{-r}$을 고려하자. 매클로린급수 전개(Maclaurin's series expansion)를 이용하면 다음과 같다.
>
> $$(1-w)^{-r} = \sum_{k=0}^{\infty} \frac{h^{(k)}(0)}{k!} w^k = \sum_{k=0}^{\infty} \binom{r+k-1}{r-1} w^k, \qquad -1 < w < 1$$
>
> 만일 $x = k + r$로 치환하면, $k = x - r$ 그리고
>
> $$(1-w)^{-r} = \sum_{x=r}^{\infty} \binom{r+x-r-1}{r-1} w^{x-r} = \sum_{x=r}^{\infty} \binom{x-1}{r-1} w^{x-r}$$
>
> 이 되고, $w = q$라 하면 마지막 식은 p^r을 제외한 음이항 확률함수가 된다. 특히
>
> $$\sum_{x=r}^{\infty} g(x) = \sum_{x=r}^{\infty} \binom{x-1}{r-1} p^r q^{x-r} = p^r (1-q)^{-r} = 1$$
>
> 이므로, 음이항분포 확률의 합이 1이다.

만일 음이항분포에서 $r = 1$이면, pmf가 **기하급수**(geometric series)의 형태로 구성되어 있기 때문에 X는 기하분포를 갖는다. 즉, 다음과 같다.

$$g(x) = p(1-p)^{x-1}, \qquad x = 1, 2, 3, \ldots$$

기하급수에서 $|r| < 1$일 때, 합은 다음과 같다.

$$\sum_{k=0}^{\infty} ar^k = \sum_{k=1}^{\infty} ar^{k-1} = \frac{a}{1-r}$$

따라서 기하분포에서 다음과 같이 되어 $g(x)$는 pmf의 성질을 만족한다.

$$\sum_{x=1}^{\infty} g(x) = \sum_{x=1}^{\infty} (1-p)^{x-1} p = \frac{p}{1-(1-p)} = 1$$

k가 정수일 때, 기하급수의 합은 다음과 같다.

$$P(X > k) = \sum_{x=k+1}^{\infty} (1-p)^{x-1} p = \frac{(1-p)^k p}{1-(1-p)} = (1-p)^k = q^k$$

따라서 양의 정수 k에서 cdf값은 다음과 같다.

$$P(X \le k) = \sum_{x=1}^{k} (1-p)^{x-1} p = 1 - P(X > k) = 1 - (1-p)^k = 1 - q^k$$

예제 2.6-1 생물학과 학생들이 수많은 과실파리들의 눈 색깔을 관찰했다. 각각의 파리 눈이 흰색일 확률은 1/4 그리고 빨간색일 확률은 3/4이라 하고, 모든 관찰은 독립적인 베르누이 시행이라 하자. 눈이 흰색인 파리를 발견하기 위해 적어도 4마리 파리를 관찰해야 할 확률은 다음과 같다.

$$P(X \ge 4) = P(X > 3) = q^3 = \left(\frac{3}{4}\right)^3 = \frac{27}{64} = 0.4219$$

눈이 흰색인 파리를 발견하기 위해 많아야 4마리 파리를 관찰해야 할 확률은 다음과 같다.

$$P(X \le 4) = 1 - q^4 = 1 - \left(\frac{3}{4}\right)^4 = \frac{175}{256} = 0.6836$$

네 번째 관찰에서 처음으로 눈이 흰색인 파리를 발견할 확률은 다음과 같다.

$$P(X = 4) = q^{4-1} p = \left(\frac{3}{4}\right)^3 \left(\frac{1}{4}\right) = \frac{27}{256} = 0.1055$$

또한 다음과 같이 계산될 수도 있다.

$$\begin{aligned} P(X = 4) &= P(X \le 4) - P(X \le 3) \\ &= [1 - (3/4)^4] - [1 - (3/4)^3] \\ &= \left(\frac{3}{4}\right)^3 \left(\frac{1}{4}\right) \end{aligned}$$

■

이제 음이항 확률변수 X의 평균과 분산이 다음과 같음을 보이자.

$$\mu = E(X) = \frac{r}{p} \qquad \text{그리고} \qquad \sigma^2 = \frac{rq}{p^2} = \frac{r(1-p)}{p^2}$$

특히 $r = 1$, 즉 X가 기하분포를 따르면 다음과 같다.

$$\mu = \frac{1}{p} \qquad \text{그리고} \qquad \sigma^2 = \frac{q}{p^2} = \frac{1-p}{p^2}$$

평균 $\mu = 1/p$은 우리의 직관과 일치한다. 이를 확인해보자. 만일 $p = 1/6$이면, 첫 번째 성공까지 평균적으로 $1/(1/6) = 6$번 시행을 기대할 것이다.

이러한 적률 계산을 위해, 음이항분포의 적률생성함수를 계산하면

$$\begin{aligned} M(t) &= \sum_{x=r}^{\infty} e^{tx}\binom{x-1}{r-1}p^r(1-p)^{x-r} \\ &= (pe^t)^r \sum_{x=r}^{\infty} \binom{x-1}{r-1}\left[(1-p)e^t\right]^{x-r} \\ &= \frac{(pe^t)^r}{[1-(1-p)e^t]^r}, \qquad (1-p)e^t < 1 \end{aligned}$$

[혹은 동일하게, $t < -\ln(1-p)$]이다. 따라서

$$\begin{aligned} M'(t) &= (pe^t)^r(-r)[1-(1-p)e^t]^{-r-1}[-(1-p)e^t] \\ &\quad + r(pe^t)^{r-1}(pe^t)[1-(1-p)e^t]^{-r} \\ &= r(pe^t)^r[1-(1-p)e^t]^{-r-1} \end{aligned}$$

그리고

$$\begin{aligned} M''(t) &= r(pe^t)^r(-r-1)[1-(1-p)e^t]^{-r-2}[-(1-p)e^t] \\ &\quad + r^2(pe^t)^{r-1}(pe^t)[1-(1-p)e^t]^{-r-1} \end{aligned}$$

따라서

$$M'(0) = rp^r p^{-r-1} = rp^{-1}$$

그리고

$$\begin{aligned} M''(0) &= r(r+1)p^r p^{-r-2}(1-p) + r^2 p^r p^{-r-1} \\ &= rp^{-2}[(1-p)(r+1) + rp] \;=\; rp^{-2}(r+1-p) \end{aligned}$$

그래서 우리는 다음과 같은 결과를 얻는다.

$$\mu = \frac{r}{p}, \qquad \sigma^2 = \frac{r(r+1-p)}{p^2} - \frac{r^2}{p^2} = \frac{r(1-p)}{p^2}$$

이 계산들이 조금 지저분해 보이는데, 다소 간단한 방법은 연습문제 2.6-3에 소개된다.

예제 2.6-2 어느 농구선수가 훈련 기간에 자유투 성공률이 80%라고 하자. 그리고 일련의 자유투는 독립적인 베르누이 시행이라고 가정하자. 이 선수가 자유투를 10번 성공할 때까지 던지는 최소횟수를 X라 하면, X의 pmf는 다음과 같다.

$$g(x) = \binom{x-1}{10-1}(0.80)^{10}(0.20)^{x-10}, \qquad x = 10, 11, 12, \ldots$$

X의 평균, 분산, 표준편차는 각각

$$\mu = 10\left(\frac{1}{0.80}\right) = 12.5, \qquad \sigma^2 = \frac{10(0.20)}{0.80^2} = 3.125, \qquad \sigma = 1.768$$

이며, 확률은 다음과 같다.

$$P(X = 12) = g(12) = \binom{11}{9}(0.80)^{10}(0.20)^2 = 0.2362$$

■

예제 2.6-3 모수 p와 r이 음이항분포에 미치는 영향을 알아보기 위해, 4개의 다른 p와 r의 조합에 대한 확률히스토그램이 그림 2.6-1에 주어졌다. 첫 번째 경우는 $r = 1$이기 때문에, 기하분포 pmf이다. ■

적률생성함수가 존재할 때, $t = 0$에서 모든 차수의 미분이 존재한다. 따라서 $M(t)$를 매클로린 전개하는 것이 가능하다.

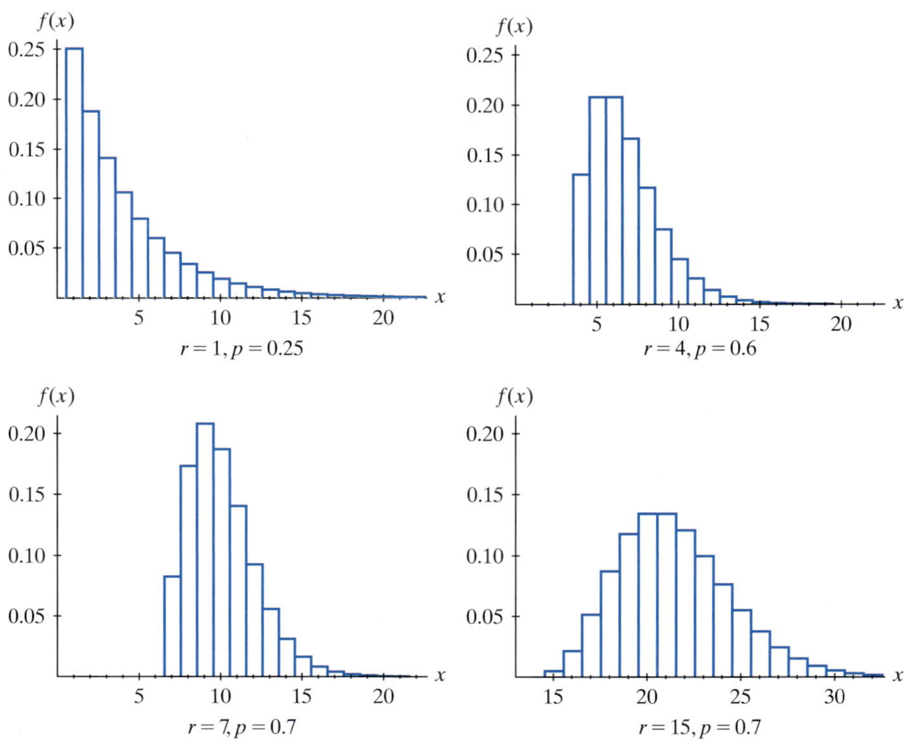

그림 2.6-1 음이항 확률히스토그램

$$M(t) = M(0) + M'(0)\left(\frac{t}{1!}\right) + M''(0)\left(\frac{t^2}{2!}\right) + M'''(0)\left(\frac{t^3}{3!}\right) + \cdots$$

만일 $M(t)$의 매클로린 전개가 존재하고 적률이 주어지면, $M(t)$를 얻기 위해 위의 항들을 종종 더한다. 이런 방법이 다음 예제에서 설명된다.

예제 2.6-4 X의 적률이 다음과 같다.

$$E(X^r) = 0.8, \qquad r = 1, 2, 3, \ldots$$

이때 X의 적률생성함수는 다음과 같다.

$$\begin{aligned} M(t) &= M(0) + \sum_{r=1}^{\infty} 0.8\left(\frac{t^r}{r!}\right) = 1 + 0.8\sum_{r=1}^{\infty}\frac{t^r}{r!} \\ &= 0.2 + 0.8\sum_{r=0}^{\infty}\frac{t^r}{r!} = 0.2e^{0t} + 0.8e^{1t} \end{aligned}$$

따라서

$$P(X = 0) = 0.2 \text{ 그리고 } P(X = 1) = 0.8$$

이므로 이는 베르누이 분포다. ■

다음 예제는 기하분포 응용의 예시다.

예제 2.6-5 공평한 육면체 주사위를 각 면이 적어도 한 번씩 나올 때까지 던진다. 평균적으로 몇 번의 주사위를 던져야 하는가? 첫 번째 결과를 관측하기 위해서는 한 번이면 된다. 첫 번째 결과와 다른 면을 관측하는 것은 성공확률 $p = 5/6$, 즉 $q = 1/6$을 가진 기하분포를 관측하는 것과 같다. 그래서 평균적으로 $1/(5/6) = 6/5$번이 필요하다. 서로 다른 2개의 결과가 관측된 후에, 새로운 면을 관측할 확률은 4/6이다. 다음과 같다. 그래서 평균적으로 $1/(4/6) = 6/4$번이 필요하다. 이런 식으로 계속하면, 답은 평균적으로 다음과 같다.

$$1 + \frac{6}{5} + \frac{6}{4} + \frac{6}{3} + \frac{6}{2} + \frac{6}{1} = \frac{147}{10} = 14.7$$

■

연습문제

2.6-1 어느 뛰어난 농구선수가 자유투를 처음 실패할 때까지 계속 던진다.

(a) 만일 이 선수 자유투 성공률이 $p = 0.9$면, 첫 실패가 13번째 혹은 그 이후에 발생할 확률은 얼마인가?

(b) 세 번째 실패할 때까지 계속해서 자유투를 던진다면, 30번째 시도에서 세 번째 실패가 발생할 확률은 얼마인가?

2.6-2 어느 농구선수의 자유투 성공률이 60%다. 이때 이 선수가 자유투를 10번 성공할 때까지 던지는 총횟수를 X라 하자.

(a) X의 평균, 분산, 표준편차를 구하라.

(b) 확률 $P(X = 16)$을 계산하라.

2.6-3 X의 적률생성함수 $M(t)$가 $-h < t < h$에서 존재한다. 함수 $R(t) = \ln M(t)$로 정의하면, $R(t)$의 1차, 2차 도함수는 각각 다음과 같다.

$$R'(t) = \frac{M'(t)}{M(t)}$$

$$R''(t) = \frac{M(t)M''(t) - [M'(t)]^2}{[M(t)]^2}$$

$t = 0$을 대입하면, 다음이 성립함을 밝혀라.

(a) $\mu = R'(0)$

(b) $\sigma^2 = R''(0)$

2.6-4 만일 $E(X^r) = 5^r$, $r = 1, 2, 3, \ldots$일 때, X의 적률생성함수와 pmf를 구하라.

2.6-5 시리얼 상자에는 4개의 다른 사은품 중 하나가 들어 있다. 어느 가족이 4개의 사은품을 적어도 하나씩 얻을 때까지 시리얼을 계속해서 구매하기로 했다면, 구매해야 할 시리얼 상자 수의 기댓값은 얼마인가?

2.7 푸아송분포

어떤 실험은 주어진 시간에 혹은 주어진 물체에서 특별한 사건의 발생 횟수와 관련이 있다. 예를 들어, 우리는 종종 오전 9시에서 10시 사이에 어느 기지국을 경유한 휴대전화 통화횟수, 100피트 전선에서 흠의 개수, 정오부터 오후 2시까지 매표소에 도착한 손님의 수, 혹은 가로 2피트 길이 100피트인 알루미늄 스크린에서 흠의 수에 관심이 있다. 만일 다음 정의에 주어진 조건을 만족한다면, 그러한 사건을 세는 것은 근사 푸아송 과정과 관련된 확률변수의 관측치로 볼 수 있다.

정의 2.7-1

주어진 연속형 구간에서 어떤 사건의 발생 횟수를 계산한다. 이때 다음 조건들이 만족되면 모든 $\lambda > 0$를 갖는 **근사 푸아송 과정**(approximate Poisson process)을 얻는다.

(a) 겹치지 않은 부 구간에서 사건 발생 횟수는 독립이다.

(b) 길이가 h로 충분히 짧은 부 구간에서 정확히 사건이 한 번 발생할 확률은 근사적으로 λh이다.

(c) 충분히 짧은 부 구간에서 사건이 두 번 이상 발생할 확률은 본질적으로 0이다.

참고 우리가 푸아송 과정 앞에 근사(approximate)를 붙였는데 이유는 어려운 확률론 기호인 'little o' 사용을 피하기 위해 (b)에서는 '근사'를 이용하고 (c)에서는 '본질적으로(essentially)'를 이용한 것이다. 가끔 '근사'를 빼고 푸아송 과정만 사용하기도 한다.

어떤 실험이 앞에서 언급한 근사 푸아송 과정의 세 가지 조건을 만족한다고 할 때, 확률변수 X는 길이 1의 구간에서 발생횟수라 하자(여기에서 길이 1은 고려 중인 양의 1단위를 의미함). 음이 아닌 정수 x에 대해 확률 $P(X = x)$에 대한 근사확률을 구하고자 한다. 이를 위해, 우리는 단위 구간을 $\frac{1}{n}$ 등간격의 n개 부구간으로 나눈다. n이 충분히 크면, 우리는 단위 구간에서 사건이 x번 발생할 확률을 n개 부구간 중에서 정확히 x개 부구간에서 각각 사건이 하나씩 발생할 확률로 근사할 수 있다. 길이 $1/n$인 부구간에서 사건이 하나 발생할 확률은 조건 (b)에 의해 근사적으로 $\lambda(1/n)$이다. 하나의 부구간에서 사건이 2개 이상 발생할 확률은 조건 (c)에 의해 본질적으로 0이다. 그래서 각 부구간에서 근사적으로 $\lambda(1/n)$의 확률로 하나의 사건이 발생한다. 각 부구간에서 사건의 발생과 비발생을 베르누이 시행으로 간주하면 조건 (a)에 의해, 근사적으로 $\lambda(1/n)$과 같은 성공확률 p를 가진 독립적인 베르누이 시행의 n번 반복이다. 따라서 $P(X = x)$의 근사확률은 이항확률에 의해 다음과 같이 주어진다.

$$\frac{n!}{x!\,(n-x)!}\left(\frac{\lambda}{n}\right)^x\left(1-\frac{\lambda}{n}\right)^{n-x}$$

만일 n이 무한대로 커지면

$$\begin{aligned}&\lim_{n\to\infty}\frac{n!}{x!\,(n-x)!}\left(\frac{\lambda}{n}\right)^x\left(1-\frac{\lambda}{n}\right)^{n-x}\\&=\lim_{n\to\infty}\frac{n(n-1)\cdots(n-x+1)}{n^x}\frac{\lambda^x}{x!}\left(1-\frac{\lambda}{n}\right)^n\left(1-\frac{\lambda}{n}\right)^{-x}\end{aligned}$$

이 되고, 고정된 x에 대해

$$\lim_{n\to\infty}\frac{n(n-1)\cdots(n-x+1)}{n^x}=\lim_{n\to\infty}\left[(1)\left(1-\frac{1}{n}\right)\cdots\left(1-\frac{x-1}{n}\right)\right]=1,$$

$$\lim_{n\to\infty}\left(1-\frac{\lambda}{n}\right)^n=e^{-\lambda},$$

$$\lim_{n\to\infty}\left(1-\frac{\lambda}{n}\right)^{-x}=1$$

이 된다. 따라서 다음과 같다.

$$\lim_{n\to\infty} \frac{n!}{x!\,(n-x)!}\left(\frac{\lambda}{n}\right)^x\left(1-\frac{\lambda}{n}\right)^{n-x} = \frac{\lambda^x e^{-\lambda}}{x!} = P(X=x)$$

이 과정과 관련된 확률의 분포는 특별한 이름을 갖는다. 만일 확률함수가 $\lambda > 0$ 경우에 다음과 같은 형태로 주어지면 우리는 이 확률변수 X는 **푸아송분포**(Poisson distribution)를 따른다고 한다.

$$f(x) = \frac{\lambda^x e^{-\lambda}}{x!}, \qquad x = 0, 1, 2, \ldots$$

명백하게 $f(x) \geq 0$이고 e^{λ}의 매클로린 전개에 의해

$$\sum_{x=0}^{\infty} \frac{\lambda^x e^{-\lambda}}{x!} = e^{-\lambda}\sum_{x=0}^{\infty}\frac{\lambda^x}{x!} = e^{-\lambda}e^{\lambda} = 1$$

이기 때문에, $f(x)$는 pmf의 성질을 만족한다.

모수 $\lambda > 0$의 정확한 역할을 알아보기 위해, 푸아송분포의 몇 가지 특징을 알아보자. X의 적률생성함수는 다음과 같다.

$$M(t) = E(e^{tX}) = \sum_{x=0}^{\infty} e^{tx}\frac{\lambda^x e^{-\lambda}}{x!} = e^{-\lambda}\sum_{x=0}^{\infty}\frac{(\lambda e^t)^x}{x!}$$

지수함수의 급수표현식을 이용하면, 모든 실수 t에 대해

$$M(t) = e^{-\lambda}e^{\lambda e^t} = e^{\lambda(e^t-1)}$$

이 된다. 이제

$$M'(t) = \lambda e^t e^{\lambda(e^t-1)}$$

그리고

$$M''(t) = (\lambda e^t)^2 e^{\lambda(e^t-1)} + \lambda e^t e^{\lambda(e^t-1)}$$

이다. 따라서 확률변수 X의 평균과 분산은 각각 다음과 같다.

$$\mu = M'(0) = \lambda$$

$$\sigma^2 = M''(0) - [M'(0)]^2 = (\lambda^2+\lambda) - \lambda^2 = \lambda$$

즉, 푸아송분포에서는 $\mu = \sigma^2 = \lambda$이다.

참고 푸아송분포의 평균과 분산을 적률생성함수를 이용하지 않고 직접 계산하는 것 또한 가능하다. 푸아송분포 평균은

$$E(X) = \sum_{x=0}^{\infty} x\frac{\lambda^x e^{-\lambda}}{x!} = e^{-\lambda}\sum_{x=1}^{\infty}\frac{\lambda^x}{(x-1)!}$$

이고, $x > 0$일 때, $(0)f(0) = 0$이고 $x/x! = 1/(x-1)!$이다. 만일 $k = x - 1$로 치환하면 다음과 같이 된다.

$$E(X) = e^{-\lambda}\sum_{k=0}^{\infty}\frac{\lambda^{k+1}}{k!} = \lambda e^{-\lambda}\sum_{k=0}^{\infty}\frac{\lambda^{k}}{k!}$$
$$= \lambda e^{-\lambda}e^{\lambda} = \lambda$$

분산을 계산하기 위해, 우리는 먼저 이차계승적률 $E[X(X-1)]$을 계산한다. $x > 1$일 때 $(0)(0-1)f(0) = 0$, $(1)(1-1)f(1) = 0$, $x(x-1)/x! = 1/(x-2)!$이므로

$$E[X(X-1)] = \sum_{x=0}^{\infty} x(x-1)\frac{\lambda^x e^{-\lambda}}{x!} = e^{-\lambda}\sum_{x=2}^{\infty}\frac{\lambda^x}{(x-2)!}$$

이 된다. 만일 $k = x - 2$로 치환하면,

$$E[X(X-1)] = e^{-\lambda}\sum_{k=0}^{\infty}\frac{\lambda^{k+2}}{k!} = \lambda^2 e^{-\lambda}\sum_{k=0}^{\infty}\frac{\lambda^{k}}{k!}$$
$$= \lambda^2 e^{-\lambda}e^{\lambda} = \lambda^2$$

따라서

$$\mathrm{Var}(X) = E(X^2) - [E(X)]^2 = E[X(X-1)] + E(X) - [E(X)]^2$$
$$= \lambda^2 + \lambda - \lambda^2 = \lambda$$

다시 한 번 푸아송분포에서 $\mu = \sigma^2 = \lambda$임을 확인했다.

부록 B 표 3에는 λ의 몇 가지 선택된 값에 대한 푸아송 확률변수 누적분포함수의 값들이 주어졌다.

예제 2.7-1 확률변수 X는 평균이 $\lambda = 5$인 푸아송분포를 따른다고 하자. 부록 B 표 3을 이용하면 확률은 다음과 같다.

$$P(X \le 6) = \sum_{x=0}^{6}\frac{5^x e^{-5}}{x!} = 0.762$$
$$P(X > 5) = 1 - P(X \le 5) = 1 - 0.616 = 0.384$$

그리고

$$P(X = 6) = P(X \le 6) - P(X \le 5) = 0.762 - 0.616 = 0.146$$

■

예제 2.7-2 모수 λ가 X의 확률함수에 미치는 영향을 알아보기 위해, 4개의 다른 λ값에 대한 $f(x)$의 확률히스토그램이 그림 2.7-1에 주어졌다. ■

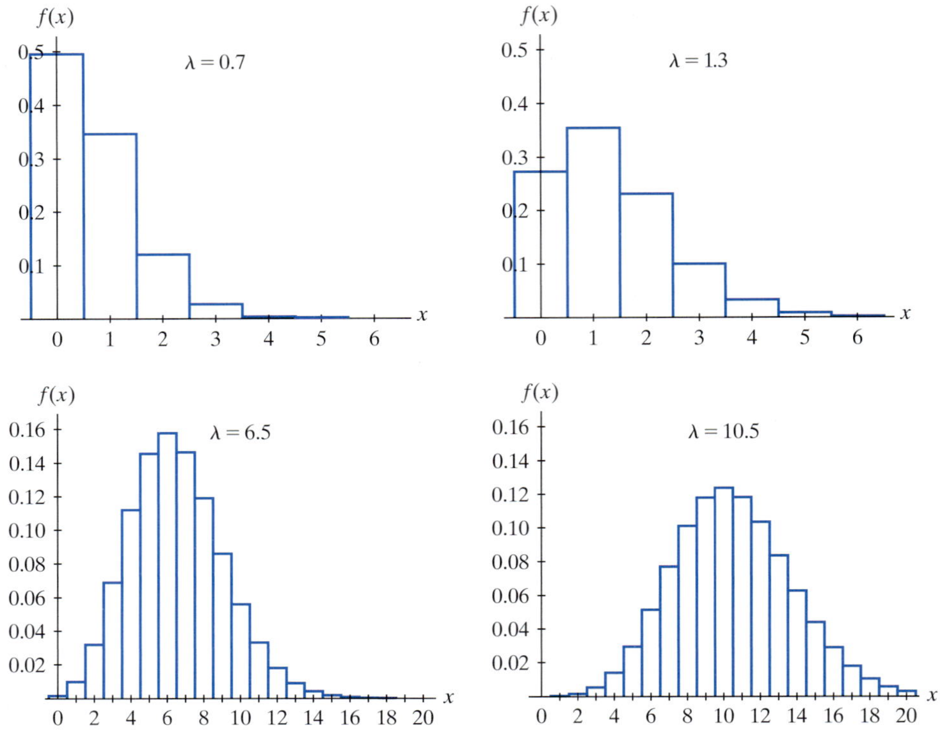

그림 2.7-1 푸아송 확률히스토그램

만일 근사 푸아송 과정에서 사건들이 단위당 평균 λ비율로 발생할 때, 길이 t인 구간에서 사건 발생 기댓값은 λt이다. 예를 들어, 1초 동안 가이거 계수기에 의해 측정된 방출된 바륨-133의 알파 입자의 수를 X라 하자. 만일 방출된 입자 수의 평균이 초당 60이면, 1/10초 동안 방출된 입자 수의 기댓값은 $60(1/10) = 6$이 된다. 게다가 길이가 t인 시간 구간에서 방출된 입자 수, 즉 X는 다음과 같은 푸아송 함수를 갖는다.

$$f(x) = \frac{(\lambda t)^x e^{-\lambda t}}{x!}, \qquad x = 0, 1, 2, \ldots$$

만약 우리가 길이 t인 구간을 마치 '단위 구간'이 λ 대신 평균 λt를 가진 것처럼 생각하면 이 식을 얻는다.

예제 2.7-3 USB는 종종 컴퓨터 파일을 백업하기 위해 사용된다. 그러나 과거에는 조금 덜 믿을 만한 백업시스템인 컴퓨터 테이프가 사용되었다. 특정한 상황에서, 컴퓨터 테이프에는 평균적으로 1,200피트당 하나씩 흠이 있다. 만일 푸아송분포를 가정한다면, 4,800피트에서 발생한 흠의 수 X의 분포는 무엇인가? $4{,}800 = 4(1{,}200)$피트에서 흠의 개수에 대한 기댓값은 4이다. 즉, $E(X) = 4$이다. 따라서 X의 pmf는

$$f(x) = \frac{4^x e^{-4}}{x!}, \qquad x = 0, 1, 2, \ldots$$

이고, 특별히 부록 B 표 3에 의해

$$P(X = 0) = \frac{4^0 e^{-4}}{0!} = e^{-4} = 0.018$$
$$P(X \le 4) = 0.629$$

■

예제 2.7-4 어느 대도시의 119에는 3분에 평균적으로 2통의 전화가 걸려온다. 만일 근사 푸아송 과정을 가정하면, 9분 동안 5통 이상 전화가 걸려올 확률은 얼마인가? 9분 동안 걸려온 전화의 수를 X라 하자. $E(X) = 6$, 즉 평균적으로 9분 동안 6통의 전화가 걸려온다. 따라서 부록 B 표 3에 의해 다음이 구해진다.

$$\begin{aligned} P(X \ge 5) &= 1 - P(X \le 4) = 1 - \sum_{x=0}^{4} \frac{6^x e^{-6}}{x!} \\ &= 1 - 0.285 = 0.715 \end{aligned}$$

■

푸아송분포는 그 자체로 중요할 뿐만 아니라, 이항분포에 대한 확률을 근사하는 데 사용될 수도 있다. 앞에서 우리는 X가 평균 λ인 푸아송분포를 따르면, n이 크고 $p = \lambda/n$이며, 그래서 앞의 이항분포에서 $\lambda = np$인 경우 다음과 같다.

$$P(X = x) \approx \binom{n}{x}\left(\frac{\lambda}{n}\right)^x\left(1 - \frac{\lambda}{n}\right)^{n-x}$$

즉, 만일 X가 큰 n과 작은 p를 가진 이항분포를 따른다면 다음과 같다.

$$\frac{(np)^x e^{-np}}{x!} \approx \binom{n}{x} p^x (1-p)^{n-x}$$

n이 크면 이 근사는 꽤 좋다. 하지만 앞에서 λ는 고정된 상수이고 $np = \lambda$이기 때문에 p는 작아야 한다. 특히 $n \ge 20$이고 $p \le 0.05$이거나 $n \ge 100$이고 $p \le 0.1$인 경우에 이 근사는 꽤 정확하다. 그러나 $n = 50$이고 $p = 0.12$와 같은 다른 상황에서도 나쁜 편은 아니다.

예제 2.7-5 어느 크리스마스 트리 전구 생산업자는 제품 중 2%가 불량품임을 알고 있다. 독립을 가정할 때, 전구 100개들이 한 상자에서 불량 전구의 수는 모수가 $n = 100$ 그리고 $p = 0.02$인 이항분포를 따른다. 100개 전구 중에서 불량품이 기껏해야 3개 포함됐을 확률을 근사하기 위해, 우리는 모수 $\lambda = 100(0.02) = 2$인 푸아송분포를 이용하는데, 이는 부록

B 표 3에 의해 다음과 같음을 알 수 있다.

$$\sum_{x=0}^{3} \frac{2^x e^{-2}}{x!} = 0.857$$

이항분포를 이용하면 약간의 복잡한 계산을 거쳐

$$\sum_{x=0}^{3} \binom{100}{x} (0.02)^x (0.98)^{100-x} = 0.859$$

임을 알 수 있다. 따라서 이 경우에는 푸아송 근사가 실제 확률에 꽤 가깝고, 반면에 계산도 쉽다. ■

참고 통계패키지 사용이 가능하면, 이항분포 확률 계산이 종종 쉽다. 그래서 정확한 확률 계산이 가능하면 푸아송 근사를 이용한 이항분포 확률 계산이 필요 없다. 한편 모수추정에서는(6장에서 고려), 푸아송분포가 추정할 모수가 적기 때문에 이항분포에 대한 푸아송 근사가 유용할 수도 있다. 즉, n이 크고 p가 작을 때, 관측된 자료의 확률 분포에 대한 좋은 추정치를 얻기 위해 n과 p를 개별적으로 추정할 필요가 없고, 단순히 그들의 곱 np를 추정하면 된다.

예제 2.7-6 그림 2.7-2에는 푸아송 확률히스토그램이 음영으로 표시된 이항 확률히스토그램 위에 중첩되어 있다. 그래서 이들이 서로 비슷한지를 확인할 수 있다. 만일 X의 분포가 $b(n, p)$이면, 근사 푸아송분포는 평균이 $\lambda = np$이다. p가 클 때(예: $p = 0.3$)는 이러한 근사가 좋지 않다. ■

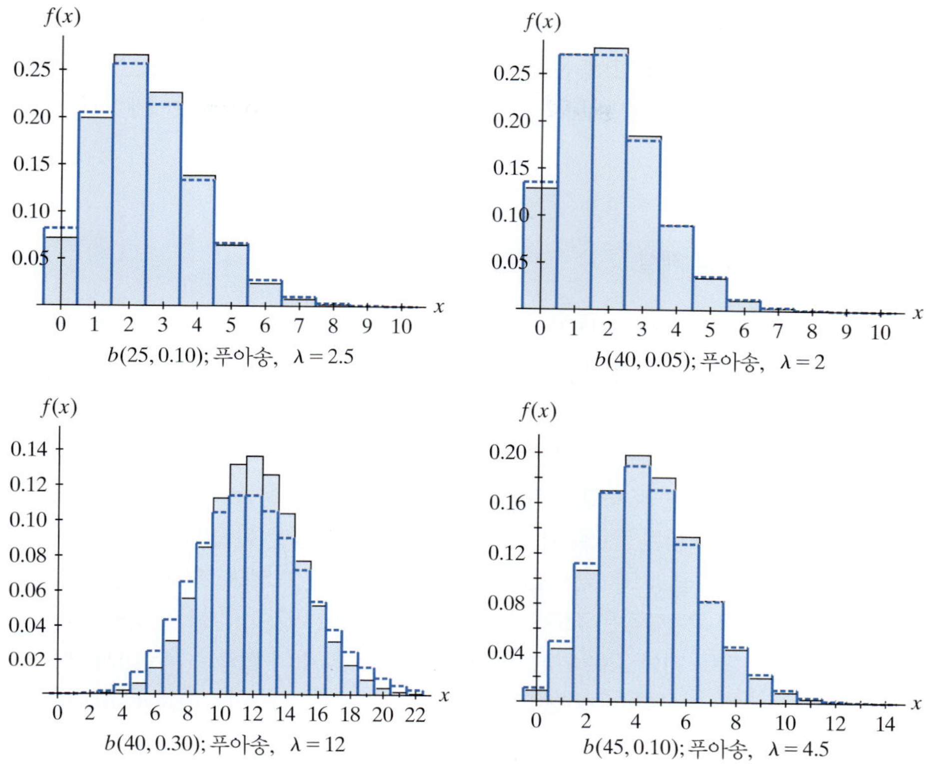

그림 2.7-2 이항(음영 표시) 및 푸아송 확률히스토그램

연습문제

2.7-1 X가 평균이 4인 푸아송분포를 따를 때, 다음을 계산하라.

(a) $P(3 \le X \le 5)$

(b) $P(X \ge 3)$

(c) $P(X \le 3)$

2.7-2 어느 여행사에 고객들이 시간당 평균 11명 방문한다. 시간당 방문 고객의 수가 푸아송분포를 따른다고 할 때, 주어진 1시간 동안 10명보다 많이 방문할 확률은 얼마인가?

2.7-3 어떤 직물은 150제곱피트당 평균적으로 하나의 흠이 있다. 만일 푸아송분포를 가정하면, 225제곱피트에서 기껏해야 하나의 흠이 있을 확률을 계산하라.

2.7-4 1달러짜리 미시간주 일일 복권에서 499달러의 상금을 받을 확률이 0.001이다. 어떤 사람이 복권 n장을 구매했을 때, 499달러의 상금을 받은 횟수를 Y라 하면, Y는 $b(n, 0.001)$분포이다. 복권 $n = 2{,}000$장을 구매한 뒤, 만일 $\{Y \le 4\}$이면 이 사람은 손해다. $n = 2{,}000$일 때, 푸아송 근사를 이용해 $P(Y \le 4)$를 계산하라.

2.7-5 푸아송 확률변수 X의 평균이 $\mu = 9$일 때, 다음을 계산하라.

$$P(\mu - 2\sigma < X < \mu + 2\sigma)$$

2.7-6 항공사는 가능하면 항상 좌석보다 많은 예약을 받는다. 좌석이 95개인 특정 비행기 티켓이 300달러인데 항공사에서 티켓을 100장 팔았다.

(a) 티켓을 구매한 사람이 오지 않을 확률이 0.05이고, 독립을 가정할 때, 공항에 온 고객이 모두 좌석을 배정받을 확률은 얼마인가?

(b) 만일 비행기에 탑승하지 못한 고객이 발생한 경우 항공사는 티켓 비용 300달러와 페널티 400달러를 고객들에게 지불해야 한다면, 항공사가

역사적 해설

확률론에서 진전된 주요 항목들이 베르누이 가문에 의한 것이었다. 베르누이 가문은 1600년대 후반부터 1700년대 후반까지의 주목할 만한 스위스 수학자 가문이다. 이 가문에는 8명의 수학자가 있는데, 우리는 이 중 야곱(Jacob), 니콜라스 2세(Nicolaus II), 다니엘(Daniel)만 언급할 것이다. 야곱이 **추측학**(The art of conjecture)을 쓰다가 1705년에 죽고 조카인 니콜라스 2세가 출판을 위해 작업을 마무리했다. 하지만, 5.8절에 포함된 중요한 대수의 법칙을 발견한 사람은 야곱이었다.

야곱의 또 다른 조카인 다니엘은 그의 상트페테르부르크 논문에서 다음과 같이 언급했다. "기댓값은 각각의 발생 가능한 이득에 이것이 발생 가능한 경우의 수를 곱한 다음 이를 모두 더한 값을 발생 가능한 모든 경우의 수의 합으로 나누어서 계산할 수 있다." 그의 사촌 니콜라스 2세는 상트페테르부르크의 역설(St. Petersburg paradox)을 주장했다—피터(Peter)는 동전 앞면이 처음 나올 때까지 계속해서 동전을 던지는 게임을 한다. x번째 처음 앞면이 나왔다면, 그는 폴(Paul)에게 2^{x-1}달러를 지불한다. 즉, 동전 던지기 횟수가 추가될 때마다 금액은 2배로 늘어난다. 다른 사람이 이 게임에서 폴의 자리를 양도받으려면 얼마나 지불해야 하는가? 분명하게도,

$$E(2^{X-1}) = \sum_{x=1}^{\infty} (2^{x-1})\left(\frac{1}{2^x}\right) = \sum_{x=1}^{\infty} \frac{1}{2} = \infty$$

이다. 하지만 비록 기댓값이 무한대일지라도 현실적으로 누가 폴에게 기꺼이 1,000달러를 지불하겠는가? 우리는 이에 대해 의심이 있고 다니엘도 마찬가지였다. 그래서 이로 인해 그는 돈의 효용성에 대해 생각하게 되었다. 예를 들어, 우리 대부분에게는, 3,000,000달러가 1,000,000달러의 3배 가치가 있는 것은 아니다. 이해를 돕기 위해, 여러분이 1,000,000달러를 가지고 있고, 어느 부자가 여러분에게 전 재산을 거는 조건으로 2,000,000달러를 벌 수 있는 동전 던지기 게임을 제안한다고 하자. 게임 후에 여러분은 재산이 0 혹은 3,000,000달러가 된다. 그래서 기댓값은

$$(\$0)\left(\frac{1}{2}\right) + (\$3{,}000{,}000)\left(\frac{1}{2}\right) = \$1{,}500{,}000$$

지불해야 할 기대 비용(티켓 비용 더하기 페널티)은 얼마인가?

2.7-7 어느 보험계약자가 보험 청구를 3건 하는 것에 비해 2건 청구할 가능성이 4배라 하자. 이 보험계약자의 보험 청구 건수 X가 푸아송분포라 할 때, $E(X^2)$을 계산하라.

이고 여러분이 손해 보는 게임은 아니다. 즉, 이것은 구미가 당기는 내기이고 아마 빌 게이츠라면 흔쾌히 참여할 것으로 보인다. 그러나 여러분은 전 재산이 1,000,000달러이고 확률 1/2로 재산이 0이 될 수 있다. 제한된 재산을 가진 우리들 중 어떤 사람도 이 내기에 참가하는 것을 고려하지 않을 것이다. 왜냐하면 추가로 생기는 돈의 효용성이 처음 1,000,000달러의 효용가치에 못 미치기 때문이다. 이제 우리 각자는 자기 자신만의 효용함수(utility function)를 갖는다. 우리 모두에게 현실적으로 2달러는 1달러의 2배 가치가 있다. 그러나 200,000달러가 100,000달러의 2배 가치가 있는가? 이는 여러분이 처한 상황에 따라 다르다. 효용함수가 처음 어느 정도까지는 직선으로 비례하지만, 금액이 어느 지점을 지나면서는 여전히 증가는 하지만 증가세가 둔화된다. 이 증가가 둔화된 지점이 사람마다 다르다. 이 책의 저자 중 한 사람인 밥 호그(Bob Hogg)는 1,000달러를 베팅해서 2,000달러를 벌 수 있다면 언제든 내기를 하겠지만, 100,000달러를 베팅해서 200,000달러를 버는 내기에는 아마도 아니다. 그래서 호그의 효용함수는 1,000달러와 100,000달러 중간 어느 지점에서 증가세가 둔화할 것이다. 다니엘도 이러한 것을 관측했다. 그리고 이것이 여러 종류의 비즈니스에서 매우 유용하다.

보험을 예로 들면, 우리가 내는 보험료가 보험회사에서 우리에게 지불해야 할 기댓값보다 크다는 것을 우리 대부분은 알고 있다. 즉, 이것이 그들이 돈을 버는 방법이다. 얼핏 보험이 나쁜 내기처럼 보이지만 실제로 항상 그런 것은 아니다. 조금 덜 비싼 품목들(효용함수에서 직선 부분에 해당)은 스스로 감당한다. 심지어 우리는 두 달 치 월급보다 싼 것들은 보험 들 필요가 없다는 '규칙'을 들었다. 이것이 꽤 좋은 지침이지만, 우리 각자 자기만의 효용함수가 있기 때문에 판단은 각자의 몫이다. 호그는 5,000달러에서 10,000달러까지의 손실을 감당할 수 있지만(물론, 그가 좋아하지 않겠지만), 100,000달러 혹은 그 이상의 손실은 그도 원하지 않는다. 그래서 작은 손실에서 직선에 비례했던 그의 효용함수가 큰 손실에 대해서는 직선에 비례하지 않는다. 만일 여러분이 비싼 품목에 보험을 든다면, 기대효용이 보험료보다 크다는 것을 알게 될 것이다. 이것이 바로 많은 사람들이 그들의 생명, 집, 그리고 차 보험을 드는 이유다. 하지만 골프클럽, 안경, 모피코트, 혹은 보석류(비싸지 않은 모피코트와 보석인 경우)에는 보험을 들지 않아야 한다.

03 연속형 분포

3.1 연속형 확률변수

확률변수 X가 구간 $[a, b]$, $-\infty < a < b < \infty$로부터 임의로 선택되는 하나의 점의 위치를 나타낸다고 하자. 이 실험이 공정하게 진행된다면, 하나의 점이 구간 $[a, x]$, $a \le x \le b$로부터 선택될 확률은 $(x - a)/(b - a)$이다. 확률은 구간의 길이에 비례하므로 X의 cdf는 다음과 같다.

$$F(x) = \begin{cases} 0, & x < a \\ \dfrac{x-a}{b-a}, & a \le x < b \\ 1, & b \le x \end{cases}$$

이때 cdf는

$$F(x) = \int_{-\infty}^{x} f(y)\, dy$$

여기서

$$f(x) = \frac{1}{b-a}, \qquad a \le x \le b$$

그리고 그 외의 곳에서는 0이다. 즉 $F'(x) = f(x)$이고 $f(x)$를 X의 **확률밀도함수**(probability density function)라고 하며 보통 X의 pdf로 간단히 표기한다.

물론 $F'(x)$는 $x = a$와 $x = b$에서 존재하지 않는다. 그러나 $F(x)$는 연속이고 점에 대해서는 확률을 할당하지 않기 때문에 $x = a$와 $x = b$에서 $f(x)$에 어떤 값을 정의할 수 있다. 대부분 $f(a) = f(b) = 1/(b - a)$ 혹은 $f(a) = f(b) = 0$으로 놓는다. $F'(x)$가 존

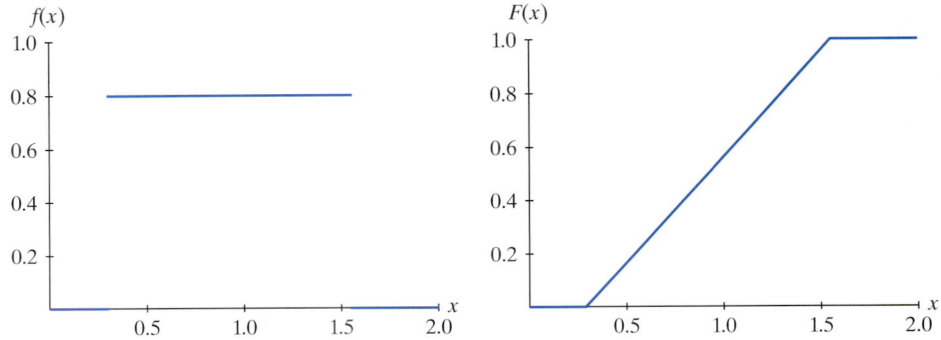

그림 3.1-1 균일 pdf와 cdf

재할 때는 X가 연속형 확률변수이기 때문에 $F'(x)$는 X의 pdf와 같다. 따라서 $a < x < b$일 때 $f(x) = F'(x) = 1/(b - a)$를 갖는다.

확률변수 X의 pdf가 공간 위에서 상수와 같다면 확률변수 X는 **균일분포**(uniform distribution)를 가지며 특히 구간 $[a, b]$의 공간 위에서 다음과 같은 균일분포를 $X \sim U(a, b)$로 표기한다.

$$f(x) = \frac{1}{b-a}, \qquad a \le x \le b$$

이 분포는 또한 **직사각형분포**(rectangular distribution)라고도 하는데 이것은 $f(x)$의 그래프로부터 짐작할 수 있다. $a = 0.30$과 $b = 1.55$에서의 pdf $f(x)$와 cdf $F(x)$의 그래프가 그림 3.1-1에 나타나 있다.

확률변수 X와 관련해 확률을 설명할 수 있는 많은 확률밀도함수들이 있다. 따라서 구간 혹은 구간들의 합인 공간 S를 가지는 **연속형**(continuous type) 확률변수 X의 확률밀도함수(probability density function, pdf)는 다음의 조건을 만족하는 적분 가능한 함수 $f(x)$이다.

(a) $f(x) > 0,\ x \in S$

(b) $\int_S f(\mathrm{x})dx = 1$

(c) $(a, b) \subseteq S$이라면 사상 $\{a < x < b\}$의 확률은 다음과 같다.

$$P(a < X < b) = \int_a^b f(x)\,dx$$

연속형 확률변수 X의 **누적분포함수**(cumulative distributuion function, cdf) 혹은 **분포함수**(distribution function)를 X의 pdf를 사용해 나타내보면 다음과 같다.

$$F(x) = P(X \le x) = \int_{-\infty}^{x} f(t)\,dt, \qquad -\infty < x < \infty$$

해석학의 기본정리로부터 $F'(x)$가 존재하는 모든 x에 대해 $F'(x) = f(x)$가 성립한다.

예제 3.1-1 연속형 확률변수 Y가 pdf $g(y) = 2y$, $0 < y < 1$을 갖는다면 Y의 cdf는 다음과 같다.

$$G(y) = \begin{cases} 0, & y < 0 \\ \displaystyle\int_0^y 2t\,dt = y^2, & 0 \le y < 1 \\ 1, & 1 \le y \end{cases}$$

그림 3.1-2는 pdf $g(y)$와 cdf $G(y)$의 그래프를 보여준다. 확률의 계산 예는 다음과 같다.

$$P\left(\frac{1}{2} < Y \le \frac{3}{4}\right) = G\left(\frac{3}{4}\right) - G\left(\frac{1}{2}\right) = \left(\frac{3}{4}\right)^2 - \left(\frac{1}{2}\right)^2 = \frac{5}{16}$$
$$P\left(\frac{1}{4} \le Y < 2\right) = G(2) - G\left(\frac{1}{4}\right) = 1 - \left(\frac{1}{4}\right)^2 = \frac{15}{16}$$

이산형 확률변수의 pmf $f(x)$는 $f(x) = P(X = x)$이기 때문에 1의 한계를 갖지만 연속형 확률변수의 pdf는 한계를 가질 필요가 없다[연습문제 3.1-4(c) 참조]. 그러나 **pdf와 x축 사이의 면적은 반드시 1이어야 한다.** 또한 연속형 확률변수의 pdf가 꼭 연속함수일 필요는 없다. 예를 들면,

$$f(x) = \begin{cases} \dfrac{1}{2}, & 0 < x < 1 \quad \text{또는} \quad 2 < x < 3 \\ 0, & \text{그 외의 곳에서} \end{cases}$$

는 연속형 확률변수의 pdf 조건을 만족시킨다. 이때 $f(x)$는 $x = 0, 1, 2, 3$에서 불연속점을 갖는다. 그러나 연속형 확률변수의 cdf는 항상 연속함수이다.

수학적 기댓값과 관련해서 연속형 확률변수는 그것을 계산할 때 이산형 확률변수 때와 같으나 단지 이산형 확률변수 때는 총합을 사용하는 것이 연속형 확률변수 때는 적분

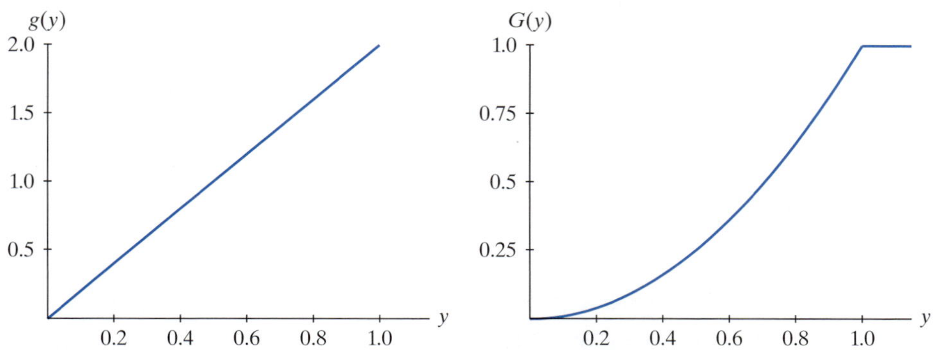

그림 3.1-2 연속형 pdf와 cdf

으로 바꾸어 계산한다. 연속형 확률변수 X가 pdf $f(x)$를 갖는다고 하자. 그러면 X의 **평균**(mean), 즉 **기댓값**(expected value)은

$$\mu = E(X) = \int_{-\infty}^{\infty} xf(x)\,dx$$

이고, X의 **분산**(variance)과 **표준편차**(standard deviation)는 각각 다음과 같다.

$$\sigma^2 = \text{Var}(X) = E[(X-\mu)^2] = \int_{-\infty}^{\infty} (x-\mu)^2 f(x)\,dx$$

$$\sigma = \sqrt{\text{Var}(X)}$$

그리고 X의 **적률생성함수**(moment generating function, mgf)가 존재한다면 X의 mgf는

$$M(t) = \int_{-\infty}^{\infty} e^{tx} f(x)\,dx, \qquad -h < t < h$$

이며 $\sigma^2 = E(X^2) - \mu^2$, $\mu = M'(0)$, $\sigma^2 = M''(0) - [M'(0)]^2$과 같은 결과들은 여전히 유효하다. 또한 $h > 0$과 같은 $-h < t < h$에 대해 적률생성함수가 유한이라면 적률생성함수가 분포를 완전히 결정한다는 사실은 여전히 중요하다.

참고 이산형과 연속형의 경우에 r차 적률 $E(X^r)$이 존재하고 유한이라면 보다 낮은 모든 차수의 적률, $E(X^k)$, $k = 1, 2, \ldots, r-1$도 존재하고 유한이다. 그러나 그 역은 사실이 아니다. 예를 들어 1차 적률이 존재하고 유한일지라도 2차 적률은 그렇지 않을 수 있다(연습문제 3.1-6 참조). 게다가 $-h < t < h$에 대해 $E(e^{tX})$가 존재하고 유한이라면 모든 적률은 존재하고 유한이다. 그러나 그 역이 꼭 성립하는 것은 아니다.

$U(a, b)$ 분포의 평균, 분산, mgf는 계산하기가 어렵지 않다(연습문제 3.1-1 참조). 그것들은 각각 다음과 같다.

$$\mu = \frac{a+b}{2}, \qquad \sigma^2 = \frac{(b-a)^2}{12}$$

$$M(t) = \begin{cases} \dfrac{e^{tb} - e^{ta}}{t(b-a)}, & t \neq 0 \\ 1, & t = 0 \end{cases}$$

중요한 균일분포는 $a = 0$이고 $b = 1$일 때인 $U(0, 1)$ 분포이다. X가 $U(0, 1)$ 분포를 갖는다면 대부분의 컴퓨터에서는 X의 근삿값들이 난수생성자(random number generator)에 의해 생성된다. 그러나 실제로 난수(random numbers)를 생성하는 프로그램에서 초깃값(seed number)이 주어지면 그 이후 연속되는 모든 난수는 간단한 산술식에 의해 결정된다. 때문에 난수생성자를 보통 **의사 난수생성자**(pseudo-random-number generator)라고 한다. 컴퓨터에서 생성된 난수의 예는 부록 B의 표 8에 주어진 수를 10^4으로 나누어 1보다 작은 소수를 사용한다.

예제 3.1-2 X가 pdf

$$f(x) = \frac{1}{100}, \qquad 0 < x < 100$$

를 가진다면 X의 분포는 $U(0, 100)$이다. 평균과 분산은 각각 다음과 같다.

$$\mu = \frac{0+100}{2} = 50, \qquad \sigma^2 = \frac{(100-0)^2}{12} = \frac{10{,}000}{12}$$

표준편차는 $\sigma = 100/\sqrt{12}$인데 이것은 $U(0, 1)$ 분포 표준편차의 100배이다. 표준편차는 산포의 측도이므로 $U(0, 100)$ 분포는 $U(0, 1)$ 분포보다 100배 이상 정도로 퍼져 있을 것이라고 짐작할 수 있다. ■

예제 3.1-3 예제 3.1-1의 확률변수 Y의 평균과 분산은 다음과 같다.

$$\mu = E(Y) = \int_0^1 y\,(2y)\,dy = \left[\left(\frac{2}{3}\right)y^3\right]_0^1 = \frac{2}{3}$$

$$\begin{aligned}\sigma^2 = \mathrm{Var}(Y) &= E(Y^2) - \mu^2 \\ &= \int_0^1 y^2(2y)\,dy - \left(\frac{2}{3}\right)^2 = \left[\left(\frac{1}{2}\right)y^4\right]_0^1 - \frac{4}{9} = \frac{1}{18}\end{aligned}$$

■

예제 3.1-4 X가 pdf

$$f(x) = |x|, \qquad -1 < x < 1$$

를 가진다면 다음과 같이 확률 계산을 할 수 있다.

$$\begin{aligned}P\left(-\frac{1}{2} < X < \frac{3}{4}\right) &= \int_{-1/2}^{3/4} |x|\,dx = \int_{-1/2}^{0} -x\,dx + \int_0^{3/4} x\,dx \\ &= \left[-\frac{x^2}{2}\right]_{-1/2}^{0} + \left[\frac{x^2}{2}\right]_0^{3/4} = \frac{1}{8} + \frac{9}{32} = \frac{13}{32}\end{aligned}$$

또한 X의 평균과 분산은 각각 다음과 같다.

$$E(X) = \int_{-1}^{0} -x^2\,dx + \int_{0}^{1} x^2\,dx = \left[-\frac{x^3}{3}\right]_{-1}^{0} + \left[\frac{x^3}{3}\right]_{0}^{1} = -\frac{1}{3} + \frac{1}{3} = 0$$

$$\text{Var}(X) = E(X^2) = \int_{-1}^{0} -x^3\,dx + \int_{0}^{1} x^3\,dx = \left[-\frac{x^4}{4}\right]_{-1}^{0} + \left[\frac{x^4}{4}\right]_{0}^{1} = \frac{1}{4} + \frac{1}{4} = \frac{1}{2}$$

■

예제 3.1-5 확률변수 X가 pdf

$$f(x) = xe^{-x}, \qquad 0 \le x < \infty$$

를 갖는다면, X의 mgf는 다음과 같다.

$$\begin{aligned} M(t) = \int_{0}^{\infty} e^{tx}xe^{-x}\,dx &= \lim_{b\to\infty}\int_{0}^{b} xe^{-(1-t)x}\,dx \\ &= \lim_{b\to\infty}\left[-\frac{xe^{-(1-t)x}}{1-t} - \frac{e^{-(1-t)x}}{(1-t)^2}\right]_{0}^{b} \\ &= \lim_{b\to\infty}\left[-\frac{be^{-(1-t)b}}{1-t} - \frac{e^{-(1-t)b}}{(1-t)^2}\right] + \frac{1}{(1-t)^2} \\ &= \frac{1}{(1-t)^2}, \qquad t < 1 \end{aligned}$$

이때 모든 mgf에 대해 $M(0) = 1$이다. mgf $M(t)$의 1차 및 2차 도함수는 각각 다음과 같다.

$$M'(t) = \frac{2}{(1-t)^3}, \qquad M''(t) = \frac{6}{(1-t)^4}$$

그러므로 X의 평균과 분산은 각각 다음과 같다.

$$\mu = M'(0) = 2$$
$$\sigma^2 = M''(0) - [M'(0)]^2 = 6 - 2^2 = 2$$

■

X가 pdf $f(x)$와 cdf $F(x)$를 갖는 연속형 확률변수라고 하자. **제100p백분위수**[(100p) th percentile]는 다음 식을 만족시키는 수 π_p이다.

$$p = \int_{-\infty}^{\pi_p} f(x)\,dx = F(\pi_p)$$

특히 제50백분위수를 **중위수**(median)라고 하고, $m = \pi_{0.50}$이라 놓는다. 제25백분위수와 제75백분위수를 각각 **제1사분위수**(first quartile)와 **제3사분위수**(third quartile)라고 하며 $q_1 = \pi_{0.25}$ 그리고 $q_3 = \pi_{0.75}$로 나타낸다. 물론 중위수 $m = \pi_{0.50} = q_2$는 **제2사분위수**(second quartile)라고도 한다.

예제 3.1-6 X가 예제 3.1-4에서 정의한 pdf, $f(x) = |x|$, $-1 < x < 1$를 갖는 경우에 이 pdf는 0에 관해 대칭이므로 중위수도 0이다. 따라서 제1사분위수가 0보다 작아야 한다. 이것은 다음과 같은 계산에 의해 보일 수 있다.

$$0.25 = \int_{-1}^{\pi_{.25}} -x\,dx \;=\; \left[-\frac{x^2}{2}\right]_{-1}^{\pi_{.25}} = \frac{1-\pi_{.25}^2}{2}$$

그러므로 제1사분위수는 $\pi_{.25} = -1/\sqrt{2}$이다. 한편, 제90백분위수는 0보다 커야 하는데 이것은 다음과 같은 계산에 의해 보일 수 있다.

$$0.90 - 0.50 = \int_{0}^{\pi_{.90}} x\,dx = \left[\frac{x^2}{2}\right]_{0}^{\pi_{.90}} = \frac{\pi_{.90}^2}{2}$$

그러므로 제90백분위수는 $\pi_{.90} = \sqrt{4/5}$이다. ■

예제 3.1-7 어떤 제품이 고장 날 때까지의 시간(단위: 월)을 나타내는 확률변수 X가 다음과 같은 pdf와 cdf를 갖는다.

$$f(x) = \frac{3x^2}{4^3}\,e^{-(x/4)^3}, \qquad 0 < x < \infty$$

$$F(x) = \begin{cases} 0, & -\infty < x < 0 \\ 1 - e^{-(x/4)^3}, & 0 \le x < \infty \end{cases}$$

따라서 제30백분위수 $\pi_{0.3}$은 다음의 식을 풀어 구해진다.

$$F(\pi_{0.3}) = 0.3$$

즉,

$$\begin{aligned} 1 - e^{-(\pi_{0.3}/4)^3} &= 0.3, \\ \ln(0.7) &= -(\pi_{0.3}/4)^3, \\ \pi_{0.3} &= -4\sqrt[3]{\ln(0.7)} \;=\; 2.84 \end{aligned}$$

비슷하게 $\pi_{0.9}$는 다음의 식

$$F(\pi_{0.9}) = 0.9$$

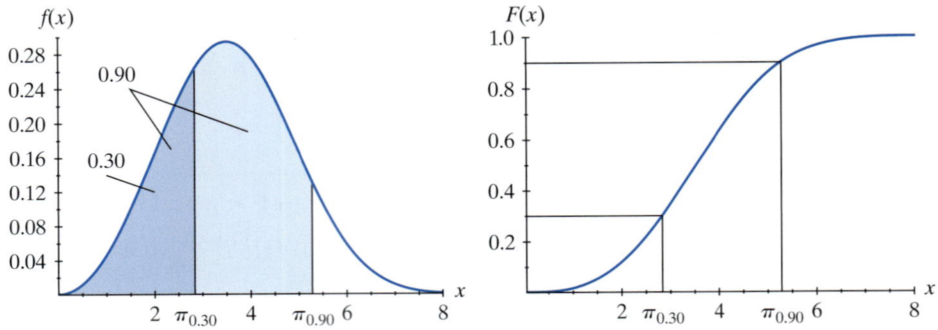

그림 3.1-3 백분위수 $\pi_{0.3}$과 $\pi_{0.9}$의 설명

로부터

$$\pi_{0.9} = -4\sqrt[3]{\ln(0.1)} = 5.28$$

이다. 따라서 다음과 같다.

$$P(2.84 < X < 5.28) = 0.6$$

제30백분위수와 제90백분위수가 그림 3.1-3에 나타나 있다. ■

예제 3.1-8 확률변수 X가 다음의 pdf를 갖는다고 하자.

$$f(x) = e^{-x-1}, \qquad -1 < x < \infty$$

그러면

$$P(X \geq 1) = \int_1^{\infty} e^{-x-1} dx = e^{-1}\left[-e^{-x}\right]_1^{\infty} = e^{-2} = 0.135$$

또한

$$\begin{aligned} M(t) = E(e^{tX}) &= \int_{-1}^{\infty} e^{tx} e^{-x-1} dx \\ &= e^{-1}\left[\frac{-e^{-(1-t)x}}{1-t}\right]_{-1}^{\infty} \\ &= e^{-t}(1-t)^{-1}, \qquad t < 1 \end{aligned}$$

따라서

$$M'(t) = (e^{-t})(1-t)^{-2} - e^{-t}(1-t)^{-1}$$

그리고

$$M''(t) = (e^{-t})(2)(1-t)^{-3} - 2e^{-t}(1-t)^{-2} + e^{-t}(1-t)^{-1}$$

이므로

$$\mu = M'(0) = 0 \qquad \text{그리고} \qquad \sigma^2 = M''(0) - [M'(0)]^2 = 1$$

cdf는

$$\begin{aligned} F(x) &= \int_{-1}^{x} e^{-w-1} dw = e^{-1}\left[-e^{-w}\right]_{-1}^{x} \\ &= e^{-1}\left[e^{1} - e^{-x}\right] = 1 - e^{-x-1}, \qquad -1 < x < \infty \end{aligned}$$

이고 $x \le -1$의 경우에는 0이다.

중위수 $\pi_{0.5}$는 다음의 식

$$F(\pi_{0.5}) = 0.5$$

즉,

$$-\pi_{0.5} - 1 = \ln(0.5)$$

로부터

$$\pi_{0.5} = \ln 2 - 1 = -0.307$$

과 같이 얻어진다. ■

연습문제

3.1-1 X가 $U(a, b)$, $-\infty < a < b < \infty$ 분포를 따를 때, X의 평균, 분산, mgf가 이 절에서 주어진 결과로 됨을 밝혀라. 또한 왜도가 0이 됨을 밝혀라.

3.1-2 고객은 은행의 예금 입출금 창구에 무작위로 도착한다. 어느 특정한 10분의 시간구간 동안 한 고객이 도착한다면 X를 고객이 도착한 10분 내의 어느 시점으로 놓는다. 즉 X가 $U(0, 10)$ 분포를 갖는다면 다음을 구하라.

(a) X의 pdf

(b) $P(X \ge 8)$

(c) $P(2 \le X < 8)$

(d) $E(X)$

(e) $\text{Var}(X)$

3.1-3 Y가 $U(0, 1)$ 분포를 갖고 $W = a + (b - a)Y$, $a < b$라 놓자.

(a) W의 cdf를 구하라.

힌트: $P[a + (b - a)Y \le w]$를 구하라.

(b) W는 어떤 분포를 갖는가?

3.1-4 다음의 각 분포에 대해 (i) $f(x)$가 확률변수 X의 pdf가 되도록 하는 상수 c와 (ii) cdf $F(x)$를 구하고 (iii) pdf $f(x)$와 cdf $F(x)$의 그래프를 그리고 (iv) μ와 σ^2, 왜도 γ를 구하라.

(a) $f(x) = 4x^c$, $0 \le x \le 1$

(b) $f(x) = c\sqrt{x}$, $0 \le x \le 4$

(c) $f(x) = c/x^{3/4}$, $0 < x < 1$

3.1-5 확률변수 X가 pdf $f(x) = 2(1 - x)$, $0 \le x \le 1$를 갖는다.

(a) 이 pdf의 그래프를 그려라.

(b) X의 cdf를 구하고 이 cdf의 그래프를 그려라.

(c) 다음의 확률을 계산하라.
(i) $P(0 \le X \le 1/2)$, (ii) $P(1/4 \le X \le 3/4)$, (iii) $P(X = 3/4)$, (iv) $P(X \ge 3/4)$

3.1-6 Y의 pdf는 $g(y) = c/y^3$, $1 < y < \infty$이다.

(a) $g(y)$가 pdf가 되도록 c의 값을 구하라.

(b) $E(Y)$를 구하라.

(c) $\text{Var}(Y)$가 유한이 아니라는 것을 밝혀라.

3.1-7 로지스틱 분포는 cdf $F(x) = (1 + e^{-x})^{-1}$, $-\infty < x < \infty$를 갖는다. 로지스틱 분포의 pdf를 구하고 이 pdf의 그래프가 $x = 0$에 관해 대칭인 것을 밝혀라.

3.1-8 자동차의 전압조절장치의 수명시간(단위: 년)을 나타내는 확률변수 X의 pdf가 다음과 같다면 다음의 확률들을 구하라.

$$f(x) = \frac{3x^2}{7^3}\, e^{-(x/7)^3}, \qquad 0 < x < \infty$$

(a) 이 장치가 최소한 7년 동안 고장 나지 않고 사용될 수 있는 확률

(b) 만약 이 장치가 최소한 7년 동안 고장 나지 않았다고 한다면 그 후 3.5년을 더 고장 나지 않을 조건부 확률

3.1-9 한 보험 대리인은 그의 사업성과에 따른 손실률 L이 0.5보다 작다면 보너스를 받는다. 이때 L은 총손실액(단위: 10만 달러) X를 총보험납입금 T로 나누어 정의된다. $L < 0.5$이라면 보너스는 $(0.5 - L)(T/30)$이고 $L \ge 0.5$라면 보너스는 0이다. X가 pdf

$$f(x) = \frac{3}{x^4}, \qquad x > 1$$

를 갖고 T(단위: 10만 달러)가 3일 때 보너스의 기대금액을 구하라.

3.1-10 어느 회사 고용인들의 의료배상 총액(단위: 10만 달러) X는 pdf $f(x) = 30x(1 - x)^4$, $0 < x < 1$을 갖는다. 다음을 구하라.

(a) 총액의 평균과 분산

(b) 총액이 2만 달러를 초과할 확률

3.1-11 표본공간 $S = (-\infty, \infty)$를 갖는 연속형 확률변수 $X_1, X_2, \ldots, X_k$는 각각 pdf $f_1(x), f_2(x), \ldots, f_k(x)$를 갖는다. 이때 음이 아닌 상수 $c_1, c_2, \ldots, c_k$는 $\sum_{i=1}^{k} c_i = 1$을 만족시킨다.

(a) $\sum_{i=1}^{k} c_i f_i(x)$가 S 위에서 하나의 연속형 확률변수의 pdf임을 밝혀라.

(b) X가 S 위에서 pdf $\sum_{i=1}^{k} c_i f_i(x)$를 갖는 연속형 확률변수이고 $E(X_i) = \mu_i$ 그리고 $\text{Var}(X_i) = \sigma_i^2$, $i = 1, 2, \ldots, k$라면 X의 평균과 분산을 구하라.

3.1-12 확률변수 X의 pdf가 $0 < x < 1$ 혹은 $2 < x < 3$에서 $f(x) = 1/2$, 그 외의 곳에서 0으로 주어진다.

(a) 이 pdf의 그래프를 그려라.

(b) X의 cdf를 정의하고 이 cdf의 그래프를 그려라.

(c) $q_1 = \pi_{0.25}$를 구하라.

(d) $m = \pi_{0.50}$을 구하라. 그것은 유일한가?

(e) $q_3 = \pi_{0.75}$를 구하라.

3.1-13 X의 pdf가 $f(x) = (x + 1)/2$, $-1 < x < 1$로 주어진다.

(a) $\pi_{0.64}$를 구하라.

(b) $q_1 = \pi_{0.25}$를 구하라.

(c) $\pi_{0.81}$을 구하라.

3.2 지수, 감마, 카이제곱분포

이제 푸아송분포와 관련된 연속형 분포를 소개한다. (근사) 푸아송과정을 관측할 때, 주어진 구간에서 발생건수는 푸아송분포를 갖는 이산형 확률변수임을 알고 있다. 여기서 연속되는 발생 사이의 대기시간은 연속형의 확률변수이다. 특히 단위구간에서 평균 발생건수가 λ인 푸아송과정에서 첫 발생이 일어날 때까지 대기시간을 확률변수 W라 하자.

대기시간은 음수가 아니기 때문에 $w < 0$에 대해 cdf는 $F(w) = 0$이다. 그러나 $w \geq 0$에 대해서는 다음과 같다.

$$\begin{aligned} F(w) &= P(W \leq w) = 1 - P(W > w) \\ &= 1 - P(\text{구간 } [0, w]\text{에 단 하나의 발생도 없다}) \\ &= 1 - e^{-\lambda w} \end{aligned}$$

위 식에서 $e^{-\lambda w}$가 구간길이 w인 구간에서 전혀 발생이 일어나지 않을 확률과 같다는 것을 이미 앞에서 논의했다. 즉, 단위 구간당 평균 발생의 수가 λ라면 구간길이 w인 구간에서 평균 발생의 수는 w에 비례하므로 λw로 주어진다. 따라서 $w > 0$일 때 W의 pdf는 다음과 같다.

$$F'(w) = f(w) = \lambda e^{-\lambda \mathrm{w}}$$

흔히 $\lambda = 1/\theta$로 놓으면 확률변수 X는 **지수분포**(exponential distribution)를 갖는다고 말하고 확률변수 X의 pdf는 모수 $\theta > 0$에 대해 다음과 같이 주어진다.

$$f(x) = \frac{1}{\theta} e^{-x/\theta}, \qquad 0 \leq x < \infty$$

따라서 푸아송과정에서 첫 발생이 일어날 때까지의 대기시간 W는 $\theta = 1/\lambda$을 갖는 지수분포를 갖는다. 지수분포의 mgf는 다음과 같다.

$$\begin{aligned} M(t) &= \int_0^\infty e^{tx} \left(\frac{1}{\theta}\right) e^{-x/\theta}\,dx = \lim_{b\to\infty} \int_0^b \left(\frac{1}{\theta}\right) e^{-(1-\theta t)x/\theta}\,dx \\ &= \lim_{b\to\infty} \left[-\frac{e^{-(1-\theta t)x/\theta}}{1-\theta t}\right]_0^b = \frac{1}{1-\theta t}, \qquad t < \frac{1}{\theta} \end{aligned}$$

따라서

$$M'(t) = \frac{\theta}{(1-\theta t)^2}, \qquad M''(t) = \frac{2\theta^2}{(1-\theta t)^3}$$

그리고

$$M'''(t) = \frac{6\theta^3}{(1-\theta t)^4}$$

이므로 지수분포의 평균, 분산, 왜도는 각각 다음과 같다.

$$\mu = M'(0) = \theta, \qquad \sigma^2 = M''(0) - [M'(0)]^2 = \theta^2$$

그리고

$$\gamma = [M'''(0) - 3\mu\sigma^2 - \mu^3]/(\sigma^2)^{3/2} = [6\theta^3 - 3(\theta)(\theta^2) - \theta^3]/(\theta^2)^{3/2} = 2$$

여기서 λ가 단위 구간에서 평균 발생의 수라 할 때 $\theta = 1/\lambda$의 정확한 의미는 첫 발생이 이루어질 때까지의 평균 대기시간이다. 특히, $\lambda = 7$이 분당 평균 발생건수라고 한다면 첫 발생이 일어나기까지 기다리는 평균 시간은 1분의 1/7이다. 또한 지수분포의 왜도는 양수이고 θ에 종속하지 않는다.

예제 3.2-1 X가 평균 $\theta = 20$을 갖는 지수분포를 갖는다고 하자. 그러면 X의 pdf는 다음과 같다.

$$f(x) = \frac{1}{20}e^{-x/20}, \qquad 0 \le x < \infty$$

따라서 X가 18보다 작을 확률은 다음과 같다.

$$P(X < 18) = \int_0^{18} \frac{1}{20}\, e^{-x/20}\, dx = 1 - e^{-18/20} = 0.593$$

X가 평균 $\mu = \theta$를 갖는 지수분포를 갖는다면 X의 cdf는 다음과 같이 주어진다.

$$F(x) = \begin{cases} 0, & -\infty < x < 0 \\ 1 - e^{-x/\theta}, & 0 \le x < \infty \end{cases}$$

$\theta = 5$일 때 X의 pdf와 cdf의 그래프가 그림 3.2-1에 그려져 있다. X의 중위수는 $F(m) = 1 - e^{-m/\theta} = 0.5$를 풀어 $m = -\theta\ln(0.5) = 3.466$을 얻는다. 평균 $\theta = 5$와 중위수 $m = 3.466$이 그림 3.2-1에 표시되어 있다.

평균 θ를 가지는 지수확률변수 X에 대해 다음의 식은 유용하게 사용된다.

$$\begin{aligned} P(X > x) &= 1 - F(x) = 1 - (1 - e^{-x/\theta}) \\ &= e^{-x/\theta}, \qquad x > 0 \end{aligned}$$

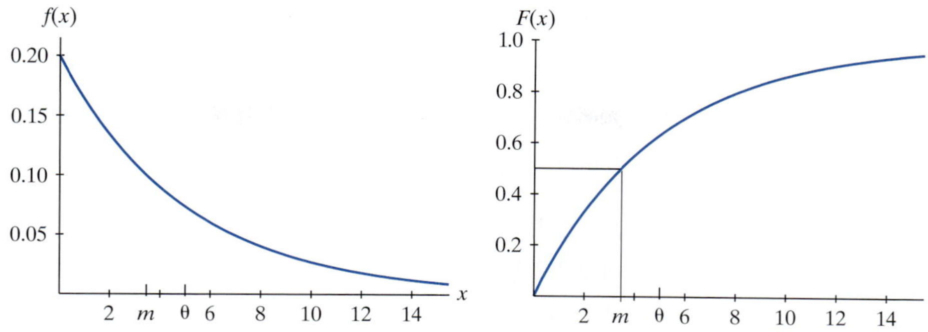

그림 3.2-1 지수 pdf $f(x)$와 cdf $F(x)$

예제 3.2-2 어떤 슈퍼마켓에 도착하는 고객들은 시간당 평균 20명의 비율로 도착하는 푸아송과정을 따른다고 한다. X가 첫 고객이 도착할 때까지의 대기시간(단위: 분)을 나타낸다고 하자. $\lambda = 1/3$은 분당 도착하는 평균 고객 수이다. 이리하여 $\theta = 1/\lambda = 3$이고

$$f(x) = \frac{1}{3}e^{-(1/3)x}, \qquad 0 \le x < \infty$$

이다. 그러므로 첫 고객이 도착할 때까지 슈퍼마켓 주인이 기다려야 하는 시간이 5분 이상일 확률은

$$P(X > 5) = \int_5^\infty \frac{1}{3}e^{-(1/3)x}\,dx = e^{-5/3} = 0.1889$$

이고, 첫 고객이 도착할 때까지의 대기시간 중위수는 다음과 같다.

$$m = -3\ln(0.5) = 2.0794$$

예제 3.2-3 어떤 전자부품의 수명은 평균 500시간을 갖는 지수분포를 따른다. X가 이 부품의 수명(혹은 이 부품이 고장날 때까지의 시간)을 나타낸다면

$$P(X > x) = \int_x^\infty \frac{1}{500}e^{-t/500}\,dt = e^{-x/500}$$

이다. 만약 이 부품이 300시간 동안 작동했다면 앞으로 600시간을 더 작동할 확률은 다음과 같다.

$$P(X > 900 \mid X > 300) = \frac{P(X > 900)}{P(X > 300)} = \frac{e^{-900/500}}{e^{-300/500}} = e^{-6/5}$$

여기서 이 조건부 분포는 정확하게 $P(X > 600) = e^{-6/5}$과 같음에 주목한다. 즉, 부품

이 이미 300시간 작동했을 때 600시간 더 작동할 확률은 부품이 처음 작동된 후 600시간을 작동할 확률과 같다. 따라서 보다 오래된 부품도 마치 새 부품과 같으므로 고장률은 상수라고 말할 수 있다. 그러나 실제로 대부분의 경우에 있어서 고장률은 증가형이므로 지수분포는 그러한 수명분포에 대해서는 최상의 모형이라 할 수 없다. ■

> **참고** 연습문제 3.2-2에서는 예제 3.2-3을 일반화한다. 즉, 어느 부품의 수명이 지수분포를 가질 때 최소한 수명이 x단위 지속되었다면 y단위 더 지속될 확률(즉, 최소 $x+y$단위에서 부품의 수명이 유지될 확률)은 부품이 처음 작동할 때부터 시작해 수명이 최소 y단위 지속될 확률과 정확하게 같다. 이러한 의미에서 지수분포는 무기억성을 갖는 유일한 연속형 분포이다. 이산형 분포로서는 기하분포가 무기억성을 갖는다.

평균 λ를 갖는 (근사) 푸아송과정에서 첫 발생이 일어날 때까지 기다리는 시간은 지수분포를 가짐을 보았다. 이제 α번째 발생이 일어날 때까지 기다리는 시간을 W라 할 때, W의 cdf는 $w \ge 0$일 때 다음과 같이 주어진다.

$$\begin{aligned} F(w) &= P(W \le w) = 1 - P(W > w) \\ &= 1 - P([0, w]\text{에서 } \alpha\text{개보다 작은 개수의 발생이 일어난다.}) \\ &= 1 - \sum_{k=0}^{\alpha-1} \frac{(\lambda w)^k e^{-\lambda w}}{k!} \end{aligned} \tag{3.2-1}$$

W가 연속형 확률변수이기 때문에 도함수 $F'(w)$가 존재할 때는 $F'(w)$는 W의 pdf와 같다. 또한 $w > 0$이라면 $F'(w)$는 다음과 같다.

$$\begin{aligned} F'(w) &= \lambda e^{-\lambda w} - e^{-\lambda w} \sum_{k=1}^{\alpha-1} \left[\frac{k(\lambda w)^{k-1}\lambda}{k!} - \frac{(\lambda w)^k \lambda}{k!} \right] \\ &= \lambda e^{-\lambda w} - e^{-\lambda w} \left[\lambda - \frac{\lambda(\lambda w)^{\alpha-1}}{(\alpha-1)!} \right] \\ &= \frac{\lambda(\lambda w)^{\alpha-1}}{(\alpha-1)!} e^{-\lambda w} \end{aligned}$$

$w < 0$이라면 $F(w) = 0$이고 $F'(w) = 0$이다. 이러한 형태의 pdf는 감마 pdf 중 하나이며 확률변수 W는 **감마분포**(gamma distribution)를 갖는다고 한다.

감마함수(gamma function)는 다음과 같이 정의한다.

$$\Gamma(t) = \int_0^\infty y^{t-1} e^{-y}\, dy, \qquad 0 < t \tag{3.2-2}$$

피적분함수가 양수이기 때문에 $t > 0$에 대해 적분값은 항상 양수이다. $t > 1$이라면 부분적분에 의해 감마함수는 다음과 같이 계산된다.

$$\Gamma(t) = \left[-y^{t-1}e^{-y}\right]_0^{\infty} + \int_0^{\infty}(t-1)y^{t-2}e^{-y}\,dy$$
$$= (t-1)\int_0^{\infty} y^{t-2}e^{-y}\,dy \;=\; (t-1)\Gamma(t-1)$$

예를 들면, $\Gamma(6) = 5\Gamma(5)$이고 $\Gamma(3) = 2\Gamma(2) = (2)(1)\Gamma(1)$이다. $t = n$(양의 정수)일 때는 반복적으로 $\Gamma(t) = (t-1)\Gamma(t-1)$을 적용하면

$$\Gamma(n) = (n-1)\Gamma(n-1) = (n-1)(n-2)\cdots(2)(1)\Gamma(1).$$

이다. 그러나

$$\Gamma(1) = \int_0^{\infty} e^{-y}\,dy = 1$$

이므로 n이 양의 정수일 때

$$\Gamma(n) = (n-1)!$$

과 같다. 이로부터 $\Gamma(1) = 0! = 1$임을 알 수 있다.

이제 감마분포의 pdf를 정의하고 감마분포의 특성값들을 구해 보기로 하자. 확률변수 X의 pdf가 다음과 같이 주어진다면 X는 **감마분포**를 갖는다.

$$f(x) = \frac{1}{\Gamma(\alpha)\theta^{\alpha}}\,x^{\alpha-1}e^{-x/\theta}, \qquad 0 \le x < \infty, \quad 0 < \alpha < \infty, \quad 0 < \theta < \infty$$

푸아송과정에서 α번째 발생이 일어날 때까지 기다리는 시간을 나타내는 확률변수 W는 모수 α와 $\theta = 1/\lambda$을 갖는 감마분포를 갖는다. 이제 $f(x)$가 pdf의 성질을 가짐을 보여 보자. $f(x) \ge 0$이고

$$\int_{-\infty}^{\infty} f(x)\,dx = \int_0^{\infty} \frac{x^{\alpha-1}e^{-x/\theta}}{\Gamma(\alpha)\theta^{\alpha}}\,dx$$

는 $y = x/\theta$의 변수변환에 의해 다음 식이 성립한다.

$$\int_0^{\infty} \frac{(\theta y)^{\alpha-1}e^{-y}}{\Gamma(\alpha)\theta^{\alpha}}\theta\,dy = \frac{1}{\Gamma(\alpha)}\int_0^{\infty} y^{\alpha-1}e^{-y}\,dy = \frac{\Gamma(\alpha)}{\Gamma(\alpha)} = 1$$

X의 mgf는

$$M(t) = \frac{1}{(1-\theta t)^{\alpha}}, \qquad t < 1/\theta$$

이며(연습문제 3.2-4 참조) 평균과 분산은 $M'(t)$와 $M''(t)$를 이용하면 각각 다음과 같이 구해진다.

$$\mu = \alpha\theta, \qquad \sigma^2 = \alpha\theta^2$$

예제 3.2-4 어느 가게는 푸아송과정에 따라 시간당 평균 20명의 비율로 고객이 방문한다고 한다. 시간의 단위를 분으로 정한다면 $\lambda = 1/3$이다. 처음 2명의 고객이 방문하기까지 가게 주인이 기다리는 시간이 5분 이상일 확률을 구하기 위해 X를 두 번째 고객이 도착할 때까지 기다리는 시간이라 한다면, X는 $\alpha = 2$, $\theta = 1/\lambda = 3$을 갖는 감마분포를 따른다. 따라서

$$\begin{aligned} P(X > 5) &= \int_5^\infty \frac{x^{2-1}e^{-x/3}}{\Gamma(2)3^2}\,dx = \int_5^\infty \frac{xe^{-x/3}}{9}\,dx \\ &= \frac{1}{9}\left[(-3)xe^{-x/3} - 9e^{-x/3}\right]_5^\infty \\ &= \frac{8}{3}e^{-5/3} = 0.504 \end{aligned}$$

또한 α는 정수이기 때문에 식 (3.2-1)에 $\lambda = 1/\theta$을 대입해 다음을 얻는다.

$$P(X > x) = \sum_{k=0}^{\alpha-1} \frac{(x/\theta)^k\, e^{-x/\theta}}{k!}$$

따라서 위 식에 $x = 5$, $\alpha = 2$, $\theta = 2$를 대입해 다음을 얻는다.

$$\begin{aligned} P(X > 5) &= \sum_{k=0}^{2-1} \frac{(5/3)^k\, e^{-5/3}}{k!} \\ &= e^{-5/3}\left(1 + \frac{5}{3}\right) = \left(\frac{8}{3}\right)e^{-5/3} = 0.504 \end{aligned}$$

■

예제 3.2-5 1분마다 교환대에 걸려오는 전화 건수는 평균 2인 푸아송과정을 따른다고 한다. X를 5번째 전화가 올 때까지의 대기시간이라 놓자. $\alpha = 5$이고 $\theta = 1/\lambda = 1/2$을 갖는 X의 pdf는

$$f(x) = \frac{2^5x^4}{4!}e^{-2x}, \qquad 0 \le x < \infty$$

과 같고 X의 평균과 분산은 각각 $\mu = 5/2$와 $\sigma^2 = 5/4$이다. ■

그림 3.2-2는 α와 θ의 값에 따라 감마 pdf의 형태가 달라지는 것을 보여준다. 고정된

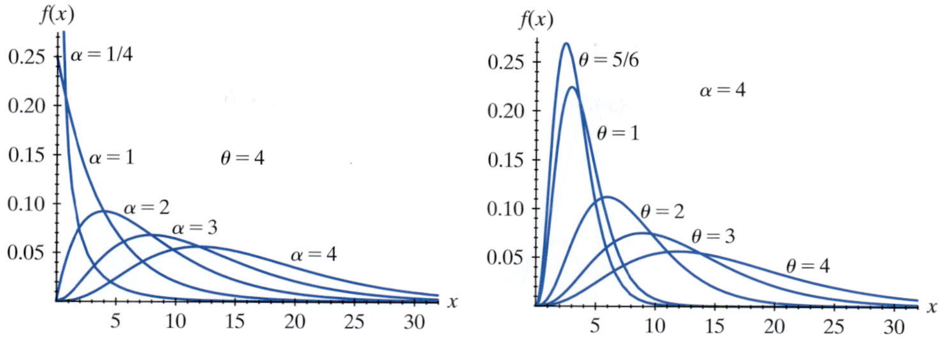

그림 3.2-2 감마 pdf: $\theta = 4, \alpha = 1/4, 1, 2, 3, 4; \alpha = 4, \theta = 5/6, 1, 2, 3, 4$

$\theta(\alpha)$에 대해서 $\alpha(\theta)$가 증가함에 따라 pdf는 오른쪽으로 이동한다. $\theta = 1/\lambda$이기 때문에 θ가 증가함에 따라 λ는 감소한다. 즉, $\theta_2 > \theta_1$이라면 $\lambda_2 = 1/\theta_2 < \lambda_1 = 1/\theta_1$이다. 그래서 단위 구간에서 평균 발생건수가 감소한다면 α개의 발생을 관측할 때까지 대기시간은 증가할 것이라고 기대된다.

감마분포의 특별한 경우로서 통계학에서 중요한 역할을 갖는 분포가 있다. X가 $\theta = 2$, $\alpha = r/2$(r은 양의 정수)인 감마분포를 갖는다고 하자. 그러면 확률변수 X의 pdf는 다음과 같이 주어진다.

$$f(x) = \frac{1}{\Gamma(r/2)2^{r/2}}\, x^{r/2-1}e^{-x/2}, \qquad 0 < x < \infty$$

X는 **자유도**(degree of freedom) ***r*의 카이제곱분포**(chi-square distribution)를 갖는다고 하고 $\chi^2(r)$이라 표기한다. 감마분포의 mgf에 $\theta = 2$, $\alpha = r/2$를 대입해 얻어지는 카이제곱분포의 mgf는

$$M(t) = (1-2t)^{-r/2}, \qquad t < \frac{1}{2}$$

이며 평균과 분산은 각각 다음과 같다.

$$\mu = \alpha\theta = \left(\frac{r}{2}\right)2 = r, \qquad \sigma^2 = \alpha\theta^2 = \left(\frac{r}{2}\right)2^2 = 2r$$

그림 3.2-3은 $r = 2, 3, 5, 8$에 대한 카이제곱 pdf의 그래프를 보여준다. 평균 $\mu(= r)$과 pdf가 최대확률을 갖는 x값의 관계를 연습문제 3.2-8에서 논의한다.

카이제곱분포는 응용분야에서도 매우 중요하기 때문에 부록 B의 표 4에는 자유도 r과 x값에 대해 다음과 같은 카이제곱 cdf의 값이 주어진다.

$$F(x) = \int_0^x \frac{1}{\Gamma(r/2)2^{r/2}}\, w^{r/2-1}e^{-w/2}\, dw$$

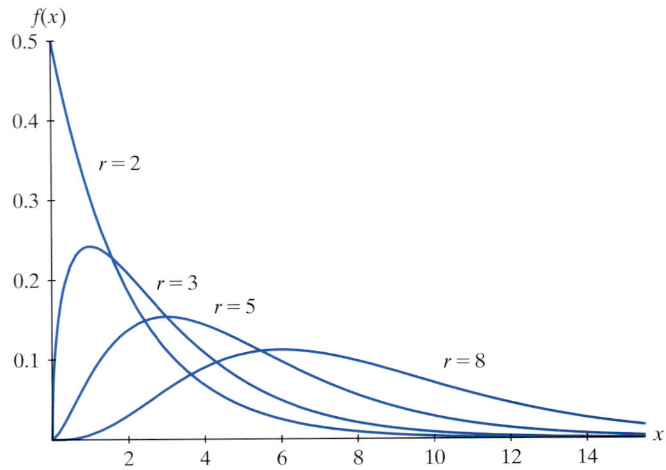

그림 3.2-3 $r = 2, 3, 5, 8$을 갖는 카이제곱 pdf

예제 3.2-6 X의 분포가 $\chi^2(5)$이면 부록 B의 표 4를 사용하여 다음의 확률들을 계산할 수 있다.

$$P(1.145 \le X \le 12.83) = F(12.83) - F(1.145) = 0.975 - 0.050 = 0.925$$

$$P(X > 15.09) = 1 - F(15.09) = 1 - 0.99 = 0.01$$

예제 3.2-7 $X \sim \chi^2(7)$이라면 $P(a < X < b) = 0.95$를 만족하는 a와 b값은 부록 B의 표 4로부터 $a = 1.690$, $b = 16.01$을 얻는다.

예제 3.2-7에서의 확률들은 통계응용에서 매우 중요하다. 따라서 a와 b에 대해 특별한 표기를 사용한다. α를 양의 확률 그리고 X는 $\chi^2(r)$ 분포를 갖는다고 하자. 그러면 다음과 같이 정의되는 $\chi^2(r)$ 분포의 백분위수는 통계응용에서 매우 유용하다. 즉 $\chi^2_\alpha(r)$은

$$P[X \ge \chi^2_\alpha(r)] = \alpha$$

를 만족하는 $\chi^2(r)$ 분포의 제$100(1 - \alpha)$백분위수(혹은 상위 100α백분위수)이고, $\chi^2_{1-\alpha}(r)$은

$$P[X \le \chi^2_{1-\alpha}(r)] = \alpha$$

를 만족하는 $\chi^2(r)$ 분포의 제100α백분위수이다. 즉, $\chi^2_{1-\alpha}(r)$보다 클 확률은 $1 - \alpha$이다(그림 3.2-4 참조).

예제 3.2-8 X의 분포가 $\chi^2(5)$이라면 부록 B의 표 4를 사용해 $\chi^2_{0.10}(5) = 9.236$과 $\chi^2_{0.90}(5) = 1.610$을 찾을 수 있다. 이러한 값들은 그림 3.2-4에 나타나 있다.

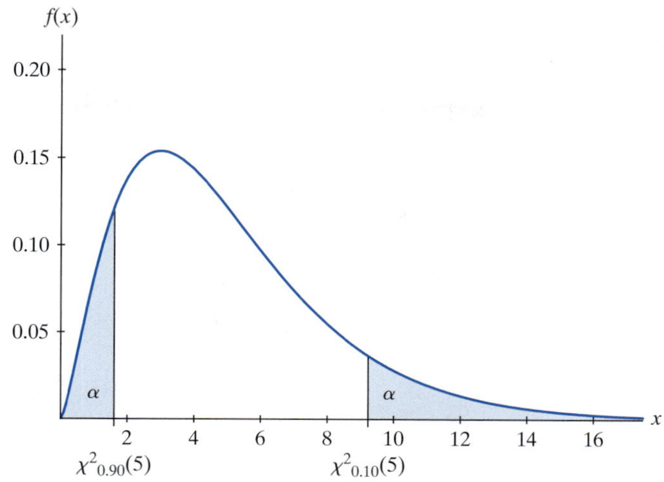

그림 3.2-4 χ^2 분포의 꼬리, $r = 5$, $\alpha = 0.10$

예제 3.2-9 어느 커피숍에 들르는 고객의 수가 시간당 평균 30명인 푸아송과정을 따른다고 한다. X를 아홉 번째 손님이 도착하기까지 기다리는 시간(단위: 분)이라 하자. 분당 도착하는 고객의 평균비율은 $\lambda = 1/2$이므로 $\theta = 2$이고 $\alpha = r/2 = 9$이다. 즉, X는 $\chi^2(18)$이다. 아홉 번째 손님이 들어오기까지 커피숍 주인이 기다리는 시간이 9.39분 이상일 확률은 다음과 같다.

$$P(X > 9.390) = 1 - 0.05 = 0.95$$

예제 3.2-10 X가 평균 2를 갖는 지수분포를 갖는다면 X의 pdf는 다음과 같다.

$$f(x) = \frac{1}{2}e^{-x/2} = \frac{x^{2/2-1}e^{-x/2}}{\Gamma(2/2)2^{2/2}}, \qquad 0 \le x < \infty$$

즉 X의 분포는 $\chi^2(2)$이므로

$$P(0.051 < X < 7.378) = 0.975 - 0.025 = 0.95$$

이다.

연습문제

3.2-1 X의 mgf가 다음과 같이 주어질 때 X의 pdf, 평균, 분산을 구하라.

(a) $M(t) = \dfrac{1}{1-3t}, \qquad t < 1/3$

(b) $M(t) = \dfrac{3}{3-t}, \qquad t < 3$

3.2-2 X가 평균이 $\theta > 0$인 지수분포를 갖는다면 다음이 성립함을 밝혀라.

$$P(X > x + y \mid X > x) = P(X > y)$$

3.2-3 X의 pdf가 다음과 같이 주어진다.

$$f(x) = \frac{1}{\theta} e^{-(x-\delta)/\theta}, \qquad \delta < x < \infty$$

(a) X의 cdf를 정의하라.

(b) X의 평균과 분산을 계산하라.

3.2-4 모수 α와 θ를 갖는 감마분포의 mgf를 구하라. **힌트:** $E(e^{tX})$를 나타내는 적분에서 $y = (1-\theta t)x/\theta$, $1 - \theta t > 0$으로 변수변환한다.

3.2-5 확률변수 W의 mgf가 $M(t) = (1 - 7t)^{-20}$, $t < 1/7$이라면 W의 pdf, 평균, 분산을 구하라.

3.2-6 X가 모수 $\alpha(>1)$와 θ를 갖는 감마분포를 갖는다면 $E(1/X)$를 구하라.

3.2-7 X의 분포가 $\chi^2(23)$이라면 다음을 구하라.

(a) $P(14.85 < X < 32.01)$

(b) $P(a < X < b) = 0.95$와 $P(X < a) = 0.025$를 만족하는 상수 a와 b

(c) X의 평균과 분산

(d) $x^2_{0.05}(23)$과 $x^2_{0.95}(23)$

3.2-8 X의 분포가 $\chi^2(r)$이라고 하자.

(a) $r \ge 2$일 때 X의 pdf가 최대가 되는 x의 값을 구하라. 이것은 $\chi^2(r)$ 분포의 최빈값이다.

(b) $r \ge 4$일 때 X의 pdf의 변곡점을 구하라.

(c) $r = 4$일 때 X의 pdf와 $r = 10$일 때 X의 pdf를 그리기 위해 (a)와 (b)의 결과를 사용하라.

3.2-9 15개의 관측값이 $\chi^2(4)$ 분포로부터 독립적으로 추출된다면 그중에서 많아야 3개의 관측값이 7.779보다 클 확률을 구하라.

3.2-10 어느 베이커리는 12개가 한 봉지에 담겨 있는 롤빵을 봉지 단위로 판매한다. 롤빵의 판매량(단위: 1,000봉지)을 나타내는 X는 $\alpha = 3$, $\theta = 0.5$를 갖는 감마분포를 따른다. 이때 θ는 롤빵 한 단위, 즉 1,000봉지를 판매하는 데 걸리는 일수이다. 롤빵이 신선한 첫날에는 2달러 가격의 롤빵 한 봉지를 5달러에 판매하고 두 번째 날에는 남아 있는 롤빵은 모두 1달러에 판매한다. 최대 이익을 얻기 위해서는 얼마나 많은 롤빵 봉지를 생산해야 하는가?

3.2-11 빌딩화재로 인한 손실액(단위: 10만 달러) X는 pdf $f(x) = (1/6)e^{-x/6}$, $0 < x < \infty$를 갖는다. 손실액이 5보다 크다고 주어진다면 손실액이 8보다 클 조건부 확률을 구하라.

3.2-12 몇몇 치과 보험정책은 어느 한도액 M까지만 보장해준다. 치과비용 X의 pdf가 $f(x) = (0.001)e^{-x/1000}$, $0 < x < \infty$이라면 $P(X < M) = 0.08$과 같은 M을 구하라.

3.3 정규분포

규모가 큰 모집단을 관측할 때 많은 변수들이 종모양의 상대도수분포를 갖는다. 즉 상대도수분포의 모양이 대칭이고 자료집단의 극단값보다는 중간 크기에 위치하는 값에서 더 높은 상대도수를 갖는다. 예를 들면 학업적성검사 점수, 유기체의 외형적 측정값(키, 무게, 길이 등) 같은 변수에 대해 서로 다른 환경에서 혹은 다른 관측자에 의해 반복 측정된 측정값 등이 해당한다. 그러한 변수들에 대해 매우 유용한 확률분포는 정규분포이다.

이 절에서는 정규분포의 pdf를 정의하고, 그것이 pdf임을 규명한 후 pdf 식에 있는

μ와 σ^2이 정규분포의 평균과 분산임을 보일 것이다. 확률변수 X의 pdf가

$$f(x) = \frac{1}{\sigma\sqrt{2\pi}} \exp\left[-\frac{(x-\mu)^2}{2\sigma^2}\right], \qquad -\infty < x < \infty$$

로 주어진다면, X는 모수 $-\infty < \mu < \infty$와 $0 < \sigma < \infty$을 갖는 **정규분포**(normal distribution)를 갖는다. 또한 X는 $N(\mu, \sigma^2)$이라고 말한다.

명백하게 $f(x) > 0$이므로 이제 정규 pdf의 적분값

$$I = \int_{-\infty}^{\infty} \frac{1}{\sigma\sqrt{2\pi}} \exp\left[-\frac{(x-\mu)^2}{2\sigma^2}\right] dx$$

가 1임을 보이자. $z = (x - \mu)/\sigma$로 변수변환하면,

$$I = \int_{-\infty}^{\infty} \frac{1}{\sqrt{2\pi}} e^{-z^2/2}\, dz$$

가 된다. $I > 0$이기 때문에, $I^2 = 1$이면 $I = 1$이다. 이제

$$I^2 = \frac{1}{2\pi}\left[\int_{-\infty}^{\infty} e^{-x^2/2}\, dx\right]\left[\int_{-\infty}^{\infty} e^{-y^2/2}\, dy\right]$$

혹은 동등하게

$$I^2 = \frac{1}{2\pi}\int_{-\infty}^{\infty}\int_{-\infty}^{\infty} \exp\left(-\frac{x^2+y^2}{2}\right) dx\, dy$$

이다. 극 좌표로 변환하기 위해 $x = r\cos\theta$, $y = r\sin\theta$라 놓으면 다음을 얻게 된다.

$$\begin{aligned} I^2 &= \frac{1}{2\pi}\int_0^{2\pi}\int_0^{\infty} e^{-r^2/2} r\, dr\, d\theta \\ &= \frac{1}{2\pi}\int_0^{2\pi} d\theta = \frac{1}{2\pi} 2\pi = 1 \end{aligned}$$

$I > 0$이기 때문에 $I = 1$이다. 이리하여 $f(x)$는 pdf의 성질을 만족시킨다. X의 mgf를 구하는 과정은 다음과 같다.

$$\begin{aligned} M(t) &= \int_{-\infty}^{\infty} \frac{e^{tx}}{\sigma\sqrt{2\pi}} \exp\left[-\frac{(x-\mu)^2}{2\sigma^2}\right] dx \\ &= \int_{-\infty}^{\infty} \frac{1}{\sigma\sqrt{2\pi}} \exp\left\{-\frac{1}{2\sigma^2}[x^2 - 2(\mu+\sigma^2 t)x + \mu^2]\right\} dx \end{aligned}$$

위 적분을 계산하기 위해서 지수 안의 대괄호 식을 다시 쓰면 다음과 같다.

$$x^2 - 2(\mu+\sigma^2 t)x + \mu^2 = [x - (\mu+\sigma^2 t)]^2 - 2\mu\sigma^2 t - \sigma^4 t^2$$

따라서

$$M(t) = \exp\left(\frac{2\mu\sigma^2 t + \sigma^4 t^2}{2\sigma^2}\right)\int_{-\infty}^{\infty} \frac{1}{\sigma\sqrt{2\pi}} \exp\left\{-\frac{1}{2\sigma^2}[x - (\mu + \sigma^2 t)]^2\right\} dx$$

위의 마지막 적분계산에서 피적분함수는 평균이 $\mu + \sigma^2 t$이고 분산이 σ^2인 정규 pdf로 생각할 수 있으므로 적분값이 1이다. 이리하여 X의 mgf는 다음과 같다.

$$M(t) = \exp\left(\frac{2\mu\sigma^2 t + \sigma^4 t^2}{2\sigma^2}\right) = \exp\left(\mu t + \frac{\sigma^2 t^2}{2}\right), \qquad -\infty < t < \infty$$

이제 mgf의 1, 2차 도함수는 각각 다음과 같다.

$$M'(t) = (\mu + \sigma^2 t)\exp\left(\mu t + \frac{\sigma^2 t^2}{2}\right)$$

$$M''(t) = [(\mu + \sigma^2 t)^2 + \sigma^2]\exp\left(\mu t + \frac{\sigma^2 t^2}{2}\right)$$

따라서 X의 평균과 분산은 각각 다음과 같다.

$$E(X) = M'(0) = \mu$$
$$\text{Var}(X) = M''(0) - [M'(0)]^2 = \mu^2 + \sigma^2 - \mu^2 = \sigma^2$$

즉, $N(\mu, \sigma^2)$분포의 모수 μ와 σ^2은 X의 평균과 분산이다.

예제 3.3-1 X의 pdf가

$$f(x) = \frac{1}{\sqrt{32\pi}} \exp\left[-\frac{(x+7)^2}{32}\right], \qquad -\infty < x < \infty$$

이면 X는 $N(-7, 16)$이다. 즉, X는 평균 $\mu = -7$, 분산 $\sigma^2 = 16$인 정규분포를 갖는다. 이리하여 X의 mgf는 $M(t) = \exp(-7t + 8t^2)$, $-\infty < t < \infty$이다. ■

예제 3.3-2 X의 mgf가

$$M(t) = \exp(5t + 12t^2), \qquad -\infty < t < \infty$$

으로 주어진다면 X는 $N(5, 24)$이고 pdf는 다음과 같다.

$$f(x) = \frac{1}{\sqrt{48\pi}} \exp\left[-\frac{(x-5)^2}{48}\right], \qquad -\infty < x < \infty$$

■

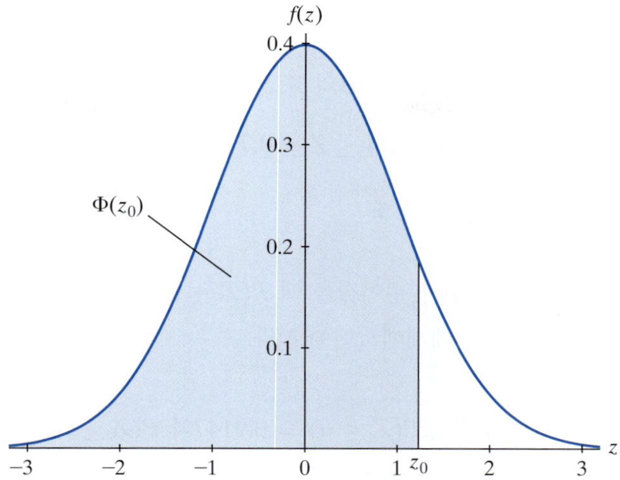

그림 3.3-1 표준정규 pdf

정규분포의 특별한 경우로서 Z가 $N(0, 1)$이면 Z는 **표준정규분포**(standard normal distribution)를 갖는다고 한다. Z의 cdf는 다음과 같다.

$$\Phi(z) = P(Z \le z) = \int_{-\infty}^{z} \frac{1}{\sqrt{2\pi}} e^{-w^2/2}\, dw$$

그러나 이 적분은 $e^{-w^2/2}$의 부정적분이 함수로 표현될 수 없어 계산하는 것이 불가능하다. 대신에 부록 B의 표 5a와 표 5b에는 이 적분의 수치근삿값이 수록되어 있다. 그림 3.3-1은 종 모양의 곡선을 나타내는 Z의 pdf를 보여주며 빗금 친 영역은 $\Phi(z_0)$와 같다.

$z \ge 0$에 대해 $\Phi(z)$의 값들은 부록 B의 표 5a에 주어진다. 또한 표준정규 pdf의 대칭성에 의해 모든 z에 대해 $\Phi(-z) = 1 - \Phi(z)$가 성립하기 때문에 $z > 0$인 $\Phi(-z)$의 값들도 표 5a로부터 구해진다. $z > 0$인 $\Phi(-z) = P(Z \le -z) = P(Z > z)$값들은 부록 B의 표 5b로부터 직접 구할 수 있다.

예제 3.3-3 Z가 $N(0, 1)$이면 부록 B의 표 5a를 사용해 다음의 확률값들을 계산할 수 있다.

$$P(Z \le 1.24) = \Phi(1.24) = 0.8925$$

$$P(1.24 \le Z \le 2.37) = \Phi(2.37) - \Phi(1.24) = 0.9911 - 0.8925 = 0.0986$$

$$P(-2.37 \le Z \le -1.24) = P(1.24 \le Z \le 2.37) = 0.0986$$

또한 부록 B의 표 5b를 사용해

$$P(Z > 1.24) = 0.1075$$

$$P(Z \le -2.14) = P(Z \ge 2.14) = 0.0162$$

를 구할 수 있으며, 부록 B의 표 5a와 표 5b를 사용해 다음을 얻는다.

$$\begin{aligned} P(-2.14 \le Z \le 0.77) &= P(Z \le 0.77) - P(Z \le -2.14) \\ &= 0.7794 - 0.0162 = 0.7632 \end{aligned}$$

때때로 확률 p가 주어졌을 때 $P(Z \le a) = p$와 같은 상수 a를 찾아야 할 때가 있다. 이 경우가 다음 예제에서 주어진다.

예제 3.3-4 Z가 $N(0, 1)$이면, $P(Z \le a) = 0.9147$과 $P(Z \ge b) = 0.0526$을 만족하는 상수 a와 b를 구하기 위해 부록 B의 표 5a와 표 5b로부터 각각 $a = 1.37$과 $b = 1.62$를 얻는다.

통계 응용에서 다음과 같이 정의되는 수 z_α는 유용하다. 즉 z_α는

$$P(Z \ge z_\alpha) = \alpha$$

를 만족하는 수이고 여기서 Z는 $N(0, 1)$이고 α는 보통 0.5보다 작다. 즉, z_α는 $N(0, 1)$ 분포의 제$100(1 - \alpha)$ 백분위수(혹은 상위 100α 백분위수)이다(그림 3.3-2 참조). α의 선택된 값에 대해 z_α의 값은 부록 B의 표 5a에서 주어지고 α의 다른 값들에 대해서 z_α는 부록 B의 표 5b에서 찾을 수 있다. 정규 pdf의 대칭성 때문에

$$P(Z \le -z_\alpha) = P(Z \ge z_\alpha) = \alpha$$

가 성립한다. 또한 z_α의 아래첨자는 오른쪽 꼬리 부분 확률을 의미하므로 $z_{1-\alpha} = -z_\alpha$이

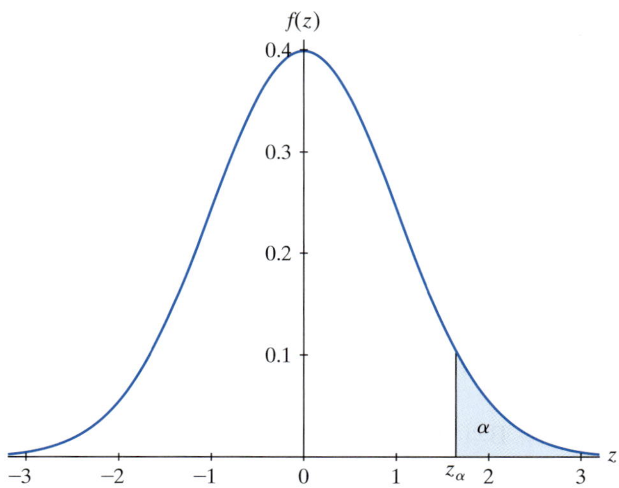

그림 3.3-2 상위 100α 백분위수, z_α

다. 예를 들면, $z_{0.95} = z_{1-0.05} = -z_{0.05}$이다.

예제 3.3-5 $z_{0.0125}$를 구하기 위해서 $P(Z \geq z_{0.0125}) = 0.0125$임을 주목한다. 따라서 부록 B의 표 5b로부터 $z_{0.0125} = 2.24$이다. 또한 부록 B의 표 5a의 마지막 행들을 이용하면 $z_{0.05} = 1.645$이고 $z_{0.025} = 1.960$이다. ■

참고 π_p는 확률변수 X에 대해 $P(X \leq \pi_p) = p$와 같은 제$100p$백분위수이다. Z가 $N(0, 1)$ 분포를 따른다면 $P(Z \geq z_\alpha) = \alpha$이므로 $P(Z < z_\alpha) = 1 - \alpha$이다. 따라서 z_α는 표준정규분포의 제$100(1 - \alpha)$백분위수이다. 예를 들면, $z_{0.05} = 1.645$는 $100(1 - 0.05) = 95$이므로 제95백분위수이고 $z_{0.95} = -1.645$는 $100(1 - 0.95) = 5$이므로 제5백분위수이다.

다음 정리는 X가 $N(\mu, \sigma^2)$일 때 확률변수 $(X - \mu)/\sigma$가 $N(0, 1)$임을 보여준다. 이리하여 X에 관한 확률을 구하기 위해서 부록 B의 표 5a와 5b가 사용될 수 있다.

정리 3.3-1 $X \sim N(\mu, \sigma^2)$이면 $Z = (X - \mu)/\sigma \sim N(0, 1)$이다.

증명 Z의 cdf는 다음과 같다.

$$P(Z \leq z) = P\left(\frac{X - \mu}{\sigma} \leq z\right) = P(X \leq z\sigma + \mu)$$

$$= \int_{-\infty}^{z\sigma+\mu} \frac{1}{\sigma\sqrt{2\pi}} \exp\left[-\frac{(x - \mu)^2}{2\sigma^2}\right] dx$$

이제 $w = (x - \mu)/\sigma$, 즉 $x = w\sigma + \mu$로 변수변환해 다음을 얻는다.

$$P(Z \leq z) = \int_{-\infty}^{z} \frac{1}{\sqrt{2\pi}} e^{-w^2/2}\, dw$$

이것은 $N(0, 1)$ 분포의 cdf인 $\Phi(z)$이므로 Z는 $N(0, 1)$이다.

참고 확률변수 X에 대해 $E(X) = \mu$와 $E[(X - \mu)^2] = \sigma^2$이 존재하고 $Z = (X - \mu)/\sigma$라 놓으면

$$\mu_Z = E(Z) = E\left[\frac{X - \mu}{\sigma}\right] = \frac{E(X) - \mu}{\sigma} = 0$$

$$\sigma_Z^2 = E\left[\left(\frac{X - \mu}{\sigma}\right)^2\right] = \frac{E[(X - \mu)^2]}{\sigma^2} = \frac{\sigma^2}{\sigma^2} = 1$$

즉 Z의 평균과 분산은 X의 분포에 상관없이 0과 1이다. 위 정리의 중요한 특징은 X가 정규분포를 할 때 Z도 역시 정규분포를 한다는 사실이다. Z는 X와 관련된 **표준화 점수**(standard score)라고 하고 X에서 평균 μ를 빼고 표준편차 σ로 나누어 X를 Z로 변환하는 과정을 **표준화**(standardization)라 한다.

위 정리는 정규분포를 따르는 확률변수 X에 관한 확률을 계산하는 데 이용된다. 즉 X가 $N(\mu, \sigma^2)$인 경우 $(X - \mu)/\sigma$는 $N(0, 1)$이므로

$$P(a \le X \le b) = P\left(\frac{a-\mu}{\sigma} \le \frac{X-\mu}{\sigma} \le \frac{b-\mu}{\sigma}\right) = \Phi\left(\frac{b-\mu}{\sigma}\right) - \Phi\left(\frac{a-\mu}{\sigma}\right)$$

가 되어 부록 B의 표 5a와 5b를 이용해 확률을 계산할 수 있다.

예제 3.3-6 X가 $N(3, 16)$이면 X에 관한 확률 계산의 예는 다음과 같다.

$$P(4 \le X \le 8) = P\left(\frac{4-3}{4} \le \frac{X-3}{4} \le \frac{8-3}{4}\right)$$
$$= \Phi(1.25) - \Phi(0.25) = 0.8944 - 0.5987 = 0.2957$$
$$P(0 \le X \le 5) = P\left(\frac{0-3}{4} \le Z \le \frac{5-3}{4}\right)$$
$$= \Phi(0.5) - \Phi(-0.75) = 0.6915 - 0.2266 = 0.4649$$

그리고

$$P(-2 \le X \le 1) = P\left(\frac{-2-3}{4} \le Z \le \frac{1-3}{4}\right)$$
$$= \Phi(-0.5) - \Phi(-1.25) = 0.3085 - 0.1056 = 0.2029$$

■

예제 3.3-7 X가 $N(25, 36)$이라면 $P(|X - 25| \le c) = 0.9544$와 같은 상수 c를 구해보자.

다음의 식

$$P\left(\frac{-c}{6} \le \frac{X-25}{6} \le \frac{c}{6}\right) = 0.9544$$

로부터

$$\Phi\left(\frac{c}{6}\right) - \left[1 - \Phi\left(\frac{c}{6}\right)\right] = 0.9544$$

와

$$\Phi\left(\frac{c}{6}\right) = 0.9772$$

가 되어 $c/6 = 2$이고 따라서 $c = 12$이다. 즉, X가 평균으로부터 표준편차의 2배 이내에 있는 확률은 표준정규 확률변수가 0으로부터 2 이내에 있을 확률과 같다. ■

다음의 정리는 χ^2 분포와 정규분포의 관계를 보여준다.

정리 3.3-2 $X \sim N(\mu, \sigma^2)$, $\sigma^2 > 0$이면 $V = (X-\mu)^2/\sigma^2 = Z^2 \sim \chi^2(1)$이다.

증명 $V = Z2$이고 $Z = (X-\mu)/\sigma$는 $N(0, 1)$이기 때문에 $v \geq 0$에 대해 V의 cdf는 다음과 같다.

$$G(v) = P(Z^2 \leq v) = P(-\sqrt{v} \leq Z \leq \sqrt{v})$$
$$= \int_{-\sqrt{v}}^{\sqrt{v}} \frac{1}{\sqrt{2\pi}} e^{-z^2/2} dz = 2\int_0^{\sqrt{v}} \frac{1}{\sqrt{2\pi}} e^{-z^2/2} dz$$

이제 $z = \sqrt{y}$로 변수변환하면 $d(\sqrt{y})/dy = 1/(2\sqrt{y})$이기 때문에

$$G(v) = \int_0^v \frac{1}{\sqrt{2\pi y}} e^{-y/2} dy, \qquad 0 \leq v$$

가 되고 연속형 확률변수 V의 pdf는 $g(v) = G'(v)$이므로

$$g(v) = \frac{1}{\sqrt{\pi}\sqrt{2}} v^{1/2-1} e^{-v/2}, \qquad 0 < v < \infty$$

을 얻는다. 한편, $g(v)$는 pdf이므로

$$\int_0^\infty \frac{1}{\sqrt{\pi}\sqrt{2}} v^{1/2-1} e^{-v/2} dv = 1$$

이어야 한다. $x = v/2$로 변수변환하면

$$1 = \frac{1}{\sqrt{\pi}} \int_0^\infty x^{1/2-1} e^{-x} dx = \frac{1}{\sqrt{\pi}} \Gamma\left(\frac{1}{2}\right)$$

이 되어 $\Gamma(1/2) = \sqrt{\pi}$임을 알 수 있다. 이리하여 V는 $\chi^2(1)$이다.

예제 3.3-8 Z가 $N(0, 1)$이면

$$P(|Z| < 1.96 = \sqrt{3.841}) = 0.95$$

이며, 또한 이 확률은 $\chi^2(1)$ 분포의 표로부터

$$P(Z^2 < 3.841) = 0.95$$

와 같이 계산될 수도 있다. ■

연습문제

3.3-1 $Z \sim N(0, 1)$일 때 다음을 구하라.

(a) $P(0.47 < Z \leq 2.13)$

(b) $P(-0.97 \leq Z < 1.27)$

(c) $P(Z > -1.56)$

(d) $P(Z > 2.78)$

(e) $P(|Z| < 1.96)$

(f) $P(|Z| < 1)$

(g) $P(|Z| < 2)$

(h) $P(|Z| < 3)$

3.3-2 Z가 $N(0, 1)$일 때 c의 값을 구하라.

(a) $P(Z \geq c) = 0.025$

(b) $P(|Z| \leq c) = 0.95$

(c) $P(Z > c) = 0.05$

(d) $P(|Z| \leq c) = 0.90$

3.3-3 X가 $N(6, 25)$일 때 다음을 구하라.

(a) $P(6 \leq X \leq 14)$

(b) $P(4 \leq X \leq 14)$

(c) $P(-4 < X \leq 0)$

(d) $P(X > 15)$

(e) $P(|X - 6| < 5)$

(f) $P(|X - 6| < 10)$

(g) $P(|X - 6| < 15)$

(h) $P(|X - 6| < 12.4)$

3.3-4 X가 $N(650, 400)$일 때 다음을 구하라.

(a) $P(600 \leq X < 660)$

(b) $P(|X - 650| \leq c) = 0.95$를 만족하는 상수 c

3.3-5 X가 다음의 분포를 가질 때 $W = X^2$의 분포를 구하라.

(a) $N(0, 4)$

(b) $N(0, \sigma^2)$

3.3-6 어느 캔디 메이커는 20.4g의 중량표시를 한 민트캔디를 생산한다. 이 민트캔디 중량은 $N(21.37, 0.16)$ 분포를 갖는다.

(a) 공정에서 임의로 추출된 1개의 민트캔디 중량을 X라 나타내면 $P(X > 22.07)$을 구하라.

(b) 15개의 민트캔디를 독립적으로 추출해 각각의 중량을 측정했다. Y를 20.857g보다 작은 중량을 갖는 민트캔디의 개수라 놓으면 $P(Y \leq 2)$를 구하라.

3.3-7 15~17세 남자들의 $d\ell$당 혈청 아연 수준(단위: μg)을 확률변수 X라 놓으면 X는 근사적으로 $N(90, 15^2)$ 분포를 갖는다. 조건부 확률 $P(X > 114 | X > 99)$를 구하라.

3.3-8 시리얼, 치약, 맥주 등과 같이 용기에 내용물을 담아 제품을 생산하는 기업에서는 '채우는' 문제가 중요하다. 만약 용기에 12온스 내용물을 담아 판매한다고 공지한다면 12온스보다 더 큰 평균을 가져야 한다. 그 이유는 FDA는 12온스보다 더 적은 내용물에 대해서 매우 작은 비율만 허용할 것이기 때문이다.

(a) 용기의 내용물 X가 $N(12.1, \sigma^2)$ 분포를 갖는다면 $P(X < 12) = 0.01$이기 위한 σ를 구하라.

(b) 용기의 내용물 X가 $N(\mu, 0.05^2)$ 분포를 갖는다면 $P(X < 12) = 0.01$이기 위한 μ를 구하라.

3.3-9 그림 3.3-3(a)는 $N(0, 1)$, $N(-1, 1)$, $N(2, 1)$ 분포의 mgf를 나타낸 그래프이다. 각 정규분포에 대응되는 mgf 그래프를 구별하라.

3.3-10 그림 3.3-3(b)는 다음과 같은 mgf의 그래프이다.

$$g_1(t) = \frac{1}{1 - 4t}, \qquad t < 1/4$$

$$g_2(t) = \frac{1}{(1 - 2t)^2}, \qquad t < 1/2$$

$$g_3(t) = e^{4t + t^2/2}, \qquad -\infty < t < \infty$$

세 그래프가 $t = 0$ 근처에서 비슷한 이유는 무엇인가?

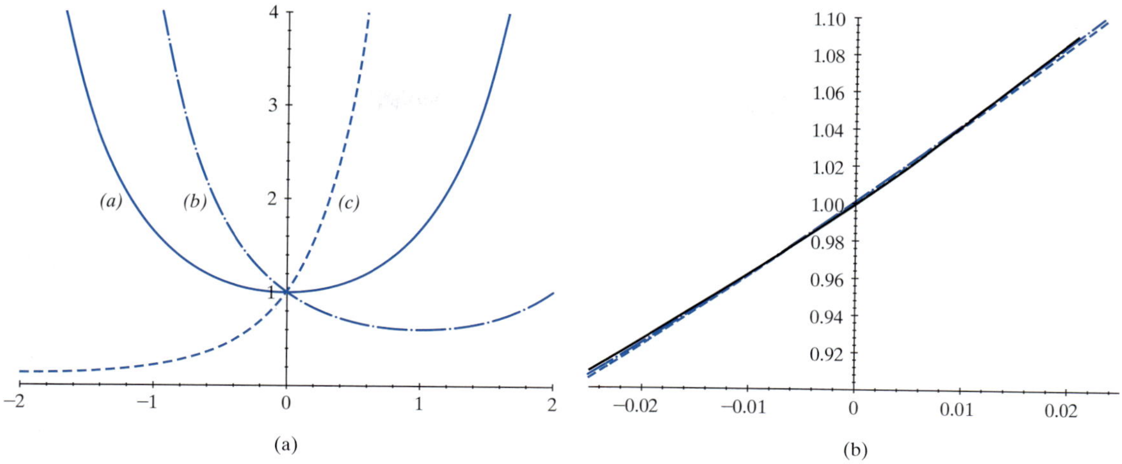

그림 3.3-3 mgf

3.4 그 밖의 모형

이항, 푸아송, 감마, 카이제곱, 정규 모형 등은 통계학에서 매우 자주 사용되는 모형들이다. 그러나 그 외에도 유용하고 흥미 있는 모형들이 많이 있다. 이제 2.7절에서 주어졌던 근사 푸아송과정의 가정들 중 하나를 수정한다. 그 정의에서 겹치지 않은 구간에서 발생하는 사건의 발생 건수는 독립이고, 충분히 작은 구간에서 최소한 두 번 이상 사건이 발생할 확률은 거의 0이다. 이 두 가정은 계속 사용한다. 그러나 충분히 짧은 길이의 구간 h에서 정확히 한 번 사건이 발생할 확률은 근사적으로 λh이다. 여기서 λ는 이 구간 위치의 음이 아닌 함수이다. 즉, $p(x, w)$를 구간 $(0, w)$, $w \geq 0$에서 x번 사건이 발생할 확률이라면 마지막 가정은 다음과 같다.

$$p(x+1, w+h) - p(x, w) \approx \lambda(w)h$$

여기서 $\lambda(w)$는 w의 음이 아닌 함수이다. 따라서 구간 $(0, w + h)$에서 사건이 발생하지 않을 근사확률은 독립성에 의해 구간 $(0, w)$에서 사건이 발생하지 않을 확률과 구간 $(w, w + h)$에서 사건이 발생하지 않을 확률을 곱한 것과 같다. 즉, $(w, w + h)$에서 하나 이상의 사건이 발생할 확률은 대략 $\lambda(w)h$와 같기 때문에

$$p(0, w+h) \approx p(0, w)[1 - \lambda(w)h]$$

혹은 동등하게

$$\frac{p(0, w+h) - p(0, w)}{h} \approx -\lambda(w)p(0, w)$$

가 성립한다. 이제 $h \to 0$으로 극한을 취하면

$$\frac{d}{dw}[p(0, w)] = -\lambda(w)p(0, w)$$

이고, 미분방정식

$$\frac{\frac{d}{dw}[p(0, w)]}{p(0, w)} = -\lambda(w)$$

로부터

$$\ln p(0, w) = -\int \lambda(w)\,dw + c_1$$

을 얻는다. 그러므로 다음과 같다.

$$p(0, w) = \exp\left[-\int \lambda(w)\,dw + c_1\right] = c_2 \exp\left[-\int \lambda(w)\,dw\right]$$

여기서 $c_2 = e^{c_1}$이다. 그러나 $p(0, 0) = 1$이기 때문에

$$H(w) = \int \lambda(w)\,dw$$

를 $H(0) = 0$이 되도록 선택한다면 $c_2 = 1$이다. 즉

$$p(0, w) = e^{-H(w)}$$

이다. 여기서 $H'(w) = \lambda(w)$이고 $H(0) = 0$이다. 그러므로 다음과 같다.

$$H(w) = \int_0^w \lambda(t)\,dt$$

이제 연속형 확률변수 W가 처음 사건이 발생할 때까지 필요한 구간이라 한다면 W의 cdf는

$$G(w) = P(W \le w) = 1 - P(W > w), \qquad 0 \le w$$

이며 구간 $(0, w)$에서 사건이 발생하지 않을 사건은 $W > w$와 같으므로

$$G(w) = 1 - p(0, w) = 1 - e^{-H(w)}, \qquad 0 \le w$$

이다. 따라서 W의 pdf는

$$g(w) = G'(w) = H'(w)e^{-H(w)} = \lambda(w)\exp\left[-\int_0^w \lambda(t)\,dt\right], \qquad 0 \le w$$

으로 주어진다. 이로부터 $\lambda(w)$는 다음과 같이 $g(w)$와 $G(w)$의 의미로 표현할 수 있다.

$$\lambda(w) = \frac{g(w)}{1 - G(w)}$$

이 결과의 많은 응용에서 W는 랜덤시간구간(random time inteval)으로 생각된다. 예를 들면 하나의 사건 발생이 고려 중에 있는 개체의 '죽음'이나 '실패'를 의미한다면 W는 그 개체의 수명을 의미한다. **실패율**(failure rate) 혹은 **사망률**(force of mortality)이라고 하는 $\lambda(w)$는 보통 w의 증가함수이다. 즉 w가 커질수록(개체가 오랫동안 살아 있을수록) 짧은 구간 h 내에서 실패의 기회, 즉 $\lambda(w)h$가 커진다. 3.2절의 지수분포에서는 $\lambda(w)$가 상수지만 실패율을 상수라고 가정하는 것은 대부분의 인간 혹은 제조상품의 모집단에는 적합하지 않다. 즉, 이것이 인간 모집단에 적용된다면 80세인 사람의 여명이 20세인 사람의 여명만 하다는 것을 의미한다. 이리하여 실패율 $\lambda(w)$는 보통 w의 증가함수로 생각한다. 이제 다음 두 예제에서 유용한 확률모형을 소개한다.

예제 3.4-1 $H(w)$를 다음과 같이 놓자.

$$H(w) = \left(\frac{w}{\beta}\right)^{\alpha}, \qquad 0 \le w$$

그러면 실패율은 다음과 같다.

$$\lambda(w) = H'(w) = \frac{\alpha w^{\alpha-1}}{\beta^{\alpha}}, \quad \alpha > 0,\ \beta > 0$$

따라서 W의 pdf는

$$g(w) = \frac{\alpha w^{\alpha-1}}{\beta^{\alpha}} \exp\left[-\left(\frac{w}{\beta}\right)^{\alpha}\right], \qquad 0 \le w$$

이며, W는 모수 $\alpha > 0$와 $\beta > 0$를 갖는 **와이블분포**(Weibull distribution)를 갖는다고 한다. 적절한 α와 β의 값을 갖는 와이블분포는 공학에서 제조부품의 수명을 설명해주는 분포로서 적용력이 매우 뛰어나다. 흔히 $1 < \alpha < 5$이다. 이 분포는 모형적합에서 감마 pdf와 강력히 경쟁이 되는 pdf이다.

와이블분포의 평균과 분산은 각각 다음과 같고, 와이블분포의 pdf는 그림 3.4-1에 나타나 있다.

$$\mu = \beta\,\Gamma\left(1 + \frac{1}{\alpha}\right)$$
$$\sigma^2 = \beta^2\left\{\Gamma\left(1 + \frac{2}{\alpha}\right) - \left[\Gamma\left(1 + \frac{1}{\alpha}\right)\right]^2\right\}$$

■

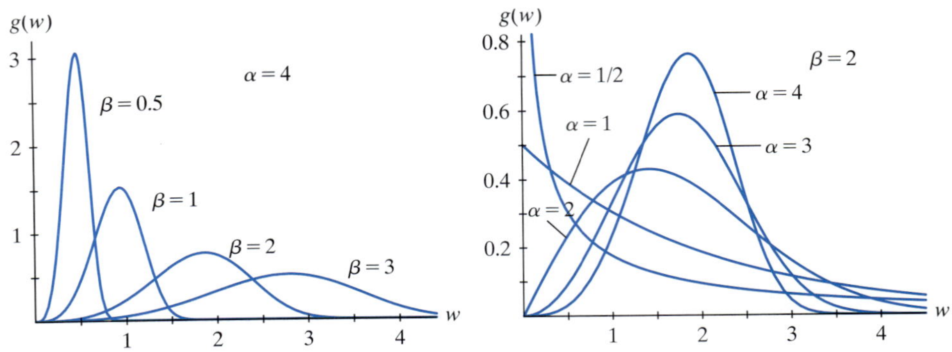

그림 3.4-1 와이블 pdf

예제 3.4-2 인간이 일단 25세가 넘으면 사망률이 거의 지수적으로 증가한다는 사실에 사람들은 흔히 충격을 받는다. 사망률 통계표에 의하면 사망률은 매년 약 10%씩 증가하는 것을 볼 수 있다. 이것은 사망률이 7년마다 2배가 된다는 것을 의미한다(이 장의 마지막 부분에 있는 역사적 해설에서 '72의 법칙'을 참조하라). 그러나 사망률이 매우 낮게 출발한다는 데 다소 위안을 얻을 수 있다. 63세인 비교적 건강한 남자가 다음 해까지 죽을 확률은 단지 약 1%일 뿐이다. 이제 지수 사망률을 가정해 다음을 얻는다.

$$\lambda(w) = H'(w) = ae^{bw}, \qquad a > 0, \quad b > 0$$

따라서

$$H(w) = \int_0^w ae^{bt}\,dt = \frac{a}{b}e^{bw} - \frac{a}{b}$$

이다. 그러므로 다음과 같이 얻어지는

$$G(w) = 1 - \exp\left[-\frac{a}{b}e^{bw} + \frac{a}{b}\right], \qquad 0 \le w$$

과

$$g(w) = ae^{bw}\exp\left[-\frac{a}{b}e^{bw} + \frac{a}{b}\right], \qquad 0 \le w$$

은 보험학에서 발견된 유명한 **곰퍼츠법칙**(Gompertz law)과 관련한 cdf와 pdf이다. 곰퍼츠법칙과 관련된 pdf의 그래프가 그림 3.4-2에 나타나 있다. 곰퍼츠분포의 최빈값은 $b > a$인 경우에는 $\ln(b/a)/b$이고, $0 < b < a$인 경우에는 pdf가 단조감소함수이므로 최빈값은 0이다. ■

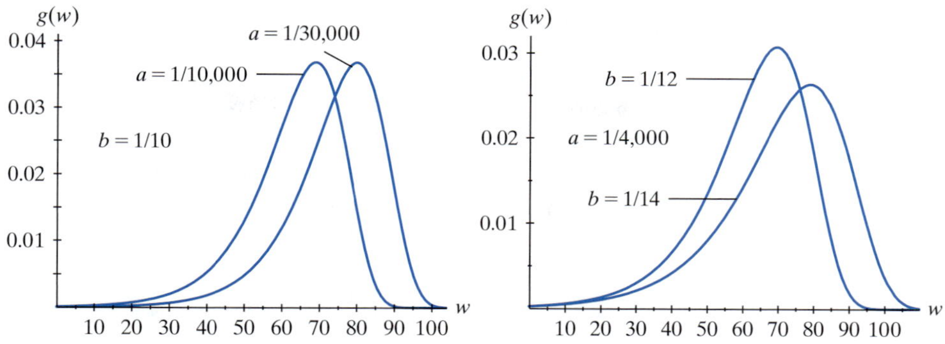

그림 3.4-2 곰퍼츠법칙 pdf

감마분포와 와이블분포는 많은 분야(수명검정, 반응시간, 소득 등)에 적용되는 유용한 비대칭분포들이다.

지금까지는 이산형이거나 혹은 연속형인 확률변수들을 다루어 왔고 실제 대부분의 응용 예에서 이러한 형태의 변수를 다루게 된다. 그러나 때때로 이러한 두 형태의 변수들이 혼합된 경우들이 있다. 즉, 어떤 실험에서는 구간이 아닌 점들에 대해 양의 확률값을 갖고 한편으로는 구간 위에서 양의 확률값(이 경우는 점들에 대해서는 0의 확률값을 가짐)을 갖는다. 다음의 예가 그러한 경우이다.

예제 3.4-3 슬라이드 영사기용 전구는 그것의 스위치를 켜서 1시간 동안 불을 밝힌 후 스위치를 끔으로써 검사가 수행된다. X를 이 테스트 동안 전구가 만족스럽게 불을 밝히는 시간의 길이라 놓자. 이때 전구를 켜자마자 전구가 타버리는 경우가 있을 수 있다. 그러므로 $0 < P(X = 0) < 1$이 성립한다. 또한 1시간 동안 도중에 전구가 타버리거나 전구가 꺼져버릴 수도 있다. 따라서 $P(0 < X < 1) > 0$이고 $P(X = x) = 0$, $x \in (0, 1)$이다. 덧붙여서 $P(X = 1) > 0$이다. 1시간 후에 스위치를 끔으로써 1시간 이후의 실제 X값은 관측되지 않는데 이것을 중도절단이라고 하고 이에 대해서는 이 절의 후반부에서 설명할 것이다. ■

혼합형(mixed type) 분포의 cdf는 이산형과 연속형 cdf의 혼합이다. 즉, cdf의 불연속이 발생하는 확률변수값에서 cdf의 계단의 높이는 그 확률변수의 이산형값에 상응하는 확률과 같다. 확률변수의 그 외 다른 값들에서 cdf는 연속이다.

예제 3.4-4 X의 cdf $F(x)$가 다음과 같이 정의된다고 하자.

$$F(x) = \begin{cases} 0, & x < 0 \\ \dfrac{x^2}{4}, & 0 \le x < 1 \\ \dfrac{1}{2}, & 1 \le x < 2 \\ \dfrac{x}{3}, & 2 \le x < 3 \\ 1, & 3 \le x \end{cases}$$

이 cdf는 그림 3.4-3에 나타나 있다. $F(x)$를 사용해 계산된 확률들의 예는 다음과 같다.

$$P(0 < X < 1) = \frac{1}{4}$$

$$P(0 < X \le 1) = \frac{1}{2}$$

$$P(X = 1) = \frac{1}{4}$$

■

예제 3.4-5 공평한 동전 하나를 던지는 게임에서 참가자는 동전의 표면이 나오면 2달러를 받고 동전의 이면이 나오면 0에서 1까지 눈금을 갖는 공평한 스피너를 회전시켜 스피너에 의해 선택되는 점에 해당하는 금액(1달러 미만의 금액)을 받는다. X를 게임에 참여해 받는 금액이라 한다면 X의 pdf 공간은 $S = [0, 1) \cup \{2\}$이다. 이 경우 X의 cdf는 다음과 같이 정의되며, cdf의 그래프는 그림 3.4-3에 나타나 있다.

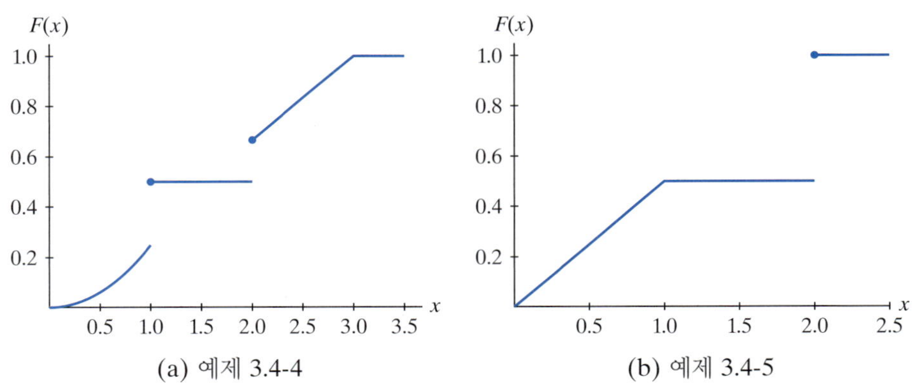

그림 3.4-3 혼합형 분포함수

$$F(x) = \begin{cases} 0, & x < 0 \\ \dfrac{x}{2}, & 0 \le x < 1 \\ \dfrac{1}{2}, & 1 \le x < 2 \\ 1, & 2 \le x \end{cases}$$

■

확률변수 X가 혼합형의 분포를 갖는 경우, X의 함수 $u(X)$의 기댓값은 총합과 리만 적분을 사용해 구해진다. 다음의 예를 보자.

예제 3.4-6 예제 3.4-4에서 주어진 확률변수 X의 평균과 분산을 구해보자. 먼저 X의 pdf는 $0 < x < 1$일 때는 $F'(x) = x/2$, $2 < x < 3$일 때는 $F'(x) = 1/3$, 그리고 $P(X = 1) = 1/4$이고 $P(X = 2) = 1/6$이다. 따라서 평균과 분산은 각각 다음과 같다.

$$\begin{aligned} \mu = E(X) &= \int_0^1 x\left(\frac{x}{2}\right) dx + 1\left(\frac{1}{4}\right) + 2\left(\frac{1}{6}\right) + \int_2^3 x\left(\frac{1}{3}\right) dx \\ &= \left[\frac{x^3}{6}\right]_0^1 + \frac{1}{4} + \frac{1}{3} + \left[\frac{x^2}{6}\right]_2^3 \\ &= \frac{19}{12} \end{aligned}$$

$$\begin{aligned} \sigma^2 &= E(X^2) - [E(X)]^2 \\ &= \int_0^1 x^2\left(\frac{x}{2}\right) dx + 1^2\left(\frac{1}{4}\right) + 2^2\left(\frac{1}{6}\right) + \int_2^3 x^2\left(\frac{1}{3}\right) dx - \left(\frac{19}{12}\right)^2 \\ &= \frac{31}{48} \end{aligned}$$

■

수명검정에서 수명을 나타내는 확률변수 X가 b보다는 크지만 정확한 값은 알려지지 않은 경우를 **중도절단**(censoring)이라고 한다. 예를 들면 암 연구에서 관찰대상인 암 환자가 사라졌을 때 중도절단이 발생한다. 즉, 조사자는 그 환자가 어느 시각까지는 살아 있었다는 것을 알지만 정확한 생존기간은 모른다. 또한 중도절단은 보험회사에서 다루는 문제이기도 하다. 특히 최대 제한 금액이 초과되지만 얼마만큼인지는 알려지지 않은 제한지불정책(limited-pay policy)을 따르는 손실을 생각할 수 있다. 다음의 예를 보자.

예제 3.4-7 화재보험회사는 200만 달러로부터 1,000만 달러에 이르는 손실을 망라하는, 폭풍우 피해에 따른 대규모 손실을 다룬다. X를 폭풍우 손실액(단위: 100만 달러)이라고 할 때 X의 cdf를 다음과 같이 가정하자.

$$F(x) = 1 - \left(\frac{10}{10+x}\right)^3, \qquad 0 \le x < \infty$$

1,000만 달러 이상인 손실을 10으로 나타낸다면 $Y = X$, $X \le 10$, 그리고 $Y = 10$, $X > 10$이다. 이 중도절단된 분포의 cdf는 $y = 10$에서 $[10/(10+10)]^3 = 1/8$의 도약을 갖는 다음과 같은 식으로 정의된다.

$$G(y) = \begin{cases} 1 - \left(\dfrac{10}{10+y}\right)^3, & 0 \le y < 10 \\ 1, & 10 \le y < \infty \end{cases}$$

■

예제 3.4-8 평가액이 24단위(1단위 = 1,000달러)인 자동차가 한 단위 공제가 되는 자동차보험에 1년 동안 가입된다. 1년 동안 차량 피해가 전혀 없을 확률은 0.95, 차량이 전파될 확률은 0.01, 부분적 차량 피해가 발생할 확률은 0.04이다. 차량 피해액 X는 다음과 같은 pdf를 갖는다고 한다.

$$f(x) = \frac{25}{24}\frac{1}{(x+1)^2}, \qquad 0 < x < 24$$

보험회사에서 지불해야 할 비용은 $X \le 1$일 때는 0, 자동차가 전파되었을 때는 $24 - 1 = 23$, $1 < X < 24$일 때는 $X - 1$이다. 보험회사에서 한 대의 자동차에 대해 지불해야 할 기대비용을 구하는 식은

$$(0)(0.95)+(0)(0.04)\int_0^1 \frac{25}{24}\frac{1}{(x+1)^2}\,dx+(23)(0.01)+(0.04)\int_1^{24}(x-1)\frac{25}{24}\frac{1}{(x+1)^2}\,dx$$

와 같이 세울 수 있으며, 마지막 적분식에서

$$\begin{aligned}\int_1^{24}(x+1-2)\frac{25}{24}\frac{1}{(x+1)^2}\,dx &= (-2)\int_1^{24}\frac{25}{24}\frac{1}{(x+1)^2}\,dx + \int_1^{24}\frac{25}{24}\frac{1}{(x+1)}\,dx \\ &= (-2)\left[\frac{25}{24}\frac{-1}{(x+1)}\right]_1^{24} + \left[\frac{25}{24}\ln(x+1)\right]_1^{24} \\ &= 1.67\end{aligned}$$

이 되므로 기대비용은 다음과 같은 계산

$$0.23 + (0.04)(1.67) = 0.297$$

으로부터 297달러이다. ■

연습문제

3.4-1 어느 가족용 승용차의 수명 W(단위: 년)는 $\alpha = 2$를 갖는 와이블분포를 따른다고 한다. $P(W > 5) = e^{-1/4} \approx 0.7788$이 되기 위해서는 β가 10과 같아야 함을 밝혀라.

힌트: $P(W > 5) = e^{-H(5)}$

3.4-2 서로 독립인 확률변수 W_1, W_2, W_3은 모수 α와 β를 갖는 와이블분포를 따른다. Y_1을 이 3개의 확률변수들 중 가장 작은 관측값이라고 한다면 Y_1은 와이블분포를 따른다는 것을 밝혀라. 또한 이 와이블분포의 모수들은 무엇인가?

힌트: $G(y_1) = P(Y_1 \le y_1) = 1 - P(y_1 < W_i, i = 1, 2, 3) = 1 - [P(y_1 < W_1)]^3$

3.4-3 X가 다음과 같은 cdf를 갖는 혼합형 확률변수라고 하자.

$$F(x) = \begin{cases} 0, & x < -1 \\ \dfrac{x}{4} + \dfrac{1}{2}, & -1 \le x < 1 \\ 1, & 1 \le x \end{cases}$$

다음의 확률들을 계산하라. 이때 cdf의 그래프를 그려 보는 것이 확률계산에 도움이 될 것이다.

(a) $P(X < 0)$

(b) $P(X < -1)$

(c) $P(X \le -1)$

(d) $P(X < 1)$

(e) $P(-1 \le X < 1/2)$

(f) $P(-1 < X \le 1)$

3.4-4 X는 다음과 같은 cdf를 갖는 혼합형 확률변수이다.

$$F(x) = \begin{cases} 0, & x < 0 \\ \dfrac{x^2}{4}, & 0 \le x < 1 \\ \dfrac{x+1}{4}, & 1 \le x < 2 \\ 1, & 2 \le x \end{cases}$$

(a) $F(x)$의 그래프를 그려라.

(b) X의 평균과 분산을 구하라.

(c) $P(1/4 < X < 1)$, $P(X = 1)$, $P(X = 1/2)$, $P(1/2 \le X < 1)$를 계산하라.

3.4-5 하나의 공평한 정육면체 주사위를 던지는 게임에서 참가자는 눈의 수가 짝수인 경우 주사위 면에 나타난 눈의 수와 일치하는 금액(달러)을 상금으로 받으며 눈의 수가 홀수인 경우, 공평한 스피너에 의해 구간 [0, 1)로부터 무작위로 선택되는 수에 해당하는 금액(달러)을 받는다. X를 참가자가 게임에 참여해 받는 금액이라고 하자.

(a) X의 cdf를 정의하고 그래프를 그려라.

(b) $E(X)$를 구하라.

3.4-6 어떤 장치의 수명(단위: 년) X는 평균 5년을 갖는 지수분포를 따른다. 그런데 이 장치는 3년이 지난 후부터 관측되었다고 한다. 즉 실제로는 $Y = \max(X, 3)$을 관측한 셈이다. $E(Y)$를 계산하라.

3.4-7 자동차보험에서 차량피해가 발생할 확률은 0.05이며 차량피해액 X는 평균 5,000달러를 갖는 지수분포를 따른다. 차량피해액이 공제금 500달러보다 크다면 차액인 $X - 500$이 차주에게 지불되며, 공제금 500달러보다 작으면 차주에게 지불되는 금액은 없다고 한다. 보험회사에서 차주에게 지불해야 할 비용의 평균과 표준편차를 구하라.

3.4-8 어떤 기계의 수명 X는 평균 10을 갖는 지수분포를 갖는다. 이 기계에 대한 제품보증서에는 첫 1년 동안 고장이 날 때는 제품 가격의 100% 환불, 그 이후 1년 동안 고장이 날 때는 50% 환불, 2년 이후에 고장이 날 때는 환불은 없다고 적혀 있다. 만약 이 기계의 가격이 2,500달러라면 보증서에 따라 지불해야 할 환불액의 평균과 표준편차를 구하라.

3.4-9 미국 유아들의 태어날 때 몸무게(단위: g) X는 다음과 같은 근사 와이블 pdf를 갖는다.

$$f(x) = \frac{3x^2}{3{,}500^3} e^{-(x/3{,}500)^3}, \qquad 0 < x < \infty$$

신생아의 태어날 때 체중이 3,000g 이상이라면 체중

역사적 해설

이 장에서 매우 중요한 정규분포를 포함하여 여러 가지 연속형 분포에 대해 공부했다. 정규분포가 실제로 얼마나 중요한지는 5장에서 주어질 것이다. 5장에서 다루어지는 중심극한정리와 그것의 일반화는 여러 확률변수의 합이 어떤 측정치들에 영향을 끼친다는 것을 의미한다. 그러한 사실은 측정치들이 근사적으로 정규분포를 가짐을 암시한다. 예를 들면, 달걀의 길이에 대한 연구에서 서로 다른 암탉에 따른 달걀의 차이, 달걀의 길이를 측정하는 사람에 따른 차이, 달걀이 홀더에 놓여 있는 형태의 차이, 사용된 측정도구의 차이 등으로 인해 달걀의 길이는 근사 정규분포를 가질 것이다.

때때로 교사들은 점수분포가 정규분포가 되도록 강제한다. 그것은 '점수들이 (정규)곡선 위에 있기' 때문이다. 이것이 의미하는 바는 학생들의 몇 퍼센트에게는 A학점을 주어야 하고, 몇 퍼센트에게는 B학점을 주어야 한다는 것이다. 그러나 점수가 어떤 적정한 기준을 만족한다면 모든 학생이 A학점을 받아야 한다고 믿기 때문에 점수분포를 정규분포로 제한하는 것은 옳지 않다고 생각한다.

정규분포는 대칭이지만 감마, 와이블 등과 같은 많은 분포들은 비대칭이다. 와이블분포가 $\lambda(x) = \alpha x^{\alpha-1}/\beta^{\alpha}$, $\alpha \geq 1$과 같은 실패율을 가지며, 많은 제조품의 수명분포에 적합한 분포임을 배웠다. 만약 $\alpha = 5$, 즉 실패율이 상수라면, 구제품이 신제품만큼 좋다는 것을 의미한다. 이것을 사람에 적용해보면, 노인이 50년 더 살 가능성은 젊은이와 같다는 것을 의미한다. 불행히도, 3장에서 배웠듯이 인간 수명의 실패율은 나이에 따라 증가하며, 거의 지수적[즉, $\lambda(x) = ae^{bx}$, $a > 0$, $b > 0$]으로 증가해 곰퍼츠 pdf로 이끈다. 실제로 대부분의 사람들은 사망률이 매년 약 10%씩 증가한다는 것을 알고 있다. 그래서 72의 법칙에 의해 매 72/10=7.2년마다 2배가 될 것이다.

72의 법칙은 다음과 같은 질문에서 유래한다. "이자율이 i일 때 몇 년 후에 원금이 2배가 될 것인가?" 원금 1달러에서 시작하고 연복리로 계산하면 1년 후에는 $(1 + i)$달러를 갖게 된다. 2년 후에 갖게 되는 금액은

이 4,000g을 초과할 조건부 확률을 구하라.

3.4-10 의학실험에서 실험용 쥐를 약간의 방사선에 노출시켰을 때 쥐의 생존시간(단위: 주) X는 다음과 같은 pdf를 갖는다고 한다.

$$f(x) = \frac{3x^2}{120^3}\, e^{-(x/120)^3}, \qquad 0 < x < \infty$$

(a) 쥐가 최소한 100주를 생존할 확률을 구하라.

(b) 생존시간의 기댓값을 구하라.

힌트: $E(X)$를 나타내는 적분에서 $y=(x/120)^3$이라 놓고 감마함수를 활용하라.

$$(1+i)+i(1+i)=(1+i)^2$$

이다. 이렇게 계속 반복해 나가면 n년 후에 갖게 되는 금액이 2달러와 같은 다음의 방정식

$$(1+i)^n=2$$

을 풀어서

$$n=\frac{\ln 2}{\ln(1+i)}$$

를 얻는다. 이제 n을 근사시키기 위해서 $\ln 2 \approx 0.693$임과 $\ln(1+i)$의 급수전개를 이용하면 다음을 얻는다.

$$n \approx \frac{0.693}{i-\frac{i^2}{2}+\frac{i^3}{3}-\cdots}$$

분모의 급수전개에서 부호가 변화하므로 분모는 i보다 조금 더 작다. 빈번히 브로커들은 분자를 조금 더 증가(예를 들면, 0.72로)시키려 한다. 그리고 간단히 i로 나눔으로써 잘 알려진 **72의 법칙** 공식

$$n \approx \frac{72}{100i}$$

를 얻게 된다. 예를 들면, $i=0.08$이라면 $n \approx 72/8=9$는 매우 정확한 근삿값이다(더 정확히는 9.006). 많은 사람들은 돈 문제를 다룰 때 72의 법칙이 매우 유용하게 쓰임을 알고 있다.

04 이변량 분포

4.1 이산형 이변량 분포

지금까지 하나의 확률변수에 관한 분포만을 다루어 왔다. 그러나 확률실험은 2개 이상의 확률변수를 포함하는 경우가 많다. 예를 들어 어느 대학생의 고등학교 내신성적 X와 대학 입학 시험 성적 Y의 관계는 어떠한가? 더 나가서 X와 Y의 관계로부터 대학 1학년 때의 성적 Z를 예측할 수 있는가? 이것은 대학 당국에는 중요한 문제일 수 있다. 이 절에서는 두 확률변수의 확률분포를 다룬다. 먼저 이산형 확률변수인 경우에 두 확률변수의 결합분포에 대해 정의해보자.

정의 4.1-1

X와 Y를 이산형 확률공간에서 정의된 2개의 확률변수라고 하고, X와 Y에 대응하는 2차원 공간을 S라고 하자. $X = x$, $Y = y$인 확률을 $f(x, y) = P(X = x, Y = y)$라 하면, $f(x, y)$는 X와 Y의 **결합확률질량함수**(joint probability mass function, joint pmf)라고 하고 다음과 같은 성질을 갖는다.

(a) $0 \le f(x, y) \le 1$

(b) $\sum\sum_{(x,y)\in S} f(x, y) = 1$

(c) $P[(X, Y) \in A] = \sum\sum_{(x,y)\in A} f(x, y)$, 여기서 A는 공간 S의 부분집합이다.

예제 4.1-1 공평한 정육면체 주사위를 두 번 던진다. 그러면 확률 1/36을 갖는 36개의 확률실험 결과에 대해 보다 작은 수와 보다 큰 수를 각각 X, Y라 하자. 사상 $\{X = 2, Y = 3\}$은 실

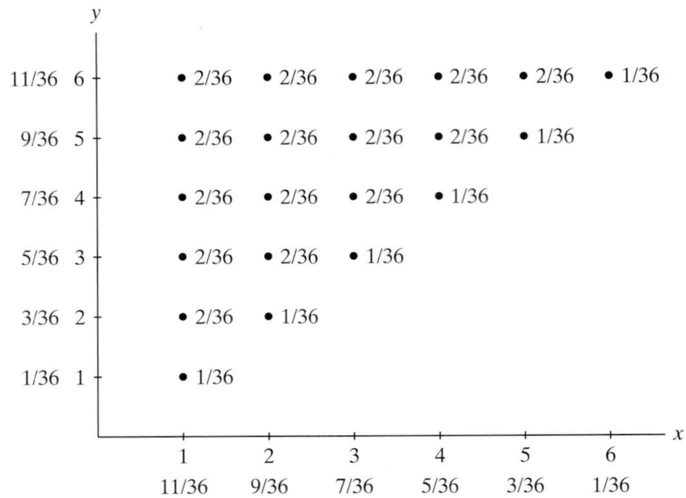

그림 4.1-1 이산형 결합 pmf

험 결과가 (3, 2) 혹은 (2, 3)인 두 가지 경우에 발생한다. 따라서 $P(X = 2, Y = 3) = 1/36 + 1/36 = 2/36$이다. 그러나 사상 $\{X = 2, Y = 2\}$는 결과가 오직 한 가지 경우인 (2, 2)에 발생한다. 따라서 $P(X = 2, Y = 2) = 1/36$이다. 이제 X와 Y의 결합 pmf는 다음과 같이 주어진다.

$$f(x, y) = \begin{cases} \dfrac{1}{36}, & 1 \le x = y \le 6 \\ \dfrac{2}{36}, & 1 \le x < y \le 6 \end{cases}$$

여기서 x와 y는 정수이다.

그림 4.1-1은 공간 S의 여러 원소의 확률을 보여준다. ■

그림 4.1-1의 아래쪽과 왼쪽에 기록된 숫자들은 각각 열 확률들과 행 확률들의 합이다. 각 열 확률 합은 X가 x 공간 $S_X = \{1, 2, 3, 4, 5, 6\}$의 값을 취할 때의 확률이고, 각 행 확률 합은 Y가 y 공간 $S_Y = \{1, 2, 3, 4, 5, 6\}$의 값을 취할 때의 확률이다. 즉, 각 확률 합들은 각각 X와 Y의 pmf를 나타낸다. 이러한 확률들은 흔히 확률표의 주변에 기록되며 확률변수의 pmf 성질을 만족시키기 때문에 **주변 확률질량함수**(marginal pmf)라고 한다.

정의 4.1-2

X, Y가 공간 S에서 결합 pmf $f(x, y)$를 가질 때 X만의 pmf 또는 Y만의 pmf를 각각 X 또는 Y의 **주변 확률질량함수**(marginal probability mass function)라고 하

고 각각 다음과 같이 정의한다.

$$f_X(x) = \sum_y f(x, y) = P(X = x), \qquad x \in S_X$$

$$f_Y(y) = \sum_x f(x, y) = P(Y = y), \qquad y \in S_Y$$

그리고, 확률변수 X, Y가 **독립**(independent)이기 위한 필요충분조건은 다음과 같다.

$$f(x, y) = f_X(x)f_Y(y), \qquad x \in S_X, \qquad y \in S_Y$$

그렇지 않으면 X, Y는 **종속**(dependent)이라고 한다.

예제 4.1-1에서 많은 경우에 $f(x,\ y) \neq f_X(x)$, $f_Y(y)$이므로 X와 Y는 종속이다. 예를 들면 다음과 같다.

$$f_X(1)f_Y(1) = \left(\frac{11}{36}\right)\left(\frac{1}{36}\right) \neq \frac{1}{36} = f(1, 1)$$

예제 4.1-2 X, Y의 결합 pmf는 다음과 같다.

$$f(x, y) = \frac{x+y}{21}, \qquad x = 1, 2, 3, \qquad y = 1, 2$$

X의 주변 pmf와 Y의 주변 pmf는 각각 다음과 같다.

$$\begin{aligned} f_X(x) &= \sum_y f(x, y) = \sum_{y=1}^{2} \frac{x+y}{21} \\ &= \frac{x+1}{21} + \frac{x+2}{21} = \frac{2x+3}{21}, \qquad x = 1, 2, 3 \\ f_Y(y) &= \sum_x f(x, y) = \sum_{x=1}^{3} \frac{x+y}{21} = \frac{6+3y}{21}, \qquad y = 1, 2 \end{aligned}$$

이때 $f_X(x)$와 $f_Y(y)$는 pmf의 성질을 만족한다. 또한 $f(x,\ y) \not\equiv f_X(x)f_Y(y)$이므로, X와 Y는 종속이다. ■

예제 4.1-3 X, Y의 결합 pmf는 다음과 같다.

$$f(x, y) = \frac{xy^2}{30}, \qquad x = 1, 2, 3, \qquad y = 1, 2$$

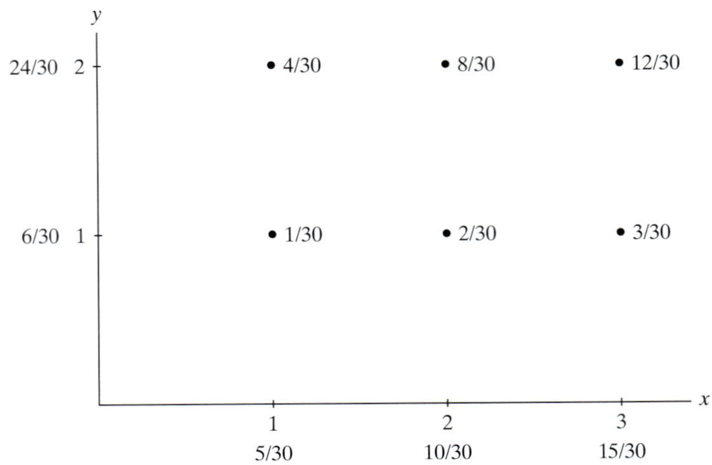

그림 4.1-2 결합 pmf $f(x, y) = \dfrac{xy^2}{30}$, $x = 1, 2, 3,\ \ y = 1, 2$

X와 Y의 주변 pmf는 각각 다음과 같다.

$$f_X(x) = \sum_{y=1}^{2} \frac{xy^2}{30} = \frac{x}{6}, \qquad x = 1, 2, 3$$

$$f_Y(y) = \sum_{x=1}^{3} \frac{xy^2}{30} = \frac{y^2}{5}, \qquad y = 1, 2$$

이때 $x = 1, 2, 3$과 $y = 1, 2$에 대해 $f(x, y) \equiv f_X(x)f_Y(y)$이므로 X와 Y는 독립이다(그림 4.1-2 참조). ■

예제 4.1-4 X, Y의 결합 pmf는 다음과 같다.

$$f(x, y) = \frac{xy^2}{13}, \qquad (x, y) = (1, 1), (1, 2), (2, 2)$$

그러면 주변 pmf는 각각 다음과 같다.

$$f_X(x) = \begin{cases} \dfrac{5}{13}, & x = 1 \\ \dfrac{8}{13}, & x = 2 \end{cases}$$

$$f_Y(y) = \begin{cases} \dfrac{1}{13}, & y = 1 \\ \dfrac{12}{13}, & y = 2 \end{cases}$$

이때 $x = 1, 2$와 $y = 1, 2$에 대해 $f(x, y) \neq f_X(x)f_Y(y)$이므로 X와 Y는 종속이다. 예를 들면, $f_X(2)f_Y(1) = (8/13)(1/13) \neq 0 = f(2, 1)$이므로 X와 Y는 종속이다. ■

일반적으로 확률변수 X와 Y의 공간이 직사각형 공간형으로 되어 있고 결합 pmf가 각 변수들의 함수의 곱으로 되어 있으면 확률변수 X와 Y는 독립이고 그렇지 않으면 종속이다. 위의 예제 4.1-2에서는 확률변수의 공간은 직사각형 공간형이지만 결합 pmf가 X의 함수와 Y의 함수의 곱으로 되어 있지 않으므로 종속이며, 예제 4.1-3에서는 위의 조건이 만족되어 독립이고, 예제 4.1-4에서는 결합 pmf는 X의 함수와 Y의 함수의 곱으로 되어 있으나 확률변수의 공간이 삼각형 공간형으로 되어 있어서 종속임을 알 수 있다.

1개 확률변수의 pmf에 대한 확률히스토그램을 정의했던 것처럼 결합 pmf에 대한 확률히스토그램을 정의할 수 있다. 확률변수 X와 Y가 정수들 쌍으로 구성된 공간 S에서 결합 pmf를 갖는다고 가정하자. 공간 S의 한 점 (x, y)에서 직사각형 기둥은 점 (x, y)를 중심으로 가로 및 세로가 1인 정사각형을 밑면적으로 해 높이가 $f(x, y)$가 되도록 세워진다. 따라서 $f(x, y)$는 이 직사각형 기둥의 체적이 되고, 모든 직사각형 기둥의 체적을 합하면 1과 같다.

예제 4.1-5 예제 4.1-3의 결합 pmf의 확률히스토그램을 그리면 그림 4.1-3과 같다. ■

확률변수 X, Y를 각각 X_1, X_2로 바꾸어 쓰면 3개 이상의 확률변수를 나타낼 때 편리하다. X_1, X_2를 공간 S에서 결합 pmf $f(x_1, x_2)$를 갖는 이산형 확률변수라 하자. $u(X_1, X_2)$를 두 확률변수의 함수라 하면

$$E[u(X_1, X_2)] = \sum_{(x_1,x_2)\in S}\sum u(x_1, x_2)f(x_1, x_2)$$

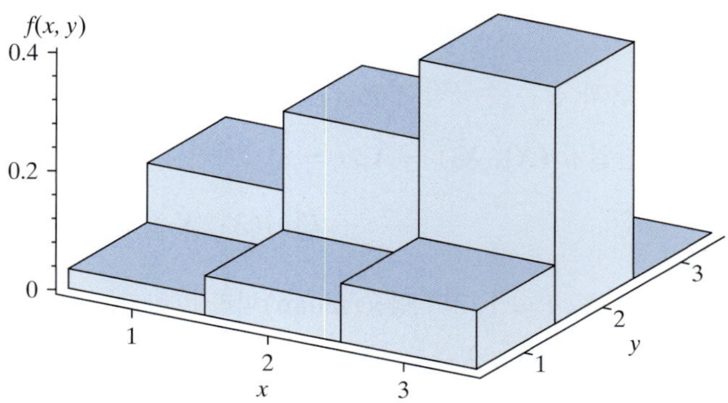

그림 4.1-3 결합 pmf $f(x, y) = \dfrac{xy^2}{30}$, $x = 1, 2, 3$, $y = 1, 2$

를 $u(X_1, X_2)$의 **수학적 기댓값**(mathematical expectation 혹은 **expected value**)이라고 한다.

> **참고** 이미 일변량의 경우에 참고했던 것과 비슷하게
>
> $$\sum\sum_{(x_1,x_2)\in S}|u(x_1,x_2)|f(x_1,x_2)$$
>
> 는 유한의 값을 가지며 수렴한다고 가정한다. 그리고 $Y = u(X_1, X_2)$가 공간 S_Y에서 pmf $g(y)$를 갖는 확률변수이면
>
> $$\sum\sum_{(x_1,x_2)\in S}u(x_1,x_2)f(x_1,x_2) = \sum_{y\in S_Y} y\,g(y)$$
>
> 도 역시 성립한다.

예제 4.1-6 하나의 그릇에 8개의 비슷한 칩이 들어 있다. 3개는 (0, 0), 2개는 (1, 0), 2개는 (0, 1), 1개는 (1, 1)이 표시되어 있다. 하나의 칩을 임의로 꺼내어 두 숫자의 합의 액수($)의 돈을 받기로 되어 있다. X_1, X_2가 이들의 두 좌표를 나타낼 때, 결합 pmf는

$$f(x_1,x_2) = \frac{3-x_1-x_2}{8}, \qquad x_1 = 0, 1, \qquad x_2 = 0, 1$$

이 되고, 두 수의 합의 기댓값은 다음과 같다.

$$\begin{aligned} E(X_1+X_2) &= \sum_{x_2=0}^{1}\sum_{x_1=0}^{1}(x_1+x_2)\,\frac{3-x_1-x_2}{8} \\ &= (0)\left(\frac{3}{8}\right)+(1)\left(\frac{2}{8}\right)+(1)\left(\frac{2}{8}\right)+(2)\left(\frac{1}{8}\right) = \frac{3}{4} \end{aligned}$$

■

다음과 같은 수학적 기댓값은 그것이 존재할 때 특별한 명칭을 갖는다.

(a) 만일 $u_1(X_1, X_2) = X_i$, $i = 1, 2$이면

$$E[u_1(X_1,X_2)] = E(X_i) = \mu_i$$

는 X_i, $i = 1, 2$의 **평균**(mean)이라고 한다.

(b) 만일 $u_2(X_1, X_2) = (X_i - u_i)^2$, $i = 1, 2$이면

$$E[u_2(X_1,X_2)] = E[(X_i-\mu_i)^2] = \sigma_i^2 = \mathrm{Var}(X_i)$$

는 X_i, $i = 1, 2$의 **분산**(variance)이라고 한다.

평균 μ_i와 분산 σ_i^2은 결합 pmf $f(x_1, x_2)$ 혹은 주변 pmf $f_i(x_i)$, $i = 1, 2$로부터 계산될 수 있다.

다음 예제들은 중요한 일변량분포인 초기하분포와 이항분포를 확장한 분포의 예제들이다.

예제 4.1-7 어느 대학의 첫 학기에 통계학을 이수한 200명의 학생이 있다. 이들 중 40명은 A학점, 60명은 B학점, 그리고 100명은 그 외의 학점을 받았다. 25명의 학생이 비복원으로 임의로 뽑혀 그중 X는 A학점 학생 수, Y는 B학점 학생 수라 하면 (X, Y)의 공간 S는 $x + y \leq 25$를 만족하는 음이 아닌 정수 (x, y)의 집합이다. X, Y의 결합 pmf는 다음과 같다.

$$f(x, y) = \frac{\binom{40}{x}\binom{60}{y}\binom{100}{25-x-y}}{\binom{200}{25}}, \qquad (x, y) \in S$$

이때 $j > k$이라면 $\binom{k}{j} = 0$으로 정의한다. X는 초기하분포를 가지므로 X의 주변 pmf는

$$f_X(x) = \frac{\binom{40}{x}\binom{160}{25-x}}{\binom{200}{25}}, \qquad x = 0, 1, 2, \ldots, 25$$

가 된다. 물론 Y의 주변 pmf도 초기하 pmf이다. 이때 $f(x, y) \not\equiv f_X(x)f_Y(y)$이므로 X와 Y는 종속이다. 또한 공간 S가 직사각형 공간형이 아니므로 X와 Y는 종속임을 쉽게 알 수 있다. ■

이제 이항분포를 삼항분포로 확장해보자. 어떤 실험이 완전한 성공, 차선의 성공, 실패의 3가지로 분류되는 배반적인 실험이 있다고 하자. 그리고 각각이 일어날 확률이 p_X, p_Y, $p_Z = 1 - p_X - p_Y$라고 하고 이 실험을 n회 반복해 X를 완전한 성공횟수, Y를 차선의 성공횟수, $Z = n - X - Y$를 실패횟수라 놓는다. $x + y \leq n$을 만족하는 음이 아닌 정수 x와 y에 대해 x회 완전 성공, y회 차선의 성공, $n - x - y$회 실패가 일어날 확률은 $p_X^x p_Y^y (1 - p_X - p_Y)^{n-x-y}$이다. 또한 모두 n회 실험에서 $X = x$회, $Y = y$회 일어날 방법은 $\binom{n}{x, y, n-x-y} = \dfrac{n!}{x!y!(n-x-y)!}$가지이다. 그러므로 **삼항분포**(trinomial distribution)의 pmf는 다음과 같이 정의된다.

$$f(x, y) = P(X = x, Y = y)$$
$$= \frac{n!}{x!y!(n-x-y)!} p_X^x p_Y^y (1 - p_X - p_Y)^{n-x-y}$$

여기서 x와 y는 $x + y \le n$을 만족하는 음이 아닌 정수이다. 그리고 X는 $b(n, p_X)$, Y는 $b(n, p_Y)$를 따르고, 결합 pmf $f(x, y)$가 주변 pmf의 곱과 같지 않으므로 X와 Y는 종속이다.

예제 4.1-8 어떤 공장에서 생산된 제품 중 1등품은 95%, 2등품은 4%, 그리고 불량품은 1%로 구성된다. 품질관리를 위해 통계적 방법으로 매시간 20개의 제품을 임의로 추출해 검사하는데, 2등품의 수를 X, 불량품의 수를 Y라 할 때, 20개 중 적어도 2개의 2등품이나, 적어도 2개의 불량품이 발견될 확률을 구해보자. 사상 A를 $A = \{(x, y) : x \ge 2 \text{ 또는 } y \ge 2\}$라고 하면 구하는 확률은 다음과 같다.

$$\begin{aligned}
P(A) &= 1 - P(A') \\
&= 1 - P(X = 0 \text{ 또는 } 1 \text{ 그리고 } Y = 0 \text{ 또는 } 1) \\
&= 1 - \frac{20!}{0!0!20!}(0.04)^0(0.01)^0(0.95)^{20} - \frac{20!}{1!0!19!}(0.04)^1(0.01)^0(0.95)^{19} \\
&\quad - \frac{20!}{0!1!19!}(0.04)^0(0.01)^1(0.95)^{19} - \frac{20!}{1!1!18!}(0.04)^1(0.01)^1(0.95)^{18} \\
&= 0.204
\end{aligned}$$

예제 4.1-9 X와 Y가 $p_X = 1/5$, $p_Y = 2/5$, $n = 5$인 삼항분포를 따를 때, X와 Y의 결합 pmf의 확률히스토그램은 그림 4.1-4와 같다.

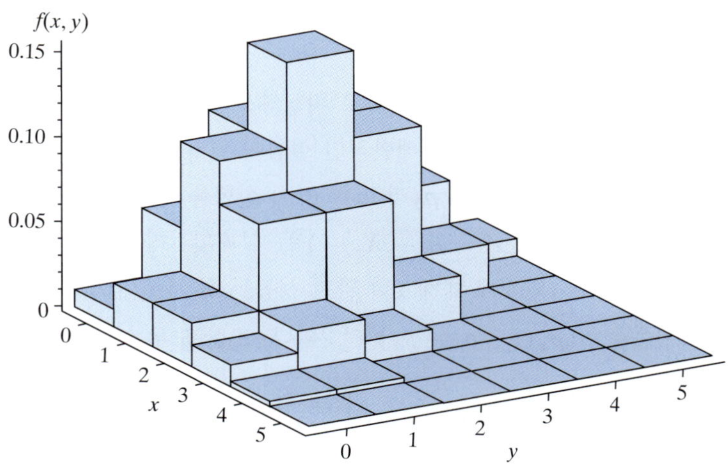

그림 4.1-4 삼항분포 $p_X = 1/5$, $p_Y = 2/5$, $n = 5$

연습문제

4.1-1 다음 각 함수 $f(x, y)$가 이산형 확률변수 X와 Y의 결합 pmf가 될 수 있도록 상수 c를 결정하라.

(a) $f(x, y) = c(x + 2y)$,
$x = 1, 2, y = 1, 2, 3$

(b) $f(x, y) = c(x + y)$,
$x = 1, 2, 3, y = 1, \ldots, x$

(c) $f(x, y) = c$, 여기서 x와 y는 $6 \le x + y \le 8$, $0 \le y \le 5$를 만족하는 정수이다.

(d) $f(x, y) = c\left(\frac{1}{4}\right)^x\left(\frac{1}{3}\right)^y$,
$x = 1, 2, \ldots, y = 1, 2, \ldots$

4.1-2 확률변수 X와 Y의 결합 pmf는 다음과 같다. 아래 각 항의 답을 구하라.

$$f(x, y) = \frac{x + y}{32}, \qquad x = 1, 2, \quad y = 1, 2, 3, 4$$

(a) X의 주변 pmf $f_X(x)$

(b) Y의 주변 pmf $f_Y(y)$

(c) $P(X > Y)$

(d) $P(Y = 2X)$

(e) $P(X + Y = 3)$

(f) $P(X \le 3 - Y)$

(g) X와 Y는 독립인가, 아니면 종속인가? 그 이유를 설명하라.

(h) X와 Y의 평균과 분산을 구하라.

4.1-3 정사면체의 빨간색 주사위와 검은색 주사위를 굴린다. X는 빨간색 주사위의 눈의 수이고, Y는 두 주사위 눈의 합이다.

(a) X와 Y의 공간을 그래프 위에 나타내라.

(b) 그림 4.1-1처럼 공간 위에 결합 pmf를 나타내라.

(c) X의 주변 pmf를 (b) 그래프의 주변에 나타내라.

(d) Y의 주변 pmf를 (b) 그래프의 주변에 나타내라.

(e) X와 Y는 종속인가, 아니면 독립인가? 그 이유를 설명하라.

4.1-4 (0, 0)에서 출발한 소립자가 등확률 1/4을 가지고 동, 서, 남, 북 각 방향으로 한 스텝씩 독립적으로 이동한다. n스텝 이동 후 동서 방향에 위치하는 경우를 S, 북남 방향에 위치하는 경우를 T라고 하자.

(a) $n = 3$일 때 S와 T의 결합 pmf를 정의하고, 그림 4.1-1처럼 2차원 그래프 위에 결합 pmf와 주변 pmf의 확률을 나타내라.

(b) $X = S + 3$, $Y = T + 3$일 때 X와 Y의 주변 pmf를 구하라.

4.1-5 어느 생산품은 6/10, 3/10, 1/10의 확률을 가지고 각각 '상등급', '중등급', '불량품'으로 분류된다. 생산라인으로부터 15개 생산품이 임의로 추출되었을 때 상등급의 수를 X, 중등급의 수를 Y라 놓자.

(a) X와 Y의 결합 pmf $f(x, y)$를 구하라.

(b) $f(x, y) > 0$을 만족하는 (x, y) 집합을 그래프에 나타내고 그 집합의 모양으로부터 X와 Y는 독립이라고 볼 수 있는가? 답에 대한 이유를 설명하라.

(c) $P(X = 10, Y = 4)$를 구하라.

(d) X의 주변 pmf를 구하라.

(e) $P(X \le 11)$을 구하라.

4.1-6 그림 4.1-5는 이산형 확률변수 X와 Y의 결합 pmf의 공간 S를 나타낸다. 각 결합 pmf는 S에서 상수라고 가정한다. 각 공간 (a), (b), (c), (d)를 부등식으로 표현하라. 그리고 X와 Y의 주변 pmf를 구하라.

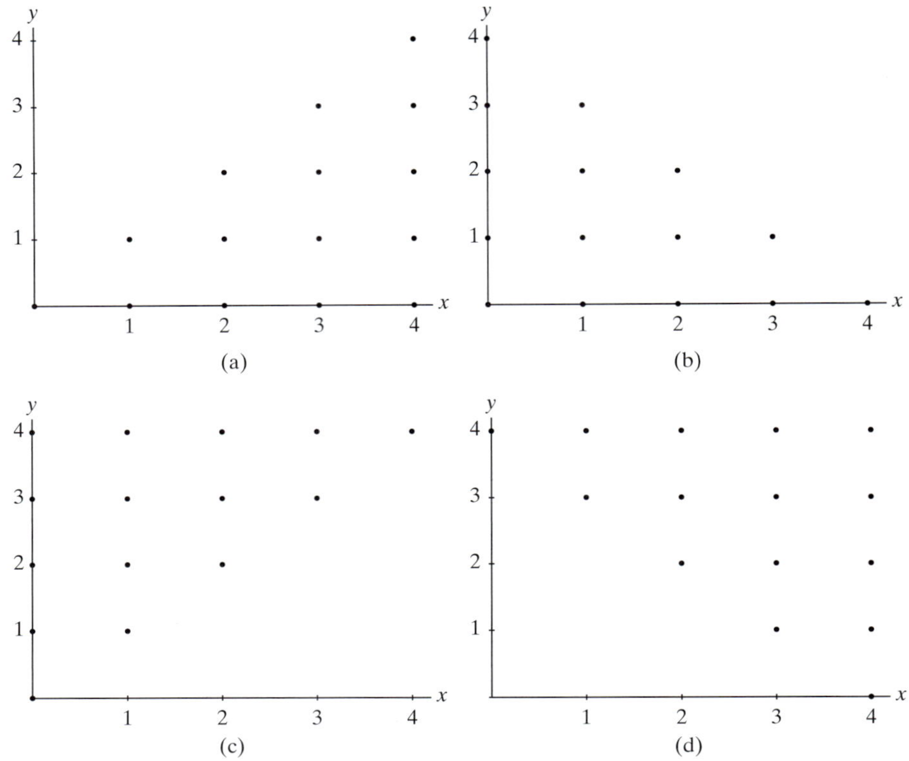

그림 4.1-5 표본공간: 연습문제 4.1-6

4.2 상관계수

4.1절에서 두 확률변수 X와 Y의 함수의 수학적 기댓값을 소개하였다. 그중 특별한 수학적 기댓값으로 평균과 분산은 다음과 같다.

$$\mu_X = E(X), \quad \mu_Y = E(Y) \qquad \text{그리고} \qquad \sigma_X^2 = E[(X-\mu_X)^2], \quad \sigma_Y^2 = E[(Y-\mu_Y)^2]$$

이제 2개의 좀 더 특별한 통계량을 소개한다.

(a) $u(X, Y) = (X-\mu_X)(Y-\mu_Y)$라 놓으면

$$E[u(X, Y)] = E[(X-\mu_X)(Y-\mu_Y)] = \sigma_{XY} = \text{Cov}(X, Y)$$

를 X와 Y의 **공분산**(covariance)이라고 한다.

(b) 표준편차 $\sigma_X, \sigma_Y > 0$이라면

$$\rho = \frac{\text{Cov}(X, Y)}{\sigma_X \sigma_Y} = \frac{\sigma_{XY}}{\sigma_X \sigma_Y}$$

를 X와 Y의 **상관계수**(correlation coefficient)라고 한다.

X의 평균과 분산은 결합 pmf [혹은 pdf(4.4절 참조)] 혹은 주변 pmf(혹은 pdf)를 사용해 계산한다. 예를 들면, 이산형의 경우 다음과 같다.

$$\begin{aligned}\mu_X = E(X) &= \sum_x \sum_y x f(x, y) \\ &= \sum_x x \left[\sum_y f(x, y) \right] = \sum_x x f_X(x)\end{aligned}$$

그러나 공분산을 계산할 때는 결합 pmf(혹은 pdf)가 필요하다.

공분산과 상관계수의 의미를 살펴보기 전에 두 가지 유용한 식을 유도한다. 첫째 식은

$$\begin{aligned}\text{Cov}(X, Y) = E[(X - \mu_X)(Y - \mu_Y)] &= E(XY - \mu_X Y - \mu_Y X + \mu_X\mu_Y) \\ &= E(XY) - \mu_X E(Y) - \mu_Y E(X) + \mu_X\mu_Y \\ &= E(XY) - \mu_X\mu_Y - \mu_Y\mu_X + \mu_X\mu_Y \\ &= E(XY) - \mu_X\mu_Y\end{aligned}$$

이며 $\rho = \text{Cov}(X, Y)/\sigma_X\sigma_Y$의 관계로부터 다음 두 번째 식을 얻는다.

$$E(XY) = \mu_X\mu_Y + \rho\sigma_X\sigma_Y$$

즉, 2개 확률변수들의 곱의 기댓값은 각 확률변수들의 기댓값의 곱인 $\mu_X\mu_Y$와 그것들의 공분산인 $\rho\sigma_X\sigma_Y$의 합이다.

예제 4.2-1 확률변수 X와 Y의 결합 pmf가

$$f(x, y) = \frac{x + 2y}{18}, \qquad x = 1, 2, \qquad y = 1, 2$$

으로 주어진다면 주변 pmf는 각각 다음과 같다.

$$f_X(x) = \sum_{y=1}^{2} \frac{x + 2y}{18} = \frac{2x + 6}{18}, \qquad x = 1, 2$$

$$f_Y(y) = \sum_{x=1}^{2} \frac{x + 2y}{18} = \frac{3 + 4y}{18}, \qquad y = 1, 2$$

$f(x, y) \neq f(x)f(y)$이므로 X와 Y는 종속이다. X의 평균과 분산은 각각 다음과 같다.

$$\mu_X = \sum_{x=1}^{2} x \, \frac{2x + 6}{18} = (1)\left(\frac{8}{18}\right) + (2)\left(\frac{10}{18}\right) = \frac{14}{9}$$

$$\sigma_X^2 = \sum_{x=1}^{2} x^2 \, \frac{2x + 6}{18} - \left(\frac{14}{9}\right)^2 = \frac{24}{9} - \frac{196}{81} = \frac{20}{81}$$

Y의 평균과 분산은 각각 다음과 같다.

$$\mu_Y = \sum_{y=1}^{2} y \frac{3+4y}{18} = (1)\left(\frac{7}{18}\right) + (2)\left(\frac{11}{18}\right) = \frac{29}{18}$$

$$\sigma_Y^2 = \sum_{y=1}^{2} y^2 \frac{3+4y}{18} - \left(\frac{29}{18}\right)^2 = \frac{51}{18} - \frac{841}{324} = \frac{77}{324}$$

X와 Y의 공분산은 다음과 같다.

$$\begin{aligned}\mathrm{Cov}(X, Y) &= \sum_{x=1}^{2}\sum_{y=1}^{2} xy \frac{x+2y}{18} - \left(\frac{14}{9}\right)\left(\frac{29}{18}\right) \\ &= (1)(1)\left(\frac{3}{18}\right) + (2)(1)\left(\frac{4}{18}\right) + (1)(2)\left(\frac{5}{18}\right) \\ &\quad + (2)(2)\left(\frac{6}{18}\right) - \left(\frac{14}{9}\right)\left(\frac{29}{18}\right) \\ &= \frac{45}{18} - \frac{406}{162} = -\frac{1}{162}\end{aligned}$$

그러므로 X와 Y의 상관계수는 다음과 같다.

$$\rho = \frac{-1/162}{\sqrt{(20/81)(77/324)}} = \frac{-1}{\sqrt{1,540}} = -0.025$$ ■

두 이산형 확률변수 X와 Y의 상관계수 ρ의 의미를 이해하기 위해서는 다음과 같은 ρ의 정의식을 철저하게 검토함으로써 얻을 수 있다.

$$\rho = \frac{\sum_x \sum_y (x-\mu_X)(y-\mu_Y)f(x, y)}{\sigma_X \sigma_Y}$$

여기서 μ_X, μ_Y, σ_X, σ_Y는 X와 Y의 각각의 평균 및 표준편차이다. 위 정의식에서 x가 μ_X보다 크고 y도 μ_Y보다 큰 (x, y)쌍, 혹은 x가 μ_X보다 작고 y도 μ_Y보다 작은 (x, y)쌍이 아주 많다면 ρ는 양수가 될 가능성이 크다. 반대로 x가 μ_X보다 크지만 y는 μ_Y보다 작은 (x, y)쌍, 혹은 x가 μ_X보다 작지만 y는 μ_Y보다 큰 (x, y)쌍이 아주 많다면 ρ는 음수가 될 가능성이 크다. 상관계수의 부호에 대한 해석은 뒤이어 계속되는 ρ의 논의에서도 매우 중요하다.

상관계수의 또 다른 의미를 얻기 위해 $f(x_0, y_0) > 0$를 만족하는 S의 임의의 점 (x_0, y_0)로부터 (μ_X, μ_Y)를 통과하는 직선 $y = \mu_Y + b(x - \mu_X)$까지의 수직거리를 생각해

보자. 즉, 요구되는 거리는 $|y_0 - \mu_Y - b(x_0 - \mu_X)|$이다. 이제 이 거리를 제곱하여 모든 제곱값의 가중평균을 취한다. 이것은 다음과 같은 수학적 기댓값을 고려하는 것과 동일하다.

$$E\{[(Y - \mu_Y) - b(X - \mu_X)]^2\} = K(b)$$

문제는 $K(b)$를 최소로 하는 직선(즉, b)을 찾는 것이다. 이것은 최소제곱원리를 적용하는 문제이기도 하다. 다음

$$\begin{aligned} K(b) &= E[(Y - \mu_Y)^2 - 2b(X - \mu_X)(Y - \mu_Y) + b^2(X - \mu_X)^2] \\ &= \sigma_Y^2 - 2b\rho\sigma_X\sigma_Y + b^2\sigma_X^2 \end{aligned}$$

을 b로 편미분해 0으로 놓고 b를 구하면, 즉

$$K'(b) = -2\rho\sigma_X\sigma_Y + 2b\sigma_X^2 = 0$$

으로부터

$$b = \rho\,\frac{\sigma_Y}{\sigma_X}$$

가 된다. $K(b)$의 2차 도함수는 $K''(b) = 2\sigma_X^2 > 0$이므로 $b = \rho\sigma_X/\sigma_Y$에서 $K(b)$는 최소가 된다. 따라서 최량 적합 직선(line of best fit)의 형태인 **최소제곱 회귀직선**(least squares regression line)은 다음과 같다.

$$y = \mu_Y + \rho\,\frac{\sigma_Y}{\sigma_X}(x - \mu_X)$$

여기서 $\rho > 0$이면 직선의 기울기는 양수가 되고, $\rho < 0$이면 기울기는 음수가 된다.

또한 $K(b)$는 제곱의 기댓값이므로 모든 b에 대해서 음수가 아니어야 한다. 따라서

$$\begin{aligned} K\left(\rho\,\frac{\sigma_Y}{\sigma_X}\right) &= \sigma_Y^2 - 2\rho\,\frac{\sigma_Y}{\sigma_X}\,\rho\sigma_X\sigma_Y + \left(\rho\,\frac{\sigma_Y}{\sigma_X}\right)^2\sigma_X^2 \\ &= \sigma_Y^2 - 2\rho^2\sigma_Y^2 + \rho^2\sigma_Y^2 \;=\; \sigma_Y^2(1 - \rho^2) \;\geq 0 \end{aligned}$$

이므로 $-1 \leq \rho \leq 1$이 된다. 만일 $\rho = 0$이면 $K(\rho\sigma_Y/\sigma_X) = \sigma_Y^2$이 되고, $\rho = \pm 1$에 가까운 값이 되면 $K(\rho\sigma_Y/\sigma_X)$는 상대적으로 작은 값이 된다. 즉, $K(\rho\sigma_Y/\sigma_X)$는 직선 $y = \mu_Y + \rho(\sigma_Y/\sigma_X)(x - \mu_X)$에서 점들 y까지의 수직편차의 제곱에 관한 기댓값을 나타내기 때문에 ρ가 ± 1에 가까워져 $K(\rho\sigma_X/\sigma_Y)$값이 작으면 점 y들은 직선 가까이에 있게 된다. 그러므로 ρ는 X와 Y의 선형성의 강도를 나타내는 측도이다. 사실 이산형인 경우에 $\rho = \pm 1$이면 모든 점은 직선 위에 있게 된다.

참고 더욱 일반적으로 최소제곱원리를 똑같이 적용해 직선 $y = a + bx$를 적합시킬 수 있다. 그런 후에 이 '최량' 직선이 점 (μ_X, μ_Y)를 실제로 통과하는지를 증명할 수 있다. 연습문제 4.2-3에서 편도함수를 사용해 이에 대해 증명한다.

다음 예제는 ρ가 음수인 경우의 결합 이산형 분포를 설명한다. 그림 4.2-1은 최량 적합 직선 혹은 최소제곱 회귀직선을 나타낸다.

예제 4.2-2 2개의 공평한 정사면체 주사위를 던져서 1의 눈의 수를 X라 하고, 2 또는 3의 눈의 수를 Y라 하면, X와 Y의 결합 pmf는 다음과 같은 삼항분포가 된다.

$$f(x, y) = \frac{2!}{x!y!(2-x-y)!}\left(\frac{1}{4}\right)^x\left(\frac{2}{4}\right)^y\left(\frac{1}{4}\right)^{2-x-y}, \qquad 0 \le x + y \le 2$$

여기서 x와 y는 음이 아닌 정수이다. X의 주변 pmf는 $b(2, 1/4)$이고, Y의 주변 pmf는 $b(2, 1/2)$이므로 $\mu_X = 1/2$, $\text{Var}(X) = 6/16 = 3/8$, $\mu_Y = 1$, $\text{Var}(Y) = 1/2$이다. 또한 $E(XY) = (1)(1)(4/16) = 1/4$이므로 $\text{Cov}(X,Y) = 1/4 - (1/2)(1) = -1/4$이다. 그러므로 $\rho = -1/\sqrt{3}$이 된다. 이러한 값들을 이용해 다음과 같은 최량 적합 직선을 얻을 수 있다.

$$y = 1 + \left(-\frac{1}{\sqrt{3}}\right)\sqrt{\frac{1/2}{3/8}}\left(x - \frac{1}{2}\right) = -\frac{2}{3}x + \frac{4}{3}$$

결합 pmf의 그림은 최량 적합 직선과 함께 그림 4.2-1에 나타냈다. ■

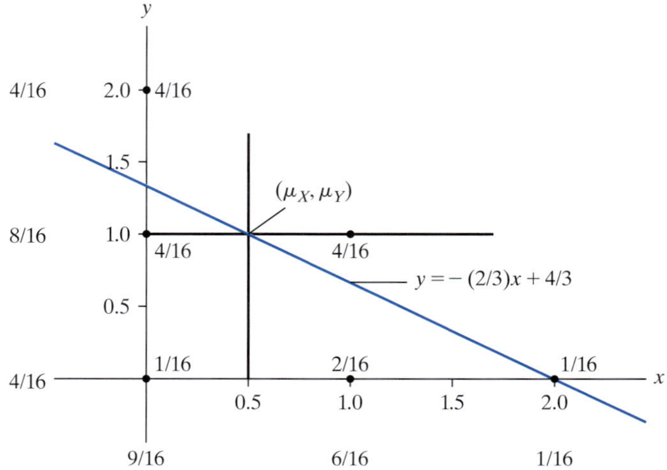

그림 4.2-1 삼항분포

두 확률변수 X, Y가 독립일 때 $u(X)v(Y)$의 기댓값은 다음과 같다.

$$\begin{aligned} E[u(X)v(Y)] &= \sum_{S_X}\sum_{S_Y} u(x)v(y)f(x,y) \\ &= \sum_{S_X}\sum_{S_Y} u(x)v(y)f_X(x)f_Y(y) \\ &= \sum_{S_X} u(x)f_X(x) \sum_{S_Y} v(y)f_Y(y) \\ &= E[u(X)]E[v(Y)] \end{aligned}$$

위의 공식을 공분산에 적용하면

$$\begin{aligned} \mathrm{Cov}(X,Y) &= E[(X-\mu_X)(Y-\mu_Y)] \\ &= E(X-\mu_X)E(Y-\mu_Y) = 0 \end{aligned}$$

이 되어 X, Y가 독립이면 공분산은 0이 되고 따라서 상관계수도 0이다. 그러나 상관계수 0이 X와 Y의 독립을 의미하지는 않는다. 다음 예제가 한 예다.

예제 4.2-3 두 확률변수 X와 Y의 결합 pmf는 다음과 같다.

$$f(x,y) = \frac{1}{3}, \qquad (x,y) = (0,1), (1,0), (2,1)$$

공간이 '직사각형' 공간형이 아니므로 X와 Y는 독립이 아니다. X와 Y의 평균은 각각 $\mu_X = 1$, $\mu_Y = 2/3$이므로 X와 Y의 공분산은 다음과 같다.

$$\begin{aligned} \mathrm{Cov}(X,Y) &= E(XY) - \mu_X\mu_Y \\ &= (0)(1)\left(\frac{1}{3}\right) + (1)(0)\left(\frac{1}{3}\right) + (2)(1)\left(\frac{1}{3}\right) - (1)\left(\frac{2}{3}\right) = 0 \end{aligned}$$

그러므로 $\rho = 0$이 된다. X, Y가 독립이면 $\rho = 0$이지만, 그 역은 성립되지 않음을 알 수 있다. ■

연습문제

4.2-1 확률변수 X와 Y는 다음과 같은 결합 pmf를 갖는다.

$$f(x,y) = \frac{x+y}{32}, \qquad x = 1, 2, \quad y = 1, 2, 3, 4$$

평균 μ_X, μ_Y, 분산 σ_X^2, σ_Y^2, 공분산 $\mathrm{Cov}(X, Y)$ 상관계수 ρ를 구하라. X와 Y는 독립인가, 아니면 종속인가?

4.2-2 공평한 정사면체 주사위를 두 번 굴려서 첫 번째 나온 눈의 수를 X, 두 번 굴려서 나온 눈의 합을 Y라고 한다.

(a) μ_X, μ_Y, σ_X^2, σ_Y^2, $\mathrm{Cov}(X, Y)$, ρ를 구하라.

(b) 최소제곱 회귀직선의 식을 구하고 그래프 위에

그려라. 직선은 직관적으로 어떤 의미를 주는가?

4.2-3 확률변수 X, Y는 각각 평균 μ_X, μ_Y, 분산 σ_X^2, σ_Y^2, 상관계수 ρ를 갖는다. 최소제곱법을 이용하여 기댓값

$$K(a, b) = E[(Y - a - bX)^2]$$

를 a와 b에 관해 최소화하는 직선 $y = a + bx$를 구하라.

힌트: $\partial K/\partial a = 0$, $\partial K/\partial b = 0$으로 놓고 연립방정식을 풀어라.

4.2-4 X와 Y의 결합 pmf가 다음과 같다.

$$f(x, y) = 1/4, \quad (x, y) \in S = \{(0, 0), (1, 1), (1, -1), (2, 0)\}$$

(a) X와 Y는 독립인가?

(b) $\text{Cov}(X, Y)$와 ρ를 구하라.

이 문제는 서로 종속인 변수들이 상관계수 0을 가짐을 보이는 예다.

4.2-5 어느 자동차 판매상은 매일 X대의 자동차를 판매하는데, 추가해서 각 자동차에 대한 자동차 보험도 판매하려고 노력한다. Y를 판매된 보험의 수라고 하자. 그러면 $Y \le X$이다. X와 Y의 결합 pmf는 다음과 같이 주어진다.

$$f(x, y) = c(x + 1)(4 - x)(y + 1)(3 - y),$$
$$x = 0, 1, 2, 3, \; y = 0, 1, 2, \quad y \le x$$

(a) c값을 구하라.

(b) X와 Y의 공간을 그래프 위에 나타내라.

(c) 주변 pmf $f_X(x)$와 $f_Y(y)$를 (b) 그래프 위의 주변에 나타내라.

(d) X와 Y는 독립인가?

(e) μ_X와 σ_X^2을 구하라.

(f) μ_Y와 σ_Y^2을 구하라.

(g) $\text{Cov}(X, Y)$를 구하라.

(h) 상관계수 ρ를 계산하라.

(i) 최량 적합 직선을 구하고 이 직선을 (b) 그래프 위에 나타내라.

4.3 조건부 분포

X와 Y는 공간 S 위에서 결합 pmf $f(x, y)$를 갖는 이산형의 확률변수들이라고 하자. 그리고 주변 pmf들은 각각 공간 S_X와 S_Y 위에서 $f_X(x)$와 $f_Y(y)$라고 하자. 사상을 $A = \{X = x\}$, $B = \{Y = y\}$, $(x, y) \in S$라 하면 $A \cap B = \{X = x, Y = y\}$가 된다. 여기서

$$P(A \cap B) = P(X = x, Y = y) = f(x, y)$$

그리고

$$P(B) = P(Y = y) = f_Y(y) > 0$$

이므로 사상 B가 주어진 조건하에서 사상 A의 조건부 확률은

$$P(A \mid B) = \frac{P(A \cap B)}{P(B)} = \frac{f(x, y)}{f_Y(y)}$$

가 된다. 이러한 식으로부터 다음을 정의한다.

정의 4.3-1

$Y = y$가 주어졌을 때 X의 **조건부 확률질량함수**(conditional probability mass function)는 다음과 같이 정의된다.

$$g(x \mid y) = \frac{f(x, y)}{f_Y(y)}, \qquad f_Y(y) > 0$$

비슷하게, $X = x$가 주어졌을 때 Y의 **조건부 확률질량함수**는 다음과 같이 정의된다.

$$h(y \mid x) = \frac{f(x, y)}{f_X(x)}, \qquad f_X(x) > 0$$

예제 4.3-1 X와 Y의 결합 pmf가

$$f(x, y) = \frac{x + y}{21}, \qquad x = 1, 2, 3, \qquad y = 1, 2$$

로 주어졌을 때 예제 4.1-2에서 X와 Y의 주변 pmf가 각각 다음과 같음을 보였다.

$$f_X(x) = \frac{2x + 3}{21}, \qquad x = 1, 2, 3$$

$$f_Y(y) = \frac{3y + 6}{21}, \qquad y = 1, 2$$

$Y = y$가 주어졌을 때 X의 조건부 pmf는 다음과 같다.

$$g(x \mid y) = \frac{(x + y)/21}{(3y + 6)/21} = \frac{x + y}{3y + 6}, \qquad x = 1, 2, 3,\ \ y = 1 \text{ 혹은 } 2\text{일 때}$$

예를 들면 $P(X = 2 \mid Y = 2) = g(2 \mid 2) = \frac{4}{12} = \frac{1}{3}$이다. 비슷하게, $X = x$가 주어졌을 때 Y의 조건부 pmf는 다음과 같다.

$$h(y \mid x) = \frac{x + y}{2x + 3}, \qquad y = 1, 2,\ \ x = 1, 2 \text{ 혹은 } 3\text{일 때}$$

결합 pmf $f(x, y)$는 주변 pmf와 함께 그림 4.3-1(a)에 그려져 있다. 그림 4.3-1(a)에서 $y = 2$라면 x값, 즉 1, 2, 3은 3 : 4 : 5의 비율로 발생할 것으로 기대한 대로 정확하게 다음과 같이 계산된다.

$$g(1 \mid 2) = \frac{1 + 2}{12}, \qquad g(2 \mid 2) = \frac{2 + 2}{12}, \qquad g(3 \mid 2) = \frac{3 + 2}{12}$$

그림 4.3-1(b)는 $g(x \mid 1)$과 $g(x \mid 2)$를, 그림 4.3-1(c)는 $h(y \mid 1)$, $h(y \mid 2)$, $h(y \mid 3)$을 나

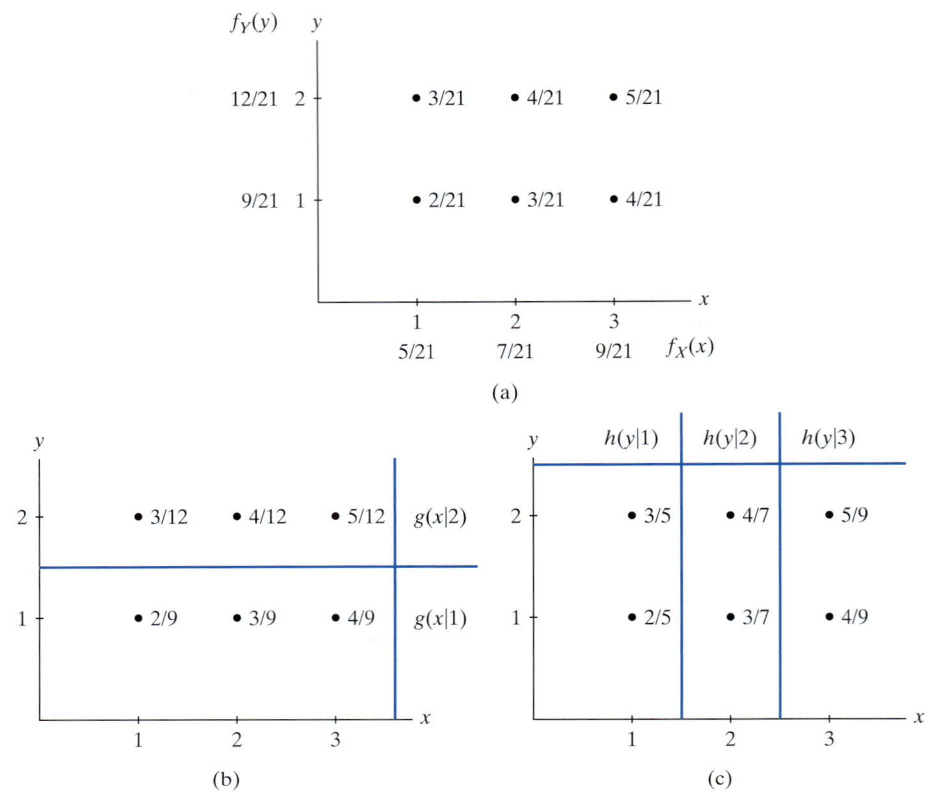

그림 4.3-1 (a) 결합 pmf와 주변 pmf, (b) 조건부 pmf, $g(x \mid y)$, (c) 조건부 pmf, $h(y \mid x)$

타낸다. 그림 4.3-1(c)의 확률을 그림 4.3-1(a)의 확률과 비교해보면 공식 $h(y \mid x)$에 대한 직관적 이해에 도움이 될 것이다. ■

만일 고정된 x에서 조건부 pmf의 합을 구해보면

$$\sum_y h(y \mid x) = \sum_y \frac{f(x, y)}{f_X(x)} = \frac{f_X(x)}{f_X(x)} = 1$$

이 되므로 $h(y \mid x)$는 pmf의 조건을 만족한다. 따라서 확률과 기댓값을 계산할 수 있다. $X = x$가 주어졌을 때 $a < Y < b$일 조건부 확률은

$$P(a < Y < b \mid X = x) = \sum_{\{y: a<y<b\}} h(y \mid x)$$

이며, Y의 함수 $u(Y)$의 조건부 기댓값은

$$E[u(Y) \mid X = x] = \sum_y u(y)h(y \mid x)$$

이다. 특히 $X = x$가 주어졌을 때, Y의 **조건부 평균**(conditional mean)은

$$\mu_{Y|x} = E(Y\,|\,x) = \sum_y y\,h(y\,|\,x)$$

로 정의되며, $X = x$가 주어졌을 때, Y의 **조건부 분산**(conditional variance)은

$$\begin{aligned}\sigma^2_{Y|x} = \text{Var}(Y\,|\,x) = E\{[Y - E(Y\,|\,x)]^2\,|\,x\} &= \sum_y [y - E(Y\,|\,x)]^2\,h(y\,|\,x)\\ &= E(Y^2\,|\,x) - [E(Y\,|\,x)]^2\end{aligned}$$

으로 정의된다.

예제 4.3-2 예제 4.3-1에서, $x = 3$일 때 Y의 조건부 평균 $\mu_{Y|x}$와 조건부 분산 $\sigma^2_{Y|x}$를 구해 보면 다음과 같다.

$$\begin{aligned}\mu_{Y|3} = E(Y\,|\,X = 3) &= \sum_{y=1}^{2} y\,h(y\,|\,3)\\ &= \sum_{y=1}^{2} y\left(\frac{3+y}{9}\right) = 1\left(\frac{4}{9}\right) + 2\left(\frac{5}{9}\right) = \frac{14}{9}\end{aligned}$$

$$\begin{aligned}\sigma^2_{Y|3} = E\left[\left(Y - \frac{14}{9}\right)^2 \middle|\, X = 3\right] &= \sum_{y=1}^{2}\left(y - \frac{14}{9}\right)^2\left(\frac{3+y}{9}\right)\\ &= \frac{25}{81}\left(\frac{4}{9}\right) + \frac{16}{81}\left(\frac{5}{9}\right) = \frac{20}{81}\end{aligned}$$

$Y = y$가 주어졌을 때 X의 조건부 평균은 y만의 함수이고, $X = x$가 주어졌을 때 Y의 조건부 평균은 x만의 함수이다. 이때 $E(Y\,|\,x)$를 x의 선형함수라 가정한다면 $E(Y\,|\,x) = a + bx$라 놓을 수 있다. 이제 상수 a와 b를 μ_X, μ_Y, σ^2_X, σ^2_Y, ρ의 의미로 표현해보자. 이 논의는 상관계수에 관한 추가적인 설명에 도움이 된다. $\sigma_X > 0$, $\sigma_Y > 0$이라 가정하면 상관계수가 존재할 것이다.

S_X가 X의 공간이라 할 때 다음과 같이 주어진다.

$$\sum_y y\,h(y\,|\,x) = \sum_y y\,\frac{f(x, y)}{f_X(x)} = a + bx, \qquad x \in S_X$$

그러므로

$$\sum_y y\,f(x, y) = (a + bx)f_X(x), \qquad x \in S_X \tag{4.3-1}$$

$$\sum_{x \in S_X} \sum_{y} y f(x, y) = \sum_{x \in S_X} (a + bx) f_X(x)$$

즉, 각 평균을 μ_X와 μ_Y로 나타내면

$$\mu_Y = a + b\mu_X \tag{4.3-2}$$

가 됨을 알 수 있다. 또한 식 (4.3-1)의 양변에 x를 곱한 후 x에 관해 총합하면

$$\sum_{x \in S_X} \sum_{y} xy f(x, y) = \sum_{x \in S_X} (ax + bx^2) f_X(x)$$

이다. 즉,

$$E(XY) = aE(X) + bE(X^2)$$

혹은 동등하게

$$\mu_X \mu_Y + \rho \sigma_X \sigma_Y = a\mu_X + b(\mu_X^2 + \sigma_X^2) \tag{4.3-3}$$

이다. 연립방정식 (4.3-2)와 (4.3-3)의 해는

$$a = \mu_Y - \rho \frac{\sigma_Y}{\sigma_X} \mu_X, \qquad b = \rho \frac{\sigma_Y}{\sigma_X}$$

이다. 즉 $E(Y \mid x)$가 선형이면 다음이 성립한다.

$$E(Y \mid x) = \mu_Y + \rho \frac{\sigma_Y}{\sigma_X} (x - \mu_X)$$

그래서 $X = x$가 주어졌을 때 Y의 조건부 평균이 선형이면 4.2절에서 논의되었던 최량 적합 직선(최소제곱 회귀직선)과 정확하게 같다.

같은 방법으로 $Y = y$가 주어졌을 때 X의 조건부 평균이 선형이면 그 조건부 평균은 다음과 같이 주어진다.

$$E(X \mid y) = \mu_X + \rho \frac{\sigma_X}{\sigma_Y} (y - \mu_Y)$$

점 $[x = \mu_X, \mathrm{E}(Y \mid x) = \mu_Y]$는 $E(Y \mid x)$ 식을 만족시키고 점 $[E(X \mid y) = \mu_X, y = \mu_Y]$는 $E(X \mid y)$ 식을 만족시킨다. 즉, 점 (μ_X, μ_Y)는 각 직선 위의 점이다. 또한 $E(Y \mid x)$ 식에서 x의 계수와 $E(X \mid y)$ 식에서 y의 계수의 곱은 ρ^2이고 두 계수의 비는 σ_Y^2/σ_X^2이다. 이러한 결과는 때때로 특별한 문제 해결에 유용하다.

예제 4.3-3 X와 Y는 모수 n, p_X, p_Y 그리고 $p_Z = 1 - p_X - p_Y$를 갖는 삼항 pmf를 갖는다. 즉

$$f(x, y) = \frac{n!}{x!\, y!\, (n - x - y)!} p_X^x p_Y^y p_Z^{n-x-y}$$

이며, 여기서 x와 y는 $x + y \le n$을 만족하는 음이 아닌 정수들이다. 삼항분포의 논의에서 $X \sim b(n, p_X)$이고 $Y \sim b(n, p_Y)$임을 알고 있다. 따라서 다음과 같다.

$$h(y\,|\,x) = \frac{f(x,y)}{f_X(x)} = \frac{(n-x)!}{y!\,(n-x-y)!}\left(\frac{p_Y}{1-p_X}\right)^y\left(\frac{p_Z}{1-p_X}\right)^{n-x-y}$$
$$y = 0, 1, 2, \ldots, n-x$$

즉, $X = x$가 주어졌을 때 Y의 조건부 분포는 $b[n - x, p_Y/(1 - p_X)]$이므로 조건부 평균은 다음과 같다.

$$E(Y\,|\,x) = (n-x)\,\frac{p_Y}{1-p_X}$$

똑같은 방법으로

$$E(X\,|\,y) = (n-y)\,\frac{p_X}{1-p_Y}$$

를 얻는다. 조건부 평균들이 선형이므로 x와 y의 각 계수들의 곱은 다음과 같다.

$$\rho^2 = \left(\frac{-p_Y}{1-p_X}\right)\left(\frac{-p_X}{1-p_Y}\right) = \frac{p_X p_Y}{(1-p_X)(1-p_Y)}$$

그러나 x와 y의 계수들이 음수이므로 ρ는 음수여야 한다. 이리하여

$$\rho = -\sqrt{\frac{p_X p_Y}{(1-p_X)(1-p_Y)}}$$ ■

다음 예제에서 X와 Y가 삼항분포를 가질 때 조건부 pmf의 그래프를 살펴본다.

예제 4.3-4 X와 Y는 $p_X = 1/3$, $p_Y = 1/3$, $n = 5$인 삼항분포를 갖는다. 위 예제의 결과를 이용하면 $X = x$가 주어졌을 때 Y의 조건부 분포는 $b(5 - x, (1/3)/(1 - 1/3) = 1/2)$이다. $x = 0, 1, 2, 3, 4, 5$일 때 pmf $h(y\,|\,x)$는 그림 4.3-2(a)에 그려져 있다. 마찬가지로 $Y = y$가 주어졌을 때 X의 조건부 분포는 $b(5 - y, 1/2)$이며, $y = 0, 1, 2, 3, 4, 5$일 때 pmf $g(x\,|\,y)$는 그림 4.3-2(b)에 그려져 있다. ■

지금까지는 조건부 평균 $E(Y\,|\,x)$는 관측값 x의 함수로 정의하였다. 이제 X가 관측되기 이전의 확률변수 X를 상상함으로써 조건부 평균을 확률변수의 개념으로 확장해보기로 하자. 즉, X의 주변 pmf에 의해 주어지는 확률에 대응되는 값 $E(Y\,|\,x)$, $x \in S_X$를 취하는 이산형 확률변수로서 $E(Y\,|\,X)$를 정의한다. 이것의 설명을 위해 예제 4.3-1에서 다루었던 확률변수 X와 Y를 다시 고려해보자. 그림 4.3-1(c)에 나타낸 Y의 조건부 pmf는

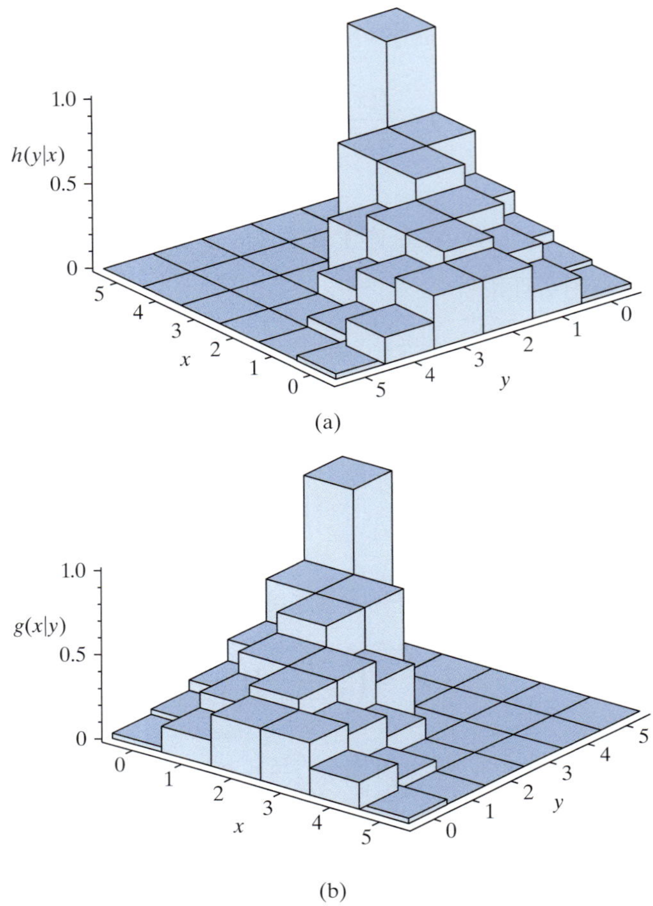

그림 4.3-2 삼항분포: 조건부 pmf (a) $h(y\,|\,x)$, (b) $g(x\,|\,y)$

다음과 같다.

$$E(Y\,|\,1) = \sum_{y=1}^{2} yh(y\,|\,1) \;=\; (1)(2/5) + (2)(3/5) \;=\; 8/5$$

$$E(Y\,|\,2) = \sum_{y=1}^{2} yh(y\,|\,2) \;=\; (1)(3/7) + (2)(4/7) \;=\; 11/7$$

$$E(Y\,|\,3) = \sum_{y=1}^{2} yh(y\,|\,3) \;=\; (1)(4/9) + (2)(5/9) \;=\; 14/9$$

그러면 $E(Y\,|\,X)$는 각각 확률 5/21, 7/21, 9/21에 대응되는 8/5, 11/7, 14/9의 값을 취하는 확률변수이다.

$E(Y\,|\,X)$는 확률변수이므로 그것의 기댓값도 존재한다. 예를 들면, $E(Y\,|\,X)$의 기댓값은 다음과 같이 계산된다.

$$E[E(Y \mid X)] = \sum_{x=1}^{3} E(Y \mid x) f_X(x)$$
$$= (8/5)(5/21) + (11/7)(7/21) + (14/9)(9/21) = 33/21$$

그런데 위 기댓값은 다음과 일치함을 알 수 있다.

$$E(Y) = \sum_{y=1}^{2} y f_Y(y) = (1)(9/21) + (2)(12/21) = 33/21$$

이러한 '일치'는 **기댓값에 대한 전확률의 법칙**(Law of Total Probability for Expectation)이라 부르는 보다 일반적인 다음의 정리로 설명할 수 있다.

정리 4.3-1 X와 Y는 이산형 확률변수이고 $E(Y)$가 존재한다고 하면 $E[E(Y \mid X)] = E(Y)$이다.

증명

$$E[E(Y \mid X)] = \sum_{S_X} \left[\sum_{S_Y} y h(y \mid x) \right] f_X(x)$$
$$= \sum_{S_X} \sum_{S_Y} \left[y \frac{f(x, y)}{f_X(x)} \right] f_X(x)$$
$$= \sum_{S_Y} \sum_{S_X} y f(x, y) = \sum_{S_Y} y \sum_{S_X} f(x, y)$$
$$= \sum_{S_X} y f_Y(y) = E(Y)$$

비슷하게, 조건부 분산의 개념도 확률변수로 확장할 수 있다. 즉, X의 주변 pmf에 의해 주어지는 확률에 대응되는 값들 $\text{Var}(Y \mid x)$, $x \in S_Y$를 취하는 확률변수로서 $\text{Var}(Y \mid X)$를 정의한다. 위에서 $E(Y \mid X)$를 설명하기 위해 사용했던 확률변수 X와 Y에 대해 다음을 갖는다.

$$\text{Var}(Y \mid 1) = \sum_{y=1}^{2} y^2 h(y \mid 1) - [E(Y \mid 1)]^2$$
$$= (1)^2(2/5) + (2)^2(3/5) - (8/5)^2 = 6/25$$

$$\text{Var}(Y \mid 2) = \sum_{y=1}^{2} y^2 h(y \mid 2) - [E(Y \mid 2)]^2$$
$$= (1)^2(3/7) + (2)^2(4/7) - (11/7)^2 = 12/49$$

$$\begin{aligned}\mathrm{Var}(Y\mid 3) &= \sum_{y=1}^{2} y^2 h(y\mid 3) - [E(Y\mid 3)]^2 \\ &= (1)^2(4/9) + (2)^2(5/9) - (14/9)^2 = 20/81\end{aligned}$$

그러면 $\mathrm{Var}(Y\mid X)$는 각각 확률 5/21, 7/21, 9/21에 대응되는 6/25, 12/49, 20/81의 값을 취하는 확률변수이다.

분산에 대한 전확률의 법칙(Law of Total Probability for Variances)이라 부르는 다음의 정리는 조건부 분산의 기댓값과 조건부 평균의 기댓값의 합은 주변 분포의 분산과 같다는 유용한 결과를 준다.

정리 4.3-2 X와 Y가 이산형 확률변수이고, 모든 기댓값과 분산이 존재한다면 다음이 성립한다.

$$E[\mathrm{Var}(Y\mid X)] + \mathrm{Var}[E(Y\mid X)] = \mathrm{Var}(Y)$$

증명 수학적 기댓값의 선형성과 기댓값에 대한 전확률의 법칙을 이용하면 다음과 같다.

$$\begin{aligned}E[\mathrm{Var}(Y\mid X)] &= E\{E(Y^2\mid X) - [E(Y\mid X)]^2\} \\ &= E[E(Y^2\mid X)] - E\{[E(Y\mid X)]^2\} \\ &= E(Y^2) - E\{[E(Y\mid X)]^2\}\end{aligned} \tag{4.3-4}$$

$$\begin{aligned}\mathrm{Var}[E(Y\mid X)] &= E\{[E(Y\mid X)]^2\} - \{E[E(Y\mid X)]\}^2 \\ &= E\{[E(Y\mid X)]^2\} - [E(Y)]^2\end{aligned} \tag{4.3-5}$$

식 (4.3-4)와 식 (4.3-5)를 합하면 다음과 같다.

$$E[\mathrm{Var}(Y\mid X)] + \mathrm{Var}[E(Y\mid X)] = E(Y^2) - [E(Y)]^2 = \mathrm{Var}(Y)$$

예제 4.3-5 X는 평균 4인 푸아송분포, 그리고 Y는 $X = x$가 주어졌을 때 조건부 분포로서 이항분포 $b(n = x + 1, p)$를 갖는다면 $E(Y\mid X) = (X + 1)p$이므로 Y의 기댓값은 다음과 같다.

$$E(Y) = E[E(Y|X)] = E[(X+1)p] = [E(X)+1]p = (4+1)p = 5p$$

또한 $\mathrm{Var}(Y\mid X) = (X + 1)p(1 - p)$이므로 Y의 분산은 다음과 같다.

$$\begin{aligned}\mathrm{Var}(Y) &= \mathrm{Var}[E(Y|X)] + E[\mathrm{Var}(Y|X)] \\ &= \mathrm{Var}[(X+1)p] + E[(X+1)p(1-p)] \\ &= p^2\mathrm{Var}(X) + [E(X)+1]p(1-p) \\ &= 4p^2 + 5p(1-p) \\ &= 5p - p^2\end{aligned}$$

■

연습문제

4.3-1 확률변수 X, Y의 결합 pmf는 다음과 같다.

$$f(x, y) = \frac{x+y}{32}, \qquad x = 1, 2, \qquad y = 1, 2, 3, 4$$

(a) 그림 4.3-1(a)와 같이 그래프 위에 결합 pmf와 각 변수의 주변 pmf를 나타내라.

(b) $g(x \mid y)$를 구해 그림 4.3-1(b)와 같이 $y = 1, 2, 3, 4$일 때의 조건부 pmf를 나타내라.

(c) $h(y \mid x)$를 구해 그림 4.3-1(c)와 같이 $x = 1, 2$일 때의 조건부 pmf를 나타내라.

(d) $P(1 \le Y \le 3 \mid X = 1)$, $P(Y \le 2 \mid X = 2)$, $P(X = 2 \mid Y = 3)$을 구하라.

(e) $E(Y \mid X = 1)$과 $\mathrm{Var}(Y \mid X = 1)$을 구하라.

4.3-2 W는 1kg들이 상자에 들어 있는 세탁비누의 무게다. $P(W < 1) = 0.02$와 $P(W > 1.072) = 0.08$을 가정하자. $\{W < 1\}$, $\{1 \le W \le 1.072\}$, 혹은 $\{W > 1.072\}$에 따라서 각각 가벼운, 적정한, 혹은 무거운 비누상자로 분류된다. $n = 50$의 확률표본에서 X는 가벼운 비누상자의 수, Y는 적정한 비누상자의 수라고 하자.

(a) X와 Y의 결합 pmf를 구하라.

(b) Y의 분포는 무엇인가?

(c) $X = 3$으로 주어졌을 때 Y의 조건부 분포는 무엇인가?

(d) $E(Y \mid X = 3)$을 구하라.

(e) X와 Y의 상관계수 ρ를 구하라.

4.3-3 확률변수 X와 Y는 $n = 2$, $p_X = 1/4$, $p_Y = 1/2$인 삼항분포를 갖는다.

(a) $E(Y \mid x)$를 구하라.

(b) (a)에서 구한 답과 예제 4.2-2에서 구한 최량 적합 직선의 식을 비교하라. 그들은 같은가? 그 이유를 설명하라.

4.3-4 연습문제 4.2-2에 주어진 결합 pmf를 이용해 $x = 1, 2, 3, 4$일 때 $E(Y \mid x)$를 구하라. 점 $[x, E(Y \mid x)]$는 최량 적합 직선 상에 있는가?

4.3-5 확률변수 X와 Y는 공간 $S = \{(x, y){:}\ 0 \le x \le 7, x \le y \le x + 2, x$와 y는 정수$\}$ 위에서 균일분포를 갖는다. 즉 $f(x, y) = 1/24$, $(x, y) \in S$이다. 다음을 구하라.

(a) $f_X(x)$

(b) $h(y \mid x)$

(c) $E(Y \mid x)$

(d) $\sigma^2_{Y|x}$

(e) $f_Y(y)$

4.3-6 X가 모수 p를 갖는 기하분포를 따른다. $X = x$가 주어졌을 때 Y의 조건부 분포가 평균 x를 갖는 푸아송분포를 따를 경우 $E(Y)$와 $\mathrm{Var}(Y)$를 구하라.

4.4 연속형 이변량 분포

이산형의 두 확률변수의 결합분포 이론은 연속형의 두 확률변수의 경우로 확장될 수 있다. 연속형 확률변수 X와 Y의 **결합확률밀도함수**(joint probability density function, jpdf) $f(x, y)$는 다음과 같은 성질을 갖는다.

(a) $f(x, y) \ge 0$, 이때 (x, y)가 X와 Y의 공간상에 있지 않은 경우는 $f(x, y) = 0$이다.

(b) $\int_{-\infty}^{\infty} \int_{-\infty}^{\infty} f(x, y)\, dx\, dy = 1$

(c) $P[(X, Y) \in A] = \int\int_A f(x, y)\, dx\, dy$, 여기서 $\{(X, Y) \in A\}$는 평면상에서 정의된 하나의 사상이다.

성질 (c)에서 $P[(X, Y) \in A]$는 xy 평면 위의 영역 A를 면적으로 하고 A 위에 있는 각 점 (x, y)에 대해 높이 $z = f(x, y)$를 갖는 공간체의 부피를 의미한다.

연속형 확률변수 X, Y 각각의 **주변 pdf**(marginal pdf)는 다음과 같이 주어진다.

$$f_X(x) = \int_{-\infty}^{\infty} f(x, y)\, dy, \qquad x \in S_X$$

$$f_Y(y) = \int_{-\infty}^{\infty} f(x, y)\, dx, \qquad y \in S_Y$$

여기서 S_X와 S_Y는 각각 X와 Y의 공간을 나타낸다. 연속형일 때의 수학적 기댓값과 관련된 정의식들은 이산형일 때의 수학적 기댓값에서 총합 기호를 적분 기호로 대치한 후의 기댓값과 동일하다.

예제 4.4-1 확률변수 X와 Y는 다음과 같은 결합 pdf를 갖는다.

$$f(x, y) = \left(\frac{4}{3}\right)(1 - xy), \qquad 0 < x < 1, \qquad 0 < y < 1$$

X와 Y의 주변 pdf는 다음과 같이 계산된다.

$$f_X(x) = \int_0^1 \left(\frac{4}{3}\right)(1 - xy)\, dy = \left(\frac{4}{3}\right)\left(1 - \frac{x}{2}\right), \qquad 0 < x < 1$$

$$f_Y(y) = \int_0^1 \left(\frac{4}{3}\right)(1 - xy)\, dx = \left(\frac{4}{3}\right)\left(1 - \frac{y}{2}\right), \qquad 0 < y < 1$$

다음과 같은 확률은 중적분에 의해 계산될 수 있다.

$$\begin{aligned} P(Y \le X/2) &= \int_0^1 \int_0^{x/2} \left(\frac{4}{3}\right)(1 - xy)\, dy\, dx \\ &= \int_0^1 \left(\frac{4}{3}\right)\left(\frac{x}{2} - \frac{x^3}{8}\right) dx \\ &= \left(\frac{4}{3}\right)\left(\frac{1}{4} - \frac{1}{32}\right) = \frac{7}{24} \end{aligned}$$

X와 Y의 평균은 각각 다음과 같다.

$$\begin{aligned} \mu_X = E(X) &= \int_0^1 \int_0^1 x\left(\frac{4}{3}\right)(1 - xy)\, dy\, dx = \int_0^1 x\left(\frac{4}{3}\right)\left(1 - \frac{x}{2}\right) dx \\ &= \left(\frac{4}{3}\right)\left(\frac{1}{2} - \frac{1}{6}\right) = \frac{4}{9} \end{aligned}$$

$$\mu_Y = E(Y) = \frac{4}{9}$$

X와 Y의 분산은 각각 다음과 같다.

$$\begin{aligned}\text{Var}(X) = \sigma_X^2 = E(X^2) - [E(X)]^2 &= \int_0^1 \int_0^1 x^2\left(\frac{4}{3}\right)(1-xy)\,dy\,dx - \left(\frac{4}{9}\right)^2 \\ &= \int_0^1 x^2\left(\frac{4}{3}\right)\left(1-\frac{x}{2}\right)dx - \frac{16}{81} \\ &= \left(\frac{4}{3}\right)\left(\frac{1}{3}-\frac{1}{8}\right) - \frac{16}{81} = \frac{13}{162}\end{aligned}$$

$$\text{Var}(Y) = \sigma_Y^2 = \frac{13}{162}$$

위 계산으로부터 평균과 분산은 결합 pdf 대신 주변 pdf를 사용해 계산될 수 있음을 알 수 있다. ■

예제 4.4-2 X와 Y는 다음과 같은 결합 pdf를 갖는다.

$$f(x, y) = \frac{3}{2}x^2(1-|y|), \qquad -1 < x < 1, \qquad -1 < y < 1$$

$z = f(x, y)$의 그래프는 그림 4.4-1에 주어진다. $A = \{(x, y): 0 < x < 1, 0 < y < x\}$일 때 (X, Y)가 사상 A에 속할 확률은 다음과 같이 계산된다.

$$\begin{aligned}P[(X, Y) \in A] &= \int_0^1 \int_0^x \frac{3}{2}x^2(1-y)\,dy\,dx = \int_0^1 \frac{3}{2}x^2\left[y - \frac{y^2}{2}\right]_0^x dx \\ &= \int_0^1 \frac{3}{2}\left(x^3 - \frac{x^4}{2}\right)dx = \frac{3}{2}\left[\frac{x^4}{4} - \frac{x^5}{10}\right]_0^1 = \frac{9}{40}\end{aligned}$$

X와 Y의 주변 pdf는 다음과 같이 계산된다.

$$f_X(x) = \int_{-1}^0 \frac{3}{2}x^2(1+y)\,dy + \int_0^1 \frac{3}{2}x^2(1-y)\,dy = \frac{3}{2}x^2$$

$$f_Y(y) = \int_{-1}^1 \frac{3}{2}x^2(1-|y|)\,d = 1 - |y|$$

X와 Y의 평균은 각각 다음과 같다.

$$\mu_X = E(X) = \int_{-1}^1 x \cdot \frac{3}{2}x^2\,dx = \left[\frac{3}{8}x^4\right]_{-1}^1 = 0$$

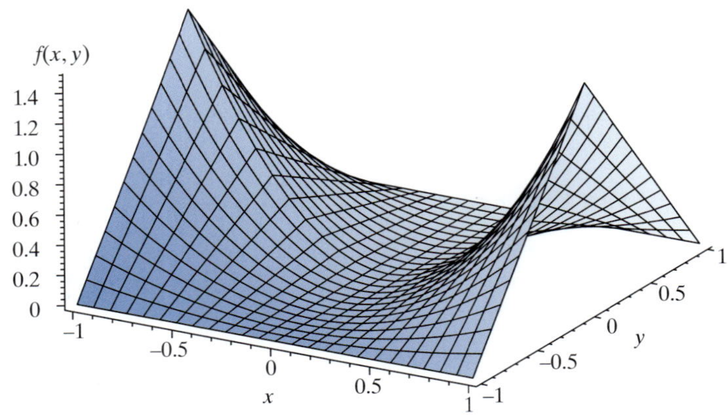

그림 4.4-1 결합 pdf $f(x, y) = \dfrac{3}{2}x^2(1 - |y|)$

$$\begin{aligned}\mu_Y &= E(Y) = \int_{-1}^{1} y(1-|y|)\,dy = \int_{-1}^{0} y(1+y)\,dy + \int_{0}^{1} y(1-y)\,dy \\ &= -\frac{1}{2} + \frac{1}{3} + \frac{1}{2} - \frac{1}{3} = 0\end{aligned}$$

X와 Y의 분산 계산은 연습문제 4.4-12에서 다루기로 한다. ■

예제 4.4-3 확률변수 X와 Y의 결합 pdf가 $f(x, y) = 2,\ 0 < x < y < 1$일 때, 확률계산의 예를 들어 보면 다음과 같다.

$$\begin{aligned}P\left(0 < X < \frac{1}{2},\ 0 < Y < \frac{1}{2}\right) &= P\left(0 < X < Y,\ 0 < Y < \frac{1}{2}\right) \\ &= \int_0^{1/2}\int_0^{y} 2\,dx\,dy = \int_0^{1/2} 2y\,dy = \frac{1}{4}\end{aligned}$$

위 확률계산을 위해서는 $f(x, y) > 0$인 영역, 즉 공간 $S = \{(x, y): 0 < x < y < 1\}$과 사상 $\{(x, y): 0 < x < \frac{1}{2},\ 0 < y < \frac{1}{2}\}$을 그래프 위에 나타낸 후 공통영역을 찾는 것이 도움이 된다. 그 후 공통영역 위에서 적분계산을 해야 한다. X, Y의 주변 pdf는 각각

$$f_X(x) = \int_x^1 2\,dy = 2(1-x), \qquad 0 < x < 1$$

$$f_Y(y) = \int_0^y 2\,dx = 2y, \qquad 0 < y < 1$$

과 같고, X, Y, Y^2의 기댓값은 각각 다음과 같이 구해진다.

$$E(X) = \int_0^1 \int_x^1 2x\,dy\,dx = \int_0^1 2x(1-x)\,dx = \frac{1}{3}$$

$$E(Y) = \int_0^1 \int_0^y 2y\,dx\,dy = \int_0^1 2y^2\,dy = \frac{2}{3}$$

$$E(Y^2) = \int_0^1 \int_0^y 2y^2\,dx\,dy = \int_0^1 2y^3\,dy = \frac{1}{2}$$

위 계산으로부터 $E(X)$, $E(Y)$, $E(Y^2)$은 결합 pdf 대신 주변 pdf를 사용해 계산될 수 있음을 알 수 있다. ■

연속형 확률변수의 독립성은 이산형인 경우와 같이 정의된다. 확률변수 X와 Y가 독립이기 위한 필요충분조건은 X, Y의 결합 pdf $f(x, y)$가 X와 Y 각각의 주변 pdf의 곱으로 쓰여야 한다. 즉 다음과 같다.

$$f(x, y) = f_X(x)f_Y(y), \qquad x \in S_X,\ y \in S_Y$$

예제 4.4-4 이 예제에서는 공간을 그래프에 나타내는 것이 도움이 된다. 확률변수 X와 Y의 결합 pdf가 다음과 같이 주어진다.

$$f(x, y) = cx^2y, \qquad -y < x < 1, \qquad 0 < y < 1$$

우선 상수 c의 값을 결정하기 위해 다음과 같이 계산한다.

$$\begin{aligned}\int_0^1 \int_{-y}^1 cx^2y\,dx\,dy &= \int_0^1 \frac{c}{3}(y + y^4)\,dy \\ &= \frac{c}{3}\left(\frac{1}{2} + \frac{1}{5}\right) = \frac{7c}{30} = 1 \\ c &= \frac{30}{7}\end{aligned}$$

을 얻을 수 있다. X와 Y의 주변 pdf는 각각 다음과 같다.

$$f_X(x) = \begin{cases} \displaystyle\int_{-x}^1 \frac{30}{7}x^2y\,dy = \frac{15}{7}x^2(1-x^2), & -1 < x < 0 \\ \displaystyle\int_0^1 \frac{30}{7}x^2y\,dy = \frac{15}{7}x^2, & 0 < x < 1 \end{cases}$$

$$f_Y(y) = \int_{-y}^1 \frac{30}{7}x^2y\,dx = \frac{10}{7}(y + y^4), \qquad 0 < y < 1$$

다음 첫 번째 확률계산을 위해서는 주변 pdf $f_X(x)$를 사용했고 두 번째 확률계산을 위해서는 공간 $S = \{(x, y): -y < x < 1, 0 < y < 1\}$과 사상 $\{(x, y): 0 \le y \le x \le 1\}$의 공통영역에서의 적분을 필요로 한다. 이 경우 공통영역을 그래프에 그려 보는 것이 도움이 된다.

$$P(X \le 0) = \int_{-1}^{0} \frac{15}{7} x^2(1 - x^2)\, dx = \frac{15}{7}\left(\frac{1}{3} - \frac{1}{5}\right) = \frac{2}{7}$$

$$P(0 \le Y \le X \le 1) = \int_0^1 \int_0^x \frac{30}{7} x^2 y\, dy\, dx = \int_0^1 \frac{15}{7} x^4\, dx = \frac{3}{7}$$

X와 Y의 평균 및 분산 계산은 연습문제 4.4-13에서 다루기로 한다. ■

4.2절에서 상관계수와 이에 관련된 개념을 정의하기 위해 이산형 확률변수를 사용했다. 연속형 확률변수의 경우에는 이산형 확률변수의 정의식에서 총합 기호를 적분 기호로 바꾼 후에 그대로 적용된다. 다음 예제와 연습문제 4.4-7에서 연속형 확률변수의 경우를 설명하기로 한다.

예제 4.4-5 확률변수 X와 Y의 결합 pdf가 다음과 같이 주어진다.

$$f(x, y) = 1, \qquad x < y < x + 1, \qquad 0 < x < 1$$

그러면 X와 Y의 주변 pdf는 각각 다음과 같다.

$$f_X(x) = \int_x^{x+1} 1\, dy = 1, \qquad 0 < x < 1$$

$$f_Y(y) = \begin{cases} \displaystyle\int_0^y 1\, dx = y, & 0 < y < 1 \\ \displaystyle\int_{y-1}^1 1\, dx = 2 - y, & 1 < y < 2 \end{cases}$$

또한

$$\mu_X = \int_0^1 x \cdot 1\, dx = \frac{1}{2}$$

$$\mu_Y = \int_0^1 y \cdot y\, dy + \int_1^2 y(2 - y)\, dy = \frac{1}{3} + \frac{2}{3} = 1$$

$$E(X^2) = \int_0^1 x^2 \cdot 1\, dx = \frac{1}{3}$$

$$E(Y^2) = \int_0^1 y^2 \cdot y\, dy + \int_1^2 y^2(2 - y)\, dy = \frac{1}{4} + \left(\frac{14}{3} - \frac{15}{4}\right) = \frac{7}{6}$$

$$E(XY) = \int_0^1 \int_x^{x+1} xy \cdot 1\, dy\, dx = \int_0^1 \frac{1}{2} x(2x + 1)\, dx = \frac{7}{12}$$

따라서

$$\sigma_X^2 = \frac{1}{3} - \left(\frac{1}{2}\right)^2 = \frac{1}{12}, \qquad \sigma_Y^2 = \frac{7}{6} - 1^2 = \frac{1}{6}$$

그리고

$$\text{Cov}(X, Y) = \frac{7}{12} - \left(\frac{1}{2}\right)(1) = \frac{1}{12}$$

그러므로

$$\rho = \frac{1/12}{\sqrt{(1/12)(1/6)}} = \frac{1}{\sqrt{2}} = \frac{\sqrt{2}}{2}$$

그리고 최소제곱 회귀직선은 다음과 같다.

$$y = 1 + \frac{\sqrt{2}}{2}\frac{\sqrt{1/6}}{\sqrt{1/12}}\left(x - \frac{1}{2}\right) = x + \frac{1}{2}$$

■

4.3절에서는 확률변수가 이산형일 때의 조건부 분포에 관해 논의했으나 연속형 확률변수의 경우에도 성립한다. 이제 X와 Y가 결합 pdf $f(x, y)$와 주변 pdf $f_X(x)$ 그리고 $f_Y(y)$를 갖는 연속형 확률변수라고 하자. $X = x$가 주어졌을 때 Y의 조건부 pdf, 조건부 평균, 조건부 분산은 각각 다음과 같다.

$$h(y \mid x) = \frac{f(x, y)}{f_X(x)}, \qquad f_X(x) > 0$$

$$E(Y \mid x) = \int_{-\infty}^{\infty} y\, h(y \mid x)\, dy$$

$$\begin{aligned} \text{Var}(Y \mid x) &= E\{[Y - E(Y \mid x)]^2 \mid x\} \\ &= \int_{-\infty}^{\infty} [y - E(Y \mid x)]^2\, h(y \mid x)\, dy \\ &= E[Y^2 \mid x] - [E(Y \mid x)]^2 \end{aligned}$$

$Y = y$가 주어졌을 때 X의 조건부 분포와 관련된 표현식도 위와 비슷하게 정의된다. 또한 이산형 확률변수의 경우에 정의되었던 것처럼 $E(Y \mid X)$ 및 $\text{Var}(Y \mid X)$는 각각 X의 pdf를 갖는 $E(Y \mid x)$ 및 $\text{Var}(Y \mid x)$값을 취하는 연속형 확률변수로서 정의될 수 있다. 이산형 확률변수의 경우에 논의한 기댓값과 분산에 대한 전확률의 법칙은 연속형의 경우에도 여전히 유효하다.

예제 4.4-6 X와 Y는 예제 4.4-3에서 다루었던 확률변수이다. 즉 다음과 같은 결합 pdf와 주변 pdf를 갖는다.

$$\begin{aligned} f(x, y) &= 2, & 0 < x < y < 1 \\ f_X(x) &= 2(1-x), & 0 < x < 1 \\ f_Y(y) &= 2y, & 0 < y < 1 \end{aligned}$$

$X = x$가 주어졌을 때, Y의 조건부 pdf는

$$h(y \mid x) = \frac{f(x, y)}{f_X(x)} = \frac{2}{2(1-x)} = \frac{1}{1-x}, \qquad x < y < 1, \qquad 0 < x < 1$$

이므로 $X = x$가 주어졌을 때 Y의 조건부 기댓값은 다음과 같다.

$$E(Y \mid x) = \int_x^1 y \frac{1}{1-x}\, dy = \left[\frac{y^2}{2(1-x)}\right]_x^1 = \frac{1+x}{2}, \qquad 0 < x < 1$$

비슷하게

$$E(X \mid y) = \frac{y}{2}, \qquad 0 < y < 1$$

임을 보일 수 있다. 또한 $X = x$가 주어졌을 때 Y의 조건부 분산은 다음과 같다.

$$\begin{aligned} E\{[Y - E(Y \mid x)]^2 \mid x\} &= \int_x^1 \left(y - \frac{1+x}{2}\right)^2 \frac{1}{1-x}\, dy \\ &= \left[\frac{1}{3(1-x)}\left(y - \frac{1+x}{2}\right)^3\right]_x^1 \\ &= \frac{(1-x)^2}{12} \end{aligned}$$

참고로, $W \sim U(a, b)$인 경우 $E(W) = (a+b)/2$이고 $\text{Var}(W) = (b-a)^2/12$임을 알고 있다. $X = x$가 주어졌을 때 Y의 조건부 분포는 $U(x, 1)$이므로 $E(Y \mid x) = (x+1)/2$과 $\text{Var}(Y \mid x) = (1-x)^2/12$를 얻을 수 있다.

조건부 확률을 계산하는 예를 들면 아래와 같다.

$$\begin{aligned} P\left(\frac{3}{4} < Y < \frac{7}{8} \,\middle|\, X = \frac{1}{4}\right) &= \int_{3/4}^{7/8} h\left(y \,\middle|\, \frac{1}{4}\right) dy \\ &= \int_{3/4}^{7/8} \frac{1}{3/4}\, dy = \frac{1}{6} \end{aligned}$$

■

일반적으로 $E(Y \mid x)$와 $E(X \mid y)$가 각각 선형이면 다음과 같다.

$$E(Y\,|\,x) = \mu_Y + \rho\left(\frac{\sigma_Y}{\sigma_X}\right)(x - \mu_X)$$

$$E(X\,|\,y) = \mu_X + \rho\left(\frac{\sigma_X}{\sigma_Y}\right)(y - \mu_Y)$$

따라서 예제 4.4-6의 $E(Y\,|\,x)$식에서 x의 계수와 $E(X\,|\,y)$식에서 y의 계수의 곱은 $\rho^2 = 1/4$이다. 그런데 각 계수는 양수이므로 $\rho = 1/2$이다. 각 계수들의 비는 $\sigma_Y^2/\sigma_X^2 = 1$이므로 $\sigma_X^2 = \sigma_Y^2$임을 알 수 있다.

예제 4.4-7 확률변수 X가 균일분포 $U(0, 1)$을 가지며 $X = x$가 주어졌을 때 Y의 조건부 분포가 $U(x, 2x)$라면, 기댓값에 대한 전확률의 법칙에 의해서

$$E(Y) = E[E(Y\,|\,X)] = E[(X + 2X)/2] = (3/2)E(X) = 3/4$$

이고, 분산에 대한 전확률의 법칙에 의해서 다음과 같다.

$$\begin{aligned}\text{Var}(Y) &= E[\text{Var}(Y\,|\,X)] + \text{Var}[E(Y\,|\,X)] \;=\; E[(2X - X)^2/12] + \text{Var}(3X/2)\\ &= E(X^2)/12 + (9/4)\text{Var}(X) \;=\; [1/12 + (1/2)^2]/12 + (9/4)(1/12)\\ &= \frac{1}{36} + \frac{3}{16} \;=\; \frac{31}{144}\end{aligned}$$

연습문제

4.4-1 두 확률변수 X와 Y의 결합 pdf가 다음과 같이 주어진다.

$$f(x, y) = (3/16)xy^2, \quad 0 \le x \le 2, \quad 0 \le y \le 2$$

(a) 주변 pdf $f_X(x)$와 $f_Y(y)$를 구하라.

(b) 두 확률변수는 독립인가? 대답에 대한 이유를 설명하라.

(c) X와 Y의 평균과 분산을 구하라.

(d) $P(X \le Y)$를 구하라.

4.4-2 두 확률변수 X와 Y의 결합 pdf가 다음과 같이 주어진다.

$$f(x, y) = 2e^{-x-y}, \qquad 0 \le x \le y < \infty$$

주변 pdf $f_X(x)$와 $f_Y(y)$를 구하라. X와 Y는 독립인가?

4.4-3 다음 각 함수가 연속형 확률변수 X와 Y의 결합 pdf가 될 수 있도록 상수 c를 구하라.

(a) $f(x, y) = cxy, \quad 0 \le x \le 1, \quad x^2 \le y \le x$

(b) $f(x, y) = c(1 + x^2y), \quad 0 \le x \le y \le 1$

(c) $f(x, y) = cye^x, \quad 0 \le x \le y^2, \quad 0 \le y \le 1$

(d) $f(x, y) = c\sin(x+y), \quad 0 \le x \le \pi/2, \quad 0 \le y \le \pi/2$

4.4-4 두 확률변수 X와 Y의 결합 pdf가 다음과 같이 주어진다.

$$f(x, y) = \begin{cases} 4/3, & 0 < x < 1,\ x^3 < y < 1 \\ 0, & \text{그 외의 곳에서} \end{cases}$$

(a) $f(x, y) > 0$인 영역을 그래프에 나타내라.

(b) $P(X > y)$를 구하라.

4.4-5 리모델링 프로젝트에서 두 건설회사의 입찰

가격(단위: 10만 달러)은 각각 확률변수 X와 Y이다. X와 Y의 결합 pdf는 공간 $2 < x < 2.5$, $2 < y < 2.3$에서 균일분포이다. 만약 X와 Y가 서로의 0.1 이내의 가격이라면 회사들은 재입찰에 들어간다. 그런 경우가 아니라면 더 낮은 입찰 가격을 제시한 회사가 계약하게 된다. 두 회사가 재입찰에 들어갈 확률을 구하라.

4.4-6 두 확률변수 X와 Y의 결합 pdf가 다음과 같이 주어진다.

$$f(x, y) = cx(1-y), \quad 0 < y < 1, \quad 0 < x < 1 - y$$

(a) c를 구하라.

(b) $P(Y < X \mid X \le 1/4)$을 구하라.

4.4-7 두 확률변수 X와 Y의 결합 pdf가 다음과 같이 주어진다.

$$f(x, y) = 2, \qquad 0 \le y \le x \le 1$$

이 pdf의 공간을 나타내는 그래프를 그려라.

(a) X와 Y의 주변 pdf를 구하라.

(b) μ_X, μ_Y, σ_X^2, σ_Y^2, $\text{Cov}(X, Y)$, ρ를 구하라.

(c) 최소제곱 회귀직선의 식을 구하고 이 직선을 그래프 위에 그려라.

4.4-8 자동차 정비업소에서는 자동차 사고 후 차를 수리하는 데 드는 비용(단위: 1,000달러)의 초기 추정치 X를 잠정 계산한다. X가 다음과 같은 pdf를 갖는다고 한다.

$$f(x) = 2\,e^{-2(x-0.2)}, \qquad 0.2 < x < \infty$$

$X = x$가 주어졌을 때 최종 결정된 차 수리 비용 Y는 $x - 0.1$과 $x + 0.1$ 사이에서 균일분포를 갖는다고 한다면 Y의 기댓값을 구하라.

4.4-9 두 확률변수 X와 Y의 결합 pdf가 다음과 같이 주어진다.

$$f(x, y) = 1/40, \quad 0 \le x \le 10, \quad 10-x \le y \le 14-x$$

(a) 공간, 즉 $f(x, y) > 0$인 (x, y)의 영역을 그래프 위에 나타내라.

(b) X의 주변 pdf $f_X(x)$를 구하라.

(c) $X = x$가 주어졌을 때 Y의 조건부 pdf $h(y \mid x)$를 구하라.

(d) $X = x$가 주어졌을 때 Y의 조건부 평균 $E(Y \mid x)$를 구하라.

4.4-10 확률변수 X는 균일분포 $U(0, 2)$를 가지며, $X = x$가 주어졌을 때 Y의 조건부 분포는 $U(0, x^2)$이다.

(a) X와 Y의 결합 pdf $f(x, y)$를 구하라.

(b) Y의 주변 pdf $f_Y(y)$를 구하라.

(c) $Y = y$가 주어졌을 때 X의 조건부 평균 $E(X \mid y)$를 구하라.

(d) $X = x$가 주어졌을 때 Y의 조건부 평균 $E(Y \mid x)$를 구하라.

4.4-11 확률변수 X가 균일분포 $U(0, 1)$을 가지며 $X = x$가 주어졌을 때 Y의 조건부 분포가 $U(0, x)$라면, $P(X + Y \ge 1)$를 구하라.

4.4-12 예제 4.4-2에서 다음을 구하라.

(a) X와 Y의 분산

(b) $P(-X \le Y)$

4.4-13 예제 4.4-4에서 X와 Y의 평균 및 분산을 구하라.

4.5 이변량 정규분포

연속형 확률변수 X와 Y의 결합 pdf를 $f(x, y)$라 놓자. $X = x$가 주어졌을 때 Y의 조건부 분포와 관련된 많은 응용 예들이 있다. 예를 들면 X와 Y가 각각 학생들의 고등학교 평균 성적과 대학 1학년 때의 평균 성적이라고 할 때, $X = x$가 주어진 경우 Y의 분포에 관심이 있을 수 있다.

이제 $X = x$가 주어졌을 때 Y의 조건부 분포에 대해 다음의 세 가정을 만족시키는 분포를 생각해본다.

(a) 각 실수 x에 대해 조건부 pdf $h(y \mid x)$는 정규 pdf이다.

(b) 평균 $E(Y \mid x)$는 x의 선형함수이다.

(c) 분산은 상수이다. 즉, 분산은 x의 주어진 값에 종속되지 않는다.

물론, 4.3절의 결과를 따라 가정 (b)는 다음을 의미한다.

$$E(Y \mid x) = \mu_Y + \rho \frac{\sigma_Y}{\sigma_X}(x - \mu_X)$$

이제 가정 (c)의 의미를 생각해보자. 조건부 분산은 다음과 같이 주어진다.

$$\sigma^2_{Y|x} = \int_{-\infty}^{\infty} \left[y - \mu_Y - \rho \frac{\sigma_Y}{\sigma_X}(x - \mu_X) \right]^2 h(y \mid x)\, dy$$

위의 식에서 양변에 $f_X(x)$를 곱해 x에 관해 적분하면 $\sigma^2_{Y|x}$는 상수이기 때문에 좌변은 $\sigma^2_{Y|x}$와 같다. 따라서 다음과 같다.

$$\sigma^2_{Y|x} = \int_{-\infty}^{\infty} \int_{-\infty}^{\infty} \left[y - \mu_Y - \rho \frac{\sigma_Y}{\sigma_X}(x - \mu_X) \right]^2 h(y \mid x) f_X(x)\, dy\, dx \qquad (4.5\text{-}1)$$

그러나 $h(y \mid x) f_X(x) = f(x, y)$이므로 우변은 기댓값이 되어 식 (4.5-1)은 다음과 같이 쓰일 수 있다. 즉

$$\begin{aligned}
\sigma^2_{Y|x} &= E\left[(Y - \mu_Y)^2 - 2\rho \frac{\sigma_Y}{\sigma_X}(X - \mu_X)(Y - \mu_Y) + \rho^2 \frac{\sigma_Y^2}{\sigma_X^2}(X - \mu_X)^2 \right] \\
&= \sigma_Y^2 - 2\rho \frac{\sigma_Y}{\sigma_X} \rho \sigma_X \sigma_Y + \rho^2 \frac{\sigma_Y^2}{\sigma_X^2} \sigma_X^2 \\
&= \sigma_Y^2 - 2\rho^2 \sigma_Y^2 + \rho^2 \sigma_Y^2 = \sigma_Y^2 (1 - \rho^2)
\end{aligned}$$

즉, 주어진 각 x에 대해 Y의 조건부 분산은 $\sigma_Y^2(1 - \rho^2)$이다. 조건부 평균과 분산에 대한 위의 결과들과 가정 (a)를 따르면, $X = x$가 주어졌을 때 Y의 조건부 pdf는 모든 실수 x에 대해 다음과 같이 주어진다.

$$h(y\,|\,x) = \frac{1}{\sigma_Y\sqrt{2\pi}\sqrt{1-\rho^2}}\exp\left[-\frac{[y-\mu_Y-\rho(\sigma_Y/\sigma_X)(x-\mu_X)]^2}{2\sigma_Y^2(1-\rho^2)}\right],$$
$$-\infty < y < \infty$$

X의 분포에 관해 가정하기 전에 위의 가정이 의미하는 바를 설명하기 위한 예제와 그림을 살펴보자.

예제 4.5-1 $\mu_X = 10$, $\sigma_X^2 = 9$, $\mu_Y = 12$, $\sigma_Y^2 = 16$, $\rho = 0.6$이라고 하자. 가정 (a), (b), (c)는 $X = x$가 주어졌을 때 Y의 조건부 분포가 다음과 같음을 의미한다.

$$N\left[12 + (0.6)\left(\frac{4}{3}\right)(x-10),\ 16(1-0.6^2)\right]$$

그림 4.5-1에는 조건부 평균 직선

$$E(Y\,|\,x) = 12 + (0.6)\left(\frac{4}{3}\right)(x-10) = 0.8x + 4$$

와 $x = 5, 10, 15$가 주어졌을 때 Y의 조건부 pdf가 그려져 있다. ■

지금까지는 X가 평균 μ_X와 분산 σ_X^2를 가진다는 것 외에는 X의 분포에 대한 정보는 없었다. 이제 추가적으로 X의 분포가 정규분포라고 가정하자. 즉 X의 주변 pdf는 다음과 같다.

$$f_X(x) = \frac{1}{\sigma_X\sqrt{2\pi}}\exp\left[-\frac{(x-\mu_X)^2}{2\sigma_X^2}\right], \qquad -\infty < x < \infty$$

그러므로 X와 Y의 결합 pdf는 다음과 같다.

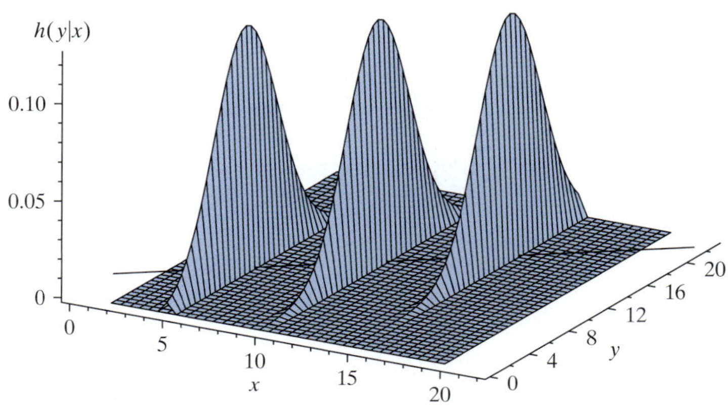

그림 4.5-1 $X = 5, 10, 15$일 때 Y의 조건부 pdf

$$f(x, y) = h(y \mid x) f_X(x)$$
$$= \frac{1}{2\pi\sigma_X\sigma_Y\sqrt{1-\rho^2}} \exp\left[-\frac{q(x, y)}{2}\right], \quad -\infty < x < \infty, -\infty < y < \infty \qquad (4.5\text{-}2)$$

여기서 $q(x, y)$가 다음 식과 같이 정의되는 것은 연습문제 4.5-8에서 다루기로 한다.

$$q(x, y) = \frac{1}{1-\rho^2}\left[\left(\frac{x-\mu_X}{\sigma_X}\right)^2 - 2\rho\left(\frac{x-\mu_X}{\sigma_X}\right)\left(\frac{y-\mu_Y}{\sigma_Y}\right) + \left(\frac{y-\mu_Y}{\sigma_Y}\right)^2\right]$$

이런 형태의 결합 pdf를 갖는 분포를 **이변량 정규분포**(bivariate normal distribution)라고 한다.

예제 4.5-2 어느 대학교 학생들의 모집단에서 고등학교 때의 평균 평점 X와 대학 1학년 때의 평균 평점 Y의 결합분포는 $\mu_X = 2.9$, $\mu_Y = 2.4$, $\sigma_X = 0.4$, $\sigma_Y = 0.5$, $\rho = 0.6$을 갖는 이변량 정규분포라고 가정하자. 그러면 예를 들어

$$P(2.1 < Y < 3.3) = P\left(\frac{2.1-2.4}{0.5} < \frac{Y-2.4}{0.5} < \frac{3.3-2.4}{0.5}\right)$$
$$= \Phi(1.8) - \Phi(-0.6) = 0.6898$$

$X = 3.2$가 주어졌을 때 Y의 조건부 pdf는 평균

$$2.4 + (0.6)\left(\frac{0.5}{0.4}\right)(3.2 - 2.9) = 2.625$$

와 표준편차 $(0.5)\sqrt{1-(0.6)^2} = 0.4$를 갖는 정규 pdf이므로 부록 B의 표 5a와 표 5b를 사용해 다음을 얻을 수 있다.

$$P(2.1 < Y < 3.3 \mid X = 3.2)$$
$$= P\left(\frac{2.1-2.625}{0.4} < \frac{Y-2.625}{0.4} < \frac{3.3-2.625}{0.4} \,\middle|\, X = 3.2\right)$$
$$= \Phi(1.6875) - \Phi(-1.3125) = 0.9545 - 0.0951 = 0.8594$$

■

확률변수 X와 Y는 이변량 정규 pdf에서 역할이 서로 바뀌어 정의될 수 있다. 즉, Y가 주변 정규 pdf $N(\mu_Y, \sigma_Y^2)$를 갖는다면 $Y = y$가 주어졌을 때 X의 조건부 pdf는 평균 $\mu_X + \rho(\sigma_X/\sigma_Y)(y - \mu_Y)$와 분산 $\sigma_X^2(1 - \rho^2)$을 갖는 정규 pdf이다.

기하학의 측면에서 이변량 정규분포에 대한 이해를 돕기 위해 $z = f(x, y)$의 그래프를 고려해보자. 여기서 $f(x, y)$는 식 (4.5-2)에 의해 주어진다. yz 평면에 평행인 면, 즉 $x = x_0$로 $z = f(x, y)$를 절단했을 때 다음을 갖는다.

$$f(x_0, y) = f_X(x_0) h(y \mid x_0)$$

이 식에서 $f_X(x_0)$는 상수이고 $h(y \mid x_0)$는 정규 pdf이다. 따라서 $z = f(x_0, y)$는 종 모양, 즉 정규 pdf의 모양을 갖는다. 그러나 $f_X(x_0)$항 때문에 $z = f(x_0, y)$가 반드시 pdf는 아니다. 비슷하게, xz 평면에 평행인 면 $y = y_0$에 의해 $z = f(x, y)$를 절단한 경우도 절단면은 종 모양을 갖는다.

만약

$$0 < z_0 < \frac{1}{2\pi\sigma_X\sigma_Y\sqrt{1-\rho^2}}$$

이라면

$$0 < z_0 2\pi\sigma_X\sigma_Y\sqrt{1-\rho^2} < 1$$

이다. 이제 $z = f(x, y)$를 xy 평면에 평행인 면 $z = z_0$로 절단한다면

$$z_0 2\pi\sigma_X\sigma_Y\sqrt{1-\rho^2} = \exp\left[\frac{-q(x, y)}{2}\right]$$

를 갖는다. 양변에 자연로그를 취해 다음을 얻는다.

$$\left(\frac{x-\mu_X}{\sigma_X}\right)^2 - 2\rho\left(\frac{x-\mu_X}{\sigma_X}\right)\left(\frac{y-\mu_Y}{\sigma_Y}\right) + \left(\frac{y-\mu_Y}{\sigma_Y}\right)^2$$
$$= -2(1-\rho^2)\ln(z_0 2\pi\sigma_X\sigma_Y\sqrt{1-\rho^2})$$

따라서 이 절단면들은 타원임을 알 수 있다.

예제 4.5-3 $\mu_X = 10$, $\sigma_X^2 = 9$, $\mu_Y = 12$, $\sigma_Y^2 = 16$, $\rho = 0.6$의 값을 갖는 이변량 정규 pdf가 그림 4.5-2(a)에 그려져 있고, $\rho = 0.6$일 때 등고선은 그림 4.5-2(b)에 그려져 있다. 조건부 평균 직선

$$E(Y \mid x) = 12 + (0.6)\left(\frac{4}{3}\right)(x - 10) = 0.8x + 4$$

는 그림 4.5-2(b)에 그려져 있다. ■

X와 Y가 이변량 정규분포를 따를 때 상관계수 ρ의 또 다른 중요한 성질은 식 (4.5-2)에서 $\rho = 0$이면 $h(y \mid x)$는 평균 μ_Y와 분산 σ_Y^2를 갖는 정규 pdf이므로 $f(x, y) = f_X(x) f_Y(y)$가 성립한다. 따라서 X와 Y는 독립인 확률변수이다. 물론 X와 Y가 서로 독립인 변수들이면(반드시 정규분포일 필요는 없음), 그들의 상관계수는 $\rho = 0$이다. 따라서 다음의 정리를 얻는다.

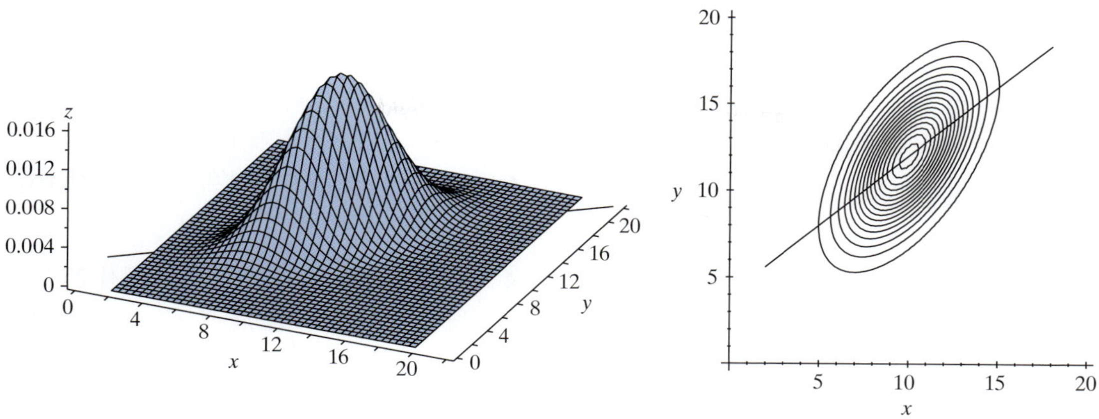

(a) (b)

그림 4.5-2 이변량 정규분포: $\mu_X = 10$, $\sigma_X^2 = 9$, $\mu_Y = 12$, $\sigma_Y^2 = 16$, $\rho = 0.6$ (a) pdf, (b) 등고선

정리 4.5-1 X와 Y가 상관계수 ρ인 이변량 정규분포를 갖는다고 하자. 이 경우 X와 Y가 서로 독립이기 위한 필요충분조건은 $\rho = 0$이다.

이리하여 이변량 정규분포에서 $\rho = 0$는 두 확률변수 X와 Y가 독립임을 의미한다. 이변량 정규분포의 이러한 특성은 삼변량 정규분포 혹은 일반적으로 다변량 정규분포로 확장되어 설명될 수 있다. 이것은 행렬이론을 포함하는 고급 통계학에서 논의가 가능하다[예: Hogg, McKean, and Craig(2013) 참조].

연습문제

4.5-1 확률변수 X와 Y는 모수 $\mu_X = -3$, $\mu_Y = 10$, $\sigma_X^2 = 25$, $\sigma_Y^2 = 9$, $\rho = 0.6$을 갖는 이변량 정규분포를 갖는다. 다음을 구하라.

(a) $P(-5 < X < 5)$

(b) $P(-5 < X < 5 \mid Y = 13)$

(c) $P(7 < y < 16)$

(d) $P(7 < Y < 16 \mid X = 2)$

4.5-2 확률변수 X와 Y는 모수 $\mu_X = 2.8$, $\mu_Y = 110$, $\sigma_X^2 = 0.16$, $\sigma_Y^2 = 100$, $\rho = 0.6$을 갖는 이변량 정규분포를 갖는다. 다음을 구하라.

(a) $P(108 < Y < 126)$

(b) $P(108 < Y < 126 \mid X = 3.2)$

4.5-3 X는 남자 대학생들의 키(단위: cm)이고 Y는 몸무게(단위: kg)를 나타낸다. X와 Y는 모수 $\mu_X = 185$, $\sigma_X^2 = 100$, $\mu_Y = 84$, $\sigma_Y^2 = 64$, $\rho = 0.6$을 갖는 이변량 정규분포를 갖는다.

(a) $X = 190$일 때, Y의 조건부 분포를 구하라.

(b) $P(86.4 < Y < 95.36 \mid X = 190)$을 구하라.

4.5-4 X는 쇠물닭 수컷의 무게(단위: g)이고, Y는 암컷의 무게(단위: g)이다. X와 Y는 모수 $\mu_X = 415$, $\sigma_X^2 = 611$, $\mu_Y = 347$, $\sigma_Y^2 = 689$, $\rho = -0.25$인 이변량 정규분포를 갖는다. 다음을 구하라.

(a) $P(309.2 < Y < 380.6)$

(b) $E(Y \mid x)$

(c) $\text{Var}(Y \mid x)$

(d) $P(309.2 < Y < 380.6 \mid X = 385.1)$

4.5-5 확률변수 X와 Y가 이변량 정규분포를 갖는다고 하자. 모든 실수 x에 대해

$$P[a(x) < Y < b(x) \mid X = x] = 0.9544$$

를 만족시키며 $E(Y \mid x)$로부터 같은 거리에 있고 또한 평행인 2개의 다른 직선 $a(x)$와 $b(x)$를 구하라. $\mu_X = 2$, $\mu_Y = -1$, $\sigma_X = 3$, $\sigma_Y = 5$, $\rho = 3/5$일 때 $a(x)$, $b(x)$, $E(Y \mid x)$를 그려라.

4.5-6 어느 헬스 피트니스 프로그램에 참여하는 여대생들에 대해, X는 프로그램 초기에 측정된 비만율을 나타내고 Y는 프로그램 시행 결과 마지막에 측정된 비만율의 변화를 나타낸다고 한다. X와 Y가 $\mu_X = 24.5$, $\sigma_X^2 = 4.8^2 = 23.04$, $\mu_Y = -0.2$, $\sigma_Y^2 = 3.0^2 = 9.0$, $\rho = -0.32$의 모수값을 갖는 이변량 정규분포를 갖는다면 다음을 구하라.

(a) $P(1.3 \le Y \le 5.8)$

(b) $X = x$가 주어졌을 때 Y의 조건부 평균, $\mu_{Y|x}$

(c) $X = x$가 주어졌을 때 Y의 조건부 분산, $\sigma_{Y|x}^2$

(d) $P(1.3 \le Y \le 5.8 \mid X = 18)$

4.5-7 산부인과 의사는 임신 16주에서 25주 사이의 임산부들에 대한 초음파 검사를 통해 태아의 성장을 검사한다. X를 태아 머리의 직경(단위: mm), Y를 태아의 대퇴부 길이(단위: mm)라 놓자. X와 Y는 모수 $\mu_X = 60.6$, $\sigma_X = 11.2$, $\mu_Y = 46.8$, $\sigma_Y = 8.4$, $\rho = 0.94$를 갖는 이변량 정규분포를 갖는다고 가정할 때 다음을 구하라.

(a) $P(40.5 < Y < 48.9)$

(b) $P(40.5 < Y < 48.9 \mid X = 68.6)$

4.5-8 식 (4.5-2)의 $q(x, y)$가 주어진 식처럼 정의되는 것을 밝혀라.

역사적 해설

이 장에서는 조건부 분포에 대해 공부했다. 이제 다음과 같은 통계적 접근방법(6장에서 다시 논의됨)을 사용하는 베이지안(Bayesians)이라고 하는 통계학자 그룹에 대해 알아보자. 그들은 모수 θ(예를 들면, 여러 분포에서 사용되었던 μ, σ^2, α, β)를 pmf(혹은 pdf) $g(\theta)$를 갖는 확률변수로 취급한다. 또 다른 확률변수 X는 θ가 주어졌을 때 pmf(혹은 pdf) $f(x \mid \theta)$를 갖는다고 가정한다. 즉, 사전확률들은 $g(\theta)$로 설명되므로 X의 주변 pmf(혹은 pdf)는 다음과 같다.

$$h(x) = \sum_{\theta} g(\theta)f(x \mid \theta)$$

따라서 $X = x$가 주어졌을 때 θ의 조건부 pmf(혹은 pdf)는 다음과 같다.

$$k(\theta \mid x) = \frac{g(\theta)f(x \mid \theta)}{h(x)} = \frac{g(\theta)f(x \mid \theta)}{\sum_{\theta} g(\theta)f(x \mid \theta)}$$

조금만 생각해보면 위 공식을 베이즈정리로 인식할 수 있다. 여기서 θ의 사후확률 $k(\theta \mid x)$는 X가 x로 관측된 후에 $g(\theta)$로 주어지는 사전확률이 변화된 것이다. 실험이 n회 반복되면(5장 참조) n개의 x들, 즉 x_1, x_2, $\ldots$, x_n을 관측한다. 베이지안들은 x_1, x_2, $\ldots$, x_n이 주어질 때 θ의 사후확률들을 알고 있기 때문에 사후분포 $k(\theta \mid x_1, x_2, \ldots, x_n)$을 사용해 θ에 관해 추론한다. 이러한 베이지안 관점에서 통계적 사고를 했던 베이즈(Reverend Thomas Bayes)는 생전에는 단 한 편의 수학적 논문도 발표하지 않았으며, 사후 약 2년째가 되어서야 논문이 출판되었다. 베이지안 통계적 방법에 관해서는 6장에서 더 다루게 될 것이다.

05 확률변수의 함수의 분포

Distributions of Functions of Random Variables

5.1 한 확률변수의 함수

X가 확률변수라면 X의 함수, 즉 $Y = u(X)$도 확률변수이므로 Y는 확률분포를 갖는다. 이 절에서는 Y의 분포가 X의 분포로부터 어떻게 결정되는지를 소개한다. 세부적인 방법은 확률변수가 이산형인지 혹은 연속형인지에 따라 달라진다. 우선 보다 쉬운 방법에 해당하는 이산형 확률변수의 경우를 다루어보자.

X가 pmf $f(x) = P(X = x)$, $x \in S_X$를 갖는 이산형 확률변수라 하자. 이때 X의 공간 S_X는 셀 수 있는 점들, 즉 $c_1, c_2, c_3, \ldots$으로 구성된다. 이제 X의 함수 $Y = u(X)$가 공간 S_X에서 셀 수 있는 점들로 구성된 Y의 공간 S_Y로의 사상(mapping)을 정의한다고 하자. 그러면 Y는 이산형 확률변수이고 Y의 pmf는 다음과 같다.

$$g(y) = P(Y = y) = P[u(X) = y] = \sum_{\{x:u(x)=y\}} f(x), \qquad y \in S_Y$$

만약 $Y = u(X)$가 역함수 $X = v(Y)$와 1대1 변환관계에 있다면, 각 $y \in S_Y$에 대해 $u(x) = y$와 같은 x값이 오직 하나 존재하므로 그러한 경우에는 $g(y) = f[v(y)]$이다.

예제 5.1-1 X가 다음과 같은 균일 pmf를 갖는다.

$$f(x) = 1/8, \qquad x = -2, -1, \ldots, 5$$

$Y = X^2$이라 정의하면, Y의 pmf는 다음과 같다.

$$g(y) = P(X^2 = y) = \sum_{\{x:x^2=y\}} (1/8) = \begin{cases} 2/8, & y = 1, 4 \\ 1/8, & y = 0, 9, 16, 25 \end{cases}$$

위에서 $u(X) = X^2$은 1대1 변환관계가 아니므로 공간 S_Y의 각 원소에서의 확률을 구하기 위해서는 공간 S_X의 몇 개 원소들에서의 확률이 더해져야 한다. 한편 1대1 변환관계인 $Y = 2X + 5$의 경우에 S_X의 각 값은 S_Y의 유일한 값에 대응되므로 Y의 pmf는 다음과 같다.

$$g(y) = 1/8,\ y = 1, 3, 5, 7, 9, 11, 13, 15$$ ■

예제 5.1-2 확률변수 X의 분포가 이항분포 $b(n, p)$이다. X가 이산형 분포를 가지므로 1대1 함수인 $Y = u(X)$도 X의 공간에서 갖는 확률과 같은 확률들을 갖는다. 예를 들면 $n = 3$, $p = 1/4$, $Y = e^X$의 경우에 Y의 pmf는 다음과 같다.

$$g(y) = \binom{3}{\ln y}\left(\frac{1}{4}\right)^{\ln y}\left(\frac{3}{4}\right)^{3-\ln y}, \qquad y = 1, e, e^2, e^3$$ ■

예제 5.1-3 확률변수 X가 $\lambda = 4$인 푸아송분포를 갖는다면 X의 pmf는 다음과 같다.

$$f(x) = \frac{4^x e^{-4}}{x!}, \qquad x = 0, 1, 2, \ldots$$

$Y = \sqrt{X}$라 정의하면 $X = Y^2$이기 때문에 Y의 pmf는 다음과 같다.

$$g(y) = \frac{4^{y^2} e^{-4}}{(y^2)!}, \qquad y = 0, 1, \sqrt{2}, \sqrt{3}, \ldots$$ ■

이제 X가 pdf $f(x)$와 cdf $F(x)$를 갖는 연속형 확률변수인 경우에 X의 함수 $Y = u(X)$의 분포를 구하는 방법에 대해 알아보자. 이 경우 X의 함수 $Y = u(X)$는 이산형 혹은 연속형 확률변수, 혹은 그 어느 것도 아닐 수도 있다. 예를 들어 X는 연속형인 표준정규분포를 갖고 Y는 $X > 0$일 때 1의 값을 갖고 그 외에서는 0의 값을 갖는 이산형 확률변수라 정의하자. 그러면 Y는 성공의 확률 $p = 0.5$를 갖는 베르누이분포를 갖는다. 그러므로 여기서는 오직 $Y = u(X)$가 연속형인 경우만 고려하기로 한다.

$Y = u(X)$가 연속형 확률변수라면 Y의 cdf는

$$G(y) = P(Y \le y) = P[u(X) \le y]$$

로 주어지며, Y의 pdf는 $g(y) = G'(y)$이다. 이렇게 Y의 pdf가 Y의 cdf를 유도해 얻어진다 해서 이렇게 분포함수를 얻는 방법을 **분포함수기법**(cdf technique)이라고 부른다.

예제 5.1-4 확률변수 X가 다음의 감마 pdf를 갖는다.

$$f(x) = \frac{1}{\Gamma(\alpha)\theta^\alpha} x^{\alpha-1} e^{-x/\theta}, \qquad 0 < x < \infty$$

여기서 $\alpha > 0, \theta > 0$이다. 이제 $Y = e^X$이라 놓으면 Y의 공간 $1 < y < \infty$의 각 y에 대해 Y의 cdf는 다음과 같다.

$$G(y) = P(Y \le y) = P(e^X \le y) = P(X \le \ln y)$$

즉,

$$G(y) = \int_0^{\ln y} \frac{1}{\Gamma(\alpha)\theta^\alpha} x^{\alpha-1} e^{-x/\theta} dx$$

이고 Y의 pdf $g(y) = G'(y)$는 다음과 같이 주어진다.

$$g(y) = \frac{1}{\Gamma(\alpha)\theta^\alpha} (\ln y)^{\alpha-1} e^{-(\ln y)/\theta} \left(\frac{1}{y}\right), \qquad 1 < y < \infty$$

또는

$$g(y) = \frac{1}{\Gamma(\alpha)\theta^\alpha} \frac{(\ln y)^{\alpha-1}}{y^{1+1/\theta}}, \qquad 1 < y < \infty$$

이러한 pdf를 **로그감마**(log-gamma) pdf라고 한다(그림 5.1-1 참조). $\alpha\theta$와 $\alpha\theta^2$은 Y의 평균과 분산이 아니라 원래의 확률변수 $X = \ln Y$의 평균과 분산이다. 로그감마분포의 평균과 분산은 다음과 같다.

$$\mu = \frac{1}{(1-\theta)^\alpha}, \qquad \theta < 1$$

$$\sigma^2 = \frac{1}{(1-2\theta)^\alpha} - \frac{1}{(1-\theta)^{2\alpha}}, \qquad \theta < \frac{1}{2}$$

■

이어서 균일확률변수의 변환에 의해 생성되는 분포의 예제를 소개한다.

예제 5.1-5 스피너가 점 (0, 1)에서 돌고 있다. x를 수직축과 스피너 사이의 가장 작은 각이라고 하자(그림 5.1-2 참조). x를 균일분포 $U(-\pi/2, \pi/2)$를 갖는 확률변수 X의 값이라고 가정하면 X의 cdf는 다음과 같다.

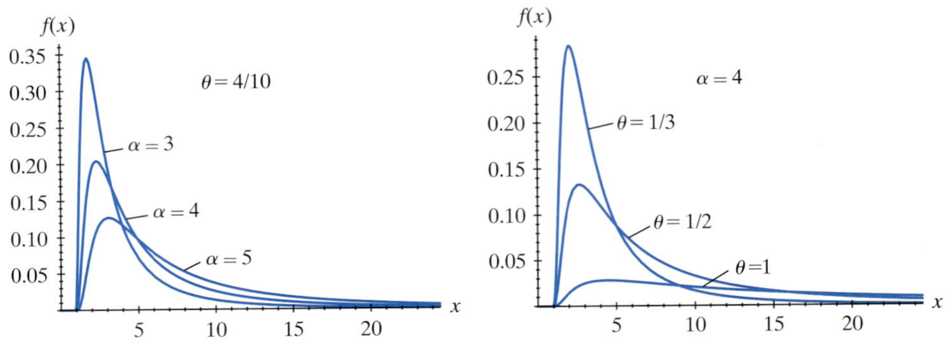

그림 5.1-1 로그감마 pdf

$$P(X \le x) = F(x) = \begin{cases} 0, & -\infty < x < -\dfrac{\pi}{2} \\ \left(x + \dfrac{\pi}{2}\right)\left(\dfrac{1}{\pi}\right), & -\dfrac{\pi}{2} \le x < \dfrac{\pi}{2} \\ 1, & \dfrac{\pi}{2} \le x < \infty \end{cases}$$

이제 $y = \tan x$라 놓으면 y는 스피너의 선형 연장선과 만나는 수평축 위의 점이다. 확률변수 $Y = \tan X$의 cdf는 다음에 의해 주어진다.

$$\begin{aligned} G(y) = P(Y \le y) &= P(\tan X \le y) = P(X \le \arctan y) \\ = F(\arctan y) &= \left(\arctan y + \frac{\pi}{2}\right)\left(\frac{1}{\pi}\right), \qquad -\infty < y < \infty \end{aligned}$$

마지막 등호는 $-\pi/2 < x = \arctan y < \pi/2$로부터 성립한다. 다음과 같이 주어지는 Y의 pdf를 **코시 pdf**(Cauchy pdf)라고 한다.

$$g(y) = G'(y) = \frac{1}{\pi(1 + y^2)}, \qquad -\infty < y < \infty$$

그림 5.1-2는 이 코시 pdf를 보여준다. 코시분포는 $E(X)$가 존재하지 않는데 그 이유는 코시 pdf의 양 꼬리 부분에 상대적으로 너무 많은 확률이 몰려 있기 때문이다. ■

지금까지는 분포함수기법의 사용을 설명하였다. 이제는 **변수변환기법**(change of variable technique)을 소개해보기로 한다. X를 공간 $c_1 < x < c_2$(여기서 c_1은 $-\infty$이고/혹은 c_2는 $+\infty$일 수 있다)에서 pdf $f(x)$를 갖는 연속형 확률변수라 하자. X의 함수로서 미분 가능하며, 1대1 변환관계이고 증가함수인 $Y = u(X)$의 미분 가능한 역함수를 $X = v(Y)$라 놓으면 X의 공간 $c_1 < x < c_2$는 Y의 공간 $d_1 = u(c_1) < y < d_2 = u(c_2)$로 **사상**(mapping)된다. 따라서 Y의 cdf는 u와 v가 연속인 증가함수들이기 때문에 다음과 같다.

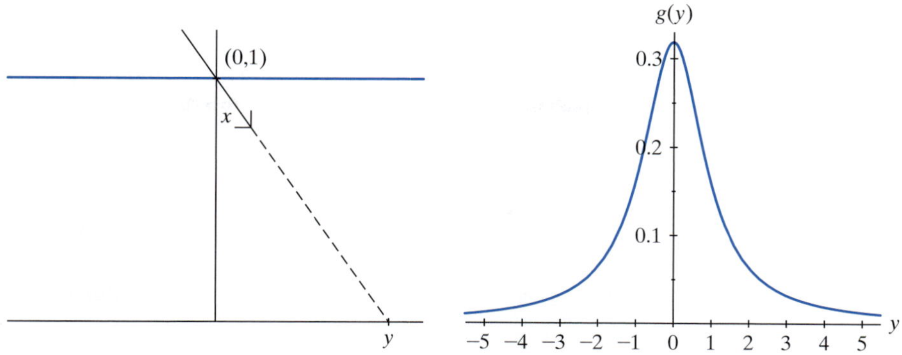

그림 5.1-2 스피너와 코시 pdf

$$G(y) = P(Y \le y) = P[u(X) \le y] = P[X \le v(y)], \qquad d_1 < y < d_2$$

물론 $G(y) = 0,\ y \le d_1$이고 $G(y) = 1,\ y \ge d_2$이다. 따라서

$$G(y) = \int_{c_1}^{v(y)} f(x)\,dx, \qquad d_1 < y < d_2$$

이다. 이제 도함수 $G'(y) = g(y)$의 관계를 이용하면 다음과 같다.

$$G'(y) = g(y) = f[v(y)][v'(y)], \qquad d_1 < y < d_2$$

물론 $y < d_1$ 혹은 $y > d_2$이면 $G'(y) = g(y) = 0$이다. 그리고 $g(d_1) = g(d_2) = 0$으로 놓을 수 있다.

이 변수변환기법의 설명을 위해 예제 5.1-4를 다시 생각해보자. 그 예제에서 X의 pdf는

$$f(x) = \frac{1}{\Gamma(\alpha)\theta^\alpha}\, x^{\alpha-1} e^{-x/\theta}, \qquad 0 < x < \infty$$

이고 $Y = e^X$이라 놓았다. 이때 $c_1 = 0$이고 $c_2 = \infty$이다. 따라서 $d_1 = 1$이고 $d_2 = \infty$이다. 또한 $X = \ln Y = v(Y)$이다. $v'(y) = 1/y$이므로 Y의 pdf는

$$g(y) = \frac{1}{\Gamma(\alpha)\theta^\alpha}\, (\ln y)^{\alpha-1} e^{-(\ln y)/\theta} \left(\frac{1}{y}\right), \qquad 1 < y < \infty$$

가 되는데 이 결과는 예제 5.1-4에서의 결과와 같다.

이제 함수 $Y = u(X)$와 역함수 $X = v(Y)$가 미분 가능하고 1대1 변환관계인 감소함수라고 가정하자. 이 경우 사상은 $c_1 < x < c_2$에서 $d_1 = u(c_1) > y > d_2 = u(c_2)$로 이루어진다. u와 v는 연속인 감소함수들이기 때문에

$$G(y) = P(Y \le y) = P[u(X) \le y] = P[X \ge v(y)]$$
$$= \int_{v(y)}^{c_2} f(x)\,dx, \qquad d_2 < y < d_1$$

이다. 따라서

$$G'(y) = g(y) = f[v(y)][-v'(y)], \qquad d_2 < y < d_1$$

이고 y의 그 외의 곳에서는 $G'(y) = g(y) = 0$이다. Y가 X의 연속함수 혹은 감소함수라면 일반적으로 다음과 같이 쓸 수 있다.

$$g(y) = f[v(y)]\,|v'(y)|, \qquad y \in S_Y \tag{5.1-1}$$

여기서 Y의 공간인 S_Y는 X의 공간인 S_X로부터 사상에 의해 구해진다. 절댓값 $|v'(y)|$는 $g(y)$가 음이 아닌 함수임을 보장한다.

변수변환기법은 분포함수기법의 특별한 경우에 해당하지만 Y의 pdf를 구하기 위해 Y의 cdf를 구하는 과정을 거치지 않고 바로 식 (5.1-1)을 사용한다.

예제 5.1-6 X가 다음과 같은 pdf를 갖는다고 하자.

$$f(x) = 3(1-x)^2, \qquad 0 < x < 1$$

X의 감소함수인 $Y = (1-X)^3 = u(X)$로부터 $X = 1 - Y^{1/3} = v(Y)$이고 $0 < x < 1$은 $0 < y < 1$로 사상된다. $v'(y) = -1/(3y^{2/3})$이므로

$$g(y) = 3[1-(1-y^{1/3})]^2 \left|\frac{-1}{3y^{2/3}}\right|, \qquad 0 < y < 1$$

즉,

$$g(y) = 3y^{2/3}\left(\frac{1}{3y^{2/3}}\right) = 1, \qquad 0 < y < 1$$

이다. 그래서 $Y = (1-X)^3$은 균일분포 $U(0, 1)$을 갖는다. ■

때때로 보다 일반적인 분포함수기법보다 변수변환기법을 사용하는 것이 더 쉬울 때도 있다. 그러나 분포함수기법이 사용하기에 더 편리한 경우가 많이 있다. 예를 들면 푸아송과정으로부터 감마분포를 찾을 때는 분포함수기법을 사용해야 한다(3.2절 참조). 균일분포를 포함하는 2개의 정리를 증명하기 위해서 또다시 분포함수기법을 사용한다.

정리 5.1-1 Y의 분포가 $U(0, 1)$이고 $a < x < b$의 공간(여기서 a는 $-\infty$, b는 ∞일 수도 있다) 위에서 단조증가함수 $F(x)$가 $F(a) = 0$, $F(b) = 1$을 갖는 연속형의 cdf라면 $X = F^{-1}(Y)$는 $F(x)$를 cdf로 갖는 연속형 확률변수다.

증명 X의 cdf는 다음과 같다.

$$P(X \le x) = P[F^{-1}(Y) \le x], \qquad a < x < b$$

$F(x)$는 단조증가함수이기 때문에 $\{F^{-1}(Y) \le x\}$는 $\{Y \le F(x)\}$와 같다.
그러므로

$$P(X \le x) = P[Y \le F(x)], \qquad a < x < b$$

그러나 Y는 $U(0, 1)$이다. 그래서 $0 < y < 1$에 대해서 $P(Y \le y) = y$이다. 따라서

$$P(X \le x) = P[Y \le F(x)] = F(x), \qquad 0 < F(x) < 1$$

이다. 즉, X의 cdf는 $F(x)$이다.

다음 예제는 주어진 분포로부터 모의실험에 의해 관측값을 생성하기 위해 정리 5.1-1이 어떻게 사용될 수 있는지를 설명한다.

예제 5.1-7 코시분포의 양 꼬리 부분에 상대적으로 높은 확률이 할당되어 있다는 사실에 대한 이해를 돕기 위해 코시 확률변수의 관측값을 모의실험에 의해 생성해보자. $U(0, 1)$ 분포로부터 생성할 확률변수 Y의 실현치 y를 예제 5.1-5에서 주어지는 X의 코시 cdf $G(x)$와 같게 놓는다.

$$y = G(x) = \left(\arctan x + \frac{\pi}{2}\right)\left(\frac{1}{\pi}\right), \qquad -\infty < x < \infty$$

혹은 동등하게 다음과 같다.

$$x = \tan\left(\pi y - \frac{\pi}{2}\right) \tag{5.1-2}$$

식 (5.1-2)가 코시 확률변수 X의 관측값을 생성해 주는 식이다.

표 5.1-1의 y값들은 부록 B의 표 9에서 마지막 열에 있는 첫 10개의 난수이다. 이 y값들을 식 (5.1-2)에 대입하면 x값을 얻을 수 있다. 코시 확률변수값 x들은 대부분 작은 값들이지만 간혹 큰 값들도 보임을 알 수 있다. ■

다음의 확률적분변환 정리는 정리 5.1-1의 역이다.

표 5.1-1 코시 관측값

y	x	y	x
0.1514	−1.9415	0.2354	−1.0962
0.6697	0.5901	0.9662	9.3820
0.0527	−5.9847	0.0043	−74.0211
0.4749	−0.0790	0.1003	−3.0678
0.2900	−0.7757	0.9192	3.8545

정리 5.1-2 연속형 확률변수 X가 공간 $a < x < b$에서 단조증가함수인 $F(x)$를 cdf로 갖는다면 확률변수 $Y = F(X)$는 $U(0, 1)$ 분포를 갖는다.

증명 $F(a) = 0$이고 $F(b) = 1$이기 때문에 Y의 cdf는 다음과 같다.

$$P(Y \le y) = P[F(X) \le y], \qquad 0 < y < 1$$

그러나 $\{F(x) \le y\}$는 $\{X \le F^{-1}(y)\}$와 같으며 $P(X \le x) = F(x)$이므로

$$P(Y \le y) = P[X \le F^{-1}(y)] = F[F^{-1}(y)] = y, \qquad 0 < y < 1$$

은 $U(0, 1)$ 확률변수의 cdf이다.

참고 정리 5.1-1과 정리 5.1-2에서 $F(x)$가 단조증가함수라는 제약이 요구되었으나 이 제약조건이 없어도 위의 정리들은 성립한다.

지금까지 분포함수기법의 설명과 예제들에서 1대1 변환관계의 경우만 다루었다. 또 다른 상황으로서 $Y = u(X)$가 1대1 변환관계가 아닌 경우가 있다. 예를 들면, X가 예제 5.1-5에서 소개했던 코시분포를 가질 때 $Y = X^2$의 분포를 구해보자. 이러한 변환관계는 2대1 관계이다. 따라서 변수변환기법을 바로 적용할 수 없으므로 대신 분포함수기법을 적용해보기로 한다. 이때 X의 공간 $-\infty < x < \infty$에서 Y의 공간 $0 \le y < \infty$으로 사상된다. 따라서 Y의 cdf는 다음과 같이 주어진다.

$$\begin{aligned} G(y) = P(X^2 \le y) &= P(-\sqrt{y} \le X \le \sqrt{y}) \\ &= F(\sqrt{y}) - F(-\sqrt{y}) = \left(\arctan(\sqrt{y}) + \frac{\pi}{2}\right)\left(\frac{1}{\pi}\right) - \left(\arctan(-\sqrt{y}) + \frac{\pi}{2}\right)\left(\frac{1}{\pi}\right) \\ &= [\arctan(\sqrt{y}) - \arctan(-\sqrt{y})]/\pi, \qquad 0 \le y < \infty \end{aligned}$$

이리하여 Y의 pdf는 다음과 같이 주어진다.

$$g(y) = G'(y) = \left[\left(\frac{1}{1+(\sqrt{y})^2}\right)\left(\frac{1}{2\sqrt{y}}\right) - \left(\frac{1}{1+(-\sqrt{y})^2}\right)\left(-\frac{1}{2\sqrt{y}}\right)\right]\Big/\pi$$

$$= \frac{1}{\pi(1+y)\sqrt{y}}, \qquad 0 < y < \infty$$

예제 5.1-8 확률변수 X의 pdf가 다음과 같이 주어진다.

$$f(x) = \frac{x^2}{3}, \qquad -1 < x < 2$$

그러면 X의 cdf는 다음과 같다.

$$F(x) = \begin{cases} 0, & -\infty < x < -1 \\ \dfrac{x^3+1}{9}, & -1 \le x < 2 \\ 1, & 2 \le x < \infty \end{cases}$$

확률변수 $Y = X^2$은 공간 $0 \le y < 4$를 갖는다. 이제 분포함수기법을 적용하면 Y의 cdf는 다음과 같다.

$$G(y) = P(X^2 \le Y) = P(-\sqrt{y} < X < \sqrt{y}) = F(\sqrt{y}) - F(-\sqrt{y})$$

$$= \begin{cases} \dfrac{(\sqrt{y})^3+1}{9} - \dfrac{(-\sqrt{y})^3+1}{9} = \dfrac{2y^{3/2}}{9}, & 0 \le y < 1 \\ \dfrac{(\sqrt{y})^3+1}{9} = \dfrac{y^{3/2}+1}{9}, & 1 \le y < 4 \end{cases}$$

따라서 Y의 pdf는 다음과 같다.

$$g(y) = \begin{cases} \dfrac{\sqrt{y}}{3}, & 0 < y < 1 \\ \dfrac{\sqrt{y}}{6}, & 1 \le y < 4 \end{cases}$$

■

연습문제

5.1-1 확률변수 X는 모수가 p인 기하분포를 갖는다고 한다. 다음과 같은 확률변수 Y의 pmf를 구하라.

(a) $Y = 2X$

(b) $Y = X^2$

5.1-2 확률변수 X의 pdf가 $f(x) = 4x^3$, $0 < x < 1$이다. $Y = X^2$의 pdf를 구하라.

5.1-3 확률변수 X가 $\alpha = 3$과 $\theta = 2$인 감마분포를 갖는다고 한다. $Y = \sqrt{X}$의 pdf를 구하라.

5.1-4 확률변수 X의 pdf가 $f(x) = \theta x^{\theta-1}$, $0 < x$

< 1, $0 < \theta < \infty$이다. $Y = -2\theta \ln X$의 분포를 구하라.

5.1-5 다음의 cdf로 주어지는 **극단값 분포**(extreme value distribution)는 통계학에서 자주 사용된다.

$$F(x) = 1 - \exp\left[-e^{(x-\theta_1)/\theta_2}\right], \quad -\infty < x < \infty$$

$\theta_1 = 0$과 $\theta_2 = 1$일 때의 $F(x)$의 간단한 형태는 다음과 같다.

$$F(x) = 1 - \exp\left[-e^{x}\right], \qquad -\infty < x < \infty$$

이제 $Y = e^X$ 혹은 $X = \ln Y$라 놓자. 그러면 Y의 공간은 $0 < y < \infty$이다.

(a) $\theta_1 = 0$, $\theta_2 = 1$일 때 Y의 분포가 지수분포임을 밝혀라.

(b) $\theta_1 \neq 0$, $\theta_2 > 0$일 때 Y의 cdf와 pdf를 구하라.

(c) Y의 cdf와 pdf에서 $\theta_1 = \ln \beta$, $\theta_2 = 1/\alpha$이라 놓자. 이 분포는 무엇인가?

(d) 분포의 이름이 의미하는 바와 같이 극단값 분포는 가장 긴 홈런, 가장 깊은 탄광, 최대 홍수량 등과 같은 자료를 모형화하는 데 사용될 수 있다. 어느 야구선수의 최대 홈런길이(단위: 피트)를 의미하는 확률변수 X가 $\theta_1 = 550$, $\theta_2 = 25$를 갖는 극단값 분포를 따른다면 X가 500피트 이상일 확률을 구하라.

5.1-6 확률변수 X가 코시분포를 갖는다. 다음을 구하라.

(a) $P(X > 1)$

(b) $P(X > 5)$

(c) $P(X > 10)$

5.1-7 확률변수 X의 분포가 $N(\mu, \sigma^2)$이라면 $M(t) = E(e^{tX}) = \exp(\mu t + \sigma^2 t^2/2)$, $-\infty < t < \infty$이다. $X = \ln Y$이므로 $Y = e^X$은 **로그정규분포**(lognormal distribution)를 갖는다고 한다.

(a) Y의 pdf가 다음과 같음을 밝혀라.

$$g(y) = \frac{1}{y\sqrt{2\pi\sigma^2}} \exp[-(\ln y - \mu)^2/2\sigma^2], \qquad 0 < y < \infty$$

(b) $M(t)$를 이용해 **(i)** $E(Y) = E(e^X) = M(1)$, **(ii)** $E(Y^2) = E(e^{2X}) = M(2)$, **(iii)** $\mathrm{Var}(Y)$를 구하라.

5.1-8 $Y = X^2$이라 놓자.

(a) 확률변수 X의 분포가 $N(0, 1)$일 때 Y의 pdf를 구하라.

(b) 확률변수 X의 pdf가 $f(x) = (3/2)x^2$, $-1 < x < 1$일 때 Y의 pdf를 구하라.

5.2 두 확률변수의 변환

5.1절에서는 pdf $f(x)$를 갖는 확률변수 X의 변환을 다루었다. 특히 연속인 경우, $Y = u(X)$가 증가하거나 감소하는 X의 함수이며, 그 역함수가 $X = v(Y)$일 때 Y의 pdf는 다음과 같았다.

$$g(y) = |v'(y)|\, f[v(y)], \qquad c < y < d$$

여기서 공간 $c < y < d$는 변환 $x = v(y)$로부터 X의 공간 $a < x < b$에 사상된다.

여기서 한 가지 주의할 것이 있다. $Y = u(x)$가 1대1 변환관계가 아닌 경우는 Y의 분포를 구하는 것이 단순하지 않다. 2개의 역함수를 갖는 5.1절의 2개 예제에서처럼 특별한 주의를 기울여야 한다. 이 절에서도 여러 개의 역함수를 갖는 경우는 다루지 않았지만 그러한 경우에는 항상 주의해야 한다.

이제 2개의 확률변수를 갖는 경우로 확장해보자. 여기서 하나의 역함수만 존재하는 경우, 도함수를 야코비안으로 대체하는 것 외에는 1개 변수의 경우와 똑같은 규칙을 적용할 수 있다. 즉, X_1과 X_2가 결합 pdf $f(x_1, x_2)$를 갖는 2개의 연속형 확률변수이고, $Y_1 = u_1(X_1, X_2)$, $Y_2 = u_2(X_1, X_2)$가 하나의 역함수 $X_1 = v_1(Y_1, Y_2)$, $X_2 = v_2(Y_1, Y_2)$를 가지면, Y_1과 Y_2의 결합 pdf는

$$g(y_1, y_2) = |J|\, f[v_1(y_1, y_2), v_2(y_1, y_2)], \qquad (y_1, y_2) \in S_Y$$

가 되고, **야코비안**(Jacobian) J는 다음과 같은 행렬식으로 정의된다.

$$J = \begin{vmatrix} \dfrac{\partial x_1}{\partial y_1} & \dfrac{\partial x_1}{\partial y_2} \\ \dfrac{\partial x_2}{\partial y_1} & \dfrac{\partial x_2}{\partial y_2} \end{vmatrix}$$

물론 변환 $y_1 = u_1(x_1, x_2)$, $y_2 = u_2(x_1, x_2)$하에서 X_1, X_2의 공간 S_X의 사상을 고려함으로써 Y_1, Y_2의 공간 S_Y를 구할 수 있다. Y_1과 Y_2의 분포를 구하는 이러한 방법을 **변수변환기법**이라고 한다.

흔히 X_1, X_2의 공간 S_X로부터 Y_1, Y_2의 공간 S_Y로의 사상을 구하기는 상당히 어려울 수 있다. 다음 간단한 두 예제를 생각해보자.

예제 5.2-1 확률변수 X_1, X_2가 결합 pdf

$$f(x_1, x_2) = 2, \qquad 0 < x_1 < x_2 < 1$$

를 갖는다고 하자. 변환

$$Y_1 = \frac{X_1}{X_2}, \qquad Y_2 = X_2$$

로부터 다음의 역함수를 얻는다.

$$x_1 = y_1 y_2, \qquad x_2 = y_2$$

또한 야코비안은 다음과 같이 계산된다.

$$J = \begin{vmatrix} y_2 & y_1 \\ 0 & 1 \end{vmatrix} = y_2$$

그림 5.2-1(a)에 그려진 공간 S_X를 생각해보자. S_X의 경계는 공간에 속하지 않지만, 그

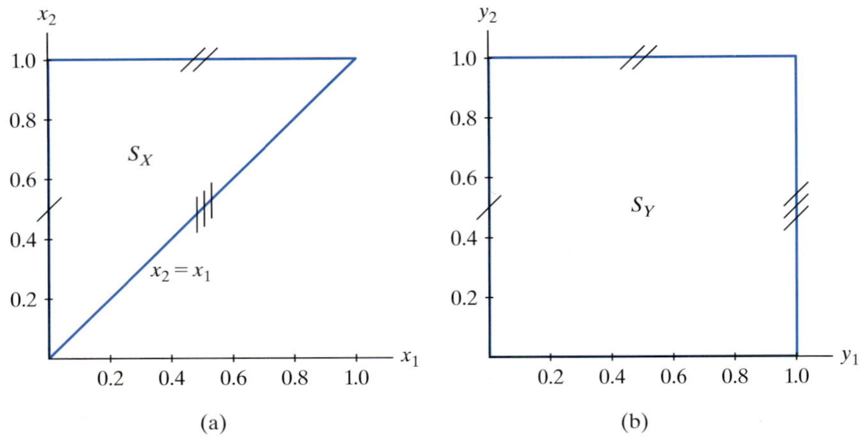

그림 5.2-1 (a) X_1, X_2 공간에서 (b) Y_1, Y_2 공간으로의 사상

들이 어떻게 사상되는가를 알아보자. $x_1 = 0, 0 < x_2 < 1$인 점들은 $y_1 = 0, 0 < y_2 < 1$로 사상되고, $x_2 = 1, 0 \le x_1 < 1$인 점들은 $y_2 = 1, 0 \le y_1 < 1$로 사상되며, $0 < x_1 = x_2 \le 1$인 점들은 $y_1 = 1, 0 < y_2 \le 1$로 사상된다. 이들 사상의 관계를 그림 5.2-1(a)와 그림 5.2-1(b)에 있는 선분에 대응되는 기호로 표시했다.

변환은 여전히 1대1 변환으로만 제한되어야 하는데, $y_2 = 0, 0 \le y_1 < 1$의 무수히 많은 점들은 단 하나의 점 $x_1 = 0, x_2 = 0$으로 다(多)대1 변환관계이다. 그러나 $x_1 = 0$과 $x_2 = 0$은 공간 S_X에 속하지 않으므로 문제되지 않는다. S_Y는 그림 5.2-1(b)에 그려져 있고, 변수변환기법에 의해 구한 Y_1, Y_2의 결합 pdf와 주변 pdf는 각각 다음과 같다.

$$g(y_1, y_2) = |y_2| \cdot 2 = 2y_2, \qquad 0 < y_1 < 1, \;\; 0 < y_2 < 1$$

$$g_1(y_1) = \int_0^1 2y_2\, dy_2 = 1, \qquad 0 < y_1 < 1$$

$$g_2(y_2) = \int_0^1 2y_2\, dy_1 = 2y_2, \qquad 0 < y_2 < 1$$

비록 Y_1의 계산은 Y_2의 값에 많이 종속되지만, $Y_1 = X_1/X_2$과 $Y_2 = X_2$는 확률의 의미에서 독립이다. ■

예제 5.2-2 확률변수 X_1과 X_2는 pdf

$$f(x) = e^{-x}, \qquad 0 < x < \infty$$

를 갖는 서로 독립인 확률변수이다. 따라서 그들의 결합 pdf는 다음과 같다.

$$f(x_1)f(x_2) = e^{-x_1 - x_2}, \qquad 0 < x_1 < \infty, \;\; 0 < x_2 < \infty$$

다음과 같은 변환을 생각해보자.

$$Y_1 = X_1 - X_2, \qquad Y_2 = X_1 + X_2$$

위 변환으로부터 역함수는

$$x_1 = \frac{y_1 + y_2}{2}, \qquad x_2 = \frac{y_2 - y_1}{2}$$

이며 야코비안은 다음과 같이 계산된다.

$$J = \begin{vmatrix} \frac{1}{2} & \frac{1}{2} \\ -\frac{1}{2} & \frac{1}{2} \end{vmatrix} = \frac{1}{2}$$

공간 S_X는 그림 5.2-2(a)에 그려져 있다. 경계의 선분 $x_1 = 0,\ 0 < x_2 < \infty$와 $x_2 = 0$, $0 < x_1 < \infty$는 각각 $y_1 + y_2 = 0,\ y_2 > y_1$과 $y_1 = y_2,\ y_2 > -y_1$에 사상된다. 이들 선분과 공간 S_Y는 그림 5.2-2(b)에 그려져 있다. 영역 S_Y는 수평선분과 수직선분으로 경계되지 않았으므로 Y_1과 Y_2는 종속이다.

Y_1과 Y_2의 결합 pdf는 다음과 같이 주어진다.

$$g(y_1, y_2) = \frac{1}{2}\, e^{-y_2}, \qquad -y_2 < y_1 < y_2,\ \ 0 < y_2 < \infty$$

이 결합 pdf를 이용해 확률 $P(Y_1 \geq 0,\ Y_2 \leq 4)$는 다음 2개의 적분식 중 어느 것을 사용해도 계산될 수 있다.

$$\int_0^4 \int_{y_1}^4 \frac{1}{2}\, e^{-y_2}\, dy_2\, dy_1 \qquad \text{혹은} \qquad \int_0^4 \int_0^{y_2} \frac{1}{2}\, e^{-y_2}\, dy_1\, dy_2$$

그러나 두 번째 식을 선택해 다음의 확률을 얻는다.

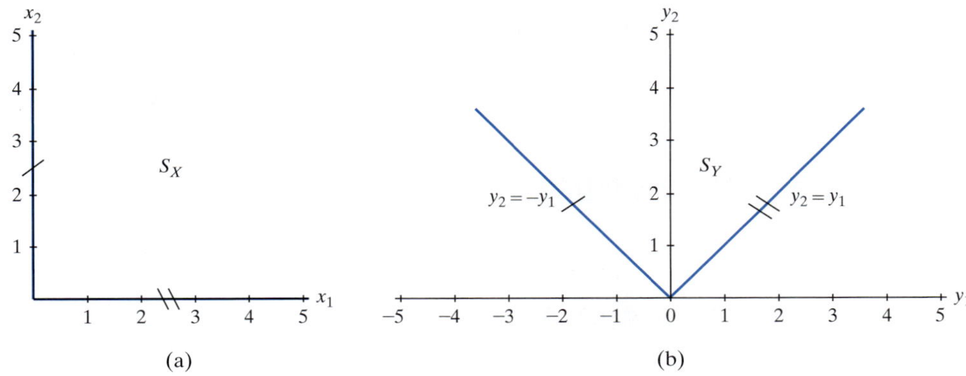

그림 5.2-2 (a) X_1, X_2 공간에서 (b) Y_1, Y_2 공간으로의 사상

$$\int_0^4 \frac{1}{2} y_2 e^{-y_2}\, dy_2 = \left[\frac{1}{2}(-y_2)e^{-y_2} - \frac{1}{2} e^{-y_2}\right]_0^4$$
$$= \frac{1}{2} - 2e^{-4} - \frac{1}{2} e^{-4} = \frac{1}{2}\left[1 - 5e^{-4}\right]$$

Y_1과 Y_2의 주변 pdf는 각각 다음과 같이 주어진다.

$$g_1(y_1) = \begin{cases} \displaystyle\int_{-y_1}^{\infty} \frac{1}{2} e^{-y_2}\, dy_2 = \frac{1}{2} e^{y_1}, & -\infty < y_1 \le 0 \\ \displaystyle\int_{y_1}^{\infty} \frac{1}{2} e^{-y_2}\, dy_2 = \frac{1}{2} e^{-y_1}, & 0 < y_1 < \infty \end{cases}$$

$$g_2(y_2) = \int_{-y_2}^{y_2} \frac{1}{2} e^{-y_2}\, dy_1 = y_2 e^{-y_2}, \qquad 0 < y_2 < \infty$$

특히, Y_1의 주변 pdf $g_1(y_1)$은

$$g_1(y_1) = \frac{1}{2} e^{-|y_1|}, \qquad -\infty < y_1 < \infty$$

와 같이 쓸 수 있으며, 이것을 **이중지수분포**(double exponential distribution) 혹은 때때로 **라플라스분포**(Laplace distribution)의 pdf라고 한다. ■

이제 2개의 중요한 분포를 만드는 2개의 예제를 살펴보자. 이들 중 두 번째 예제는 변수변환방법이 아닌 분포함수기법을 사용한다.

예제 5.2-3 확률변수 X_1과 X_2는 각각 모수 α, θ와 β, θ를 갖는 서로 독립인 감마분포를 갖는다고 하자. X_1과 X_2의 결합 pdf는 다음과 같다.

$$f(x_1, x_2) = \frac{1}{\Gamma(\alpha)\Gamma(\beta)\theta^{\alpha+\beta}} x_1^{\alpha-1} x_2^{\beta-1} \exp\left(-\frac{x_1 + x_2}{\theta}\right), \ 0 < x_1 < \infty, \ 0 < x_2 < \infty$$

다음과 같은 변환을 생각해보자.

$$Y_1 = \frac{X_1}{X_1 + X_2}, \qquad Y_2 = X_1 + X_2$$

이 변환으로부터 역함수는

$$X_1 = Y_1 Y_2, \qquad X_2 = Y_2 - Y_1 Y_2$$

이고 야코비안 계산은 다음과 같다.

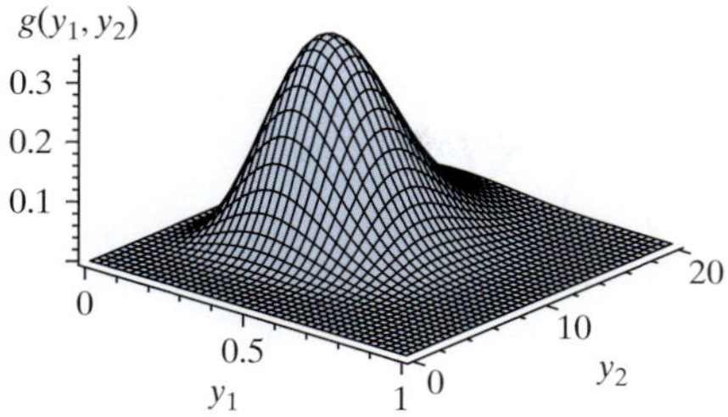

(a) $\alpha = 4, \beta = 7, \theta = 1$

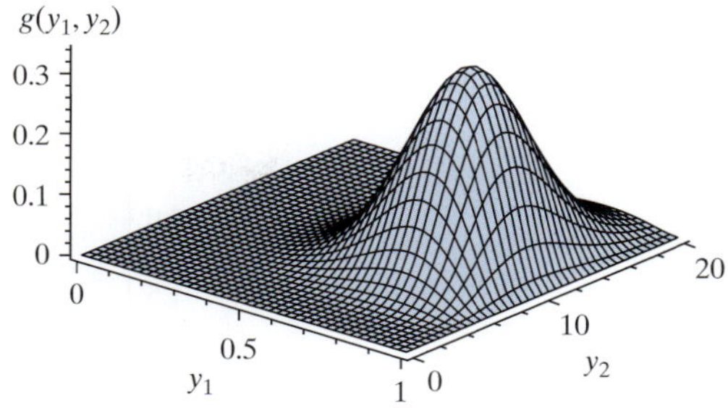

(b) $\alpha = 8, \beta = 3, \theta = 1$

그림 5.2-3 결합 pdf $g(y_1, y_2)$

$$J = \begin{vmatrix} y_2 & y_1 \\ -y_2 & 1 - y_1 \end{vmatrix} = y_2(1 - y_1) + y_1 y_2 = y_2$$

따라서 Y_1과 Y_2의 결합 pdf는 다음과 같다.

$$g(y_1, y_2) = |y_2| \frac{1}{\Gamma(\alpha)\Gamma(\beta)\theta^{\alpha+\beta}} (y_1 y_2)^{\alpha-1}(y_2 - y_1 y_2)^{\beta-1} e^{-y_2/\theta}$$

$$0 < y_1 < 1, \; 0 < y_2 < \infty$$

그림 5.2-3(a)에는 $\alpha = 4$, $\beta = 7$, $\theta = 1$인 경우의 결합 pdf $g(y_1, y_2)$의 그림이 그려져 있고, 그림 5.2-3(b)에는 $\alpha = 8$, $\beta = 3$, $\theta = 1$인 경우의 결합 pdf $g(y_1, y_2)$의 그림이 그려져 있다. Y_1의 주변 pdf는 다음과 같다. 이때 아래 적분 계산은 모수 $\alpha + \beta$와 θ를 갖는 감마 pdf의 적분값이 1이 됨을 이용한다.

$$\begin{aligned} g_1(y_1) &= \frac{y_1^{\alpha-1}(1 - y_1)^{\beta-1}}{\Gamma(\alpha)\Gamma(\beta)} \int_0^\infty \frac{y_2^{\alpha+\beta-1}}{\theta^{\alpha+\beta}} e^{-y_2/\theta} \, dy_2 \\ &= \frac{\Gamma(\alpha + \beta)}{\Gamma(\alpha)\Gamma(\beta)} y_1^{\alpha-1}(1 - y_1)^{\beta-1}, \qquad 0 < y_1 < 1 \end{aligned}$$

이 pdf를 모수 α, β를 갖는 **베타분포**(beta distribution)의 pdf라고 한다. 베타 pdf는 그림 5.2-4에 나와 있다. 그림 5.2-3과 그림 5.2-4의 관계에 주목하라. ■

다음 예제는 분포함수기법을 사용한다.

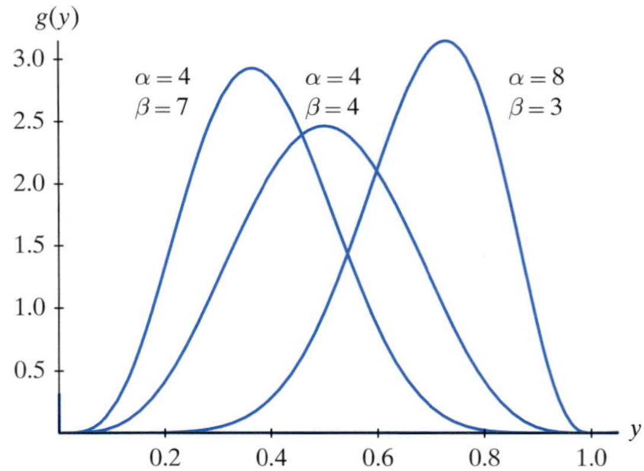

그림 5.2-4 베타 pdf

예제 5.2-4 확률변수 U, V가 각각 자유도가 r_1, r_2인 서로 독립인 카이제곱변수일 때 다음과 같은 변환을 생각해보자.

$$W = \frac{U/r_1}{V/r_2}$$

U, V는 독립이므로 U, V의 결합 pdf는 다음과 같이 주어진다.

$$g(u, v) = \frac{u^{r_1/2-1}e^{-u/2}}{\Gamma(r_1/2)2^{r_1/2}} \frac{v^{r_2/2-1}e^{-v/2}}{\Gamma(r_2/2)2^{r_2/2}}, \qquad 0 < u < \infty, \ \ 0 < v < \infty$$

W의 cdf는 다음과 같다.

$$\begin{aligned} F(w) &= P(W \le w) \\ &= P\left(\frac{U/r_1}{V/r_2} \le w\right) \ = \ P\left(U \le \frac{r_1}{r_2} w V\right) \\ &= \int_0^\infty \int_0^{(r_1/r_2)wv} g(u, v)\, du\, dv, \qquad w > 0 \end{aligned}$$

즉,

$$F(w) = \frac{1}{\Gamma(r_1/2)\Gamma(r_2/2)} \int_0^\infty \left[\int_0^{(r_1/r_2)wv} \frac{u^{r_1/2-1}e^{-u/2}}{2^{(r_1+r_2)/2}}\, du \right] v^{r_2/2-1} e^{-v/2}\, dv$$

가 되어, 괄호 안의 적분에 미분적분학의 기본정리를 활용하면, W의 pdf는 다음과 같다.

$$
\begin{aligned}
f(w) &= F'(w) \\
&= \frac{1}{\Gamma(r_1/2)\Gamma(r_2/2)}\int_0^\infty \frac{[(r_1/r_2)vw]^{r_1/2-1}}{2^{(r_1+r_2)/2}} e^{-(r_1/2r_2)(vw)}\left(\frac{r_1}{r_2}v\right)v^{r_2/2-1}e^{-v/2}\,dv \\
&= \frac{(r_1/r_2)^{r_1/2}w^{r_1/2-1}}{\Gamma(r_1/2)\Gamma(r_2/2)}\int_0^\infty \frac{v^{(r_1+r_2)/2-1}}{2^{(r_1+r_2)/2}} e^{-(v/2)[1+(r_1/r_2)w]}\,dv
\end{aligned}
$$

위 적분에서 다음과 같은 변수변환

$$
y = \left(1+\frac{r_1}{r_2}w\right)v, \qquad \frac{dv}{dy} = \frac{1}{1+(r_1/r_2)w}
$$

을 시행하면 W의 pdf는 다음과 같이 된다. 이때 아래 적분 계산에서 피적분함수는 $\chi^2(r_1+r_2)$의 pdf이므로 적분값이 1이 됨을 이용한다.

$$
\begin{aligned}
f(w) &= \frac{(r_1/r_2)^{r_1/2}\Gamma[(r_1+r_2)/2]w^{r_1/2-1}}{\Gamma(r_1/2)\Gamma(r_2/2)[1+(r_1w/r_2)]^{(r_1+r_2)/2}}\int_0^\infty \frac{y^{(r_1+r_2)/2-1}e^{-y/2}}{\Gamma[(r_1+r_2)/2]2^{(r_1+r_2)/2}}\,dy \\
&= \frac{(r_1/r_2)^{r_1/2}\Gamma[(r_1+r_2)/2]w^{r_1/2-1}}{\Gamma(r_1/2)\Gamma(r_2/2)[1+(r_1w/r_2)]^{(r_1+r_2)/2}}, \qquad w > 0
\end{aligned}
$$

이 pdf를 자유도 r_1과 r_2를 갖는 ***F* 분포**(*F* distribution)의 pdf라고 하고, 확률변수 F는 $F(r_1, r_2)$ 분포를 갖는다고 표기한다. F 분포 pdf의 그래프는 그림 5.2-5에 보여진다. ■

다음 중요한 정리의 증명은 예제 5.2-4를 참고한다.

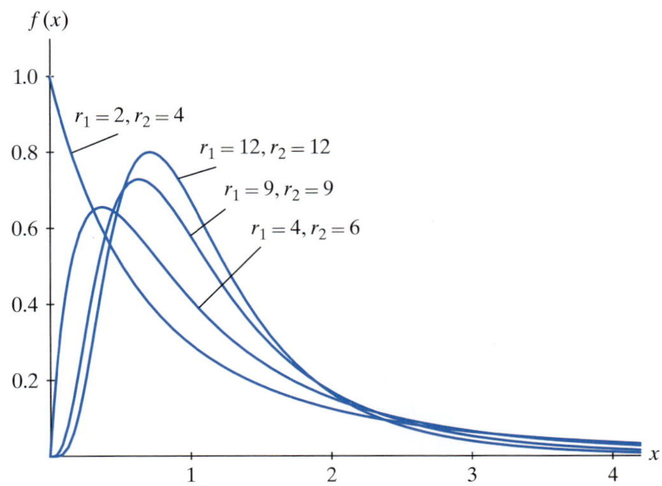

그림 5.2-5 *F* pdf

정리 5.2-1 ***F* 분포**

서로 독립인 확률변수 U와 V가 $U \sim \chi^2(r_1)$, $V \sim \chi^2(r_2)$라면

$$W = \frac{U/r_1}{V/r_2} \sim F(r_1, r_2)$$

이고 W의 pdf는 다음과 같이 주어진다.

$$f(w) = \frac{\Gamma[(r_1+r_2)/2](r_1/r_2)^{r_1/2} w^{r_1/2-1}}{\Gamma(r_1/2)\Gamma(r_2/2)[1+(r_1/r_2)w]^{(r_1+r_2)/2}}, \quad w > 0$$

$F(r_1, r_2)$ 분포의 분위수(quantile)는 부록 B의 표 7에 제시되어 있다. 오른쪽 꼬리 확률 $\alpha(0.05, 0.025, 0.01)$에 대해서

$$P[W \geq F_\alpha(r_1, r_2)] = \alpha$$

와 같은 $F_\alpha(r_1, r_2)$값이 부록 B의 표 7에 제시되어 있다.

왼쪽 꼬리 부분의 작은 확률 α에 대해서는 $W \sim F(r_1, r_2)$이면 $1/W \sim F(r_2, r_1)$이라는 사실을 이용한다(연습문제 5.2-9 참조). 따라서

$$\alpha = P[W \leq F_{1-\alpha}(r_1, r_2)] = P[1/W \geq 1/F_{1-\alpha}(r_1, r_2)]$$

이고

$$P[1/W \geq F_\alpha(r_2, r_1)] = \alpha$$

이므로 다음이 성립한다.

$$\frac{1}{F_{1-\alpha}(r_1, r_2)} = F_\alpha(r_2, r_1) \qquad \text{혹은} \qquad F_{1-\alpha}(r_1, r_2) = \frac{1}{F_\alpha(r_2, r_1)}$$

이리하여 왼쪽 꼬리 부분의 작은 확률 (0.05, 0.025, 0.01)에 대해서도 부록 B의 표 7을 이용해 구할 수 있다.

예제 5.2-5 확률변수 W는 $F(4, 6)$ 분포를 갖는다. 부록 B의 표 7로부터

$$F_{0.05}(4, 6) = 4.53$$
$$P(W \leq 9.15) = 0.99$$

이다. 즉, $F_{0.01}(4, 6) = 9.15$이다. 또한,

$$F_{0.95}(4, 6) = \frac{1}{F_{0.05}(6, 4)} = \frac{1}{6.16} = 0.1623$$

$$F_{0.99}(4, 6) = \frac{1}{F_{0.01}(6, 4)} = \frac{1}{15.21} = 0.0657$$

이다. 따라서 위의 결과로부터 다음과 같이 얻을 수 있다.

$$P(1/15.21 \le W \le 9.15) = 0.98$$
$$P(1/6.16 \le W \le 4.53) = 0.90$$

■

예제 5.2-6 **박스-뮬러 변환** $U(0,\ 1)$ 분포를 갖는 서로 독립인 두 확률변수 X_1과 X_2에 대한 다음과 같은 변환을 생각해보자.

$$Z_1 = \sqrt{-2\ln X_1}\,\cos(2\pi X_2), \qquad Z_2 = \sqrt{-2\ln X_1}\,\sin(2\pi X_2)$$

또한 편의상 $Q = Z_1^2 + Z_2^2$이라 놓자. 이제 다음의 역함수

$$X_1 = \exp\left(-\frac{Z_1^2 + Z_2^2}{2}\right) = e^{-Q/2}, \qquad X_2 = \frac{1}{2\pi}\arctan\left(\frac{Z_2}{Z_1}\right)$$

로부터 야코비안은 다음과 같다.

$$J = \begin{vmatrix} -z_1 e^{-q/2} & -z_2 e^{-q/2} \\ \dfrac{-z_2}{2\pi(z_1^2+z_2^2)} & \dfrac{z_1}{2\pi(z_1^2+z_2^2)} \end{vmatrix} = \frac{-1}{2\pi}\,e^{-q/2}$$

X_1과 X_2의 결합 pdf

$$f(x_1, x_2) = 1, \qquad 0 < x_1 < 1,\ \ 0 < x_2 < 1$$

로부터 Z_1과 Z_2의 결합 pdf는 다음과 같이 주어진다.

$$\begin{aligned} g(z_1, z_2) &= \left|\frac{-1}{2\pi}\,e^{-q/2}\right|(1) \\ &= \frac{1}{2\pi}\exp\left(-\frac{z_1^2 + z_2^2}{2}\right), \qquad -\infty < z_1 < \infty,\ \ -\infty < z_2 < \infty \end{aligned}$$

이러한 변환에서 특히 $Z_1 = 0$일 때 어려움이 있으나 이때의 확률은 0이므로 문제가 되지는 않는다(연습문제 5.2-7 참조). 요약하면, 이 **박스-뮬러 변환**(Box-Muller transformation)을 사용하면 2개의 독립인 $U(0,\ 1)$ 확률변수로부터 2개의 독립인 $N(0,\ 1)$ 확률변수를 생성할 수 있다. ■

연습문제

5.2-1 X_1, X_2는 $\chi^2(2)$ 분포를 갖는 서로 독립인 확률변수이다. $Y_1 = X_1$, $Y_2 = X_1 + X_2$의 결합 pdf를 구하라. 여기서 Y_1과 Y_2의 공간은 $0 < y_1 < y_2 < \infty$이다. 또한 Y_1, Y_2 각각의 주변 pdf를 구하라. Y_1, Y_2는 독립인가?

5.2-2 W가 $F(r_1, r_2)$ 분포를 갖는다면 $W = (U/r_1)/(V/r_2)$로 놓을 수 있다. 이때 U와 V는 서로 독립인 $X^2(r_1)$, $X^2(r_2)$ 확률변수이다. 먼저 $E(U)$, $E(1/V)$, $E(U^2)$, $E(1/V^2)$을 구해 F 분포의 평균과 분산을 구하라.

5.2-3 확률변수 W의 분포는 $F(8, 4)$이다. 다음을 구하라.

(a) $F_{0.01}(8, 4)$

(b) $F_{0.09}(8, 4)$

(c) $P(0.198 \le W \le 8.98)$

5.2-4 X_1, X_2는 각각 자유도가 r_1, r_2인 서로 독립인 카이제곱 확률변수라고 하자. 다음을 밝혀라.

(a) $U = X_1/(X_1 + X_2)$는 $\alpha = r_1/2$, $\beta = r_2/2$인 베타분포를 갖는다.

(b) $V = X_2/(X_1 + X_2)$는 $\alpha = r_2/2$, $\beta = r_1/2$인 베타분포를 갖는다.

5.2-5 $f(x) = cx^3(1 - x)^6$, $0 < x < 1$이 pdf가 되도록 상수 c를 구하라.

5.2-6 확률변수 X_1과 X_2는 서로 독립이며 어느 기계장치의 핵심적인 두 부품의 각 수명(단위: 시간)을 나타낸다. 이 기계장치는 두 부품이 모두 고장 났을 때 작동하지 않는다고 한다. $X_i (i = 1, 2)$는 평균 1,000인 지수분포를 갖는다고 하자. $Y_1 = \min(X_1, X_2)$, $Y_2 = \max(X_1, X_2)$라 놓으면 Y_1, Y_2의 공간은 $0 < y_1 < y_2 < \infty$이다.

(a) $G(y_1, y_2) = P(Y_1 \le y_1, Y_2 \le y_2)$를 구하라.

(b) 기계장치가 1,200시간 이후에 작동하지 않을 확률, 즉 $P(Y_2 > 1{,}200)$을 계산하라.

5.2-7 예제 5.2-6에서 주어진 변환이 $\{(x_1, x_2): 0 < x_1 < 1, 0 < x_2 < 1\}$에서 확률 0을 갖는 점을 제외하고 $\{(z_1, z_2): -\infty < z_1 < \infty, -\infty < z_2 < \infty\}$으로 사상됨을 입증하라.

5.2-8 확률변수 W가 $F(r_1, r_2)$ 분포를 갖는다면 $Z = 1/[1 + (r_1/r_2)W]$는 모수 $\alpha = r_2/2$와 $\beta = r_1/2$을 갖는 베타분포를 따름을 밝혀라.

5.2-9 확률변수 W가 $F(r_1, r_2)$ 분포를 갖는다면 $1/W$이 $F(r_2, r_1)$ 분포를 가짐을 밝혀라.

5.3 여러 독립인 확률변수

5.2절에서는 2개의 확률변수와 관련된 여러 가지 분포를 소개했다. 이들 각각의 확률변수들은 어떤 확률실험의 하나의 측정치로 생각할 수 있다. 여기서는 여러 가지 확률실험을 하거나 혹은 하나의 확률실험을 여러 번 행할 수 있다고 가정한다. 또한 하나의 사상은 다른 사상과 독립으로 행해진다고 가정한다.

5.2절을 상기하면, X_1과 X_2가 각각 pmf $f_1(x_1)$과 $f_2(x_2)$를 갖는 이산형 확률변수이고

$$\begin{aligned} P(X_1 = x_1, X_2 = x_2) &= P(X_1 = x_1)\,P(X_2 = x_2) \\ &= f_1(x_1)f_2(x_2), \qquad x_1 \in S_1,\ \ x_2 \in S_2 \end{aligned}$$

이면 X_1과 X_2는 독립이라고 하고, 결합 pmf는 $f_1(x_1)f_2(x_2)$이다.

때때로 2개의 확률실험이 정확히 같은 경우가 있다. 예를 들면, 공평한 정육면체 주사위를 독립으로 두 번 던져서 첫 번째 결과를 X_1, 두 번째 결과를 X_2라 하자. 그러면 X_1의 pmf는 $f(x_1) = 1/6$, $x_1 = 1, 2, \ldots, 6$이고 X_2의 pmf는 $f(x_2) = 1/6$, $x_2 = 1, 2, \ldots, 6$이다. 이제 결합 pmf는 다음과 같다.

$$f(x_1)f(x_2) = \left(\frac{1}{6}\right)\left(\frac{1}{6}\right) = \frac{1}{36}, \qquad x_1 = 1, 2, \ldots, 6, \quad x_2 = 1, 2, \ldots, 6$$

일반적으로 독립인 확률변수 X_1과 X_2의 pmf $f(x)$는 같고 결합 pmf는 $f(x_1)f(x_2)$이다. 게다가 이런 경우 두 확률변수 X_1, X_2의 모임을 pmf $f(x)$를 갖는 분포로부터 추출한 $n = 2$ 크기의 **확률표본**(random sample)이라고 한다. 그러므로 위 예에서는 X_1과 X_2는 공간 {1, 2, 3, 4, 5, 6}을 갖는 균일분포로부터 추출한 크기 $n = 2$의 확률표본이다.

예제 5.3-1 X_1과 X_2는 공평한 정육면체 주사위를 두 번 던져서 나온 결과를 나타내는 서로 독립인 확률변수이다. 즉, X_1과 X_2는 다음 pmf를 갖는 크기 $n = 2$의 확률표본이다.

$$f(x) = \frac{1}{6}, \; x = 1, 2, 3, 4, 5, 6$$

이제 다음과 같은 계산을 할 수 있다.

$$E(X_1) = E(X_2) = \sum_{x=1}^{6} xf(x) = 3.5$$

$$\text{Var}(X_1) = \text{Var}(X_2) = \sum_{x=1}^{6} (x - 3.5)^2 f(x) = \frac{35}{12}$$

$$E(X_1X_2) = E(X_1)E(X_2) = (3.5)(3.5) = 12.25$$

$$E[(X_1 - 3.5)(X_2 - 3.5)] = E(X_1 - 3.5)E(X_2 - 3.5) = 0$$

만약 $Y = X_1 + X_2$이면 다음을 얻는다.

$$E(Y) = E(X_1) + E(X_2) = 3.5 + 3.5 = 7$$

$$\begin{aligned}
\text{Var}(Y) &= E[(X_1 + X_2 - 7)^2] = E\{[(X_1 - 3.5) + (X_2 - 3.5)]^2\} \\
&= E[(X_1 - 3.5)^2] + E[2(X_1 - 3.5)(X_2 - 3.5)] + E[(X_2 - 3.5)^2] \\
&= \text{Var}(X_1) + (2)(0) + \text{Var}(X_2) \\
&= (2)\left(\frac{35}{12}\right) = \frac{35}{6}
\end{aligned}$$

■

예제 5.3-1에서 $Y = X_1 + X_2$의 pmf $g(y)$는 Y의 공간 {2, 3, 4, ..., 12} 위에서 다음과 같이 구할 수 있다.

$$g(2)=P(X_1=1, X_2=1)=f(1)f(1)=\left(\frac{1}{6}\right)\left(\frac{1}{6}\right)=\frac{1}{36}$$

$$g(3)=P(X_1=1, X_2=2 \quad \text{또는} \quad X_1=2, X_2=1)=\left(\frac{1}{6}\right)\left(\frac{1}{6}\right)+\left(\frac{1}{6}\right)\left(\frac{1}{6}\right)=\frac{2}{36}$$

$$g(4)=P(X_1=1, X_2=3 \quad \text{또는} \quad X_1=2, X_2=2 \quad \text{또는} \quad X_1=3, X_2=1)=\frac{3}{36}$$

이렇게 계속 계산하여 pmf의 결과가 다음과 같이 주어진다.

y	2	3	4	5	6	7	8	9	10	11	12
$g(y)$	$\frac{1}{36}$	$\frac{2}{36}$	$\frac{3}{36}$	$\frac{4}{36}$	$\frac{5}{36}$	$\frac{6}{36}$	$\frac{5}{36}$	$\frac{4}{36}$	$\frac{3}{36}$	$\frac{2}{36}$	$\frac{1}{36}$

또한 위 pmf를 이용하면 기댓값 $E(Y)$와 분산 $\mathrm{Var}(Y)$는 다음과 같다.

$$E(Y)=\sum_{y=2}^{12} y\,g(y)=7$$

$$\mathrm{Var}(Y)=\sum_{y=2}^{12}(y-7)^2 g(y)=\frac{35}{6}$$

이 결과는 예제 5.3-1의 결과와 일치한다.

이산형의 두 확률변수에 관한 모든 정의와 결과는 연속형의 두 확률변수의 경우에도 비슷하게 적용된다. 더욱이 2개의 서로 독립인 확률변수에 관한 개념을 n개의 서로 독립인 확률변수들로 확장할 수 있다. 즉, 만일 $X_1, X_2, \ldots, X_n$이 **독립**이면 결합 pmf 혹은 pdf는 각각의 pmf 혹은 pdf의 곱, 즉 $f_1(x_1)f_2(x_2)\cdots f_n(x_n)$이다.

만일 n개의 모든 분포가 같을 때, n개의 독립이고 동일하게 분포하는(independent and identically distributed, iid) 확률변수들의 집합 $X_1, X_2, \ldots, X_n$은 **공통분포로부터 추출한 크기 n인 확률표본**(random sample of size n from that common distribution)이라고 한다. 이때 공통분포의 pmf 혹은 pdf가 $f(x)$라면 결합 pmf 혹은 pdf는 $f(x_1)f(x_2)\ldots f(x_n)$이다.

예제 5.3-2 X_1, X_2, X_3은 pdf가

$$f(x)=e^{-x}, \qquad 0<x<\infty$$

인 분포에서 추출한 확률표본이다. 이들 3개의 확률변수들의 결합 pdf는 다음과 같다.

$$f(x_1,x_2,x_3)=(e^{-x_1})(e^{-x_2})(e^{-x_3})=e^{-x_1-x_2-x_3}, \qquad 0<x_i<\infty,\ i=1,2,3$$

X_1, X_2, X_3은 서로 독립이기 때문에 다음과 같이 확률계산이 이루어진다.

$$P(0 < X_1 < 1, 2 < X_2 < 4, 3 < X_3 < 7)$$
$$= \left(\int_0^1 e^{-x_1} dx_1\right)\left(\int_2^4 e^{-x_2} dx_2\right)\left(\int_3^7 e^{-x_3} dx_3\right)$$
$$= (1 - e^{-1})(e^{-2} - e^{-4})(e^{-3} - e^{-7})$$

■

예제 5.3-3 어느 전기장치는 3개의 부품 중 하나라도 고장이 나면 작동을 멈춘다. 각 부품의 수명(단위: 주)인 X_1, X_2, X_3은 서로 독립이고 각각은 다음과 같은 와이블분포를 갖는다.

$$f(x) = \frac{2x}{25} e^{-(x/5)^2}, \qquad 0 < x < \infty$$

이 전기장치가 첫 3주 내에 작동이 멈출 확률은 다음과 같이 계산된다.

$$\begin{aligned} 1 - P(X_1 > 3, X_2 > 3, X_3 > 3) &= 1 - P(X_1 > 3)P(X_2 > 3)P(X_3 > 3) \\ &= 1 - \left(\int_3^\infty f(x)dx\right)^3 \\ &= 1 - \left(\left[-e^{-(x/5)^2}\right]_3^\infty\right)^3 \\ &= 1 - \left[e^{-(3/5)^2}\right]^3 = 0.660 \end{aligned}$$

독립이 아닌 n개 확률변수들의 결합 pmf(혹은 pdf)는 다음과 같이 나타낸다.

$$f(x_1, x_2, \ldots, x_n), \qquad (x_1, x_2, \ldots, x_n) \in S$$

따라서 $u(X_1, X_2, \ldots, X_n)$의 **수학적 기댓값**[(mathematical expectation) 혹은 **기댓값**(expected value)]은 이산형의 경우

$$E[u(X_1, X_2, \ldots, X_n)] = \sum\sum_S \cdots \sum u(x_1, x_2, \ldots, x_n) f(x_1, x_2, \ldots, x_n)$$

과 같이 계산되며, 연속형의 경우는 총합을 적분으로 바꾸면 된다. 물론 $Y = u(X_1, X_2, \ldots, X_n)$이 pmf(혹은 pdf) $g(y)$를 갖는다면 다음이 성립한다.

$$E(Y) = \sum_y y\, g(y) = \sum\sum_S \cdots \sum u(x_1, x_2, \ldots, x_n) f(x_1, x_2, \ldots, x_n)$$

마지막으로 $X_1, X_2, \ldots, X_n$이 서로 독립인 확률변수들이고 각각 pmf(혹은 pdf) $f_1(x_1)$, $f_2(x_2), \ldots, f_n(x_n)$을 갖는다면 결합 pmf(혹은 pdf)는 다음과 같이 주어진다.

$$f(x_1, x_2, \ldots, x_n) = f_1(x_1) f_2(x_2) \ldots f_n(x_n)$$

다음의 정리는 n개의 독립인 확률변수들의 함수의 곱의 기댓값은 함수의 기댓값들의 곱이 됨을 보인다.

정리 5.3-1 $X_1, X_2, \ldots, X_n$이 서로 독립인 확률변수들이고 $Y = u_1(X_1)u_2(X_2)\cdots u_n(X_n)$이라 놓자. 이때 $E[u_i(X_i)]$, $i = 1, 2, \ldots, n$이 존재한다면 다음이 성립한다.

$$E(Y) = E[u_1(X_1)\,u_2(X_2)\cdots u_n(X_n)] = E[u_1(X_1)]E[u_2(X_2)]\cdots E[u_n(X_n)]$$

증명 이산형 변수인 경우에 다음을 얻는다.

$$\begin{aligned} &E[u_1(X_1)u_2(X_2)\cdots u_n(X_n)] \\ &= \sum_{x_1}\sum_{x_2}\cdots\sum_{x_n} u_1(x_1)\,u_2(x_2)\cdots u_n(x_n)f_1(x_1)f_2(x_2)\cdots f_n(x_n) \\ &= \sum_{x_1} u_1(x_1)f_1(x_1)\sum_{x_2} u_2(x_2)f_2(x_2)\cdots\sum_{x_n} u_n(x_n)f_n(x_n) \\ &= E[u_1(X_1)]E[u_2(x_2)]\cdots E[u_n(X_n)] \end{aligned}$$

연속형 변수인 경우에는 총합을 적분으로 바꾸어 증명한다.

참고 정리 5.3-1에서 확률변수들의 곱의 기댓값은 각 확률변수의 기댓값의 곱과 같음을 말하므로 $E(X^2) = E(XX) = [E(X)][E(X)] = [E(X)]^2$이 성립하는 것으로 받아들여서는 안 된다. 정리에서 전제되는 가정은 확률변수들끼리 독립이어야 한다. 그러나 같은 확률변수들은 독립이 아니다. 만약에 $E(X^2) = [E(X)]^2$이라면 $\sigma^2 = E(X^2) - [E(X)]^2 = 0$이 되는데 이런 경우는 퇴화분포(degenerate distribution)의 경우에만 해당한다.

이제 확률변수들의 선형결합의 평균과 분산에 관한 중요한 정리를 증명해본다.

정리 5.3-2 $X_1, X_2, \ldots, X_n$이 각각 평균 $\mu_1, \mu_2, \ldots, \mu_n$과 분산 $\sigma_1^2, \sigma_2^2, \ldots, \sigma_n^2$을 갖는 n개의 확률변수이고, $a_1, a_2, \ldots, a_n$이 실수인 상수들이라고 하면, $Y = \sum_{i=1}^n a_iX_i$의 평균은 다음과 같다.

$$\mu_Y = \sum_{i=1}^n a_i\mu_i$$

또한 $X_1, X_2, \ldots, X_n$이 독립이라면 Y의 분산은 다음과 같다.

$$\sigma_Y^2 = \sum_{i=1}^n a_i^2\,\sigma_i^2$$

증명 합의 기댓값은 기댓값들의 합이므로 다음과 같다.

$$\mu_Y = E(Y) = E\left(\sum_{i=1}^n a_iX_i\right) = \sum_{i=1}^n a_iE(X_i) = \sum_{i=1}^n a_i\mu_i$$

또한

$$\sigma_Y^2 = E[(Y-\mu_Y)^2] = E\left[\left(\sum_{i=1}^{n} a_i X_i - \sum_{i=1}^{n} a_i \mu_i\right)^2\right]$$

$$= E\left\{\left[\sum_{i=1}^{n} a_i (X_i - \mu_i)\right]^2\right\} = E\left[\sum_{i=1}^{n}\sum_{j=1}^{n} a_i a_j (X_i-\mu_i)(X_j-\mu_j)\right]$$

$$= \sum_{i=1}^{n}\sum_{j=1}^{n} a_i a_j\, E[(X_i-\mu_i)(X_j-\mu_j)]$$

그러나 $i \neq j$이면 X_i와 X_j가 독립이기 때문에

$$E[(X_i-\mu_i)(X_j-\mu_j)] = E(X_i-\mu_i)E(X_j-\mu_j) = (\mu_i-\mu_i)(\mu_j-\mu_j) = 0$$

이고, 따라서 분산은 다음과 같다.

$$\sigma_Y^2 = \sum_{i=1}^{n} a_i^2 E[(X_i-\mu_i)^2] = \sum_{i=1}^{n} a_i^2 \sigma_i^2$$

참고 정리 5.3-2에서 두 번째 증명은 X_i와 X_j가 상관관계가 있는 경우도 쉽게 증명된다. 즉, X_i와 X_j의 상관관계가 존재한다면

$$E[(X_i-\mu_i)(X_j-\mu_j)] = \rho_{ij}\sigma_i\sigma_j$$

이다. 따라서

$$\sigma_Y^2 = \sum_{i=1}^{n} a_i^2\sigma_i^2 + 2\sum_{i<j}\sum a_i a_j \rho_{ij}\sigma_i\sigma_j$$

이다. 이때 두 번째 항의 총합 앞에 2가 곱해진 이유는 $a_i a_j \rho_{ij}\sigma_i\sigma_j = a_j a_i \rho_{ji}\sigma_j\sigma_i$이고 $i<j$ 위에서 합해지기 때문이다.

예제 5.3-4 서로 독립인 확률변수 X_1, X_2는 각각 평균 $\mu_1 = -4$, $\mu_2 = 3$과 분산 $\sigma_1^2 = 4$, $\sigma_2^2 = 9$를 갖는다고 한다. 그러면 $Y = 3X_1 - 2X_2$의 평균과 분산은 각각 다음과 같다.

$$\mu_Y = (3)(-4) + (-2)(3) = -18$$

$$\sigma_Y^2 = (3)^2(4) + (-2)^2(9) = 72$$

만약 X_3가 X_2와 같은 평균 및 같은 분산을 가지고, X_1과는 $\rho = 0.3$만큼의 상관관계를 갖는다면 $W = 3X_1 - 2X_3$의 평균은 Y의 평균과 같으나 W의 분산은 다음과 같다.

$$\sigma_W^2 = (3)^2(4) + (-2)^2(9) + (2)(3)(-2)(0.3)(\sqrt{4})(\sqrt{9}) = 50.4$$ ■

예제 5.3-5 X_1, X_2는 평균 μ, 분산 σ^2인 분포로부터 추출한 확률표본이다. $Y = X_1 - X_2$라 하면 Y의 평균과 분산은 각각 다음과 같다.

$$\mu_Y = \mu - \mu = 0, \qquad \sigma_Y^2 = (1)^2\sigma^2 + (-1)^2\sigma^2 = 2\sigma^2$$ ■

$X_1, X_2, \ldots, X_n$은 평균 μ, 분산 σ^2을 갖는 분포에서 추출한 크기가 n인 확률표본이다. **확률표본의 평균**(mean of a randon sample), 즉

$$\overline{X} = \frac{X_1 + X_2 + \cdots + X_n}{n}$$

은 $a_i = 1/n$을 갖는 선형결합이므로 $\overline{X}$의 평균과 분산은 각각 다음과 같다.

$$\mu_{\overline{X}} = \sum_{i=1}^{n}\left(\frac{1}{n}\right)\mu = \mu, \qquad \sigma_{\overline{X}}^2 = \sum_{i=1}^{n}\left(\frac{1}{n}\right)^2\sigma^2 = \frac{\sigma^2}{n}$$

즉, $\overline{X}$의 평균은 확률표본을 추출했던 모집단의 평균과 같으나 분산은 모집단 분산을 n으로 나눈 값으로 줄어든다. 확률표본 $X_1, X_2, \ldots, X_n$의 함수를 **통계량**(statistic)이라고 한다. $\overline{X}$가 모평균 μ의 추정에 사용되는 통계량이므로 모평균 μ의 **추정량**(estimator)이라고 한다. 또 다른 중요한 통계량으로서 **표본분산**(sample variance)

$$S^2 = \frac{1}{n-1}\sum_{i=1}^{n}(X_i - \overline{X})^2$$

은 모분산 σ^2의 추정량으로 사용된다.

연습문제

5.3-1 X_1, X_2는 각각 평균 $\lambda_1 = 2$, $\lambda_2 = 3$인 서로 독립인 푸아송 확률변수이다. 다음을 구하라.

(a) $P(X_1 = 3, X_2 = 5)$

(b) $P(X_1 + X_2 = 1)$

힌트: 이 사상은 $\{X_1 = 1, X_2 = 0\}$ 혹은 $\{X_1 = 0, X_2 = 1\}$일 때만 가능하다.

5.3-2 X_1, X_2는 각각 pdf $f_1(x_1) = 2x_1$, $0 < x_1 < 1$, $f_2(x_2) = 4x_2^3$, $0 < x_2 < 1$을 갖는 서로 독립인 확률변수이다. 다음을 구하라.

(a) $P(0.5 < X_1 < 1, 0.4 < X_2 < 0.8)$

(b) $E(X_1^2 X_2^3)$

5.3-3 X_1, X_2는 다음의 pmf

$$f(x) = \frac{x}{6}, \qquad x = 1, 2, 3$$

을 갖는 분포에서 추출한 크기가 $n = 2$인 확률표본이다. $Y = X_1 + X_2$의 pmf를 구하고, Y의 평균과 분산을 구하라.

5.3-4 두 도시에서의 소득분포는 다음과 같이 두 가지 형태의 파레토 pdf를 각각 갖는다.

$$f(x) = \frac{2}{x^3}, \quad 1 < x < \infty$$

$$g(y) = \frac{3}{y^4}, \quad 1 < y < \infty$$

각 도시에서 소득이 있는 한 사람이 임으로 선택된다. X와 Y를 이들 각자의 소득(단위: 2만 달러)이라고 하자. $P(X < Y)$를 구하라.

5.3-5 $X_1, X_2, \ldots, X_n$은 평균 μ, 분산 σ^2인 분포로부터 추출한 크기 n인 확률표본이다. $Y_1 = X_1$, $Y_2 = X_1 - X_2$, $Y_3 = X_1 - X_2 + X_3, \ldots, Y_n = \sum_{i=1}^{n}(-1)^{i-1}X_i$라 정의하자. $E(Y_k)$ 및 $\text{Var}(Y_k)$, $k = 1, \ldots, n$을 구하라.

5.3-6 X_1, X_2, X_3는 각각 이항분포 $b(4, 1/2)$, $b(6, 1/3)$, $b(12, 1/6)$을 따르는 서로 독립인 확률변수들이다. 다음을 구하라.

(a) $P(X_1 = 2, X_2 = 2, X_3 = 5)$

(b) $E(X_1X_2X_3)$

(c) $Y = X_1 + X_2 + X_3$의 평균과 분산

5.3-7 어느 기계장치는 3개의 부품으로 구성되어 있다. 각 부품의 수명(단위: 시간)은 pdf

$$f(x) = \frac{2x}{10^2} e^{-(x/10)^2}, \qquad 0 < x < \infty$$

를 가지며, 각 부품의 수명은 독립이라 가정한다. 기계장치는 부품 중 하나라도 고장 나면 가동되지 않는다고 한다. 기계장치가 가동 후 첫 한 시간 내에 가동을 멈출 확률을 구하라.

힌트: $G(y) = P(Y \le y) = 1 - P(Y > y) = 1 - P(3\text{개 모두} > y)$

5.3-8 어떤 수술에 대한 의료보험에서 X는 의사에게 지불되는 액수(단위: 달러)이고 Y는 병원 측에 지불되는 액수(단위: 달러)이다. 과거에 $\text{Var}(X) = 8{,}100$, $\text{Var}(Y) = 10{,}000$, $\text{Var}(X + Y) = 20{,}000$이라고 한다. 증가한 수술 비용에 따라 의사에게 지불되는 액수는 500달러만큼 그리고 병원 측에 지불되는 액수는 8%만큼 올리기로 결정되었다. 새로운 보험기준에 따라 책정된 금액 $X + 500 + (1.08)Y$의 분산을 계산하라.

5.3-9 어느 장치를 구성하는 2개의 부품은 병렬로 작동한다. 즉, 2개의 부품 모두가 고장 나야만 장치는 작동을 멈춘다. 각 부품의 수명 X_1과 X_2는 서로 독립이고, $\alpha = 1$, $\theta = 2$의 감마분포를 갖는다. 장치의 작동비용은 $Z = 2Y_1 + Y_2$이다. 이때 $Y_1 = \min(X_1, X_2)$, $Y_2 = \max(X_1, X_2)$이다. $E(Z)$를 구하라.

5.3-10 8개의 공평한 동전을 던져서 표면이 나온 모든 동전을 제거한다. 이면이 나온 나머지 동전들을 또 던져서 표면이 나온 동전을 제거한다. 이렇게 표면이 나오는 한 던지는 실험을 계속한다. 필요한 시행횟수 Y의 pmf를 구하기 위해 X_i, $i = 1, 2, 3, \ldots, 8$을 동전 i에서 표면이 나올 때까지 던지는 횟수라 하자. 그러면 $Y = \max(X_1, X_2, \ldots, X_8)$이다. 다음을 입증하라.

(a) $P(Y \le y) = [1 - (1/2)^y]^8$

(b) $P(Y = y) = [1 - (1/2)^y]^8 - [1 - (1/2)^{y-1}]^8$, $y = 1, 2, \ldots$

5.4 적률생성함수기법

앞선 세 절에서는 확률변수의 알려진 분포로부터 확률변수의 함수의 분포를 결정하기 위한 몇 가지 기법을 다루었다. 같은 목적을 위해 이 절에서 다루게 될 또 다른 기법은

적률생성함수기법이다. 만약 $Y = u(X_1, X_2, \ldots, X_n)$이라면 $E(Y)$는 $E[u(X_1, X_2, \ldots, X_n)]$을, $E[e^{tY}]$는 $E[e^{tu(X_1, X_2, \ldots, X_n)}]$을 계산함으로써 얻을 수 있음에 주목하자. 이제 간단한 예제를 살펴보기로 한다.

예제 5.4-1 확률변수 X_1, X_2는 서로 독립이고 공간 $\{1, 2, 3, 4\}$ 위에서 균일분포를 갖는다. $Y = X_1 + X_2$라 놓자. 그러면 Y는 공평한 정사면체 주사위 2개를 던져 나오는 눈의 합이라 할 수 있다. Y의 mgf는

$$M_Y(t) = E(e^{tY}) = E[e^{t(X_1+X_2)}] = E(e^{tX_1}e^{tX_2}), \qquad -\infty < t < \infty$$

이며, X_1, X_2가 독립이므로

$$M_Y(t) = E(e^{tX_1})E(e^{tX_2})$$

으로 되고, X_1, X_2는 같은 pmf

$$f(x) = \frac{1}{4}, \qquad x = 1, 2, 3, 4$$

를 가지므로 같은 mgf

$$M_X(t) = \frac{1}{4}e^t + \frac{1}{4}e^{2t} + \frac{1}{4}e^{3t} + \frac{1}{4}e^{4t}$$

을 갖는다. 따라서 $M_Y(t) = [M_X(t)]^2$으로부터 Y의 mgf는 다음과 같다.

$$\frac{1}{16}e^{2t} + \frac{2}{16}e^{3t} + \frac{3}{16}e^{4t} + \frac{4}{16}e^{5t} + \frac{3}{16}e^{6t} + \frac{2}{16}e^{7t} + \frac{1}{16}e^{8t}$$

여기서 e^{bt}의 계수는 확률 $P(Y = b)$와 같다. 예를 들면 $4/16 = P(Y = 5)$이다. 따라서 Y의 적률생성함수를 이용해 Y의 분포를 구할 수 있음을 알 수 있다. ■

어떤 응용분야에서는 확률변수들의 선형결합의 평균과 분산을 아는 것만으로도 충분할 수 있다. 그러나 이 선형결합의 분포를 정확히 안다면 매우 도움이 될 것이다. 다음 정리는 서로 독립인 확률변수들의 선형결합의 분포를 구하는 데 자주 사용된다.

정리 5.4-1 $X_1, X_2, \ldots, X_n$은 각각 적률생성함수 $M_{X_i}(t)$, $-h_i < t < h_i$, $h_i > 0$, $i = 1, 2, \ldots, n$을 갖는 서로 독립인 확률변수들이라 하면, $Y = \sum_{i=1}^{n} a_i X_i$의 적률생성함수는 다음과 같다.

$$M_Y(t) = \prod_{i=1}^{n} M_{X_i}(a_i t), \quad -h_i < a_i t < h_i$$

증명 Y의 mgf는 정리 5.3-1을 사용해 다음과 같이 계산된다.

$$\begin{aligned} M_Y(t) &= E[e^{tY}] = E[e^{t(a_1X_1+a_2X_2+\cdots+a_nX_n)}] \\ &= E[e^{a_1tX_1}e^{a_2tX_2}\cdots e^{a_ntX_n}] \\ &= E[e^{a_1tX_1}]E[e^{a_2tX_2}]\cdots E[e^{a_ntX_n}] \end{aligned}$$

그러나

$$E(e^{tX_i}) = M_{X_i}(t)$$

이므로

$$E(e^{a_itX_i}) = M_{X_i}(a_it)$$

이다. 따라서

$$M_Y(t) = M_{X_1}(a_1t)M_{X_2}(a_2t)\cdots M_{X_n}(a_nt) = \prod_{i=1}^{n} M_{X_i}(a_it)$$

따름정리 5.4-1 $X_1, X_2, \ldots, X_n$을 각각 적률생성함수 $M(t)$, $-h < t < h$를 갖는 분포에서 추출한 확률표본이라고 하면

(a) $Y = \sum_{i=1}^{n} X_i$의 적률생성함수는 다음과 같다.

$$M_Y(t) = \prod_{i=1}^{n} M(t) = [M(t)]^n, \quad -h < t < h$$

(b) $\overline{X} = \sum_{i=1}^{n} (1/n)X_i$의 적률생성함수는 다음과 같다.

$$M_{\overline{X}}(t) = \prod_{i=1}^{n} M\left(\frac{t}{n}\right) = \left[M\left(\frac{t}{n}\right)\right]^n, \quad -h < \frac{t}{n} < h$$

증명 (a)에 대해서 정리 5.4-1에서 $a_i = 1$, $i = 1, 2, \ldots, n$이라 놓는다. (b)에 대해서 $a_i = 1/n$, $i = 1, 2, \ldots, n$이라 놓는다.

다음 두 예제는 정리 5.4-1과 따름정리 5.4-1을 응용하는 예제이다. mgf를 일단 찾으면 그 mgf는 고려되고 있는 확률변수의 분포를 유일하게 결정한다는 사실을 기억하자.

예제 5.4-2 $X_1, X_2, \ldots, X_n$은 서로 독립이고 각각 성공의 확률 p를 갖는 n개의 베르누이 확률변수이다. X_i, $i = 1, 2, \ldots, n$의 mgf는 다음과 같다.

$$M(t) = q + pe^t, \quad -\infty < t < \infty$$

$Y = \sum_{i=1}^{n} X_i$로 놓으면 Y의 mgf는

$$M_Y(t) = \prod_{i=1}^{n} (q + pe^t) = (q + pe^t)^n, \qquad -\infty < t < \infty$$

가 되는데 이 mgf는 이항분포 $b(n, p)$의 mgf이다. 따라서 Y의 분포는 $b(n, p)$이다. ■

예제 5.4-3 X_1, X_2, X_3는 평균 θ와 mgf $M(t) = 1/(1 - \theta t)$, $t < 1/\theta$인 지수분포에서 추출한 크기가 $n = 3$인 확률표본이다. $Y = X_1 + X_2 + X_3$의 mgf는

$$M_Y(t) = [(1 - \theta t)^{-1}]^3 = (1 - \theta t)^{-3}, \qquad t < 1/\theta$$

이 되므로, Y의 분포는 모수 $\alpha = 3$과 θ를 갖는 감마분포가 된다. 또 표본평균 $\overline{X}$의 mgf는

$$M_{\overline{X}}(t) = \left[\left(1 - \frac{\theta t}{3}\right)^{-1}\right]^3 = \left(1 - \frac{\theta t}{3}\right)^{-3}, \qquad t < 3/\theta$$

이 되므로, $\overline{X}$의 분포는 모수 $\alpha = 3$과 $\theta/3$를 갖는 감마분포가 된다. ■

정리 5.4-2 $X_1, X_2, \ldots, X_n$이 각각 자유도 $r_1, r_2, \ldots, r_n$을 가지는 서로 독립인 카이제곱 확률변수들이라고 하면 $Y = X_1 + X_2 + \cdots + X_n$은 $\chi^2(r_1 + r_2 + \cdots + r_n)$ 분포를 다른다.

증명 정리 5.4-1에서 $a = 1$을 대입하면 Y의 mgf는 다음과 같다.

$$\begin{aligned} M_Y(t) = \prod_{i=1}^{n} M_{X_i}(t) &= (1 - 2t)^{-r_1/2}(1 - 2t)^{-r_2/2} \cdots (1 - 2t)^{-r_n/2} \\ &= (1 - 2t)^{-\Sigma r_i/2}, \qquad t < 1/2 \end{aligned}$$

이리하여 Y는 $\chi^2(r_1 + r_2 + \cdots + r_n)$ 분포를 갖는다.

다음 2개의 따름정리는 정리 3.3-2와 정리 5.4-2의 결과를 결합하고 확장해서 얻어진다.

따름정리 5.4-2 $Z_1, Z_2, \ldots, Z_n$이 서로 독립인 표준정규 확률변수들이라고 하면 $W = Z_1^2 + Z_2^2 + \cdots + Z_n^2$은 $\chi^2(n)$ 분포를 갖는다.

증명 정리 3.3-2에 의해서 Z_i^2, $i = 1, 2, \ldots, n$은 $\chi^2(1)$ 분포를 갖는다. 정리 5.4-2에서 $k = n$, $Y = W$, $r_i = 1$로 놓으면 W는 $\chi^2(n)$ 분포를 갖는다.

따름정리 5.4-3 $X_1, X_2, \ldots, X_n$이 서로 독립이고 정규분포 $N(\mu_i, \sigma_i^2)$, $i = 1, 2, \ldots, n$을 갖는다면

$$W = \sum_{i=1}^{n} \frac{(X_i - \mu_i)^2}{\sigma_i^2}$$

은 $\chi^2(n)$ 분포를 갖는다.

증명 $Z_i = (X_i - \mu_i)/\sigma_i$가 $N(0, 1)$ 분포를 가지므로 따름정리 5.4-2에 의해서

$$Z_i^2 = \frac{(X_i - \mu_i)^2}{\sigma_i^2}, \qquad i = 1, 2, \ldots, n$$

은 $\chi^2(1)$ 분포를 갖는다.

연습문제

5.4-1 공평한 정사면체 주사위를 독립적으로 3번 던져서 나온 관측값들 X_1, X_2, X_3는 pmf

$$f(x) = \frac{1}{4}, x = 1, 2, 3, 4$$

인 분포에서 추출한 크기가 $n = 3$인 확률표본이다.

(a) $Y = X_1 + X_2 + X_3$의 pmf를 구하라.

(b) Y의 pmf를 막대그래프로 그려라.

5.4-2 X_1, X_2, X_3는 각각 평균이 2, 1, 4인 푸아송 분포를 갖는 서로 독립인 확률변수이다.

(a) $Y = X_1 + X_2 + X_3$의 mgf를 구하라.

(b) Y의 분포는 무엇인가?

(c) $P(3 \le Y \le 9)$를 구하라.

5.4-3 $Z_1, Z_2, \ldots, Z_7$은 $N(0, 1)$ 분포로부터 추출된 크기 7인 확률표본이다. $W = Z_1^2 + Z_2^2 + \cdots + Z_7^2$이라면 $P(1.69 < \mathrm{W} < 14.07)$을 구하라.

5.4-4 X_1, X_2, X_3는 $\alpha = 7, \theta = 5$인 감마분포에서 추출한 크기가 3인 확률표본이라고 한다.

(a) $Y = X_1 + X_2 + X_3$의 mgf를 구하라.

(b) Y의 분포는 무엇인가?

(c) $\overline{X}$의 분포는 무엇인가?

5.4-5 X, Y는 각각 pmf $f(x)$와 $g(y)$를 갖는 서로 독립인 이산형 확률변수이다. 각 pmf의 공간은 음이 아닌 정수들 0, 1, 2, ...의 집합이다. $W = X + Y$의 pmf가 다음과 같은 **합성곱공식**(convolution formula)에 의해 주어진다는 것을 밝혀라.

$$h(w) = \sum_{x=0}^{w} f(x)g(w-x), \qquad w = 0, 1, 2, \ldots$$

힌트: $h(w) = P(W = w)$가 $w + 1$개의 상호배반 사상 $\{X = x, Y = w - x\}$, $x \in \{0, 1, \ldots, w\}$의 확률인지를 논의하라.

5.4-6 X와 Y는 2개의 공평한 정육면체 주사위를 던져서 나온 결과이다. $W = X + Y$라 하고 독립성을 가정할 때, W의 pmf를 다음의 경우에 대해 각각 구하라.

(a) 첫 번째 주사위는 세 면은 0, 세 면은 2로 되어 있고, 두 번째 주사위는 각 면이 0, 1, 4, 5, 8, 9로 되어 있다.

(b) 첫 번째 주사위는 각 면이 0, 1, 2, 3, 4, 5로 되어 있고, 두 번째 주사위는 각 면이 0, 6, 12, 18, 24, 30으로 되어 있다.

5.4-7 $X_1, X_2, \ldots, X_8$은 pmf

$$f(x) = \frac{x+1}{6},\ x = 0, 1, 2$$

인 분포에서 추출한 확률표본이다. 다음을 구하라.

(a) $W_1 = X_1+X_2$의 pmf (연습문제 5.4-5 이용)

(b) $W_2 = X_3+X_4$의 pmf

(c) $W = W_1+W_2 = X_1+X_2+X_3+X_4$의 pmf

(d) $Y = X_1+X_2+\cdots+X_8$의 pmf

(e) X_1, W_1, W, Y의 확률히스토그램을 그려라. 이들 히스토그램은 대칭인가, 아니면 비대칭인가?

5.4-8 공평한 정사면체 주사위를 던져서 각 면이 적어도 한 번 나올 때까지 던지는 횟수를 Y라고 한다.

(a) X_i가 $p_i = (5 - i)/4,\ i = 1, 2, 3, 4$인 기하분포를 따르고, X_1, X_2, X_3, X_4가 독립일 때, $Y = X_1 + X_2 + X_3 + X_4$임을 논의하라.

(b) Y의 평균과 분산을 구하라.

(c) $P(Y = y),\ y = 4, 5, 6, 7$을 구하라.

5.4-9 어느 질병의 새로운 치료법에 관한 임상연구에서 각 25명의 실험 참가자로 구성된 2개 그룹이 5년 동안 추적 조사되었다. 첫 번째 그룹의 참가자들에게는 기존의 치료법을 적용했고 두 번째 그룹의 참가자들에게는 새로운 치료법을 적용했다. 5년 동안 두 그룹에서 각 개인의 이론적 탈락율은 50%였다. X와 Y를 각각 첫 번째와 두 번째 그룹에서 탈락한 참가자 수라고 하자. 필요시 독립성을 가정했을 때 $Y \geq X + 2$일 확률과 같은 합을 구하라.

힌트: $Y - X + 25$의 분포는 무엇인가?

5.4-10 한 호텔의 도어맨은 택시를 기다리고 있는 세 커플에게 각 커플을 위해 3대의 택시를 잡으려고 한다. 비어 있는 택시의 도착 시간은 평균 2분인 지수분포를 따른다. 독립성을 가정했을 때 도어맨이 6분 이내에 세 커플 모두에게 택시를 잡아 줄 확률을 구하라.

5.4-11 X와 Y는 서로 독립이고 각각 $N(5, 16)$, $N(6, 9)$ 분포를 갖는다. $P(X > Y) = P(X - Y > 0)$을 계산하라.

5.4-12 X는 $N(0, 1)$ 분포를 갖는다. mgf 기법을 사용해 $Y = X^2$의 분포가 $\chi^2(1)$ 분포임을 밝혀라.

힌트: $E(e^{tX^2})$의 적분 계산에서 $w = x\sqrt{1-2t}$로 치환하라.

5.5 정규분포와 관련된 확률함수

통계적 응용에서, 표본이 추출된 모집단이 정규분포 $N(\mu, \sigma^2)$을 따른다고 가정할 때가 많다. 그러면 모수 μ와 σ^2에 대한 추정이나 이 모수들과 관련된 주장에 대해 검정하는 것에 관심을 갖게 된다. 이러한 절차에 보통 사용되는 통계량이 표본평균 $\overline{X}$와 표본분산 S^2이다. 따라서 이 통계량들 혹은 이들의 함수들에 대한 분포에 관해 논의할 필요가 있다.

이제 서로 독립인 정규확률변수들의 선형함수의 분포에 대한 정리를 증명하기 위해 5.4절에서 다루었던 mgf 기법을 사용한다.

정리 5.5-1 $X_1, X_2, \ldots, X_n$은 각각 평균 $\mu_1, \mu_2, \ldots \mu_n$과 분산 $\sigma_1^2, \sigma_2^2, \ldots \sigma_n^2$을 갖는 서로 독립인 정규확률변수라 하면 선형함수 $Y = \sum_{i=1}^{n} c_i X_i$는 다음과 같은 정규분포를 갖는다.

$$N\left(\sum_{i=1}^{n} c_i\mu_i, \sum_{i=1}^{n} c_i^2\sigma_i^2\right)$$

증명 X_i의 mgf는

$$M_{X_i}(t) = \exp(\mu_i t + \sigma_i^2 t^2/2), i = 1, 2, \ldots, n$$

이고, 정리 5.4-1에 의해 Y의 mgf는

$$M_Y(t) = \prod_{i=1}^{n} M_{X_i}(c_i t) = \prod_{i=1}^{n} \exp(\mu_i c_i t + \sigma_i^2 c_i^2 t^2/2)$$

$$= \exp\left[\left(\sum_{i=1}^{n} c_i\mu_i\right)t + \left(\sum_{i=1}^{n} c_i^2\sigma_i^2\right)\left(\frac{t^2}{2}\right)\right],$$

$$-\infty < c_i t < \infty, \text{ 혹은 } -\infty < t < \infty$$

가 된다. 따라서 Y의 분포는 다음과 같은 정규분포를 갖는다.

$$N\left(\sum_{i=1}^{n} c_i\mu_i, \sum_{i=1}^{n} c_i^2\sigma_i^2\right)$$

정리 5.5-1로부터 2개의 서로 독립인 정규확률변수들의 차, $Y = X_1 - X_2$는 정규분포 $N(\mu_1 - \mu_2, \sigma_1^2 + \sigma_2^2)$을 따름을 알 수 있다.

예제 5.5-1 X_1과 X_2는 두 마리 홀스타인 젖소에 의해 생산되는 유지방량(단위: 파운드)이다. 각 젖소들은 송아지 출산 이후 수유기간 305일 중에 Koopman 농장과 Vliestra 농장에서 각각 임의로 선택되었다. 따라서 X_1과 X_2는 독립이다. X_1, X_2의 분포가 각각 $N(693.2, 22{,}820)$, $N(631.7, 19{,}205)$일 때 확률 $P(X_1 > X_2)$를 구해 보자. 즉, Koopman 농장 젖소가 Vliestra 농장 젖소보다 더 많은 유지방을 생산할 확률을 구하려 한다. $Y = X_1 - X_2$의 분포는 $N(693.2 - 631.7, 22{,}820 + 19{,}205)$, 즉 $N(61.5, 42{,}025)$를 갖는다. 따라서 구하는 확률은 다음과 같다.

$$P(X_1 > X_2) = P(Y > 0) = P\left(\frac{Y - 61.5}{\sqrt{42{,}025}} > \frac{0 - 61.5}{205}\right)$$
$$= P(Z > -0.30) = 0.6179$$

■

따름정리 5.5-1 $X_1, X_2, \ldots, X_n$이 정규분포 $N(\mu, \sigma^2)$에서 추출한 크기가 n인 확률표본이라고 하면, 표본평균 $\overline{X}$의 분포는 $N(\mu, \sigma^2/n)$을 갖는다.

증명 정리 5.5-1에서 $c_i = 1/n$, $\mu_i = \mu$, $\sigma_i^2 = \sigma^2$으로 놓는다.

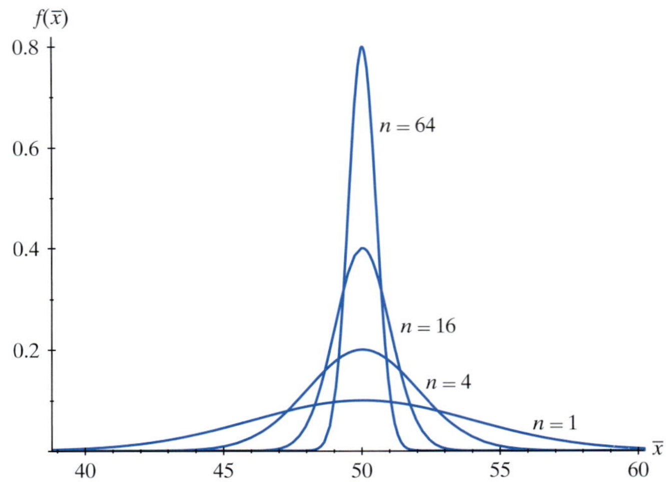

그림 5.5-1 $N(50, 16)$ 분포로부터 추출한 크기 n인 표본평균의 pdf

따름정리 5.5-1에서 $X_1, X_2, \ldots, X_n$이 정규분포 $N(\mu, \sigma^2)$으로부터 추출한 확률표본이라면 $\overline{X}$의 분포는 똑같은 평균 μ를 갖지만 분산은 σ^2/n인 정규분포를 따른다. 이것은 $\overline{X}$가 단일 확률변수 X_1보다 μ를 포함하는 구간에 속할 확률이 더 크다는 것을 의미한다. 예를 들면, $\mu = 50$, $\sigma^2 = 16$, $n = 64$라면, $P(49 < \overline{X} < 51) = 0.9544$인 반면에 $P(49 < X_1 < 51) = 0.1974$이다. 이와 같은 성질은 다음의 예제에서 다시 설명된다.

예제 5.5-2 $X_1, X_2, \ldots, X_n$은 $N(50, 16)$ 분포로부터 추출한 확률표본이다. 그러면 표본평균 $\overline{X}$의 분포는 $N(50, 16/n)$이다. 그림 5.5-1은 n의 영향을 설명하기 위한 $\overline{X}$의 pdf를 보여준다. $n = 64$일 때 $P(49 < \overline{X} < 51)$과 $P(49 < X_1 < 51)$이 나타내는 면적을 비교해보라. ■

다음 정리는 통계적 응용에서 사용되는 중요한 결과이다. 정규분포 $N(\mu, \sigma^2)$에서 추출된 확률표본으로 σ^2을 추론할 때 표본분산 S^2을 사용한다.

정리 5.5-2 $X_1, X_2, \ldots, X_n$은 정규분포 $N(\mu, \sigma^2)$에서 추출한 크기가 n인 확률표본이다. $\overline{X} = \frac{1}{n}\sum_{i=1}^{n} X_i$는 표본평균이고 $S^2 = \frac{1}{n-1}\sum_{i=1}^{n}(X_i - \overline{X})^2$은 표본분산이라고 하면 다음이 성립한다.

(a) $\overline{X}$와 S^2은 독립이다.

(b) $\frac{(n-1)S^2}{\sigma^2}$은 $\chi^2(n-1)$을 갖는다.

증명 지금까지 다루었던 교재의 내용으로는 (a)를 증명할 수 없으므로 증명 없이 받아들이기로 하고(이에 대한 증명은 6.7절 참조) (b)만을 증명하기로 한다. (b)의 증명을 위해 다음 식을 사용한다.

$$W = \sum_{i=1}^{n} \left(\frac{X_i - \mu}{\sigma} \right)^2 = \sum_{i=1}^{n} \left[\frac{(X_i - \overline{X}) + (\overline{X} - \mu)}{\sigma} \right]^2$$
$$= \sum_{i=1}^{n} \left(\frac{X_i - \overline{X}}{\sigma} \right)^2 + \frac{n(\overline{X} - \mu)^2}{\sigma^2} \qquad (5.5\text{-}1)$$

위 식에서 대괄호의 제곱을 계산할 때 교차곱항은 다음과 같이 0이 된다.

$$2\sum_{i=1}^{n} \frac{(\overline{X} - \mu)(X_i - \overline{X})}{\sigma^2} = \frac{2(\overline{X} - \mu)}{\sigma^2} \sum_{i=1}^{n} (X_i - \overline{X}) = 0$$

$Y_i = (X_i - \mu)/\sigma,\ i = 1, 2, \ldots n$은 서로 독립인 $N(0,\ 1)$ 확률변수들이므로 따름정리 5.4-3에 의해 $W = \sum_{i=1}^{n} Y_i^2$는 $\chi^2(n)$ 분포를 갖는다. 또한 $\overline{X}$는 $N(\mu,\ \sigma^2/n)$ 분포를 가지므로

$$Z^2 = \left(\frac{\overline{X} - \mu}{\sigma/\sqrt{n}} \right)^2 = \frac{n(\overline{X} - \mu)^2}{\sigma^2}$$

은 정리 3.3-2에 의해 $\chi^2(1)$을 갖는다. 따라서 식 (5.5-1)은 다음과 같이 쓸 수 있다.

$$W = \frac{(n-1)S^2}{\sigma^2} + Z^2$$

(a)에서 $\overline{X}$와 S^2은 독립이므로, $\overline{X}$의 함수 Z^2과 S^2도 독립이 된다. 따라서 W의 mgf는

$$E[e^{tW}] = E[e^{t\{(n-1)S^2/\sigma^2 + Z^2\}}] = E[e^{t(n-1)S^2/\sigma^2} e^{tZ^2}]$$
$$= E[e^{t(n-1)S^2/\sigma^2}]E[e^{tZ^2}]$$

이 되고, 카이제곱분포를 따르는 W와 Z^2의 mgf를 대입하면

$$(1-2t)^{-n/2} = E[e^{t(n-1)S^2/\sigma^2}](1-2t)^{-1/2}, \qquad t < \frac{1}{2}$$

이므로

$$E[e^{t(n-1)S^2/\sigma^2}] = (1-2t)^{-(n-1)/2}, \qquad t < \frac{1}{2}$$

가 된다. 위 식은 $\chi^2(n-1)$ 확률변수의 mgf이므로 $(n-1)S^2/\sigma^2$은 $\chi^2(n-1)$ 분포를 따름을 알 수 있다.

따름정리 5.4-3과 정리 5.5-2의 결과에 의해, 정규분포로부터 확률표본이 추출되었을 때 다음과 같은 통계량의 확률분포를 얻을 수 있다.

$$U = \sum_{i=1}^{n} \frac{(X_i - \mu)^2}{\sigma^2} \quad \sim \quad \chi^2(n)$$

과

$$W = \sum_{i=1}^{n} \frac{(X_i - \overline{X})^2}{\sigma^2} \quad \sim \quad \chi^2(n-1)$$

즉, $\sum_{i=1}^{n}(X_i - \mu)^2$에서 모평균 μ가 표본평균 $\overline{X}$로 대체됨에 따라서 하나의 자유도가 상실되었음을 알 수 있다. 카이제곱확률변수에서 추정되는 모수에 대해서 자유도를 잃게 되는 보다 일반적인 예는 제7장, 제8장, 제9장에서 볼 수 있다.

예제 5.5-3 X_1, X_2, X_3, X_4는 정규분포 $N(76.4, 383)$에서 추출한 크기가 4인 확률표본이다. 그러면

$$U = \sum_{i=1}^{4} \frac{(X_i - 76.4)^2}{383}$$

은 $\chi^2(4)$ 분포를 따르고

$$W = \sum_{i=1}^{4} \frac{(X_i - \overline{X})^2}{383}$$

은 $\chi^2(3)$ 분포를 따르게 된다. 예를 들면, 다음과 같이 확률계산을 할 수 있다.

$$P(0.711 \le U \le 7.779) = 0.90 - 0.05 = 0.85$$
$$P(0.352 \le W \le 6.251) = 0.90 - 0.05 = 0.85$$

■

다음 정리는 통계적 추론에서 매우 중요한 기초를 제공한다.

정리 5.5-3 **(스튜던트의 t 분포)** Z는 $N(0, 1)$인 확률변수이고, U는 $\chi^2(r)$인 확률변수이며, Z와 U가 독립일 때

$$T = \frac{Z}{\sqrt{U/r}}$$

라 놓으면, T는 자유도가 r인 t 분포를 가지며 다음의 pdf를 갖는다.

$$f(t) = \frac{\Gamma((r+1)/2)}{\sqrt{\pi r}\,\Gamma(r/2)} \frac{1}{(1+t^2/r)^{(r+1)/2}}, \qquad -\infty < t < \infty$$

증명 Z와 U의 결합 pdf는 다음과 같다.

$$g(z, u) = \frac{1}{\sqrt{2\pi}} e^{-z^2/2} \frac{1}{\Gamma(r/2)2^{r/2}} u^{r/2-1} e^{-u/2}, \qquad -\infty < z < \infty,\ 0 < u < \infty$$

T의 cdf는

$$\begin{aligned} F(t) &= P(T \le t) \\ &= P(Z/\sqrt{U/r} \le t) \\ &= P(Z \le \sqrt{U/r}\,t) \\ &= \int_0^\infty \int_{-\infty}^{\sqrt{(u/r)}\,t} g(z, u)\, dz\, du \\ &= \frac{1}{\sqrt{\pi}\,\Gamma(r/2)} \int_0^\infty \left[\int_{-\infty}^{\sqrt{(u/r)}\,t} \frac{e^{-z^2/2}}{2^{(r+1)/2}}\, dz \right] u^{r/2-1} e^{-u/2}\, du \end{aligned}$$

가 된다. T의 pdf는 cdf의 도함수이므로, 미적분학의 기본 정리를 안쪽 적분에 적용하면 T의 pdf는

$$\begin{aligned} f(t) = F'(t) &= \frac{1}{\sqrt{\pi}\,\Gamma(r/2)} \int_0^\infty \frac{e^{-(u/2)(t^2/r)}}{2^{(r+1)/2}} \sqrt{\frac{u}{r}}\, u^{r/2-1} e^{-u/2}\, du \\ &= \frac{1}{\sqrt{\pi r}\,\Gamma(r/2)} \int_0^\infty \frac{u^{(r+1)/2-1}}{2^{(r+1)/2}}\, e^{-(u/2)(1+t^2/r)}\, du \end{aligned}$$

가 되는데 위 적분 계산에서

$$y = (1 + t^2/r)u, \qquad \frac{du}{dy} = \frac{1}{1 + t^2/r}$$

로 변수변환하면 다음과 같이 된다.

$$f(t) = \frac{\Gamma[(r+1)/2]}{\sqrt{\pi r}\,\Gamma(r/2)} \left[\frac{1}{(1 + t^2/r)^{(r+1)/2}} \right] \int_0^\infty \frac{y^{(r+1)/2-1}}{\Gamma[(r+1)/2]\, 2^{(r+1)/2}}\, e^{-y/2}\, dy$$

위의 적분 계산에서 피적분함수는 $\chi^2(r+1)$ 분포의 pdf이므로 적분값이 1이 되어 최종적으로 T의 pdf는 다음과 같이 주어진다.

$$f(t) = \frac{\Gamma[(r+1)/2]}{\sqrt{\pi r}\,\Gamma(r/2)} \frac{1}{(1 + t^2/r)^{(r+1)/2}}, \qquad -\infty < t < \infty$$

$r = 1, 3, 7$일 때의 T의 pdf가 $N(0, 1)$의 pdf와 함께 그림 5.5-2(a)에 주어진다. 그림에서 t 분포의 꼬리 부분은 $N(0, 1)$ 분포의 꼬리 부분보다 더 두텁다. 즉, $N(0, 1)$ 분포보다 t 분포에서 극단값의 확률이 더 크다.

T가 자유도 r의 t 분포를 갖는다면 T는 $t(r)$ 분포를 갖는다고 표기한다. 부록 B의 표 6은 $t(r)$ 분포에서 크기 α의 오른쪽 꼬리 부분의 확률을 갖는 $100(1-\alpha)$백분위수인

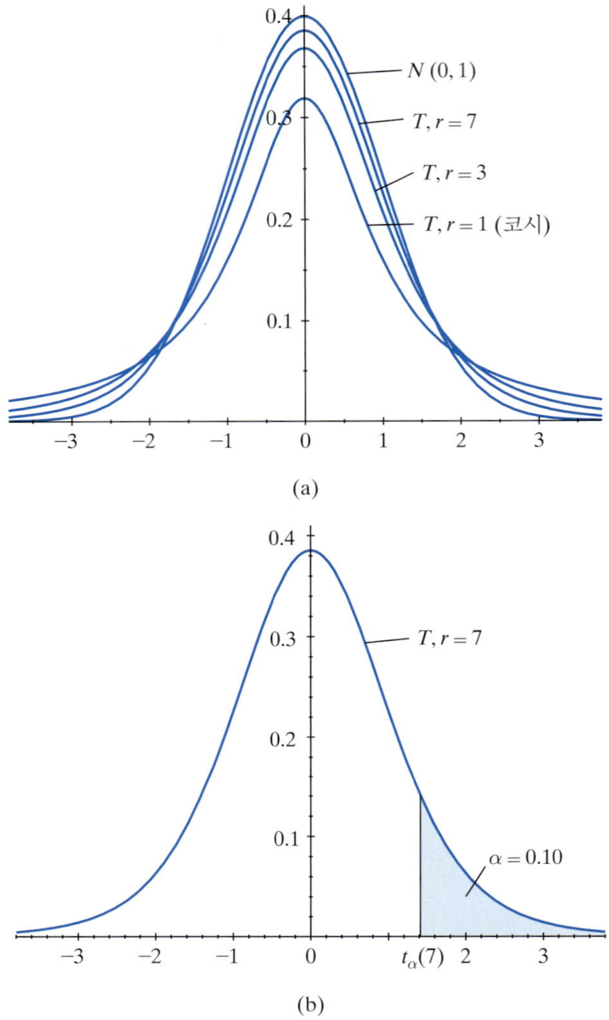

그림 5.5-2 t pdf와 오른쪽 꼬리 확률

$t_\alpha(r)$값을 제공한다[그림 5.5-2(b) 참조].

예제 5.5-4 확률변수 T가 $t(11)$ 분포를 갖는다면

$$t_{0.05}(11) = 1.796, \qquad -t_{0.05}(11) = -1.796$$

이다. 따라서

$$P(-1.796 \le T \le 1.796) = 0.90$$

또한 다음과 같은 cdf값을 얻을 수 있다.

$$P(T \le 2.201) = 0.975, \qquad P(T \le -1.363) = 0.10$$

■

이제 따름정리 5.5-1, 정리 5.5-2, 정리 5.5-3을 사용해 통계적 추론에서 중요하게 사용되는 T 확률변수를 구성해보자. $X_1, X_2, \ldots, X_n$이 $N(\mu, \sigma^2)$ 분포로부터 추출한 크기 n의 확률표본이라고 할 때,

$$Z = \frac{\overline{X} - \mu}{\sigma/\sqrt{n}}, \qquad U = \frac{(n-1)S^2}{\sigma^2}$$

과 같이 놓자. 그러면 따름정리 5.5-1에 의해 Z는 $N(0, 1)$ 분포를 가지며, 정리 5.5-2에 의해 U는 $\chi^2(n-1)$ 분포를 갖고, Z와 U는 서로 독립이다. 따라서

$$T = \frac{\dfrac{\overline{X} - \mu}{\sigma/\sqrt{n}}}{\sqrt{\dfrac{(n-1)S^2}{\sigma^2}\Big/(n-1)}} = \frac{\overline{X} - \mu}{S/\sqrt{n}} \tag{5.5-2}$$

는 정리 5.5-3에 의해 자유도가 $r = n - 1$인 스튜던트의 t 분포(5.9절 역사적 해설 참조)를 갖는다. 7.1절에서 정규분포의 모평균 μ에 대한 신뢰구간 추정을 할 때 이 T를 사용한다.

연습문제

5.5-1 $X_1, X_2, \ldots, X_{16}$은 정규분포 $N(77, 25)$에서 추출한 확률표본이다. 다음을 구하라.

(a) $P(77 < \overline{X} < 79.5)$

(b) $P(74.2 < \overline{X} < 78.4)$

5.5-2 임신 16~25주 사이에 측정된 태아 머리의 지름(단위: mm)을 나타내는 X의 분포는 $N(46.58, 40.96)$이다. $\overline{X}$는 크기 $n = 16$인 확률표본의 평균이다. 다음을 구하라.

(a) $E(\overline{X})$와 $\mathrm{Var}(\overline{X})$

(b) $P(44.42 \le \overline{X} \le 48.98)$

5.5-3 X는 갑판을 만드는 데 사용되는 못의 중량(단위: g)이다. X의 분포가 $N(8.78, 0.16)$이고 $\overline{X}$는 $n = 9$인 확률표본의 평균이다.

(a) X와 $\overline{X}$의 pdf를 같은 축에 겹쳐 그려라.

(b) S^2이 확률표본의 표본분산이라면 $P(a \le S^2 \le b) = 0.90$이 되는 상수 a와 b를 구하라.

힌트: $8S^2/0.16$이 $\chi^2(8)$ 분포를 가짐을 이용하라.

5.5-4 1파운드들이 상자에 포장된 당근 무게의 분포는 $N(1.18, 0.07^2)$이고 3파운드들이 상자에 포장된 당근 무게의 분포는 $N(3.22, 0.09^2)$이다. 임의로 당근 상자를 추출했을 때 1파운드들이 상자 3개의 무게합이 1개의 3파운드들이 상자 무게보다 클 확률을 구하라.

힌트: Y를 1파운드들이 상자 3개의 무게 합, W를 3파운드들이 상자의 무게라 하면 먼저 Y의 분포를 구한 후 $P(Y > W)$를 계산하라.

5.5-5 A 전구회사에서 생산되는 전구의 수명(단위: 시간) X는 $N(800, 14{,}400)$ 분포를 갖고, B 전구회사에서 생산되는 전구의 수명(단위: 시간) Y는 $N(850, 2{,}500)$ 분포를 갖는다. 각 전구회사로부터 전구 1개씩이 임의로 추출되어 수명을 다할 때까지 관측된다.

(a) A 전구회사 전구의 수명이 B 전구회사 전구의 수명을 최소한 15시간만큼 초과할 확률을 구하라.

(b) 전구 중 최소한 하나의 전구는 최소 920시간은 불을 밝힐 확률을 구하라.

5.5-6 Z_1, Z_2, Z_3은 서로 독립인 $N(0, 1)$ 분포를 갖는다.

(a) $W = \dfrac{Z_1}{\sqrt{(Z_2^2 + Z_3^2)/2}}$의 분포를 구하라.

(b) $V = \dfrac{Z_1}{\sqrt{(Z_1^2 + Z_2^2)/2}}$이 pdf $f(v) = 1/(\pi\sqrt{2 - v^2})$, $-\sqrt{2} < v < \sqrt{2}$를 가짐을 밝혀라.

(c) V의 평균을 구하라.

(d) V의 표준편차를 구하라.

(e) W와 V의 분포가 다른 이유는 무엇인가?

5.5-7 T는 $t(17)$ 분포를 갖는다. 다음을 구하라.

(a) $t_{0.01}(17)$

(b) $t_{0.95}(17)$

(c) $P(-1.740 \le T \le 1.740)$

5.6 중심극한정리

5.3절에서 평균 μ, 분산 σ^2을 갖는 분포에서 추출한 크기 n인 확률표본의 평균 $\overline{X}$는

$$E(\overline{X}) = \mu, \qquad \text{Var}(\overline{X}) = \frac{\sigma^2}{n}$$

인 확률변수임을 알았다. 여기서 n이 증가하면 $\overline{X}$의 분산은 감소하므로 $\overline{X}$의 분포는 n에 종속됨을 알 수 있다.

정리 5.5-1에서는 정규모집단 $N(\mu, \sigma^2)$에서 확률표본이 추출되었을 때 $\overline{X}$의 분포는 $N(\mu, \sigma^2/n)$이 됨을 보였고, 그림 5.5-1에서는 n의 여러 가지 값들에 대해 $\overline{X}$의 pdf를 그려 보고 n이 증가하면 μ를 중심으로 작은 구간 안에 확률이 집중되어 $\overline{X}$는 μ에 수렴하고 $(\overline{X} - \mu)$는 0에 확률적 의미로 수렴하게 됨을 알았다(5.8절 참조).

일반적으로 평균 μ, 분산 σ^2을 갖는 어떤 임의의 분포에서 뽑은 크기가 n인 확률표본의 평균과 합을 각각 $\overline{X}$와 Y라 하고,

$$W = \frac{\sqrt{n}}{\sigma}(\overline{X} - \mu) = \frac{\overline{X} - \mu}{\sigma/\sqrt{n}} = \frac{Y - n\mu}{\sqrt{n}\,\sigma}$$

로 놓으면, 양의 정수 n에 대해 다음이 성립한다.

$$E(W) = E\left[\frac{\overline{X} - \mu}{\sigma/\sqrt{n}}\right] = \frac{E(\overline{X}) - \mu}{\sigma/\sqrt{n}} = \frac{\mu - \mu}{\sigma/\sqrt{n}} = 0$$

$$\text{Var}(W) = E(W^2) = E\left[\frac{(\overline{X} - \mu)^2}{\sigma^2/n}\right] = \frac{E[(\overline{X} - \mu)^2]}{\sigma^2/n} = \frac{\sigma^2/n}{\sigma^2/n} = 1$$

여기에서 n이 커질 때 W의 $(\overline{X} - \mu)$는 0으로 수렴하여 '퇴화'하지만 $\sqrt{n}/\sigma$은 '확산'해

W의 퇴화를 방지한다. 그러면 n이 커질 때 W의 분포는 어떻게 될 것인가? 다음에 중심극한정리라고 하는 이와 관련된 중요한 정리를 소개하고, 증명은 5.9절에서 하기로 한다.

정리 5.6-1 중심극한정리(central limit theorem)

$\overline{X}$는 유한의 평균 μ와 유한인 양의 분산 σ^2을 갖는 분포에서 추출한 크기가 n인 확률표본 $X_1, X_2, \ldots, X_n$의 평균이라 하면

$$W = \frac{\overline{X} - \mu}{\sigma/\sqrt{n}} = \frac{\sum_{i=1}^{n} X_i - n\mu}{\sqrt{n}\,\sigma}$$

의 분포는 $n \to \infty$일 때 극한에서 $N(0, 1)$이 된다.

중심극한정리가 실제로 이용되는 것은 n이 '충분히 클 때' W의 근사적 cdf이다. 즉, 다음과 같다.

$$P(W \le w) \approx \int_{-\infty}^{w} \frac{1}{\sqrt{2\pi}} e^{-z^2/2}\, dz = \Phi(w)$$

예제 5.6-1 $\overline{X}$는 가느다란 전선에 흐르는 $n = 25$개 전류(단위: milliamperes) 확률표본의 평균이다. 각 측정치들은 평균 15와 분산 4를 가지고 있다. 그러면 $\overline{X}$는 근사적으로 $N(15, 4/25 = 0.4^2)$의 분포를 따른다. 예를 들면, 다음과 같다.

$$P(14.4 < \overline{X} < 15.6) = P\left(\frac{14.4 - 15}{0.4} < \frac{\overline{X} - 15}{0.4} < \frac{15.6 - 15}{0.4}\right)$$
$$\approx \Phi(1.5) - \Phi(-1.5) = 0.9332 - 0.0668 = 0.8664$$

■

예제 5.6-2 $X_1, X_2, \ldots, X_{20}$은 균일분포 $U(0, 1)$에서 추출한 크기가 20인 확률표본이다. $E(X_i) = 1/2$, $\text{Var}(X_i) = 1/12$, $i = 1, 2, \ldots, 20$이므로 $Y = X_1 + X_2 + \cdots + X_{20}$이라 하면

$$P(Y \le 9.1) = P\left(\frac{Y - 20(1/2)}{\sqrt{20/12}} \le \frac{9.1 - 10}{\sqrt{20/12}}\right) = P(W \le -0.697)$$
$$\approx \Phi(-0.697)$$
$$= 0.2423$$

이다. 또한 다음과 같이 계산된다.

$$P(8.5 \le Y \le 11.7) = P\left(\frac{8.5-10}{\sqrt{5/3}} \le \frac{Y-10}{\sqrt{5/3}} \le \frac{11.7-10}{\sqrt{5/3}}\right)$$
$$= P(-1.162 \le W \le 1.317)$$
$$\approx \Phi(1.317) - \Phi(-1.162)$$
$$= 0.9061 - 0.1226 = 0.7835$$

예제 5.6-3 $\overline{X}$는 pdf $f(x) = x^3/4,\ 0 < x < 2$를 갖는 분포로부터 추출한 크기 25인 확률표본의 평균이다. 이 분포의 평균은 $\mu = 8/5 = 1.6$이고 분산은 $\sigma^2 = 8/75$임을 쉽게 보일 수 있다. 이리하여 다음과 같이 계산할 수 있다.

$$P(1.5 \le \overline{X} \le 1.65) = P\left(\frac{1.5-1.6}{\sqrt{8/75}/\sqrt{25}} \le \frac{\overline{X}-1.6}{\sqrt{8/75}/\sqrt{25}} \le \frac{1.65-1.6}{\sqrt{8/75}/\sqrt{25}}\right)$$
$$= P(-1.531 \le W \le 0.765)$$
$$\approx \Phi(0.765) - \Phi(-1.531)$$
$$= 0.7779 - 0.0629 = 0.7150$$

위의 예제들은 확률표본의 평균 $\overline{X}$ 또는 합 $Y = \sum_{i=1}^{n} X_i$에 관련된 확률을 근사적으로 구하는 데 중심극한정리가 어떻게 사용될 수 있는지를 보여주고 있다. 즉, 표본이 추출된 모집단 분포의 평균을 μ, 분산을 σ^2이라 할 때 n이 '충분히 크면', $\overline{X}$와 Y의 분포는 근사적으로 각각 $N(\mu, \sigma^2/n)$과 $N(n\mu, n\sigma^2)$이 된다. 일반적으로 n이 25 또는 30보다 크면 이들의 근사의 정도는 좋아진다. 그러나 만일 모집단 분포가 연속형으로서 대칭이고 단봉형일 경우에는 n이 4 또는 5 정도로 적을지라도 근사의 정도는 매우 양호해진다. 더구나 원래의 모집단 분포가 근사적으로 정규분포를 이루면, n이 2 또는 3 정도만 되어도 $\overline{X}$는 정규분포에 매우 가까운 분포가 된다. 사실, 표본이 $N(\mu, \sigma^2)$에서 추출된 경우에는 모든 $n = 1, 2, 3, \ldots$ 에 대하여 $\overline{X}$는 정확하게 $N(\mu, \sigma^2/n)$을 따른다.

다음의 예제들은 중심극한정리를 이해하는 데 도움이 될 것이다. 특히, 고려되는 여러 가지 분포로부터 추출한 확률표본의 크기 n이 $\overline{X}$와 $Y = \sum_{i=1}^{n} X_i$의 분포에 어떻게 영향을 주는지를 알 수 있다.

예제 5.6-4 X_1, X_2, X_3, X_4는 균일분포 $U(0, 1)$에서 추출한 크기가 4인 확률표본이라고 하자. 평균과 분산은 각각 $\mu = 1/2$과 $\sigma^2 = 1/12$이 된다. 지금 $Y = \sum_{i=1}^{n} X_i$의 pdf 그래프와 $N(n/2, n/12)$ pdf 그래프를 각각 $n = 2$와 4인 경우에 대해 비교해보고자 한다.

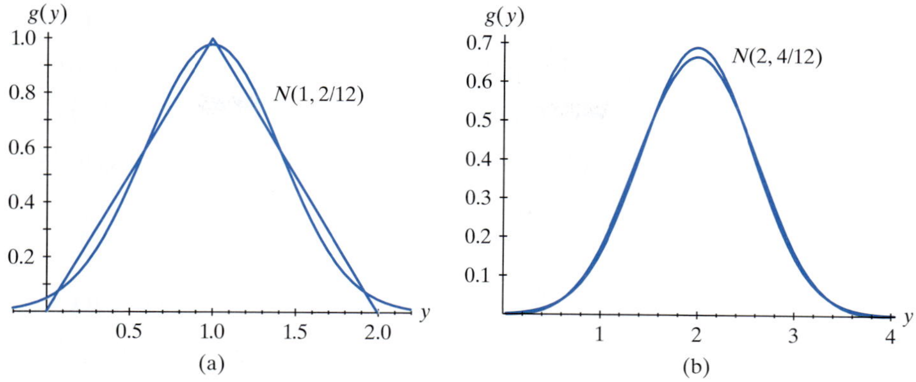

그림 5.6-1 균일확률변수 합의 pdf

5.2절의 방법에 의해 $Y = X_1 + X_2$의 pdf $g(y)$는 다음과 같이 주어진다.

$$g(y) = \begin{cases} y, & 0 < y \le 1 \\ 2 - y, & 1 < y < 2 \end{cases}$$

이것은 삼각 pdf이며 $N[2(1/2), 2(1/12)]$의 그래프를 함께 그려 보면 그림 5.6-1(a)와 같다. 같은 방법으로 $Y = X_1 + X_2 + X_3 + X_4$의 pdf를 구하면 다음과 같다.

$$g(y) = \begin{cases} \dfrac{y^3}{6}, & 0 \le y < 1 \\ \dfrac{-3y^3 + 12y^2 - 12y + 4}{6}, & 1 \le y < 2 \\ \dfrac{3y^3 - 24y^2 + 60y - 44}{6}, & 2 \le y < 3 \\ \dfrac{-y^3 + 12y^2 - 48y + 64}{6}, & 3 \le y \le 4 \end{cases}$$

이 pdf와 $N[4(1/2), 4(1/12)]$의 pdf 그래프를 함께 그려 보면 그림 5.6-1(b)와 같다. 만약 $P(1.7 \le Y \le 3.2)$의 확률을 정확하게 계산하려고 한다면

$$\int_{1.7}^{3.2} g(y)\, dy$$

를 계산해야 하나 (연습문제 5.6-5 참조) 이보다는 정규분포근사에 의해 계산하면 쉽게 계산할 수 있으며 값도 정확한 값에 근사한 결과를 얻는다. ■

예제 5.6-4와 연습문제 5.6-5에서는 n이 4와 같이 작은 값을 가질 때에도 표본 합의 분포는 정규분포에 근사함을 보여주고 있다. 예제 5.6-5에서는 모집단 분포가 비대칭인

경우에 만족할 정도로 정규분포에 근사시키기 위해서는 n이 매우 커야 함을 보여준다. 먼저 n의 각 값에 대해 pdf 그림의 수평축 눈금을 같도록 하기 위하여 다음 결과를 이용하기로 한다. $f(x)$와 $F(x)$를 각각 평균 μ, 분산 σ^2을 갖는 연속확률변수 X의 pdf와 cdf라고 하자. $W = (X - \mu)/\sigma$라 하면 W의 cdf $G(W)$와 pdf $g(w)$는 각각 다음과 같다.

$$G(w) = P(W \le w) = P\left(\frac{X-\mu}{\sigma} \le w\right)$$
$$= P(X \le \sigma w + \mu) = F(\sigma w + \mu)$$
$$g(w) = F'(\sigma w + \mu) = \sigma f(\sigma w + \mu)$$

예제 5.6-5 $X_1, X_2, \ldots, X_n$은 자유도가 1인 카이제곱분포에서 추출한 크기가 n인 확률표본이다. $Y = \sum_{i=1}^{n} X_i$라 하면 Y는 $E(Y) = n$, $\text{Var}(Y) = 2n$인 $\chi^2(n)$ 분포를 갖는다.

$$W = \frac{Y-n}{\sqrt{2n}}$$

으로 놓으면 W의 pdf는

$$g(w) = \sqrt{2n}\,\frac{(\sqrt{2n}\,w + n)^{n/2-1}}{\Gamma\left(\frac{n}{2}\right)2^{n/2}}\,e^{-(\sqrt{2n}\,w+n)/2}, \qquad -n/\sqrt{2n} < w < \infty$$

가 되고, $w > -n/\sqrt{2n}$는 $y > 0$에 대응된다. 그림 5.6-2는 $n = 20$, 100일 때 W의 pdf를 $N(0, 1)$ pdf 그림과 함께 그려 놓은 것이다. ■

n의 여러 가지 다른 값들과, 표본이 추출된 여러 가지 다른 모집단 분포들에 대해 컴

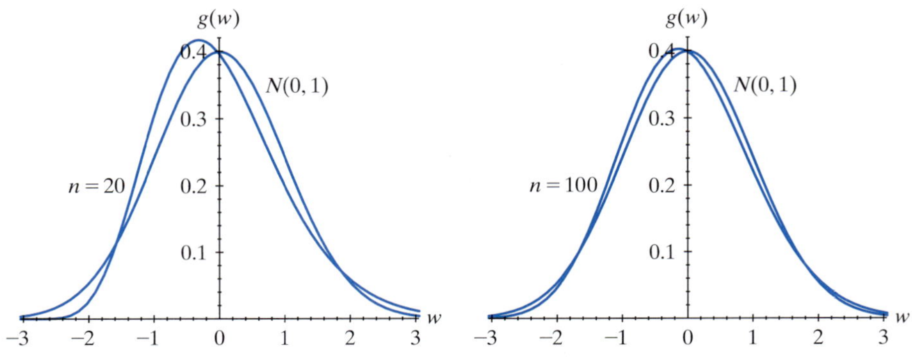

그림 5.6-2 카이제곱확률변수 합의 pdf

퓨터를 이용해 $W = (\overline{X} - \mu)/(\sigma/\sqrt{n})$의 값들을 생성하는 모의실험을 해보면 표본크기 n이 W의 분포에 어떻게 영향을 미치는지를 직관적으로 관찰할 수 있다.

참고 연속형 cdf $F(x)$를 갖는 X의 분포에서 관측값들을 모의실험해 얻는 방법은 다음과 같다. $F(a) = 0$, $F(b) = 1$이고, $F(x)$는 $a < x < b$에서 단조증가한다고 가정한다. $Y = F(x)$라 하고, Y는 균일분포 $U(0, 1)$을 따른다고 하자. 이때 y가 Y의 관측값이라 하면 $x = F^{-1}(y)$는 X의 하나의 관측값이 된다(5.1절 참조). 따라서 만일 y가 컴퓨터에서 발생시킨 하나의 난수라 하면, $x = F^{-1}(y)$는 X의 모의실험값이 된다.

예제 5.6-6 확률변수 $W = (\overline{X} - \mu)/(\sigma/\sqrt{n})$의 정확한 분포를 구하기 위해서는 메이플(Maple) 같은 컴퓨터 대수시스템을 이용하는 것이 편리하다. $X_1, X_2, \ldots, X_n$은 아래 (a), (b)와 같은 pdf $f(x)$와 cdf $F(x)$에서 얻은 확률표본이다. 각각 2개의 분포에서 크기 $n = 2$와 $n = 7$인 1,000개의 확률표본을 메이플로 모의실험해 동일한 너비의 21개 구간을 가진 히스토그램을 구했다. 그림 5.6-3과 그림 5.6-4는 각각 (a), (b)에서의 W의 이론적인 pdf와 $N(0, 1)$ pdf를 상대도수 히스토그램과 함께 겹쳐서 그려 놓은 것이다.

(a) 그림 5.6-3: $f(x) = (x+1)/2$, $F(x) = (x+1)^2/4$, $-1 < x < 1$; $\mu = 1/3$, $\sigma^2 = 2/9$; $n = 2$, $n = 7$; 좌비대칭 모집단 분포

(b) 그림 5.6-4: $f(x) = (3/2)x^2$, $F(x) = (x^3+1)/2$, $-1 < x < 1$; $\mu = 0$, $\sigma^2 = 3/5$; $n = 2$, $n = 7$; U 모양 모집단 분포 ■

지금까지 모든 설명은 연속형 분포에 대해서만 이루어졌다. 그러나 중심극한정리는 분포가 연속형이어야 한다는 가정을 요구하지 않는다. 다음 절에서 이산형 분포에 대한 중심극한정리의 적용 예를 살펴보기로 한다.

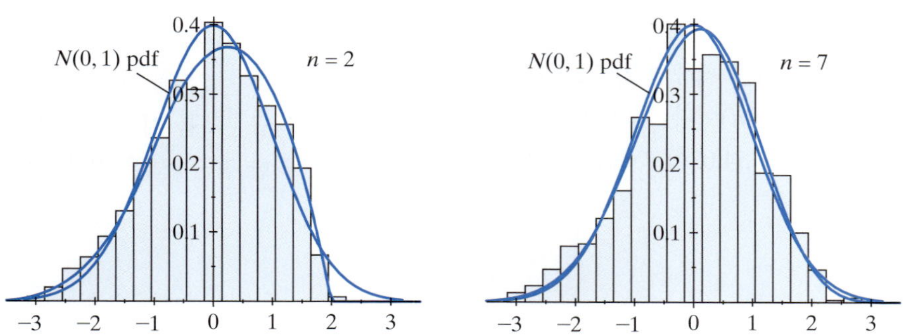

그림 5.6-3 좌비대칭 모집단 분포에서 추출한 $(\overline{X} - \mu)/(\sigma/\sqrt{n})$의 pdf

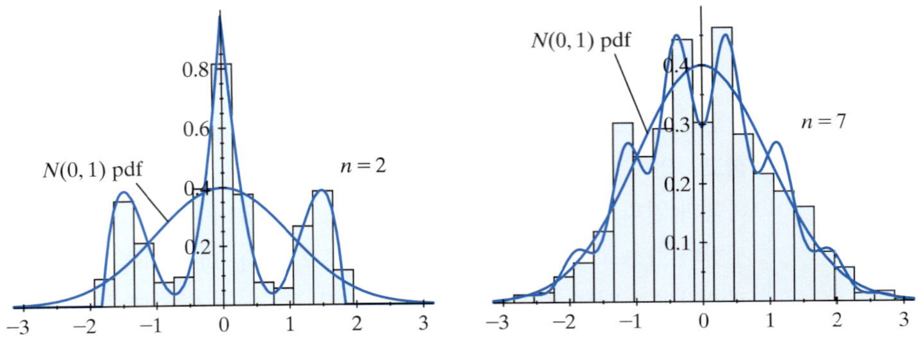

그림 5.6-4 U 모양 모집단 분포에서 추출한 $(\overline{X}-\mu)/(\sigma/\sqrt{n})$의 pdf

연습문제

5.6-1 $\overline{X}$는 균일분포 $U(0, 1)$에서 추출한 크기가 12인 확률표본의 평균이다. $P(1/2 \le \overline{X} \le 2/3)$의 근삿값을 구하라.

5.6-2 $\overline{X}$는 평균 3인 지수분포에서 추출한 크기가 36인 확률표본의 평균이다. $P(2.5 \le \overline{X} \le 4)$의 근삿값을 구하라.

5.6-3 $X_1, X_2, \ldots, X_{18}$은 $r = 1$인 카이제곱분포에서 추출한 크기가 18인 확률표본이다. $\mu = 1$, $\sigma^2 = 2$임을 참고해 다음 물음에 답하라.

(a) $Y = \sum_{i=1}^{18} X_i$의 분포는 무엇인가?

(b) 위의 (a) 결과와 부록 B의 표 4를 이용해

$$P(Y \le 9.390) = 0.05, \quad P(Y \le 34.80) = 0.99$$

를 구할 수 있는데, 이들 확률을 중심극한정리를 이용해 구한 근삿값들과 비교하라.

5.6-4 X는 사람들 체중의 kg당, 1분당 산소의 최대 흡입량(단위: ml)이다. 특별한 모집단에 대해서 X의 평균은 $\mu = 54.03$이고 표준편차는 $\sigma = 5.8$이다. $\overline{X}$는 크기 $n = 47$인 확률표본의 평균이다. $P(52.761 \le \overline{X} \le 54.453)$의 근삿값을 구하라.

5.6-5 예제 5.6-4에서 $n = 4$일 때 $P(1.7 \le Y \le 3.2)$를 계산하고 이 확률을 정규근사에 의해 계산한 근삿값과 비교하라.

5.6-6 포장지의 항장력(단위: 파운드/인치^2) X는 평균 $\mu = 30$과 표준편차 $\sigma = 3$을 갖는다. 항장력 X의 분포로부터 추출된 크기 $n = 100$인 확률표본의 평균 $\overline{X}$가 29.5보다 클 확률을 구하라.

5.6-7 X_1, X_2, X_3, X_4는 4단계로 구성된 프로젝트에서 각 단계를 완성하는 데 걸리는 시간이다. 이 시간들은 서로 독립이고 공통의 $\theta = 2$ 그리고 $\alpha_1 = 3$, $\alpha_2 = 2$, $\alpha_3 = 5$, $\alpha_4 = 3$을 각각 갖는 감마분포를 따른다. 한 단계는 다음 단계가 시작되기 전에 완성되어야 한다. Y를 프로젝트를 완성시키는 데 소요되는 총시간이라고 놓자.

(a) $P(Y \le 25)$를 나타내는 적분을 구하여라.

(b) 정규분포를 사용해 (a)의 답을 근사시켜라. 이러한 접근방법은 정당한가?

5.7 이산형 분포의 근사

이 절에서는 어떤 이산형 분포의 확률을 근사적으로 구하기 위해 정규분포가 어떻게 적용될 수 있는지를 보이고자 한다. 중심극한정리가 어떻게 적용되는지를 보이기 위해 이항확률변수가 베르누이 확률변수의 합으로 나타낼 수 있음을 생각해보자. $X_1, X_2, \ldots, X_n$은 평균이 $\mu = p$, 분산이 $\sigma^2 = p(1-p)$, $0 < p < 1$인 베르누이 분포에서 뽑은 확률표본이라고 할 때 $Y = \sum_{i=1}^{n} X_i$는 이항분포 $b(n, p)$를 따르고

$$W = \frac{Y - np}{\sqrt{np(1-p)}} = \frac{\overline{X} - p}{\sqrt{p(1-p)/n}}$$

의 분포는 중심극한정리에 의해 $n \to \infty$에 따라 근사적으로 $N(0, 1)$이 된다. 따라서 n이 '충분히 크면' Y의 분포는 근사적으로 $N[np, np(1-p)]$가 되고, 이항분포 $b(n, p)$에 대한 확률은 정규분포를 이용해 근사적으로 구할 수 있다. 이때 $np \ge 5$, $n(1-p) \ge 5$이면 n은 '충분히 크다'라는 기준이 자주 언급된다.

이산형 분포의 확률을 연속형 분포를 이용해 근사시키려 할 때 절차를 생각해보자. V가 $N(\mu, \sigma^2)$을 갖는다면 $P(a < V < b)$는 v축, $v = a$, $v = b$ 그리고 V의 pdf에 의해 경계된 면적과 같다. 이제 Y가 $b(n, p)$를 갖는다면 Y의 확률히스토그램은 다음과 같이 정의된다. $k - 1/2 < y = k < k + 1/2$과 같은 각 y에 대해

$$f(k) = \frac{n!}{k!(n-k)!} p^k (1-p)^{n-k}, \qquad k = 0, 1, 2, \ldots, n$$

이라 놓자. 그러면 $P(Y = k)$는 k에 중심을 두고 길이가 1인 밑변과 높이가 $P(Y = k)$인 사각형의 면적과 같다. 그림 5.7-1은 $b(4, 1/4)$의 확률히스토그램을 보여준다. 이항분포의 확률을 근사시키기 위해 정규분포를 사용할 때, 정규분포 pdf 아래의 면적이 이항

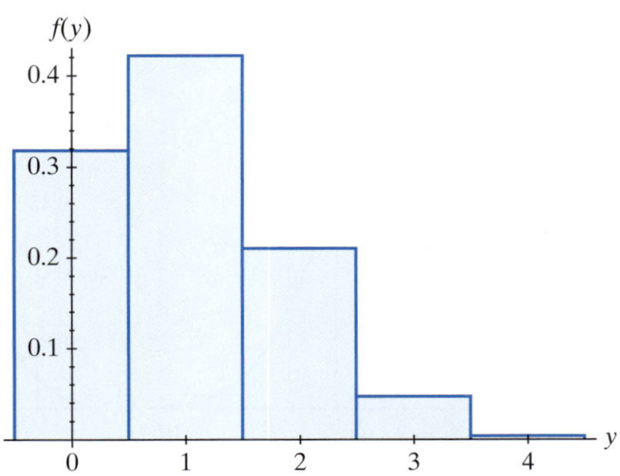

그림 5.7-1 $b(4, 1/4)$의 확률히스토그램

분포의 확률히스토그램의 사각형 면적을 근사시키는 데 사용될 것이다. 이러한 사각형들은 정수를 중심으로 1의 밑변 길이를 가지므로 연속성을 위한 1/2 수정(half-unit correction for continuity)이라고 한다. 예를 들면, 정수 k에 대해

$$P(Y = k) = P(k - 1/2 < Y < k + 1/2)$$

예제 5.7-1 Y의 분포는 $b(10, 1/2)$이다. 중심극한정리에 의해 $P(a < Y < b)$는 평균 $10(1/2) = 5$와 분산 $10(1/2)(1/2) = 5/2$인 정규분포를 이용해 근사적으로 구할 수 있다. $b(10, 1/2)$의 확률히스토그램과 $N(5, 5/2)$의 pdf가 함께 그려져 있는 그림 5.7-2(a)에서 각 정수 k에 대해 정규분포근사가 잘 이루어짐을 확인할 수 있다. 그림 5.7-2(a)에서 밑이

$$\left(k - \frac{1}{2}, k + \frac{1}{2}\right)$$

인 사각형의 면적과 $k - \dfrac{1}{2}$과 $k + \dfrac{1}{2}$ 사이의 정규곡선 아래의 면적은 각 정수 k에 대해 근사적으로 같다. 이것은 연속성을 위한 1/2 수정을 설명한다. ■

예제 5.7-2 Y의 분포는 $b(18, 1/6)$이다. $np = 18(1/6) = 3 < 5$이므로 정규근사가 적합하지 않다. 그림 5.7-2(b)에 $b(18, 1/6)$의 기울어진 확률히스토그램과 대칭적인 $N(3, 5/2)$의 pdf 간에 괴리가 있음을 보여주고 있다. ■

예제 5.7-3 Y의 분포는 예제 5.7-1과 그림 5.7-2(a)의 $b(10, 1/2)$이다. 그러면 $P(Y = 6)$은 확률계산에 포함되지 않기 때문에

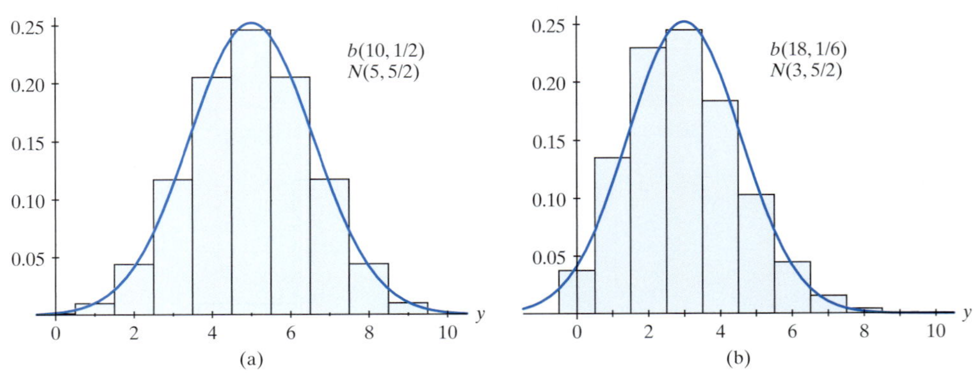

그림 5.7-2 이항분포에 대한 정규분포근사

$$P(3 \le Y < 6) = P(2.5 \le Y \le 5.5)$$

이다. 이것을 정규분포에 근사시켜 확률을 구하면 다음과 같다.

$$\begin{aligned} P\left(\frac{2.5-5}{\sqrt{10/4}} \le \frac{Y-5}{\sqrt{10/4}} \le \frac{5.5-5}{\sqrt{10/4}}\right) &\approx \Phi(0.316) - \Phi(-1.581) \\ &= 0.6240 - 0.0570 = 0.5670 \end{aligned}$$

부록 B의 표 2를 이용해 정확한 확률을 구하면, $P(3 \le Y < 6) = 0.5683$이다. ■

예제 5.7-4 Y의 분포는 $b(36, 1/2)$이다. $\mu = (36)(1/2) = 18$과 $\sigma^2 = (36)(1/2)(1/2) = 9$이므로 정규분포에 근사시켜 확률을 구하면 다음과 같다.

$$\begin{aligned} P(12 < Y \le 18) &= P(12.5 \le Y \le 18.5) \\ &= P\left(\frac{12.5-18}{\sqrt{9}} \le \frac{Y-18}{\sqrt{9}} \le \frac{18.5-18}{\sqrt{9}}\right) \\ &\approx \Phi(0.167) - \Phi(-1.833) \\ &= 0.5329 \end{aligned}$$

이때 $P(Y = 12)$는 확률계산에 포함되지 않기 때문에 12가 12.5로 증가되었음에도 Y가 이산형 확률변수이므로 등식이 성립한다. 또한 이항분포를 이용해 다음과 같이 정확하게 계산할 수 있다.

$$P(12 < Y \le 18) = P(13 \le Y \le 18) = 0.5334$$

다른 예로서

$$\begin{aligned} P(Y = 20) &= P(19.5 \le Y \le 20.5) \\ &= P\left(\frac{19.5-18}{\sqrt{9}} \le \frac{Y-18}{\sqrt{9}} \le \frac{20.5-18}{\sqrt{9}}\right) \\ &\approx \Phi(0.833) - \Phi(0.5) \\ &= 0.1060 \end{aligned}$$

또한 이항분포를 이용하면 $P(Y = 20) = 0.1063$이다. 따라서 근사의 정도가 매우 양호함을 알 수 있다. ■

일반적으로 Y의 분포가 $b(n, p)$일 때 n이 큰 경우 $k = 0, 1, \ldots, n$에 대해 정규분포에 근사시킨 확률은 다음과 같이 구한다.

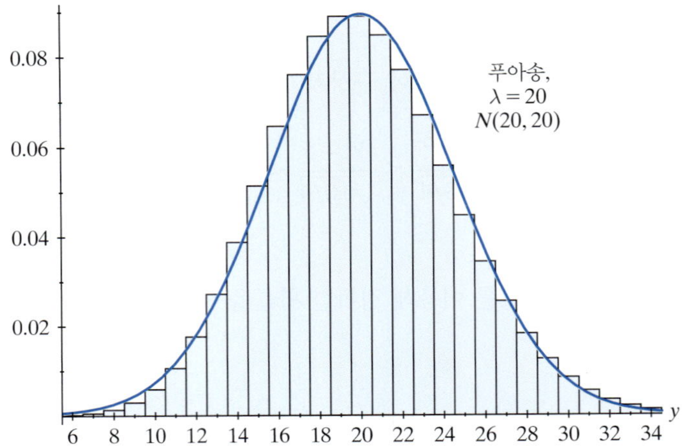

그림 5.7-3 $\lambda = 20$인 푸아송분포에 대한 정규분포근사

$$P(Y \le k) \approx \Phi\left(\frac{k + 1/2 - np}{\sqrt{npq}}\right)$$

$$P(Y < k) \approx \Phi\left(\frac{k - 1/2 - np}{\sqrt{npq}}\right)$$

이제 충분히 큰 평균을 갖는 푸아송분포를 정규분포로 근사시켜 확률을 구하는 방법에 대해 알아보자.

예제 5.7-5 평균이 1인 푸아송분포에서 추출한 크기가 20인 확률표본의 합 Y는 평균이 20인 푸아송분포를 따른다. 따라서

$$W = \frac{Y - 20}{\sqrt{20}}$$

의 분포는 근사적으로 $N(0, 1)$이 된다. 따라서 Y의 분포는 근사적으로 $N(20, 20)$(그림 5.7-3 참조)이다. 예를 들어 연속성을 위한 1/2 수정을 사용해 근사확률을 구하면 다음과 같다.

$$\begin{aligned} P(16 < Y \le 21) &= P(16.5 \le Y \le 21.5) \\ &= P\left(\frac{16.5 - 20}{\sqrt{20}} \le \frac{Y - 20}{\sqrt{20}} \le \frac{21.5 - 20}{\sqrt{20}}\right) \\ &\approx \Phi(0.335) - \Phi(-0.783) \\ &= 0.4142 \end{aligned}$$

푸아송식을 이용해 구한 확률은 0.4226이다. ■

일반적으로 Y가 평균 λ인 푸아송분포를 따르면, λ가 충분히 클 때

$$W = \frac{Y - \lambda}{\sqrt{\lambda}}$$

의 분포는 근사적으로 $N(0, 1)$ 분포를 갖는다.

참고 통계소프트웨어를 사용하면 이산형 분포에 대한 확률을 정확하게 계산할 수 있지만 중심극한정리를 적용해 확률계산하는 법을 배우는 것은 중요하다.

연습문제

5.7-1 Y는 이항분포 $b(25, 0.5)$를 갖는다. 다음 확률을 부록 B의 표 2를 이용해 정확하게 구하고, 중심극한정리를 이용한 근삿값을 구한 후 비교하라.

(a) $P(10 < Y \le 12)$

(b) $P(12 \le Y < 15)$

(c) $P(Y = 12)$

5.7-2 미국 남부 캘리포니아에서는 향후 50년의 언젠가 발생할지도 모를 '대지진'에 대해 준비가 잘 되어 있는지를 알아보기 위한 여론조사를 실시했는데, 지진이 발생했을 때 집에서 부상 혹은 손상을 일으킬 만한 물체로부터 안전성을 확보하지 못한 경우가 약 60%에 이르는 것으로 파악되었다. 남부 캘리포니아 주민 중에서 $n = 864$명의 확률표본을 추출했을 때, 집에서 위험 물체로부터 안전성을 확보하지 못한 주민의 수를 확률변수 X라고 한다면 확률 $P(496 \le X \le 548)$의 근삿값을 구하라.

5.7-3 $X_1, X_2, \ldots, X_{48}$은 pdf $f(x) = 1/x^2$, $1 < x < \infty$를 갖는 분포에서 추출한 크기 48인 확률표본이다. 확률표본 중에서 많아야 10개가 4보다 큰 값을 가질 확률의 근삿값을 구하라.

5.7-4 X는 가이거계수기로 측정된 바륨 133에서 방출하는 알파입자의 수이다. X가 $\lambda = 49$인 푸아송분포를 따를 때, $P(45 < X < 60)$의 근삿값을 구하라.

5.7-5 $X_1, X_2, \ldots, X_{30}$은 평균 2/3인 푸아송분포에서 추출한 크기 30인 확률분포이다. 다음 확률의 근삿값을 구하라.

(a) $P\left(15 < \sum_{i=1}^{30} X_i \le 22\right)$

(b) $P\left(21 \le \sum_{i=1}^{30} X_i < 27\right)$

5.7-6 확률변수 X_i는 1월 i일$(i = 1, 2, \ldots, 31)$에 어느 대학 농구 선수가 10개의 골인이 이루어질 때까지 시도하는 자유투의 수이다. $X_1, X_2, \ldots, X_{31}$을 성공의 확률(즉, 1회 자유투에서 골인할 확률)이 2/3인 음이항분포로부터 크기 31인 확률표본이라 가정했을 때, 자유투의 총수가 500보다 작거나 같을 확률의 근삿값을 구하라.

5.7-7 $X_1, X_2, \ldots, X_{36}$은 pmf $f(x) = (1/4)^{x-1}(3/4)$, $x = 1, 2, 3, \ldots$을 갖는 기하분포로부터 추출한 크기 36의 확률표본이다. 다음 확률의 근삿값을 구하라.

(a) $P\left(46 \le \sum_{i=1}^{36} X_i \le 49\right)$

(b) $P(1.25 \le \overline{X} \le 1.50)$

5.7-8 유아가 생애 첫 1년 이내에 사망할 확률은 $p = 0.01$이다. 5,000명의 유아 중에서 생애 첫 1년

이내에 사망할 유아의 수가 45~53일 확률의 근삿값은 얼마인가?

5.7-9 1에이커 면적에 있는 나무의 수는 평균 60의 푸아송분포를 갖는다. 독립성을 가정하고, 100에이커당 나무의 수를 확률변수 X라 놓으면 $P(5,950 \le X \le 6,100)$의 근삿값을 구하라.

5.7-10 어느 회사는 다음과 같이 직원을 두 그룹으로 나누어 1년 기간의 그룹 생명보험을 가지고 있다. 보험회사는 총청구액 분포의 제90백분위수와 같은 보험료를 청구하려고 한다. 보험료는 얼마인가?

그룹	사망률	혜택	구성원 수
A	0.01	20,000달러	1,000
B	0.03	10,000달러	500

확률적 해설(모의실험: 중심극한정리) 드므부아(de Moivre), 라플라스(Laplace), 가우스(Gauss) 등이 그 당시 발견했던 것들에 대해 생각해보면 놀랍기 그지없다. 드므부아는 여러 가지 이항분포와 관련된 확률들을 계산해, 그 확률들이 쌓여서 종 모양이 되는 것을 확인하고 정규분포 공식을 유도해냈을 것이다. 라플라스나 가우스는 매우 간단한 모집단 분포라 할지라도 표본평균 $\overline{X}$와 연관된 확률들을 쉽게 계산해내지는 못했기에 더욱 어려움이 있었다. 예를 들어 [0, 1] 구간을 가진 균일분포로부터 확률표본 $X_1, X_2, \ldots, X_n$을 얻었다고 가정하자. $n = 2$ 혹은 3과 같이 표본크기 n이 매우 작은 경우가 아니라면 $\overline{X}$에 대한 확률을 계산하는 것은 매우 어렵다. 오늘날은 표본크기에 상관없이 $\overline{X}$의 분포를 컴퓨터 모의실험을 통해 구하고 $\overline{X}$와 연관된 확률을 매우 정확하게 구할 수 있다. $n = 6$의 경우를 10,000번 반복해 그 결과를 그림 5.7-4에 나타냈다. 이 장에서 $\overline{X}$가 평균 1/2이고 분산이 1/72인 근사정규분포를 갖는다는 것을 배웠다. 이 정규분포 pdf를 히스토그램 위에 겹쳐 그림으로써 비교할 수 있다. (이때 정규 pdf는 모의실험으로부터 구해지는 $\overline{X}$의 실제 pdf임을 뒤따르는 논의에서 설명한다.) 이 히스토그램으로부터 종 모양의 곡선이 이 모의실험을 통해 얻어진다고 확인하게 된다. 위에 언급된 세 사람의 위대한 수학자는 컴퓨터 사용의 이점을 전혀 갖지 못했다. 오늘날 연구자는 자신이 확률분포에 대한 새로운 생각이 있다면 바로 모의실험을 통해 자신의 생각이 더 많은 시간 투자를 할 만큼 가치가 있는지 쉽게 확인해볼 수 있다.

모의실험에서 얻은 $\bar{x}$들이 1/18의 너비를 갖는 18개 계급으로 분류되었으며, 각 계급의 도수들이 다음과 같다.

0, 1, 9, 72, 223, 524, 957, 1,467, 1,744, 1,751, 1,464, 954, 528, 220, 69, 15, 2, 0

이 자료를 이용해 다음과 같이 확률들을 추정할 수 있다.

$$P\left(\frac{1}{6} \le \overline{X} \le \frac{2}{6}\right) \approx \frac{72 + 223 + 524}{10,000} = 0.0819$$

$$P\left(\frac{11}{18} \le \overline{X} \le 1\right) \approx \frac{954 + 528 + 220 + 69 + 15 + 2 + 0}{10,000} = 0.1788$$

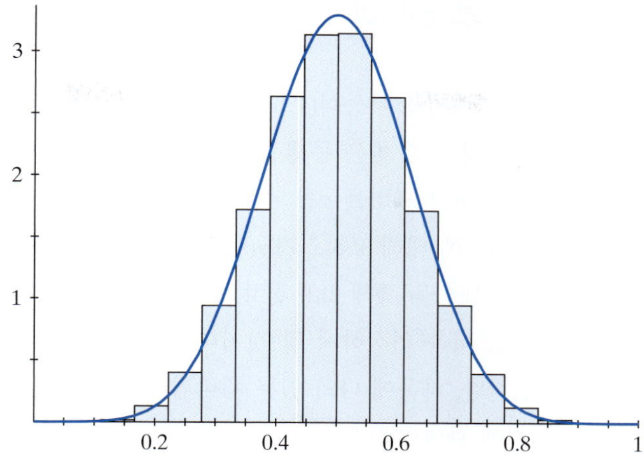

그림 5.7-4 $U(0, 1)$로부터 크기 6인 표본에 대해 10,000개 $\bar{x}$들의 모의실험

메이플과 같은 컴퓨터 대수 프로그램으로 $\overline{X}$의 실제 pdf를 찾아낼 수 있으며 그렇게 찾아낸 pdf를 히스토그램 위에 겹쳐 그린 것이다. $u = \bar{x}$라 할 때 pdf는 다음과 같이 주어진다.

$$g(u)=\begin{cases} 6\left(\dfrac{324u^5}{5}\right), & 0 < u < 1/6 \\ 6\left(\dfrac{1}{20} - 324u^5 + 324u^4 - 108u^3 + 18u^2 - \dfrac{3u}{2}\right), & 1/6 \le u < 2/6 \\ 6\left(-\dfrac{79}{20} + \dfrac{117u}{2} + 648u^5 - 1{,}296u^4 + 972u^3 - 342u^2\right), & 2/6 \le u < 3/6 \\ 6\left(\dfrac{731}{20} - \dfrac{693u}{2} - 648u^5 + 1{,}944u^4 - 2{,}268u^3\right), & 3/6 \le u < 4/6 \\ 6\left(-\dfrac{1{,}829}{20} + \dfrac{1{,}227u}{2} - 1{,}602u^2 + 2{,}052u^3 + 324u^5 - 1{,}296u^4\right), & 4/6 \le u < 5/6 \\ 6\left(\dfrac{324}{5} - 324u + 648u^2 - 648u^3 + 324u^4 - \dfrac{324u^5}{5}\right), & 5/6 \le u < 1 \end{cases}$$

또한 다음과 같이 확률을 계산할 수 있다.

$$\int_{1/6}^{2/6} g(u)\,du = \frac{19}{240} = 0.0792$$

$$\int_{11/18}^{1} g(u)\,du = \frac{5,818}{32,805} = 0.17735$$

5.8 체비셰프 부등식과 확률수렴

이 절에서는 체비셰프 부등식(Chebyshev's Inequality)을 이용해 표본평균 $\overline{X}$가 모평균 μ를 추정하기 위한 좋은 통계량이라는 것과 n번의 독립적인 베르누이 시행에서 성공의 상대도수 Y/n가 모비율 p를 추정하기 위한 좋은 추정량이라는 것을 보이려고 한다. 이러한 추정치들에 대해 표본크기 n이 미치는 영향에 관해서도 논의될 것이다.

체비셰프 부등식을 통해 표준편차와 관련된 확률의 한계를 설정함으로써 표준편차에 대한 중요성을 더욱 인식하게 될 것이다. 표준편차가 존재하는 **모든** 분포에 대해 이 부등식은 성립한다. 다음에 나와 있는 체비셰프 부등식 정리가 이산형에 대해 증명이 되어 있으며, 총합에 관한 기호를 적분 기호로 대체하기만 하면 연속형에 대해서도 성립한다.

정리 5.8-1 **(체비셰프 부등식)** 만약 확률변수 X의 평균이 μ이고, 분산이 σ^2이라면, 모든 $k \geq 1$에 대해 다음이 성립한다.

$$P(|X-\mu| \geq k\sigma) \leq \frac{1}{k^2}$$

증명 $f(x)$를 X의 pmf라고 하자. 그러면

$$\begin{aligned}\sigma^2 = E[(X-\mu)^2] &= \sum_{x \in S}(x-\mu)^2 f(x) \\ &= \sum_{x \in A}(x-\mu)^2 f(x) + \sum_{x \in A'}(x-\mu)^2 f(x)\end{aligned} \tag{5.8-1}$$

이며, 이때 $A = \{x: |x-\mu| \geq k\sigma\}$이다. 식 (5.8-1)의 우측 두 번째 항은 음이 아닌 수의 합이므로 0 이상이다. 그러므로 다음과 같다.

$$\sigma^2 \geq \sum_{x \in A}(x-\mu)^2 f(x)$$

그러나 집합 A에서 $|x-\mu| \geq k\sigma$이다. 따라서 다음과 같다.

$$\sigma^2 \geq \sum_{x \in A}(k\sigma)^2 f(x) = k^2\sigma^2 \sum_{x \in A} f(x)$$

$\sum_{x \in A} f(x) = P(X \in A)$이므로 $\sigma^2 \geq k^2\sigma^2 P(X \in A) = k^2\sigma^2 P(|X-\mu| \geq k\sigma)$이고, 따라서 다음과 같다.

$$P(|X-\mu| \geq k\sigma) \leq \frac{1}{k^2}$$

따름정리 5.8-1 $\varepsilon = k\sigma$이면 다음이 성립한다.

$$P(|X-\mu| \geq \varepsilon) \leq \frac{\sigma^2}{\varepsilon^2}$$

체비셰프 부등식은 X가 그것의 평균으로부터 최소한 k배의 표준편차만큼 떨어져 있을 확률이 $1/k^2$ 이하라는 것을 의미한다. 따라서 X가 그것의 평균으로부터 k배의 표준편차 이내에 떨어져 있을 확률이 적어도 $1 - 1/k^2$ 이상이다. 즉, 다음과 같다.

$$P(|X-\mu| < k\sigma) \geq 1 - \frac{1}{k^2}$$

또한 따름정리로부터 $\varepsilon > 0$에 대해

$$P(|X-\mu| < \varepsilon) \geq 1 - \frac{\sigma^2}{\varepsilon^2}$$

임을 알 수 있다. 그러므로 체비셰프 부등식은 어떤 확률의 한계로서 사용 가능한 것이다. 그러나 많은 경우 그 한계값은 확률의 참값과는 거리가 있는 것이 보통이다.

예제 5.8-1 X의 평균이 25이고 분산이 16이라고 한다면, $\sigma = 4$이므로 $P(17 < X < 33)$의 하한은

$$\begin{aligned} P(17 < X < 33) &= P(|X-25| < 8) \\ &= P(|X-25| < 2\sigma) \geq 1 - \frac{1}{4} = 0.75 \end{aligned}$$

이며, $P(|X-25| \geq 12)$에 대한 상한은 다음과 같다.

$$P(|X-25| \geq 12) = P(|X-\mu| \geq 3\sigma) \leq \frac{1}{9}$$

■

위 예제의 결과가 평균이 25이고 표준편차가 4인 어떤 임의의 분포에 대해서도 성립된다는 것을 알 수 있다. 더 나아가 임의의 확률변수 X가 그것의 평균으로부터 3배 이상의 표준편차만큼 떨어져 있을 확률이 기껏해야 1/9이라는 것은 정리에서 $k = 3$으로 놓으면 쉽게 알 수 있다. 또한 $k = 2$이면 X가 평균으로부터 표준편차의 2배 이내에 있을 확률이 최소한 3/4인 것이다.

이제부터는 체비셰프 부등식의 이론적 가치에 대해 논의해보자. 성공확률이 p인 베르누이 시행을 독립적으로 n번 시행했을 때 성공의 횟수를 Y라 하면 Y는 $b(n, p)$ 분포를 갖는다. 더욱이 Y/n가 성공의 상대도수이므로 p를 모를 때에는 Y/n를 p에 대한 추정치로 쓸 수 있다. Y/n가 p와 얼마나 가까운지 알아보기 위해 체비셰프 부등식을 이용한다. $\mathrm{Var}(Y/n) = pq/n$, $q = 1-p$이므로, $\varepsilon > 0$에 대해 따름정리 5.8-1로부터 다음과 같다.

$$P\left(\left|\frac{Y}{n}-p\right| \geq \varepsilon\right) \leq \frac{pq/n}{\varepsilon^2}$$

즉,

$$P\left(\left|\frac{Y}{n}-p\right| < \varepsilon\right) \geq 1-\frac{pq}{n\varepsilon^2} \tag{5.8-2}$$

한편 p를 전혀 모를 때에는 $p = 1/2$에서 $pq = p(1-p)$가 최대이므로 식 (5.8-2)에서 확률의 하한을 다음과 같이 구할 수 있다.

$$1-\frac{pq}{n\varepsilon^2} \geq 1-\frac{(1/2)(1/2)}{n\varepsilon^2}$$

예를 들어 $\varepsilon = 0.05$이고 $n = 400$이면

$$P\left(\left|\frac{Y}{400}-p\right| < 0.05\right) \geq 1-\frac{(1/2)(1/2)}{400(0.0025)} = 0.75$$

이다. 반면에 p가 $1/10$이면 다음과 같다.

$$P\left(\left|\frac{Y}{400}-p\right| < 0.05\right) \geq 1-\frac{(0.1)(0.9)}{400(0.0025)} = 0.91$$

체비셰프 부등식은 유한 분산을 갖는 모든 분포에 적용될 수 있는 것이며, 따라서 부등식에 의해 구해진 확률의 한계값은 언제나 확률의 참값을 정확히 나타내주지는 않는다는 점을 주의할 필요가 있다.

그러나 일반적으로 고정된 $\varepsilon > 0$과 $0 < p < 1$에 대해, 식 (5.8-2)의 양변에 극한을 취하면

$$\lim_{n\to\infty} P\left(\left|\frac{Y}{n}-p\right| < \varepsilon\right) \geq \lim_{n\to\infty}\left(1-\frac{pq}{n\varepsilon^2}\right) = 1$$

이 되고, 모든 사상에 대한 확률은 1 이하이므로

$$\lim_{n\to\infty} P\left(\left|\frac{Y}{n}-p\right| < \varepsilon\right) = 1$$

이어야 한다. 즉, n이 충분히 클 때 상대도수 Y/n가 p로부터 ε 이내에 있을 확률이 1에 매우 가깝다는 것을 의미한다. 이것은 Y/n가 p에 **확률수렴**(converges in probability)함을 나타내는 일종의 **대수의 법칙**(law of large numbers)이다.

평균이 μ이고 분산이 σ^2인 분포로부터 추출한 확률표본의 평균 $\overline{X}$를 고려해봄으로써 좀 더 일반적인 형태의 대수의 법칙을 찾을 수 있다. 상대도수 Y/n는 베르누이 분포로부터 추출된 확률표본의 평균 $\overline{X}$로 생각할 수 있다. 이미 $E(\overline{X}) = \mu$이고 $\mathrm{Var}(\overline{X}) = \sigma^2/$

n이라는 것을 알고 있다. 그러므로 모든 $\varepsilon > 0$에 대해 따름정리 5.8-1을 이용하면 다음 식이 성립한다.

$$P[\,|\,\overline{X} - \mu\,| \geq \varepsilon\,] \leq \frac{\sigma^2/n}{\varepsilon^2} = \frac{\sigma^2}{n\varepsilon^2}$$

양변에 극한을 취하면

$$\lim_{n\to\infty} P(|\,\overline{X} - \mu\,| \geq \varepsilon) \leq \lim_{n\to\infty} \frac{\sigma^2}{\varepsilon^2 n} = 0$$

이 되고, 확률은 음이 아니어야 하므로

$$\lim_{n\to\infty} P(|\,\overline{X} - \mu\,| \geq \varepsilon) = 0$$

혹은 같은 의미로 다음이 성립한다.

$$\lim_{n\to\infty} P(|\,\overline{X} - \mu\,| < \varepsilon) = 1$$

지금까지의 논의로부터 n이 증가함에 따라 $\overline{X}$의 분포와 관련된 확률이 μ를 중심으로 아주 작은 구간에 집중되어 간다는 것을 알 수 있다. 이것은 대수의 법칙의 더욱 일반적인 형태이며, $\overline{X}$는 μ로 **확률수렴한다**고 말한다.

연습문제

5.8-1 X가 평균 33, 분산 16을 갖는 확률변수일 때, 다음을 체비셰프 부등식을 이용해 구하라.

(a) $P(23 < X < 43)$에 대한 하한값

(b) $P(|X - 33| \geq 14)$에 대한 상한값

5.8-2 X는 공평한 주사위를 던졌을 때의 결과를 나타낸다. 그러면 $\mu = 7/2$이고 $\sigma^2 = 35/12$이다. μ로부터 X의 최대편차는 5/2인데 이 편차를 표준편차의 수에 의해 나타내라. 즉 $k\sigma = 5/2$를 만족하는 k를 구하라. 그리고 $P(|X - 3.5| < 2.5)$에 대한 하한값을 계산하라.

5.8-3 Y가 $b(n, 0.25)$ 분포를 따르고, n이 다음과 같을 때 $P(|Y/n - 0.25| < 0.05)$에 대한 하한값을 구하라.

(a) $n = 100$

(b) $n = 500$

(c) $n = 1{,}000$

5.8-4 W는 평균 0, 대칭 pdf $f(w)$, cdf $F(w)$를 갖는 연속형 확률변수이다. 그러나 W의 분산은 알려지지 않았다(분산은 존재하지 않을 수도 있다). W는 $k \geq 1$에 대해

$$P(|W - 0| < k) = 1 - \frac{1}{k^2}$$

을 만족한다고 가정한다(이 부등식은 W의 분산이 1과 같다면 체비셰프 부등식에서 등식과 같다). 그러면 cdf는 다음을 만족한다.

$$F(w) - F(-w) = 1 - \frac{1}{w^2}, \qquad w \geq 1$$

또한 대칭성의 가정으로부터 다음이 성립한다.

$$F(-w) = 1 - F(w)$$

(a) W의 pdf가 다음과 같음을 밝혀라.

$$f(w) = \begin{cases} \dfrac{1}{|w|^3}, & |w| > 1 \\ 0, & |w| \le 1 \end{cases}$$

(b) W의 평균과 분산을 구하고 결과를 해석하라.

(c) W의 cdf를 그래프로 그려라.

5.9 극한 적률생성함수

이항분포는 n이 충분히 크고 p가 매우 작을 때 근사적 푸아송분포가 되는데, 이러한 사실은 이미 2.7절에서 이항 pmf가 푸아송 pmf로 가까워짐을 보임으로써 증명했다. 그러나 여기에서는 이항분포의 적률생성함수의 극한을 구하여 푸아송분포에 근사함을 보이는 것으로 이 절을 시작한다.

Y는 이항분포 $b(n, p)$를 따른다고 하자. Y의 mgf는 다음과 같다.

$$M(t) = (1 - p + pe^t)^n, \qquad -\infty < t < \infty$$

$\lambda = np$를 상수로 놓고 $n \to \infty$로 하면 $p \to 0$이 된다. $p = \lambda/n$를 위 mgf에 대입하면

$$\begin{aligned} M(t) &= \left[1 - \frac{\lambda}{n} + \frac{\lambda}{n}e^t\right]^n \\ &= \left[1 + \frac{\lambda(e^t - 1)}{n}\right]^n \end{aligned}$$

이 되고, 극한에 관한 수학공식

$$\lim_{n\to\infty}\left(1 + \frac{b}{n}\right)^n = e^b$$

을 이용하면 mgf의 극한은 다음과 같이 주어진다.

$$\lim_{n\to\infty} M(t) = e^{\lambda(e^t - 1)}, \qquad -\infty < t < \infty$$

이것은 평균이 λ인 푸아송분포의 mgf이다. 그러므로 n이 크고 p가 작을 때 푸아송분포는 이항분포의 근사분포가 됨을 알 수 있다. 푸아송분포의 근사 정도는 $n \ge 20$, $p \le 0.05$인 경우에 꽤 성공적인 편이며, $n \ge 100$, $p \le 0.10$인 경우에는 매우 성공적이다.

정리 5.9-1 만약 일련의 mgf들이 어떤 mgf $M(t)$로 근사해 가면 일련의 mgf들에 상응하는 일련의 분포들의 극한은 mgf $M(\mathrm{t})$에 상응하는 분포가 된다.

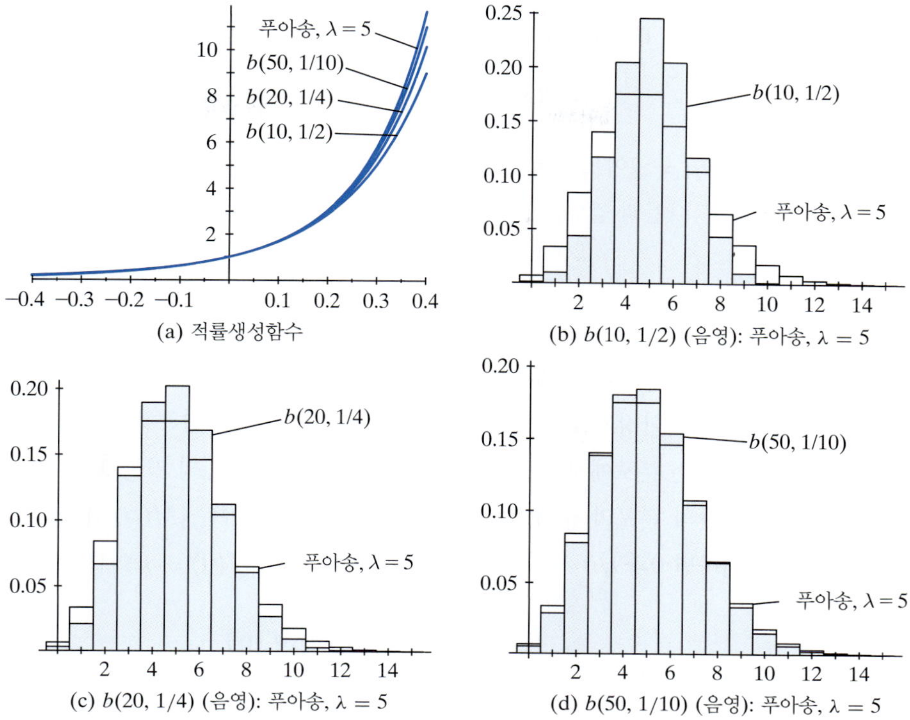

그림 5.9-1 이항분포의 푸아송 근사

다음 예제는 이항분포의 mgf들이 푸아송분포의 mgf로 수렴하는 것을 그래프로 보여준다.

예제 5.9-1 $\lambda = 5$인 푸아송분포의 mgf와 $np = 5$인 3개의 이항분포 $b(10, 1/2)$, $b(20, 1/4)$, $b(50, 1/10)$의 mgf를 생각해보자. 이들 4개의 mgf는 각각 다음과 같다.

$$M(t) = e^{5(e^t-1)}, \qquad -\infty < t < \infty$$
$$M(t) = (0.5 + 0.5e^t)^{10}, \qquad -\infty < t < \infty$$
$$M(t) = (0.75 + 0.25e^t)^{20}, \qquad -\infty < t < \infty$$
$$M(t) = (0.9 + 0.1e^t)^{50}, \qquad -\infty < t < \infty$$

이들 mgf의 그래프는 그림 5.9-1에 그려져 있다. 그림 5.9-1의 마지막 3개의 그래프는 n이 크고 p가 작을수록 이항분포는 푸아송분포에 더욱 근사해 감을 보여주고 있다. ■

다음 예제는 수치적 근사의 예다.

예제 5.9-2 Y가 $b(50, 0.04)$이면 다음과 같다.

$$P(Y \le 1) = (0.96)^{50} + 50(0.04)(0.96)^{49} = 0.4$$

$\lambda = np = 2$이므로 푸아송분포에 근사시켜 부록 B의 표 3을 이용해 구한 푸아송 근사 확률은 다음과 같다.

$$P(Y \le 1) \approx 0.406$$

■

5.6절에서 정리 5.6-1의 중심극한정리의 증명을 잠시 미루어 두었다. 이제 정리 5.9-1이 중심극한정리를 증명하기 위해 사용된다. 우선 중심극한정리를 증명하기에 앞서 평균 μ를 갖는 분포에서 추출한 확률표본 $X_1, X_2, \ldots, X_n$의 평균 $\overline{X}$의 분포에 관해 알아보자. 모집단의 분포가 mgf $M(t)$를 갖는다면 $\overline{X}$의 mgf는 $[M(t/n)]^n$이 된다. 테일러 급수로 전개하면 0과 t/n 사이의 t_1에 대해 $M(0) = 1$, $M'(0) = \mu$이므로

$$\begin{aligned} M\left(\frac{t}{n}\right) &= M(0) + M'(t_1)\,\frac{t}{n} \\ &= 1 + \frac{\mu t}{n} + \frac{[M'(t_1) - M'(0)]t}{n} \end{aligned}$$

이다. $M'(t)$는 $t = 0$에서 연속이고, $n \to \infty$이면 $t_1 \to 0$이 되므로

$$\lim_{n\to\infty} [M'(t_1) - M'(0)] = 0$$

이다. 따라서 고급 해석학의 결과를 사용해 다음의 결과를 얻는다.

$$\lim_{n\to\infty}\left[M\left(\frac{t}{n}\right)\right]^n = \lim_{n\to\infty}\left\{1 + \frac{\mu t}{n} + \frac{[M'(t_1) - M'(0)]t}{n}\right\}^n = e^{\mu t}, \qquad -\infty < t < \infty$$

그러나 이 극한은 확률 1로서 μ가 되는 **퇴화분포**(degenerate distribution)의 mgf이다. 따라서 $\overline{X}$는 이러한 극한분포를 갖게 되며 이는 $\overline{X}$가 μ로 수렴함을 의미한다. 이것은 대수의 법칙의 한 형태이다.

이제 mgf 기법을 이용해 정리 5.6-1의 중심극한정리를 증명해보자. 즉

$$W = \frac{\overline{X} - \mu}{\sigma/\sqrt{n}} = \frac{\sqrt{n}(\overline{X} - \mu)}{\sigma} = \frac{Y - n\mu}{\sqrt{n}\,\sigma}$$

의 극한분포가 $N(0, 1)$이 됨을 보이고자 한다. 여기서 Y는 확률표본의 합이다.

중심극한정리의 증명 $X_1, X_2, \ldots, X_n$이 서로 독립이므로 다음이 성립한다.

$$\begin{aligned}
E[\exp(tW)] &= E\left\{\exp\left[\left(\frac{t}{\sqrt{n}\sigma}\right)\left(\sum_{i=1}^{n} X_i - n\mu\right)\right]\right\} \\
&= E\left\{\exp\left[\left(\frac{t}{\sqrt{n}}\right)\left(\frac{X_1-\mu}{\sigma}\right)\right]\cdots\exp\left[\left(\frac{t}{\sqrt{n}}\right)\left(\frac{X_n-\mu}{\sigma}\right)\right]\right\} \\
&= E\left\{\exp\left[\left(\frac{t}{\sqrt{n}}\right)\left(\frac{X_1-\mu}{\sigma}\right)\right]\right\}\cdots E\left\{\exp\left[\left(\frac{t}{\sqrt{n}}\right)\left(\frac{X_n-\mu}{\sigma}\right)\right]\right\}, \\
&= \left[m\left(\frac{t}{\sqrt{n}}\right)\right]^n, \qquad -h < \frac{t}{\sqrt{n}} < h
\end{aligned}$$

여기서

$$m(t) = E\left\{\exp\left[t\left(\frac{X_i-\mu}{\sigma}\right)\right]\right\}, \qquad -h < t < h$$

는

$$Y_i = \frac{X_i-\mu}{\sigma}, \qquad i = 1, 2, \ldots, n$$

의 공통된 mgf를 나타낸다. 또 $E(Y_i) = 0$, $E(Y_i^2) = 1$이므로

$$m(0) = 1, \qquad m'(0) = E\left(\frac{X_i-\mu}{\sigma}\right) = 0, \qquad m''(0) = E\left[\left(\frac{X_i-\mu}{\sigma}\right)^2\right] = 1$$

이 되고, 잉여항을 갖는 테일러 급수로 전개하면 0과 t 사이의 t_1에 대해

$$m(t) = m(0) + m'(0)t + \frac{m''(t_1)t^2}{2} = 1 + \frac{m''(t_1)t^2}{2}$$

이다. $t^2/2$을 더해주고 빼주면

$$m(t) = 1 + \frac{t^2}{2} + \frac{[m''(t_1)-1]t^2}{2}$$

이 된다. 이제 $E[\exp(tW)]$에서 위의 $m(t)$ 식을 사용하면 W의 mgf는 0과 $t/\sqrt{n}$ 사이의 t_1에 대해

$$\begin{aligned}
E[\exp(tW)] &= \left\{1 + \frac{1}{2}\left(\frac{t}{\sqrt{n}}\right)^2 + \frac{1}{2}[m''(t_1)-1]\left(\frac{t}{\sqrt{n}}\right)^2\right\}^n \\
&= \left\{1 + \frac{t^2}{2n} + \frac{[m''(t_1)-1]t^2}{2n}\right\}^n, \qquad -\sqrt{n}\,h < t < \sqrt{n}\,h
\end{aligned}$$

과 같다. 이때 $m''(t)$는 $t = 0$에서 연속이고, $n \to \infty$이면 $t_1 \to 0$이므로 다음과 같다.

$$\lim_{n\to\infty}[m''(t_1)-1]=1-1=0$$

따라서 고급해석학의 결과를 사용해 다음을 얻는다.

$$\lim_{n\to\infty} E[\exp(tW)] = \lim_{n\to\infty}\left\{1+\frac{t^2}{2n}+\frac{[m''(t_1)-1]t^2}{2n}\right\}^n$$

$$= \lim_{n\to\infty}\left\{1+\frac{t^2}{2n}\right\}^n = e^{t^2/2}, \qquad -\infty < t < \infty$$

이것은

$$W=\frac{\overline{X}-\mu}{\sigma/\sqrt{n}}=\frac{\sum_{i=1}^{n}X_i-n\mu}{\sqrt{n}\,\sigma}$$

의 극한분포가 $N(0, 1)$임을 나타낸다.

근사분포로서 중심극한정리의 사용 예제는 5.6절과 5.7절에서 주어졌다.

중심극한정리 증명의 이해를 돕기 위해 다음 예제는 2개 분포에 대한 mgf의 수렴을 그래프에 의해 설명한다.

예제 5.9-3 $X_1, X_2, \ldots, X_n$은 $\theta = 2$인 지수분포에서 추출한 크기 n인 확률표본이다. $(\overline{X}-\theta)/(\theta/\sqrt{n})$의 mgf는

$$M_n(t)=\frac{e^{-t\sqrt{n}}}{(1-t/\sqrt{n})^n}, \qquad t<\sqrt{n}$$

이다. 중심극한정리는 n이 증가함에 따라서 mgf $M_n(t)$가 $N(0, 1)$의 mgf

$$M(t)=e^{t^2/2}, \qquad -\infty < t < \infty$$

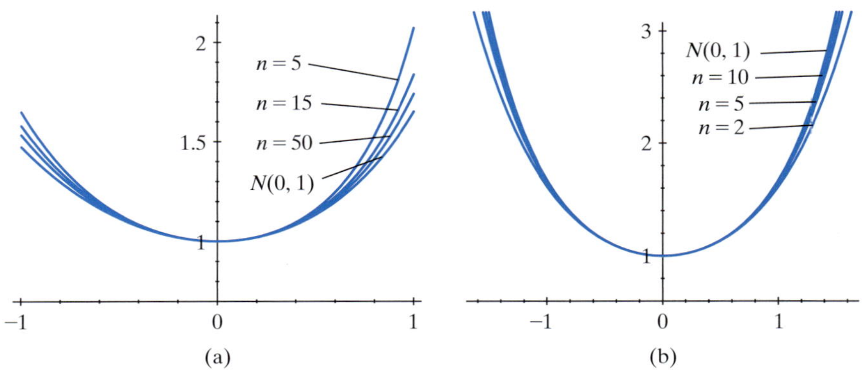

그림 5.9-2 적률생성함수의 수렴 (a) 지수분포, (b) U형 분포로부터 추출

로 근사함을 말하고 있다. mgf $M(t)$와 $M_n(t)$, $n = 5, 15, 50$이 그림 5.9-2(a)에 그려져 있다. [확률표본이 $\chi^2(1)$ 분포로부터 추출되었던 그림 5.6-2를 참조하라. $\theta = 2$를 갖는 지수분포는 $\chi^2(2)$ 분포이기도 하다.]

예제 5.6-6에서 pdf

$$f(x) = \left(\frac{3}{2}\right)x^2, \qquad -1 < x < 1$$

를 갖는 U 모양의 분포를 다루었다. 이 분포는 $\mu = 0$, $\sigma^2 = 3/5$이고, $t \neq 0$일 때 mgf는

$$M(t) = \left(\frac{3}{2}\right)\frac{e^t t^2 - 2e^t t + 2e^t - e^{-t}t^2 - 2e^{-t}t - 2e^{-t}}{t^3}$$

이고 $M(0) = 1$이다. 여기서 W_n을

$$W_n = \frac{\overline{X} - 0}{\sqrt{3/(5n)}}$$

으로 놓으면 W_n의 mgf는 다음과 같다.

$$E[e^{tW_n}] = \left\{E\left[\exp\left(\sqrt{\frac{5}{3n}}\,t\right)\right]\right\}^n = \left[M\left(\sqrt{\frac{5}{3n}}\,t\right)\right]^n$$

그림 5.9-2(b)에는 $n = 2, 5, 10$일 때의 mgf 그래프와 $N(0, 1)$의 mgf가 함께 그려져 있다. 이들 mgf는 지수분포의 경우인 mgf와 비교해 얼마나 더 빨리 수렴하는지를 보여준다. ■

연습문제

5.9-1 Y는 어떤 기계에서 생산된 제품 50개들이 한 상자 안에 포함된 불량품의 수이다. 제품의 불량률을 0.01이라 할 때 $P(Y \leq 3)$을 다음의 경우에 대해 구하라.

(a) 이항분포

(b) 푸아송 근사

5.9-2 S^2은 $N(\mu, \sigma^2)$에서 추출한 크기가 n인 확률표본의 표본분산이다. $n \to \infty$일 때 S^2의 mgf의 극한이 $e^{\sigma^2 t}$, $-\infty < t < \infty$가 됨을 증명하라. 즉, S^2의 극한분포는 σ^2에서 확률 1을 갖는 퇴화분포이다.

5.9-3 Y는 평균이 $3n$인 푸아송분포를 따른다. 중심극한정리를 이용해

$$W = \frac{Y - 3n}{\sqrt{3n}}$$

이 $N(0, 1)$인 극한분포를 갖게 됨을 증명하라.

역사적 해설

제5장에서 논의했던 많은 중요한 주제들 중에서 특히 t 분포와 F 분포에 관해 몇 가지 이야기를 하려고 한다. 그중에서 첫 번째는 'Student's t' 분포라는 이름의 유래에 관해서이다. 더블린의 기네스 양조장의 책임자였던 고셋(W. S. Gosset)은 1908년에 'A Student'라는 필명으로 t 분포에 관한 연구 결과를 발표했다. 필명을 사용한 이유는 당시 연구 결과를 출판할 때 기네스 양조장의 규정이 기네스 언급, 맥주 언급, 그리고 성씨 언급을 금지하는 것이었기 때문이다. 고셋이 필명으로 'Student'를 사용한 이유는 확신하지 못하나 당시 그가 사용했던 연구노트는 "The Student's Science Notebook"(Ziliak and McCloskey, 2008, p 213)이라고 알려져 있었다. 어떤 의미에서는 고셋이 t 분포를 발견한 것은 행운이었다. 그것은 경험에서 우러난 두 가지 추측을 만들었기 때문이다. 그중 하나는 피어슨 분포족과 관련 있다. 또 다른 유명한 통계학자인 피어슨(Karl Pearson)은 고셋의 발표보다 몇 년 전에 이 피어슨분포족을 발표했다. 몇 년 후에 위대한(아마도 가장 위대한) 통계학자인 피셔(Sir Ronald A. Fisher)는 실제로 T가 고셋이 발견했던 t 분포를 따름을 증명했다. F 분포에 관해서는 피셔가 지금 F라고 부르는 함수를 연구했다. 현재와 같은 형태의 F를 제안했던 이는 아이오와대학교의 스네데커(George Snedecor)였으나 그는 피셔를 기념하여 F 분포라고 명명했다. 그러나 스네데커의 F가 훨씬 더 유용한 식이었다. 피셔는 후에 기사 작위를 받았다. 그 외에도 기사 작위를 받은 통계학자는 켄달(Sir Maurice G. Kendall), 콕스(Sir David R. Cox), 스미스(Sir Adrian Smith)이다. 이 중에서 뒤의 두 사람은 아직 생존해 있다. 그들의 기사작위는 최소한 영국 왕국에서 그들의 통계적 노력에 대해 감사를 표하는 것이다.

확률의 역사에서 다음으로 중요한 인물은 1667년 프랑스 태생 드므부아(Abraham de Moivre)이다. 그는 신교도로서 구교도 사회에서 잘 살지 못했으며 실제로 그의 믿음 때문에 2년 동안 수감생활을 했다. 그 이후 영국으로 건너갔지만 학교에서 직장을 얻지 못해 도박꾼이나 보험거래인의 조력자로서 생계를 꾸려나갔다. 그는 *The Doctrine of Chance*를 출판한 후에 베르누이(Nicolaus Bernoulli)가 제안했던 프로젝트에 참여했다. 그는 Y가 $b(n, p)$라는 사실을 이용해 성공의 상대도수인 Y/n가 매우 흥미로운 근사분포를 갖는다는 것을 발견했다. 드므부아는 정규분포라고 하는 종 모양의 분포, 그리고 중심극한정리의 특별한 경우를 발견했다. $Y \sim b(100, 1/2)$인 경우 $Y/100$의 pmf가 그림 5.9-3에 그려져 있다.

이 분포를 통해 드므부아는 현재 우리가 표준편차라고 하는 산포도를 결정했다. 또한 p를 포함하는 주어진 구간에 Y/n가 속해 있는 확률을 근사적으로 구했다. 그는 이 확률적 상대도수의 질서정연함에 진실로 매료되어 이를 전지전능자의 계획으로 이해했다. 그의 위대한 업적에도 불구하고 드므부아는 비참하고 비사교적인 사람으로서 살다 가난 속에서 87세를 일기로 생을 마감했다.

확률의 역사에서 마지막으로 언급하고 싶은 두 사람은 가우스(Carl Friedrich Gauss)와 라플라스(Marquis Pierre Simon de Laplace)이다. 가우스는 라플라스에 비해 29년 연하로서, 그의 연구에 대해 너무 비밀스러워 누가 먼저 중심극한정리를 발견했는지 말하기가 어렵다. 중심극한정리는 드므부아의 결과를 일반화한 것이다. 드므부아의 경우

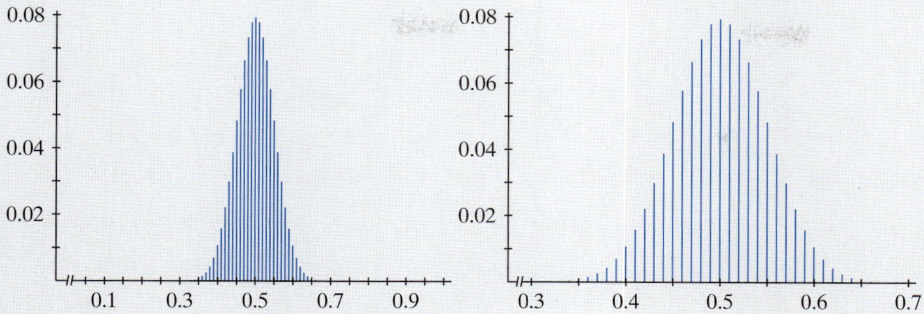

그림 5.9-3 $Y/100$의 분포에 대한 막대그래프

베르누이 분포로부터 표본자료를 얻었으므로 i번째 시행에서 $X_i = 1$ 혹은 0이라 하면

$$\frac{Y}{n} = \sum_{i=1}^{n} \frac{X_i}{n} = \overline{X}$$

는 성공에 대한 상대도수로서 근사적으로 정규분포를 따른다. 라플라스와 가우스에 의하면 임의의 분포로부터 표본을 얻어 만약 이차 적률이 존재한다면 표본평균 $\overline{X}$는 근사적으로 정규분포를 따른다는 것이다. 중심극한정리는 1810년 가우스의 *Theoria Motus*에 발표되기 바로 전인 1809년 라플라스에 의해 발표되었다. 어떤 이유인지 정규분포는 흔히 가우스분포라 불리며 라플라스의 기여와 드므부아가 83년 더 일찍 이루었던 원래 업적이 간과되어 왔다. 그 후로 더욱 일반화된 중심극한정리들이 확립되었으며, 특히 대부분의 모수 추정량들이 근사적으로 정규분포를 따른다.

확률과 통계에 관한 유용한 역사가 많이 있다. 그러나 우리가 특히 관심을 가지고 보았던 것은 다음 두 가지이다—Peter L. Bernstein의 *Against the Gods: The Remarkable Story of Risk*(New York: John Wiley & Sons, Inc., 1996)과 Stephen M. Stigler의 *The History of Staistics: The Measurement of Uncertainty Before 1900* (Cambridge, MA: Harvard University Press, 1986).

확률분포를 갖는 어떤 확률적 현상을 모형화하려는 이유는 확률모형이 합리적으로 좋은 모형이라면, 어떤 관심이 되는 수치보다 큰 혹은 작은 비율을 근사적으로 알 수 있기 때문이다. 그러한 정보를 안다면 어떤 결정을 내리는 데 도움이 되며, 때때로 이것은 매우 중요한 일일 때가 많다.

이러한 모형으로 어떤 분포를 따르는 확률변수들을 모의실험하는 법을 배웠다. 실제의 많은 상황에서 수많은 확률변수를 갖는 모형식의 정확한 답을 계산할 수 없다. 따라서 문제가 되는 확률변수들을 모의실험 하여 분포를 근사적으로 밝혀낼 수 있다. 그러한 모의실험에 '몬테카를로(Monte Carlo)'라는 이름이 붙는데, 이것은 제2차 세계대전 때 원자탄과 관련된 핵융합의 컴퓨터 실험에서 처음 사용되었다고 생각한다. 물론 '몬테카를로'라는 이름은 카지노 도박으로 유명한 도시이름으로부터 유래한다.

06 점추정

Point Estimation

6.1 기술통계학

제2장에서는 가산적인(유한 개수이든지 혹은 양의 정수와 1:1 대응이 되는) 결과들로 이루어진 공간 S를 갖는 확률변수의 확률분포들을 공부하였다. 그러한 확률변수를 **이산형**(discrete type)이라고 하며, 그것의 확률분포 역시 이산형이라고 한다.

물론 많은 경우, 실험이나 우연적 현상의 관측값들이 점수나 다른 이산적인 숫자의 결과값들을 갖지 않고, 대신 어느 숫자 구간 내에서 선택된다. 예를 들어 빙과류를 사기 위해 줄에서 기다리는 대기시간이나, 1kg 포장 냉동만두의 실제 무게가 0.94~1.25kg 사이의 어떤 값일 수가 있는 것이다. 비록 그러한 시간이나 무게의 값은 어느 구간 내에서 선택된다고 할지라도 일반적으로는 절삭되어 이산적인 자료로 보인다. 만약 개념적으로 관측값들이 가능한 결과들의 구간으로부터 나온다면, 그러한 것들을 연속형 분포로부터 나온 자료, 혹은 간단히 **연속형 자료**(continuous-type data)라고 한다.

보통 연속형 자료가 주어지면 우리는 그것을 몇 개의 계급으로 그룹화하고, 그룹화된 자료에 대해 히스토그램을 작성한다. 이렇게 함으로써 자료에 대한 시각화를 잘 할 수 있다. 연속형 자료를 동일 길이의 계급으로 그룹화하기 위해 다음과 같은 절차와 용어가 사용될 것이다(이 절차들은 범위가 큰 이산형 자료들에 대해서도 역시 사용될 수 있다).

1. 관측값들 중에서 최댓값과 최솟값을 파악한다. **범위**(range) R은 최댓값과 최솟값의 차이, 즉 $R =$ 최댓값 $-$ 최솟값이다.
2. 일반적으로 동일 길이를 갖고 겹치지 않는 구간인 $k = 5$에서 $k = 20$개의 계급을

선택한다. 이 계급들은 최솟값으로부터 최댓값까지 구간을 덮을 수 있어야 한다.

3. 각각의 구간은 정해진 개수의 소수 자리까지 절삭된 2개의 가능한 관측값들의 중간에서 시작하고 끝난다.
4. 첫 번째 구간은 최솟값보다도 훨씬 작은 값부터 시작하고, 마지막 구간은 최댓값보다 큰 값에서 끝난다.
5. 이러한 구간들을 **계급구간**(class intervals)이라고 하고, 그 경계들을 **계급경계**(class boundaries)라고 한다. 이러한 k개의 계급구간들을 다음과 같이 표기한다.

$$(c_0, c_1), (c_1, c_2), \ldots, (c_{k-1}, c_k)$$

6. **계급한계**(class limits)는 각 계급 내에서 관측(기록)된 가장 작고 가장 큰 값들을 지칭한다.
7. **계급표시**(class mark)는 계급의 중간점을 말한다.

도수분포표(frequency table)는 계급구간, 계급한계, 각 계급 내의 관측값들에 대한 표 작성, 각 계급의 도수 f_i, 그리고 계급표시들을 열거함으로써 작성된다. 동일 길이를 갖는 계급구간들을 이용해 각 계급에 대해 그 계급구간을 밑변으로 삼고, 그 구간의 도수를 높이로 한 사각형을 그림으로써 **도수 히스토그램**(frequency histogram)을 구성할 수 있다. 만약 각 사각형의 면적을 해당 계급 내 관측값들의 상대도수(relative frequency) f_i/n과 동일하도록 히스토그램을 만든다면 그것을 **상대도수 히스토그램**(relative frequency histogram)이라고 한다. 즉, i번째 계급의 도수 f_i와 관측값들의 총개수 n에 대해

$$h(x) = \frac{f_i}{(n)(c_i - c_{i-1})}, \qquad c_{i-1} < x \le c_i, \quad i = 1, 2, \ldots, k$$

로 정의된 함수를 상대도수 히스토그램 또는 **분포 히스토그램**(density histogram)이라고 한다. 따라서 계급의 길이가 모두 동일하다면 $c_{i-1} < x \le c_i$, $i = 1, 2, \ldots, k$인 x에 대한 상대도수 히스토그램 $h(x)$는 도수 히스토그램 f_i에 비례한다. 도수 히스토그램은 동일 길이의 계급구간의 경우에만 사용되어야 한다. 상대도수 히스토그램은 잠재된 확률분포함수에 대한 추정치로 간주될 수 있다.

예제 6.1-1 40개 사탕의 무게(g)에 대한 자료가 표 6.1-1에 크기순으로 정리되어 있다.

이 자료를 그룹화해 히스토그램을 작성함으로써 무게에 대한 분포를 시각화하려고 한다. 자료의 범위는 $R = 26.7 - 20.5 = 6.2$이다. 여기서 전체 구간 (20.5, 26.7)을 너비 0.8인 $k = 8$개의 계급으로 나누거나, 혹은 너비 0.7인 $k = 9$개의 계급으로 나눌 수 있다(물론 다르게 나눌 수도 있다). 이제 너비 0.9인 $k = 7$개의 구간으로 나누기로 한다.

표 6.1-1 사탕의 무게(g)

20.5	20.7	20.8	21.0	21.0	21.4	21.5	22.0	22.1	22.5
22.6	22.6	22.7	22.7	22.9	22.9	23.1	23.3	23.4	23.5
23.6	23.6	23.6	23.9	24.1	24.3	24.5	24.5	24.8	24.8
24.9	24.9	25.1	25.1	25.2	25.6	25.8	25.9	26.1	26.7

표 6.1-2 사탕의 무게에 대한 도수분포표

계급구간	계급한계	표 작성	도수(f_i)	$h(x)$	계급표시
(20.45, 21.35)	20.5–21.3	𝍸	5	5/36	20.9
(21.35, 22.25)	21.4–22.2	||||	4	4/36	21.8
(22.25, 23.15)	22.3–23.1	𝍸 |||	8	8/36	22.7
(23.15, 24.05)	23.2–24.0	𝍸 ||	7	7/36	23.6
(24.05, 24.95)	24.1–24.9	𝍸 |||	8	8/36	24.5
(24.95, 25.85)	25.0–25.8	𝍸	5	5/36	25.4
(25.85, 26.75)	25.9–26.7	|||	3	3/36	26.3

첫 번째 구간은 (20.45, 21.35)이며 마지막 구간은 (25.85, 26.75)가 될 것이다. 표 6.1-2에 자료를 그룹화했다.

이 자료에 대한 상대도수 히스토그램이 그림 6.1-1에 주어져 있다. 히스토그램의 총 면적이 1이라는 사실을 주목하자. 사각형의 높이가 각 계급의 도수와 동일하도록 히스토그램을 작성할 수도 있다. 두 가지 히스토그램의 모양은 동일하다. 나중에 우리는 상대도수 히스토그램을 더 선호하는 이유를 알게 될 것이다. 특히 상대도수 히스토그램 위에 밀도함수 그래프를 겹쳐서 그릴 것이다. ■

이제 실제적으로 확률실험을 n번 실행해 n개의 관측값 $x_1, x_2, \ldots, x_n$을 얻었다고 가정하자. 이러한 관측값들의 집합을 **표본**(sample)이라고 한다. 이 자료들 중 몇 개는 동일한 값을 가질 수 있으나 현재는 걱정하지 않기로 한다. 이러한 x값 각각에게 가중치 $1/n$을 부여해 인위적으로 확률분포를 만들어보자. 이 가중치들은 양수이며 모두 합치면 1이 된다. 이렇게 만들어진 분포를 **경험분포**(empirical distribution)라고 하는데, 이는 자료 $x_1, x_2, \ldots, x_n$에 의해 결정되기 때문이다. 경험분포의 평균은 다음과 같으며 관측값 $x_1, x_2, \ldots, x_n$의 산술평균이다.

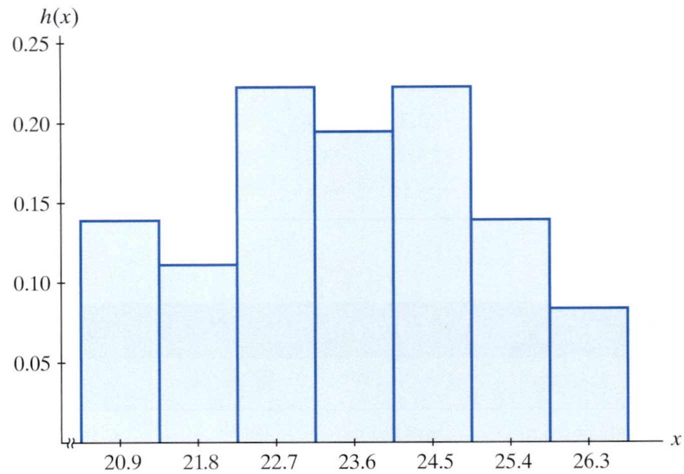

그림 6.1-1 사탕 무게에 대한 상대도수 히스토그램

$$\sum_{i=1}^{n} x_i\left(\frac{1}{n}\right) = \frac{1}{n}\sum_{i=1}^{n} x_i$$

우리는 이 평균을 $\overline{x}$로 표기하고 **표본평균**(sample mean)이라고 한다. 즉, 표본평균은

$$\overline{x} = \frac{1}{n}\sum_{i=1}^{n} x_i$$

이며, 어떤 의미에서는 모평균 μ를 모를 때는 그것에 대한 추정치이다.

마찬가지로 **경험분포의 분산**(variance of the empirical distribution)은

$$v = \sum_{i=1}^{n} (x_i - \overline{x})^2\left(\frac{1}{n}\right) = \frac{1}{n}\sum_{i=1}^{n} (x_i - \overline{x})^2$$

이며, 이를 다시 다음과 같이 표시할 수 있다.

$$v = \sum_{i=1}^{n} x_i^2\left(\frac{1}{n}\right) - \overline{x}^2 = \frac{1}{n}\sum_{i=1}^{n} x_i^2 - \overline{x}^2$$

v는 표본분산이라고 부르지는 않으며, 대신

$$s^2 = \left[\frac{n}{n-1}\right]v = \frac{1}{n-1}\sum_{i=1}^{n} (x_i - \overline{x})^2$$

을 표본분산이라고 한다. 왜냐하면 s^2이 미지의 모분산 σ^2에 대한 더 좋은 추정치이기 때문이다. 그러므로 **표본분산**(sample variance)은 다음과 같다.

$$s^2 = \frac{1}{n-1}\sum_{i=1}^{n}(x_i - \overline{x})^2$$

참고 위의 제곱합이 다음과 같이 펼쳐질 수 있다는 것을 쉽게 확인할 수 있다.

$$\sum_{i=1}^{n}(x_i - \overline{x})^2 = \sum_{i=1}^{n} x_i^2 - \frac{(\sum_{i=1}^{n} x_i)^2}{n}$$

오른쪽 식이 n개의 차이 $x_i - \overline{x}$, $i = 1, 2, \ldots, n$을 내서 제곱한 후 합하는 왼쪽 식보다 계산상 용이하다는 것을 확인할 수 있다. 또 다른 이점은 $\overline{x}$가 소수점 이하 단위가 많을 때 $x_i - \overline{x}$에서 절삭을 해야 하며, 이에 따라 제곱합의 오차를 발생시키지만 오른쪽 식에서는 계산이 완료되기 전까지는 절삭이 필요없다. 물론 통계 계산기나 통계 패키지를 사용하면 이 모든 것이 자동적으로 계산된다.

표본표준편차(sample standard deviation) $s = \sqrt{s^2} \geq 0$은 자료가 표본평균으로부터 얼마나 산포되어 있는지를 측정한다. 현재 여러분은 표준편차 s에 대한 의미를 정확하게 이해하지 못할 수 있으며 대략 관측값 $x_1, x_2, \ldots, x_n$들이 평균 $\overline{x}$로부터 떨어져 있는 평균거리라고 생각할 수 있겠다. 그러나 일반적으로

$$s > \frac{1}{n}\sum_{i=1}^{n} |x_i - \overline{x}|$$

이기 때문에 그것은 사실이 아니며, s는 평균거리보다는 조금 더 큰 값이라고 말할 수 있다.

예제 6.1-2 주사위를 5번 던져서 다음과 같은 관측값을 얻었다.

$$x_1 = 3,\ \ x_2 = 1,\ \ x_3 = 2,\ \ x_4 = 6,\ \ x_5 = 3$$

이 경우 $\overline{x}$와 s^2은 다음과 같다.

$$\overline{x} = \frac{3+1+2+6+3}{5} = 3$$

$$s^2 = \frac{(3-3)^2 + (1-3)^2 + (2-3)^2 + (6-3)^2 + (3-3)^2}{4} = \frac{14}{4} = 3.5$$

따라서 $s = \sqrt{14/4} = 1.87$이다. x값들이 $\overline{x} = 3$으로부터 떨어져 있는 거리는 0, 2, 1, 3, 0이며 평균거리는 1.2로서 $s = 1.87$보다 작다. 일반적으로 s는 이러한 평균거리보다는 조금 더 큰 값이다. ■

$s^2 = [n/(n-1)]v$이고 $v = \frac{1}{n}\sum_{i=1}^{n}(x_i - \overline{x})^2 = \frac{1}{n}\sum_{i=1}^{n} x_i^2 - \overline{x}^2$이므로 s^2을 다음과 같이 다르게 계산할 수 있다.

$$s^2 = \frac{\sum_{i=1}^{n} x_i^2 - n\overline{x}^2}{n-1} = \frac{\sum_{i=1}^{n} x_i^2 - (1/n)(\sum_{i=1}^{n} x_i)^2}{n-1}$$

주어진 자료에 대해 각 관측값들과 표본평균과의 편차의 합이 $\sum_{i=1}^{n}(x_i - \overline{x}) = 0$이므로 표본평균은 자료의 중심이다. 표본표준편차 s는 자료가 표본평균으로부터 얼마나 산포되어 있는지를 가늠하는 척도를 제공한다. 만약 히스토그램의 형태가 종 모양이라면 다음의 경험법칙에 따라 특정 구간에 속해 있는 자료의 비율에 대한 근삿값들을 알 수 있다. 이 비율들은 정규분포와 분명한 관계가 있다.

경험법칙(empirical rule): $x_1, x_2, \ldots, x_n$이 표본평균 $\overline{x}$와 표본표준편차 s를 갖는다고 하자. 만약 이들 자료의 히스토그램이 '종 모양(bell shaped)'으로 되어 있으면,

- 자료의 약 68%가 구간 $(\overline{x} - s, \overline{x} + s)$
- 자료의 약 95%가 구간 $(\overline{x} - 2s, \overline{x} + 2s)$
- 자료의 약 99.7%가 구간 $(\overline{x} - 3s, \overline{x} + 3s)$

에 있게 된다.

예제 6.1-1의 자료에 대해 표본평균 $\overline{x} = 23.505$이며 표준편차는 $s = 1.641$이다. 평균으로부터 1 표준편차 이내인 (23.505 − 1.641, 23.505 + 1.641) 구간에 속한 무게들의 개수는 27이며 67.5%이다. 이 자료들은 $\overline{x}$로부터 2배의 표준편차 이내에 100% 모두 속해 있다. 그러므로 경험법칙이 성립되기 위해서는 이 자료의 히스토그램의 '종'의 꼬리 부분이 없는 셈이다.

계급구간들의 길이가 동일하면 상대도수 히스토그램은 더욱 세련되게 만들 수 있다. **상대도수 다각형**(relative frequency polygon)은 해당 히스토그램을 어느 정도 평활한 것이다. 다각형을 그리기 위해서는 먼저 히스토그램 각각의 막대의 윗부분에 중앙점을 표시한다. 그다음으로 인접한 중앙점들을 선분으로 연결한다. 양쪽 끝에 있는 2개의 막대에 대해서는 그 막대의 중앙점으로부터 그 막대의 바깥쪽 수직선의 중간을 통과하도록 선분을 그린다. 상대도수 히스토그램의 막대 면적의 합이 1이라면, 상대도수 다각형 아래 면적 역시 1이 된다. 합동의 삼각형에 의해 얻게 되고 잃게 되는 면적이 동일하기 때문이다.

예제 6.1-3 불소치약 생산회사에서는 치약 내 불소량이 0.85~1.10mg/g의 규격 내에 있는지 정기적으로 검사를 하고 있다. 표 6.1-3에 100개의 관측값이 정리되어 있다.

표 6.1-3 치약당 불소 함유량(mg/g)

0.98	0.92	0.89	0.90	0.94	0.99	0.86	0.85	1.06	1.01
1.03	0.85	0.95	0.90	1.03	0.87	1.02	0.88	0.92	0.88
0.88	0.90	0.98	0.96	0.98	0.93	0.98	0.92	1.00	0.95
0.88	0.90	1.01	0.98	0.85	0.91	0.95	1.01	0.88	0.89
0.99	0.95	0.90	0.88	0.92	0.89	0.90	0.95	0.93	0.96
0.93	0.91	0.92	0.86	0.87	0.91	0.89	0.93	0.93	0.95
0.92	0.88	0.87	0.98	0.98	0.91	0.93	1.00	0.90	0.93
0.89	0.97	0.98	0.91	0.88	0.89	1.00	0.93	0.92	0.97
0.97	0.91	0.85	0.92	0.87	0.86	0.91	0.92	0.95	0.97
0.88	1.05	0.91	0.89	0.92	0.94	0.90	1.00	0.90	0.93

표 6.1-4 불소 함유량 도수분포표

계급구간	계급표시(u_i)	표 작성	도수(f_i)	$h(x) = f_i/3$
(0.835, 0.865)	0.85	𝍸 ||	7	7/3
(0.865, 0.895)	0.88	𝍸 𝍸 𝍸 𝍸	20	20/3
(0.895, 0.925)	0.91	𝍸 𝍸 𝍸 𝍸 𝍸 ||	27	27/3
(0.925, 0.955)	0.94	𝍸 𝍸 𝍸 |||	18	18/3
(0.955, 0.985)	0.97	𝍸 𝍸 ||||	14	14/3
(0.985, 1.015)	1.00	𝍸 ||||	9	9/3
(1.015, 1.045)	1.03	|||	3	3/3
(1.045, 1.075)	1.06	||	2	2/3

관측값 중 최솟값은 0.85이고 최댓값은 1.06이다. 범위는 $1.06 - 0.85 = 0.21$이다. 길이 0.03인 $k = 8$개의 계급으로 나누면 $8(0.03) = 0.24 > 0.21$이므로 0.835에서 시작해 1.075로 마치게 된다. 이 경계는 최솟값으로부터 아래로, 최댓값으로부터 위로 동일한 거리에 위치한다. 표 6.1-4에 히스토그램의 총면적이 1이 되도록 상대도수 히스토그램의 각 사각형의 높이값을 규정했다.

이 높이값들은 다음과 같이 계산된다.

$$h(x) = \frac{f_i}{(0.03)(100)} = \frac{f_i}{3}$$

상대도수 히스토그램과 다각형이 그림 6.1-2에 그려져 있다.

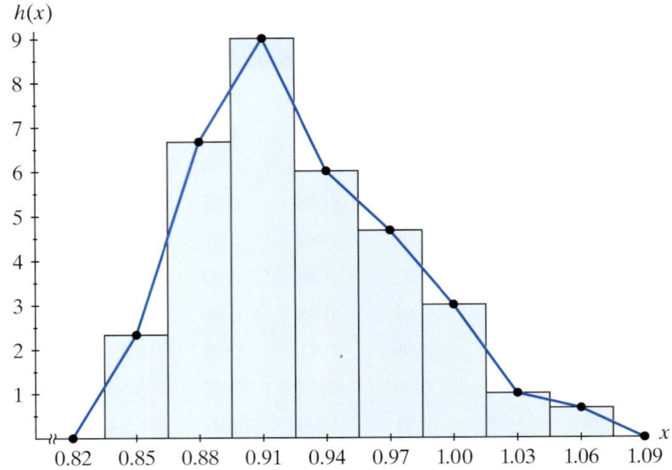

그림 6.1-2 치약의 불소 함유량

만약 자료를 분석하기 위해 컴퓨터 프로그램을 사용한다면 표본평균, 표본분산, 표본 표준편차를 찾아내는 것은 매우 쉬운 일이다. 그러나 만약 그룹화된 자료만을 갖고 있거나 컴퓨터를 사용하지 못하는 경우에는, 그룹화된 자료의 계급표시들을 그들 각자의 도수를 가중하여 구한 평균 $\overline{u}$와 분산 s_u^2을 계산함으로써 가까운 근삿값을 얻을 수 있다. 평균 $\overline{u}$, 분산 s_u^2, 그리고 표준편차 s_u는 다음과 같다.

$$\begin{aligned}\overline{u} &= \frac{1}{n}\sum_{i=1}^{k} f_i u_i \\ &= \frac{1}{100}\sum_{i=1}^{8} f_i u_i = \frac{92.83}{100} = 0.9283 \\ s_u^2 &= \frac{1}{n-1}\sum_{i=1}^{k} f_i(u_i-\overline{u})^2 = \frac{\sum_{i=1}^{k} f_i u_i^2 - (1/n)(\sum_{i=1}^{k} f_i u_i)^2}{n-1} \\ &= \frac{0.237411}{99} = 0.002398\end{aligned}$$

그러므로 $s_u = \sqrt{0.002398} = 0.04897$이다. 이러한 값들은 원자료로부터 구한 $\overline{x} = 0.9293$과 $s_x = 0.04895$에 비교적 가깝다. ■

어떤 경우에는 도수분포와 히스토그램을 작성할 때 동일한 너비의 계급구간을 사용하는 것이 반드시 바람직하지 않을 때도 있다. 특히 자료가 긴 꼬리를 갖고 기울어져 있는 경우에 그렇다. 다음 예제에서 계급구간의 너비를 다르게 구성하는 것이 더 바람직한 경우를 보게 된다.

예제 6.1-4 강풍에 의한 재난 피해액에 대한 40개 자료가 100만 달러 단위로 다음과 같이 기록되어 있다(200만 달러 이상의 피해액만 포함되었으며 편의상 순서대로 정리되었다).

2	2	2	2	2	2	2	2	2	2
2	2	3	3	3	3	4	4	4	5
5	5	5	6	6	6	6	8	8	9
15	17	22	23	24	24	25	27	32	43

이 자료에 대해 계급경계들은 다소 주관적으로 정해졌다. 자료들이 200만 달러 이상인 값들만 기록되었으며 그중 12개가 200만 달러로 동일한 값을 가지고 있기 때문에 $c_0 = 1.5$와 $c_1 = 2.5$로 정한 것은 합리적이다. 그다음 $c_2 = 6.5$, $c_3 = 29.5$, $c_4 = 49.5$로 정한다면 다음과 같은 상대도수 히스토그램을 얻게 되며 그림 6.1-3에 그려져 있다.

$$h(x) = \begin{cases} \dfrac{12}{40}, & 1.5 < x \le 2.5 \\ \dfrac{15}{(40)(4)}, & 2.5 < x \le 6.5 \\ \dfrac{11}{(40)(23)}, & 6.5 < x \le 29.5 \\ \dfrac{2}{(40)(20)}, & 29.5 < x \le 49.5 \end{cases}$$

4개의 사각형에 대한 면적은 0.300, 0.375, 0.275, 0.050이며, 이들은 각각의 상대도수값이다. 계급구간의 너비가 다른 경우에는 사각형의 높이가 아닌 **면적**이 도수와 비례한다는 것을 주목해야 한다. 특히 첫 번째와 두 번째 계급의 도수가 $f_1 = 12$, $f_2 = 15$로

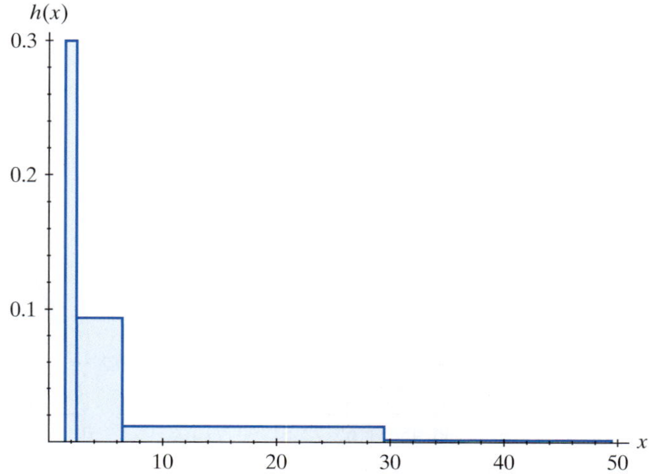

그림 6.1-3 피해액에 대한 상대도수 히스토그램

서 $f_1 < f_2$이지만 첫 번째 구간의 높이는 두 번째 구간의 그것에 비해 더 크다. 만약 계급 구간들의 너비가 모두 동일하면 사각형의 높이들이 도수들에 비례하게 된다. ■

연속형 자료의 경우 가장 큰 계급 높이를 가진 구간을 **최빈계급**(modal class)이라고 부르며, 해당 계급 표시를 **최빈값**(mode)이라고 한다. 위의 예제에서 $x = 2$가 최빈값이며 (1.5, 2.5)가 최빈계급이다.

예제 6.1-5 다음은 119에 걸려온 응급전화들의 간격시간(분)에 대한 105개 관측값이다.

30	17	65	8	38	35	4	19	7	14	12	4	5	4	2
7	5	12	50	33	10	15	2	10	1	5	30	41	21	31
1	18	12	5	24	7	6	31	1	3	2	22	1	30	2
1	3	12	12	9	28	6	50	63	5	17	11	23	2	46
90	13	21	55	43	5	19	47	24	4	6	27	4	6	37
16	41	68	9	5	28	42	3	42	8	52	2	11	41	4
35	21	3	17	10	16	1	68	105	45	23	5	10	12	17

이 자료가 예제 3.2-1에 있는 지수 모형에 부합하는지 판단하기 위해 2개의 그래프를 살펴볼 것이다. 첫 번째로 그림 6.1-4(a)에 상대도수 히스토그램 $h(x)$를 그리고 그 위에 $f(x) = (1/20)e^{-x/20}$를 겹쳐서 표시했다. 두 번째로는 그림 6.1-4(b)에 경험누적분포함수와 이론적인 누적분포함수를 겹쳐서 표시했다. **경험누적분포함수**(empirical cumulative distribution function) $F_n(x)$는 X의 각 관측값마다 수직계단의 크기가 $1/n$인 계단함수이다. 만약 k개의 관측값들이 동일한 값을 갖는다면 그 점에서의 계단은 k/n이다. 그림에서 이론적인 함수들이 그들의 경험적인 상대함수들을 합리적으로 잘 따라가고 있음을 알 수 있다. ■

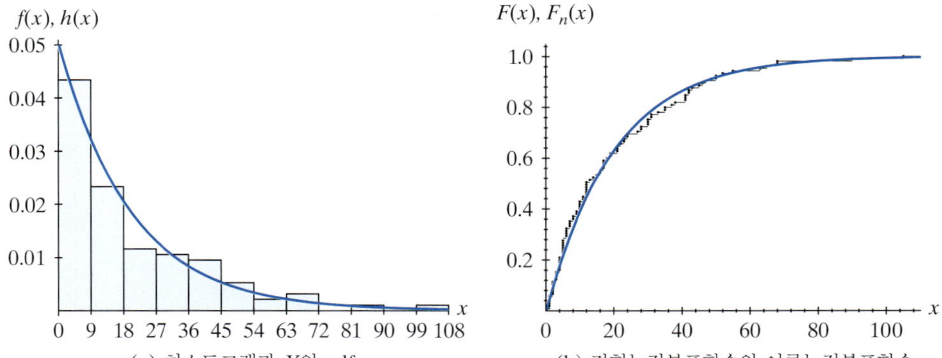

(a) 히스토그램과 X의 pdf (b) 경험누적분포함수와 이론누적분포함수

그림 6.1-4 119 응급전화 간격시간

통계적 해설(심슨의 역설) 1장부터 5장까지는 대부분 확률과 확률분포에 관한 것이었으나 이제는 몇 가지 통계적 개념에 관해 언급하고자 한다. 상대도수 f/n는 **통계량**(statistic)이라고 하며 보통은 미지의 확률 p를 추정하기 위해 사용된다. 예를 들면, 어느 프로야구 선수가 해당 시즌 $n = 500$타석에서 $f = 152$개의 안타를 기록했다면 상대도수는 $f/n = 0.304$로서, 이는 안타를 칠 확률에 대한 추정치이며, 그의 시즌 평균타율이라고 부른다.

어느 두 타자 A와 B를 비교할 때 타자 A가 모든 시즌에서 타자 B보다 평균타율이 높아도 경력 전체를 놓고 비교해보면 타자 B가 더 높은 평균타율을 가질 수도 있다.

이를 확인하기 위해 타자 A, B가 두 시즌만 경기를 치렀다고 가정하고 각 시즌 결과가 다음과 같다고 하자.

	타자 A			타자 B		
시즌	타석	안타	평균	타석	안타	평균
1	500	126	0.252	300	75	0.250
2	300	90	0.300	500	145	0.290
계	800	216	0.270	800	220	0.275

분명히 두 시즌 모두 타자 A가 B보다 성적이 더 좋지만 전체 평균성적은 B가 더 우수하다. 주목할 점은 성적이 더 좋은 시즌(두 번째)에서 타자 B가 A보다 더 많은 타석에 들어갔다는 것이다. 이러한 종류의 결과를 **심슨의 역설**(Simpson's paradox)라고 부르며, 실생활에서 종종 나타난다(연습문제 6.1-6 참조).

연습문제

6.1-1 자동차회사에서 검사하는 항목 중에서 자동차 내부 콘솔박스를 열 때 그것이 완전히 열릴 때까지 걸리는 시간(초)이 있다. $n = 5$개의 확률표본이 다음과 같이 관측되었다.

1.1 0.9 1.4 1.1 1.0

(a) 표본평균 $\bar{x}$를 계산하라.

(b) 표본분산 s^2을 계산하라.

(c) 표본표준편차 s를 계산하라.

6.1-2 디젤엔진 연료분사펌프를 생산하는 회사에서 인턴십을 수행하는 학생이 연료를 펌프 바깥으로 밀어내는 플런저 범주를 측정해야 한다. 이 범주는 절대최소 허용직경과 플런저 직경의 상대적 차이(microns 혹은 micrometers)로 측정된다. 생산라인으로부터 무작위로 추출된 96개 플런저들에 대한 자료가 다음과 같다.

17.1 19.3 18.0 19.4 16.5 14.4 15.8 16.6 18.5 14.9

14.8 16.3 20.8 17.8 14.8 15.6 16.7 16.1 17.1 16.5

18.8 19.3 18.1 16.1 18.0 17.2 16.8 17.3 14.4 14.1

16.9 17.6 15.5 17.8 17.2 17.4 18.1 18.4 17.8 16.7
17.2 13.7 18.0 15.6 17.8 17.0 17.7 11.9 15.9 17.8
15.5 14.6 15.6 15.1 15.4 16.1 16.6 17.1 19.1 15.0
17.6 19.7 17.1 13.6 15.6 16.3 14.8 17.4 14.8 14.9
14.1 17.8 19.8 18.9 15.6 16.1 15.9 15.7 22.1 16.1
18.9 21.5 17.4 12.3 20.2 14.9 17.1 15.0 14.4 14.7
15.9 19.0 16.6 15.3 17.7 15.8

(a) 표본평균과 표본표준편차를 계산하라.

(b) 10.95, 11.95, . . . , 22.95를 계급경계로 사용해 히스토그램을 작성하라.

6.1-3 카지노 룰렛 게임에서 빨간색에 1달러를 걸었을 때 1달러를 딸 확률이 18/38이고 잃을 확률이 20/38이다. X를 5달러를 잃기 전까지 연속적으로 1달러를 베팅한 수라고 하자. 100개의 X에 대한 관측값들이 컴퓨터 시뮬레이션으로 다음과 같이 생성되었다.

23 127 877 65 101 45 61 95 21 43
53 49 89 9 75 93 71 39 25 91
15 131 63 63 41 7 37 13 19 413
65 43 35 23 135 703 83 7 17 65
49 177 61 21 9 27 507 7 5 87
13 213 85 83 75 95 247 1815 7 13
71 67 19 615 11 15 7 131 47 25
25 5 471 11 5 13 75 19 307 33
57 65 9 57 35 19 9 33 11 51
27 9 19 63 109 515 443 11 63 9

(a) 표본평균과 표본표준편차를 계산하라.

(b) 10개의 계급을 사용해 상대도수 히스토그램을 그려라. 계급구간이 동일할 필요는 없다.

(c) 히스토그램에서 $\bar{x}$, $\bar{x} \pm s$, $\bar{x} \pm 2s$, $\bar{x} \pm 3s$를 표시하라.

(d) 중앙값이나 표본평균이 자료의 중심 위치로서 적절한가?

6.1-4 다음은 1976년 어느 지역의 일일 오후 대기 중 납 농도(단위: μg/m^3)에 대한 64개 자료이다.

6.7 5.4 5.2 6.0 8.7 6.0 6.4 8.3 5.3 5.9 7.6
5.0 6.9 6.8 4.9 6.3 5.0 6.0 7.2 8.0 8.1 7.2
10.9 9.2 8.6 6.2 6.1 6.5 7.8 6.2 8.5 6.4 8.1
2.1 6.1 6.5 7.9 14.1 9.5 10.6 8.4 8.3 5.9 6.0
6.4 3.9 9.9 7.6 6.8 8.6 8.5 11.2 7.0 7.1 6.0
9.0 10.1 8.0 6.8 7.3 9.7 9.3 3.2 6.4

(a) 도수분포표를 작성하고 히스토그램을 그려라. 분포가 대칭인가?

(b) 표본평균과 표본표준편차를 계산하라.

(c) 히스토그램에 $\bar{x}$와 $\bar{x} \pm s$를 표시하라. $\bar{x}$로부터 1 표준편차 이내에 몇 개의 관측값들이 속해 있는가? $\bar{x}$로부터 2 표준편차 이내에는 몇 개가 속해 있는가?

6.1-5 Old Faithful은 옐로스톤국립공원에 있는 간헐천이다. 관광객들이 다음번 분출이 언제 일어날 것인지 항상 궁금해하기 때문에 그러한 예측에 도움을 주기 위해 자료가 획득되어 왔다. 며칠간 연속적인 기간 동안 다음과 같은 다섯 가지 자료가 기록되었다.

분출시작시각(STE), 분출지속시간(DIS: 초 단위), 다음 분출까지의 예측시간(PTM: 분 단위), 다음 분출까지의 실제 시간(ATM: 분 단위), 분출 지속시간(DIM: 분 단위)

(a) 분출지속시간(초 단위)에 대한 히스토그램을 그려라. 10~12개 계급을 사용하라.

(b) 표본평균을 계산하고 그것을 히스토그램에 표시하라. 그것이 평균분출기간에 대한 좋은 측정치라고 할 수 있겠는가? 그런지 혹은 그렇지 않은지 설명하라.

(c) 10개에서 12개 계급을 사용해 다음 분출까지의 실제 시간에 대한 히스토그램을 그려라.

(d) 표본평균을 계산하고 그것을 히스토그램에 표시하라. 그것이 다음 분출까지의 평균시간에 대한 좋은 측정치라고 할 수 있겠는가? 그런지 아닌지 설명하라.

STE	DIS	PTM	ATM	DIM	STE	DIS	PTM	ATM	DIM
706	150	65	72	2.500	1411	110	55	65	1.833
818	268	89	88	4.467	616	289	89	97	4.817
946	140	65	62	2.333	753	114	58	52	1.900
1048	300	95	87	5.000	845	271	89	94	4.517
1215	101	55	57	1.683	1019	120	58	60	2.000
1312	270	89	94	4.500	1119	279	89	84	4.650
651	270	89	91	4.500	1253	109	55	63	1.817
822	125	59	51	2.083	1356	295	95	91	4.917
913	262	89	98	4.367	608	240	85	83	4.000
1051	95	55	59	1.583	731	259	86	84	4.317
1150	270	89	93	4.500	855	128	60	71	2.133
637	273	89	86	4.550	1006	287	92	83	4.783
803	104	55	70	1.733	1129	253	65	70	4.217
913	129	62	63	2.150	1239	284	89	81	4.733
1016	264	89	91	4.400	608	120	58	60	2.000
1147	239	82	82	3.983	708	283	92	91	4.717
1309	106	55	58	1.767	839	115	58	51	1.917
716	259	85	97	4.317	930	254	85	85	4.233
853	115	55	59	1.917	1055	94	55	55	1.567
952	275	89	90	4.583	1150	274	89	98	4.567
1122	110	55	58	1.833	1328	128	64	49	2.133
1220	286	92	98	4.767	557	270	93	85	4.500
735	115	55	55	1.917	722	103	58	65	1.717
830	266	89	107	4.433	827	287	89	102	4.783
1017	105	55	61	1.750	1009	111	55	56	1.850
1118	275	89	82	4.583	1105	275	89	86	4.583
1240	226	79	91	3.767	1231	104	55	62	1.733

6.1-6 다음은 1985년 미국 프로야구 두 팀 Baltimore Orioles와 Minnesota Twins가 각각 천연잔디 구장과 인조잔디 구장에서 경기를 치른 결과이다.

구장	Orioles			Twins		
	타석	안타	타율	타석	안타	타율
천연잔디	295	77		92	18	
인조잔디	49	16		168	53	
합계	344	93		260	71	

(a) 잔디구장에서의 각 팀별 평균타율을 계산하라.
(b) 인조구장에서의 각 팀별 평균타율을 계산하라.
(c) 각 팀의 시즌 평균타율을 계산하라.
(d) 결과를 해석하라.

6.1-7 관측값 $x_1, x_2, \ldots, x_n$에 대해 다음과 같은 선형변환을 적용해 변환된 자료 $y_1, y_2, \ldots, y_n$을 얻었다고 하자—$y_i = ax_i + b$, $i = 1, 2, \ldots, n$. 이때 a와 b는 실수이다. 만약 $\bar{x}$와 s_X^2이 각각 원 자료의 표본평균과 표본분산이 각각 $\bar{y} = a\bar{x} + b$와 $s_Y^2 = a^2 s_X^2$임을 밝혀라.

6.2 탐색적 자료분석

미지의 분포에 대한 다른 특성들을 탐색하기 위해서 우리는 n개의 표본 관측값 x_1, x_2, ..., x_n을 분포로부터 획득한 후 종종 가장 작은 것부터 가장 큰 것까지 순서대로 배열할 필요가 있다. 이를 달성하기 위한 한 가지 쉬운 방법으로서 줄기와 잎그림이 있다.

다음과 같은 통계학 시험에 대한 50개의 점수 자료가 있다고 하자.

93	77	67	72	52	83	66	84	59	63
75	97	84	73	81	42	61	51	91	87
34	54	71	47	79	70	65	57	90	83
58	69	82	76	71	60	38	81	74	69
68	76	85	58	45	73	75	42	93	65

도수분포표나 히스토그램을 이용해 많은 것을 할 수 있으나 **줄기와 잎그림**(stem-and-leaf display)을 이용하면 원자료값들을 보존할 수 있다. 위 자료에 대해 첫 번째 관측값인 93을 10의 자릿수 9를 줄기로 간주하고, 1의 자릿수 3을 잎으로 간주한다. 표 6.2-1에서 줄기의 9 다음에 나타날 첫 번째 자릿수에 잎의 3이 나와 있다. 두 번째 관측값인 77은 줄기 부분 7 다음에 잎 부분은 7로 표현되어 있고, 세 번째 관측값 67은 줄기 부분 6 다음에 잎 부분 7로 표현되어 있으며 나머지 관측값들도 동일한 절차로 작성해 나간다.

점수의 10의 자릿수를 줄기라 하고, 1의 자릿수를 잎이라 하여 자료의 순서대로 표를 작성해 나가면 표 6.2-1이 얻어진다. 이와 같은 표를 줄기와 잎그림이라 한다. 잎 부분의 숫자들을 조심스럽게 수직적으로 정렬하면 히스토그램과 같은 효과를 얻을 수 있으며 더 나아가 원자료값들을 소실하지 않는다. 그리고 표 6.2-2와 같이 잎 부분을 작은 것부터 크기순으로 배열한 것을 **순서 줄기와 잎그림**(ordered stem-and-leaf display)이라고 한다.

표 6.2-1 통계학 시험점수에 대한 줄기와 잎그림

줄기	잎	도수
3	4 8	2
4	2 7 5 2	4
5	2 9 1 4 7 8 8	7
6	7 6 3 1 5 9 0 9 8 5	10
7	7 2 5 3 1 9 0 6 1 4 6 3 5	13
8	3 4 4 1 7 3 2 1 5	9
9	3 7 1 0 3	5

표 6.2-2 통계학 시험점수에 대한 순서 줄기와 잎그림

줄기	잎	도수
3	4 8	2
4	2 2 5 7	4
5	1 2 4 7 8 8 9	7
6	0 1 3 5 5 6 7 8 9 9	10
7	0 1 1 2 3 3 4 5 5 6 6 7 9	13
8	1 1 2 3 3 4 4 5 7	9
9	0 1 3 3 7	5

표 6.2-3 통계학 시험점수에 대한 개량된 순서 줄기와 잎그림

줄기	잎	도수
3*	4	1
3•	8	1
4*	2 2	2
4•	5 7	2
5*	1 2 4	3
5•	7 8 8 9	4
6*	0 1 3	3
6•	5 5 6 7 8 9 9	7
7*	0 1 1 2 3 3 4	7
7•	5 5 6 6 7 9	6
8*	1 1 2 3 3 4 4	7
8•	5 7	2
9*	0 1 3 3	4
9•	7	1

좀 더 유용하게 사용할 수 있도록 줄기와 잎그림을 개량할 수 있다. 줄기 하나에 잎 부분이 2개가 대응되도록 만들기를 원한다면, 0, 1, 2, 3, 4의 잎에 해당하는 줄기 부분에 * 표시를 덧붙이고, 5, 6, 7, 8, 9의 잎에 해당하는 줄기 부분에는 • 표시를 덧붙인다. 계급의 수가 7개에서 14개로 증가함에 따라 이 자료의 경우 어느 정도 매끄러운 모양을 잃게 된다.

튜키는 다음 예제에서 사용되었듯이 또 다른 개량안을 제안했다.

예제 6.2-1 다음은 어느 대학교 신입생 60명의 시험점수자료이다.

26	19	22	28	31	29	25	23	20	33	23	26
30	27	26	29	20	23	18	24	29	27	32	24
25	26	22	29	21	24	20	28	23	26	30	19
27	21	32	28	29	23	25	21	28	22	25	24
19	24	35	26	25	20	31	27	23	26	30	29

잎 부분이 0, 1이면 해당 줄기에 $*$ 표시를, 잎 부분이 2, 3이면 해당 줄기에 t 표시를, 잎 부분이 4, 5이면 해당 줄기에 f 표시를, 잎부분이 6, 7이면 해당 줄기에 s 표시를, 마지막으로 잎 부분이 8, 9이면 해당 줄기에 $\bullet$ 표시를 덧붙여 줄기와 잎그림을 그리면 표 6.2-4와 같다. ■

순서 줄기와 잎그림을 그리는 데는 이유가 있다. n개의 관측값 $x_1, x_2, \ldots, x_n$을 작은 것부터 큰 것까지 크기순으로 배열하여 순서화한 자료를 **순서통계량**(order statistics)이라고 한다. 통계학자들은 순서통계량과 그것들의 특정 함수들이 매우 중요하다는 것을 발견했다. 그와 관련한 이론을 6.3절에 설명할 예정이다. 순서 줄기와 잎그림을 이용하면 표본 관측값들의 순서를 쉽게 결정할 수 있다. 표 6.2-2 혹은 표 6.2-3의 50개 시험점수들에 대한 순서통계량이 표 6.2-5에 나와 있다.

우리는 종종 순서통계량에 순위를 부여하고 그 순위를 y의 아래첨자로 사용한다. 첫 번째 순서통계량 $y_1 = 34$는 순위 1을 갖는다. 두 번째 순서통계량 $y_2 = 38$은 순위 2를 갖는다. 세 번째 순서통계량 $y_2 = 42$는 순위 3을 갖는다. $\cdots$ 50번째 순서통계량 $y_{50} =$ 97은 순위 50을 갖는다. 순서 줄기와 잎그림으로부터 이러한 순위를 결정하는 것은 마찬가지로 쉽다. 순서통계량 값들이 $y_1 \le y_2 \le \ldots \le y_{50}$임을 확인할 수 있다.

표 6.2-4 시험점수에 대한 순서 줄기와 잎그림

줄기	잎	도수
1$\bullet$	8 9 9 9	4
2$*$	0 0 0 0 1 1 1	7
2t	2 2 2 3 3 3 3 3 3	9
2f	4 4 4 4 4 5 5 5 5 5	10
2s	6 6 6 6 6 6 6 7 7 7 7	11
2$\bullet$	8 8 8 8 9 9 9 9 9 9	10
3$*$	0 0 0 1 1	5
3t	2 2 3	3
3f	5	1

이제 **표본백분위수**(sample percentiles)에 대해 알아보자. $0 < p < 1$일 때, 제$100p$ 표본백분위수는 대략 np개의 표본 관측값은 그 값보다 작고, $n(1-p)$개의 표본 관측값은 그 값보다 크게 되는 그 값을 말한다. 제$100p$표본백분위수를 구하는 한 가지 방법은, $(n+1)p$가 자연수일 때는 제$(n+1)p$번째 순서통계량이 제$100p$표본백분위수가 되고, $(n+1)p$가 자연수가 아니고 $r + a/b$(r은 자연수, $0 < a/b < 1$)의 형태인 경우에는 r번째와 $(r+1)$번째 순서통계량의 가중평균이 제$100p$표본백분위수가 된다. 즉, 제$100p$표본백분위수는 다음과 같이 정의된다.

$$\widetilde{\pi}_p = y_r + (a/b)(y_{r+1} - y_r) = (1 - a/b)y_r + (a/b)y_{r+1}$$

이 공식은 단순히 y_r과 y_{r+1}의 선형보간임을 알 수 있다. 이때 $p < 1/(n+1)$ 또는 $p > n/(n+1)$이면 표본백분위수는 정의되지 않는다.

예를 들어 표 6.2-5에서, $p = 1/2$일 때, 제50표본백분위수는 $(n+1)p = (51)(1/2) = 25.5$이므로 25번째와 26번째 순서통계량을 가중평균하여 구할 수 있음을 알 수 있다. 따라서 제50표본백분위수는 다음과 같다.

$$\widetilde{\pi}_{0.50} = (1/2)y_{25} + (1/2)y_{26} = (71 + 71)/2 = 71$$

또 $p = 1/4$일 때 $(n+1)p = (51)(1/4) = 12.75$이므로 제25표본백분위수는 다음과 같다.

$$\widetilde{\pi}_{0.25} = (1 - 0.75)y_{12} + (0.75)y_{13} = (0.25)(58) + (0.75)(59) = 58.75$$

$p = 3/4$일 때는 $(n+1)p = (51)(3/4) = 38.25$이므로, 제75표본백분위수는 다음과 같다.

$$\widetilde{\pi}_{0.75} = (1 - 0.25)y_{38} + (0.25)y_{39} = (0.75)(81) + (0.25)(82) = 81.25$$

따라서 표본관측값의 약 25%, 50%, 75%는 각각 58.75, 71, 81.25보다 작은 값을 갖는다.

어떤 백분위수는 특별한 명칭을 갖는 경우가 있다. 제50표본백분위수 $\widetilde{\pi}_{0.50}$은 **표본중위수**(sample median) $\widetilde{m}$이다.

표 6.2-5 50개 시험점수에 대한 순서통계량

34	38	42	42	45	47	51	52	54	57
58	58	59	60	61	63	65	65	66	67
68	69	69	70	71	71	72	73	73	74
75	75	76	76	77	79	81	81	82	83
83	84	84	85	87	90	91	93	93	97

$$\widetilde{\pi}_{0.50} = \begin{cases} Y_{(n+1)/2}, & n\text{이 홀수일 때} \\ \dfrac{Y_{n/2} + Y_{(n/2)+1}}{2}, & n\text{이 짝수일 때} \end{cases}$$

제25표본백분위수, 제50표본백분위수, 제75표본백분위수는 각각 표본의 **제1사분위수**(first quartile), **제2사분위수**(second quartile), **제3사분위수**(third quartile)이다. 즉 기호로 표기하면 $\widetilde{q}_1 = \widetilde{\pi}_{0.25}$, $\widetilde{q}_2 = \widetilde{m} = \widetilde{\pi}_{0.50}$, $\widetilde{q}_3 = \widetilde{\pi}_{0.75}$이다. 그리고 표본의 제10백분위수, 제20백분위수, . . . , 제90백분위수 들은 표본의 **십분위수**(deciles)들로 불린다. 그러므로 제50백분위수는 표본중위수, 제2사분위수이며 또한 제5십분위수인 것이다. 50개의 시험점수자료에서 $(51)(2/10) = 10.2$, $(51)(9/10) = 45.9$이므로 제2십분위수와 제9십분위수는 각각 다음과 같다.

$$\widetilde{\pi}_{0.20} = (0.8)y_{10} + (0.2)y_{11} = (0.8)(57) + (0.2)(58) = 57.2$$
$$\widetilde{\pi}_{0.90} = (0.1)y_{45} + (0.9)y_{46} = (0.1)(87) + (0.9)(90) = 89.7$$

자료의 최솟값(minimum), 제1사분위수, 중위수(제2사분위수), 제3사분위수, 최댓값(maximum)을 합쳐서 자료의 **다섯숫자 요약**(five-number summary)이라 한다. 더 나아가 제3사분위수와 제1사분위수의 차이를 **사분위수범위**(interquartile range, IQR)이라고 한다.

예제 6.2-2 표 6.1-3의 자료를 계속 사용하기로 한다. 편의상 계급구간의 길이를 0.02로 한다. 순서화된 줄기와 잎그림을 작성하면 표 6.2-6과 같다.

표 6.2-6 불소함유량에 대한 순서 줄기와 잎그림

줄기	잎	도수
0.8*f*	5 5 5 5	4
0.8*s*	6 6 6 7 7 7 7	7
0.8•	8 8 8 8 8 8 8 8 8 9 9 9 9 9 9 9	16
0.9∗	0 0 0 0 0 0 0 0 0 1 1 1 1 1 1 1 1	17
0.9*t*	2 2 2 2 2 2 2 2 2 2 2 3 3 3 3 3 3 3 3	19
0.9*f*	4 4 5 5 5 5 5 5 5	9
0.9*s*	6 6 7 7 7 7	6
0.9•	8 8 8 8 8 8 8 8 9 9	10
1.0∗	0 0 0 0 1 1 1	7
1.0*t*	2 3 3	3
1.0*f*	5	1
1.0*s*	6	1

이러한 줄기와 잎그림은 자료의 표본백분위수를 찾는 데 유용하다. 이제 불소자료에 대해 표본백분위수 몇 개를 구해보자. $n = 100$, $(n+1)(0.25) = 25.25$, $(n+1)(0.50) = 50.5$, $(n+1)(0.75) = 75.75$이므로 제25, 50, 75백분위수는 다음과 같다.

$$\begin{aligned}
\widetilde{\pi}_{0.25} &= (0.75)y_{25} + (0.25)y_{26} = (0.75)(0.89) + (0.25)(0.89) = 0.89 \\
\widetilde{\pi}_{0.50} &= (0.50)y_{50} + (0.50)y_{51} = (0.50)(0.92) + (0.50)(0.92) = 0.92 \\
\widetilde{\pi}_{0.75} &= (0.25)y_{75} + (0.75)y_{76} = (0.25)(0.97) + (0.75)(0.97) = 0.97
\end{aligned}$$

자료의 최솟값과 최댓값이 각각 0.85, 1.06이므로 범위는 0.21이며 사분위수 범위는 다음과 같다.

$$\widetilde{q}_3 - \widetilde{q}_1 = \widetilde{\pi}_{0.75} - \widetilde{\pi}_{0.25} = 0.97 - 0.89 = 0.08$$

■

다섯숫자 요약을 그림으로 나타낸 것이 **상자와 수염그림**(box-and-whisker diagram) 혹은 **상자그림**(box plot)이다. 상자그림을 그리기 위해서는 먼저 수평축을 그린 후 $\widetilde{q}_1$과 $\widetilde{q}_3$에 상자의 왼쪽 면과 오른쪽 면이 위치하도록 상자를 그리며, $\widetilde{q}_2 = \widetilde{m}$에 수직선을 그려 넣는다. 그런 다음 최솟값으로부터 상자의 왼쪽 면까지, 그리고 상자의 오른쪽 면으로부터 최댓값까지 수평선을 그림으로써 수염을 표시한다. 상자의 길이가 IQR과 같음을 주의하자. 왼쪽과 오른쪽 수염은 각각 자료의 첫 번째와 네 번째 사등분을 나타내며, 2개의 중간 사등분들은 중위수의 왼쪽과 오른쪽으로 분할된 상자 내의 두 구역에 의해 각각 표시된다.

예제 6.2-3 표 6.2-6의 불소자료로부터 다섯숫자 요약을 구하면 다음과 같다.

$$y_1 = 0.85,\ \widetilde{q}_1 = 0.89,\ \widetilde{q}_2 = \widetilde{m} = 0.92,\ \widetilde{q}_3 = 0.97,\ y_{100} = 1.06$$

이 자료에 대한 상자그림이 그림 6.2-1에 나와 있다. 오른쪽 수염이 길고, 상자의 오른쪽 구역이 왼쪽 구역보다 더 크다는 사실로부터 우리는 자료가 **오른쪽으로 기울어져 있다**(skewed to the right)는 것을 알 수 있다. 이러한 현상은 히스토그램과 줄기와 잎그림으로부터도 확인할 수 있다. ■

다음 예제는 자료가 **왼쪽으로 기울어져 있다**(skewed to the left)는 것을 어떻게 상자그림이 표시하고 있는지를 예시한다.

예제 6.2-4 다음 자료는 한 영국왕조 시대에 생산된 39개 금화의 무게에 관한 순서화된 자료이다.

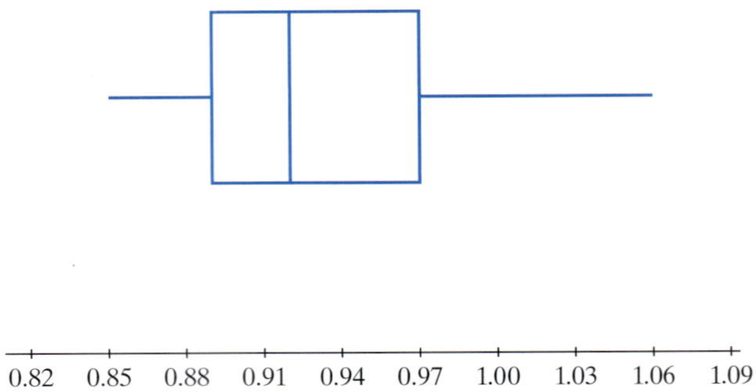

그림 6.2-1 불소함유량에 대한 상자그림

4.90	5.06	5.07	5.08	5.15	5.17	5.18	5.19	5.24	5.25
5.25	5.25	5.25	5.27	5.27	5.27	5.27	5.28	5.28	5.28
5.29	5.30	5.30	5.30	5.30	5.31	5.31	5.31	5.31	5.31
5.32	5.32	5.33	5.34	5.35	5.35	5.35	5.36	5.37	

이 자료의 최솟값과 최댓값은 각각 4.90, 5.37이다.

$$(39+1)(1/4) = 10, \qquad (39+1)(2/4) = 20, \qquad (39+1)(3/4) = 30$$

이므로

$$\begin{aligned} \tilde{q}_1 = y_{10} &= 5.25 \\ \tilde{m} = y_{20} &= 5.28 \\ \tilde{q}_3 = y_{30} &= 5.31 \end{aligned}$$

이다. 따라서 다섯숫자 요약은 다음과 같다.

$$y_1 = 4.90,\ \tilde{q}_1 = 5.25,\ \tilde{q}_2 = \tilde{m} = 5.28,\ \tilde{q}_3 = 5.31,\ y_{39} = 5.37$$

이 자료에 대한 상자그림이 그림 6.2-2에 그려져 있다. 상자그림을 통해 자료가 왼쪽으로 기울어져 있음을 알 수 있다. ■

때로는 자료들 중에서 대부분의 다른 관측값들보다 월등하게 크거나 작은 값들이 있을 수 있는데, 그런 값들을 이상점이라고 한다. 튜키는 이상점을 식별하는 다음과 같은 방법을 제시했다. 즉, 상자와 수염그림에서 상자의 왼쪽 끝과 오른쪽 끝으로부터 각각 IQR의 1.5배 이내의 거리를 **안쪽 울타리**(inner fences)라 하고, 3배 이내의 거리를 **바깥쪽 울타리**(outer fences)라 하는데, 안쪽 울타리와 바깥쪽 울타리 사이에 있는 관측값을 **의사이상점**(suspected outliers)이라 하고, 바깥쪽 울타리 밖에 있는 관측값을 **이상점**(outliers)으로 정의했다. 안쪽 울타리 바깥에 위치한 관측값들은 동그라미(•)로 표시

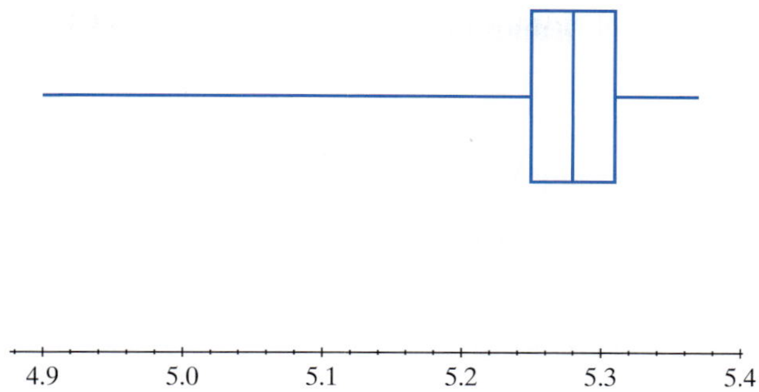

그림 6.2-2 39개 금화 무게 자료에 대한 상자그림

되며 수염은 안쪽 울타리 내의 가장 끝에 위치한 관측값까지 그려진다. 자료분석 시 의사이상점을 주의 깊게 살펴야 하며 이상점은 특별한 주의를 기울어야 한다. 의사이상점의 경우 기록 실수 등과 같은 오류가 있지 않는 한 반드시 제거할 필요는 없다. 더욱이 종종 극단값들의 원인을 결정하는 것이 중요한데, 왜냐하면 이상점들이 고려하고 있는 상황에 대한 유용한 통찰을 제공할 수도 있기 때문이다.

예제 6.2-5 예제 6.2-4에 연이어 사분위수범위가 IQR = 5.31 − 5.25 = 0.06임을 알 수 있다. 따라서 안쪽 울타리가 상자로부터 1.5(0.06) = 0.09 거리만큼 떨어져서 위치하게 되며, 바깥쪽 울타리는 3(0.06) = 0.18의 거리만큼 떨어져서 위치한다. 그림 6.2-3에 울타리와 함께 상자그림이 그려져 있다. 물론 최댓값이 $\tilde{q}_3$보다 0.06만큼 크므로 오른쪽 울타리들은 그릴 필요가 없다. 이 그림으로부터 우리는 3개의 의사이상점과 2개의 이상점이 존재한다는 것을 알 수 있다. 다른 컴퓨터 프로그램들은 단지 이상점과 의사이상점들을 별 표시로 나타내거나 울타리들을 출력하지 않을 수도 있다. ■

자료의 특징을 나타내는 기타의 통계량은 다음과 같이 정의되며 표 6.2-6의 불소함유량 자료를 가지고 구해보자.

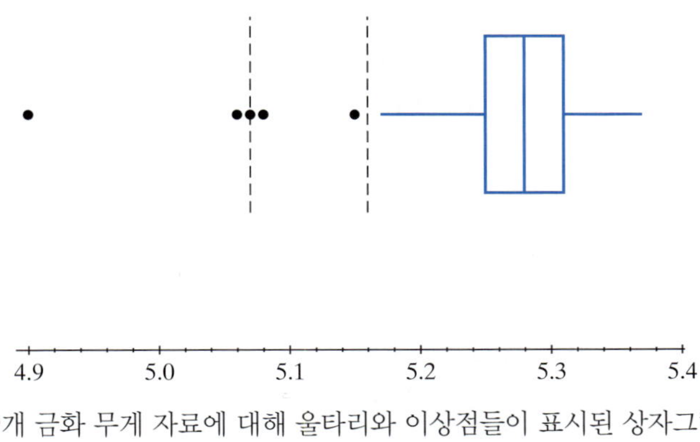

그림 6.2-3 39개 금화 무게 자료에 대해 울타리와 이상점들이 표시된 상자그림

(a) **중앙범위**(midrange) = 자료의 최솟값과 최댓값의 평균

$$= \frac{y_1 + y_n}{2} = \frac{0.85 + 1.06}{2} = 0.955$$

(b) **범위**(range) = 자료의 최댓값 − 자료의 최솟값

(c) **사분위수범위**(interquartile range) $= \tilde{q}_3 - \tilde{q}_1 = 0.97 - 0.89 = 0.08$

이제까지 공부한 평균, 중위수, 중앙범위는 표본의 중앙 부분을 나타내는 값이고, 표준편차, 범위, 사분위수범위는 표본이 퍼져 있는 정도를 나타내는 값이다.

연습문제

6.2-1 연습문제 6.1-2의 96개 플런저 자료를 이용해

(a) 정수 부분을 줄기로 해 줄기와 잎그림을 그려라.

(b) 다섯숫자 요약을 구하라.

(c) 상자그림을 그리고, 이상점이 있는지 확인하라.

6.2-2 다음은 남학생 82명의 물속 몸무게(단위: kg) 자료이다.

3.7 3.6 4.0 4.3 3.8 3.4 4.1 4.0 3.7 3.4 3.5 3.8
3.7 4.9 3.5 3.8 3.3 4.8 3.4 4.6 3.5 5.3 4.4 4.2
2.5 3.1 5.2 3.8 3.3 3.4 4.1 4.6 4.0 1.4 4.3 3.8
4.7 4.4 5.0 3.2 3.1 4.2 4.9 4.5 3.8 4.2 2.7 3.8
3.8 2.0 3.4 4.9 3.3 4.3 5.6 3.2 4.7 4.5 5.2 5.0
5.0 4.0 3.8 5.3 4.5 3.8 3.8 3.4 3.6 3.3 4.2 5.1
4.0 4.7 6.5 4.4 3.6 4.7 4.5 2.3 4.0 3.7

다음은 여학생 100명의 물속 몸무게(단위: kg) 자료이다.

2.0 2.0 2.1 1.6 1.9 2.0 2.0 1.3 1.3 1.2 2.3 1.9
2.1 1.2 2.0 1.6 1.1 2.2 2.2 1.4 1.7 2.4 1.8 1.7
2.0 2.1 1.6 1.7 1.8 0.7 1.9 1.7 1.7 1.1 2.0 2.3
0.5 1.3 2.7 1.8 2.0 1.7 1.2 0.7 1.1 1.1 1.7 1.7
1.2 1.2 0.7 2.3 1.7 2.4 1.0 2.4 1.4 1.9 2.5 2.2
2.1 1.4 2.4 1.8 2.5 1.3 0.5 1.7 1.9 1.8 1.3 2.0
2.2 1.7 2.0 2.5 1.2 1.4 1.4 1.2 2.2 2.0 1.8 1.4
1.9 1.4 1.3 2.5 1.2 1.5 0.8 2.0 2.2 1.8 2.0 1.6
1.5 1.6 1.5 2.6

(a) 각각의 자료를 계급너비가 0.5kg이고 계급 표시가 0.5, 1.0, 1.5, . . . 인 계급들로 그룹화하라.

(b) 그룹화된 자료에 대해 히스토그램을 그려라.

(c) 각 자료에 대한 상자그림을 같은 그래프에 그리고 해석하라.

6.2-3 연습문제 6.1-3에서 5달러를 잃기 전까지 룰렛 게임에서 참가자가 1달러 베팅을 한 총횟수에 대한 자료가 주어져 있었다.

(a) 순서통계량을 구하라.

(b) 다섯숫자 요약을 구하라.

(c) 상자그림을 그려라.

(d) 안쪽과 바깥쪽 울타리의 위치를 구하고 상자그림에 표시해 의사이상점과 이상점이 있는지 확인하라.

(e) 중위수 혹은 표본평균이 자료의 중심위치로서 적절한가?

6.2-4 다음은 리터당 탄산칼슘의 농도(단위: mg/ℓ) 자료이다. 20개 관측값이 다음과 같다.

130.8	129.9	131.5	131.2	129.5
132.7	131.5	127.8	133.7	132.2
134.8	131.7	133.9	129.8	131.4
128.8	132.7	132.8	131.4	131.3

(a) 127, 128, . . . , 134를 줄기로 한 순서 줄기와 잎그림을 작성하라.

(b) 중앙범위, 범위, 사분위수범위, 중위수, 표본평균, 표본분산을 계산하라.

(c) 상자와 수염그림을 그려라.

6.2-5 연습문제 6.1-4에서는 1976년 어느 지역의 납 농도에 관한 자료가 주어져 있다. 이듬해인 1977년 동일 지역에서 관측된 납 농도 자료가 다음과 같이 관측되었다.

9.5 10.7 8.3 9.8 9.1 9.4 9.6 11.9 9.5 12.6 10.5

8.9 11.4 12.0 12.4 9.9 10.9 12.3 11.0 9.2 9.3 9.3

10.5 9.4 9.4 8.2 10.4 9.3 8.7 9.8 9.1 2.9 9.8

5.7 8.2 8.1 8.8 9.7 8.1 8.8 10.3 8.6 10.2 9.4

14.8 9.9 9.3 8.2 9.9 11.6 8.7 5.0 9.9 6.3 6.5

10.2 8.8 8.0 8.7 8.9 6.8 6.6 7.3 16.7

(a) 도수분포표를 작성하고 히스토그램을 그려라. 분포가 대칭적인가?

(b) 표본평균과 표본표준편차를 계산하라.

(c) $\bar{x}$와 $\bar{x} \pm s$를 히스토그램에 표시하라. $\bar{x}$로부터 1 표준편차 이내에는 얼마나 많은 자료가 속해 있는가? $\bar{x}$로부터 2 표준편차 이내에는 얼마나 많은 자료가 속해 있는가?

(d) 1976년 자료와 1977년 자료를 사용해 왼쪽에 1976년 자료의 상자그림을, 오른쪽에 1977년 자료의 상자그림을 위치시킨 이중 상자그림을 그려라.

6.3 순서통계량

순서통계량(order statistics)은 작은 것부터 크기순으로 나열된 확률표본의 관측값들이다. 최근에는 비모수적 추론과 로버스트 절차의 빈번한 이용으로 순서통계량의 중요성이 증대되고 있다. 순서통계량은 표본중위수, 표본범위, 경험적 분포함수 등과 같이 단순 통계량을 결정하는 데 자주 쓰인다. 6.2절에서 우리는 이미 기술적이고 탐색적인 자료분석 방법과 관련해 순서통계량을 논의한 바 있다. 이 절에서는 그들의 분포에 대한 몇 가지 흥미로운 사항을 살펴볼 것이다.

순서통계량을 논의하는 대부분의 경우에, n개의 독립 관측값들은 연속형 분포로부터 얻어진다고 가정한다. 이는 2개의 관측값이 동일할 확률이 0이라는 것을 의미한다. 물론 현실에서는 종종 동일 관측값들이 나타날 수 있으나 그 확률이 매우 작으면 이하 논의하게 되는 분포이론이 점근적으로 성립한다. 그러므로 이 절에서는 어느 2개의 관측값이라도 그것이 같을 확률은 0이라고 가정한다.

예제 6.3-1 $x_1 = 0.62$, $x_2 = 0.98$, $x_3 = 0.31$, $x_4 = 0.81$, $x_5 = 0.53$은 pdf $f(x) = 2x$, $0 < x < 1$에서 독립으로 얻어진 $n = 5$인 관측값들이다. 순서통계량은

$$y_1 = 0.31 < y_2 = 0.53 < y_3 = 0.62 < y_4 = 0.81 < y_5 = 0.98$$

이다. $y_3 = 0.62$는 표본중위수이고, 최댓값과 최솟값의 차이

$$y_5 - y_1 = 0.98 - 0.31 = 0.67$$

은 **표본범위**(sample range)라고 한다. ■

만일 $X_1, X_2, \ldots, X_n$이 연속형 분포에서 뽑은 크기 n인 확률표본의 관측값이라면 확률변수 $Y_1 < Y_2 < \cdots < Y_n$은 순서통계량을 나타낸다. 즉 다음과 같다.

$$Y_1 = X_1, X_2, \ldots, X_n\text{의 최솟값}$$
$$Y_2 = X_1, X_2, \ldots, X_n\text{의 두 번째 최솟값}$$
$$\vdots$$
$$Y_n = X_1, X_2, \ldots, X_n\text{의 최댓값}$$

r번째 순서통계량 Y_r의 분포함수를 구하는 매우 간단한 방법이 있다. 이런 과정은 이항분포에 의존하며, 다음 예제에 예시되었다.

예제 6.3-2 $Y_1 < Y_2 < Y_3 < Y_4 < Y_5$는 pdf $f(x) = 2x$, $0 < x < 1$인 분포에서 얻은 $n = 5$인 독립 관측값 X_1, X_2, X_3, X_4, X_5의 순서통계량이다. $P(Y_4 < 1/2)$을 구해보자. 사상 $\{Y_4 < 1/2\}$이 일어나기 위해서는, Y_4가 5개의 관측값 중 4번째로 작은 값이기 때문에 확률변수 X_1, X_2, X_3, X_4, X_5 중 적어도 4개가 1/2보다 작아야 한다. 그래서 만일 사상 $\{X_i < 1/2\}$, $i = 1, 2, 3, 4, 5$를 '성공'이라고 한다면, 5회의 독립 시행 중 적어도 4회의 성공이 이루어져야 하며, 각각의 성공확률은 다음과 같다.

$$P\left(X_i \le \frac{1}{2}\right) = \int_0^{1/2} 2x\,dx = \left(\frac{1}{2}\right)^2 = \frac{1}{4}$$

따라서 구하는 확률은 다음과 같다.

$$P\left(Y_4 \le \frac{1}{2}\right) = \binom{5}{4}\left(\frac{1}{4}\right)^4\left(\frac{3}{4}\right) + \left(\frac{1}{4}\right)^5 = 0.0156$$

일반적으로 $0 < y < 1$이면, Y_4의 분포함수는 다음과 같다.

$$G(y) = P(Y_4 < y) = \binom{5}{4}(y^2)^4(1 - y^2) + (y^2)^5$$

이것은 5회의 독립 시행 중 적어도 4회 이상 성공하는 확률을 나타내며, 각각 성공할 확률은

$$P(X_i < y) = \int_0^y 2x\,dx = y^2$$

이기 때문이다. 그러므로 $0 < y < 1$일 때 Y_4의 pdf는 다음과 같이 된다.

$$\begin{aligned} g(y) = G'(y) &= \binom{5}{4} 4(y^2)^3(2y)(1-y^2) + \binom{5}{4}(y^2)^4(-2y) + 5(y^2)^4(2y) \\ &= \frac{5!}{3!\,1!}(y^2)^3(1-y^2)(2y), \qquad 0 < y < 1 \end{aligned}$$

이 예제에서, $0 < x < 1$일 때 각 X의 분포함수가 $F(x) = x^2$이므로 pdf는 다음과 같이 쓸 수 있다.

$$g(y) = \frac{5!}{3!\,1!}[F(y)]^3[1-F(y)]f(y), \qquad 0 < y < 1$$

앞의 예제는 다음과 같이 일반화된다. $Y_1 < Y_2 < \cdots < Y_n$은 분포함수가 $F(x)$이고 pdf가 $F'(x) = f(x)$이며, $a < x < b$에서 $0 < F(x) < 1$, $F(a) = 0$, $F(b) = 1$인 연속형 분포에서 얻은 n개의 독립 관측값들의 순서통계량이라 하자($a = -\infty$, $b = \infty$도 가능함). r번째 순서통계량 Y_r이 많아야 y, 즉 $\{Y_r \le y\}$라는 사상은 오직 n개의 관측값 중 적어도 r개가 y보다 작거나 같을 경우에 일어난다. 즉, 각 시행에서 '성공'확률이 $F(y)$이고, 적어도 r회 성공해야 하므로 Y_r의 분포함수는 다음과 같다.

$$\begin{aligned} G_r(y) = P(Y_r \le y) &= \sum_{k=r}^{n} \binom{n}{k}[F(y)]^k[1-F(y)]^{n-k} \\ &= \sum_{k=r}^{n-1} \binom{n}{k}[F(y)]^k[1-F(y)]^{n-k} + [F(y)]^n \end{aligned}$$

그러므로 Y_r의 pdf는 다음과 같다.

$$\begin{aligned} g_r(y) = G_r'(y) &= \sum_{k=r}^{n-1} \binom{n}{k}(k)[F(y)]^{k-1}f(y)[1-F(y)]^{n-k} \\ &\quad + \sum_{k=r}^{n-1} \binom{n}{k}[F(y)]^k(n-k)[1-F(y)]^{n-k-1}[-f(y)] \\ &\quad + n[F(y)]^{n-1}f(y) \end{aligned} \tag{6.3-1}$$

그러나

$$\binom{n}{k}k = \frac{n!}{(k-1)!\,(n-k)!}, \qquad \binom{n}{k}(n-k) = \frac{n!}{k!\,(n-k-1)!}$$

이므로 Y_r의 pdf는 다음과 같이 된다.

$$g_r(y) = \frac{n!}{(r-1)!\,(n-r)!}[F(y)]^{r-1}[1-F(y)]^{n-r}f(y), \qquad a < y < b$$

이는 식 (6.3-1)의 첫 번째 합의 첫 번째 항이다. 나머지는 모두 합해서 0이 되는데, 그 이유는 첫 번째 합의 두 번째 항($k = r + 1$)이 두 번째 합의 첫 번째 항($k = r$)의 마이너스 값이므로 상쇄되며 나머지 항들도 유사하게 상쇄되고, 마지막으로 두 번째 항의 마지막 항이 $-n[F(y)]^{n-1}f(y)$이기 때문이다.

최소순서통계량 Y_1의 pdf와 최대순서통계량 Y_n의 pdf를 구해보면 각각 다음과 같이 된다.

$$g_1(y) = n[1-F(y)]^{n-1}f(y), \qquad a < y < b$$

$$g_n(y) = n[F(y)]^{n-1}f(y), \qquad a < y < b$$

참고 Y_r의 pdf의 표현을 쉽게 구성할 수 있는 좋은 방법이 있다. 이를 위해서는 다항확률을 적용하고 Y_r의 확률요소 $g_r(y)(\Delta y)$를 고려해야 한다. 만약 길이 Δy가 매우 작으면 $g_r(y)(\Delta y)$는 확률

$$P(y < Y_r \le y + \Delta y)$$

를 근사적으로 나타낸다. 우리는 확률 $g_r(y)(\Delta y)$가 $(r - 1)$개 항은 y보다 작고, $(n - r)$개 항은 $y + \Delta y$보다 크고, 1개 항은 y와 $y + \Delta y$ 사이에 있을 확률이 되기를 바란다. 다시 말해 한 번 시행해 나오는 확률이 각각

$$P(X \le y) = F(y)$$

$$P(X > y + \Delta y) = 1 - F(y + \Delta y) \approx 1 - F(y)$$

$$P(y < X \le y + \Delta y) \approx f(y)(\Delta y)$$

일 때 다항확률은 근사적으로

$$g_r(y)(\Delta y) = \frac{n!}{(r-1)!\,1!\,(n-r)!}[F(y)]^{r-1}[1-F(y)]^{n-r}[f(y)(\Delta y)]$$

가 되고, 양변을 Δy로 나누면 pdf $g_r(y)$가 된다.

예제 6.3-3 예제 6.3-2로 돌아가 pdf $f(x) = 2x$, $0 < x < 1$인 분포에서 표본을 추출해 순서통계량 $Y_1 < Y_2 < Y_3 < Y_4 < Y_5$의 pdf 그림을 그려 보면 그림 6.3-1과 같다. 그리고 각각의 pdf와 그들의 평균은 다음과 같다.

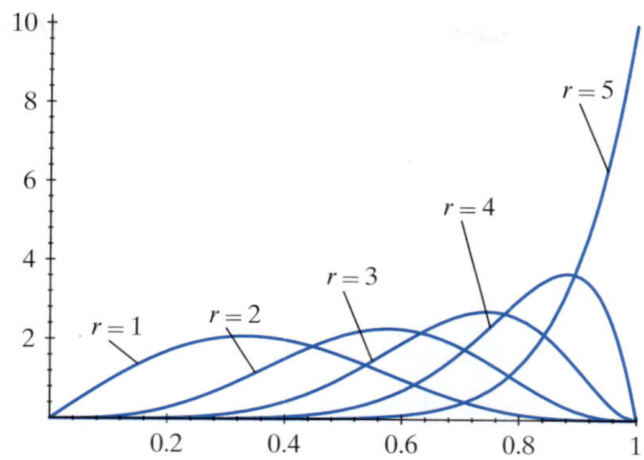

그림 6.3-1 순서통계량의 pdf, $f(x) = 2x,\ 0 < x < 1$

$$g_1(y) = 10y(1-y^2)^4, \quad 0 < y < 1; \qquad \mu_1 = \frac{256}{693}$$

$$g_2(y) = 40y^3(1-y^2)^3, \quad 0 < y < 1; \qquad \mu_2 = \frac{128}{231}$$

$$g_3(y) = 60y^5(1-y^2)^2, \quad 0 < y < 1; \qquad \mu_3 = \frac{160}{231}$$

$$g_4(y) = 40y^7(1-y^2), \quad 0 < y < 1; \qquad \mu_4 = \frac{80}{99}$$

$$g_5(y) = 10y^9, \quad 0 < y < 1; \qquad \mu_5 = \frac{10}{11}$$

정리 5.1-2에서, 만일 X가 연속형 분포함수 $F(x)$를 가지면 $F(X)$는 0에서 1까지 구간에서 균일분포를 가짐을 증명했다. 만일 $Y_1 < Y_2 < \cdots < Y_n$이 n개의 독립 관측값들 $X_1, X_2, \ldots, X_n$의 순서통계량이면

$$F(Y_1) < F(Y_2) < \cdots < F(Y_n)$$

이다. 왜냐하면 F는 비감소함수이고, 이들이 같을 확률은 0이기 때문이다. 위에 나타낸 것은 서로 독립인 확률변수 $F(X_1), F(X_2), \ldots, F(X_n)$을 작은 것부터 크기순으로 배열한 것으로 볼 수 있으며, 그들의 각각은 균일분포 $U(0, 1)$을 따른다. 즉

$$W_1 = F(Y_1) < W_2 = F(Y_2) < \cdots < W_n = F(Y_n)$$

은 균일분포로부터의 n개의 독립 관측값들의 순서통계량으로 볼 수 있다. $U(0, 1)$의 분포함수가 $G(w) = w,\ 0 < w < 1$이므로, r번째 순서통계량 $W_r = F(Y_r)$의 pdf는 다음과 같다.

$$h_r(w) = \frac{n!}{(r-1)!\,(n-r)!}\, w^{r-1}(1-w)^{n-r}, \qquad 0 < w < 1$$

물론 $W_r = F(Y_r)$의 평균 $E(W_r) = E[F(Y_r)]$은 적분을 다음과 같이 재표현할 수 있다.

$$E(W_r) = \int_0^1 w \, \frac{n!}{(r-1)!\,(n-r)!} \, w^{r-1}(1-w)^{n-r}\, dw$$
$$= \left(\frac{r}{n+1}\right) \int_0^1 \frac{(n+1)!}{r!\,(n-r)!} w^r(1-w)^{n-r}\, dw$$

이 적분은 균일분포 $U(0,\ 1)$로부터 $n + 1$개의 독립 관측값들의 $(r + 1)$번째 순서통계량의 pdf를 적분한 것으로 볼 수 있다. 이것은 $\alpha = r + 1$, $\beta = n - r + 1$인 베타 pdf이므로 적분값은 1이 되어 기댓값은 다음과 같이 된다.

$$E(W_r) = \frac{r}{n+1}, \qquad r = 1, 2, \ldots, n$$

$W_r = F(Y_r)$에 관한 흥미로운 해석이 있다. $F(Y_r)$은 Y_r 이하의 누적확률, 즉 $f(x) = F'(x)$ 아래이고 Y_r보다 작은 부분의 면적을 나타내므로 $F(Y_r)$은 확률면적으로 볼 수 있다. $F(Y_{r-1})$ 역시 확률면적이므로, $F(Y_r) - F(Y_{r-1})$은 $f(x)$ 아래 Y_{r-1}과 Y_r 사이의 확률면적이다. 어떤 2개의 인접한 순서통계량 사이의 확률면적의 기댓값은 다음과 같다.

$$E[F(Y_r) - F(Y_{r-1})] = E[F(Y_r)] - E[F(Y_{r-1})]$$
$$= \frac{r}{n+1} - \frac{r-1}{n+1} = \frac{1}{n+1}$$

또한 다음을 쉽게 보일 수 있다.

$$E[F(Y_1)] = \frac{1}{n+1}, \qquad E[1 - F(Y_n)] = \frac{1}{n+1}$$

즉, 순서통계량 $Y_1 < Y_2 < \cdots < Y_n$은 X 공간을 $n + 1$개로 분할해 $f(x)$와 x축 사이에 $n + 1$개의 면적을 만든다. $n + 1$개 면적 각각의 평균은 $1/(n + 1)$과 같다.

만일 $(100p)$백분위수 π_p가 $f(x)$ 아래 π_p의 왼쪽 면적이 p인 위치를 나타내면, $p = r/(n + 1)$일 때 Y_r은 π_p의 추정량임을 알 수 있다. 이런 이유로 $r = (n + 1)p$일 때 **표본(100*p*)백분위수**[(100p)th percentile of the sample]를 Y_r로 정의한다. $(n + 1)p$가 정수가 아닐 때에는 2개의 인접한 순서통계량 Y_r과 Y_{r+1}의 가중평균을 이용한다. 여기서 r은 $(n + 1)p$의 최대정수 $[(n + 1)p]$이다.

분포의 $(100p)$백분위수는 종종 p차 분위수(quantile of order p)라고 한다. 따라서 만약 $y_1 \le y_2 \le \cdots \le y_n$이 표본 $x_1, x_2, \ldots, x_n$의 순서통계량이라고 하면, y_r은 ***r*/(*n* + 1)차 표본분위수**[sample quantile of order $r/(n + 1)$] 혹은 **100*r*/(*n* + 1)표본백분위수**(100r/(n + 1)th sample percentile)라고 한다. 또한 이론 분포의 백분위수 π_p는 p차 분위수이다. 이제 그 이론 분포가 해당 자료에 대한 좋은 모델이라고 가정하자. 그

러면 $p = r/(n+1)$일 때 몇 가지 r값(가능하면 모든 r값, $r = 1, 2, \ldots, n$)에 대해 (y_r, π_p)를 2차원 평면상에 찍는다. 여기서 (y_r, π_p) 점들이 $y_r \approx \pi_p$이기 때문에 기울기가 1이고 원점을 통과하는 직선과 가깝게 위치하리라고 기대한다. 만약 점들이 그 직선에 가깝게 놓여 있지 않으면 그 이론 분포가 해당 자료에 대한 좋은 모델이 아니라고 생각한다. 몇 가지 r값에 대한 (y_r, π_p) 도표를 **분위수-분위수 플롯**(quantile-quantile plot) 혹은 간단히 ***q-q* 플롯**(*q-q* plot)이라고 한다.

확률변수 X에 대한 자료가 주어졌다면 X가 근사적으로 정규분포를 따르는지 어떻게 판단할 수 있는가? 대표본자료라면 줄기와 잎그림이나 히스토그램이 종종 도움이 될 수 있다. (연습문제 6.1-2, 6.2-1 각각 참조.) 소표본의 경우에도 *q-q* 플롯을 이용해 자료가 정규분포로부터 나왔는지를 판단할 수 있다. 예를 들어 표본의 분위수들을 어떤 정규분포의 해당 분위수와 대응해 표시할 때 그 해당 짝이 되는 점들이 절편이 0이고 기울기가 1인 직선에 놓여 있다고 가정하자. 물론 그러면 특정 평균과 표준편차를 가진 정규분포로부터 표본을 얻었다고 확신하게 될 것이다. 그러나 그러한 플롯은 이 정규분포의 평균과 표준편차를 우리가 알고 있을 때 가능한 것이지 현실에서는 보통 모른다. 그러나 정규분포 $N(\mu, \sigma^2)$의 분위수 q_p는 표준정규분포 $N(0, 1)$의 해당 분위수 z_{1-p}에 대해 $q_p = \mu + \sigma z_{1-p}$의 관계를 갖고 있기 때문에 언제든지 표본분위수를 $N(0, 1)$의 해당 분위수에 대응해 플롯을 그려서 필요한 정보를 얻을 수 있다. 즉, 표본분위수를 X축에, 그리고 $N(0, 1)$ 분위수를 Y축에 나타내서 해당 짝이 되는 점들을 그려 그것이 직선에 거의 가까우면 자료가 정규분포를 따른다고 판단하는 것이 합리적이다. 더욱이 그 직선의 기울기의 역수는 표준편차 σ의 좋은 추정치가 된다[$z_{1-p} = (q_p - \mu)/\sigma$이기 때문이다].

예제 6.3-4 지하수를 연구할 때 해당 지역의 토양의 특성에 대해 잘 아는 것이 중요하다. 공극률과 같은 특성은 최소한 부분적으로 토양 그레인의 크기에 의존한다. 무작위로 선택된 토양 그레인의 지름에 대한 30개의 관측값(단위: mm)은 다음과 같다.

1.24	1.36	1.28	1.31	1.35	1.20	1.39	1.35	1.41	1.31
1.28	1.26	1.37	1.49	1.32	1.40	1.33	1.28	1.25	1.39
1.38	1.34	1.40	1.27	1.33	1.36	1.43	1.33	1.29	1.34

이 자료의 표본평균과 표본분산은 각각 $\bar{x} = 1.33$과 $s^2 = 0.0040$이다. 과연 이 자료가 $N(1.33, 0.0040)$ 분포를 따른다고 가정할 수 있겠는가? 이에 대한 답을 구하기 위해 $p = 1/31, 2/31, \ldots, 30/31$에 대응하는 표준정규 분위수와 순서통계량으로 이루어진 *q-q* 플롯을 그려야 한다.

컴퓨터를 이용해 플롯에 필요한 분위수들을 다음과 같이 계산한다.

k	지름(x)	$p=k/31$	z_{1-p}	k	지름(x)	$p=k/31$	z_{1-p}
1	1.20	0.0323	−1.85	16	1.34	0.5161	0.04
2	1.24	0.0645	−1.52	17	1.34	0.5484	0.12
3	1.25	0.0968	−1.30	18	1.35	0.5806	0.20
4	1.26	0.1290	−1.13	19	1.35	0.6129	0.29
5	1.27	0.1613	−0.99	20	1.36	0.6452	0.37
6	1.28	0.1935	−0.86	21	1.36	0.6774	0.46
7	1.28	0.2258	−0.75	22	1.37	0.7097	0.55
8	1.28	0.2581	−0.65	23	1.38	0.7419	0.65
9	1.29	0.2903	−0.55	24	1.39	0.7742	0.75
10	1.31	0.3226	−0.46	25	1.39	0.8065	0.86
11	1.31	0.3548	−0.37	26	1.40	0.8387	0.99
12	1.32	0.3871	−0.29	27	1.40	0.8710	1.13
13	1.33	0.4194	−0.20	28	1.41	0.9032	1.30
14	1.33	0.4516	−0.12	29	1.43	0.9355	1.52
15	1.33	0.4839	−0.04	30	1.49	0.9677	1.85

그림 6.3-2에 이 자료에 대한 q-q 플롯이 그려져 있다. 점들이 직선에 가깝게 놓여 있는 것으로 보이기 때문에 정규분포 모형이 이 자료에 적합하다고 판단된다. ■

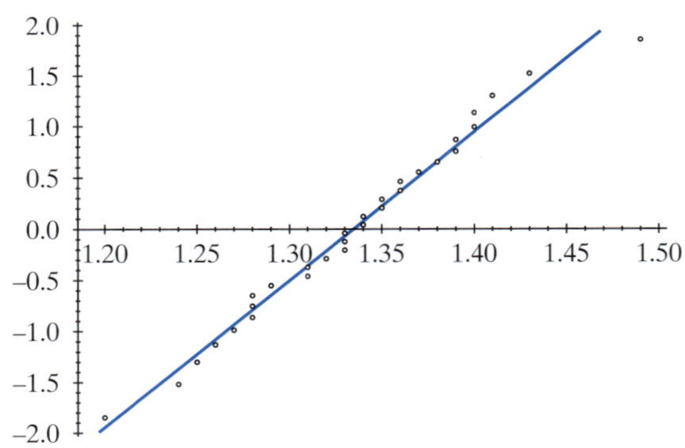

그림 6.3-2 그레인 지름과 $N(0, 1)$분위수에 대한 q-q 플롯

연습문제

6.3-1 생물학과 학생들이 벌들이 꽃잎에서 과즙을 채취하기 위해 머무르는 시간을 분석하는 데 관심이 있다. 39마리의 벌이 과즙을 획득하기 위해 꽃잎에 머무른 시간(단위: 초) 자료가 다음과 같다.

235	210	95	146	195	840	185	610	680	990
146	404	119	47	9	4	10	169	270	95
329	151	211	127	154	35	225	140	158	116
46	113	149	420	120	45	10	18	105	

(a) 순서통계량을 계산하라.

(b) 표본의 중위수와 80백분위수를 계산하라.

(c) 표본의 제1사분위수와 제3사분위수를 계산하라.

6.3-2 $Y_1 < Y_2 < Y_3 < Y_4 < Y_5$는 평균 $\theta = 3$인 지수분포에서 얻은 5개의 독립 관측값들의 순서통계량이다.

(a) 표본중위수 Y_3의 pdf를 구하라.

(b) Y_4가 5보다 작을 확률을 구하라.

(c) $P(1 < Y_1)$을 구하라.

6.3-3 $Y_1 < Y_2 < \cdots < Y_8$는 70백분위수 $\pi_{0.7} = 27.3$인 연속형 분포에서 얻은 8개 독립 관측값의 순서통계량이다.

(a) $P(Y_7 < 27.3)$을 구하라.

(b) $P(Y_5 < 27.3 < Y_8)$을 구하라.

6.3-4 $Y_1 < Y_2 < \cdots < Y_{19}$는 평균 θ인 지수분포로부터 $n = 19$인 독립관측값들의 순서통계량이다.

(a) Y_r의 pdf를 구하라.

(b) F가 지수분포의 분포함수일 때, 적분을 이용해 $E[F(Y_1)]$를 구하라.

6.3-5 $Y_1 < Y_2 < \cdots < Y_n$은 지수분포 pdf $f(x) = e^{-x}$, $0 < x < \infty$로부터 얻는 독립 관측값들의 순서통계량이다.

(a) Y_r의 pdf를 구하라.

(b) $U = e^{-Y_r}$의 pdf를 구하라.

6.3-6 두 순서통계량 $Y_i < Y_j$의 결합 pdf는 다음과 같다.

$$g(y_i, y_j) = \frac{n!}{(i-1)!(j-i-1)!(n-j)!} \times [F(y_i)]^{i-1}[F(y_j) - F(y_i)]^{j-i-1} \times [1 - F(y_j)]^{n-j} f(y_i) f(y_j), \quad -\infty < y_i < y_j < \infty$$

(a) $U(0,\ 1)$의 확률표본에 대한 순서통계량 Y_1과 Y_n의 결합 pdf를 구하라.

(b) $W_1 = Y_1/Y_n$과 $W_2 = Y_n$의 결합 pdf와 각각의 주변 pdf를 구하라.

(c) W_1과 W_2는 서로 독립인가?

(d) 모의실험을 통해 여러분의 이론적 결론을 확인하라.

6.3-7 특정 지역에 서식하는 한 종류의 거미에 대해 암컷과 수컷의 길이(단위: mm)에 대한 자료가 다음과 같다.

암컷 거미	11.06	13.87	12.93	15.08	17.82
	14.14	12.26	17.82	20.17	
수컷 거미	12.26	11.66	12.53	13.00	11.79
	12.46	10.65	10.39	12.26	

(a) 암컷 거미 길이에 대해 q-q 플롯을 그려라. 자료가 정규분포를 따른다고 할 수 있는가?

(b) 수컷 거미 길이에 대해 q-q 플롯을 그려라. 자료가 정규분포를 따른다고 할 수 있는가?

6.3-8 어느 연속형 확률분포를 따르는 3개의 표본 관측값 $x_1 = 0.8$, $x_2 = 1.7$, $x_3 = 0.5$를 얻었다고 하자. 이 자료들이 혹시 다음의 pdf를 따르는지 확인하고자 한다.

$$f(x) = \begin{cases} 3/4, & 0 < x < 1 \\ 1/4, & 1 \le x < 2 \end{cases}$$

표본자료가 위의 분포를 따르는지 판단하기 위해 q-q 플롯을 그려라.

6.4 최우추정과 적률법추정

앞 장에서는 표본의 특징이 분포의 그것과 매우 흡사하리라고 기대하면서 표본의 특징으로부터 분포의 특징들을 추정해내는 것에 대해 언급한 바 있다. 예를 들면, 표본평균 $\bar{x}$는 평균 μ의 추정치로 생각될 수 있으며, 표본분산 s^2은 분산 σ^2의 추정치로 사용될 수 있는 것이다. 심지어 표본의 상대도수 히스토그램은 분포의 확률밀도함수에 대한 추정치로 간주되기도 한다. 그러나 이러한 추정치들이 과연 어느 정도로 정확한가? 어떻게 하면 이 추정치들을 정확하게 만들 수 있을까? 한 추정치가 미지의 모수에 대해 어느 정도 근접한지에 대해 얘기할 수 있는가?

이 절에서는 확률밀도함수의 함수 형태가 알려져 있는 확률변수를 다루고자 하는데, 그 분포는 미지의 모수, 예를 들어 θ에 의존한다. 이때 모수는 **모수공간**(parameter space)이라고 하는 집합, 예를 들어 어떤 집합 Ω의 한 값이다. 예를 들면, $f(x;\theta) = (1/\theta)e^{-x/\theta}$, $0 < x < \infty$와 $\theta \in \Omega = \{\theta : 0 < \theta < \infty\}$는 아마도 알려져 있을 것이다. 어떤 경우에는 실험자가 집합 $\{f(x;\theta), \theta \in \Omega\}$로부터 확률변수의 확률밀도함수로서 하나를 정확하게 골라내야 할 필요가 있을 것이다. 즉 실험자는 모수의 점추정치, 다시 말하면 선택된 확률밀도함수에 대응하는 모수값이 필요한 것이다.

추정에 있어서 미지의 모수 θ에 대한 모종의 정보를 유도해내기 위해 분포로부터 확률표본을 취한다. 즉 실험을 각각 독립적으로 n번 반복해 표본 $X_1, X_2, \ldots, X_n$을 관측하고, 관측치 $x_1, x_2, \ldots, x_n$을 이용해 θ의 값을 추정해내려고 한다. θ를 추정하기 위해 쓰인 $X_1, X_2, \ldots, X_n$의 함수, 즉 통계량 $u(X_1, X_2, \ldots, X_n)$은 θ의 **추정량**(estimator)이라고 하며, 우리는 계산된 **추정치**(estimate) $u(x_1, x_2, \ldots, x_n)$이 보통 θ에 근접한 것이기를 바란다. 모수공간에 속해 있는 θ 중에서 한 값을 추정하기 때문에 그러한 추정량을 **점추정량**(point estimator)이라고 한다.

점추정치를 찾는 데 사용되는 한 가지 원리를 아래의 예를 통해 알아보자.

예제 6.4-1 X가 $b(1, p)$를 따르며 따라서 X의 pmf는 p가 0.2, 0.7 혹은 0.9 중 어느 한 값을 가진(어느 것인지 모름) 다음과 같은 함수라고 하자.

$$f(x;p) = p^x(1-p)^{1-x}, \qquad x = 0, 1$$

즉 $p \in \Omega = \{0.2, 0.7, 0.9\}$이다. $X_1, X_2, \ldots, X_n$이 확률표본이고, $x_1, x_2, \ldots, x_n$이 그것의 관측치들이라고 할 때, $u(x_1, x_2, \ldots, x_n)$이 p에 대한 좋은 점추정치가 되는 추정량 $u(X_1, X_2, \ldots, X_n)$을 찾는 문제를 생각해보자. 여기서 $X_1, X_2, \ldots, X_n$이 이들 특별한 값을 취하는 확률은 ($\Sigma\, x_i$는 $\sum_{i=1}^n x_i$를 나타냄)

$$P(X_1 = x_1, \ldots, X_n = x_n) = \prod_{i=1}^{n} p^{x_i}(1-p)^{1-x_i} = p^{\Sigma x_i}(1-p)^{n-\Sigma x_i}$$

이며, 이것은 관측치들에서 평가된 $X_1, X_2, \ldots, X_n$의 결합 pmf이다. p의 정확한 추정치를 찾기 위한 합리적인 방법 중 하나는 이 확률(즉 결합 pmf)을 p의 함수로 보고 그것을 최대화하는 p값을 구하는 것이다. 즉, 이러한 표본값을 가장 잘 산출해냈음 직한 p값을 구하는 것이다. 이러한 결합 pmf는 p의 함수로 간주될 때 **우도함수**(likelihood function)라고 한다. 따라서 여기서의 우도함수는 다음과 같다.

$$\begin{aligned} L(p) &= L(p; x_1, x_2, \ldots, x_n) \\ &= f(x_1; p)f(x_2; p)\cdots f(x_n; p) \\ &= p^{\Sigma x_i}(1-p)^{n-\Sigma x_i}, \qquad p \in \{0.2, 0.7, 0.9\} \end{aligned}$$

보다 구체적으로 살펴보기 위해 $n = 5$이고 $\sum x_i = 3$이라고 하자. 그러면 각각의 p값에 대해 우도함수는 다음과 같이 계산될 것이다.

$$L(p) = \begin{cases} (0.2)^3(0.8)^2 = 0.00512, & p = 0.2 \\ (0.7)^3(0.3)^2 = 0.03087, & p = 0.7 \\ (0.9)^3(0.1)^2 = 0.00729, & p = 0.9 \end{cases}$$

따라서 우도함수를 최대화하는 p값은 0.7임을 알 수 있으며, 이를 $\widehat{p}$으로 표기하고 p의 **최우추정치**(maximum likelihood estimate)라고 부른다. ■

예제 6.4-1에서는 모수공간이 매우 제한적이어서(오직 3개 요소만 가짐) 우도함수값들을 단지 비교함으로써 최대화할 수 있었다. 모수공간이 구간이라면 그러한 방법은 일반적으로 가능하지 않고 대신 미적분법을 이용해 해결한다.

예제 6.4-2 이전 예제와 비슷하지만 모수공간이 $\Omega = \{p : 0 \le p \le 1\}$인 경우를 생각해보자. 그러면 우도함수의 형태는 이전과 동일하지만 그것의 정의역은 단지 3개의 점을 포함한 구간이 아니라 이제 구간 [0, 1]이다. 이 정의역상에서 $L(p)$를 최대화하는 p값은 $\Sigma_{i=1}^{n} x_i$에 의존한다. 만약 $\Sigma_{i=1}^{n} x_i = 0$이면 $L(p) = (1-p)^n$이 되며, 이것은 $p \in [0, 1]$에 대해 $\widehat{p} = 0$일 때 최댓값을 갖는다. 반면에 $\Sigma_{i=1}^{n} x_i = n$인 경우에는 $L(p) = p^n$이 되며, $\widehat{p} = 1$일 때 최댓값을 갖는다. 만약 $\Sigma_{i=1}^{n} x_i$가 0도 아니고 n도 아니라면 $L(0) = L(1) = 0$이며 $p \in (0, 1)$인 모든 p에 대해 $L(p) > 0$이다. 따라서 이 경우 $0 < p < 1$에 대해 $L(p)$를 최대화하는 것으로 충분하다. $L(p)$를 최대화하는 p값을 구하기 위해서는 먼저 $0 < p < 1$에 대해 다음과 같이 미분을 취한다.

$$L'(p) = (\Sigma x_i)p^{\Sigma x_i - 1}(1-p)^{n-\Sigma x_i} - (n - \Sigma x_i)p^{\Sigma x_i}(1-p)^{n-\Sigma x_i - 1}$$

이 일차 미분치를 0과 같게 놓으면

$$p^{\Sigma x_i}(1-p)^{n-\Sigma x_i}\left(\frac{\Sigma x_i}{p} - \frac{n-\Sigma x_i}{1-p}\right) = 0$$

이 된다. $0 < p < 1$이므로 이것은

$$\frac{\Sigma x_i}{p} - \frac{n-\Sigma x_i}{1-p} = 0 \tag{6.4-1}$$

일 때 0이 된다. 이 식을 풀면 $p = \dfrac{\sum_{i=1}^{n} x_i}{n} = \bar{x}$를 얻는다. $L''(\bar{x}) < 0$이므로 $L(\bar{x})$가 최대임을 알 수 있다. 이렇게 얻어진 통계량 $(\sum_{i=1}^{n} X_i)/n = \overline{X}$는 **최우추정량**(maximum likelihood estimator)이라고 하며, 다음과 같이 $\widehat{p}$으로 나타낸다.

$$\widehat{p} = \frac{1}{n}\sum_{i=1}^{n} X_i = \overline{X}$$ ■

최우추정량을 구할 때 우도함수 자체를 최대화하는 모수값을 구하는 것보다 우도함수에 자연대수를 취해 그것을 최대화하는 모수값을 구하는 것이 더 쉽다. 자연대수함수는 증가함수이므로 결과는 같다. 이것을 보기 위해 $0 < p < 1$에 대해 예제 6.4-2의 우도함수에 자연대수를 취하면 다음을 얻는다.

$$\ln L(p) = \left(\sum_{i=1}^{n} x_i\right)\ln p + \left(n - \sum_{i=1}^{n} x_i\right)\ln(1-p)$$

최대치를 구하기 위해 일차 미분치를 0과 같게 놓으면

$$\frac{d\,[\ln L(p)]}{dp} = \left(\sum_{i=1}^{n} x_i\right)\left(\frac{1}{p}\right) + \left(n - \sum_{i=1}^{n} x_i\right)\left(\frac{-1}{1-p}\right) = 0$$

을 얻게 되는데, 이것은 식 (6.4-1)과 같다. 따라서 그 해는 $p = \bar{x}$이며, p의 최우추정량은 $\widehat{p} = \overline{X}$이다.

위의 예를 통해 동기를 부여받아 다음과 같이 공식적으로 최우추정량을 정의한다. 이 정의는 이산형인 경우와 연속형인 경우 모두에 사용된다.

$X_1, X_2, \ldots, X_n$이 하나 혹은 그 이상의 미지의 모수 $\theta_1, \theta_2, \ldots, \theta_m$에 의존하는 pmf 혹은 pdf, $f(x; \theta_1, \theta_2, \ldots, \theta_m)$을 가진 분포에서 추출된 확률표본이라 하자. $(\theta_1, \theta_2, \ldots, \theta_m)$은 주어진 모수공간 Ω에 제한되어 있다고 가정하자. 그러면 $X_1, X_2, \ldots, X_n$의 결합 pmf 혹은 pdf, 즉

$$L(\theta_1, \theta_2, \ldots, \theta_m) = f(x_1; \theta_1, \ldots, \theta_m)f(x_2; \theta_1, \ldots, \theta_m) \cdots f(x_n; \theta_1, \ldots, \theta_m), \qquad (\theta_1, \theta_2, \ldots, \theta_m) \in \Omega$$

는 $\theta_1, \theta_2, \ldots, \theta_m$의 함수로 간주될 때 **우도함수**(likelihood function)라고 한다. $[u_1(x_1, \ldots, x_n), u_2(x_1, \ldots, x_n), \ldots, u_m(x_1, \ldots, x_n)]$이 Ω에서 $L(\theta_1, \theta_2, \ldots, \theta_m)$을 최대화하는 m쌍(m-tuple)이라 하자. 그러면

$$\begin{aligned} \widehat{\theta_1} &= u_1(X_1, \ldots, X_n) \\ \widehat{\theta_2} &= u_2(X_1, \ldots, X_n) \\ &\vdots \\ \widehat{\theta_m} &= u_m(X_1, \ldots, X_n) \end{aligned}$$

은 각각 $\theta_1, \theta_2, \ldots, \theta_m$의 **최우추정량**(maximum likelihood estimator)이며, 이들 통계량들에 각각 해당되는 관측치, 즉

$$u_1(x_1, \ldots, x_n), u_2(x_1, \ldots, x_n), \ldots, u_m(x_1, \ldots, x_n)$$

은 **최우추정치**(maximum likelihood estimate)라고 한다.

실제로 많은 경우에 이들 추정량(추정치)들은 유일하다. 실제 적용에 있어서는 미지의 모수가 하나인 경우가 많다. 이 경우 우도함수는 $L(\theta) = \prod_{i=1}^{n} f(x_i; \theta)$로 주어진다. 몇몇 다른 예를 더 들어봄으로써 이 정의를 보다 명확하게 할 수 있을 것이다.

예제 6.4-3 $X_1, X_2, \ldots, X_n$이 pdf

$$f(x; \theta) = \frac{1}{\theta} e^{-x/\theta}, \qquad 0 < x < \infty, \qquad \theta \in \Omega = \{\theta : 0 < \theta < \infty\}$$

를 가진 지수분포에서 추출된 확률표본이라고 하자. 이때 우도함수는 다음과 같다.

$$\begin{aligned} L(\theta) &= L(\theta; x_1, x_2, \ldots, x_n) \\ &= \left(\frac{1}{\theta} e^{-x_1/\theta}\right)\left(\frac{1}{\theta} e^{-x_2/\theta}\right) \cdots \left(\frac{1}{\theta} e^{-x_n/\theta}\right) \\ &= \frac{1}{\theta^n} \exp\left(\frac{-\sum_{i=1}^{n} x_i}{\theta}\right), \qquad 0 < \theta < \infty \end{aligned}$$

$L(\theta)$의 자연대수는 다음과 같다.

$$\ln L(\theta) = -(n) \ln(\theta) - \frac{1}{\theta} \sum_{i=1}^{n} x_i, \qquad 0 < \theta < \infty$$

따라서

$$\frac{d[\ln L(\theta)]}{d\theta} = \frac{-n}{\theta} + \frac{\sum_{i=1}^{n} x_i}{\theta^2} = 0$$

이며, 이것을 θ에 대해 풀면

$$\theta = \frac{1}{n}\sum_{i=1}^{n} x_i = \overline{x}$$

이다. 또한

$$\frac{d[\ln L(\theta)]}{d\theta} = \frac{1}{\theta}\left(-n + \frac{n\overline{x}}{\theta}\right) \begin{cases} > 0, & \theta < \overline{x} \\ = 0, & \theta = \overline{x} \\ < 0, & \theta > \overline{x} \end{cases}$$

로부터 $\ln L(\theta)$가 $\overline{x}$에서 최대치를 가지며, 따라서 θ의 최우추정량은 다음과 같다.

$$\widehat{\theta} = \overline{X} = \frac{1}{n}\sum_{i=1}^{n} X_i$$

■

예제 6.4-4 $X_1, X_2, \ldots, X_n$이 pmf $f(x; p) = (1-p)^{x-1}p$, $x = 1, 2, 3, \ldots$, $0 < p \le 1$를 가진 기하분포에서 추출된 확률표본이라고 하자. 우도함수는 다음과 같다.

$$\begin{aligned} L(p) &= (1-p)^{x_1-1}p(1-p)^{x_2-1}p\cdots(1-p)^{x_n-1}p \\ &= p^n(1-p)^{\Sigma x_i - n}, \qquad 0 < p \le 1 \end{aligned}$$

만약 $\sum_{i=1}^{n} x_i \neq n$이면 $L(1) = 0$이며, $0 < p < 1$에 대해 $L(p) > 0$이다. 그러므로 이 경우 $0 < p < 1$에서 $L(p)$를 최대화하게 된다. $L(p)$에 자연대수를 취하면

$$\ln L(p) = n \ln p + \left(\sum_{i=1}^{n} x_i - n\right)\ln(1-p), \qquad 0 < p < 1$$

이며, 따라서 다음을 얻게 된다.

$$\frac{d \ln L(p)}{dp} = \frac{n}{p} - \frac{\sum_{i=1}^{n} x_i - n}{1-p} = 0$$

p에 대해 풀면

$$p = \frac{n}{\sum_{i=1}^{n} x_i} = \frac{1}{\overline{x}}$$

이며, 이차 미분검정에 의해 이 해가 최대화를 달성한다는 것을 보장한다. 반면에

$\sum_{i=1}^{n} x_i = n$이면 $L(p) = p^n$이 되며 $0 < p \le 1$ 구간에서 $p = 1 = 1/\bar{x}$에서 최댓값을 갖는다. 따라서 어느 경우든지 p의 최우추정량은

$$\widehat{p} = \frac{n}{\sum_{i=1}^{n} X_i} = \frac{1}{\overline{X}}$$

이다. 이는 직감에도 들어맞는다. 기하분포 확률변수의 n개 관측치 중에는 $\sum_{i=1}^{n} x_i$ 시행에서 n번의 성공이 있기 때문이다. 따라서 p의 추정치는 성공의 횟수를 총시행횟수로 나눈 것이다. ■

다음의 중요한 예에서 우리는 정규분포와 관련된 모수의 최우추정량을 구하게 된다.

예제 6.4-5 $X_1, X_2, \ldots, X_n$을 $N(\theta_1, \theta_2)$에서 추출한 확률표본이라 하자. 여기서 모수공간 Ω는

$$\Omega = \{(\theta_1, \theta_2): -\infty < \theta_1 < \infty,\ 0 < \theta_2 < \infty\}$$

이다. 즉 $\theta_1 = \mu$, $\theta_2 = \sigma^2$이므로

$$L(\theta_1, \theta_2) = \prod_{i=1}^{n} \frac{1}{\sqrt{2\pi\theta_2}} \exp\left[-\frac{(x_i - \theta_1)^2}{2\theta_2}\right]$$

이며, 이것은 다시

$$L(\theta_1, \theta_2) = \left(\frac{1}{\sqrt{2\pi\theta_2}}\right)^n \exp\left[\frac{-\sum_{i=1}^{n}(x_i - \theta_1)^2}{2\theta_2}\right], \qquad (\theta_1, \theta_2) \in \Omega$$

로 표현된다. 우도함수에 자연대수를 취하면

$$\ln L(\theta_1, \theta_2) = -\frac{n}{2}\ln(2\pi\theta_2) - \frac{\sum_{i=1}^{n}(x_i - \theta_1)^2}{2\theta_2}$$

이며, θ_1과 θ_2에 대해 편미분을 취하면

$$\frac{\partial\,(\ln L)}{\partial\,\theta_1} = \frac{1}{\theta_2}\sum_{i=1}^{n}(x_i - \theta_1)$$

과

$$\frac{\partial\,(\ln L)}{\partial\,\theta_2} = \frac{-n}{2\theta_2} + \frac{1}{2\theta_2^2}\sum_{i=1}^{n}(x_i - \theta_1)^2$$

을 얻는다. 식 $\partial\,(\ln L)/\partial\,\theta_1 = 0$의 해는 $\overline{X}$이며 $\partial\,(\ln L)/\partial\,\theta_2 = 0$으로 놓고 θ_1을 $\bar{x}$로 대치하면 다음을 얻는다.

$$\theta_2 = \frac{1}{n}\sum_{i=1}^{n}(x_i - \bar{x})^2$$

2차 편미분 값에 대한 조건을 고려하면 이러한 해가 최댓값을 산출하는 해임을 알 수 있다. 따라서 $\mu = \theta_1$과 $\sigma^2 = \theta_2$의 최우추정량들은 각각 다음과 같다.

$$\widehat{\theta_1} = \overline{X}, \qquad \widehat{\theta_2} = \frac{1}{n}\sum_{i=1}^{n}(X_i - \overline{X})^2 = V$$

■

모수 p를 가진 기하분포로부터 확률표본을 취한 예제 6.4-4에서 우리는 p의 최우추정량이 $\widehat{p} = 1/\overline{X}$임을 확인했다. 이제 기하분포의 평균이 $1/p$이라는 것을 기억하자. 우리가 만약 그러한 평균에 대한 최우추정량을 구하고 싶다고 할 때 $1/p$에 대한 최우추정량으로서 $1/\widehat{p} = 1/(1/\overline{X}) = \overline{X}$가 합리적이라고 생각할 수 있겠는가? 다음에 기술된 정리에 의하면 대답은 '그렇다'이다.

정리 6.4-1 만약 pdf 혹은 pmf $f(x;\theta)$를 가진 분포로부터 추출된 확률표본을 이용해 구한 θ에 대한 최우추정량이 $\widehat{\theta}$이고, g가 1대1 함수라면 $g(\theta)$에 대한 최우추정량은 $g(\widehat{\theta})$이다.

증명 $\psi = g(\theta)$를 새로운 관심 모수라 하며, $\Omega_\psi = \{\psi = g(\theta) : \theta \in \Omega\}$를 그것의 모수 공간이라 하자. 또한 $\theta = h(\psi)$를 역함수라 하자. 우도함수는 $L(\theta) = L[h(\psi)]$로 표현된다. Ω 위에서 $L(\theta)$가 $\theta = \widehat{\theta}$에서 최대화되기 때문에 $L[h(\psi)]$는 $h(\psi) = \widehat{\theta}$일 때 Ω_ψ 상에서 최대화된다. 그러므로 ψ의 최우추정량 $\widehat{\psi}$은 식 $h(\widehat{\psi}) = \widehat{\theta}$을 만족해야 하며 따라서 $\widehat{\psi} = g(\widehat{\theta})$이다.

정리 6.4-1에 기술된 특성을 **최우추정량의 불변성**(invariance property of maximum likelihood estimators)이라 한다.

예제 6.4-2에서 $\widehat{p} = \overline{X}$였고, 예제 6.4-3에서는 $\widehat{\theta} = \overline{X}$로 추정량들이 구해졌는데 이들 모두 추정량의 기댓값이 해당 모수와 일치함을 알 수 있다. 이 사실과 관련된 다음 정의를 살펴보자.

정의 6.4-1

만약 $E[u(X_1, X_2, \ldots, X_n)] = \theta$이면 통계량 $u(X_1, X_2, \ldots, X_n)$은 θ의 **불편추정량**(unbiased estimator)이라 한다. 만약 그렇지 않다면 그것은 **편의**(bias)를 가졌다고 한다.

예제 6.4-6 $Y_1 < Y_2 < Y_3 < Y_4$가 균일분포 pdf $f(x;\theta) = 1/\theta,\ 0 < x \le \theta$로부터 추출한 확률표본 X_1, X_2, X_3, X_4의 순서통계량이라 하면 우도함수는

$$f(x;\theta) = \left(\frac{1}{\theta}\right)^4, \qquad 0 < x_i \le \theta,\ \ i = 1, 2, 3, 4$$

이며, 만약 $\theta < x_i$이면 0이다. $L(\theta)$를 최대화하기 위해 θ를 가능한 최소화해야 한다. 따라서 최우추정량은 θ가 어떠한 X_i보다도 작을 수 없으므로 $\widehat{\theta} = \max(X_i) = Y_4$이다. $F(x;\theta) = x/\theta,\ 0 < x \le \theta$이므로 Y_4의 pdf는

$$g_4(y_4) = \frac{4!}{3!1!}\left(\frac{y_4}{\theta}\right)^3\left(\frac{1}{\theta}\right) = 4\,\frac{y_4^3}{\theta^4}, \qquad 0 < y_4 \le \theta$$

이며, 따라서

$$E(Y_4) = \int_0^\theta y_4 \cdot 4\,\frac{y_4^3}{\theta^4}\,dy_4 = \frac{4}{5}\,\theta$$

이므로 Y_4는 θ에 대한 편의추정량임을 알 수 있다. 그러나 $5Y_4/4$는 불편추정량이며 최우추정량의 함수이다. ■

예제 6.4-7 $X_1, X_2, \ldots, X_n$을 정규분포 $N(\theta_1 = \mu,\ \theta_2 = \sigma^2)$에서 나온 크기 n의 확률표본이라 하자. 이때 μ와 σ^2에 대한 최우추정량은 다음과 같다.

$$\widehat{\theta_1} = \widehat{\mu} = \overline{X}, \qquad \widehat{\theta_2} = \widehat{\sigma^2} = \frac{(n-1)S^2}{n}$$

$\overline{X}$의 분포가 $N(\mu,\ \sigma^2/n)$인 것을 생각할 때, $E(\overline{X}) = \mu$이므로 $\overline{X}$는 μ의 불편추정량인 것을 알 수 있다.

정리 5.5-2에서 $(n-1)S^2/\sigma^2$의 분포가 $\chi^2(n-1)$인 것을 살펴보았다. 따라서

$$E(S^2) = E\left[\frac{\sigma^2}{n-1}\,\frac{(n-1)S^2}{\sigma^2}\right] = \frac{\sigma^2}{n-1}\,(n-1) = \sigma^2$$

이다. 즉, 표본분산

$$S^2 = \frac{1}{n-1}\sum_{i=1}^{n}(X_i - \overline{X})^2$$

은 σ^2의 불편추정량이다. 그러므로

$$E(\widehat{\theta}_2) = \frac{n-1}{n} E(S^2) = \frac{n-1}{n}\sigma^2$$

이기 때문에 $\widehat{\theta}_2$은 $\theta_2 = \sigma^2$에 대한 편의추정량이 된다. ■

최우추정량을 확정된 형태로 구할 수 없는 경우가 종종 있게 되는데, 이런 경우에는 수치 해석적인 방법이 사용되어야 한다. 예를 들어 확률표본 $X_1, X_2, \ldots, X_n$을 모수 $\alpha = \theta_1$과 $\beta = \theta_2(\theta_1 > 0, \theta_2 > 0)$인 감마분포로부터 얻었을 때

$$L(\theta_1, \theta_2; x_1, \ldots, x_n) = \left[\frac{1}{\Gamma(\theta_1)\theta_2^{\theta_1}}\right]^n (x_1x_2\cdots x_n)^{\theta_1 - 1}\exp\left(-\sum_{i=1}^{n} x_i/\theta_2\right)$$

를 θ_1과 θ_2에 대해 최대화하는 것은 감마함수 $\Gamma(\theta_1)$ 때문에 어렵다. 따라서 이런 경우 x_1, $x_2, \ldots, x_n$들이 관측되면 L를 최대화하기 위해 수치 해석적 방법이 사용되어야 한다. 최우추정량과 관련해 또 다른 어려운 경우로는 그것들이 존재하지 않을 수도 있거나 혹은 유일하지 않을 수도 있다.

그러나 θ_1과 θ_2에 대한 점추정치를 쉽게 얻을 수 있는 다른 방법들이 있다. 그중 한 가지 방법은 1차 표본적률을 1차 이론적률과 같게 놓고 추정치를 구하는 것이다. 모수추정치를 얻기에 충분한 방정식을 얻을 때까지 필요하다면 2차 적률, 3차 적률끼리 혹은 그 이상을 동치로 놓는다. 감마분포의 경우 예를 들면 분포의 1, 2차 적률을 경험분포의 해당 적률과 같게 함으로써 모수추정치를 얻을 수 있다. 이러한 절차는 경험분포가 확률분포에 수렴하고, 따라서 해당되는 적률도 동일하게 되어야 한다는 점에서 타당성이 있다. 감마분포의 경우 다음과 같은 방정식을 얻게 된다.

$$\theta_1\theta_2 = \overline{X}, \qquad \theta_1\theta_2^2 = V$$

따라서 이 방정식의 해는 다음과 같다.

$$\widetilde{\theta}_1 = \frac{\overline{X}^2}{V}, \qquad \widetilde{\theta}_2 = \frac{V}{\overline{X}}$$

이렇게 구해진 $\widetilde{\theta}_1$과 $\widetilde{\theta}_2$가 바로 **적률법**(method of moments)에 의한 θ_1과 θ_2의 추정량이다.

이러한 절차를 일반화하기 위해 $X_1, X_2, \ldots, X_n$을 pdf $f(x: \theta_1, \theta_2, \ldots, \theta_r)$, $(\theta_1, \ldots, \theta_r) \in \Omega$를 가진 분포로부터 얻은 크기 n인 확률표본이라 하자. 이때 $k = 1, 2, 3, \ldots$에 대해 $E(X^k)$를 k차 적률이라 한다. 그리고 $M_k = \sum_{i=1}^n X_i^k/n$를 k차 표본적률이라 한다. 적률법에 의한 모수추정 방법은 다음과 같다. $E(X^k)$와 M_k를 $k = 1$부터 시작해 $\theta_1, \theta_2, \ldots, \theta_r$에 대한 각각의 유일해 $h_i(M_1, M_2, \ldots)$, $i = 1, 2, \ldots, r$을 얻을 수 있기에 충분한

방정식을 얻을 때까지 동치로 놓는다. 즉 $\mu = E(X)$와 $\overline{X}$를 같게 하고, 또한 $\theta_1, \theta_2, \ldots,$ θ_r에 대한 해를 얻을 수 있을 때까지 $E[(X-\mu)^k]$와 $\sum_{i=1}^{n}(X_i - \overline{X})^k/n$, $k = 2, 3, \ldots$을 같게 한다. 이렇게 얻은 θ_i에 대한 추정량 $\widetilde{\theta}_i = h_i(M_1, M_2, \ldots)$는 $i = 1, 2, \ldots, r$에 대해 n이 증가함에 따라 점점 모수에 접근해 간다.

다음에 나오는 두 예제—첫 번째는 단일 모수분포이며 두 번째는 2개 모수분포—에서 적률법에 의해 추정량을 구하는 방법을 예시한다.

예제 6.4-8 $X_1, X_2, \ldots, X_n$이 확률밀도함수 $f(x;\theta) = \theta x^{\theta-1}$, $0 < x < 1$, $0 < \theta < \infty$를 가진 분포에서 추출된 크기 n의 확률표본이라 하자. $\theta = 1/4, 1, 4$에 대한 확률밀도함수를 그려보면, 이와 같이 3개의 다른 θ의 값에 대응한 관측치들은 서로 매우 다를 것이다. 그러면 어떻게 θ의 값을 추정할 것인가? 이 분포의 평균은 다음과 같이 주어진다.

$$E(X) = \int_0^1 x\,\theta\,x^{\theta-1}\,dx = \frac{\theta}{\theta+1}$$

이제 다음과 같이 모집단의 평균과 표본평균이 같도록 한 후 θ에 대해 푼다.

$$\bar{x} = \frac{\theta}{\theta+1}$$

이것을 θ에 대해 풀면, 추정량은 다음과 같다.

$$\widetilde{\theta} = \frac{\overline{X}}{1-\overline{X}}$$

따라서 적률법에 의한 θ의 추정치는 $\bar{x}/(1-\bar{x})$이다. ■

만약 적률법에서 추정해야 할 2개의 모수가 있다면, 처음 2개의 표본적률을 미지의 모수에 의해 규정되는 처음 2개의 모집단적률과 같도록 한다. 그다음 이러한 2개의 식을 미지의 모수에 대해 동시에 풀면 그 해가 주어진다.

예제 6.4-9 X의 분포가 $N(\mu, \sigma^2)$이라고 하자. 그러면 $E(X) = \mu$이며 $E(X^2) = \sigma^2 + \mu^2$이다. 크기 n인 확률표본이 있을 때, 그 처음 2개의 적률은 각각 다음과 같이 주어진다.

$$m_1 = \frac{1}{n}\sum_{i=1}^{n} x_i, \qquad m_2 = \frac{1}{n}\sum_{i=1}^{n} x_i^2$$

$m_1 = E(X)$와 $m_2 = E(X^2)$으로 놓고 μ와 σ^2에 대해 푼다.

$$\frac{1}{n}\sum_{i=1}^{n} x_i = \mu, \qquad \frac{1}{n}\sum_{i=1}^{n} x_i^2 = \sigma^2 + \mu^2$$

첫 번째 식은 μ의 추정치인 $\bar{x}$를 산출해낸다. 두 번째 식에서 μ^2을 $\bar{x}^2$으로 대입시키고 σ^2에 대해 풀면, σ^2에 대한 해로서

$$\frac{1}{n}\sum_{i=1}^{n} x_i^2 - \bar{x}^2 = \sum_{i=1}^{n} \frac{(x_i - \bar{x})^2}{n} = v$$

를 갖게 된다. 따라서 μ와 σ^2에 대한 적률추정량은 $\widetilde{\mu} = \overline{X}$와 $\widetilde{\sigma^2} = V$이며, 이는 최우추정량과 동일하다. 물론 $\widetilde{\mu} = \overline{X}$는 불편이나 $\widetilde{\sigma^2} = V$는 편의가 있다. ■

예제 6.4-7에서 $\overline{X}$와 S^2이 정규분포의 경우 불편추정량임을 확인했다. 그런데 이 사실은 유한 분산이 σ^2인 어떤 분포에서도 성립한다. 즉 $\sigma^2 < \infty$이면 $E(\overline{X}) = \mu$와 $E(S^2) = \sigma^2$이 항상 성립한다. 그러나 비록 S^2이 σ^2에 대한 불편추정량이지만 S는 σ에 대해 편의추정량이다. 정규분포의 경우

$$c = \frac{\sqrt{n-1}\,\Gamma\left(\frac{n-1}{2}\right)}{\sqrt{2}\,\Gamma\left(\frac{n}{2}\right)}$$

일 때 cS가 σ에 대한 불편추정량이 되는 것을 확인해보기 바란다(연습문제 6.4-10).

참고 이러한 예제나 연습문제들에서 최우추정량과 적률법에 의해 구한 추정량들이 일치함을 볼 수 있으나 종종 그렇지 않다. 최우추정 방법은 확률표본 $X_1, X_2, \ldots, X_n$이 독립적이고 동일한 분포를 따르지 않더라도 적용할 수 있는 매우 일반적인 방법이다(연습문제 6.4-9).

마지막으로 **백분위수정합**(percentile matching)이라 불리는 추정 방법을 간단히 소개한다. 적률법과 정신적으로 비슷하게 표본백분위수를 모집단백분위수와 일치시켜서 모수를 추정한다. 이 방법은 많은 분포들에 널리 적용될 수 있지만 특히 적률이 존재하지 않는 연속형 분포의 모수를 추정하는 데 유용하다. 예를 들어 다음과 같은 pdf를 가진 중위수 $\theta \in (-\infty, \infty)$를 가진 코시분포를 생각해보자.

$$f(x) = \frac{1}{1 + (x-\theta)^2}, \qquad -\infty < x < \infty$$

이 분포의 평균이 존재하지 않으므로 θ를 추정하기 위해 적률법을 사용할 수 없다. θ를

추정하기 위해 어떤 표본백분위수도 그에 대응하는 모집단백분위수와 일치시킬 수 있으나, 이 경우 θ가 모집단 중위수이므로 50백분위수들을 일치시키는 것이 가장 자연스러워 보인다. 즉, 표본크기 n인 확률표본의 표본중위수 $\widetilde{m}$을 θ와 일치시켜서($\theta = \widetilde{m}$) 추정량 $\widetilde{\theta} = \widetilde{m}$을 얻는다.

일반적으로 모수 $\theta_1, \theta_2, \ldots, \theta_r$을 가진 연속형 분포의 $100p$ 백분위수를 $\pi_p(\theta_1, \theta_2, \ldots, \theta_r)$이라고 한다면, 백분위수정합 추정량은 다음 r개의 등식을 만족하는 $\widetilde{\theta}_1, \widetilde{\theta}_2, \ldots, \widetilde{\theta}_r$이다.

$$\pi_{p_k}(\widetilde{\theta}_k) = \widetilde{\pi}_{p_k}, \qquad k = 1, 2, \ldots, r$$

이때 p_k들은 0과 1 사이에서 임의로 선택된 r개의 값이며, 표본백분위수 $\widetilde{\pi}_{p_k}$들은 6.2절에서 설명한 대로 구해진다.

예제 6.4-10 X를 3.4절에서 소개된 모두 $\alpha > 0$와 $\beta > 0$를 가진 다음과 같은 와이블분포의 pdf를 가진 확률변수라 하자.

$$f(x; \alpha, \beta) = \frac{\alpha x^{\alpha-1}}{\beta^\alpha} \exp\left[-\left(\frac{x}{\beta}\right)^\alpha\right], \qquad x > 0$$

이 분포로부터 확률표본을 얻어 표본25백분위수와 표본75백분위수가 각각 6.0과 13.0과 같았다. 이 백분위수들을 이용해 모두 α와 β를 백분위수정합 방법에 의해 추정하고자 한다. 먼저 이 분포의 cdf는 다음과 같이 얻어진다.

$$F(x; \alpha, \beta) = \int_0^x \frac{\alpha t^{\alpha-1}}{\beta^\alpha} \exp\left[-\left(\frac{t}{\beta}\right)^\alpha\right] dt = 1 - \exp\left[-\left(\frac{x}{\beta}\right)^\alpha\right], \qquad x \ge 0$$

표본25백분위수와 모집단25백분위수를 일치시키면 식 $F(6; \alpha, \beta) = 0.25$를 얻으며 이는 다시 다음과 같다.

$$1 - \exp\left[-\left(\frac{6}{\theta}\right)^\alpha\right] = 0.25$$

즉,

$$\left(\frac{6.0}{\theta}\right)^\alpha = -\ln 0.75$$

이다. 표본75백분위수와 모집단75백분위수에 대해 비슷하게 일치시키면 다음의 식을 얻을 수 있다.

$$\left(\frac{13.0}{\theta}\right)^\alpha = -\ln 0.25$$

이 식을 이전 식으로 나누면 다음과 같다.

$$\left(\frac{13.0}{6.0}\right)^{\alpha} = \frac{\ln 0.25}{\ln 0.75} = 4.818842$$

양변에 자연대수를 취해서 α에 대해 풀면 $\tilde{\alpha} = 2.0338$을 얻는다. 이 추정치를 이전 어느 하나의 식에 대입해 θ에 대해 풀면 $\tilde{\theta} = 11.0708$을 얻게 된다. ■

연습문제

6.4-1 $X_1, X_2, \ldots, X_n$을 $N(\mu, \sigma^2)$으로부터 추출한 확률표본이라고 하자. 여기서 $\theta = \mu$, $-\infty < \theta < \infty$이며, σ는 알려진 양수이다. θ에 대한 최우추정량이 $\widehat{\theta} = \overline{X}$임을 밝혀라.

6.2-2 $X_1, X_2, \ldots, X_n$이 평균 λ, $0 < \lambda < \infty$를 가진 푸아송분포로부터의 확률표본이라 하자.

(a) λ에 대한 최우추정량이 $\widehat{\lambda} = \overline{X}$임을 밝혀라.

(b) X는 사용된 컴퓨터 테이프 100m당 흠집의 수라고 하자. X가 평균 λ인 푸아송분포를 따른다고 할 때, X에 대한 40개의 관측치 중에서 0이 5개, 1이 7개, 2가 12개, 3이 9개, 4가 5개, 5가 1개, 6이 1개였다. λ에 대한 최우추정량을 구하라.

6.4-3 $X_1, X_2, \ldots, X_n$이 다음에 각각 주어진 확률분포로부터 관측된 확률표본이라 하자. 각각의 경우 최우추정량 $\widehat{\theta}$을 구하라.

(a) $f(x; \theta) = (1/\theta^2)x\, e^{-x/\theta}$,
$0 < x < \infty, 0 < \theta < \infty$

(b) $f(x; \theta) = (1/2\theta^3)x^2\, e^{-x/\theta}$,
$0 < x < \infty, 0 < \theta < \infty$

(c) $f(x; \theta) = (1/2)\, e^{-|x-\theta|}$,
$-\infty < x < \infty, -\infty < \theta < \infty$

힌트: $\widehat{\theta}$을 구할 때 $\sum |x_i - \theta|$를 최소화하는 것은 다소 어려운 문제이다. $n = 5$인 경우 $x_1 = 6.1$, $x_2 = -1.1$, $x_3 = 3.2$, $x_4 = 0.7$, $x_5 = 1.7$을 이용해 구하라.

6.4-4 $f(x; \theta) = \theta x^{\theta-1}$, $0 < x < 1$, $\theta \in \Omega = \{\theta : 0 < \theta < \infty\}$라고 하고, 이 분포로부터 확률표본 $X_1, X_2, \ldots, X_n$을 얻었다고 하자.

(a) 다음 각각의 경우 X의 pdf를 그려라.
(i) $\theta = 1/2$, **(ii)** $\theta = 1$, **(iii)** $\theta = 2$

(b) $\widehat{\theta} = -n/\ln\left(\prod_{i=1}^{n} X_i\right)$가 θ의 최우추정량임을 밝혀라.

(c) 다음 세 가지 각각의 자료를 이용해 θ에 대한 최우추정치와 적률추정치를 구하라.

(i)	0.0256	0.3051	0.0278	0.8971	0.0739
	0.3191	0.7379	0.3671	0.9763	0.0102
(ii)	0.9960	0.3125	0.4374	0.7464	0.8278
	0.9518	0.9924	0.7112	0.2228	0.8609
(iii)	0.4698	0.3675	0.5991	0.9513	0.6049
	0.9917	0.1551	0.0710	0.2110	0.2154

6.4-5 $X_1, X_2, \ldots, X_n$이 확률밀도함수 $f(x; \theta) = (1/\theta)e^{-x/\theta}$, $0 < x < \infty$, $0 < \theta < \infty$로부터의 확률표본이라고 하자.

(a) $\overline{X}$가 θ의 불편추정량임을 밝혀라.

(b) $\overline{X}$의 분산이 θ^2/n임을 밝혀라.

(c) 크기 5인 확률표본이 3.5, 8.1, 0.9, 4.4, 0.5인 표본값을 취할 때 θ의 좋은 추정치는 무엇인가?

6.4-6 $X_1, X_2, \ldots, X_n$이 유한분산 σ^2을 가진 분포로부터 추출한 확률표본이라고 하자. 표본분산

$$S^2 = \sum_{i=1}^{n} \frac{(X_i - \overline{X})^2}{n-1}$$

이 σ^2의 불편추정량임을 밝혀라.

힌트: $S^2 = \dfrac{1}{n-1}\left(\sum_{i=1}^{n} X_i^2 - n\overline{X}^2\right)$으로 다시 표현하고 $E(S^2)$을 계산하라.

6.4-7 $X_1, X_2, \ldots, X_n$이 구간 $(\theta - 1, \theta + 1)$을 갖는 균일분포에서 추출한 확률표본이라 하자.

(a) θ에 대한 적률추정량을 구하라.

(b) (a)에서 구한 해가 불편추정량인가?

(c) X에 대한 5개의 관측값이 6.61, 7.70, 6.98, 8.36, 7.26일 때 θ의 점추정치를 계산하라.

(d) 적률추정량은 최우추정량(이 경우 $[\min(X_i) + \max(X_i)]/2$)보다 실제로 큰 분산을 갖는다. (c)의 자료를 이용해 최우추정치를 계산하라.

6.4-8 평균이 $\mu = \alpha\theta$이고 분산이 $\sigma^2 = \alpha\theta^2$인 감마분포로부터 다음과 같은 25개 관측값을 얻었다. 적률법을 이용해 α와 θ에 대한 추정치를 계산하라.

6.9 7.3 6.7 6.4 6.3 5.9 7.0 7.1 6.5 7.6 7.2 7.1 6.1

7.3 7.6 7.6 6.7 6.3 5.7 6.7 7.5 5.3 5.4 7.4 6.9

6.4-9 $Y_1, Y_2, \ldots, Y_n$이 각각 $N(\mu, \gamma^2 x_i^2)$, $i = 1, \ldots, n$을 따르는 독립적인 확률변수들이라고 하자. 이때 $x_1, x_2, \ldots, x_n$은 알려져 있으며 모두 동일하지는 않고 또한 어느 것도 0값을 갖지 않는다. μ와 γ^2에 대한 최우추정량을 유도하라.

6.4-10 정규분포로부터 추출한 크기 n인 확률표본이 주어졌다고 하자.

(a) $c = \dfrac{\sqrt{n-1}\,\Gamma\left(\frac{n-1}{2}\right)}{\sqrt{2}\,\Gamma\left(\frac{n}{2}\right)}$일 때 cS가 σ에 대한 불편추정량임을 밝혀라.

힌트: $(n - 1)S^2/\sigma^2$의 분포는 $\chi^2(n - 1)$임을 기억하라.

(b) $n = 5, n = 6$일 때 c의 값을 구하라.

6.5 단순회귀 문제

가끔 두 변수들 간의 함수적 관계를 알고 싶은 때가 있다. 예를 들면, 화학반응이 나타날 때의 온도와 반응으로부터 파생된 화학성분의 양 사이의 관계 등이다. 이들 변수들 중 하나인 x값을 미리 알았을 때 다른 확률변수 Y의 미래값을 예측하는 것이 관심사가 될 수 있다. Y는 확률변수이므로 미래의 관측값 $Y = y$를 정확하게 예측하기는 어렵다. 먼저 Y의 평균 $E(Y|x)$를 추정하는 문제를 생각해보자. $E(Y|x)$는 일반적으로 x의 함수가 된다. 앞의 예에서 화학성분의 양 Y는 온도 x의 증가에 따라 $E(Y|x)$도 증가할 것임을 기대할 수 있다. 따라서 $E(Y|x) = \mu(x)$는 1차식이나 2차식 또는 지수형, 즉 $\alpha + \beta x$, $\alpha + \beta x + \gamma x^2$, $\alpha e^{\beta x}$ 등으로 가정될 수 있다. $E(Y|x) = \mu(x)$를 추정(동등하게 α, β, γ를 추정)하기 위해 n개의 x값 $x_1, x_2, \ldots, x_n$에 대한 각각의 Y값을 관측한다. n회의 독립실험을 하는 경우에는 n쌍의 값 $(x_1, y_1), (x_2, y_2), \ldots, (x_n, y_n)$을 관측할 수 있다. 이들 쌍의 값들은 $E(Y|x)$를 추정하는 데 사용된다. $E(Y|x) = \mu(x)$는 회귀선이라고 하므로, 이와 같은 문제는 **회귀**(regression) 문제에 속한다.

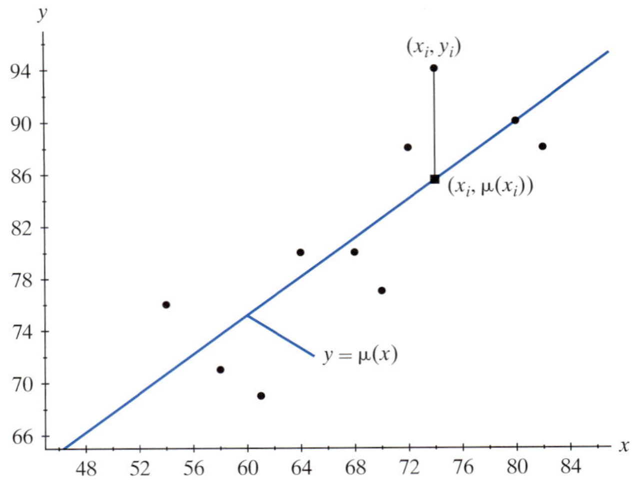

그림 6.5-1 산점도와 선분 $y = \mu(x)$

> **참고** $E(Y|x) = \alpha + \beta x + \gamma x^2$과 같은 모형을 선형모형(linear model)이라 하는데, 그 이유는 모수 α, β, γ에 대해 선형이기 때문이다. 따라서 $\alpha e^{\beta x}$는 선형모형이 아니다. 그 이유는 α와 β에 대해 선형이 아니기 때문이다.

이제 $E(Y|x) = \mu(x)$가 1차식인 경우를 생각해보자. 관측자료가 $(x_1, y_1), (x_2, y_2), \ldots, (x_n, y_n)$이라 할 때 이 자료들을 직선으로 적합시키는 문제를 다룬다(그림 6.5-1 참조). 특정의 x값에 대해, Y의 평균이 선형이라는 가정과 더불어 Y값과 그것의 평균과의 차를 ε이라 하면 선형모형은

$$Y_i = \alpha_1 + \beta x_i + \varepsilon_i, \qquad i = 1, 2, \ldots, n$$

이 되고, ε_i는 서로 독립이고 정규분포 $N(0, \sigma^2)$을 따른다고 가정한다. 미지의 모수 α_1과 β는 각각 식 $\mu(x) = \alpha_1 + \beta x$의 Y절편과 기울기이다. 우리는 이제 α_1, β, σ^2에 대한 점추정치, 특히 최우추정치를 구하고자 한다. 간편계산을 위해 $\alpha_1 = \alpha - \beta\bar{x}$로 놓으면 회귀모형은 다음과 같이 된다.

$$Y_i = \alpha + \beta(x_i - \bar{x}) + \varepsilon_i, \ \bar{x} = \frac{1}{n}\sum_{i=1}^{n} x_i$$

그러면 Y_i가 비확률적 항인 $\alpha + \beta(x_i - \bar{x})$와 평균이 0인 정규확률변수 ε_i의 합임을 알 수 있다. 따라서 $Y_1, Y_2, \ldots, Y_n$은 각각 평균 $\alpha + \beta(x_i - \bar{x})$와 미지의 분산 σ^2을 갖는 서로 독립인 정규확률변수이므로, 그들의 결합 pdf인 우도함수는 다음과 같다.

$$L(\alpha, \beta, \sigma^2) = \prod_{i=1}^{n} \frac{1}{\sqrt{2\pi\sigma^2}} \exp\left\{-\frac{[y_i - \alpha - \beta(x_i - \overline{x})]^2}{2\sigma^2}\right\}$$
$$= \left(\frac{1}{2\pi\sigma^2}\right)^{n/2} \exp\left\{-\frac{\sum_{i=1}^{n} [y_i - \alpha - \beta(x_i - \overline{x})]^2}{2\sigma^2}\right\}$$

우도함수를 최대로 하는 것은 다음을 최소화하는 것과 같다.

$$-\ln L(\alpha, \beta, \sigma^2) = \frac{n}{2} \ln(2\pi\sigma^2) + \frac{\sum_{i=1}^{n} [y_i - \alpha - \beta(x_i - \overline{x})]^2}{2\sigma^2}$$

그러므로

$$H(\alpha, \beta) = \sum_{i=1}^{n} [y_i - \alpha - \beta(x_i - \overline{x})]^2$$

이 최소가 되도록 α, β를 정하면 된다. $|y_i - \alpha - \beta(x_i - \overline{x})| = |y_i - \mu(x_i)|$는 점 (x_i, y_i)로부터 식 $y = \mu(x)$까지의 수직거리를 나타내므로 $H(\alpha, \beta)$는 이러한 수직거리들의 제곱합이다. 이 제곱합이 최소가 되게 α, β를 정하는 문제는 **최소제곱법**(method of least squares)에 의해 직선을 자료에 적합시키는 방법과 같다.

$H(\alpha, \beta)$를 최소화하기 위해 2개의 일차편미분 $\partial H(\alpha, \beta)/\partial\alpha$와 $\partial H(\alpha, \beta)/\partial\beta$를 다음과 같이 먼저 구한다.

$$\frac{\partial H(\alpha, \beta)}{\partial\alpha} = 2\sum_{i=1}^{n} [y_i - \alpha - \beta(x_i - \overline{x})](-1)$$
$$\frac{\partial H(\alpha, \beta)}{\partial\beta} = 2\sum_{i=1}^{n} [y_i - \alpha - \beta(x_i - \overline{x})][-(x_i - \overline{x})]$$

$\partial H(\alpha, \beta)/\partial\alpha = 0$으로 놓으면 다음 식을 얻는다.

$$\sum_{i=1}^{n} y_i - n\alpha - \beta\sum_{i=1}^{n} (x_i - \overline{x}) = 0$$

$\sum_{i=1}^{n}(x_i - \overline{x}) = 0$이므로 위의 식은 $\sum_{i=1}^{n} y_i - n\alpha = 0$이 되고, 따라서 다음을 얻는다.

$$\widehat{\alpha} = \overline{Y}$$

이제 α를 관측값인 $\widehat{\alpha}$, 즉 $\overline{y}$로 대체해 식 $\partial H(\alpha, \beta)/\partial\beta = 0$을 정리하면 다음과 같으며

$$\sum_{i=1}^{n} (y_i - \overline{y})(x_i - \overline{x}) - \beta\sum_{i=1}^{n} (x_i - \overline{x})^2 = 0$$

따라서

$$\widehat{\beta} = \frac{\sum_{i=1}^{n}(Y_i - \overline{Y})(x_i - \overline{x})}{\sum_{i=1}^{n}(x_i - \overline{x})^2} = \frac{\sum_{i=1}^{n} Y_i(x_i - \overline{x})}{\sum_{i=1}^{n}(x_i - \overline{x})^2}$$

를 얻는다. 표준적인 다변량 미적분 방법에 의해 $H(\alpha, \beta)$에 대한 일차편미분을 이렇게 0으로 놓고 구한 해가 실제로 최소점이라는 것을 밝힐 수 있다. 그러므로 평균직선 $\mu(x) = \alpha + \beta(x_i - \overline{x})$를 가장 잘 추정한 직선이 $\widehat{\alpha} + \widehat{\beta}(x_i - \overline{x})$인 것이다. 이때 $\widehat{\alpha}$과 $\widehat{\beta}$은 다음과 같다.

$$\widehat{\alpha} = \overline{Y} \tag{6.5-1}$$

$$\widehat{\beta} = \frac{\sum_{i=1}^{n} Y_i(x_i - \overline{x})}{\sum_{i=1}^{n}(x_i - \overline{x})^2} = \frac{\sum_{i=1}^{n} x_i Y_i - (1/n)(\sum_{i=1}^{n} x_i)(\sum_{i=1}^{n} Y_i)}{\sum_{i=1}^{n} x_i^2 - (1/n)(\sum_{i=1}^{n} x_i)^2} \tag{6.5-2}$$

최우추정법에 의해 σ^2을 추정하기 위해 다음의 편미분

$$\frac{\partial[-\ln L(\alpha, \beta, \sigma^2)]}{\partial(\sigma^2)} = \frac{n}{2\sigma^2} - \frac{\sum_{i=1}^{n}[y_i - \alpha - \beta(x_i - \overline{x})]^2}{2(\sigma^2)^2}$$

을 0으로 놓고 풀어서 α와 β를 각각의 추정량 $\widehat{\alpha}$과 $\widehat{\beta}$으로 대체하면 다음과 같다.

$$\widehat{\sigma^2} = \frac{1}{n}\sum_{i=1}^{n}[Y_i - \widehat{\alpha} - \widehat{\beta}(x_i - \overline{x})]^2 \tag{6.5-3}$$

$n\widehat{\sigma^2}$을 계산하기 위한 유용한 공식은 다음과 같다.

$$n\widehat{\sigma^2} = \sum_{i=1}^{n} Y_i^2 - \frac{1}{n}\left(\sum_{i=1}^{n} Y_i\right)^2 - \widehat{\beta}\sum_{i=1}^{n} x_i Y_i + \widehat{\beta}\left(\frac{1}{n}\right)\left(\sum_{i=1}^{n} x_i\right)\left(\sum_{i=1}^{n} Y_i\right) \tag{6.5-4}$$

$\widehat{\sigma^2}$을 위한 식 (6.5-3)에서 합해지는 항이 Y_i값과 Y_i의 평균에 대한 추정치와의 차이에 대한 제곱임을 주목하자. Y_i의 추정평균치를 $\widehat{Y_i} = \widehat{\alpha} + \widehat{\beta}(x_i - \overline{x})$라 할 때 다음의 차이를 i번째 **잔차**(residual)라 한다.

$$Y_i - \widehat{Y_i} = Y_i - \widehat{\alpha} - \widehat{\beta}(x_i - \overline{x}), \qquad i = 1, 2, \ldots, n$$

그러면 분산 σ^2의 최우추정량은 잔차제곱합을 n으로 나눈 것이 된다. 잔차합은 반드시 0이 되어야 하지만, 반올림 계산상 관측된 잔차$(y_i - \widehat{y_i})$합이 때때로 0과 조금 다른 경우가 발생한다. 이러한 잔차들을 x_i와 함께 산점도를 그려 보면 $((x_i, y_i - \widehat{y_i}), i = 1, 2, \ldots, n)$ 선형회귀모형이 자료에 잘 적합하는지 알 수 있다.

표 6.5-1 시험점수 자료의 계산

x	y	x^2	xy	y^2	$\widehat{y}$	$y-\widehat{y}$	$(y-\widehat{y})^2$
70	77	4,900	5,390	5,929	82.561566	−5.561566	30.931016
74	94	5,476	6,956	8,836	85.529956	8.470044	71.741645
72	88	5,184	6,336	7,744	84.045761	3.954239	15.636006
68	80	4,624	5,440	6,400	81.077371	−1.077371	1.160728
58	71	3,364	4,118	5,041	73.656395	−2.656395	7.056434
54	76	2,916	4,104	5,776	70.688004	5.311996	28.217302
82	88	6,724	7,216	7,744	91.466737	−3.466737	12.018265
64	80	4,096	5,120	6,400	78.108980	1.891020	3.575957
80	90	6,400	7,200	8,100	89.982542	0.017458	0.000305
61	69	3,721	4,209	4,761	75.882687	−6.882687	47.371380
683	813	47,405	56,089	66,731		0.000001	217.709038

예제 6.5-1 표 6.5-1과 그림 6.5-1은 각각 어느 반 학생 10명의 예비고사 점수 x와 최종시험 점수 y, 그리고 모수추정에 필요한 합계를 수록한 표와 산점도이다. 추정된 값은 다음과 같다. R과 미니탭 같은 통계 소프트웨어를 활용하면 회귀계산을 쉽게 할 수 있다.

$$\widehat{\alpha} = 813/10 = 81.3$$

$$\widehat{\beta} = \frac{56,089 - (683)(813)/10}{47,405 - (683)(683)/10} = \frac{561.1}{756.1} = 0.742$$

$$\widehat{y} = 81.3 + (0.742)(x - 68.3)$$

$$\widehat{\sigma^2} = \frac{217.709038}{10} = 21.7709$$

그림 6.5-2에는 잔차그림이 그려져 있다. ■

이제 $\widehat{\alpha}$, $\widehat{\beta}$의 분포를 구하는 문제를 생각해보자. 앞에서 우리는 $x_1, x_2, \ldots, x_n$을 상수와 같이 취급했다. 물론 많은 경우, 예를 들어 화학실험에서 사전에 정해진 온도를 정해놓고 혼합물을 생성하듯이 사전에 x값들을 설정할 수 있다. 그러나 대학입학 학력고사 점수나, 예제 6.5-1의 예비고사 점수와 같은 것들은 엄밀하게 말하면 확률변수의 관측값들이다. 그럼에도 불구하고 여기서는 앞에서와 같이 x값들은 고정된 값이고, $Y_1, Y_2, \ldots, Y_n$만이 확률변수라고 한다.

$\widehat{\alpha}$은 독립이고 정규분포를 따르는 확률변수들의 선형함수이므로, $\widehat{\alpha}$은 다음과 같은 평균과 분산을 갖는 정규분포를 따른다.

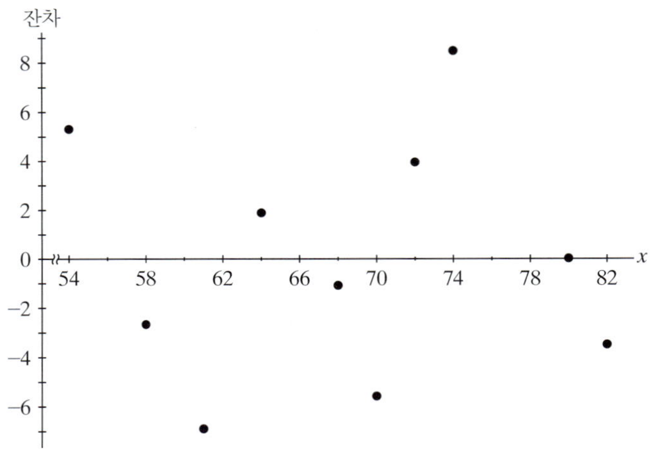

그림 6.5-2 표 6.5-1 자료에 대한 잔차그림

$$E(\widehat{\alpha}) = E\left(\frac{1}{n}\sum_{i=1}^{n} Y_i\right) = \frac{1}{n}\sum_{i=1}^{n} E(Y_i)$$

$$= \frac{1}{n}\sum_{i=1}^{n}[\alpha + \beta(x_i - \overline{x})] = \alpha$$

$$\text{Var}(\widehat{\alpha}) = \left(\frac{1}{n}\right)^2\sum_{i=1}^{n}\text{Var}(Y_i) = \frac{\sigma^2}{n}$$

$\widehat{\beta}$ 역시 $Y_1, Y_2, \ldots, Y_n$의 선형함수이므로 다음과 같은 평균과 분산을 갖는 정규분포를 따른다.

$$E(\widehat{\beta}) = \frac{\sum_{i=1}^{n}(x_i - \overline{x})E(Y_i)}{\sum_{i=1}^{n}(x_i - \overline{x})^2}$$

$$= \frac{\sum_{i=1}^{n}(x_i - \overline{x})[\alpha + \beta(x_i - \overline{x})]}{\sum_{i=1}^{n}(x_i - \overline{x})^2}$$

$$= \frac{\alpha\sum_{i=1}^{n}(x_i - \overline{x}) + \beta\sum_{i=1}^{n}(x_i - \overline{x})^2}{\sum_{i=1}^{n}(x_i - \overline{x})^2} = \beta$$

$$\text{Var}(\widehat{\beta}) = \sum_{i=1}^{n}\left[\frac{x_i - \overline{x}}{\sum_{j=1}^{n}(x_j - \overline{x})^2}\right]^2\text{Var}(Y_i)$$

$$= \frac{\sum_{i=1}^{n}(x_i - \overline{x})^2}{\left[\sum_{i=1}^{n}(x_i - \overline{x})^2\right]^2}\sigma^2 = \frac{\sigma^2}{\sum_{i=1}^{n}(x_i - \overline{x})^2}$$

연습문제

6.5-1 단순회귀모형을 최소제곱법으로 적합시킬 때 발생하는 잔차($Y_i - \widehat{Y}_i, i = 1, 2, \ldots, n$)의 합이 0이 됨을 증명하라.

6.5-2 통계학과 학생 10명의 중간고사 성적(x)과 기말고사 성적(y)은 아래의 표와 같다.

(a) 최소제곱회귀선을 구하라.

(b) 자료와 최소제곱회귀선을 같은 그래프에 그려라.

(c) $\widehat{\sigma^2}$을 구하라.

x	70	74	80	84	80	67	70	64	74	82
y	87	79	88	98	96	73	83	79	91	94

6.5-3 자신을 자동차 전문가라고 생각하는 어느 학생이 자동차의 마력과 중량이 자동차가 시속 0km에서 100km까지 가속하는 데 걸리는 시간에 얼마나 영향을 미치는지 관심이 있다. 다음 표에는 14종류의 자동차에 대한 자료가 정리되어 있다.

마력	0~100	중량	마력	0~100	중량
230	8.1	3,516	282	6.2	3,627
225	7.8	3,690	300	6.4	3,892
375	4.7	2,976	220	7.7	3,377
322	6.6	4,215	250	7.0	3,625
190	8.4	3,761	315	5.3	3,230
150	8.4	2,940	200	6.2	2,657
178	7.2	2,818	300	5.5	3,518

(a) 0~100km/h 가속시간과 마력에 대한 최소제곱회귀선을 구하라.

(b) 자료와 최소제곱회귀선을 같은 그래프에 그려라.

(c) 0~100km/h 가속시간과 중량에 대한 최소제곱회귀선을 구하라.

(d) 자료와 최소제곱회귀선을 같은 그래프에 그려라.

(e) 마력과 중량 중 어떤 변수가 0~100km/h 가속시간에 더 영향을 미치는가?

6.5-4 미국 연방거래위원회는 자국 내에서 팔리고 있는 담배의 타르와 일산화탄소의 양을 측정했다. x와 y를 각각 담배의 타르와 일산화탄소 양이라 했을 때 다음 표에 12종류의 담배에 대한 자료가 정리되어 있다.

(a) 최소제곱회귀선을 구하라.

(b) 자료와 최소제곱회귀선을 같은 그래프에 그려라.

(c) α, β, σ^2에 대한 점추정치를 계산하라.

담배	x	y	담배	x	y
Capri	9	6	Now	3	4
Carlton	4	6	Salem	17	18
Kent	14	14	Triumph	6	8
Kool Milds	12	12	True	7	8
Marlboro Lights	10	12	Vantage	8	13
Merit Ultras	5	7	Virginia Slims	15	13

6.5-5 플렉시 유리(비행기 창문 재료)의 인장력 검사를 위해 사각형 유리절편을 끊어질 때까지 늘리는 시험을 했다. 다음의 자료는 끊어질 때까지 늘어나는 길이 x(mm)와 횡단면적 y(mm^2)를 정리한 것이다.

(5.28, 52.36) (5.40, 52.58)
(4.65, 51.07) (4.76, 52.28)
(5.55, 53.02) (5.73, 52.10)
(5.84, 52.61) (4.97, 52.21)
(5.50, 52.39) (6.24, 53.77)

(a) 최소제곱회귀선을 구하라.

(b) 자료와 최소제곱회귀선을 같은 그래프에 그려라.

(c) 결과를 해석하라.

6.6 최우추정량의 점근분포

분포의 정의역과 상관없는 모수 θ에 대해 pdf $f(x;\theta)$를 생각해보자. 더욱이 $f(x;\theta)$가 여기에 언급되지 않은 여러 가지 수학적 성질들도 만족한다고 하자. 특히

$$\frac{\partial[\ln L(\theta)]}{\partial\theta}=0$$

을 풂으로써 최우추정량 $\widehat{\theta}$을 구할 수 있기를 바란다. 우리는 여기서 $L(\theta)$가 $x_1, x_2, \ldots, x_n$을 역시 포함하고 있기 때문에 편미분 기호를 사용한 것이다. 즉, $\frac{\partial[\ln L(\widehat{\theta})]}{\partial\theta}=0$이며, 여기서 $\widehat{\theta}$에 의해 표현된 $L(\widehat{\theta})$은 $L(\widehat{\theta})=f(X_1;\widehat{\theta})f(X_2;\widehat{\theta})\cdots f(X_n;\widehat{\theta})$라고 할 때, $\frac{\partial[\ln L(\theta)]}{\partial\theta}$를 θ에 대해 테일러급수(Taylor's series)를 처음 2개 항까지 전개하면 $L(\theta)=f(X_1;\theta)f(X_2;\theta)\cdots f(X_n;\theta)$일 때 다음과 같다.

$$\frac{\partial[\ln L(\theta)]}{\partial\theta}+(\widehat{\theta}-\theta)\frac{\partial^2[\ln L(\theta)]}{\partial\theta^2}\approx 0$$

이러한 근사는 $\widehat{\theta}$이 θ에 가깝기만 하면 아주 좋은 것임은 분명하며, 그러한 조건은 수학적 증명을 할 때 이용된다. 그러나 $\widehat{\theta}$이 θ에 가까운 정도는 위의 테일러 급수 전개식으로부터 얻을 수 있는데, 즉 다음과 같다.

$$\widehat{\theta}-\theta=\frac{\dfrac{\partial[\ln L(\theta)]}{\partial\theta}}{-\dfrac{\partial^2[\ln L(\theta)]}{\partial\theta^2}} \tag{6.6-1}$$

$\ln L(\theta)=\ln f(X_1;\theta)+\ln f(X_2;\theta)+\cdots+\ln f(X_n;\theta)$이므로 식 (6.6-1)의 분자는

$$\frac{\partial \ln L(\theta)}{\partial\theta}=\sum_{i=1}^{n}\frac{\partial[\ln f(X_i;\theta)]}{\partial\theta} \tag{6.6-2}$$

임을 알 수 있다. 그러나 이 식 (6.6-2)는 n개의 독립적이고 동일한 분포를 갖는 확률변수

$$Y_i=\frac{\partial[\ln f(X_i;\theta)]}{\partial\theta},\qquad i=1,2,\ldots,n$$

의 합이며, 따라서 Y_i들은 중심극한정리에 의해 연속형인 경우 근사적으로 평균이

$$\begin{aligned}\int_{-\infty}^{\infty} \frac{\partial[\ln f(x;\theta)]}{\partial\theta} f(x;\theta)\,dx &= \int_{-\infty}^{\infty} \frac{\partial[f(x;\theta)]}{\partial\theta}\frac{f(x;\theta)}{f(x;\theta)}\,dx \\ &= \int_{-\infty}^{\infty} \frac{\partial[f(x;\theta)]}{\partial\theta}\,dx \\ &= \frac{\partial}{\partial\theta}\left[\int_{-\infty}^{\infty} f(x;\theta)\,dx\right] \\ &= \frac{\partial}{\partial\theta}[1] \\ &= 0\end{aligned}$$

인 정규분포를 따른다. 위 등식들의 전개 과정을 보면, 적분과 미분을 서로 바꾸어 쓰는 과정에서 그것을 가능하게 하는 수학적 조건이 필요하다는 것을 알 수 있으며, 또한 $f(x;\theta)$가 pdf이므로 그에 대한 적분은 1인 것이다.

각각의 Y에 대한 평균이

$$\int_{-\infty}^{\infty} \frac{\partial[\ln f(x;\theta)]}{\partial\theta} f(x;\theta)\,dx = 0$$

이므로 θ에 대하여 양변을 미분하면 다음과 같다.

$$\int_{-\infty}^{\infty} \left\{\frac{\partial^2[\ln f(x;\theta)]}{\partial\theta^2} f(x;\theta) + \frac{\partial[\ln f(x;\theta)]}{\partial\theta}\frac{\partial[f(x;\theta)]}{\partial\theta}\right\} dx = 0$$

그러나

$$\frac{\partial[f(x;\theta)]}{\partial\theta} = \frac{\partial[\ln f(x;\theta)]}{\partial\theta} f(x;\theta)$$

이므로

$$\int_{-\infty}^{\infty} \left\{\frac{\partial[\ln f(x;\theta)]}{\partial\theta}\right\}^2 f(x;\theta)\,dx = -\int_{-\infty}^{\infty} \frac{\partial^2[\ln f(x;\theta)]}{\partial\theta^2} f(x;\theta)\,dx$$

임을 알 수 있다. $E(Y) = 0$이므로 이 마지막 식이 $Y = \partial[\ln f(X;\theta)]/\partial\theta$의 분산인 것을 가늠할 수 있다. 따라서 식 (6.6-2)의 분산은 이 분산의 n배, 즉 다음과 같다.

$$-nE\left\{\frac{\partial^2[\ln f(X;\theta)]}{\partial\theta^2}\right\}$$

식 (6.6-1)을 다음과 같이 고쳐 써보자.

$$\frac{\sqrt{n}\,(\widehat{\theta}-\theta)}{\left(\dfrac{1}{\sqrt{-E\{\partial^2[\ln f(X;\theta)]/\partial\theta^2\}}}\right)} = \frac{\left(\dfrac{\partial[\ln L(\theta)]/\partial\theta}{\sqrt{-nE\{\partial^2[\ln f(X;\theta)]/\partial\theta^2\}}}\right)}{\left(\dfrac{-\dfrac{1}{n}\dfrac{\partial^2[\ln L(\theta)]}{\partial\theta^2}}{E\{-\partial^2[\ln f(X;\theta)]/\partial\theta^2\}}\right)} \tag{6.6-3}$$

$\partial[\ln L(\theta)]/\partial\theta$가 n개의 독립적인 확률변수들 $\partial[\ln f(X_i;\theta)]/\partial\theta$ $(i = 1, 2, \ldots, n)$의 합이므로 [식 (6.6-2) 참조], 식 (6.6-3)의 우변의 분자는 근사적으로 $N(0, 1)$ 분포를 따른다. 또한 명시하지 않은 수학적 조건들로부터 $-\dfrac{1}{n}\dfrac{\partial^2[\ln L(\theta)]}{\partial\theta^2}$가 $E\{-\partial^2[\ln f(X;\theta)]/\partial\theta^2\}$으로 수렴한다. 따라서 식 (6.6-3)의 비율은 근사적으로 $N(0, 1)$을 따른다. 즉, $\widehat{\theta}$은 평균 θ, 표준편차

$$\frac{1}{\sqrt{-nE\{\partial^2[\ln f(X;\theta)]/\partial\theta^2\}}}$$

을 갖는 근사적 정규분포를 따른다.

예제 6.6-1 (예제 6.4-3 연속). 모집단분포의 pdf가 지수분포의 pdf, 즉

$$f(x;\theta) = \frac{1}{\theta}e^{-x/\theta}, \qquad 0 < x < \infty, \qquad \theta \in \Omega = \{\theta : 0 < \theta < \infty\}$$

일 때, $\overline{X}$는 최우추정량이다.

$$\ln f(x;\theta) = -\ln\theta - \frac{x}{\theta}$$

이고

$$\frac{\partial[\ln f(x;\theta)]}{\partial\theta} = -\frac{1}{\theta} + \frac{x}{\theta^2}, \qquad \frac{\partial^2[\ln f(x;\theta)]}{\partial\theta^2} = \frac{1}{\theta^2} - \frac{2x}{\theta^3}$$

이므로, $E(X) = \theta$인 것을 상기하면

$$-E\left[\frac{1}{\theta^2} - \frac{2X}{\theta^3}\right] = -\frac{1}{\theta^2} + \frac{2\theta}{\theta^3} = \frac{1}{\theta^2}$$

임을 알 수 있다. 즉 $\overline{X}$는 평균 θ, 표준편차 $\theta/\sqrt{n}$를 가진 근사적 정규분포를 따른다. 그러므로 확률구간 $\overline{X} \pm 1.96(\theta/\sqrt{n})$이 θ를 포함할 확률은 근사적으로 0.95이다. θ와 $\overline{X}$ 대신 관측치 $\overline{x}$를 대입해서 구성한 $\overline{x} \pm 1.96\ \overline{x}/\sqrt{n}$을 θ에 대한 근사 95% 신뢰구간이라고 한다. ■

비록 앞에서 논의한 결과는 연속형분포에 대해 개발되었으나 정의역이 모수와 관련이 없는 한 이산형분포의 경우에도 성립한다. 다음의 예제를 통해 살펴보자.

예제 6.6-2 (연습문제 6.4-2 연속) 푸아송 pmf

$$f(x;\lambda)=\frac{\lambda^x e^{-\lambda}}{x!},\qquad x=0,1,2,\ldots;\qquad \lambda\in\Omega=\{\lambda: 0<\lambda<\infty\}$$

에서 λ의 최우추정량은 $\widehat{\lambda}=\overline{X}$이다.

$$\ln f(x;\lambda)=x\ln\lambda-\lambda-\ln x!$$

이고

$$\frac{\partial[\ln f(x;\lambda)]}{\partial\lambda}=\frac{x}{\lambda}-1,\qquad \frac{\partial^2[\ln f(x;\lambda)]}{\partial\lambda^2}=-\frac{x}{\lambda^2}$$

이므로

$$-E\left(-\frac{X}{\lambda^2}\right)=\frac{\lambda}{\lambda^2}=\frac{1}{\lambda}$$

이다. 따라서 $\widehat{\lambda}=\overline{X}$는 평균 λ, 표준편차 $\sqrt{\lambda/n}$인 근사적 정규분포를 따른다. $\overline{x}\pm 1.645\sqrt{\overline{x}/n}$은 λ에 대한 근사 90% 신뢰구간임을 알 수 있다. 연습문제 6.4-2의 자료를 이용하면 $\overline{x}=2.225$이며 이 구간은 따라서 [1.887, 2.563]이 된다. ■

이전에 잠시 언급한 바와 같이 $\widehat{\theta}$의 분산이 θ에 대한 모든 불편추정량의 분산의 하한값을 취한다는 정리가 있다. 따라서 어떤 불편추정량의 분산이 이러한 하한값을 취한다면 그것이 이미 불편최소분산추정량이라는 의미에서 그보다 더 좋은 추정량은 없다. 이러한 성질을 가진 추정량이 바로 최우추정량이다.

이렇게 최소분산을 규정짓는 부등식을 **라오-크래머 부등식**(Rao-Cramér inequality)이라 하며 증명 없이 기술하기로 한다. $X_1, X_2, \ldots, X_n$을 pdf $f(x;\theta)$, $\theta\in\Omega=\{\theta: c<\theta<d\}$를 가진 모집단으로부터 추출한 확률표본이라고 하자. 이때 X의 정의역은 θ와 무관하며

$$\int_{-\infty}^{\infty} f(x;\theta)\,dx=1$$

과 같은 적분을 θ에 대해 미분할 수 있다고 가정하자. 만약 $Y=u(X_1, X_2, \ldots, X_n)$이 θ의 불편추정량이라 하면

$$\begin{aligned}\mathrm{Var}(Y) &\geq \frac{1}{n\int_{-\infty}^{\infty}\{[\partial \ln f(x;\theta)/\partial\theta]\}^2 f(x;\theta)\,dx} \\ &= \frac{-1}{n\int_{-\infty}^{\infty}[\partial^2 \ln f(x;\theta)/\partial\theta^2] f(x;\theta)\,dx}\end{aligned}$$

이다. 위에 있는 식들에서 분모의 적분치는 각각 기대치

$$E\left\{\left[\frac{\partial \ln f(X;\theta)}{\partial\theta}\right]^2\right\}, \qquad E\left[\frac{\partial^2 \ln f(X;\theta)}{\partial\theta^2}\right]$$

임을 알 수 있다. 종종 한쪽이 다른 쪽보다 쉽게 계산할 수 있다. 비록 라오-크래머 부등식이 연속형분포에 대해 기술되었지만 적분을 합으로 대체하면 이산형분포에 대해서도 성립한다. 이미 지수분포와 푸아송분포인 경우 이 분산의 하한값을 계산했다. 하한값은 각각 θ^2/n과 λ/n였다(예제 6.6-1, 6.6-2 참조). 이 두 경우 모두 $\overline{X}$의 분산은 각각의 하한값과 동일하므로 $\overline{X}$는 불편최소분산추정량인 것이다. 또 다른 예를 살펴보자.

예제 6.6-3 (연습문제 6.4-4 연속). 모집단분포의 pdf가 다음과 같은 $f(x;\theta)$라 하자.

$$f(x;\theta) = \theta x^{\theta-1}, \qquad 0 < x < 1, \qquad \theta \in \Omega = \{\theta : 0 < \theta < \infty\}$$

따라서 다음과 같다.

$$\begin{aligned}\ln f(x;\theta) &= \ln\theta + (\theta-1)\ln x \\ \frac{\partial \ln f(x;\theta)}{\partial\theta} &= \frac{1}{\theta} + \ln x \\ \frac{\partial^2 \ln f(x;\theta)}{\partial\theta^2} &= -\frac{1}{\theta^2}\end{aligned}$$

$E(-1/\theta^2) = -1/\theta^2$이므로 θ의 모든 불편추정량의 분산 하한값은 θ^2/n이다. 더욱이 최우추정량 $\widehat{\theta} = -n/\ln\prod_{i=1}^n X_i$는 평균 θ, 분산 θ^2/n을 가진 근사 정규분포를 따른다. 그러므로 $\widehat{\theta}$은 극한적 의미에서 θ에 대한 불편최소분산추정량이다. ■

우리는 추정량의 성능을 측정하기 위해 그 추정량의 분산을 라오-크래머 하한값과 비교한다. 어떤 불편추정량에 대해 그것의 분산에 대한 라오-크래머 하한값의 비율을 **유효성**(efficiency)이라고 한다. 어떤 추정량의 유효성이 50%라 하면 이는 불편최소분산추정량(100% 유효추정량)만큼 잘 추정하려면 $1/0.5 = 2$배의 표본 관측치가 필요하다는 것을 의미한다.

연습문제

6.6-1 $X_1, X_2, \ldots, X_n$은 σ^2이 알려져 있을 때 $N(\theta, \sigma^2)$으로부터 추출된 확률표본이다.

(a) $Y = (X_1 + X_2)/2$가 θ의 불편추정량임을 밝혀라.

(b) θ의 불편추정량의 분산에 대한 라오-크래머 하한값을 구하라.

(c) (a)에서 Y의 유효성을 구하라.

6.6-2 $X_1, X_2, \ldots, X_n$은 μ가 알려져 있을 때 $N(\mu, \sigma^2 = \theta)$으로부터 추출된 확률표본이다. 이때 $\widehat{\theta} = \sum_{i=1}^{n}(X_i - \mu)^2/n$은 $\theta = \sigma^2$의 최우추정량이다.

(a) 라오-크래머 하한값을 구하라.

(b) $\widehat{\theta}$의 근사분포를 구하라.

(c) $\theta = \sigma^2$일 때 $n\widehat{\theta}/\theta$의 정확한 분포를 구하라.

6.7 충분통계량

성공확률 $p(0 \le p \le 1)$를 모수로 갖는 베르누이분포로부터 크기 n인 확률표본을 얻었다고 하자. 우리는 6.4절에서 p에 대한 최우추정량이 $\widehat{p} = \overline{X}$임을 알고 있다. 그때는 언급하지 않았지만 이 추정량의 한 가지 특징은 다른 확률표본을 사용했을 경우 동일한 추정치를 얻을 수도 있다는 점이다. 예를 들어 $n = 3$인 경우 만약 관측표본 $(x_1, x_2, x_3) = (1, 0, 1)$의 평균 $\overline{x}$가 $(x_1, x_2, x_3) = (0, 1, 1)$인 경우에도 동일한 값을 갖는다. 마찬가지로 평균이 λ인 푸아송분포로부터 크기 4인 확률표본을 추출한 경우, λ에 대한 최우추정량 $\widehat{\lambda} = \overline{X}$(연습문제 6.4-2)는 2개의 서로 다른 표본 $(x_1, x_2, x_3, x_4) = (1, 5, 3, 1)$과 $(x_1, x_2, x_3, x_4) = (2, 4, 0, 4)$에 대해 동일한 추정치를 갖는다. 두 상황 모두에서 미지의 모수에 대한 최우추정량은 확률표본을 단일통계량, 즉 $\overline{X}$로 축소한 것이다. 이 경우에는 비록 이 통계량이 합리적인 추정량인 것처럼 보이지만 표본을 표본평균으로 축소함으로써 미지의 모수에 대한 추정에 유용한 표본정보가 손실되지 않는다고 어떻게 확신할 수 있겠는가? 다른 말로 표현하면 이 경우 $\overline{X}$가 미지의 모수를 추정하기 위한 **충분통계량**(sufficient statistic)인지 어떻게 알겠는가? 마찬가지로 다른 추정의 경우에도 특정 통계량이 동일한 의미에서 미지의 모수에 대해 충분한지 어떻게 알 수 있겠는가? 이 절에서는 이러한 질문에 대한 해답을 제공한다.

우리는 대부분의 책에서 충분성에 대한 필요충분조건으로 주어지는 피셔-네이만 인수분해정리(Fisher-Neyman factorization theorem)를 사용해 모수에 대한 충분통계량 $Y = u(X_1, X_2, \ldots, X_n)$을 정의하기로 한다. 왜냐하면 독자들이 그 정의를 쉽게 적용할 수 있기 때문이다. 그러나 이 정의를 이용해서 우리는 그것이 내포하고 있는 의미들을 주목할 것이며, 그중 하나는 종종 충분성(sufficiency)의 정의로서 사용되기도 한다. 예제 6.7-3을 통해 충분통계량의 의미를 보다 잘 이해할 수 있게 된다.

정의 6.7-1

(인수분해정리) 확률표본 $X_1, X_2, \ldots, X_n$의 결합 pmf 혹은 pdf가 $f(x_1, x_2, \ldots, x_n; \theta)$일 때 통계량 $Y = u(X_1, X_2, \ldots, X_n)$이 충분통계량일 필요충분조건은 결합 pmf 혹은 pdf가 오직 $u(x_1, \ldots, x_n)$을 통해 $x_1, x_2, \ldots, x_n$에 의존하는 함수인 ϕ와, θ에 의존하지 않는 $x_1, x_2, \ldots, x_n$만의 함수인 h의 곱의 형태로 다음과 같이 표현되는 것이다.

$$f(x_1, x_2, \ldots, x_n; \theta) = \phi[u(x_1, x_2, \ldots, x_n); \theta]h(x_1, x_2, \ldots, x_n)$$

위의 정의에 따른 몇 가지 중요한 예제와 결과들을 살펴보기에 앞서 이 책에서의 모든 예에서 확률변수 $X_1, X_2, \ldots, X_n$은 확률표본이며 따라서 그것들의 결합 pdf 혹은 pmf는 다음의 형태가 된다는 점을 주목하자.

$$f(x_1; \theta)f(x_2; \theta)\cdots f(x_n; \theta)$$

예제 6.7-1 $X_1, X_2, \ldots, X_n$을 모수 $\lambda > 0$을 갖는 푸아송분포로부터의 확률표본이라면

$$f(x_1; \lambda)f(x_2; \lambda)\cdots f(x_n; \lambda) = \frac{\lambda^{\Sigma x_i} e^{-n\lambda}}{x_1!x_2!\cdots x_n!} = (\lambda^{n\bar{x}} e^{-n\lambda})\left(\frac{1}{x_1!x_2!\cdots x_n!}\right)$$

이며, 이때 $\bar{x} = (1/n)\sum_{i=1}^{n} x_i$이다. 그러므로 인수분해정리(정의 6.7-1)로부터 표본평균 $\overline{X}$가 모수 λ의 충분통계량이 됨은 명백하다. 또한 λ의 최우추정량이 $\overline{X}$라는 것은 이미 알고 있다. 그래서 이 경우 최우추정량은 충분통계량의 함수이다. ■

예제 6.7-1에서 $n\bar{x}$를 $\sum_{i=1}^{n} x_i$로 대체하면 합 $\sum_{i=1}^{n} X_i$도 또한 λ의 충분통계량이 됨은 분명하다. 이것은 두 통계량, $\overline{X}$ 혹은 $\sum_{i=1}^{n} X_i$ 중 하나를 안다면 다른 하나는 쉽게 알 수 있다는 우리의 직관과도 일치한다. 이제 이러한 사실을 일반화해보자. 즉, Y가 모수 θ의 충분통계량이라면 θ를 포함하지 않고 단일값 역함수를 갖는 Y의 모든 단일값 함수(single-valued function)도 또한 θ의 충분통계량이다. 좀 더 공식적으로 표현하자면 $W = v(Y) = v[u(X_1, X_2, \ldots, X_n)]$이고 $Y = v^{-1}(W)$라면 인수분해정리의 전개식은

$$f(x_1, x_2, \ldots, x_n; \theta) = \phi[v^{-1}\{v[u(x_1, x_2, \ldots, x_n)]\}; \theta]\, h(x_1, x_2, \ldots, x_n)$$

과 같이 쓰일 수 있고 등식 오른편의 첫 번째 항은 $v[u(x_1, x_2, \ldots, x_n)]$을 통해 $x_1, x_2, \ldots, x_n$에 종속된다. 이리하여 $W = v[u(X_1, X_2, \ldots, X_n)]$은 θ의 충분통계량이다.

예제 6.7-2 $X_1, X_2, \ldots, X_n$을 $N(\mu, 1)$, $-\infty < \mu < \infty$으로부터의 확률표본이라면 이 확률변수들의 결합 pdf는 다음과 같다.

$$\frac{1}{(2\pi)^{n/2}} \exp\left[-\frac{1}{2}\sum_{i=1}^{n}(x_i-\mu)^2\right]$$
$$= \frac{1}{(2\pi)^{n/2}} \exp\left[-\frac{1}{2}\sum_{i=1}^{n}[(x_i-\bar{x})+(\bar{x}-\mu)]^2\right]$$
$$= \left\{\exp\left[-\frac{n}{2}(\bar{x}-\mu)^2\right]\right\}\left\{\frac{1}{(2\pi)^{n/2}} \exp\left[-\frac{1}{2}\sum_{i=1}^{n}(x_i-\bar{x})^2\right]\right\}$$

인수분해정리로부터 $\overline{X}$는 μ에 대한 충분통계량이다. 또한 $\overline{X}^3$도 충분통계량이다. 왜냐하면 $\overline{X}^3$을 아는 것은 $\overline{X}$값을 아는 것과 동일하기 때문이다. 그러나 제곱함수인 $\overline{X}^2$은 $\overline{X}$의 1대1 함수가 아니므로 μ에 대해 충분성을 가지고 있지 않다. ■

통계량 Y의 충분성에 따른 한 가지 매우 중요한 결과는 $Y = y$가 주어졌을 때 $X_1, X_2, \ldots, X_n$의 공간에 속하는 사상 A의 조건부 확률이 θ에 의존하지 않는다는 것이다. 이것은 때때로 충분성의 정의로서 사용되며 다음 예제에서 설명된다.

예제 6.7-3 $X_1, X_2, \ldots, X_n$이 모수 $0 < p < 1$을 갖는 pmf

$$f(x;p) = p^x(1-p)^{1-x}, \qquad x = 0, 1$$

을 갖는 분포로부터의 확률표본이라 하면 $Y = X_1 + X_2 + \cdots + X_n$은 $b(n, p)$이고 또한 $X_1, X_2, \ldots, X_n$의 결합 pmf는

$$p^{x_1}(1-p)^{1-x_1}\cdots p^{x_n}(1-p)^{1-x_n} = [p^{\Sigma x_i}(1-p)^{n-\Sigma x_i}](1)$$

이기 때문에 $\phi(y;p) = p^y(1-p)^{n-y}$ 그리고 $h(x_1, x_2, \ldots, x_n) = 1$이라 놓으면 Y는 p의 충분통계량이다. 그러면 $y = 0, 1, \ldots, n-1, n$일 때 조건부 확률 $P(X_1 = x_1, \ldots, X_n = x_n | Y = y)$는 무엇인가? 비음의 정수 $x_1, x_2, \ldots, x_n$의 합이 y가 아니라면 이 조건부 확률은 p에 의존하지도 않고 분명히 0이 된다. 그러므로 $y = x_1 + \cdots + x_n$인 경우에만 조건부 확률에 관심이 있다. 조건부 확률의 정의로부터 $y = x_1 + x_2 + \cdots + x_n$일 때 다음을 얻는다.

$$P(X_1 = x_1, \ldots, X_n = x_n \mid Y = y) = \frac{P(X_1 = x_1, \ldots, X_n = x_n)}{P(Y = y)}$$
$$= \frac{p^{x_1}(1-p)^{1-x_1} \cdots p^{x_n}(1-p)^{1-x_n}}{\binom{n}{y} p^y (1-p)^{n-y}}$$
$$= \frac{1}{\binom{n}{y}}$$

가 $x_1, x_2, \ldots, x_n$ 중에서 1 값을 갖는 것들의 개수이기 때문에 이것은 y개의 1과 $n - y$ 개의 0을 갖는 특정한 배열 $x_1, x_2, \ldots, x_n$을 선택하는 확률이므로 모수 p와는 무관하다. 즉, 충분통계량 $Y = y$가 주어지면 $X_1 = x_1, X_2 = x_2, \ldots, X_n = x_n$의 조건부 확률은 모수 p에 종속되지 않는다. ■

예제 6.7-1, 예제 6.7-2, 예제 6.7-3에서 기본 pdf 혹은 pmf들은 다음과 같은 지수 형태로 쓸 수 있다.

$$f(x;\theta) = \exp[K(x)p(\theta) + S(x) + q(\theta)]$$

여기서 pdf 혹은 pmf의 공간은 θ와 독립이다. 즉, 다음과 같이 각각 표현된다.

$$\frac{e^{-\lambda}\lambda^x}{x!} = \exp\{x \ln\lambda - \ln x! - \lambda\}, \qquad x = 0, 1, 2, \ldots$$

$$\frac{1}{\sqrt{2\pi}} e^{-(x-\mu)^2/2} = \exp\left\{x\mu - \frac{x^2}{2} - \frac{\mu^2}{2} - \frac{1}{2}\ln(2\pi)\right\}, \qquad -\infty < x < \infty$$

그리고

$$p^x(1-p)^{1-x} = \exp\left\{x \ln\left(\frac{p}{1-p}\right) + \ln(1-p)\right\}, \qquad x = 0, 1$$

각 예제에서 확률표본의 합 $\sum_{i=1}^{n} X_i$가 모수에 대한 충분통계량이 되는 것은 정리 6.7-1에 의해 일반화된다.

정리 6.7-1 $X_1, X_2, \ldots, X_n$이 다음과 같은 지수 형태의 pdf 혹은 pmf

$$f(x;\theta) = \exp[K(x)p(\theta) + S(x) + q(\theta)]$$

를 갖는 분포로부터의 확률표본이라 하고 pdf 혹은 pmf 공간이 θ에 의존하지 않으면 통계량 $\sum_{i=1}^{n} K(X_i)$는 θ에 대한 충분통계량이다.

증명 $X_1, X_2, \ldots, X_n$의 결합 pdf(pmf)는

$$\exp\left[p(\theta)\sum_{i=1}^{n}K(x_i)+\sum_{i=1}^{n}S(x_i)+nq(\theta)\right]$$
$$=\left\{\exp\left[p(\theta)\sum_{i=1}^{n}K(x_i)+nq(\theta)\right]\right\}\left\{\exp\left[\sum_{i=1}^{n}S(x_i)\right]\right\}$$

으로 주어지므로 인수분해정리에 의해 $\sum_{i=1}^{n}K(X_i)$는 θ에 대한 충분통계량이다.

많은 경우 우리는 정리 6.7-1을 이용해 다음 예제에서 볼 수 있듯이 모수에 대한 충분통계량을 쉽게 찾을 수 있다.

예제 6.7-4 $X_1, X_2, \ldots, X_n$이 모수 $0 < \theta < \infty$를 갖는 pdf

$$f(x;\theta)=\frac{1}{\theta}e^{-x/\theta}=\exp\left[x\left(-\frac{1}{\theta}\right)-\ln\theta\right],\qquad 0<x<\infty$$

를 갖는 지수분포로부터의 확률표본이라고 한다. 여기서 $K(x) = x$이다. 그러므로 $\sum_{i=1}^{n}X_i$는 θ의 충분통계량이다. 물론 $\overline{X}=\sum_{i=1}^{n}X_i/n$도 역시 충분통계량이다. ■

만약 어느 모수에 대한 충분통계량이 존재하고 이 모수의 최우추정량이 유일하게 존재한다면 최우추정량은 충분통계량의 함수이다. 만약 충분통계량이 존재한다면 우도함수는 다음과 같다.

$$L(\theta)=f(x_1,x_2,\ldots,x_n;\theta)=\phi[u(x_1,x_2,\ldots,x_n);\theta]\,h(x_1,x_2,\ldots,x_n)$$

$h(x_1, x_2, \ldots, x_n)$은 θ에 의존하지 않으므로 $\phi[u(x_1, x_2, \ldots, x_n); \theta]$를 최대화함으로써 $L(\theta)$를 최대화할 수 있다. 그러나 ϕ는 오직 $u(x_1, x_2, \ldots, x_n)$을 통한 $x_1, x_2, \ldots, x_n$의 함수이므로 ϕ를 최대화하는 θ의 유일한 값이 존재한다면 그것은 $u(x_1, x_2, \ldots, x_n)$의 함수여야 한다. 즉 $\widehat{\theta}$은 충분통계량 $Y = u(X_1, X_2, \ldots, X_n)$의 함수이다.

많은 경우에서 2개(혹은 2개 이상)의 모수 θ_1과 θ_2가 있다. 이전의 모든 개념들은 2개의 모수를 갖는 경우로 확장될 수 있다. 예를 들면 2개의 모수를 갖는 경우의 인수분해정리는 다음과 같다—만약 확률표본의 결합 pdf 혹은 pmf가

$$f(x_1,\ldots,x_n;\theta_1,\theta_2)=\phi[u_1(x_1,\ldots,x_n),u_2(x_1,\ldots,x_n);\theta_1,\theta_2]h(x_1,\ldots,x_n)$$

과 같으면 ϕ는 오직 $u_1(x_1, \ldots, x_n)$, $u_2(x_1, \ldots, x_n)$을 통한 $x_1, x_2, \ldots, x_n$에 의존하며 $h(x_1, x_2, \ldots, x_n)$은 θ_1과 θ_2에 의존하지 않는다면 $Y_1 = u_1(X_1, X_2, \ldots, X_n)$과 $Y_2 = u_2(X_1, X_2, \ldots, X_n)$은 θ_1과 θ_2에 대한 **결합충분통계량**(jointly sufficient statistics)이다.

예제 6.7-5 $X_1, X_2, \ldots, X_n$이 정규분포 $N(\theta_1 = \mu, \theta_2 = \sigma^2)$으로부터의 확률표본이라면

$$\prod_{i=1}^{n} f(x_i; \theta_1, \theta_2) = \left(\frac{1}{\sqrt{2\pi\theta_2}}\right)^n \exp\left[-\sum_{i=1}^{n}(x_i - \theta_1)^2 \Big/ 2\theta_2\right]$$
$$= \exp\left[\left(-\frac{1}{2\theta_2}\right)\sum_{i=1}^{n} x_i^2 + \left(\frac{\theta_1}{\theta_2}\right)\sum_{i=1}^{n} x_i - \frac{n\theta_1^2}{2\theta_2} - n\ln\sqrt{2\pi\theta_2}\right]\cdot(1)$$

이다. 그러므로

$$Y_1 = \sum_{i=1}^{n} X_i^2, \qquad Y_2 = \sum_{i=1}^{n} X_i$$

는 θ_1과 θ_2에 대한 결합충분통계량이다. 물론 Y_1과 Y_2의 단일값 함수, 즉

$$\overline{X} = \frac{Y_2}{n}, \qquad S^2 = \frac{Y_1 - Y_2^2/n}{n-1}$$

도 또한 θ_1과 θ_2에 대한 결합충분통계량이다. 왜냐하면 그것들은 다음과 같은 단일값 역함수를 갖고 있기 때문이다.

$$Y_1 = (n-1)S^2 + n\bar{X}^2, \qquad Y_2 = n\bar{X}$$

정의 6.7-1과 예제 6.7-5에서 알 수 있듯이 만약 이 pdf를 지수 형태로 쓸 수 있다면 결합충분통계량을 찾아내기가 더욱 쉽다. 예를 들면

$$f(x; \theta_1, \theta_2) = \exp\left(\frac{-1}{2\theta_2}x^2 + \frac{\theta_1}{\theta_2}x - \frac{\theta_1^2}{2\theta_2} - \ln\sqrt{2\pi\theta_2}\right)$$

그래서

$$Y_1 = \sum_{i=1}^{n} X_i^2, \qquad Y_2 = \sum_{i=1}^{n} X_i$$

는 θ_1과 θ_2에 대한 결합충분통계량들이다. 훨씬 더 복잡한 예로서 모수 $\theta_1 = \mu_X$, $\theta_2 = \mu_Y$, $\theta_3 = \sigma_X^2$, $\theta_4 = \sigma_Y^2$, $\theta_5 = \rho$를 갖는 이변량 정규분포로부터 확률표본 (X_1, Y_1), (X_2, Y_2), $\ldots$, (X_n, Y_n)이 추출된다면 지수 형태로 쓰인 이변량 정규 pdf $f(x, y; \theta_1, \theta_2, \theta_3, \theta_4, \theta_5)$로부터 $Z_1 = \sum_{i=1}^{n} X_i^2$, $Z_2 = \sum_{i=1}^{n} Y_i^2$, $Z_3 = \sum_{i=1}^{n} X_iY_i$, $Z_4 = \sum_{i=1}^{n} X_i$, $Z_5 = \sum_{i=1}^{n} Y_i$가 모수들 $\theta_1, \theta_2, \theta_3, \theta_4, \theta_5$에 대한 결합충분통계량이 됨을 알 수 있다(연습문제 6.7-2). 물론 이들의 단일값 역함수들인

$$\overline{X} = \frac{Z_4}{n}, \qquad \overline{Y} = \frac{Z_5}{n}, \qquad S_X^2 = \frac{Z_1 - Z_4^2/n}{n-1},$$

$$S_Y^2 = \frac{Z_2 - Z_5^2/n}{n-1}, \qquad R = \frac{(Z_3 - Z_4 Z_5/n)/(n-1)}{S_X S_Y}$$

도 역시 모수들의 결합충분통계량들이다.

충분통계량이 존재하는 경우 강조해야 할 아주 중요한 점은 일단 충분통계량이 주어진다면 조건부 분포는 모수에 대한 더 이상의 정보가 남아 있지 않다는 것이다. 그러므로 모수추정과 통계적 가설검정을 포함한 모든 통계적 추론은 충분통계량에 근거한다. 점추정에 있어 이 점에 대한 독자들의 이해를 돕기 위해 **라오-블랙웰 정리**(Rao-Blackwell theorem)를 기술하고 증명한다.

정리 6.7-2 $X_1, X_2, \ldots, X_n$이 pdf 혹은 pmf $f(x;\theta)$, $\theta \in \Omega$를 갖는 분포로부터 추출한 확률표본이라 하자. $Y_1 = u_1(X_1, X_2, \ldots, X_n)$이 θ에 대한 충분통계량이고 $Y_2 = u_2(X_1, X_2, \ldots, X_n)$이 θ의 불편추정량이며 Y_2가 Y_1만의 함수가 아니라고 하자. 그러면 $E(Y_2|y_1) = u(y_1)$은 충분통계량 Y_1의 함수로서 θ의 불편추정량이며 Y_2의 분산보다도 더 작은 분산을 갖는 통계량 $u(Y_1)$을 정의한다.

증명 $g(y_1, y_2;\theta)$를 Y_1과 Y_2의 결합 pdf 혹은 pmf라고 하자. $g_1(y_1;\theta)$가 Y_1의 주변밀도함수라고 할 때

$$\frac{g(y_1, y_2;\theta)}{g_1(y_1;\theta)} = h(y_2 \mid y_1)$$

은 $Y_1 = y_1$이 주어졌을 때 Y_2의 조건부밀도함수이다. 이것은 Y_1이 θ에 대한 충분통계량이므로 θ에 의존하지 않는다. 물론 연속형인 경우 Y_2가 θ의 불편추정량이므로 다음과 같다.

$$u(y_1) = \int_{S_2} y_2 h(y_2 \mid y_1)\,dy_2 = \int_{S_2} y_2 \frac{g(y_1, y_2;\theta)}{g_1(y_1;\theta)} dy_2$$

$$\begin{aligned} E[u(Y_1)] &= \int_{S_1} \left(\int_{S_2} y_2 \frac{g(y_1, y_2;\theta)}{g_1(y_1;\theta)} dy_2 \right) g_1(y_1;\theta)\,dy_1 \\ &= \int_{S_1} \int_{S_2} y_2\, g(y_1, y_2;\theta)\,dy_2\,dy_1 = \theta \end{aligned}$$

그러므로 $u(Y_1)$ 역시 θ의 불편추정량이다.

$$\begin{aligned} \mathrm{Var}(Y_2) = E[(Y_2-\theta)^2] &= E[\{Y_2 - u(Y_1) + u(Y_1) - \theta\}^2] \\ &= E[\{Y_2 - u(Y_1)\}^2] + E[\{u(Y_1)-\theta\}^2] + 2E[\{Y_2 - u(Y_1)\}\{u(Y_1)-\theta\}] \end{aligned}$$

임을 고려할 때, 마지막 항은 조건부 분포가 $h(y_2|y_1)$으로 주어질 때 $u(y_1)$이 $E(Y_2|y_1)$

이므로

$$2\int_{S_1}[u(y_1)-\theta]\left\{\int_{S_2}[y_2-u(y_1)]\,h(y_2\,|\,y_1)\,dy_2\right\}g_1(y_1;\theta)\,dy_1=0$$

이다. 따라서 다음과 같다.

$$\text{Var}(Y_2)=E[\{Y_2-u(Y_1)\}^2]+\text{Var}[u(Y_1)]$$

그러나 $E[\{Y_2-u(Y_1)\}^2]\geq 0$이므로

$$\text{Var}(Y_2)\geq \text{Var}[u(Y_1)]$$

이다.

이 정리의 중요한 의미는 θ에 대한 모든 불편추정량에 대해, 항상 그것보다 분산이 더 작은 불편추정량을 충분통계량을 기반으로 찾을 수 있다는 점이다. 따라서 그런 의미에서 충분통계량에 근거한 것이 처음 것보다 더 낫다고 할 수 있다. 더욱 중요한 점은 충분통계량에 근거한 것들만 고려함으로써 최소분산을 가진 불편추정량을 찾기 시작할 수 있다는 것이다. 더욱이 고급과정에서 우리는 분포가 지수 형태의 pdf나 pmf일 때, 만약 불편추정량이 존재한다면 불편인 충분통계량의 유일한 하나의 함수가 존재한다는 점을 알 수 있다. (Hogg, McKean and Craig, 2013 참조.)

모수 θ에 대한 충분통계량 Y와 관련해 특히 pdf가 지수 형태일 때 유용한 한 가지 결과가 있다. 그것은 만약 다른 통계량 Z가 θ와 무관한 분포를 갖는다면 Y와 Z는 독립이라는 것이다. $N(\theta,\sigma^2)$ 분포를 갖는 확률표본에 대해 $Z=(n-1)S^2$이 $Y=\overline{X}$와 독립인 것은 바로 이러한 연유이다. 표본평균은 θ에 대한 충분통계량이며

$$Z=(n-1)S^2=\sum_{i=1}^{n}(X_i-\overline{X})^2$$

은 θ와 무관한 분포를 갖는다. 이것을 확인하기 위해 Z의 mgf $E(e^{tZ})$가

$$\int_{-\infty}^{\infty}\int_{-\infty}^{\infty}\cdots\int_{-\infty}^{\infty}\exp\left[t\sum_{i=1}^{n}(x_i-\overline{x})^2\right]\left(\frac{1}{\sqrt{2\pi}\sigma}\right)^n\exp\left[-\frac{\sum(x_i-\theta)^2}{2\sigma^2}\right]dx_1dx_2\ldots dx_n$$

이므로, $x_i-\theta=w_i$, $i=1,2,\ldots,n$으로 변수변환하면 다음과 같이 되며 이는 θ와 무관하다.

$$\int_{-\infty}^{\infty}\int_{-\infty}^{\infty}\cdots\int_{-\infty}^{\infty}\exp\left[t\sum_{i=1}^{n}(w_i-\overline{w})^2\right]\left(\frac{1}{\sqrt{2\pi}\sigma}\right)^n\exp\left[-\frac{\sum w_i^2}{2\sigma^2}\right]dw_1dw_2\ldots dw_n$$

위의 결과에 대한 개략적인 증명은 모든 $\theta\in\Omega$에 대해

$$\int_y [h(z \mid y) - g_2(z)]\, g_1(y;\theta)\, dy = g_2(z) - g_2(z) = 0$$

임을 확인함으로써 주어진다. 그러나 충분성 가정에 따라 $h(z|y)$는 θ와 무관하고, Z는 θ와 무관한 분포를 갖고 있기 때문에 $h(z|y) - g_2(z)$는 θ와 무관하다. $N(\theta, \sigma^2)$이 지수 형태를 갖고 있기 때문에 $Y = \overline{X}$는 $h(z|y) - g_2(z)$가 반드시 0이어야 하는 pdf $g_1(y|\theta)$를 갖는다. 즉 $h(z|y) = g_2(z)$이며, 따라서 Z와 Y는 독립임을 의미한다. 이것으로서 정리 5.5-2에 기술되어 있는 $\overline{X}$와 S^2의 독립성을 증명한다.

예제 6.7-6 $X_1, X_2, \ldots, X_n$이 모수 α(주어짐)와 $\theta > 0$를 가진 감마분포의 확률표본이라 하자. 감마 pdf는 지수 형태를 가지므로 $Y = \sum_{i=1}^n X_i$는 θ에 대한 충분통계량이다. 상수 $a_1, a_2, \ldots, a_n$이 모두 동일하지는 않다고 할 때,

$$Z = \frac{\sum_{i=1}^n a_i X_i}{\sum_{i=1}^n X_i}$$

는 산포모수 θ와 무관한 분포를 갖는다. 왜냐하면 Z의 mgf가

$$E(e^{tZ}) = \int_0^\infty \int_0^\infty \cdots \int_0^\infty \frac{e^{t\Sigma a_i X_i/\Sigma X_i}}{[\Gamma(\alpha)]^n \theta^{n\alpha}} (x_1 x_2 \cdots x_n)^{\alpha-1} e^{-\Sigma x_i/\theta} dx_1 dx_2 \ldots dx_n$$

이며, 이는 $w_i = x_i/\theta$, $i = 1, 2, \ldots, n$으로 변환하면 θ에 의존하지 않기 때문이다. 따라서 Y와 Z는 독립적인 통계량들이다. ■

하나의 모수 θ와 하나의 충분통계량 Y와 관련해 Y와 Z의 독립성에 대한 것은 Hogg(1953)에 의해 밝혀졌고, Basu(1955)에 의해서 하나보다 많은 모수에 대한 다수의 충분통계량으로 일반화되었으며, 이를 보통 **바수의 정리**(Basu's theorem)라고 한다.

이런 결과들 때문에 충분통계량들은 매우 중요하며 따라서 앞으로의 추정 문제들은 충분통계량이 존재한다면 그것들에 근거해 해결한다.

연습문제

6.7-1 $X_1, X_2, \ldots, X_n$이 $N(0, \sigma^2)$ 분포로부터의 확률표본이라고 한다.

(a) σ^2에 대한 충분통계량 Y를 구하라.

(b) σ^2의 최우추정량이 Y의 함수임을 밝혀라.

(c) σ^2의 최우추정량은 불편추정량인가?

6.7-2 이변량 정규 pdf $f(x, y; \theta_1, \theta_2, \theta_3, \theta_4, \theta_5)$를 지수 형태로 쓰고 $Z_1 = \sum_{i=1}^n X_i^2$, $Z_2 = \sum_{i=1}^n Y_i^2$, $Z_3 = \sum_{i=1}^n X_i Y_i$, $Z_4 = \sum_{i=1}^n X_i$, $Z_5 = \sum_{i=1}^n Y_i$가 $\theta_1, \theta_2, \theta_3, \theta_4, \theta_5$에 대한 결합충분통계량임을 밝혀라.

6.7-3 $X_1, X_2, \ldots, X_n$이 $\alpha = 1$과 $1/\theta > 0$인 감마분포의 확률표본이라 하자. $Y = \sum_{i=1}^{n} X_i$가 충분통계량이고, Y의 분포가 모수 n과 $1/\theta$을 갖는 감마분포이며, $(n-1)/Y$이 θ의 불편추정량임을 밝혀라.

6.7-4 $X_1, X_2, \ldots, X_n$이 pmf $f(x; p) = p(1-p)^{x-1}$, $x = 1, 2, 3, \ldots, 0 < p < 1$를 갖는 분포로부터의 확률표본이다.

(a) $Y = \sum_{i=1}^{n} X_i$는 모수 p에 대한 충분통계량임을 밝혀라.

(b) $\theta = 1/p$의 불편추정량인 Y의 함수를 구하라.

6.7-5 $X_1, X_2, \ldots, X_n$이 $N(\theta_1, \theta_2)$의 확률표본이라 하자. 통계량

$$Z = \sum_{i=1}^{n-1} \frac{(X_{i+1} - X_i)^2}{S^2}$$

에 대해 Z의 분포가 θ_1과 θ_2와 독립이므로, 충분통계량 $Y_1 = \overline{X}$와 $Y_2 = S^2$이 Z와 독립임을 밝혀라.

힌트: $E[e^{tZ}]$를 표현하는 다변량 적분식에서 $w_i = (x_i - \theta_1)/\sqrt{\theta_2}$, $i = 1, 2, \ldots, n$으로 변환하라.

6.7-6 $X_1, X_2, \ldots, X_n$이 pdf $f(x; \theta) = (1/2)\cdot\theta^3 x^2 e^{-\theta x}$, $0 < x < \infty$인 분포로부터 추출 된 확률표본이라 하자. $Y = \sum_{i=1}^{n} X_i$와 $Z = (X_1 + X_2)/Y$가 서로 독립임을 밝혀라.

6.7-7 연속형 확률변수 X의 pdf가 다음과 같다고 하자.

$$f(x) = \frac{1}{2\theta} e^{-|x|/\theta}, \quad -\infty < x < \infty$$

(a) θ에 대한 충분통계량 Y를 구하라.

(b) 최우추정량 $\widehat{\theta}$이 Y의 함수임을 밝혀라.

(c) $\widehat{\theta}$도 역시 θ에 대해 충분통계량인지 논하라.

6.8 베이지안 추정

이제 **베이지안**(Bayesian)이라고 하는 통계학자들이 사용하는 또 다른 추정방법을 소개하려고 한다. 베이지안 추론법을 소개하려면 훨씬 많은 지면을 필요로 하지만 여기서는 먼저 베이즈 정리의 적용 예(1.5절 참조)를 살펴봄으로써 간단히 소개하려고 한다.

예제 6.8-1 평균 λ가 2 혹은 4인 푸아송분포로부터 하나의 관측값을 선택하는 실험에서 $\lambda = 4$에 비해서 $\lambda = 2$가 4배 정도 더 일어날 가능성이 있다고 사전에 알고 있다. 즉, λ의 사전확률이 $P(\lambda = 2) = 0.8$과 $P(\lambda = 4) = 0.2$로 알려져 있다. 이 실험에서 $x = 6$이 관측되었다면, 각 경우에 부록 B의 표 3을 이용해 다음을 얻는다.

$$P(X = 6 \mid \lambda = 2) = 0.995 - 0.983 = 0.012$$

$$P(X = 6 \mid \lambda = 4) = 0.889 - 0.785 = 0.104$$

이 결과에서 $x = 6$이 관측됨에 따라 $\lambda = 2$에 대한 가능성이 더 약화되고 $\lambda = 4$의 가능성이 더 커짐을 추측할 수 있다. 이러한 사실은 다음과 같이 $X = 6$이 주어졌을 때 $\lambda = 2$의 조건부 확률을 계산해봄으로써 명확해진다.

$$P(\lambda = 2 \mid X = 6) = \frac{P(\lambda = 2, X = 6)}{P(X = 6)}$$
$$= \frac{P(\lambda = 2)P(X = 6 \mid \lambda = 2)}{P(\lambda = 2)P(X = 6 \mid \lambda = 2) + P(\lambda = 4)P(X = 6 \mid \lambda = 4)}$$
$$= \frac{(0.8)(0.012)}{(0.8)(0.012) + (0.2)(0.104)} = 0.316$$

이 조건부 확률을 자료가 주어졌을 때(여기서는 $x = 6$), $\lambda = 2$의 사후확률이라고 한다. 비슷하게 $\lambda = 4$의 사후확률은 0.684로 계산된다. 이리하여 $x = 6$이 관측됨으로써 $\lambda = 2$의 확률은 0.8(사전확률)에서 0.316(사후확률)으로 감소되었다. ■

실제 적용에서는 모수 θ는 2개(예제 6.8-1) 이상의 값을 가질 수 있다. 베이지안은 **사전 pdf**(prior pdf) $h(\theta)$를 통해 전체 모수공간에 사전확률들을 어떤 식으로든지 할당해야 한다. 그들은 이러한 사전확률들을 평가하는 절차들을 개발했다. $h(\theta)$는 베이지안이 θ의 가능한 값들에 할당하고 싶은 사전가중치들을 반영한다. 어떤 경우에 $h(\theta)$가 상수여서 θ가 균일 사전분포를 갖는다면 $h(\theta)$를 **무정보**(noninformative) 사전분포라고 한다. 만약 실험에 앞서 θ에 관한 어떤 정보가 있다면 무정보 사전분포와 같은 경우는 가능한 피해야 한다.

모수 θ에 대한 좋은 통계량으로서, 확률표본 $X_1, X_2, \ldots, X_n$의 함수인 통계량 Y가 있다 하자. 연속형인 경우 Y의 pdf, 즉 $g(y; \theta)$는 θ가 주어졌을 때 Y의 조건부 pdf로 생각될 수 있다. 이리하여 이 절에서 이후로는 $g(y; \theta) = g(y|\theta)$로 쓰기로 한다. 따라서

$$g(y \mid \theta)h(\theta) = k(y, \theta)$$

를 통계량 Y와 모수 θ의 결합 pdf로 간주한다. 물론 Y의 주변 pdf는 다음과 같다.

$$k_1(y) = \int_{-\infty}^{\infty} h(\theta)g(y \mid \theta)\, d\theta$$

그러므로

$$\frac{k(y, \theta)}{k_1(y)} = \frac{g(y \mid \theta)h(\theta)}{k_1(y)} = k(\theta \mid y)$$

는 $Y = y$로 주어졌을 때 θ의 조건부 pdf이다. 이 공식은 본질적으로 베이즈 정리이다. $h(\theta)$가 Y의 관측에 앞선 θ의 pdf이므로 사전 pdf라고 하는 반면, $k(\theta|y)$는 Y의 관측이 이루어진 후 θ의 pdf인 이유로 θ의 **사후 pdf**(posterior pdf)라고 한다.

베이지안들은 모수 θ에 관한 모든 것이 사후 pdf에 요약되어 있다고 생각한다. 즉, 모수 θ의 점추정을 하고자 한다면 사후 pdf $k(\theta|y)$로부터 확률변수 θ의 값을 추측한다. 예

를 들면 사후 pdf의 평균, 중위수, 혹은 최빈값 등이 θ의 추정값으로 사용될 수 있다. 그러나 최종분석에서는 잘못된 추측으로부터 야기되는 여러 가지 오차를 손실로 반영함에 따라 최량추정치가 결정된다. 예를 들면, 모수 θ의 실제값과 추측값 $w(y)$ 간에 제곱오차, $[\theta - w(y)]^2$을 **손실함수**(loss function)로 취한다면 θ의 베이즈 추정치는 사후확률분포의 평균인

$$w(y) = \int_{-\infty}^{\infty} \theta k(\theta \mid y)\, d\theta$$

가 된다. 이에 대한 이유로는 Z가 확률변수일 때 b의 함수인 $E[(Z-b)^2]$은 $b = E(Z)$일 때 최소가 된다는 일반적인 사실로부터 이해할 수 있다. (예제 2.2-4 참조.) 만약 손실함수가 절대오차 $|\theta - w(y)|$로 주어진다면 베이즈 추정치는 사후확률분포의 중위수이다.

예제 6.8-2 Y를 모수 n과 $p = \theta$를 가진 $b(n, \theta)$ 분포를 따른다고 하자. 이제 θ의 베이즈 추정치 $w(y)$를 구하기로 하자. θ가 주어졌을 때 Y의 pmf는 다음과 같다.

$$g(y \mid \theta) = \binom{n}{y}\theta^{y}(1-\theta)^{n-y}, \qquad y = 0, 1, 2, \ldots, n$$

θ의 사전분포를 모수 $\alpha > 0$와 $\beta > 0$을 갖는 다음과 같은 베타분포라고 하자.

$$h(\theta) = \frac{\Gamma(\alpha+\beta)}{\Gamma(\alpha)\Gamma(\beta)}\theta^{\alpha-1}(1-\theta)^{\beta-1}, \qquad 0 < \theta < 1$$

이러한 사전 pdf는 모수 α와 β값의 다양한 선택을 통해 θ의 사전정보를 탄력적으로 베이지안들에게 제공한다. 이제 Y와 θ의 결합 pdf는 모수 n과 θ를 이항분포 pmf와 베타분포 pdf의 곱으로서

$$k(y, \theta) = \binom{n}{y}\frac{\Gamma(\alpha+\beta)}{\Gamma(\alpha)\Gamma(\beta)}\theta^{y+\alpha-1}(1-\theta)^{n-y+\beta-1}$$

과 같고 따라서 Y의 주변 pdf는

$$\begin{aligned} k_1(y) &= \int_0^1 k(y, \theta)\, d\theta \\ &= \binom{n}{y}\frac{\Gamma(\alpha+\beta)}{\Gamma(\alpha)\Gamma(\beta)}\frac{\Gamma(\alpha+y)\Gamma(n+\beta-y)}{\Gamma(n+\alpha+\beta)}, \qquad y = 0, 1, 2, \ldots, n \end{aligned}$$

과 같다. 이제, $Y = y$로 주어졌을 때 의 조건부 pdf, 즉 θ의 사후 pdf는

$$\begin{aligned} k(\theta \mid y) &= \frac{k(y, \theta)}{k_1(y)} \\ &= \frac{\Gamma(n+\alpha+\beta)}{\Gamma(\alpha+y)\Gamma(n+\beta-y)}\theta^{y+\alpha-1}(1-\theta)^{n-y+\beta-1}, \qquad 0 < \theta < 1 \end{aligned}$$

이며, 이는 모수가 $y+\alpha$와 $n-y+\beta$인 베타분포이다. 만일 손실함수를 $[\theta - w(y)]^2$으로 취한다면, $w(y)$에 관해 적분

$$\int_0^1 [\theta - w(y)]^2 \, k(\theta \mid y)\, d\theta$$

를 최소로 해주는 $w(y) = E(\theta \mid y)$가 베이즈 추정치가 된다. 즉, 베이즈 추정치는 다음과 같다.

$$\begin{aligned} w(y) &= \int_{-\infty}^{\infty} \theta k(\theta \mid y)\, d\theta \\ &= \frac{\Gamma(n+\alpha+\beta)}{\Gamma(\alpha+y)\Gamma(n+\beta-y)} \int_0^1 \theta^{y+\alpha}(1-\theta)^{n-y+\beta-1} d\theta \\ &= \frac{\alpha+y}{\alpha+\beta+n} \end{aligned}$$

이것은 모수 $y+\alpha$와 $n-y+\beta$를 갖는 베타분포의 평균과 같음을 알 수 있다. 또한 이 베이즈 추정치는 다음과 같이 표현할 수 있음에 주목하자.

$$w(y) = \left(\frac{n}{\alpha+\beta+n}\right)\left(\frac{y}{n}\right) + \left(\frac{\alpha+\beta}{\alpha+\beta+n}\right)\left(\frac{\alpha}{\alpha+\beta}\right)$$

이것은 θ의 최우추정치 y/n와 모수 θ의 사전 pdf인 $h(\theta)$의 평균인 $\alpha/(\alpha+\beta)$의 가중평균이다. 게다가 각 가중치는 $n/(\alpha+\beta+n)$과 $(\alpha+\beta)/(\alpha+\beta+n)$이다. 따라서 $\alpha/(\alpha+\beta)$가 원하는 사전평균이 되도록 할 뿐 아니라 합 $\alpha+\beta$를 크기 n인 표본에 상응하는 역할을 하도록 α와 β가 선정되어야 한다. 즉, 표본의 크기 20과 같은 가중치를 갖는 사전판단을 갖는다면 $\alpha+\beta=20$으로 취할 것이다. 그러므로 만일 사전평균이 3/4이라면 $\alpha=15$와 $\beta=5$가 되도록 α와 β를 선택한다. 즉, θ의 사전 pdf는 beta(15, 5)이다. 만약 $n=40$과 $y=28$을 관측한다면 사후 pdf는 beta($28+15=43$, $12+5=17$)이다. 사전 pdf와 사후 pdf가 그림 6.8-1에 나타나 있다. ■

예제 6.8-2에서 $k(\theta|y)$를 구하기 위해 실제로는 $k_1(y)$를 결정할 필요가 없음에 주목하자. $k(y, \theta)$를 $k_1(y)$로 나눈다면 y에 종속되나 θ에는 종속되지 않는 인자, 즉 $c(y)$와

$$\theta^{y+\alpha-1}(1-\theta)^{n-y+\beta-1}$$

과의 곱을 얻게 된다. 즉, 다음과 같다.

$$k(\theta \mid y) = c(y)\,\theta^{y+\alpha-1}(1-\theta)^{n-y+\beta-1}, \qquad 0 < \theta < 1$$

그러나 $c(y)$는 $k(\theta|y)$가 pdf가 되도록 하는 상수여야 하므로

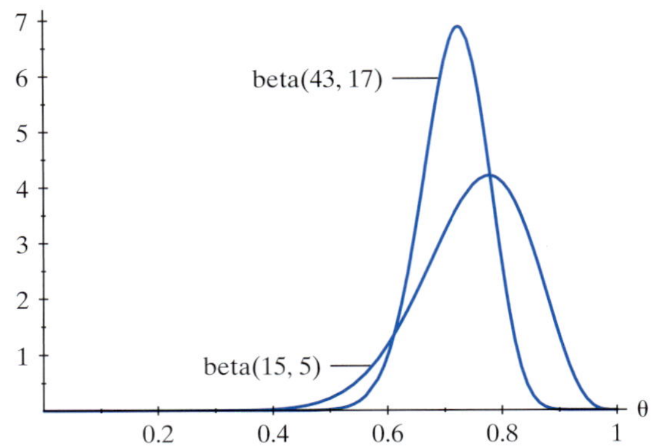

그림 6.8-1 베타 사전 및 사후 pdf

$$c(y) = \frac{\Gamma(n+\alpha+\beta)}{\Gamma(y+\alpha)\Gamma(n-y+\beta)}$$

이다. 따라서 베이지안들은 $k(\theta|y)$가 $k(y, \theta) = g(y|\theta)h(\theta)$에 비례한다는 뜻으로

$$k(\theta \mid y) \propto g(y \mid \theta)\, h(\theta)$$

로 쓴다. 그러면 실제로 pdf $k(\theta|y)$를 구하기 위해서는 위 식의 적분이 1이 되는 y의 어떤 함수인 상수를 구하면 된다.

예제 6.8-3 $Y = \overline{X}$를 σ^2이 알려진 경우, $N(\theta, \sigma^2)$ 분포로부터 추출한 크기 n인 확률표본의 평균이라고 하자. 그러면 $g(y|\theta)$는 $N(\theta, \sigma^2/n)$이다. θ의 사전 pdf가 $N(\theta_0, \sigma_0^2)$로 알려졌다면

$$k(\theta \mid y) \propto \frac{1}{\sqrt{2\pi}\,(\sigma/\sqrt{n})}\frac{1}{\sqrt{2\pi}\,\sigma_0}\exp\left[-\frac{(y-\theta)^2}{2(\sigma^2/n)} - \frac{(\theta-\theta_0)^2}{2\sigma_0^2}\right]$$

이다. 이제 모든 상수인자(θ를 포함하지 않는)를 소거한다면

$$k(\theta \mid y) \propto \exp\left[-\frac{(\sigma_0^2+\sigma^2/n)\theta^2 - 2(y\sigma_0^2+\theta_0\sigma^2/n)\theta}{2(\sigma^2/n)\sigma_0^2}\right]$$

이 되고, 이것을 θ에 관해 제곱형으로 완성한 후 θ를 포함하지 않은 인자를 소거함으로써

$$k(\theta \mid y) \propto \exp\left\{-\frac{[\theta - (y\sigma_0^2+\theta_0\sigma^2/n)/(\sigma_0^2+\sigma^2/n)]^2}{[2(\sigma^2/n)\sigma_0^2]/[\sigma_0^2+(\sigma^2/n)]}\right\}$$

을 얻는다. 즉, $Y = y$로 주어졌을 때 θ의 사후 pdf는 평균

$$\frac{y\sigma_0^2+\theta_0\sigma^2/n}{\sigma_0^2+\sigma^2/n} = \left(\frac{\sigma_0^2}{\sigma_0^2+\sigma^2/n}\right)y + \left(\frac{\sigma^2/n}{\sigma_0^2+\sigma^2/n}\right)\theta_0$$

와 분산 $(\sigma^2/n)\sigma_0^2/(\sigma_0^2 + \sigma^2/n)$을 갖는 정규분포이다. 만일 제곱오차 손실함수가 사용된다면 위의 사후평균이 베이즈 추정량이 된다. 또한 이것은 최우추정치 $y = \bar{x}$와 사전평균 θ_0의 가중평균이다. 베이즈 추정치는 항상 사전판단과 보통 사용되는 추정치 사이의 값이 될 것이다. 또한 베이즈 추정치는 표본의 크기 n이 증가할 때 최우추정치에 가까워짐을 이 예제뿐만 아니라 예제 6.8-2에서도 알 수 있다. 베이지안 절차는 의사결정자의 사전지식을 의사결정에 공식적으로 반영하는 것인데, n이 증가함에 따라 사전지식의 영향은 점점 더 줄어든다. ■

베이지안 통계학에서 모든 정보는 사후 pdf $k(\theta|y)$에 포함된다. 예제 6.8-2와 6.8-3에서는 제곱오차 손실함수를 사용해 베이즈 추정치를 구했다. 그러나 만일 절대오차 손실함수 $|w(y) - \theta|$를 사용한다면 베이즈 추정치는 사후분포의 중위수가 될 것이다. 그러므로 베이즈 추정치는 사용되는 손실함수에 따라 달라진다.

마지막으로 θ의 구간추정을 하고자 한다면, α의 작은값(보통은 $\alpha = 0.05$)에 대해

$$\int_{u(y)}^{v(y)} k(\theta \mid y)\, d\theta = 1 - \alpha$$

를 만족하는 y의 함수 $u(y)$와 $v(y)$를 구하면 된다. 즉, 관측된 구간 $[u(y), v(y)]$는 모수가 그 구간에 속해 있을 사후확률이 $1 - \alpha$인 θ의 구간추정치의 역할을 한다. 예를 들어, 예제 6.8-3에서 구간

$$\frac{y\sigma_0^2 + \theta_0\sigma^2/n}{\sigma_0^2 + \sigma^2/n} \pm 1.96\sqrt{\frac{(\sigma^2/n)\sigma_0^2}{\sigma_0^2 + \sigma^2/n}}$$

은 사후확률 0.95를 갖는 θ의 구간추정치이다.

이제 어떤 통계량 Y보다는 확률표본 $X_1, X_2, \ldots, X_n$을 고려해보자. $g(y|\theta)$를 우도함수

$$L(\theta) = f(x_1 \mid \theta) f(x_2 \mid \theta) \cdots f(x_n \mid \theta)$$

로 대체하면 이것은 θ가 주어졌을 때 $X_1, X_2, \ldots, X_n$의 결합 pdf이다. 이리하여 다음과 같은 θ의 사후 pdf를 얻게 된다.

$$k(\theta \mid x_1, x_2, \ldots, x_n) \propto h(\theta) f(x_1 \mid \theta) f(x_2 \mid \theta) \cdots f(x_n \mid \theta) = h(\theta) L(\theta)$$

이제 $k(\theta|x_1, x_2, \ldots, x_n)$은 자료가 주어진다면 θ에 대한 모든 정보를 갖게 된다. 손실함수에 따라 θ의 베이지안 추정치는 이 사후 pdf의 어떤 특성값(예를 들면, 평균 혹은 중위수)으로 선택될 수 있다.

예제 6.8-4 $X_1, X_2, \ldots, X_n$이 pmf

$$f(x\,|\,\theta) = \theta^x(1-\theta)^{1-x}, \qquad x = 0, 1$$

을 갖는 베르누이분포로부터 추출된 확률표본이다. 예제 6.8-2에서와 같은 θ의 사전분포를 가정한다면 $X_1, X_2, \ldots, X_n$과 θ의 결합 pdf는 다음과 같다.

$$\frac{\Gamma(\alpha+\beta)}{\Gamma(\alpha)\Gamma(\beta)}\,\theta^{\alpha-1}(1-\theta)^{\beta-1}\theta^{\sum_{i=1}^n x_i}(1-\theta)^{n-\sum_{i=1}^n x_i}, \qquad 0<\theta<1,\ \ x_i = 0, 1$$

이제 $X_1 = x_1, X_2 = x_2, \ldots, X_n = x_n$이 주어진다면 θ의 사후 pdf는

$$k(\theta\,|\,x_1, x_2, \ldots, x_n) \propto \theta^{\sum_{i=1}^n x_i+\alpha-1}(1-\theta)^{n-\sum_{i=1}^n x_i+\beta-1}, \qquad 0<\theta<1$$

인데 이것은 $\alpha^* = \sum x_i + \alpha$, $\beta^* = n - \sum x_i + \beta$의 2개 모수를 가지는 베타분포이다. θ의 조건부 평균인

$$\frac{\sum_{i=1}^n x_i + \alpha}{n+\alpha+\beta} = \left(\frac{n}{n+\alpha+\beta}\right)\left(\frac{\sum_{i=1}^n x_i}{n}\right) + \left(\frac{\alpha+\beta}{n+\alpha+\beta}\right)\left(\frac{\alpha}{\alpha+\beta}\right)$$

에서 $y = \sum x_i$로 대체하면 예제 6.8-2의 결과와 정확하게 똑같다. ■

최근에 컴퓨터에 의한 계산방법에 있어서 상당한 발전이 있기 전까지는 베이지안들에게 가장 큰 문제는 어려운 적분문제를 해결하는 것이었다. 간단한 예를 들어보자. Y의 pdf가 $f(y|\theta)$이고 θ의 사전 pdf가 $h(\theta)$라고 가정하자. 그러면 θ의 다음과 같은 사후 pdf의 적률을 유도하는 것은 어렵다.

$$k(\theta\,|\,y) = \frac{f(y\,|\,\theta)\,h(\theta)}{\int_{-\infty}^{\infty} f(y\,|\,\theta)\,h(\theta)\,d\theta}$$

특히 제곱오차 손실함수를 가정하면 θ의 베이지안 추정치로서 $E(\theta|y)$, 즉

$$\delta(y) = \frac{\int_{-\infty}^{\infty} \theta f(y\,|\,\theta)\,h(\theta)\,d\theta}{\int_{-\infty}^{\infty} f(y\,|\,\theta)\,h(\theta)\,d\theta}$$

를 계산해야 하지만 적분이 쉽게 계산되지 않는 경우들이 많다. 이제 $f(y|\theta) = w(\theta)$라 놓고 다음의 비

$$\frac{E[\theta\, w(\theta)]}{E[w(\theta)]}$$

를 계산해보자. 여기서 y는 주어진 값이고 기댓값은 θ에 관해서 취해진다. m이 상당히 클 때, $\theta_1, \theta_2, \ldots, \theta_m$을 $h(\theta)$에 의해 주어지는 분포로부터 생성해 위에서 정의된 비의 분자와 분모를

$$\sum_{i=1}^{m} \frac{\theta_i\, w(\theta_i)}{m}, \qquad \sum_{i=1}^{m} \frac{w(\theta_i)}{m}$$

에 의해 각각 추정해 최종적으로 $\delta(y)$의 추정치로서 다음의 식을 얻는다.

$$\tau = \frac{\sum_{i=1}^{m} \theta_i\, w(\theta_i)/m}{\sum_{i=1}^{m} w(\theta_i)/m}$$

이러한 간단한 몬테카를로(Monte Carlo) 절차 이외에도 베이지안 추론에서 매우 유용한 몇 가지 계산방법이 있다. 이들 중 두 가지는 **깁스샘플러**(Gibbs sampler)와 **마르코프 체인 몬테카를로**(Markov Chain Monte Carlo) 방법이 있다. MCMC 방법은 모수가 사전분포를 갖고 있고, 사전분포의 모수가 또다시 사전분포를 갖는 **계층적 베이즈 모형**(hierarchical Bayes model)의 추론에 유용하게 사용된다. 즉, 이와 같은 모형에서는 다음과 같은 분포를 갖는다.

$$f(y \mid \theta), \qquad h(\theta \mid \tau), \qquad g(\tau)$$

그러므로

$$k(\theta, \tau \mid y) = \frac{f(y \mid \theta)\, h(\theta \mid \tau)\, g(\tau)}{\int_{-\infty}^{\infty} \int_{-\infty}^{\infty} f(y \mid \theta)\, h(\theta \mid \tau)\, g(\tau)\, d\theta\, d\tau}$$

이며,

$$k_1(\theta \mid y) = \int_{-\infty}^{\infty} k(\theta, \tau \mid y)\, d\tau$$

이다. 그러므로 제곱오차손실함수의 가정하에 θ의 베이즈 추정량은

$$\int_{-\infty}^{\infty} \theta\, k_1(\theta \mid y)\, d\theta$$

이다. 깁스샘플러를 사용해 $(\theta_1, \tau_1), (\theta_2, \tau_2), \ldots$를 생성해 $k(\theta, \tau|y)$와 $\int_{-\infty}^{\infty} \theta\, k_1(\theta \mid y)\, d\theta$를 추정할 수 있다. 이러한 절차를 MCMC 절차라고 한다. [추가적인 학습을 위해서는 Hogg, McKean, Craig(2013) 참조.]

연습문제

6.8-1 Y는 평균 θ를 갖는 푸아송분포로부터 추출한 확률표본 관측값들의 합이다. 또한 θ의 사전 pdf는 모수 α와 β를 갖는 감마 pdf이다.

(a) $Y = y$가 주어졌을 때 θ의 사후 pdf를 구하라.

(b) 손실함수가 $[w(y) - \theta]^2$이라면 베이지안 추정치 $w(y)$를 구하라.

(c) $w(y)$가 최우추정치 y/n와 사전평균 $\alpha\beta$의 가중평균이라는 것을 밝혀라. 이때 $n/(n + 1/\beta)$와 $(1/\beta)/(n + 1/\beta)$는 각각의 가중치이다.

6.8-2 예제 6.8-2에서 $n = 30$, $\alpha = 15$, $\beta = 5$라 놓는다.

(a) 제곱오차손실을 사용할 때 베이즈 추정량인 $w(Y)$와 관련된 기대손실, 즉 위험함수를 구하라.

(b) 추정량 Y/n와 관련된 위험함수는 $\theta(1 - \theta)/30$이다. (a)에서의 위험함수가 $\theta(1 - \theta)/30$보다 작게 되는 θ의 값들을 구하라. 특히 사전평균 $\alpha/(\alpha + \beta) = 3/4$이 합리적인 추측이라면 (a)에서의 위험함수가 θ의 어느 값들에 대해서 더 좋은가? (즉, $\theta = 3/4$의 근방에서 더 작은 위험함수를 갖는다.)

6.8-3 예제 6.8-3에서 손실함수로서 $|\theta - w(Y)|$가 사용된다면 베이즈 추정량 $w(Y)$를 구하라.

6.8-4 예제 6.8-3에서 σ^2이 알려져 있을 때 $\sigma_0^2 = d\sigma^2$가 되도록 σ_0^2을 선택하려고 한다. 모수의 사후분포에 대한 분산이 $Y = \overline{X}$의 분산, 즉 σ^2/n의 $2/3$가 되도록 d를 정하라.

역사적 해설

추정에 관해 논의할 때, 우리는 최대 우도, 추정, 유효성, 충분성 등의 주제들에 많은 공헌을 한 피셔(R. A. Fisher)를 떠올리게 된다. 물론 더 많은 통계학자들이 1920년대 이후로 그 분야에 공헌해 왔다. 추정과 관련해 얼마나 많은 논문들이 발표되었는지 확인하기 위해 *Journal of the American Statistical Association*, *Annals of Statistics*나 그 밖의 학술지들의 차례들을 훑어보는 것도 흥미로운 연습문제가 될 것이다. 주위에서 흔히 "수학에 이제 우리가 할 일이 남아 있기나 할까?"와 같은 질문을 들을 수 있지만, 대학 도서관은 통계학을 포함한 새로운 수학에 관한 날로 늘어나는 학술지들로 꽉 차 있다.

대부분의 최우추정량들은 대표본의 경우 근사적으로 정규분포를 따르며, 그에 대한 발견적 증명을 이 장에서 제공했다는 것을 인식해야 한다. 이러한 추정량들은 소위 **정상적인 경우**(regual case), 특히 모수들이 X의 정의역 경계점에 있지 않은 경우에 나타난다. 드무아브르(Abraham de Moivre)는 이항분포의 $\widehat{p}$에 대해 이 정리를 증명했고, 라플라스(Laplace)와 가우스(Gauss)는 다른 분포들의 경우에 $\overline{X}$에 대해 역시 증명했다. 이 점이 정규분포가 그렇게 중요한 실제적인 이유이다 — 모수에 대한 대부분의 추정량들이 근사적으로 정규분포를 따르기 때문에 신뢰구간(7장 참조)을 구성할 수 있고, 그러한 추정치들을 이용해 검정(8장 참조)을 수행할 수 있게 된다.

미국에서의 신베이지안 운동은 실제적으로는 1950년대 새비지(J. Savage)에 의해서 시작되었다. 초기에는 베이지안 통계학자들의 연구가 매우 제한적이었는데, 그 이유는 조건부 분포 $k(\theta|x_1, x_2, \ldots, x_n)$과 같은 특정 분포들을 계산하기가 지극히 어려웠기 때문이다. 그러나 1970년대 말로 갈수록 컴퓨터가 더욱 유용하게 되었으며 따라서 계산이 매우 쉬워졌다. 특히, 베이지안 통계학자들이 깁스 샘플링과 마르코프 체인 몬테카를로(MCMC) 기법들을 개발했다. 우리 소견으로는 점점 베이지안 통계학자들이 늘어날 것이고, 베이즈 방법들이 통계적 추론에 대한 주요 접근법 중 하나가 될 것이며, 전문적인 응용방법을 지배할 수도 있을 것이다. 전통적인(베이지안이 아닌) 통계학자들이 인정하기 어려울지 모르지만, 그럼에도 불구하고 공평하게 말하자면 베이지안 방법론들을 향한 강력한 추세를 무시할 수가 없다.

07 구간추정

7.1 평균에 대한 신뢰구간

정규분포 $N(\mu, \sigma^2)$에서 추출된 확률표본 $X_1, X_2, \ldots, X_n$이 주어졌을 때, μ의 불편추정량 $\overline{X}$가 미지의 μ에 근접한지를 살피고자 한다. 이를 위해 분산을 알고 있을 때, 미지의 모수 μ에 대한 소위 신뢰구간을 규정하기 위해 $\overline{X}$의 오차 구조(분포), 즉 $N(\mu, \sigma^2/n)$을 사용한다. 확률 $1 - \alpha$에 대해 부록 B의 표 5로부터 다음을 만족하는 $z_{\alpha/2}$를 찾을 수 있다.

$$P\left(-z_{\alpha/2} \le \frac{\overline{X} - \mu}{\sigma/\sqrt{n}} \le z_{\alpha/2}\right) = 1 - \alpha$$

예를 들어 $1 - \alpha = 0.95$이면 $z_{\alpha/2} = z_{0.025} = 1.96$이고 $1 - \alpha = 0.90$이면 $z_{\alpha/2} = z_{0.05} = 1.645$이다. 이제 $\sigma > 0$임을 상기하면 다음의 부등식들이 같은 것임을 알 수 있다.

$$\begin{aligned}
-z_{\alpha/2} \ &\le \frac{\overline{X} - \mu}{\sigma/\sqrt{n}} \le \ z_{\alpha/2} \\
-z_{\alpha/2}\left(\frac{\sigma}{\sqrt{n}}\right) \ &\le \overline{X} - \mu \le \ z_{\alpha/2}\left(\frac{\sigma}{\sqrt{n}}\right) \\
-\overline{X} - z_{\alpha/2}\left(\frac{\sigma}{\sqrt{n}}\right) \ &\le \quad -\mu \quad \le \ -\overline{X} + z_{\alpha/2}\left(\frac{\sigma}{\sqrt{n}}\right) \\
\overline{X} + z_{\alpha/2}\left(\frac{\sigma}{\sqrt{n}}\right) \ &\ge \quad \mu \quad \ge \ \overline{X} - z_{\alpha/2}\left(\frac{\sigma}{\sqrt{n}}\right)
\end{aligned}$$

따라서 이들 중 첫 번째 것의 확률이 $1 - \alpha$이기 때문에 마지막 것의 확률 또한 $1 - \alpha$이

어야 한다. 왜냐하면 전자가 사실이면 후자도 사실이며, 그 반대 역시 성립하기 때문이다. 즉,

$$P\left[\overline{X} - z_{\alpha/2}\left(\frac{\sigma}{\sqrt{n}}\right) \le \mu \le \overline{X} + z_{\alpha/2}\left(\frac{\sigma}{\sqrt{n}}\right)\right] = 1 - \alpha$$

이고, 따라서 확률구간

$$\left[\overline{X} - z_{\alpha/2}\left(\frac{\sigma}{\sqrt{n}}\right), \overline{X} + z_{\alpha/2}\left(\frac{\sigma}{\sqrt{n}}\right)\right]$$

이 미지의 평균 μ를 포함할 확률은 $1-\alpha$이다.

일단 표본이 관측되고 계산된 표본평균이 $\bar{x}$이면 구간 $[x - z_{\alpha/2}(\sigma/\sqrt{n}), x + z_{\alpha/2}(\sigma/\sqrt{n})]$은 이미 알려진 구간이다. 표본이 추출되기 전에 확률구간이 μ를 포함할 확률이 $1-\alpha$이므로 이 계산된 구간, $\bar{x} \pm z_{\alpha/2}(\sigma/\sqrt{n})$을 미지의 평균 μ에 대한 $100(1-\alpha)\%$ **신뢰구간**(confidence interval)이라고 한다. 예를 들면, $\bar{x} \pm 1.96(\sigma/\sqrt{n})$은 μ의 95% 신뢰구간이다. $100(1-\alpha)\%$ 또는 $1-\alpha$는 **신뢰계수**(confidence coefficient)라고 한다.

μ의 신뢰구간은 점추정치 $\bar{x}$를 중심으로 $z_{\alpha/2}(\sigma/\sqrt{n})$을 더하고 뺌으로써 완성된다는 것을 알 수 있다. n이 증가할수록 $z_{\alpha/2}(\sigma/\sqrt{n})$은 감소하며, 따라서 같은 신뢰계수 $1-\alpha$를 가진 더 짧은 신뢰구간을 얻을 수 있다는 것을 유의할 필요가 있다. 신뢰구간이 더 짧다는 것은 μ의 추정치로서 $\bar{x}$를 더 신뢰하게 된다는 것을 의미한다. 시간, 비용, 노력 또는 관측의 가능성 등에 제약을 받지 않는 통계전문가들은 표본의 크기 n을 증가시켜 신뢰구간을 원하는 만큼 짧게 만들 수도 있을 것이다. 고정된 표본크기 n에 대해 신뢰구간의 길이는 또한 신뢰계수 $1-\alpha$를 줄임으로써 축소시킬 수 있다. 그러나 이렇게 하면 어느 정도 신뢰를 잃음으로써 짧은 신뢰구간을 얻게 되는 것이다.

예제 7.1-1 한 전구 제조회사에서 판매한 60W짜리 전구의 수명을 X라고 하고, X의 분포를 $N(\mu, 1{,}296)$이라고 가정하자. 27개의 전구($n = 27$)의 확률표본을 가지고 그 전구들이 모두 다 수명이 다할 때까지 시험해 표본평균 $\bar{x} = 1{,}478$시간을 구했다면 μ의 95% 신뢰구간은 다음과 같다.

$$\begin{aligned}\left[\bar{x} - z_{0.025}\left(\frac{\sigma}{\sqrt{n}}\right), \bar{x} + z_{0.025}\left(\frac{\sigma}{\sqrt{n}}\right)\right] &= \left[1{,}478 - 1.96\left(\frac{36}{\sqrt{27}}\right), 1{,}478 + 1.96\left(\frac{36}{\sqrt{27}}\right)\right] \\ &= [1{,}478 - 13.58,\ 1{,}478 + 13.58] \\ &= [1{,}464.42,\ 1{,}491.58]\end{aligned}$$

■

다음 예는 신뢰구간의 해석에 대해 보다 나은 이해를 할 수 있도록 도움을 줄 것이다.

예제 7.1-2 $\bar{x}$가 정규분포 $N(\mu, 16)$에서 추출된 5개 개체로 된 확률표본의 관측된 표본평균이라고 하자. 미지의 평균 μ의 90% 신뢰구간은 다음과 같다.

$$\left[\bar{x} - 1.645\sqrt{\frac{16}{5}},\ \bar{x} + 1.645\sqrt{\frac{16}{5}}\ \right]$$

한 특정 표본에 대해 이 구간은 평균 μ를 포함할 수도 있고 하지 않을 수도 있다. 그러나 이러한 구간들이 많이 계산된다면 이들 중 약 90%는 평균 μ를 포함해야만 한다. 정규분포 $N(50, 16)$에서 추출된 크기 5의 확률표본 50개가 컴퓨터로 모의실험되었다. 각각의 표본에 대해 그 평균을 모르는 것처럼 90% 신뢰구간이 계산되었다. 그림 7.1-1(a)는 이들 50개의 구간을 나열해 보여주며 각각을 선분으로 나타내준다. 50개 구간에 대해 그들 중 45개(혹은 90%)가 평균을 포함하고 있다. 다른 모의실험에서는 평균을 포함하는 90% 신뢰구간들의 개수는 다소 크거나 작을 수 있다. [사실 평균을 포함하는 90% 신뢰구간들의 개수를 W라 할 때, W의 분포는 $b(50, 0.90)$이다.]

표본이 추출된 분포가 정규분포라고 전제할 수 없는 경우라도 μ에 대한 근사적인 신뢰구간을 얻을 수 있다. 중심극한정리에 의하면 비율 $(\overline{X} - \mu)/(\sigma/\sqrt{n})$은 n이 충분히 크다는 가정하에 비록 원래의 모집단분포가 정규분포가 아니라 하더라도 근사적 정규분포 $N(0, 1)$을 갖는다. 이 경우

$$P\left(-z_{\alpha/2} \le \frac{\overline{X} - \mu}{\sigma/\sqrt{n}} \le z_{\alpha/2}\right) \approx 1 - \alpha$$

이며

$$\left[\bar{x} - z_{\alpha/2}\left(\frac{\sigma}{\sqrt{n}}\right),\ \bar{x} + z_{\alpha/2}\left(\frac{\sigma}{\sqrt{n}}\right)\right]$$

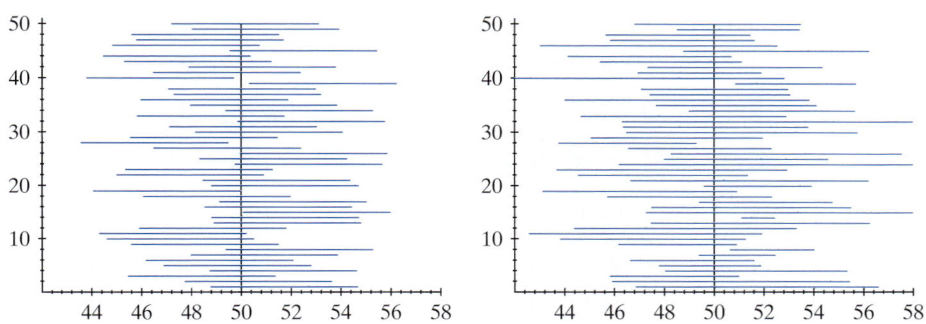

(a) 90% 신뢰구간, σ가 알려져 있을 때
(b) 90% 신뢰구간, σ를 모를 때

그림 7.1-1 z와 t를 이용한 신뢰구간

은 μ에 대한 근사적 $100(1-\alpha)\%$ 신뢰구간이다.

근사적 확률 $1-\alpha$가 정확한 확률에 얼마나 가까운가 하는 것은 모집단분포와 표본의 크기에 달려 있다. 모집단분포가 단봉(즉 1개의 최빈값만 존재)이고 대칭적이며 연속형일 때 근사도는 $n=5$와 같은 작은 n에 대해서도 아주 좋다. 상당히 정확한 근사도를 가지려면 모집단분포가 덜 정규적일수록(즉 심하게 기울어진 것이거나 이산형) 더 큰 표본크기가 요구된다. 그러나 모든 경우에 최소한 30 정도의 n이면 보통 매우 적절하다.

예제 7.1-3 X가 한 사람이 소비하는 오렌지 주스의 양(g/일)이라고 하고, X의 표준편차가 $\sigma=96$이라고 하자. X의 평균 μ를 추정하기 위해 오렌지재배자협회에서 $n=576$명의 표본을 구해 그들이 하루에 평균 $\bar{x}=133$그램의 오렌지 주스를 소비하는 것을 알아냈다. 따라서 μ에 대한 근사적 90% 신뢰구간은

$$133 \pm 1.645\left(\frac{96}{\sqrt{576}}\right)$$

즉,

$$[133-6.58,\ 133+6.58]=[126.42,\ 139.58]$$

이다. ■

σ^2이 얼마인지 모르고 표본크기 n이 30이나 그 이상일 때는 비율 $(\overline{X}-\mu)/(S/\sqrt{n})$이 근사적 정규분포 $N(0,1)$을 따른다는 사실을 이용할 것이다. 이것은 모집단분포가 정규분포이든 아니든 간에 사실이다. 그러나 모집단분포가 심하게 기울어졌거나 이상점에 의해 오염되었을 때 대부분의 통계학자들은 더 큰 표본크기, 즉 50 내지 그 이상을 선호하며 그러한 경우에도 좋은 결과를 내지 못하는 수가 있다. 다음 예제 이후에 n이 작은 경우 어떻게 해야 하는지를 다루겠다.

예제 7.1-4 미국 미시간 호수 동쪽에 있는 내포호 마카타와 호수는 동쪽 유역과 서쪽 유역으로 나뉘어 있다. 겨울철 도시도로에 염화 작업을 하는 것이 호수에 어떤 영향을 미치는지를 측정하기 위해 학생들은 서쪽 유역에서 32개의 호수물 표본을 채취해 미지의 평균 μ에 대한 통계학적 추론을 하기 위해 소금의 양을 측정했다. 자료는 다음과 같다.

13.0	18.5	16.4	14.8	19.4	17.3	23.2	24.9
20.8	19.3	18.8	23.1	15.2	19.9	19.1	18.1
25.1	16.8	20.4	17.4	25.2	23.1	15.3	19.4
16.0	21.7	15.2	21.3	21.5	16.8	15.6	17.6

이 자료에 대해 $\bar{x} = 19.07$이며 $s^2 = 10.60$이다. 따라서 μ에 대한 근사적 95% 신뢰구간은

$$\bar{x} \pm 1.96\left(\frac{s}{\sqrt{n}}\right)$$

이므로

$$19.07 \pm 1.96\sqrt{\frac{10.60}{32}}$$

즉, [17.94, 20.20]이다. ■

지금까지 표준편차 σ의 값을 알고 있거나 모르는 경우 표본크기가 크다고 가정할 때 정규분포의 평균 μ에 대한 신뢰구간을 구했다. 그러나 그 값을 상당히 잘 아는 수도 있기는 하지만 대부분의 경우에는 표준편차값을 알지 못한다. 예를 들어 전구 제조업자는 과거 경험으로 보아 여러 유형의 전구 수명에 대한 표준편차값을 잘 알고 있을 수도 있을 것이다. 그러나 확실히 대부분 조사자는 평균값보다 표준편차값을 더 알지 못한다. 이러한 상황에서 어떻게 해결해나가야 할지를 생각해보자.

정규분포로부터 확률표본을 추출했다면

$$T = \frac{\overline{X} - \mu}{S/\sqrt{n}}$$

가 $n - 1$의 자유도를 가진 t 분포를 따른다는 사실을 이용한다[식 (5.5-2) 참조]. 여기서 S^2은 보통의 σ^2의 불편추정량이다. $P[T \ge t_{\alpha/2}(n-1)] = \alpha/2$를 만족하는 $t_{\alpha/2}(n-1)$ [그림 5.5-2(b)와 부록 B 표 6 참조]에 대해

$$\begin{aligned}
1 - \alpha &= P\left[-t_{\alpha/2}(n-1) \le \frac{\overline{X} - \mu}{S/\sqrt{n}} \le t_{\alpha/2}(n-1)\right] \\
&= P\left[-t_{\alpha/2}(n-1)\left(\frac{S}{\sqrt{n}}\right) \le \overline{X} - \mu \le t_{\alpha/2}(n-1)\left(\frac{S}{\sqrt{n}}\right)\right] \\
&= P\left[-\overline{X} - t_{\alpha/2}(n-1)\left(\frac{S}{\sqrt{n}}\right) \le -\mu \le -\overline{X} + t_{\alpha/2}(n-1)\left(\frac{S}{\sqrt{n}}\right)\right] \\
&= P\left[\overline{X} - t_{\alpha/2}(n-1)\left(\frac{S}{\sqrt{n}}\right) \le \mu \le \overline{X} + t_{\alpha/2}(n-1)\left(\frac{S}{\sqrt{n}}\right)\right]
\end{aligned}$$

이 된다. 따라서 확률표본의 관측치들로부터 $\bar{x}$와 s^2을 계산할 수 있으며

$$\left[\bar{x} - t_{\alpha/2}(n-1)\left(\frac{s}{\sqrt{n}}\right), \bar{x} + t_{\alpha/2}(n-1)\left(\frac{s}{\sqrt{n}}\right)\right]$$

은 μ의 $100(1-\alpha)\%$ 신뢰구간이다.

예제 7.1-5 한 마리의 젖소가 첫 번째 송아지와 두 번째 송아지 사이 305일간의 우유 생산기간 동안에 생산해낸 유지방의 양을 X라고 하자. X의 분포는 $N(\mu, \sigma^2)$이라 하자. μ를 추정하기 위해 한 농부가 $n = 20$마리 젖소의 유지방을 측정해 다음 자료를 얻었다.

481	537	513	583	453	510	570	500	457	555
618	327	350	643	499	421	505	637	599	392

이 자료에 의하면 $\bar{x} = 507.50$이며 $s = 89.75$이다. 따라서 μ의 점추정치는 $\bar{x} = 507.50$이다. $t_{0.05}(19) = 1.729$이므로 μ의 90% 신뢰구간은

$$507.50 \pm 1.729\left(\frac{89.75}{\sqrt{20}}\right) \qquad \text{또는} \qquad 507.50 \pm 34.70$$

즉, [472.80, 542.20]이다. ■

T가 $n-1$의 자유도를 가진 t 분포를 따른다고 하자. 그러면 $t_{\alpha/2}(n-1) > z_{\alpha/2}$이다. 결과적으로 구간 $\bar{x} \pm z_{\alpha/2}(\sigma/\sqrt{n})$이 구간 $\bar{x} \pm t_{\alpha/2}(n-1)(s/\sqrt{n})$보다 짧을 것으로 기대한다. 결국 첫 번째 구간을 형성할 때 더 많은 정보, 즉 σ의 값을 알고 있다. 그러나 두 번째 구간의 길이는 s의 값에 상당히 영향을 받는다. 관측된 s가 σ보다 작으면 두 번째 식에 의해 더 짧은 신뢰구간이 형성된다. 그러나 평균적으로 $\bar{x} \pm z_{\alpha/2}(\sigma/\sqrt{n})$은 2개의 신뢰구간 중 더 짧다(연습문제 7.1-9).

예제 7.1-6 예제 7.1-2에서 분산이 알려져 있을 때 정규분포 평균에 대한 50개의 신뢰구간을 모의실험했다. 동일한 자료를 가지고 $t_{0.05}(4) = 2.132$이므로 $\bar{x} \pm 2.132(s/\sqrt{5})$에 의해 μ에 대한 90% 신뢰구간들을 구해보면 그림 7.1-1(b)에서 볼 수 있듯이 50개의 구간 중 46개의 구간이 $\mu = 50$을 포함하고 있다. 이렇게 구해진 신뢰구간 중 몇 개는 해당 z구간보다 길거나 짧다. 이러한 구간들의 길이에 대한 산술평균은 7.137이었으며, 이는 기대길이 7.169와 비슷하다(연습문제 7.1-9 참조). $\sigma = 4$일 때 z를 이용한 신뢰구간의 길이는 5.885이다. ■

모집단분포가 정규분포라고 가정할 수 없고 μ와 σ를 둘 다 모르는 경우에도 $T = (\overline{X} - \mu)/(S/\sqrt{n})$를 이용해 μ에 대한 신뢰구간을 근사적으로 구할 수 있다. 이때 T는 근사적으로 t 분포를 따른다. 일반적으로 이러한 근사는 많은 비정규분포에 있어 상당히 정확하다. 특히 모집단분포가 대칭적이고, 단봉이며, 연속형일 때 그러하다. 그러나 분포가 심하게 기울어졌을 때는 이러한 근사를 이용하는 것은 위험하다. 그러한 상황에서는 그

분포의 중위수에 대한 신뢰구간을 찾기 위한 비모수 방법을 사용하는 것이 더 안전할 것이다. 이 방법은 7.5절에서 소개된다.

신뢰구간과 관련해 언급해야 할 다른 일면이 있다. 지금까지 우리는 평균 μ에 대한 소위 **양측신뢰구간**(two-sided confidence intervals)을 계산했다. 그러나 가끔은 μ에 대한 하한 혹은 상한만을 원할 때가 있다.

$\overline{X}$를 $N(\mu, \sigma^2)$으로부터 나온 표본크기 n인 표본의 표본평균이라 하자(σ^2이 알려져 있다고 가정하자). 그러면

$$P\left(\frac{\overline{X}-\mu}{\sigma/\sqrt{n}} \le z_\alpha\right) = 1-\alpha$$

이므로 다음과 같다.

$$P\left[\overline{X} - z_\alpha\left(\frac{\sigma}{\sqrt{n}}\right) \le \mu\right] = 1-\alpha$$

$\overline{X} = \overline{x}$로 관측되면 $[\overline{x} - z_\alpha(\sigma/\sqrt{n}), \infty)$는 μ에 대한 $100(1-\alpha)\%$ **단측신뢰구간**(one-sided confidence interval)이다. 즉 신뢰수준 $1-\alpha$하에서 $\overline{x} - z_\alpha(\sigma/\sqrt{n})$은 μ에 대한 하한이 된다. 비슷하게 $(-\infty, \overline{x} + z_\alpha(\sigma/\sqrt{n})]$ 또한 μ의 단측신뢰구간이 되며 이때 $\overline{x} + z_\alpha(\sigma/\sqrt{n})$은 신뢰수준 $1-\alpha$하에서의 μ에 대한 상한이 된다.

σ가 알려져 있지 않을 때는 μ에 대한 하한과 상한을 계산하기 위해 $T = (\overline{X}-\mu)/(S/\sqrt{n})$을 사용할 수 있으며, 이때 $\overline{x} - t_\alpha(n-1)(s/\sqrt{n})$과 $\overline{x} + t_\alpha(n-1)(s/\sqrt{n})$은 각각 하한과 상한이 된다.

연습문제

7.1-1 정규분포 $N(\mu, 25)$로부터 크기 16인 확률표본을 관측한 결과 $\overline{x} = 73.8$을 얻었다. μ에 대한 95% 신뢰구간을 구하라.

7.1-2 콩의 성장에 미치는 질산칼륨 비료의 효과를 알아보기 위해 여러 견본 콩들을 파종해 질산칼륨 비료와 함께 매일 물을 주었다. 2주 후 식물을 측정한 자료가 다음과 같다.

17.5 14.5 15.2 14.0 17.3 18.0 13.8

이 자료가 정규분포 $N(\mu, \sigma^2)$의 확률표본이라고 간주하자.

(a) μ의 점추정치를 계산하라.

(b) σ의 점추정치를 계산하라.

(c) μ에 대한 90% 신뢰구간을 구하라.

7.1-3 예제 7.1-4에서 다룬 마카타와 호수 속에 있는 유기폐기물의 양을 파악하기 위해 물 100ml 내에 있는 세균 균체의 수를 측정했다. $n = 30$개 표본에 대한 균체의 수(단위: 100개)의 자료가 다음과 같다.

93	140	8	120	3	120	33	70	91	61
7	100	19	98	110	23	14	94	57	9
66	53	28	76	58	9	73	49	37	92

평균 균체 수에 대한 근사적 90% 신뢰구간을 구하라.

7.1-4 $n = 9$개의 원반형 치즈의 무게에 대한 자료가 다음과 같다.

21.50	18.95	18.55	19.40	19.15
22.35	22.90	22.20	23.10	

원반형 치즈의 무게가 정규분포 $N(\mu, \sigma^2)$을 따른다고 할 때, μ에 대한 95% 신뢰구간을 구하라.

7.1-5 사탕생산 라인에서 $n = 28$개의 박하사탕을 무작위로 선택해 무게를 측정했다. 평균무게가 $\bar{x} = 21.45(g)$이고 표준편차가 $s = 0.31(g)$이었다. 모든 박하사탕의 평균무게 μ에 대한 90% 단측신뢰구간의 하한을 구하라.

7.1-6 시카고 마라톤 완주자 41명에 대해 완주 5분 후 심박동을 측정해서 표본평균 $\bar{x} = 132$와 표본분산 $s^2 = 105$를 얻었다. 심박동 자료가 정규분포를 따른다고 할 때 평균에 대한 95% 신뢰구간을 구하라.

7.1-7 헬멧을 쓰고 있는 미식축구선수에 대한 인공호흡을 실시해야 할 때가 있다. 선수의 입과 코에 빨리 접근하기 위한 여러 가지 방법을 시도할 때 발생되는 경추의 움직임 정도와 각 방법을 마치는 데 소요되는 시간을 측정하는 연구가 진행되었다. 그중 한 가지 방법은 스크루드라이버로 얼굴 마스크를 지탱하는 측면 클립을 제거한 후 마스크를 뒤집는 것이다. 이 방법을 사용한 경우 소요된 시간(초)에 대한 자료는 다음과 같다.

33.8	31.6	28.5	29.9	29.8	26.0	35.7
27.2	29.1	32.1	26.1	24.1		

자료가 정규분포 $N(\mu, \sigma^2)$을 따른다고 하자.

(a) μ와 σ에 대한 점추정치를 구하라.

(b) μ에 대해 상한을 가진 95% 단측신뢰구간을 구하라.

(c) 자료가 정규분포를 따른다는 가정이 타당한가?

7.1-8 어느 자동차 부품 가게에서는 어떤 장비 안에 여러 가닥의 전기선을 장착하고 있다. 잡아당기는 실험을 함으로써 꼬여 있는 전기선들이 풀리는 데 얼마만큼의 힘이 필요한지를 파악할 수 있다. 어느 고객은 자기 장비에 꼬여 있는 전기선들이 20파운드는 견뎌야 한다고 요구했다. X를 20게이지 전기선들을 푸는 데 필요한 인장력이라고 하고, 그것이 정규분포 $N(\mu, \sigma^2)$을 따른다고 하자. X에 대한 20개 자료는 다음과 같다.

28.8	24.4	30.1	25.6	26.4	23.9	22.1
22.5	27.6	28.1	20.8	27.7	24.4	25.1
24.6	26.3	28.2	22.2	26.3	24.4	

(a) μ와 σ에 대한 점추정치를 구하라.

(b) μ에 대해 하한을 가진 99% 단측신뢰구간을 구하라.

7.1-9 $X_1, X_2, \ldots, X_n$은 $N(\mu, \sigma^2)$으로부터 추출된 확률표본이다. $n = 5$일 때 다음 각각의 경우에 대해 μ에 대한 95% 신뢰구간의 길이의 기댓값을 계산하라.

(a) 분산을 알 때

(b) 분산을 모를 때

힌트: $(n-1)S^2/\sigma^2$은 $\chi^2(n-1)$임을 이용해 먼저 $E[\sqrt{(n-1)S^2/\sigma^2}\,]$을 구한 다음 $E(S)$를 계산하라.

7.2 두 평균의 차이에 대한 신뢰구간

2개의 독립적인 정규분포의 평균을 비교해보고 싶다고 하자. $X_1, X_2, \ldots, X_{n_X}$와 $Y_1, Y_2, \ldots, Y_{n_Y}$를 각각 2개의 독립적인 정규분포 $N(\mu_X, \sigma_X^2)$와 $N(\mu_Y, \sigma_Y^2)$에서 추출된 크기 n_X와 n_Y의 확률표본이라고 하자. σ_X^2과 σ_Y^2을 안다고 할 때, $\overline{X}$와 $\overline{Y}$가 각각의 표본평

균을 나타낸다고 하면 $W = \overline{X} - \overline{Y}$의 분포가 $N(\mu_X - \mu_Y,\ \sigma_X^2/n_X + \sigma_Y^2/n_Y)$임을 알게 된다. 따라서

$$P\left(-z_{\alpha/2} \le \frac{(\overline{X} - \overline{Y}) - (\mu_X - \mu_Y)}{\sqrt{\sigma_X^2/n_X + \sigma_Y^2/n_Y}} \le z_{\alpha/2}\right) = 1 - \alpha$$

이고, 이것은 다시 다음과 같이 정리된다.

$$P[(\overline{X} - \overline{Y}) - z_{\alpha/2}\sigma_W \le \mu_X - \mu_Y \le (\overline{X} - \overline{Y}) + z_{\alpha/2}\sigma_W] = 1 - \alpha$$

이때 $\sigma_W = \sqrt{\sigma_X^2/n_X + \sigma_Y^2/n_Y}$는 $\overline{X} - \overline{Y}$의 표준편차이다. 일단 실험이 행해지고 평균 $\overline{x}$와 $\overline{y}$가 계산되면, $[\overline{x} - \overline{y} - z_{\alpha/2}\sigma_W,\ \overline{x} - \overline{y} + z_{\alpha/2}\sigma_W]$는 $\mu_X - \mu_Y$에 대한 $100(1-\alpha)\%$ 신뢰구간이 된다. 이 구간은 $\mu_X - \mu_Y$의 점추정치 $\overline{x} - \overline{y}$ 중심으로 하며, $z_{\alpha/2}$와 점추정치의 표준편차를 곱한 것을 빼거나 더함으로써 구해졌다는 것을 알 수 있다.

예제 7.2-1 앞에서 논의한 상황에서 $n_X = 15$, $n_Y = 8$, $\overline{x} = 70.1$, $\overline{y} = 75.3$, $\sigma_X^2 = 60$, $\sigma_Y^2 = 40$, $1 - \alpha = 0.90$이라고 하자. 따라서 $1 - \alpha/2 = 0.95 = \Phi(1.645)$이다. 따라서

$$1.645\sigma_W = 1.645\sqrt{\frac{60}{15} + \frac{40}{8}} = 4.935$$

이고, $\overline{x} - \overline{y} = -5.2$이므로

$$[-5.2 - 4.935,\ -5.2 + 4.935] = [-10.135,\ -0.265]$$

가 $\mu_X - \mu_Y$의 90% 신뢰구간이 된다. 이 신뢰구간이 0의 왼쪽에 위치하므로 μ_Y가 μ_X보다 클 것으로 추정된다. ■

표본의 크기가 크고 σ_X^2과 σ_Y^2을 알지 못할 때 우리는 σ_X^2과 σ_Y^2을 s_X^2과 s_Y^2으로 대치할 수 있는데 이때 s_X^2과 s_Y^2은 각각의 분산에 대한 불편추정치이다. 이것은

$$\overline{x} - \overline{y} \pm z_{\alpha/2}\sqrt{\frac{s_X^2}{n_X} + \frac{s_Y^2}{n_Y}}$$

이 $\mu_X - \mu_Y$에 대한 근사적 $100(1-\alpha)\%$ 신뢰구간으로 사용된다는 것을 의미한다.

이제 분산을 알지 못하고 표본의 크기가 작을 때 2개의 독립적인 정규분포의 평균의 차이에 대해 신뢰구간을 구성하는 문제를 생각해보자. $X_1, X_2, \ldots, X_{n_X}$와 $Y_1, Y_2, \ldots, Y_{n_Y}$를 각각 독립적인 분포 $N(\mu_X, \sigma_X^2)$과 $N(\mu_Y, \sigma_Y^2)$으로부터 추출된 확률표본이라고 하자. 표본의 크기가 크지 않다면(대체로 30 미만) 이 문제는 어려운 것일 수도 있다. 그러나 이러한 경우라도 알려지지 않은 분산 σ_X^2과 σ_Y^2이 동일하다면, 즉, $\sigma_X^2 = \sigma_Y^2 = \sigma^2$을

전제한다면 이 어려움을 해결해 나갈 방법이 있다. 우리는

$$Z = \frac{\overline{X} - \overline{Y} - (\mu_X - \mu_Y)}{\sqrt{\sigma^2/n_X + \sigma^2/n_Y}}$$

가 $N(0, 1)$을 따른다는 것을 알고 있다. 또한 두 확률표본이 독립적이므로

$$U = \frac{(n_X - 1)S_X^2}{\sigma^2} + \frac{(n_Y - 1)S_Y^2}{\sigma^2}$$

이 2개의 독립적인 카이제곱확률변수의 합이므로 U의 분포는 $\chi^2(n_X + n_Y - 2)$이다. 그리고 표본평균들과 표본분산들이 서로 독립이므로 Z와 U는 독립적이다. T 확률변수의 정의에 따라

$$T = \frac{Z}{\sqrt{U/(n_X + n_Y - 2)}}$$

는 자유도 $n_X + n_Y - 2$의 t 분포를 따른다. 즉

$$\begin{aligned} T &= \frac{\dfrac{\overline{X} - \overline{Y} - (\mu_X - \mu_Y)}{\sqrt{\sigma^2/n_X + \sigma^2/n_Y}}}{\sqrt{\left[\dfrac{(n_X - 1)S_X^2}{\sigma^2} + \dfrac{(n_Y - 1)S_Y^2}{\sigma^2}\right] \Big/ (n_X + n_Y - 2)}} \\ &= \frac{\overline{X} - \overline{Y} - (\mu_X - \mu_Y)}{\sqrt{\left[\dfrac{(n_X - 1)S_X^2 + (n_Y - 1)S_Y^2}{n_X + n_Y - 2}\right]\left[\dfrac{1}{n_X} + \dfrac{1}{n_Y}\right]}} \end{aligned}$$

가 $r = n_X + n_Y - 2$ 자유도를 가진 t 분포를 따른다는 것을 보였다. 따라서 $t_0 = t_{\alpha/2}(n_X + n_Y - 2)$이면 $P(-t_0 \le T \le t_0) = 1 - \alpha$가 된다. $\mu_X - \mu_Y$에 대해 부등식을 풀면 다음을 얻는다.

$$P\left(\overline{X} - \overline{Y} - t_0 S_P\sqrt{\frac{1}{n_X} + \frac{1}{n_Y}} \le \mu_X - \mu_Y \le \overline{X} - \overline{Y} + t_0 S_P\sqrt{\frac{1}{n_X} + \frac{1}{n_Y}}\right)$$

이때 동일 표준편차의 합동 추정량은 다음과 같다.

$$S_P = \sqrt{\frac{(n_X - 1)S_X^2 + (n_Y - 1)S_Y^2}{n_X + n_Y - 2}}$$

$\overline{x}, \overline{y}, s_p$가 각각 $\overline{X}, \overline{Y}, S_P$의 관측치라면

$$\left[\overline{x} - \overline{y} - t_0 s_P\sqrt{\frac{1}{n_X} + \frac{1}{n_Y}},\ \overline{x} - \overline{y} + t_0 s_P\sqrt{\frac{1}{n_X} + \frac{1}{n_Y}}\right]$$

은 $\mu_X - \mu_Y$의 $100(1-\alpha)\%$ 신뢰구간이다.

예제 7.2-2 큰 학교와 작은 학교의 고등학교 학생들이 표준화된 수학시험에서 받은 점수가 각각 $N(\mu_X, \sigma^2)$과 $N(\mu_Y, \sigma^2)$을 따른다고 하자. 이때 σ^2은 모르는 값이다. 큰 고등학교 학생들의 $n_X = 9$의 확률표본에서 $\bar{x} = 81.31$, $s_x^2 = 60.76$이 나오고, 작은 학교 학생들의 $n_Y = 15$의 확률표본에서 $\bar{y} = 78.61$, $s_y^2 = 48.24$가 나왔다면 $t_{0.025}(22) = 2.074$이기 때문에 $\mu_X - \mu_Y$의 95% 신뢰구간의 상한과 하한은

$$81.31 - 78.61 \pm 2.074\sqrt{\frac{8(60.76) + 14(48.24)}{22}}\sqrt{\frac{1}{9} + \frac{1}{15}}$$

로 주어진다. 따라서 95% 신뢰구간은 $[-3.65, 9.05]$이다. ■

참고 동일분산, 즉 $\sigma_X^2 = \sigma_Y^2$의 가정은 여전히 $\mu_X - \mu_Y$의 신뢰구간을 알아낼 수 있을 정도로 변경이 가능하다. 즉, 분산들의 비율 σ_X^2/σ_Y^2을 안다면 t 분포를 가진 확률변수를 이용해 통계적 추론을 할 수 있다(연습문제 7.2-7 참조). 그러나 분산의 비율을 모르지만 σ_X^2과 σ_Y^2이 상당히 다를 것이라고 추측이 되면 어떻게 할 것인가? $\mu_X - \mu_Y$에 대한 추론을 위해

$$\frac{\overline{X} - \overline{Y} - (\mu_X - \mu_Y)}{\sqrt{\sigma_X^2/n_X + \sigma_Y^2/n_Y}}$$

로 돌아가는 것이 가장 안전한데, 이때 σ_X^2과 σ_Y^2은 각각의 추정량인 S_X^2과 S_Y^2으로 대체해야 한다. 즉, 다음을 고려해보자.

$$W = \frac{\overline{X} - \overline{Y} - (\mu_X - \mu_Y)}{\sqrt{S_X^2/n_X + S_Y^2/n_Y}}$$

W의 분포가 무엇인가? 전에 그랬던 것처럼 n_X와 n_Y가 충분히 크고 모집단분포가 정규분포에 가깝다면(적어도 심하게 기울어지지 않았다면) W는 근사적으로 정규분포를 갖게 되며, $\mu_X - \mu_Y$의 신뢰구간은

$$P(-z_{\alpha/2} \le W \le z_{\alpha/2}) \approx 1 - \alpha$$

로부터 알아낼 수 있다. 그러나 n_X와 n_Y가 작을 경우 웰치(Welch)는 W의 근사분포로서 t 분포를 제안한 바 있다. 웰치의 제안은 후에 애스핀(Aspin)에 의해 수정되었는데, 근사적 t 분포는

$$c = \frac{s_X^2/n_X}{s_X^2/n_X + s_Y^2/n_Y} \text{ 일 때} \qquad \frac{1}{r} = \frac{c^2}{n_X - 1} + \frac{(1-c)^2}{n_Y - 1}$$

을 만족하는 자유도 r을 갖는다. 즉 다음과 같다.

$$r = \frac{\left(\dfrac{s_X^2}{n_X} + \dfrac{s_Y^2}{n_Y}\right)^2}{\dfrac{1}{n_X - 1}\left(\dfrac{s_X^2}{n_X}\right)^2 + \dfrac{1}{n_Y - 1}\left(\dfrac{s_Y^2}{n_Y}\right)^2} \tag{7.2-1}$$

특히 이 규칙에 의해 r을 대입하면 보통의 자유도 $n_X + n_Y - 2$로부터 자유도를 많이 줄임으로써 표본크기가 작아서 분산이 커지는 경우 보호받을 수 있게 해준다. 물론 이렇게 하면 $t_{\alpha/2}$의 값이 증가한다. r이 정수가 아닐 때는 r 이하의 가장 큰 정수를 사용한다. 즉 $[r]$이 근사적 t 분포도의 자유도이다. $\mu_X - \mu_Y$의 근사적 $100(1-\alpha)\%$ 신뢰구간은

$$\overline{x} - \overline{y} \pm t_{\alpha/2}(r)\sqrt{\frac{s_X^2}{n_X} + \frac{s_Y^2}{n_Y}}$$

으로 주어진다.

이표본(two-sample) T 통계량을 다음과 같이 다시 정리해보자.

$$T = \frac{\overline{X} - \overline{Y} - (\mu_X - \mu_Y)}{\sqrt{\dfrac{(n_X - 1)S_X^2 + (n_Y - 1)S_Y^2}{n_X + n_Y - 2}\left(\dfrac{1}{n_X} + \dfrac{1}{n_Y}\right)}} \tag{7.2-2}$$

$$= \frac{\overline{X} - \overline{Y} - (\mu_X - \mu_Y)}{\sqrt{\left[\dfrac{(n_X - 1)S_X^2}{n_X n_Y} + \dfrac{(n_Y - 1)S_Y^2}{n_X n_Y}\right]\left[\dfrac{n_X + n_Y}{n_X + n_Y - 2}\right]}}$$

이제 $(n_X - 1)/n_X \approx 1$이고 $(n_Y - 1)/n_Y \approx 1$이므로 $(n_X + n_Y)/(n_X + n_Y - 2) \approx 1$이며, 따라서

$$T \approx \frac{\overline{X} - \overline{Y} - (\mu_X - \mu_Y)}{\sqrt{\dfrac{S_X^2}{n_Y} + \dfrac{S_Y^2}{n_X}}}$$

이다. 이 식에서 보면 각각의 분산이 잘못된 표본크기로 나뉘어 있다는 것을 알 수 있다! 즉 표본크기가 크거나 분산이 알려져 있다면 분모가

$$\sqrt{\frac{S_X^2}{n_X} + \frac{S_Y^2}{n_Y}} \quad \text{혹은} \quad \sqrt{\frac{\sigma_X^2}{n_X} + \frac{\sigma_Y^2}{n_Y}}$$

이었을 것이다. 그러므로 이 경우 T 통계량이 표본크기들을 서로 바꾼 것으로 보인다. 따라서 표본크기와 분산이 다른 경우 이 T 통계량을 사용하는 것은 특히 안 좋으므로 $\mu_X - \mu_Y$에 대한 신뢰구간을 계산할 때 주의해야 한다. 즉, 만약 $n_Y < n_X$이고 $\sigma_X^2 < \sigma_Y^2$이면 이 T 통계량은 자유도가 $n_X + n_Y - 2$인 t 분포와 유사한 분포를 따르지 않는다. 대신에 분모에 있는 S_Y^2/n_X항이 실제보다 훨씬 크므로 t 분포의

산포도보다 훨씬 작다. 이와는 반대로 만약 $n_Y < n_X$이고 $\sigma_X^2 < \sigma_Y^2$이면 $S_X^2/n_Y + S_Y^2/n_X$가 실제보다 일반적으로 더 작아서 T 통계량의 분포는 t 분포보다 더 넓게 퍼져 있다.

그럼에도 불구하고 이에 대한 해결책이 존재한다—모집단 분포가 정규분포와 가깝지만 표본크기와 분산이 서로 매우 다르다면 아래 통계량의 사용을 제안한다.

$$W = \frac{\overline{X} - \overline{Y} - (\mu_X - \mu_Y)}{\sqrt{\dfrac{S_X^2}{n_X} + \dfrac{S_Y^2}{n_Y}}} \tag{7.2-3}$$

이때 W의 분포는 웰치에 의해서 식 (7.2-1)에 주어진 자유도 $[r]$을 가진 t 분포에 근사하다는 것이 증명되었다.

예제 7.2-3 앞에서 언급된 내용을 이해하기 위해서 컴퓨터 프로그램을 사용해 모의실험을 실시했다. t 분포의 q-q 플롯 작성에도 역시 컴퓨터 프로그램이 사용되었다.

식 (7.2-2)의 T 통계량에 대한 $N = 500$개의 관측값들과 식 (7.2-3)의 W 통계량에 대한 $N = 500$개의 관측값들을 생성했다. 그림 7.2-1에서 $N(0, 1)$ 분포로부터 $n_X = 6$개의 X 관측값들이 생성되었고, $N(0, 36)$ 분포로부터 $n_Y = 18$개의 Y 관측값들이 생성되었다. 웰치의 근사 t 분포에 대한 자유도 r값을 위해서는 표본분산 대신 모분산을 사용했으며, 따라서 500개의 W값들에 대해 동일한 값을 이용했다.

그림 7.2-2에는 $N(0, 1)$ 분포로부터 생성된 $n_X = 18$개의 X 관측값들과 $N(0, 36)$ 분포로부터 생성된 $n_Y = 6$개의 Y 관측값들에 대한 모의실험 결과가 나와 있다. 두 경우 모두 분산과 표본크기가 동일하지 않을 때는 예제에서 살펴본 바와 같이 정확한 자유도 r을 가진 웰치의 W 통계량이 통상적인 T 통계량보다 성능이 좋음을 확인할 수 있다. ■

동일한 개체를 대상으로 2개의 측정치 X, Y가 관측되는 경우가 있다. 이런 경우 X와 Y는 종속적 확률변수이다. 많은 경우 이들은 '사전'과 '사후' 측정치로서, 예를 들면 식이요법이나 운동 프로그램에 참여하기 이전과 이후의 몸무게 등과 같은 것이다. X와 Y의 평균을 비교하는 데는 지금까지 공부한 t 통계량과 신뢰구간을 사용할 수 없다. X와 Y가 독립적이지 못하기 때문이다. 대신 다음과 같은 과정을 따라야 한다.

$(X_1, Y_1), (X_2, Y_2), \ldots, (X_n, Y_n)$을 종속적인 측정치들의 n개 짝이라고 하자. $i = 1, 2, \ldots, n$에 대해 $D_i = X_i - Y_i$라 하자. $D_1, D_2, \ldots, D_n$을 $N(\mu_D, \sigma_D^2)$에서 추출한 확률표본으로 간주할 수 있다고 가정하고, 이때 μ_D와 σ_D는 각각의 차이에 대한 평균과 표

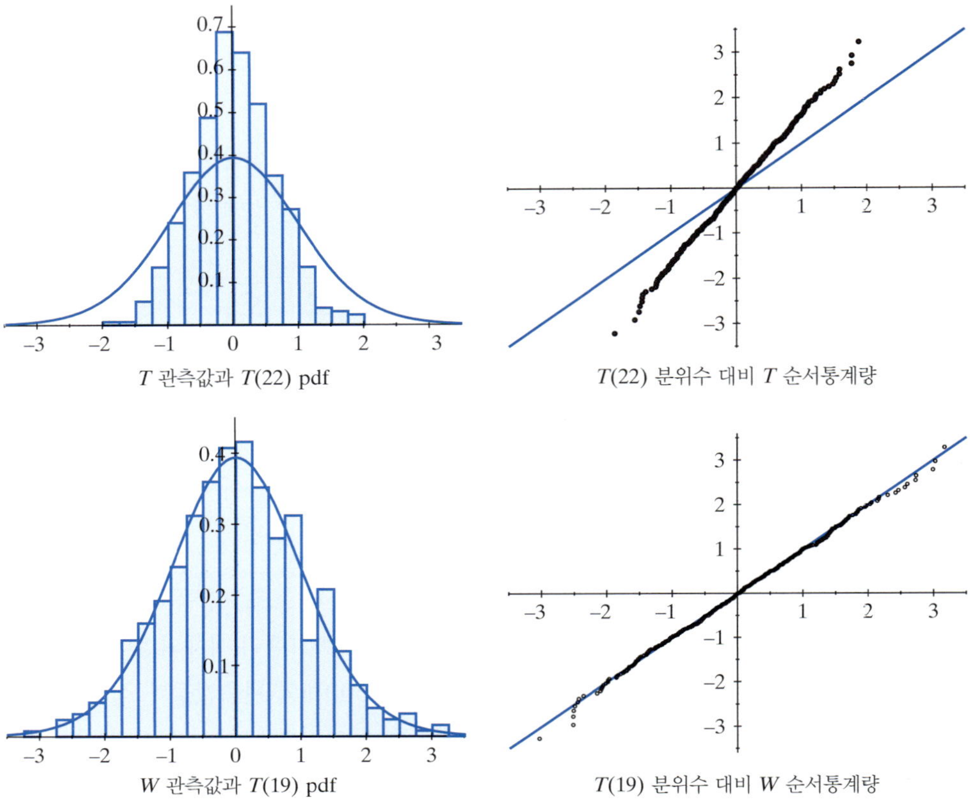

그림 7.2-1 T와 W 관측값, $n_X = 6$, $n_Y = 18$, $\sigma_X^2 = 1$, $\sigma_Y^2 = 36$

준편차라고 하자. $\mu_X - \mu_Y$의 신뢰구간을 구하기 위해 우리는

$$T = \frac{\overline{D} - \mu_D}{S_D/\sqrt{n}}$$

를 사용한다. 여기서 $\overline{D}$와 S_D는 n개 차이들의 표본평균과 표본표준편차이다. 따라서 T는 자유도 $n-1$을 가진 t 통계량이다. $\mu_D = \mu_X - \mu_Y$의 $100(1-\alpha)\%$ 신뢰구간의 상한과 하한은

$$\overline{d} \pm t_{\alpha/2}(n-1)\,\frac{s_D}{\sqrt{n}}$$

이며, 여기서 $\overline{d}$와 s_D는 표본의 관측된 차이에 대한 평균과 표준편차이다.

예제 7.2-4 빨간색 빛과 초록색 빛에 대한 사람들의 반응시간을 비교하는 실험이 행해졌다. 빨간색이나 초록색 빛으로 신호를 보내면 대상자는 그 빛을 끄기 위해 스위치를 손으로 치도록 했다. 스위치를 칠 때까지의 반응시간을 초 단위로 기록했다. 다음 결과는 8명의 대상자에 대한 반응시간을 보여준다.

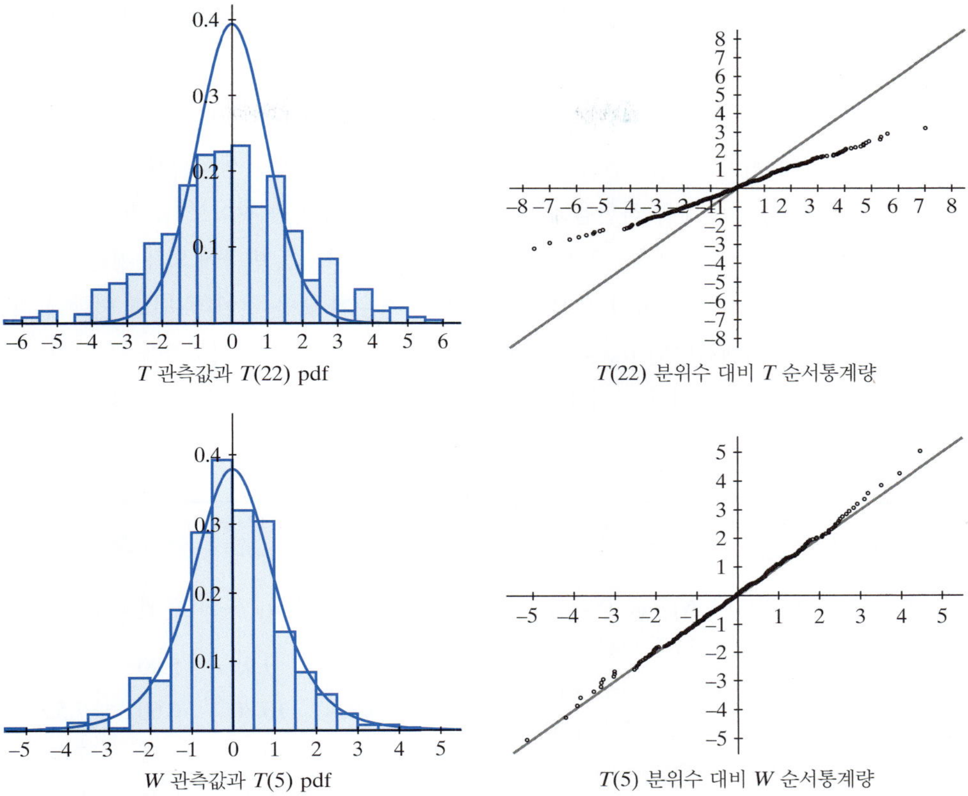

그림 7.2-2 T와 W 관측값, $n_X = 18$, $n_Y = 6$, $\sigma_X^2 = 1$, $\sigma_Y^2 = 36$

대상자	빨간색(x)	초록색(y)	$d = x - y$
1	0.30	0.43	−0.13
2	0.23	0.32	−0.09
3	0.41	0.58	−0.17
4	0.53	0.46	0.07
5	0.24	0.27	−0.03
6	0.36	0.41	−0.05
7	0.38	0.38	0.00
8	0.51	0.61	−0.10

위 자료에서 $\overline{d} = -0.0625$이며 $s_D = 0.0765$이다. $\mu_D = \mu_X - \mu_Y$의 95% 신뢰구간을 구하기 위해 부록의 표 6에서 $t_{0.025}(7) = 2.365$를 찾아냈다. 따라서 신뢰구간의 상한과 하한은 $-0.0625 \pm (2.365)(0.0765)/\sqrt{8}$, 즉 $[-0.1265, 0.0015]$이다. 위의 매우 제한된 자료에서는 0이 신뢰구간에 포함되어 있지만 상한인 0.0015에 가깝다. 더 많은 자료가 주어진다면 0이 신뢰구간에 포함되지 않을 수도 있을 것이다. 따라서 이런 일이 실제로

일어난다면 사람들은 빨간색 빛에 더 빨리 반응하는 것으로 판단될 것이다. ■

두 평균의 차이 $\mu_X - \mu_Y$에 대해서도 역시 단측신뢰구간을 계산할 수 있다. X 분포의 어떤 특성을 변화시켜서 $\mu_X > \mu_Y$인 Y 분포를 생성시켰다고 믿고 있다고 하자. $\mu_X - \mu_Y$에 대한 하한을 갖는 95% 단측신뢰구간을 찾아보자. 만약 이 하한이 0보다 크다면 μ_X가 μ_Y보다 크다고 95% 확신할 것이다. 즉, 변화에 의해 평균을 감소시켰다고 할 수 있다. 이는 골프나 육상 경기와 같은 경우에 좋을 것이다. 반면 변화에 의해서 $\mu_X < \mu_Y$를 기대한다면 $\mu_X - \mu_Y$에 대한 상한이 있는 단측신뢰구간을 구할 것이며 이것이 0보다 작기를 기대할 것이다. 이러한 생각들이 연습문제 7.2-3, 7.2-6에 예시되어 있다.

연습문제

7.2-1 X전구의 수명이 $N(\mu_X, 784)$를 따르고, Y전구의 수명은 $N(\mu_Y, 627)$을 따른다고 하자. X와 Y가 독립일 때 $n_X = 56$개의 X전구들로부터 평균 $\bar{x} = 937.4$시간을 얻었고, $n_Y = 57$개의 Y전구들로부터 평균 $\bar{y} = 988.9$시간을 얻었다. $\mu_X - \mu_Y$에 대한 90% 신뢰구간을 구하라.

7.2-2 두 나라 남성들의 신장에 대한 확률표본을 독립적으로 조사해 다음과 같은 결과를 얻었다: $n_X = 12$, $\bar{x} = 65.7$(inch), $s_X = 4$(inch), $n_Y = 15$, $\bar{y} = 68.2$(inch), $s_Y = 3$(inch). 두 평균 키의 차이 $\mu_X - \mu_Y$에 대해 근사적 98% 신뢰구간을 구하라. $\sigma_X^2 = \sigma_Y^2$임을 가정한다.

7.2-3 어느 생물학자는 초록 시라소니 거미의 암컷과 수컷의 길이를 비교하는 연구를 하고 있다. X를 수컷 거미의 길이라 하고 근사적으로 $N(\mu_X, \sigma_X^2)$을 따르며, Y를 암컷 거미의 길이라 하고 근사적으로 $N(\mu_Y, \sigma_Y^2)$을 따른다고 하자. X에 대한 $n_X = 30$개 관측값이 다음과 같다.

5.20	4.70	5.75	7.50	6.45	6.55
4.70	4.80	5.95	5.20	6.35	6.95
5.70	6.20	5.40	6.20	5.85	6.80
5.65	5.50	5.65	5.85	5.75	6.35
5.75	5.95	5.90	7.00	6.10	5.80

Y에 대한 $n_Y = 30$개 관측값이 다음과 같다.

8.25	9.95	5.90	7.05	8.45	7.55
9.80	10.80	6.60	7.55	8.10	9.10
6.10	9.30	8.75	7.00	7.80	8.00
9.00	6.30	8.35	8.70	8.00	7.50
9.50	8.30	7.05	8.30	7.95	9.60

$\mu_X - \mu_Y$에 대해 상한을 가진 근사적 95% 단측신뢰구간을 구하라.

7.2-4 어느 자동차 부품가게에서 전기선 장비를 20게이지 전기선에서 22게이지 전기선으로 교체하는 것을 고려하고 있다. 일부 가닥만 새로 교체해 새롭게 만든 것이 기존의 인장력과 동일한지 기존 제품과 새로운 제품에 대해 테스트를 했다. 고객들이 요구하는 최소 인장력은 20파운드이다. 기존 제품에 대한 20개의 인장력 자료가 다음과 같다.

28.8	24.4	30.1	25.6	26.4	23.9	22.1	22.5	27.6	28.1
20.8	27.7	24.4	25.1	24.6	26.3	28.2	22.2	26.3	24.4

새로운 제품에 대한 20개 인장력 자료는 다음과 같다.

14.1	12.2	14.0	14.6	8.5	12.6	13.7	14.8	14.1	13.2
12.1	11.4	10.1	14.2	13.6	13.1	11.9	14.8	11.1	13.5

(a) 새로운 제품이 고객의 요구에 부합하는가?

(b) 두 가지 제품의 평균 인장력 차이에 대한 90% 신뢰구간을 구하라.

(c) 두 자료에 대한 상자그림을 같은 그래프에 그려라.

(d) 두 제품에 대한 여러분의 선택은?

7.2-5 건강 증진 프로그램에 참가하고 있는 학생들이 참가 전과 후에 그들의 체지방 비율을 측정했다. 다음은 각각 10명의 남학생과 여학생의 자료이다.

남학생		여학생	
프로그램 전 %	프로그램 후 %	프로그램 전 %	프로그램 후 %
11.10	9.97	22.90	22.89
19.50	15.80	31.60	33.47
14.00	13.02	27.70	25.75
8.30	9.28	21.70	19.80
12.40	11.51	19.36	18.00
7.89	7.40	25.03	22.33
12.10	10.70	26.90	25.26
8.30	10.40	25.75	24.90
12.31	11.40	23.63	21.80
10.00	11.95	25.06	24.28

(a) 남학생의 평균 체지방 비율 변화에 대한 90% 신뢰구간을 구하라.

(b) 여학생의 평균 체지방 비율 변화에 대한 90% 신뢰구간을 구하라.

(c) 체지방 비율들이 감소했는가?

(d) 각 비율 변화 자료가 정규분포를 따르는지 검토하라.

7.2-6 어느 대학 병원에서는 자극에 하지가 반응하는 시간이 나이와 관련이 있는지 알아보기 위해 건강한 노인 여성과 건강한 젊은 여성을 대상으로 테스트를 했다. X와 Y를 이 두 그룹 각각이 전방으로 걸음걸이를 할 때 독립적으로 반응하는 시간이라고 하자. X에 대해 $n_X = 60$, $\bar{x} = 671$, $s_X = 129$이고 Y에 대해 $n_Y = 60$, $\bar{y} = 480$, $s_Y = 93$일 때 $\mu_X - \mu_Y$에 대해 하한을 갖는 95% 단측신뢰구간을 구하라.

7.2-7 $\overline{X}$, $\overline{Y}$, S_X^2, S_Y^2은 독립인 정규분포 $N(\mu, \sigma_X^2)$과 $N(\mu, \sigma_Y^2)$으로부터 각각 추출한 표본크기 n_X와 n_Y인 표본들의 표본평균과 분산에 대한 불편추정량들이다. 이때 μ_X, μ_Y, σ_X^2, σ_Y^2은 모두 알려져 있지는 않지만 만약 $\sigma_X^2/\sigma_Y^2 = d$($d$: 알려진 상수)라고 할 때 다음이 진실인지 거짓인지 논하라.

(a) $\dfrac{(\overline{X}-\overline{Y})-(\mu_X-\mu_Y)}{\sqrt{d\sigma_Y^2/n_X+\sigma_Y^2/n_Y}}$는 $N(0, 1)$을 따른다.

(b) $\dfrac{(n_X-1)S_X^2}{d\sigma_Y^2}+\dfrac{(n_Y-1)S_Y^2}{\sigma_Y^2}$은 $\chi^2(n_X+n_Y-2)$를 따른다.

(c) (a)와 (b)에 있는 2개의 확률변수들은 독립이다.

(d) 이러한 결과들을 가지고, $\mu_X - \mu_Y$에 대한 신뢰구간을 구성하는 데 이용되는 t 분포를 갖는 확률변수(σ_Y^2에 의존하지 않는)를 구성하라.

7.3 비율에 대한 신뢰구간

히스토그램은 확률표본의 개체들이 어떻게 분포되어 있는지 묘사하는 데 좋은 방법임을 이미 논의한 바 있다. 여러 가지 계급에 대한 상대도수(즉 백분율)의 정확성을 묻는 것은 당연한 일일 것이다. 예를 들어, 예제 6.1-1의 $n = 40$개의 사탕무게에 대한 계급 (22.25, 23.15)의 상대도수는 $8/40 = 0.20$, 즉 20%임을 알 수 있었다. 이 40개의 사탕무게의 집합을 더 큰 사탕무게 모집단으로부터 관측된 확률표본으로 생각한다면 20%가 전체 모집단에서 그 계급에 속한 사탕무게의 백분율에 어느 정도로 가까운 것인가?

이 문제를 고려할 때 계급 (22.25, 23.15)를 '성공'으로 취급함으로써 어느 정도 일반화할 수 있다. 참 성공확률 p, 즉 그 구간에 속한 모집단의 비율이 존재한다. Y가 n개의 관측치 중에서 그 구간에 들어 있는 관측치의 도수라고 하면 독립적이고, 확률 p가 일정하다는 가정하에서 Y는 이항분포 $b(n, p)$를 따른다. 따라서 문제는 p의 추정치로서 상대도수 Y/n가 얼마나 정확한지를 알아야 한다. 이 문제는 p에 대해 Y/n에 근거한 신뢰구간을 구함으로써 해결된다.

일반적으로, 매 시행당 성공확률이 p인 n번의 베르누이 시행을 관측하면 Y/n에 근거한 p의 신뢰구간을 구할 수 있다. 여기서 Y는 성공의 수이며 Y/n는 p의 불편추정량이다.

5.7절에서 우리는

$$\frac{Y - np}{\sqrt{np(1-p)}} = \frac{(Y/n) - p}{\sqrt{p(1-p)/n}}$$

가 n이 충분히 크다고 할 때 근사 정규분포 $N(0, 1)$을 따른다는 것을 살펴보았다. 이것은 주어진 확률 $1 - \alpha$에 대해 부록의 표 5로부터

$$P\left[-z_{\alpha/2} \le \frac{(Y/n) - p}{\sqrt{p(1-p)/n}} \le z_{\alpha/2}\right] \approx 1 - \alpha \tag{7.3-1}$$

를 만족하는 $z_{\alpha/2}$를 찾을 수 있다는 것을 뜻한다. 7.1절에서 μ의 신뢰구간을 구할 때 했던 것처럼 하면 다음을 얻게 될 것이다.

$$P\left[\frac{Y}{n} - z_{\alpha/2}\sqrt{\frac{p(1-p)}{n}} \le p \le \frac{Y}{n} + z_{\alpha/2}\sqrt{\frac{p(1-p)}{n}}\right] \approx 1 - \alpha$$

불행하게도 미지의 모수 p는 이 부등식의 상한과 하한에 나타나 있다. 이 궁지에서 빠져나올 수 있는 방법은 두 가지가 있다. 먼저 또 한 번의 근사, 즉 상한과 하한에 있는 $p(1-p)$에서 p를 Y/n으로 대치하는 것이다. n이 충분히 크다면

$$P\left[\frac{Y}{n} - z_{\alpha/2}\sqrt{\frac{(Y/n)(1-Y/n)}{n}} \le p \le \frac{Y}{n} + z_{\alpha/2}\sqrt{\frac{(Y/n)(1-Y/n)}{n}}\right] \approx 1 - \alpha$$

는 여전히 사실이다. 따라서 큰 n에 대해 관측된 Y가 y와 같다면, 구간

$$\left[\frac{y}{n} - z_{\alpha/2}\sqrt{\frac{(y/n)(1-y/n)}{n}}, \frac{y}{n} + z_{\alpha/2}\sqrt{\frac{(y/n)(1-y/n)}{n}}\right]$$

은 p에 대한 근사 $100(1 - \alpha)\%$ 신뢰구간으로 쓰인다. 종종 이것을 줄여서 $\widehat{p} = y/n$를

이용해 다음과 같이 쓴다.

$$\widehat{p} \pm z_{\alpha/2}\sqrt{\frac{\widehat{p}(1-\widehat{p})}{n}} \tag{7.3-2}$$

이것은 7.1절에서의 $\overline{x} \pm z_{\alpha/2}(\sigma/\sqrt{n})$과 같이 추정치 y/n의 신뢰도를 분명히 나타내준다. 즉 p가 $\widehat{p}$으로부터 $z_{\alpha/2}\sqrt{\widehat{p}(1-\widehat{p})/n}$ 내에 있다는 것을 $100(1-\alpha)\%$ 확신한다.

식 (7.3-1)에서 p에 대해 신뢰구간을 구하는 두 번째 방법은

$$\frac{|Y/n-p|}{\sqrt{p\,(1-p)/n}} \le z_{\alpha/2}$$

가

$$H(p) = \left(\frac{Y}{n}-p\right)^2 - \frac{z_{\alpha/2}^2\, p(1-p)}{n} \le 0 \tag{7.3-3}$$

과 같다는 사실을 이용한 것이다. $H(p)$는 p에 대한 이차함수식이며 $H(p) \le 0$를 만족하는 $H(p)$의 2개의 해를 구함으로써 p값을 구할 수 있다. 식 (7.3-3)에서 $\widehat{p} = Y/n$와 $z_0 = z_{\alpha/2}$로 놓으면 다음을 얻는다.

$$H(p) = \left(1+\frac{z_0^2}{n}\right)p^2 - \left(2\widehat{p}+\frac{z_0^2}{n}\right)p + \widehat{p}^{\,2}$$

근의 공식에 의해 $H(p)$의 해는

$$\frac{\widehat{p}+z_0^2/(2n) \pm z_0\sqrt{\widehat{p}\,(1-\widehat{p}\,)/n + z_0^2/(4n^2)}}{1+z_0^2/n} \tag{7.3-4}$$

이며, 이것들이 p의 근사 $100(1-\alpha)\%$ 신뢰구간을 구성한다. n이 크면 $z_0^2/(2n)$, $z_0^2/(4n^2)$, z_0^2/n은 작다. 따라서 n이 클 때 식 (7.3-2)와 식 (7.3-4)에 의해 주어진 신뢰구간은 근사적으로 같게 된다.

예제 7.3-1 예제 6.1-1의 $n = 40$, $y/n = 8/40 = 0.20$인 사탕무게 히스토그램 예를 다시 생각해보자. $1-\alpha = 0.90$이고 따라서 $z_{\alpha/2} = 1.645$라면, 식 (7.3-2)를 이용해

$$0.20 \pm 1.645\sqrt{\frac{(0.20)(0.80)}{40}}$$

은 참 비율 p의 근사 90% 신뢰구간으로 쓰인다. [0.096, 0.304], 즉 [9.6%, 30.4%]는 (22.25, 23.15) 구간에 속해 있는 전체 모집단의 무게 백분율에 대한 근사 90% 신뢰구간이다. 만약 식 (7.3-4)에 의해 주어진 상한과 하한을 사용했다면 신뢰구간은 [0.117,

0.321]이 될 것이다. 표본크기가 작기 때문에 구간의 길이에 있어서 차이가 발생할 것이다. 만약 $n = 400$이고 $y = 80$이라면 90% 신뢰구간은 각각 [0.167, 0.233]과 [0.169, 0.235]가 될 것이며, 두 구간 간에는 차이가 거의 없게 된다. ■

예제 7.3-2 어떤 정치선거에 출마한 한 후보자가 유권자 모집단에 대해 무작위 여론조사를 했다. 그 결과 $n = 351$의 유권자 중 $y = 185$명이 그의 지지자로 나타났다. $y/n = 185/351 = 0.527$임에도 이 후보자가 승리할 확신을 가질 수 있을까? 이 후보자를 지지하는 유권자 모집단의 비율 p의 근사 95% 신뢰구간은 식 (7.3-2)를 이용하면

$$0.527 \pm 1.96\sqrt{\frac{(0.527)(0.473)}{351}}$$

즉 [0.475, 0.579]이다. 따라서 p가 50% 미만일 가능성이 충분히 있기 때문에 이 후보자는 선거운동에 있어서 이 점을 신중히 고려해야 한다. ■

p에 대한 단측신뢰구간이 필요한 경우가 종종 발생한다. 예를 들어 어떤 제품을 생산할 때 불량률에 대한 상한에 관심을 갖게 된다. 또한 특정 후보에 대한 지지율의 하한을 알아야 할 경우도 있다. 신뢰계수가 근사적으로 $1 - \alpha$일 때 p에 대한 단측신뢰구간

$$\left[0, \frac{y}{n} + z_\alpha\sqrt{\frac{y/n(1-y/n)}{n}}\right]$$

은 상한을 제공해주며,

$$\left[\frac{y}{n} - z_\alpha\sqrt{\frac{y/n(1-y/n)}{n}}, 1\right]$$

은 하한을 제공한다.

예제 7.3-3 미국의 어느 주에서는 사슴의 특정 질병의 발병률을 추정하고자 한다. 사냥이 허락되는 계절에 사슴 272마리가 합법적으로 사냥되었고 각 동물의 조직을 검사한 결과 9마리가 감염된 것으로 나타났다. 발병률에 대한 상한을 갖는 95% 단측신뢰구간은 다음과 같다.

$$\left[0, \frac{9}{272} + 1.645\sqrt{\frac{(9/272)[1-(9/272)]}{272}}\right] = [0, 0.051]$$

따라서 이 주에서는 그 특정 질병의 발병률이 5.1%를 넘지는 않는다고 95% 근사적으로 확신할 수 있다. ■

참고 지금까지 다루어 온 신뢰구간이 종종 기술된 신뢰계수를 갖지 못한 경우가 있다. 특히 n이 작거나 Y나 $n - Y$ 둘 중 한 가지가 0에 가까우면 발생한다. 만약 $Y = 0$이거나 $n - Y = 0$이면 $\widehat{p}(1 - \widehat{p})$이 0이 되고 따라서 식 (7.3-2)에서 주어진 신뢰구간이 사실상 1개의 점이 된다는 것을 의미한다.

p에 대한 신뢰구간을 구하는 세 번째 방법(Agresti and Coull, 1998 참조)은 식 (7.3-4)의 근 아래에 있는 $\widehat{p}$을 다음으로 대체하는 것이다.

$$\widetilde{p} = \frac{Y + z_{\alpha/2}^2/2}{n + z_{\alpha/2}^2}$$

이렇게 대체하며 아래와 같은 구간을 얻게 된다.

$$\widetilde{p} \pm z_{\alpha/2}\sqrt{\frac{\widetilde{p}(1 - \widetilde{p})}{n + z_{\alpha/2}^2}} \tag{7.3-5}$$

n이 작거나 Y 혹은 $n - Y$가 0에 가까운 경우에는 이 구간이 p를 포함할 확률이 식 (7.3-2)의 구간이나 식 (7.3-4)의 구간이 p를 포함할 확률보다 훨씬 더 $1 - \alpha$에 가깝다.

식 (7.3-5)에 의해 주어진 신뢰계수 95%를 가진 p에 대한 특별한 신뢰구간은 언급할 가치가 있다. $\alpha = 0.05$일 때 $z_{\alpha/2}^2 = z_{.025}^2 = 1.96^2 \approx 4$이므로 95% 근사신뢰구간은 $\widetilde{p} = (Y + 2)/(n + 4)$에 중앙이 위치한다. 즉 이 비율은 관측표본에 2개의 성공과 2개의 실패를 더해서 합친 표본에서 성공의 비율인 것이다.

예제 7.3-4 예제 7.3-1의 자료에 대해 식 (7.3-5)의 $\alpha = 0.05$인 특별한 신뢰구간을 사용하면, 근사 95% 신뢰구간은

$$0.226 \pm 1.96\sqrt{\frac{(0.226)(0.774)}{40 + 1.96^2}}$$

혹은 [0.102, 0.350]이다. 만약 $y = 80$이고 $n = 400$이었다면 식 (7.3-5)에 의한 근사 95% 신뢰구간은 [0.164, 0.242]였을 것이다. ■

종종 실험을 실시하는 데 있어서 두 가지 (또는 그 이상의) 독립적인 방법들이 있을 수 있다. 그리고 이들이 각각 성공확률 p_1과 p_2를 갖는다고 하자. n_1과 n_2가 이 두 가지 방법과 관련된 독립된 시행의 수라고 하고, 이로부터 각각 Y_1과 Y_2의 성공 횟수가 있었다고 하자. 차이 $p_1 - p_2$에 대한 통계적 추론은 다음과 같이 수행된다.

독립확률변수 Y_1/n_1과 Y_2/n_2가 각각 평균 p_1과 p_2, 분산 $p_1(1 - p_1)/n_1$과 $p_2(1 - p_2)/n_2$를 갖기 때문에, 5.4절로부터 차이 $Y_1/n_1 - Y_2/n_2$가 평균 $p_1 - p_2$와 분산 $p_1(1$

$-p_1)/n_1 + p_2(1-p_2)/n_2$를 가지고 있음을 알 수 있다. 더욱이 Y_1/n_1과 Y_2/n_2가 근사적으로 정규분포를 따르므로 $Y_1/n_1 - Y_2/n_2$는 위의 평균과 분산을 가진 근사정규분포를 따르게 된다(정리 5.5-1 참조). 즉

$$\frac{(Y_1/n_1)-(Y_2/n_2)-(p_1-p_2)}{\sqrt{p_1(1-p_1)/n_1+p_2(1-p_2)/n_2}}$$

는 근사적으로 정규분포 $N(0, 1)$을 따른다. 분모에 있는 p_1, p_2를 Y_1/n_1, Y_2/n_2로 각각 대체했을 때 n_1과 n_2가 충분히 크기만 하면 여전히 새 비율은 근사적으로 $N(0, 1)$을 따른다. 따라서 주어진 $1-\alpha$에 대해 부록 B의 표 5로부터

$$P\left[-z_{\alpha/2} \le \frac{(Y_1/n_1)-(Y_2/n_2)-(p_1-p_2)}{\sqrt{(Y_1/n_1)(1-Y_1/n_1)/n_1+(Y_2/n_2)(1-Y_2/n_2)/n_2}} \le z_{\alpha/2}\right] \approx 1-\alpha$$

를 만족하는 $z_{\alpha/2}$를 구할 수 있다. 일단 Y_1과 Y_2가 y_1과 y_2로 관측되면 위의 확률 안에 있는 부등식을 풀어 미지의 차이 $p_1 - p_2$에 대한 근사 $100(1-\alpha)\%$ 신뢰구간이 다음과 같음을 알 수 있다.

$$\frac{y_1}{n_1}-\frac{y_2}{n_2} \pm z_{\alpha/2}\sqrt{\frac{(y_1/n_1)(1-y_1/n_1)}{n_1}+\frac{(y_2/n_2)(1-y_2/n_2)}{n_2}}$$

이러한 형태가 $p_1 - p_2$에 대한 추정치 $y_1/n_1 - y_2/n_2$의 신뢰도를 어떻게 나타내고 있는지 주목하자.

예제 7.3-5 특정한 유형의 얼룩을 지울 수 있는 성능이 있는지 보기 위해 두 가지 세척제를 시험해 보았다. 시험 결과 첫 번째 세척제가 91번의 독립적인 시행 중 63차례 성공했고, 두 번째 것은 79번의 독립적 시행 중 42차례 성공했다. 각각의 상대적 성공도수는 $63/91 = 0.692$와 $42/79 = 0.532$이다. 두 세척제의 성공률 차이 $p_1 - p_2$에 대한 근사 90% 신뢰구간은

$$0.692-0.532 \pm 1.645\sqrt{\frac{(0.692)(0.308)}{91}+\frac{(0.532)(0.468)}{79}}$$

즉, [0.038, 0.282]이다. 따라서 이 구간이 0을 포함하지 않으므로 첫 번째 세척제가 두 번째 것보다 이러한 얼룩을 지우는 데는 훨씬 좋은 것으로 보인다. ■

연습문제

7.3-1 여러 공구를 생산하는 회사에서 특정 공구에 대한 불량률을 파악하기 위해 생산라인에서 무작위로 642개를 표본으로 선택해 검사한 결과 그중 24개가 불량품이었다.

(a) p에 대한 점추정치를 계산하라.

(b) 식 (7.3-2)를 이용해 p에 대한 근사적 95% 신뢰구간을 구하라.

(c) 식 (7.3-4)를 이용해 p에 대한 근사적 95% 신뢰구간을 구하라.

(d) 식 (7.3-5)를 이용해 p에 대한 근사적 95% 신뢰구간을 구하라.

(e) p에 대해 상한을 갖는 95% 단측신뢰구간을 구하라.

7.3-2 p를 작년에 훈련 도중 발생한 여러 상처로 고통 받았던 운동선수의 비율이라고 하자. 조사에 응한 330명의 운동선수 중 167명이 작년에 훈련 중 상처로 고통 받았다고 응답했다. 이 자료를 이용해 다음에 답하라.

(a) p의 점추정치를 구하라.

(b) p에 대한 90% 신뢰구간을 구하라.

7.3-3 어느 대도시 공공보건관리는 만약 6세 미만 어린이 중 DPT 백신을 접종한 비율이 90% 아래라는 증거가 나오면 도시 전체적으로 값비싼 면역 프로그램을 실시하기로 결정했다. 6세 미만 어린이 537명을 무작위로 조사한 결과 그중 460명이 DPT 접종을 한 것으로 밝혀졌다. 다음의 방법으로 예방접종을 한 어린이 비율에 대한 근사 95% 양측신뢰구간을 구하라.

(a) 식 (7.3-2) 이용

(b) 식 (7.3-4) 이용

(c) 식 (7.3-5) 이용

(d) 실제로 이 경우 양측신뢰구간보다 단측신뢰구간이 더 의미가 있다. (a) 방법을 이용해 어린이 예방접종 비율에 대한 상한을 가진 근사 95% 단측신뢰구간을 구하라. 공공보건관리는 면역프로그램을 실시해야 하는가?

7.3-4 아프리카와 아메리카에 있는 개발도상국 여성들의 영양결핍 비율을 각각 p_1과 p_2라고 하자. $n_1 = 2{,}100$ 아프리카 여성들 중 $y_1 = 840$명이 영양결핍 상태였고, $n_2 = 1{,}900$ 아메리카 여성들 중 $y_2 = 323$명이 영양결핍이었다. $p_1 - p_2$에 대한 근사적 90% 신뢰구간을 구하라.

7.3-5 여성들의 의류 구입에 대한 의식을 연구하기 위해 두 그룹을 고려했다. 첫 번째 그룹은 의류구입에 연간 50만 원 이하를 지출하는 여성들로 구성되어 있고, 두 번째 그룹은 연간 100만 원 이상 지출하는 여성들로 구성되어 있다. 각 그룹에서 의류가 너무 비싸다고 생각하는 여성들의 비율을 각각 p_1과 p_2라고 하자. 첫 번째 그룹에서는 1,230명 중 1,009명이 그렇게 생각하고 있었고, 두 번째 그룹에서는 340명 중 207명이 그렇게 생각하고 있었다.

(a) $p_1 - p_2$에 대한 점추정치를 계산하라.

(b) $p_1 - p_2$에 대한 근사적 95% 신뢰구간을 계산하라.

7.3-6 p_1과 p_2를 어느 개발도상국 두 나라 각각에 대한 만성영양실조에 걸린 미취학 아이들의 비율이라고 하자. $n_1 = 1{,}300$과 $n_2 = 1{,}100$인 각각의 확률표본에서 만성영양실조에 걸린 아이들이 $y_1 = 520$, $y_2 = 385$명으로 나타났을 때, $p_1 - p_2$에 대한 95% 신뢰구간을 구하라.

7.3-7 2017년 10월 갤럽 전화 조사 결과 성인 1,028명 중 617명이 강한 총기규제법안에 찬성한다고 대답했다. 2018년 3월 조사에서는 1,041명의 성인 중 694명이 강한 총기규제법안에 찬성했다. p_1, p_2를 각각 2017년과 2018년의 찬성 비율이라고 하자.

(a) p_1과 p_2에 대한 점추정치를 계산하라.

(b) $p_1 - p_2$에 대한 근사 95% 신뢰구간을 구하라.

7.4 표본크기

통계 상담 시 흔히 가장 먼저 받게 되는 질문이 "평균을 추정하기 위해 표본크기는 얼마로 해야 하는가?"이다. 그 대답은 관측 중인 확률변수의 분산에 달려 있다는 것을 질의자에게 설득하기 위해 통계학자는 "그 분포의 표준편차가 0이라면 하나만 있어도 된다"라고 이야기할 수 있을 것이다. 즉, σ가 0이면, 그 하나의 값은 반드시 미지의 분포의 평균과 같을 것이다. 물론 이것은 극단적인 경우이고 실제로 이런 경우는 없다. 그러나 이것은 주어진 수준의 정확도를 얻으려면 분산이 작을수록 보다 작은 크기의 표본이 필요하다는 것을 이해시키는 데는 도움이 될 것이다. 이것은 여러 가지 예를 다룸으로써 더 분명해질 것이다. 한 분포의 미지의 평균에 대한 통계적 추론을 하는 문제부터 시작해 보자.

예제 7.4-1 어느 수학과에서 컴퓨터를 이용해 수학을 이해하게 하는 새로운 대수 교수법을 평가하고자 한다. 학기말에 표준시험에 대한 수강생들의 시험성적을 토대로 평가할 것이다. 특히 컴퓨터를 이용하는 대수과목을 수강한 학생들에 대한 평균점수 μ를 추정하는 데 주안점을 둔다. 따라서 컴퓨터를 이용해 가르친 과목을 수강한 보다 큰 학생집단으로부터 무작위로 뽑을 학생 수 n을 결정하고자 한다. 새로운 컴퓨터 설비에 대한 비용을 충당할 수 없으므로 모든 학생이 새로운 방법의 대수를 수강하도록 할 수가 없다. 게다가 몇몇 교수진은 이러한 방법의 가치에 의문을 제기하면서 모든 학생이 이 방법에 접하는 것을 원치 않는다. 따라서 $\bar{x} \pm 1$이 미지의 시험평균 μ를 포함할 수 있다고 확신할 수 있는 그런 표본크기 n을 구하도록 하자. 과거 경험으로부터 이런 유형의 시험성적 표준편차는 약 15라고 생각된다(평균은 또한 학생들이 표준 대수 과목을 수강할 때 알려진다). 따라서 시험성적의 표본평균 $\overline{X}$가 근사적으로 $N(\mu, \sigma^2/n)$을 따른다는 사실을 이용해 구간 $\bar{x} \pm 1.96(15/\sqrt{n})$이 μ에 대한 근사 95% 신뢰구간으로 쓰일 수 있다는 것을 알게 된다. 이제,

$$1.96\left(\frac{15}{\sqrt{n}}\right) = 1$$

혹은 $\sqrt{n} = 29.4$이기를 바라며, 따라서 $n \approx 864.36$을 구하게 된다. n은 정수여야 하므로 $n = 865$명이다. ■

앞의 예제에서 865명이나 되는 학생들이 이 연구에 필요하리라고는 예상하지 못했을 수도 있다. 그렇다면 통계학자는 실험에 관계된 사람들과 함께 정확도라든지 신뢰도가 어느 정도 완화될 수 있는지 여부를 논의해야만 한다. 예를 들어 95% 신뢰구간으로서 $\bar{x} \pm 1$을 고집하기보다는 80% 신뢰구간으로서의 $\bar{x} \pm 2$를 더 만족스러워할지도 모른다.

이렇게 되면 $1.282(15/\sqrt{n}) = 2$이며 따라서 $n = 92.4$가 된다. n이 정수여야 하므로 실제로는 93을 사용하게 될 것이다. 아마도 이 프로젝트에 관계된 사람들은 이것이 현실적인 표본크기라고 생각할 가능성이 높다. 물론 93보다 많은 어떠한 표본크기도 쓰일 수 있을 것이다. 그러면 신뢰구간의 길이가 $\bar{x} \pm 2$의 그것보다 줄게 되거나, 신뢰계수가 80%보다 증가하거나, 또는 두 가지가 함께 일어날 것이다. 또한 표준편차 σ가 실제로 15인지에 대한 의문이 제기될 수 있기 때문에 표본표준편차 s를 구간 설정에 쓸 수 있다. 예를 들면 관측된 표본으로부터 $n = 145$, $\bar{x} = 77.2$, $s = 13.2$라고 할 때, $\bar{x} \pm 1.282s/\sqrt{n}$, 즉 77.2 ± 1.41이 μ에 대한 근사 80% 신뢰구간이 된다.

일반적으로 μ에 대한 $100(1-\alpha)\%$ 신뢰구간, $\bar{x} \pm z_{\alpha/2}(\sigma/\sqrt{n})$이 $\bar{x} \pm \varepsilon$보다 길지 않게 하려면 표본크기 n은

$$\Phi(z_{\alpha/2}) = 1 - \frac{\alpha}{2}\text{일 때} \qquad \varepsilon = \frac{z_{\alpha/2}\sigma}{\sqrt{n}}$$

즉,

$$n = \frac{z_{\alpha/2}^2\sigma^2}{\varepsilon^2} \tag{7.4-1}$$

이다. 여기서 σ^2은 이미 알려진 것으로 전제한다. 때때로 $\varepsilon = z_{\alpha/2}(\sigma/\sqrt{n})$을 **추정치의 최대오차**(maximum error of the estimate)라고 한다. ε은 또한 신뢰구간 길이의 절반임을 알 수 있다.

실험자가 σ^2의 값을 전혀 모른다면, 예비 표본을 추출해 식 (7.4-1)에 있는 σ^2 대신에 예비 표본으로부터 구한 s^2으로 대체할 필요가 있다. 더욱이 이 경우 n을 결정할 때 σ^2이 알려져 있지 않은 경우 평균에 대한 $100(1-\alpha)\%$ 신뢰구간인 $\bar{x} \pm t_{\alpha/2}(n-1)s/\sqrt{n}$에 기초한 개량된 방법을 이용하는 것이 더 적절하다. 이 신뢰구간의 길이의 절반이 $t_{\alpha/2}(n-1)s/\sqrt{n}$이며 관측값을 얻기 전에 우리는 이 절반 길이의 제곱에 대한 기댓값이 $t_{\alpha/2}^2(n-1)\sigma^2/n$임을 알고 있다. 이 마지막 항을 ε_u^2 [여기서 u는 'unknown(미지)'을 의미함]으로 표기하면 σ^2이 알려져 있는 경우에서와 비슷하게 신뢰구간 길이의 절반의 제곱에 대한 기댓값이 최소한 ε_u^2이 되도록 하기 위한 표본크기는 다음 부등식을 만족해야 한다.

$$\frac{n}{t_{\alpha/2}^2(n-1)} \geq \frac{\sigma^2}{\varepsilon_u^2} \tag{7.4-2}$$

비록 식 (7.4-2)를 이용해 n값을 명확하게 풀 수는 없지만 먼저 식 (7.4-1)에서 σ^2 대신 s^2을 사용해 n에 대한 임시 해를 얻은 다음 식 (7.4-2)를 만족할 때까지 한 번에 하나씩 증가시킴으로써 최종해를 얻는다.

예제 7.4-2 분산이 알려져 있지 않은 경우 정규분포의 평균 μ에 대한 90% 양측신뢰구간을 구하고자 한다. 더욱이 신뢰구간 절반 길이의 제곱에 대한 기댓값 $E(\varepsilon_u^2)$이 9보다는 크지 말아야 한다고 가정하자. 표본크기가 15인 예비표본으로부터 표본통계량 $\bar{x} = 189$와 $s^2 = 74.8$을 얻었다. 그러면 미지의 분산이 실제로 74.8과 동일하다고 간주해 식 (7.4-1)을 이용하면 n에 대한 임시해가 최소한 다음과 같아야 한다.

$$\frac{(1.645)^2(74.8)}{3^2} = 22.41$$

그다음 $n = 23$부터 시작해서 σ^2 대신 $s^2 = 74.8$을 사용해 식 (7.4-2)가 만족될 때까지 n을 증가시킨다. $n = 25$가 이를 만족하는 가장 작은 정수이므로 우리는 15개의 예비표본에 10개의 추가적인 관측값들을 취해야 한다. 이렇게 10개의 추가적인 관측값들을 더 사용해 μ에 대한 90% 신뢰구간을 구하면 그 구간의 절반에 대한 제곱값이 9 이하가 될 수도 있고 그렇지 않을 수도 있다. 왜냐하면 25개 관측값에 대한 표본분산이 74.8보다 작을 수도 혹은 클 수도 있기 때문이다. 우리가 단지 말할 수 있는 것은 만약 모분산이 74.8 이하라면 신뢰구간 절반 길이의 제곱 기댓값 $E(\varepsilon_u^2)$이 9보다 작거나 같다는 사실이다. ■

신문이나 잡지에서 가장 흔히 볼 수 있는 유형의 통계수치는 비율 p의 추정치이다. 예를 들면, 실업률이라든가 어느 후보에 대한 지지율을 알고 싶어 할 수 있다. 때로는 이들 추정치를 바탕으로 해 매우 중요한 결정이 내려지기도 한다. 이러한 경우 p에 대해 큰 신뢰계수를 가지면서 짧은 신뢰구간을 갖기를 원할 것이다. 이를 위해서는 표본이 커야 한다는 것을 알고 있다. 한편 추정되는 p가 그다지 중요하지 않다면 보다 작은 신뢰계수와 보다 긴 신뢰구간을 가진 추정치도 만족스러울 것이며 따라서 보다 작은 크기의 표본을 쓸 수 있다.

예제 7.4-3 실업률이 약 8%(0.08)라고 알고 있다고 가정하자. 그러나 중요한 국가 경제 정책에 관한 결정을 내리기 위해 이 추정치를 갱신하려고 한다. 따라서 우리는 p에 대한 새로운 추정치가 실제 p로부터 0.001 이내에 있도록 99% 확신하고자 한다. 베르누이 시행을 전제한다면 표본크기 n이 클 때 상대도수 y/n를 이용해 근사 99% 신뢰구간,

$$\frac{y}{n} \pm 2.576\sqrt{\frac{(y/n)(1-y/n)}{n}}$$

을 얻게 된다. 표본추출 전에 y/n를 정확히 알지 못하지만, y/n가 0.08에 가까울 것이므로

$$2.576\sqrt{\frac{(y/n)(1-y/n)}{n}} \approx 2.576\sqrt{\frac{(0.08)(0.92)}{n}}$$

라는 것을 알며, 이 숫자가 0.001이기를 바란다. 즉

$$2.576\sqrt{\frac{(0.08)(0.92)}{n}} = 0.001$$

이며, 이는 다시 $\sqrt{n} = 2{,}576\sqrt{0.0736}$, 즉 $n \approx 488{,}394$이다.

우리가 설정한 정확도를 달성하기 위해서는 그러한 표본크기가 필요하다. 하지만 n이 너무 크므로 오차를 0.01로 조금 올리고 신뢰수준도 98%로 내린다면 $\sqrt{n} = (2.326/0.01)\sqrt{0.0736}$, 즉 $n \approx 3{,}982$가 되며 이는 보다 현실적인 표본크기가 될 것이다. ■

앞에 든 예로부터 이를테면 51%의 유권자들이 A후보를, 46%의 유권자들이 B후보를, 3%는 미정이라는 것과 같은 말에 큰 비중을 두기보다는 표본의 크기(또는 신뢰구간의 길이와 신뢰계수)를 아는 것이 얼마나 중요한지 깨달아야 한다. 그러한 51%, 46%, 3%라는 수치들이라면 100명의 유권자를 표본으로 구한 것인지, 아니면 2,000명 또는 10,000명의 유권자 표본을 토대로 구한 것인지 잘 살펴보아야 한다. 베르누이 시행을 전제로 한다면 이 세 가지 경우에 있어서 A후보에 대한 지지자들의 비율에 대한 근사 95% 신뢰구간은 각각 [0.41, 0.61], [0.49, 0.53], [0.50, 0.52]이다. $n = 100$인 경우의 구간은 A후보에게 적어도 과반수의 유권자들이 지지할 것이라는 확신을 주지 못하는 것이 분명하며, 반면에 $n = 10{,}000$인 경우의 구간은 과반수 이상의 지지율을 확실하게 보여준다.

일반적으로 p를 추정하기 위해 필요한 표본크기를 구하려면 p의 점추정치가 $\widehat{p} = y/n$이며, 근사 $1 - \alpha$ 신뢰구간이 $\widehat{p} \pm z_{\alpha/2}\sqrt{\frac{\widehat{p}(1-\widehat{p})}{n}}$라는 것을 상기할 필요가 있다. $100(1-\alpha)\%$ 신뢰도로 미지의 p로부터 ε 내에 있는 p에 대한 추정치를 원한다고 하자. 여기서 $\varepsilon = z_{\alpha/2}\sqrt{\widehat{p}(1-\widehat{p})/n}$은 **점추정치 $\widehat{p} = y/n$의 최대오차**(maximum error of the point estimate $\widehat{p} = y/n$)이다. 실험을 하기 전에는 $\widehat{p}$을 모르므로 n을 결정하는 데 $\widehat{p}$을 쓸 수 없다. 그러나 만약 p가 대략 p^*와 같다는 것을 안다고 하면 필요한 표본크기 n은

$$\varepsilon = \frac{z_{\alpha/2}\sqrt{p^*(1-p^*)}}{\sqrt{n}}$$

의 해이다. 즉

$$n = \frac{z_{\alpha/2}^2 p^*(1-p^*)}{\varepsilon^2} \tag{7.4-3}$$

이다. 그러나 예제 7.4-3의 실업률 예에서와 같이 p에 대한 강력한 사전 정보가 없는 경우도 있다. p의 값이 0과 1 사이의 어떤 값을 취하든지 항상 $p^*(1-p^*) \le 1/4$인 것은 분명하다. 따라서

$$n = \frac{z_{\alpha/2}^2 p^*(1-p^*)}{\varepsilon^2} \le \frac{z_{\alpha/2}^2}{4\varepsilon^2}$$

이다. 그러므로 p에 대한 $100(1-\alpha)\%$ 신뢰구간이 $y/n \pm \varepsilon$로 주어진 것보다 길지 않기를 원한다면 이런 조건을 만족시키는 n은

$$n = \frac{z_{\alpha/2}^2}{4\varepsilon^2} \tag{7.4-4}$$

이다.

예제 7.4-4 한 유명한 도지사 후보자가 입후보 발표를 하기 전에 유권자들의 초기 지지율을 알아보려고 한다. 아무런 사전 공표 없이 지지자의 비율 p가 0.15 수준이라면 경선에 들어갈 것이다. 무작위로 선출된 n명의 유권자 여론조사에서 이 후보자는 추정치 y/n가 p의 0.03 이내이기를 바란다고 하자. 즉, $y/n \pm 0.03$ 형태의 95% 신뢰구간을 토대로 경선 여부에 관한 결정을 하려고 한다. 이 후보자는 p값이 얼마나 될지 전혀 알지 못하므로 상담 통계전문가는 다음과 같이 계산했다.

$$n = \frac{(1.96)^2}{4(0.03)^2} = 1{,}067.11$$

따라서 원하는 신뢰도와 정확도를 가지려면 표본의 크기는 1,068명 선이어야만 한다. 도 전체에서 1,068명의 유권자가 무작위로 선발되어 인터뷰를 해 $y = 214$가 이 후보에 대한 지지를 표했다고 하자. 그러면 $\widehat{p} = 214/1{,}068 = 0.20$은 p의 점추정치이며, p에 대한 근사 95% 신뢰구간은

$$0.20 \pm 1.96\sqrt{(0.20)(0.80)/n}$$

즉, 0.20 ± 0.024이다. 이는 p가 구간 $[0.176, 0.224]$에 속한다는 것을 95% 확신한다는 것이다. 이 표본을 토대로 이 후보는 선거에 출마하기로 결정했다. 여기서 95%의 신뢰계수에 대해 추정치의 최대오차가 0.03이 되도록 표본크기를 구하였다는 것을 알 수 있다. 표본조사 후 수집된 자료로부터 추정치의 최대오차는 0.024에 불과했다. 결국 보다 작은 오차를 갖게 되었는데 이것은 실제로 p가 0.20에 가까운데도 불구하고 $p = 0.50$이라고 가정하고 표본크기를 구했기 때문이다. ■

대학 학생회의 새로운 정책에 대한 학생들의 지지율을 측정하고자 할 때 표본크기를 결정해야 한다. 만약 p가 1/2에 가깝고 추정치의 최대오차가 $\varepsilon = 0.02$가 되기를 95% 확신한다면 필요한 표본크기는 다음과 같다.

$$n = \frac{(1.96)^2}{4(0.02)^2} = 2{,}401$$

그러한 표본크기는 대규모 대학교에서는 가능할지 몰라도 소규모 대학교에서는 어렵다. 따라서 모집단의 크기가 필요한 표본크기보다 상대적으로 그리 크지 않은 경우에 표본크기를 결정할 수 있는 방법이 필요하다.

N을 모집단의 크기라 하고 그중 N_1개 개체들이 어떤 특성 C(예를 들어, 새로운 정책을 찬성함)를 갖고 있다고 하자. 그러면 그 특성을 갖고 있는 비율은 $p = N_1/N$이다. 따라서 $1 - p = 1 - N_1/N$이다. 만약 표본으로 n개를 비복원으로 추출한다면, 특성 C를 갖고 있는 개체수 X는 초기하분포를 따르게 된다. 그러므로 X의 평균과 분산은 각각 다음과 같다.

$$\mu = n\left(\frac{N_1}{N}\right) = np$$

$$\sigma^2 = n\left(\frac{N_1}{N}\right)\left(1 - \frac{N_1}{N}\right)\left(\frac{N-n}{N-1}\right) = np(1-p)\left(\frac{N-n}{N-1}\right)$$

또한 X/n의 평균과 분산은 각각 다음과 같다.

$$E\left(\frac{X}{n}\right) = \frac{\mu}{n} = p$$

$$\text{Var}\left(\frac{X}{n}\right) = \frac{\sigma^2}{n^2} = \frac{p(1-p)}{n}\left(\frac{N-n}{N-1}\right)$$

p에 대한 근사적 신뢰구간을 구하기 위해 정규분포 근사화를 시켜서 다음과 같은 결과를 얻는다.

$$P\left[-z_{\alpha/2} \le \frac{\dfrac{X}{n} - p}{\sqrt{\dfrac{p(1-p)}{n}\left(\dfrac{N-n}{N-1}\right)}} \le z_{\alpha/2}\right] \approx 1 - \alpha$$

$$1 - \alpha \approx P\left[\frac{X}{n} - z_{\alpha/2}\sqrt{\frac{p(1-p)}{n}\left(\frac{N-n}{N-1}\right)} \le p \le \frac{X}{n} + z_{\alpha/2}\sqrt{\frac{p(1-p)}{n}\left(\frac{N-n}{N-1}\right)}\right]$$

p를 $\widehat{p} = x/n$로 대체하면 p에 대한 근사적 $1 - \alpha$ 신뢰구간은 다음과 같다.

$$\widehat{p} \pm z_{\alpha/2}\sqrt{\frac{\widehat{p}(1-\widehat{p})}{n}\left(\frac{N-n}{N-1}\right)}$$

이것은 X의 분포가 $b(n, p)$일 때의 p에 대한 신뢰구간과 비슷하다. N이 n에 비해서 매우 크다면

$$\frac{N-n}{N-1} = \frac{1-n/N}{1-1/N} \approx 1$$

이므로 두 신뢰구간은 근본적으로 동일하다.

이제 p에 대한 추정치의 최대오차가 ε이 되도록 $1-\alpha$ 확신할 수 있는 표본크기 n을 결정해보자.

$$\varepsilon = z_{\alpha/2}\sqrt{\frac{p(1-p)}{n}\left(\frac{N-n}{N-1}\right)}$$

을 n에 대해 풀면 다음과 같은 해를 얻는다.

$$\begin{aligned} n &= \frac{Nz_{\alpha/2}^2 p(1-p)}{(N-1)\varepsilon^2 + z_{\alpha/2}^2 p(1-p)} \\ &= \frac{z_{\alpha/2}^2 p(1-p)/\varepsilon^2}{\dfrac{N-1}{N} + \dfrac{z_{\alpha/2}^2 p(1-p)/\varepsilon^2}{N}} \end{aligned}$$

이제

$$m = \frac{z_{\alpha/2}^2 p^*(1-p^*)}{\varepsilon^2}$$

이라고 놓으면 [이것은 사실 식 (7.4-3)에서 결정된 n값이다.] 표본크기 n은 다음과 같다.

$$n = \frac{m}{1 + \dfrac{m-1}{N}}$$

만약 p에 대한 정보가 하나도 없으면 m을 결정할 때 $p^* = 1/2$을 사용한다. 예를 들어 전체 학생 수가 $N = 4{,}000$이고 $1-\alpha = 0.95$, $\varepsilon = 0.02$이면 $p^* = 1/2$일 때 $m = 2{,}401$이며

$$n = \frac{2{,}401}{1 + 2{,}400/4{,}000} = 1{,}501$$

이다. 그러므로 전체 학생들 중에서 근사적으로 37.5% 정도 표본을 선택하게 된다.

예제 7.4-5 $N = 3{,}000$명의 어느 대학 학생들이 새로운 교수평가안에 얼마나 찬성하는지 알아보고자 한다고 하자. 신뢰도 95%하에서 찬성률 p에 대한 추정치의 최대오차가 $\varepsilon = 0.03$이라고 할 때 필요한 표본크기는 얼마인가? p에 대한 정보가 전혀 없다고 가정하면 $p^* = 1/2$을 사용해

$$m = \frac{(1.96)^2}{4(0.03)^2} = 1{,}068$$

이 되고, 따라서 필요한 표본크기는 다음과 같다.

$$n = \frac{1{,}068}{1 + 1{,}067/3{,}000} = 788$$

연습문제

7.4-1 X를 남자의 발목뼈 길이라고 하자. X가 $N(\mu, 4.84)$ 분포를 따른다고 할 때 μ의 최대오차가 0.4이며 95% 신뢰도를 갖도록 표본의 크기 n을 구하라.

7.4-2 어느 회사는 6파운드짜리 가루로 된 상자비누를 생산하고 있다. 상자비누의 표본평균과 표본표준편차는 각각 6.09, 0.02파운드이다. 상자에 평균 0.01파운드를 정도 덜 채우면 1년에 14,000달러를 절약할 수 있다.

(a) 90% 신뢰도하에서 새로운 평균 μ에 대한 추정치의 최대오차가 0.001이기 위해서는 표본의 크기가 어느 정도 되어야 하는가?

(b) 확률표본의 크기가 $n = 1{,}219$일 때, $\bar{x} = 6.048$이고 $s = 0.022$이다. μ에 대한 90% 신뢰구간을 구하라.

(c) 위와 같이 덜 채움으로써 1년 동안 절약될 수 있는 비용을 추정하라.

(d) 6파운드보다 적게 무게가 나갈 상자들의 비율을 추정하라.

7.4-3 한 유능한 기술자는 98% 신뢰도하에서 평균 강도 μ에 대한 추정치의 최대오차가 0.25이기를 원한다. 크기 32인 예비표본의 표본평균 $\bar{x}$는 35.68이고 표본표준편차 s는 1.723이었다.

(a) 표본의 크기는 어느 정도여야 하는가?

(b) 자료를 얻기 위해 파괴 실험을 할 필요가 있다면 과연 이 표본의 크기는 합당한가?

7.4-4 대통령 선거에서 A후보자에 찬성하는 투표자의 비율을 p로 표시하자. p의 추정치에 대한 최대오차가 다음과 같다면 얼마나 큰 표본을 취해야 하는가?

(a) 95% 신뢰도하에서 0.03

(b) 95% 신뢰도하에서 0.02

(c) 90% 신뢰도하에서 0.03

7.4-5 어떤 주사위를 조정해 6이 나올 확률을 변화시켰다. 6이 나오는 새로운 확률 p를 추정하고자 할 때 99% 신뢰도하에서 p에 대한 추정량의 최대오차가 0.02이도록 하려면 주사위를 몇 번 던져야 하겠는가?

7.4-6 일부 치과의사들은 표준적인 이식수술에 의한 태아 쥐의 구개가 융합되는 것을 연구하고 있다. 치료를 하지 않으면 융합확률이 0.89이다. 치과의사들은 비타민 A가 부족할 때의 융합확률 p를 추정하고자 한다.

(a) 신뢰도 95%하에서 신뢰구간 $y/n \pm 0.10$을 얻으려면 쥐 태아 몇 마리가 필요한가?

(b) 만약 $n = 60$개 구개들 중에서 $y = 44$개가 용합되었을 때 p에 대한 95% 신뢰구간을 구하라.

7.4-7 탑을 공사하는 데 1,000개의 용접 중 15%가 불량이라고 의심된다. 용접 불량률 p를 추정할 때 95% 신뢰도하에서 추정치의 최대오차가 0.04가 되도록 하려면 몇 개를 검사해야 하는가?

7.5 백분위수에 대한 분포무관 신뢰구간

6.3절에서 순서통계량으로 표본백분위수를 정의하고, 분포의 백분위수를 추정하는 데 표본백분위수들이 사용될 수 있음을 배웠다. 이 절에서는 순서통계량을 사용해 미지의 분포백분위수에 대한 신뢰구간을 구축하는 것에 대해 공부한다. 신뢰구간을 구성할 때 분포에 대한 가정을 하지 않기 때문에 그것들은 **분포무관 신뢰구간**(distribution-free confidence intervals)이라고도 한다.

만약 $Y_1 < Y_2 < Y_3 < Y_4 < Y_5$가 연속형 분포로부터 추출된 크기 $n = 5$인 확률표본의 순서통계량이라 하면 표본중위수 Y_3을 분포의 중위수 $\pi_{0.5}$에 대한 추정량으로 간주할 수 있을 것이다. 표기상 편의를 위해서 $m = \pi_{0.5}$라 하자. 단순히 표본중위수 Y_3을 분포중위수 $\pi_{0.5}$의 추정량으로 사용할 수도 있겠으나 그 크기가 5밖에 되지 않는 표본에서 관측치 $Y_3 = y_3$이 m에 매우 가까운 값이 되리라 기대하기는 힘들다. 따라서 m에 대한 신뢰구간 추정 방법이 바람직하며, 이를 어떻게 구성하는지 기술하기로 한다.

m에 대한 추정량으로서 단순히 Y_3을 사용하는 대신 확률구간(Y_1, Y_5)가 m을 포함할 확률, 즉 $P(Y_1 < m < Y_5)$를 계산하자. 앞에서 이항분포 확률을 이용했던 바와 같이 한 개체 X가 m보다 작으면 성공이라고 한다. 독립적인 시행 중 하나에서 성공이 발생할 확률은 $P(X < m) = 0.5$이다. 최소 순서통계량 Y_1이 m보다 작고 최대 순서통계량 Y_5가 m보다 크기 위해서는 최소한 1번의 성공이 발생해야 하지만 5번까지는 발생하지 않아야 한다. 즉 다음과 같다.

$$P(Y_1 < m < Y_5) = \sum_{k=1}^{4} \binom{5}{k} \left(\frac{1}{2}\right)^k \left(\frac{1}{2}\right)^{5-k}$$
$$= 1 - \left(\frac{1}{2}\right)^5 - \left(\frac{1}{2}\right)^5 = \frac{15}{16}$$

그러므로 확률구간 (Y_1, Y_5)가 m을 포함할 확률은 $15/16 \approx 0.94$이다. 실제로 확률표본이 추출되어 순서통계량이 $y_1 < y_2 < y_3 < y_4 < y_5$로 관측되었다고 하자. 그러면 (y_1, y_5)는 m에 대한 94% 신뢰구간인 것이다.

표본크기가 증가했을 경우 어떤 변화가 있는지 살펴보자. $Y_1 < Y_2 < \cdots < Y_n$이 연속형 분포로부터 나온 크기 n인 확률표본의 순서통계량이라고 하자. 그러면 $P(Y_1 < m$

$< Y_n$)은 최소한 1번의 '성공'이 발생하지만 n번까지는 발생하지 않을 확률이다. 이때 각 시행에 있어서 성공할 확률은 $P(X < m) = 0.5$이다. 결과적으로

$$P(Y_1 < m < Y_n) = \sum_{k=1}^{n-1} \binom{n}{k} \left(\frac{1}{2}\right)^k \left(\frac{1}{2}\right)^{n-k}$$
$$= 1 - \left(\frac{1}{2}\right)^n - \left(\frac{1}{2}\right)^n = 1 - \left(\frac{1}{2}\right)^{n-1}$$

이다. 이 확률은 n이 증가함에 따라 증가하며 이에 대응하는 신뢰구간 (y_1, y_n)은 매우 큰 신뢰계수, $1 - (1/2)^{n-1}$을 갖는다. 불행히도 구간 (y_1, y_n)의 길이는 n이 증가함에 따라 커지며 따라서 정확하게 m을 추정할 수는 없다. 그러나 (y_2, y_{n-1})이나 (y_3, y_{n-2})와 같은 구간을 사용한다면 비록 작은 신뢰계수를 갖지만 더 좁은 구간을 얻게 된다. 이같은 가능성을 조금 더 고찰해보자.

$i < j$에 대해 $P(Y_i < m < Y_j)$를 생각해보자. 예를 들어 $P(Y_2 < m < Y_{n-1})$이나 $P(Y_3 < m < Y_{n-2})$와 같은 확률을 계산하기를 원할 수 있다. 각각의 n번의 독립적인 시행에서 X가 m보다 작으면 성공이라고 부르며, 따라서 매 시행마다 성공의 확률은 $P(X < m) = 0.5$가 된다. 결과적으로 i번째 순서통계량 Y_i가 m보다 작고 j번째 순서통계량 Y_j가 m보다 크려면 최소한 i번의 성공이 있어야 하나 j번보다는 적어야 한다. 즉,

$$P(Y_i < m < Y_j) = \sum_{k=i}^{j-1} \binom{n}{k} \left(\frac{1}{2}\right)^k \left(\frac{1}{2}\right)^{n-k} = 1 - \alpha$$

이다. 주어진 n, i, j에 대해 확률 $1 - \alpha$는 이항분포 확률의 합이므로 이항분포로부터 직접 계산하든지 혹은 n이 매우 큰 경우 정규분포로부터 근사적으로 계산할 수 있다. 따라서 관측된 구간 (y_i, y_j)는 미지의 분포 중위수에 대한 $100(1 - \alpha)\%$ 신뢰구간인 것이다.

예제 7.5-1 어떤 물고기 9마리의 길이가 각각 32.5, 27.6, 29.3, 30.1, 15.5, 21.7, 22.8, 21.2, 19.0(cm)이었다. 따라서 순서통계량의 관측치들은 다음과 같다.

$$15.5 < 19.0 < 21.2 < 21.7 < 22.8 < 27.6 < 29.3 < 30.1 < 32.5$$

표본이 추출되기 전에

$$P(Y_2 < m < Y_8) = \sum_{k=2}^{7} \binom{9}{k} \left(\frac{1}{2}\right)^k \left(\frac{1}{2}\right)^{9-k}$$
$$= 0.9805 - 0.0195 = 0.9610$$

이라는 것을 부록 B의 표 2를 통해 알 수 있다. 따라서 이 물고기들 길이의 중위수에 대한 신뢰구간 $(y_2 = 19.0, y_8 = 30.1)$은 96.1% 신뢰계수를 갖는다. ■

표 7.5-1에는 표본크기가 $n = 5, 6, \ldots, 20$일 때 미지의 m에 대한 (y_i, y_{n+1-i}) 형태의 신뢰구간을 구성하는 데 필요한 정보가 나열되어 있다. 표에서 신뢰계수 $P(Y_i < m < Y_{n+1-i})$가 90%보다 크고 95%에 가능한 가깝도록 아래첨자 i를 선택한다.

표본크기가 20보다 크면 그러한 이항확률들을 정규분포곡선 아래 면적으로 근사해서 구한다. 이러한 근사가 얼마나 되는지 확인하기 위해 표 7.5-1의 $n = 16$에 해당하는 확률을 계산한다. 표 2를 사용해 다음을 계산한다[이때 W는 $b(16, 1/2)$ 분포를 따른다].

$$\begin{aligned} 1 - \alpha \ = \ P(Y_5 < m < Y_{12}) &= \sum_{k=5}^{11} \binom{16}{k} \left(\frac{1}{2}\right)^k \left(\frac{1}{2}\right)^{16-k} \\ &= P(W = 5, 6, \ldots, 11) \\ &= 0.9616 - 0.0384 \ = \ 0.9232 \end{aligned}$$

정규근사를 한다면 평균이 $np = 8$이고 분산이 $np(1 - p) = 4$이므로 다음과 같다.

$$1 - \alpha = P(4.5 < W < 11.5) = P\left(\frac{4.5 - 8}{2} < \frac{W - 8}{2} < \frac{11.5 - 8}{2}\right)$$

표준화 변수 $Z = (W - 8)/2$는 근사적으로 표준정규분포를 따르므로 위의 확률은 다음과 같다.

$$\begin{aligned} 1 - \alpha \ \approx \ \Phi\left(\frac{3.5}{2}\right) - \Phi\left(\frac{-3.5}{2}\right) &= \Phi(1.75) - \Phi(-1.75) \\ &= 0.9599 - 0.0401 \ = \ 0.9198 \end{aligned}$$

이 근삿값은 표 7.5-1에 표기된 확률값 0.9232와 매우 가깝다는 것을 확인할 수 있다.

연속형 분포의 중위수에 대한 신뢰구간을 구하는 방법은 임의의 백분위수 π_p에 대해서도 적용될 수 있다. 이 경우 한 번의 시행에서 X가 π_p보다 작은 것을 성공이라고 한다. 그러므로 독립적인 매 시행에서 성공이 발생할 확률은 $P(X < \pi_p) = p$이다. 따라서 $i < j$

표 7.5-1 m에 대한 신뢰구간을 위한 정보

n	$(i, n+1-i)$	$P(Y_i < m < Y_{n+1-i})$	n	$(i, n+1-i)$	$P(Y_i < m < Y_{n+1-i})$
5	(1, 5)	0.9376	13	(3, 11)	0.9776
6	(1, 6)	0.9688	14	(4, 11)	0.9426
7	(1, 7)	0.9844	15	(4, 12)	0.9648
8	(2, 7)	0.9296	16	(5, 12)	0.9232
9	(2, 8)	0.9610	17	(5, 13)	0.9510
10	(2, 9)	0.9786	18	(5, 14)	0.9692
11	(3, 9)	0.9346	19	(6, 14)	0.9364
12	(3, 10)	0.9614	20	(6, 15)	0.9586

에 대해 $1-\alpha = P(Y_i < \pi_p < Y_j)$는 최소한 i번의 성공이 발생하지만 j번까지는 발생하지 않을 확률인 것이다. 즉,

$$1-\alpha = P(Y_i < \pi_p < Y_j) = \sum_{k=i}^{j-1} \binom{n}{k} p^k (1-p)^{n-k}$$

이다. 일단 표본이 추출되고 순서통계량 값이 결정되면 (y_i, y_j)는 미지의 분포의 백분위수 π_p에 대한 $100(1-\alpha)\%$ 신뢰구간이 된다.

예제 7.5-2 다음은 어떤 집단의 소득(단위: 100달러)에 대한 $n = 27$명의 표본자료이다.

261	269	271	274	279	280	283	284	286
287	292	293	296	300	304	305	313	321
322	329	341	343	356	364	391	417	476

이 집단의 제25백분위수 $\pi_{0.25}$를 추정하고자 한다. $(n+1)p = 28(1/4) = 7$이므로 7번째 순서통계량, 즉 $y_7 = 283$은 $\pi_{0.25}$에 대한 점추정치가 될 수 있다. $\pi_{0.25}$에 대한 구간추정을 위해 y_4와 y_{10}과 같이 y_7보다 조금 작고, y_7보다 조금 큰 순서통계량을 고려해보자. 그러면 구간 (y_4, y_{10})의 신뢰계수는 얼마인가? 표본이 추출되기 전에 우리는

$$1-\alpha = P(Y_4 < \pi_{0.25} < Y_{10}) = \sum_{k=4}^{9} \binom{27}{k} (0.25)^k (0.75)^{27-k} = 0.8201$$

임을 알 수 있다. 정규근사를 위해 $b(27, 1/4)$ 분포를 따르는 확률변수 W를 사용한다. W의 평균과 분산이 각각 $27/4 = 6.75$, $81/16$이므로 정규분포에 근사시켜 위의 확률을 계산할 수 있다. 즉,

$$\begin{aligned} 1-\alpha &= P(4 \le W \le 9) = P(3.5 < W < 9.5) \\ &\approx \Phi\left(\frac{9.5-6.75}{9/4}\right) - \Phi\left(\frac{3.5-6.75}{9/4}\right) \\ &= \Phi\left(\frac{11}{9}\right) - \Phi\left(-\frac{13}{9}\right) = 0.8149 \end{aligned}$$

이다. 따라서 $(y_4 = 274,\ y_{10} = 287)$은 $\pi_{0.25}$에 대한 82.01% (혹은 근사적으로 81.49%) 신뢰구간이다. 물론 $(y_3 = 271,\ y_{11} = 292)$와 같은 다른 구간을 신뢰구간으로 사용할 수 있으며 이에 대응하는 신뢰계수 역시 달라진다는 것을 유념할 필요가 있다. 그러므로 희망하는 신뢰계수를 먼저 설정한 후 $(n+1)p$번째 순서통계량을 기준으로 좌우로 비교적 대칭적인 적절한 순서통계량들을 취해 신뢰구간을 정한다. ■

만약 관측값들이 많다면 순서통계량들을 쉽게 결정할 수 있는 것이 중요하다. 다음 예제에서 보여지듯이 6.2절에서 소개된 줄기와 잎그림이 필요한 순서통계량들을 결정하는 데 도움을 준다.

예제 7.5-3 소가 첫 번째 새끼를 낳은 후 305일 동안의 우유생산기간 동안 $n = 90$마리의 소가 생산한 유지방 자료가 표 7.5-2에 정리되어 있다. 표 안의 각 잎은 두 자릿수로 이루어져 있다. 이 표로부터 $y_8 = 392$라는 것을 쉽게 인식할 수 있다. 조금만 더 노력한다면 $y_{38} = 494$와 $y_{53} = 526$을 이용한 구간 (494, 526)이 전체 유지방들의 미지의 중위수에 대한 신뢰구간으로 적합하다는 것을 알 수 있다. 이 구간의 신뢰계수는 다음과 같다.

표 7.5-2 유지방 자료에 대한 순서 줄기와 잎그림

줄기	잎									
2s	74									
2•										
3*										
3t	27	39								
3f	45	50								
3s										
3•	80	88	92	94	95					
4*	17	18								
4t	21	22	27	34	37	39				
4f	44	52	53	53	57	58				
4s	60	64	66	70	70	72	75	78		
4•	81	86	89	91	92	94	96	97	99	
5*	00	00	01	02	05	09	10	13	13	16
5t	24	26	31	32	32	37	37	39		
5f	40	41	44	55						
5s	61	70	73	74						
5•	83	83	86	93	99					
6*	07	08	11	12	13	17	18	19		
6t	27	28	35	37						
6f	43	43	45							
6s	72									
6•	91	96								

$$\begin{aligned} P(Y_{38} < m < Y_{53}) &= \sum_{k=38}^{52} \binom{90}{k}\left(\frac{1}{2}\right)^k\left(\frac{1}{2}\right)^{90-k} \\ &\approx \Phi\left(\frac{52.5-45}{\sqrt{22.5}}\right) - \Phi\left(\frac{37.5-45}{\sqrt{22.5}}\right) \\ &= \Phi(1.58) - \Phi(-1.58) = 0.8858 \end{aligned}$$

비슷한 절차에 의해 $(y_{17} = 437, y_{29} = 470)$은 다음에 계산된 신뢰계수를 가진 제1사분위수 $\pi_{0.25}$에 대한 신뢰구간임을 알 수 있다.

$$\begin{aligned} P(Y_{17} < \pi_{0.25} < Y_{29}) &\approx \Phi\left(\frac{28.5-22.5}{\sqrt{16.875}}\right) - \Phi\left(\frac{16.5-22.5}{\sqrt{16.875}}\right) \\ &= \Phi(1.46) - \Phi(-1.46) = 0.8558 \end{aligned}$$

이항분포를 이용해 정확하게 위의 신뢰계수를 구하면 각각 0.8867과 0.8569이다. ■

평균 μ에 대한 신뢰구간 $\bar{x} \pm t_{\alpha/2}(n-1)(s/\sqrt{n})$의 길이와 중위수 m에 대한 $100(1-\alpha)\%$ 분포무관 신뢰구간의 길이를 비교하는 것은 흥미롭다. 표본이 정규분포로부터 크게 다르지 않은 분포로부터 추출되었다면 표본평균 $\bar{x}$에 기반한 신뢰구간이 훨씬 짧다. 결국 그 신뢰구간을 구하기 위해 더 많은 것을 가정한 셈이다. 반면에 분포무관 방법에서 가정한 것은 오직 분포가 연속형이라는 것뿐이다. 따라서 만약 분포가 매우 기울어져 있거나 꼬리가 두꺼워서 이상점들이 존재하는 경우 분포무관 방법이 더 안전하며 강건하다. 더욱이 분포무관 방법은 다양한 백분위수에 대한 신뢰구간을 구할 수 있는 길을 제공해주며, 실제로 연구자들이 종종 그러한 신뢰구간들에 관심을 갖는다.

연습문제

7.5-1 $Y_1 < Y_2 < Y_3 < Y_4 < Y_5 < Y_6$은 제$(100p)$ 백분위수 π_p를 갖는 연속형 분포로부터 나온 순서통계량들이다. 다음을 계산하라.

(a) $P(Y_2 < \pi_{0.5} < Y_5)$

(b) $P(Y_1 < \pi_{0.25} < Y_4)$

(c) $P(Y_4 < \pi_{0.9} < Y_6)$

7.5-2 $n = 9$개의 전기기록거울을 이용해 하한반사율을 다음과 같이 측정했다.

7.12 7.22 6.78 6.31 5.99 6.58 7.80 7.40 7.05

(a) 중위수 m에 대한 근사 95% 신뢰구간을 구하라.

(b) (y_3, y_7)을 이용해 m에 대한 신뢰구간을 구하고 그에 따른 신뢰계수를 계산하라.

7.5-3 거미를 연구하는 생물학자가 20마리의 초록시라소니 거미 수컷의 앞다리 길이에 대한 다음과 같은 자료를 얻었다. 신뢰계수가 0.95에 가까운 중위수 m에 대한 신뢰구간을 구하라.

15.10	13.55	15.75	20.00	15.45
13.60	16.45	14.05	16.95	19.05
16.40	17.05	15.25	16.65	16.25
17.75	15.40	16.80	17.55	19.05

7.5-4 다음은 25개 계기 덮게 무게 자료이다.

102.0	106.3	106.6	108.8	107.7
106.1	105.9	106.7	106.8	110.2
101.7	106.6	106.3	110.2	109.9
102.0	105.8	109.1	106.7	107.3
102.0	106.8	110.0	107.9	109.3

(a) 자료를 순서대로 정렬하라.

(b) $\pi_{0.25}$, m, $\pi_{0.75}$에 대한 점추정치를 계산하라.

(c) 부록 B의 표 2를 이용해 다음 각각의 신뢰구간을 구하고 해당 신뢰계수를 계산하라.

(i) $\pi_{0.25}$에 대한 신뢰구간 (y_3, y_{10})

(ii) 중위수 m에 대한 신뢰구간 (y_9, y_{17})

(iii) $\pi_{0.75}$에 대한 신뢰구간 (y_{16}, y_{23})

(d) (c)의 (ii)에 있는 중위수 m에 대한 신뢰구간의 신뢰계수와 동일한 신뢰계수를 갖도록 평균 μ에 대한 신뢰구간 $\bar{x} \pm t_{\alpha/2}(24)(s/\sqrt{25})$를 구하고 이들 두 신뢰구간을 비교하라.

7.5-5 어떤 치약 속에 함유된 불화물질의 양을 X라고 하자. 표 6.1-3에 100개의 관측값이 정리되어 있다.

(a) 중위수 $m = \pi_{0.50}$에 대한 점추정치를 구하라.

(b) 중위수 m에 대한 95% 신뢰구간을 근사적으로 구하고, 그 구간에 대한 정확한 신뢰계수를 계산하라.

(c) 제1사분위수에 대한 점추정치를 구하라.

(d) 제1사분위수에 대한 90% 신뢰구간을 근사적으로 구하고, 그 구간에 대한 정확한 신뢰계수를 계산하라.

(e) 제3사분위수에 대한 점추정치를 구하라.

(f) 제3사분위수에 대한 95% 신뢰구간을 근사적으로 구하고, 그 구간에 대한 정확한 신뢰계수를 계산하라.

7.5-6 예제 6.2-4의 금화 자료를 이용해 $\pi_{0.25}$, $\pi_{0.5}$, $\pi_{0.75}$에 대한 95% 신뢰구간을 근사적으로 구하라.

7.6 회귀에 대한 추가 논제

이 절에서는 6.5절의 기호와 가정들을 사용해 단순회귀 모형에서의 중요한 모수들에 대해 신뢰구간을 유도하려고 한다. 먼저 오차제곱합이 다음과 같이 전개될 수 있다(연습문제 7.6-7).

$$\begin{aligned}\sum_{i=1}^{n}[Y_i - \alpha - \beta(x_i - \bar{x})]^2 &= \sum_{i=1}^{n}\{(\widehat{\alpha} - \alpha) + (\widehat{\beta} - \beta)(x_i - \bar{x}) \\ &\quad + [Y_i - \widehat{\alpha} - \widehat{\beta}(x_i - \bar{x})]\}^2 \\ &= n(\widehat{\alpha} - \alpha)^2 + (\widehat{\beta} - \beta)^2\sum_{i=1}^{n}(x_i - \bar{x})^2 \\ &\quad + \sum_{i=1}^{n}[Y_i - \widehat{\alpha} - \widehat{\beta}(x_i - \bar{x})]^2 \end{aligned} \tag{7.6-1}$$

Y_i, $\widehat{\alpha}$, $\widehat{\beta}$이 정규분포를 따르므로

$$\frac{[Y_i - \alpha - \beta(x_i - \bar{x})]^2}{\sigma^2}, \qquad \frac{(\widehat{\alpha} - \alpha)^2}{\left[\dfrac{\sigma^2}{n}\right]}, \qquad \frac{(\widehat{\beta} - \beta)^2}{\left[\dfrac{\sigma^2}{\sum_{i=1}^{n}(x_i - \bar{x})^2}\right]}$$

모두 각각 $\chi^2(1)$ 분포를 따른다. 또 $Y_1, Y_2, \ldots, Y_n$들이 서로 독립이기 때문에

$$\frac{\sum_{i=1}^{n}[Y_i - \alpha - \beta(x_i - \overline{x})]^2}{\sigma^2} \sim \chi^2(n)$$

이 됨을 알 수 있다. 즉 식 (7.6-1)의 왼쪽 항을 σ^2으로 나눈 것이 $\chi^2(n)$을 따르며 이것은 또한 2개의 $\chi^2(1)$ 확률변수들과

$$\frac{\sum_{i=1}^{n}[Y_i - \widehat{\alpha} - \widehat{\beta}(x_i - \overline{x})]^2}{\sigma^2} = \frac{n\widehat{\sigma^2}}{\sigma^2} \geq 0$$

의 합과 동일하다. 그러므로 $n\widehat{\sigma^2}/\sigma^2$은 $\chi^2(n-2)$이며 $\widehat{\alpha}, \widehat{\beta}, \widehat{\sigma^2}$은 서로 독립적이다. [증명: Hogg, McKean, and Craig, *Introduction to Mathematical Statistics*, 7th ed. (Upper Saddle River, NJ: Prentice Hall, 2013).]

이제 직선의 기울기 β에 대한 신뢰구간을 구하는 데 관심이 있다고 하자.

$$T_1 = \frac{\sqrt{\sum_{i=1}^{n}(x_i - \overline{x})^2}\left(\dfrac{\widehat{\beta} - \beta}{\sigma}\right)}{\sqrt{\dfrac{n\widehat{\sigma^2}}{\sigma^2(n-2)}}} = \frac{\widehat{\beta} - \beta}{\sqrt{\dfrac{n\widehat{\sigma^2}}{(n-2)\sum_{i=1}^{n}(x_i - \overline{x})^2}}}$$

는 자유도가 $n-2$인 t 분포를 따르므로 β의 $100(1-\gamma)\%$ 신뢰구간은 다음과 같다.

$$\left[\widehat{\beta} - t_{\gamma/2}(n-2)\sqrt{\frac{n\widehat{\sigma^2}}{(n-2)\sum_{i=1}^{n}(x_i - \overline{x})^2}},\right.$$
$$\left.\widehat{\beta} + t_{\gamma/2}(n-2)\sqrt{\frac{n\widehat{\sigma^2}}{(n-2)\sum_{i=1}^{n}(x_i - \overline{x})^2}}\right] \tag{7.6-2}$$

같은 방법으로

$$T_2 = \frac{\dfrac{\sqrt{n}(\widehat{\alpha} - \alpha)}{\sigma}}{\sqrt{\dfrac{n\widehat{\sigma^2}}{\sigma^2(n-2)}}} = \frac{\widehat{\alpha} - \alpha}{\sqrt{\dfrac{\widehat{\sigma^2}}{n-2}}}$$

는 자유도가 $n-2$인 t 분포를 따르게 됨을 알 수 있다. 따라서 α의 $100(1-\gamma)\%$ 신뢰구간은 다음과 같다.

$$\widehat{\alpha} \pm t_{\gamma/2}(n-2)\sqrt{\frac{\widehat{\sigma^2}}{(n-2)}}$$

$n\widehat{\sigma^2}/\sigma^2$이 자유도가 $n-2$인 χ^2 분포를 따른다는 사실을 이용해 분산 σ^2의 $100(1-\gamma)\%$ 신뢰구간을 구할 수 있다(연습문제 7.6-8 참조).

앞에서 우리는 $\widehat{Y} = \widehat{\alpha} + \widehat{\beta}(x - \bar{x})$가 주어진 x에 대응되는 Y의 평균에 대한 점추정치임을 확인했으며, 혹은 $\widehat{Y}$을 주어진 x에 대응하는 Y의 예측값으로 간주할 수 있다. 그러나 $\widehat{Y}$이 과연 Y의 평균이나 Y 그 자체와 얼마나 가까울지 검토해볼 필요가 있다. 이제 주어진 x에서 $\alpha + \beta(x - \bar{x})$에 대한 신뢰구간과, Y에 대한 예측구간을 찾고자 한다.

먼저 $E(Y) = \mu(x) = \alpha + \beta(x - \bar{x})$에 대한 신뢰구간을 구하기 위해 $\widehat{Y} = \widehat{\alpha} + \widehat{\beta}(x - \bar{x})$라고 하자. $\widehat{Y}$이 독립적인 정규분포를 따르는 $\widehat{\alpha}$과 $\widehat{\beta}$의 선형결합이므로 $\widehat{Y}$은 다음과 같은 평균과 분산을 갖는 정규분포를 따른다.

$$\begin{aligned} E(\widehat{Y}) &= E[\widehat{\alpha} + \widehat{\beta}(x - \bar{x})] \\ &= \alpha + \beta(x - \bar{x}) \end{aligned}$$

$$\begin{aligned} \mathrm{Var}(\widehat{Y}) &= \mathrm{Var}[\widehat{\alpha} + \widehat{\beta}(x - \bar{x})] \\ &= \frac{\sigma^2}{n} + \frac{\sigma^2}{\sum_{i=1}^{n}(x_i - \bar{x})^2}(x - \bar{x})^2 \\ &= \sigma^2\left[\frac{1}{n} + \frac{(x - \bar{x})^2}{\sum_{i=1}^{n}(x_i - \bar{x})^2}\right] \end{aligned}$$

이때 $n\widehat{\sigma^2}/\sigma^2$은 $\chi^2(n-2)$ 분포를 따르며, $\widehat{\alpha}$과 $\widehat{\beta}$은 $\widehat{\sigma^2}$과 독립이므로 다음의 t 통계량

$$T = \frac{\dfrac{\widehat{\alpha} + \widehat{\beta}(x - \bar{x}) - [\alpha + \beta(x - \bar{x})]}{\sigma\sqrt{\dfrac{1}{n} + \dfrac{(x - \bar{x})^2}{\sum_{i=1}^{n}(x_i - \bar{x})^2}}}}{\sqrt{\dfrac{n\widehat{\sigma^2}}{(n-2)\sigma^2}}}$$

는 자유도가 $n-2$인 t 분포를 따르게 된다. 따라서 $\mu(x) = \alpha + \beta(x - \bar{x})$의 $100(1-\gamma)\%$ 신뢰구간은

$$c = \sqrt{\frac{n\widehat{\sigma^2}}{n-2}}\sqrt{\frac{1}{n} + \frac{(x - \bar{x})^2}{\sum_{i=1}^{n}(x_i - \bar{x})^2}}$$

이라고 할 때,

$$\widehat{\alpha} + \widehat{\beta}(x - \bar{x}) \pm c t_{\gamma/2}(n-2)$$

로 주어진다.

주어진 x에서 Y의 예측구간을 구하는 문제는 다음과 같이 생각할 수 있다. 회귀직선을 추정하는 데는 $(x_1, y_1), (x_2, y_2), \ldots, (x_n, y_n)$이 이용되었고, x_{n+1}에서 Y의 추정값은

$$\widehat{y}_{n+1} = \widehat{\alpha} + \widehat{\beta}(x_{n+1} - \overline{x})$$

라고 할 수 있다. 그러나 $\widehat{y}_{n+1}$은 $\varepsilon_{n+1} \sim N(0, \sigma^2)$일 때, 확률변수

$$Y_{n+1} = \alpha + \beta(x_{n+1} - \overline{x}) + \varepsilon_{n+1}$$

의 가능한 값 중 단지 하나의 값이다. Y_{n+1}에 대한 가능한 값들에 대해 무엇을 말할 수 있겠는가? 여기서 $x = x_{n+1}$이 주어졌을 때 Y_{n+1}의 **예측구간**(prediction interval)은 $x = x_{n+1}$일 때 Y_{n+1}의 평균에 대한 신뢰구간과 비슷하다.

$Y_{n+1} = \alpha + \beta(x_{n+1} - \overline{x}) + \varepsilon_{n+1}$이고 $\varepsilon_{n+1} \sim N(0, \sigma^2)$이므로

$$W = Y_{n+1} - \widehat{\alpha} - \widehat{\beta}\,(x_{n+1} - \overline{x})$$

는 정규분포를 따르는 확률변수들의 선형결합이므로 정규분포를 따르며, Y_{n+1}, $\widehat{\alpha}$, $\widehat{\beta}$ 이 독립이므로 다음과 같은 평균과 분산을 갖는 정규분포를 따른다.

$$\begin{aligned} E(W) &= E[Y_{n+1} - \widehat{\alpha} - \widehat{\beta}\,(x_{n+1} - \overline{x})] \\ &= \alpha + \beta(x_{n+1} - \overline{x}) - \alpha - \beta(x_{n+1} - \overline{x}) = 0 \end{aligned}$$

$$\begin{aligned} \text{Var}(W) &= \sigma^2 + \frac{\sigma^2}{n} + \frac{\sigma^2}{\sum_{i=1}^{n}(x_i - \overline{x})^2}(x_{n+1} - \overline{x})^2 \\ &= \sigma^2\left[1 + \frac{1}{n} + \frac{(x_{n+1} - \overline{x})^2}{\sum_{i=1}^{n}(x_i - \overline{x})^2}\right] \end{aligned}$$

$n\widehat{\sigma^2}/[(n-2)\sigma^2]$은 $\chi^2(n-2)$ 분포를 가지며, Y_{n+1}, $\widehat{\alpha}$, $\widehat{\beta}$ 은 $\widehat{\sigma^2}$과 독립이므로 t 통계량

$$T = \frac{\dfrac{Y_{n+1} - \widehat{\alpha} - \widehat{\beta}\,(x_{n+1} - \overline{x})}{\sigma\sqrt{1 + \dfrac{1}{n} + \dfrac{(x_{n+1} - \overline{x})^2}{\sum_{i=1}^{n}(x_i - \overline{x})^2}}}}{\sqrt{\dfrac{n\widehat{\sigma^2}}{(n-2)\sigma^2}}}$$

는 자유도가 $n-2$인 t 분포를 따른다. 따라서 Y_{n+1}의 $100(1-\gamma)\%$ 예측구간은

$$d = \sqrt{\frac{n\widehat{\sigma^2}}{n-2}}\sqrt{1 + \frac{1}{n} + \frac{(x_{n+1} - \overline{x})^2}{\sum_{i=1}^{n}(x_i - \overline{x})^2}}$$

이라고 할 때,

$$\widehat{\alpha} + \widehat{\beta}(x_{n+1} - \overline{x}) \pm d t_{\gamma/2}(n-2)$$

로 주어진다.

$x_{n+1} = x$일 때 c와 d의 관계를 살펴보면

$$d^2 = c^2 + \frac{n\widehat{\sigma^2}}{n-2}$$

임을 확인할 수 있으며, 이는 $X = x$에서 Y의 $100(1-\gamma)\%$ 예측구간이 $\mu(x)$에 대한 $100(1-\gamma)\%$ 신뢰구간보다 다소 넓다는 것을 의미한다. 이는 주어진 X값에서 Y의 한 관측값과 그것의 예측치와의 차이는 Y의 전체 모집단에서 평균값과 그것의 추정량과의 차이보다 더 변동이 큰 경향이 있다는 점에서 타당하다.

$\{\mu(x): -\infty < x < \infty\}$에 대한 $100(1-\gamma)\%$ 신뢰구간들의 집합을 $\mu(x)$에 대한 $100(1-\gamma)\%$ **신뢰대**(confidence band)라고 하며, $\{Y(x) = \alpha + \beta x + \varepsilon: -\infty < x < \infty\}$에 대한 $100(1-\gamma)\%$ 예측구간들의 집합을 Y에 대한 $100(1-\gamma)\%$ **예측대**(prediction band)라고 한다. c와 d의 표현을 잘 살펴보면 신뢰대와 예측대 모두 $x = \bar{x}$에서 가장 사이가 좁다는 것을 확인할 수 있다.

예제 7.6-1 예제 6.5-1의 자료를 이용해 $\mu(x)$의 95% 신뢰구간을 구해보자. 이미 알고 있는 사실은 다음과 같다.

$$\bar{x} = 68.3, \quad \widehat{\alpha} = 81.3, \quad \widehat{\beta} = 561.1/756.1 = 0.7421, \quad \widehat{\sigma^2} = 21.7709$$

$$\sum_{i=1}^{n}(x_i - \bar{x})^2 = 756.1$$

$t_{0.025}(8) = 2.306$이므로, $x = 60$에서 $\mu(60)$의 95% 신뢰구간은

$$81.3 + 0.7421(60 - 68.3) \pm \left[\sqrt{\frac{10(21.7709)}{8}}\sqrt{\frac{1}{10} + \frac{(60-68.3)^2}{756.1}}\right](2.306)$$

즉

$$75.1406 \pm 5.2589$$

이다. 그림 7.6-1(a)에 $\mu(x)$에 대한 95% 신뢰구간이 $\widehat{y} = \widehat{\alpha} + \widehat{\beta}(x - \bar{x})$와 함께 나타나 있다. 또 $x = 60$에서 Y의 95% 예측구간은

$$81.3 + 0.7421(60 - 68.3) \pm \left[\sqrt{\frac{10(21.7709)}{8}}\sqrt{1.1 + \frac{(60-68.3)^2}{756.1}}\right](2.306)$$

즉

$$75.1406 \pm 13.1289$$

이다. 그림 7.6-1(b)에 Y에 대한 95% 예측구간이 그려져 있으며, 이는 $\mu(60)$에 대한

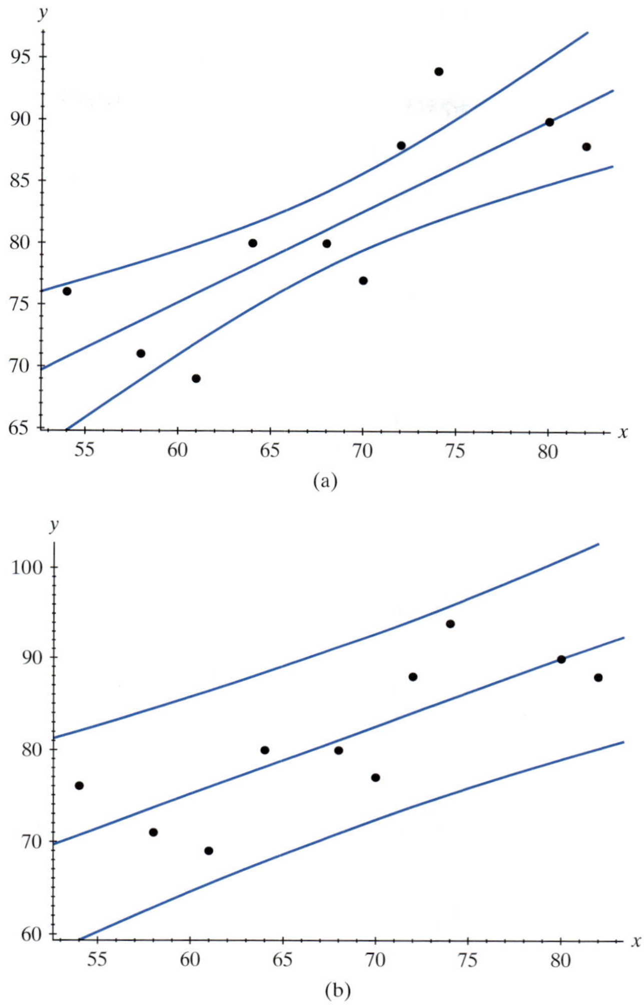

그림 7.6-1 (a) $\mu(x)$에 대한 95% 신뢰대, (b) Y에 대한 95% 예측대

신뢰구간보다 훨씬 넓다는 것을 확인할 수 있다. ■

이제 단순회귀모형을 여러 개의 독립변수를 포함하는 **다중회귀**(multiple regression)의 경우로 확장해보자. 우리가 y값과 함께 몇 개의 x변수(예를 들어, $x_1, x_2, \ldots, x_k$)에 대한 관측값들을 얻을 수 있다고 하자. 예를 들어 x_1은 대학입학 학력고사점수, x_2는 고등학교 내신성적, y는 대학교 1학년 평균성적을 나타낸 경우이다. 얼마간의 관측자료를 이용해 회귀함수 $E(Y) = \mu(x_1, x_2, \ldots, x_k)$를 추정하고자 한다. 만약

$$\mu(x_1, x_2, \ldots, x_k) = \beta_1 x_1 + \beta_2 x_2 + \cdots + \beta_k x_k$$

이면, 이 회귀함수는 모수 β_1, β_2, $\ldots$, β_k에 관해 선형이기 때문에 **선형모형**(linear model)이라고 한다.

6.5절의 모형이 $x_1 = 1$이고 $x_2 = x$로 간주하면 평균이 $\alpha + \beta x$(편의상 x로부터 x값들의 평균을 뺀 것임)이며 $\alpha = \beta_1$, $\beta = \beta_2$에 관해 선형임을 유념하자. 평균으로서 3차 함수모형 $\beta_1 + \beta_2 x + \beta_3 x^2 + \beta_4 x^3$을 이용하고자 할 때도 $x_1 = 1$, $x_2 = x$, $x_3 = x^2$, $x_4 = x^3$으로 놓으면 $\beta_1 x_1 + \beta_2 x_2 + \beta_3 x_3 + \beta_4 x_4$와 같이 여전히 β들에 관해 선형인 선형모형임을 알 수 있다.

n개의 관측점들 $(x_{1j}, x_{2j}, \ldots, x_{kj}, y_j)$, $j = 1, 2, \ldots, n$에 대해 최소제곱법을 이용해 선형모형 $\beta_1 x_1 + \beta_2 x_2 + \cdots + \beta_x x_k$를 적합시키기 위해서는

$$G = \sum_{j=1}^{n} (y_j - \beta_1 x_{1j} - \beta_2 x_{2j} - \cdots - \beta_k x_{kj})^2$$

이 최소가 되도록 회귀계수를 추정하면 된다. $\beta_1, \beta_2, \ldots, \beta_k$에 대한 1차 편도함수

$$\frac{\partial G}{\partial \beta_i} = \sum_{j=1}^{n} (-2)(y_j - \beta_1 x_{1j} - \beta_2 x_{2j} - \cdots - \beta_k x_{kj})(x_{ij}), \qquad i = 1, 2, \ldots, k$$

를 구해 0으로 놓으면, 다음과 같은 k개의 **정규방정식**(normal equation)을 얻을 수 있다.

$$\begin{array}{ccccccc}
\beta_1 \sum_{j=1}^{n} x_{1j}^2 & + \beta_2 \sum_{j=1}^{n} x_{1j}x_{2j} & + \cdots + & \beta_k \sum_{j=1}^{n} x_{1j}x_{kj} & = & \sum_{j=1}^{n} x_{1j}y_j \\
\beta_1 \sum_{j=1}^{n} x_{2j}x_{1j} & + \beta_2 \sum_{j=1}^{n} x_{2j}^2 & + \cdots + & \beta_k \sum_{j=1}^{n} x_{2j}x_{kj} & = & \sum_{j=1}^{n} x_{2j}y_j \\
\vdots & \vdots & \ddots & \vdots & & \vdots \\
\beta_1 \sum_{j=1}^{n} x_{kj}x_{1j} & + \beta_2 \sum_{j=1}^{n} x_{kj}x_{2j} & + \cdots + & \beta_k \sum_{j=1}^{n} x_{kj}^2 & = & \sum_{j=1}^{n} x_{kj}y_j
\end{array}$$

이상의 정규방정식들을 연립으로 풀면 $\beta_1, \beta_2, \ldots, \beta_k$의 최소제곱추정치를 얻을 수 있다. 이들 추정치들은 확률변수 $Y_1, Y_2, \ldots, Y_n$이 서로 독립이고 Y_j가 정규분포 $N(\beta_1 x_{1j} + \beta_2 x_{2j} + \cdots + \beta_k x_{kj}, \sigma^2)$을 따를 경우에는 $\beta_1, \beta_2, \ldots, \beta_k$의 최우추정치와 같게 된다.

예제 7.6-2 최소제곱법에 의해 $y = \beta_1 x_1 + \beta_2 x_2 + \beta_3 x_3$을 5개의 (x_1, x_2, x_3, y) 관측점들에 적합시켜보자. 5개의 점은 다음과 같다.

$$(1, 1, 0, 4), \quad (1, 0, 1, 3), \quad (1, 2, 3, 2), \quad (1, 3, 0, 6), \quad (1, 0, 0, 1)$$

모든 점에서 $x_1 = 1$이므로 우리는 실제로는 $y = \beta_1 + \beta_2 x_2 + \beta_3 x_3$을 적합시키는 것이다. 계산된 통계값은 다음과 같다.

$$\sum_{j=1}^{5} x_{1j}^2 = 5, \quad \sum_{j=1}^{5} x_{1j}x_{2j} = 6, \quad \sum_{j=1}^{5} x_{1j}x_{3j} = 4, \quad \sum_{j=1}^{5} x_{1j}y_j = 16$$
$$\sum_{j=1}^{5} x_{2j}x_{1j} = 6, \quad \sum_{j=1}^{5} x_{2j}^2 = 14, \quad \sum_{j=1}^{5} x_{2j}x_{3j} = 6, \quad \sum_{j=1}^{5} x_{2j}y_j = 26$$
$$\sum_{j=1}^{5} x_{3j}x_{1j} = 4, \quad \sum_{j=1}^{5} x_{3j}x_{2j} = 6, \quad \sum_{j=1}^{5} x_{3j}^2 = 10, \quad \sum_{j=1}^{5} x_{3j}y_j = 9$$

정규방정식

$$\begin{aligned} 5\beta_1 + 6\beta_2 + 4\beta_3 &= 16 \\ 6\beta_1 + 14\beta_2 + 6\beta_3 &= 26 \\ 4\beta_1 + 6\beta_2 + 10\beta_3 &= 9 \end{aligned}$$

를 풀면

$$\widehat{\beta}_1 = \frac{274}{112}, \qquad \widehat{\beta}_2 = \frac{127}{112}, \qquad \widehat{\beta}_3 = -\frac{85}{112}$$

가 되고, 최소제곱 회귀추정식은

$$y = \frac{274x_1 + 127x_2 - 85x_3}{112}$$

이다. 만약 x_1이 항상 1이라면 다음과 같다.

$$y = \frac{274 + 127x_2 - 85x_3}{112}$$ ■

보통의 2표본 문제가 선형모형으로 간주될 수 있다는 사실이 흥미롭다. $\beta_1 = \mu_1$, $\beta_2 = \mu_2$로 놓고, (x_1, x_2)의 n개 쌍이 (1, 0) 값을 갖고, m개 쌍이 (0, 1) 값을 갖는다고 하자. 그러면 처음 n개의 변수 $Y_1, Y_2, \ldots, Y_n$은 평균

$$\beta_1 \cdot 1 + \beta_2 \cdot 0 = \beta_1 = \mu_1$$

을 갖게 되고, 그다음 m개의 변수 $Y_{n+1}, Y_{n+2}, \ldots, Y_{n+m}$은 평균

$$\beta_1 \cdot 0 + \beta_2 \cdot 1 = \beta_2 = \mu_2$$

를 갖게 된다. 2표본 문제에서의 표본 $X_1, X_2, \ldots, X_n$과 $Y_1, Y_2, \ldots, Y_m$이 위의 선형모형 변수들 $Y_1, Y_2, \ldots, Y_n$과 $Y_{n+1}, Y_{n+2}, \ldots, Y_{n+m}$으로 각각 대체되어 인식될 수 있다는 것이다.

연습문제

7.6-1 단순회귀 모형에서 $x = 0$일 때 Y의 평균은 $\alpha - \beta\bar{x} = \alpha_1$이다. α_1에 대한 최소제곱추정량은 $\widehat{\alpha} - \widehat{\beta}\bar{x} = \widehat{\alpha}_1$이다.

(a) $\widehat{\alpha}_1$의 분포를 유도하라.

(b) α_1에 대한 $100(1-\gamma)\%$ 신뢰구간을 구하라.

7.6-2 연습문제 6.5-2에 주어진 자료를 이용해 다음 물음에 답하라.

(a) $x = 68, 75, 82$일 때 $\mu(x)$의 95% 신뢰구간을 구하라.

(b) $x = 68, 75, 82$일 때 Y에 대한 95% 예측구간을 구하라.

7.6-3 연습문제 6.5-4의 담배 자료에 대해 다음 물음에 답하라.

(a) $x = 5, 10, 15$일 때 $\mu(x)$에 대한 95% 신뢰구간을 구하라.

(b) $x = 5, 10, 15$일 때 Y에 대한 95% 예측구간을 구하라.

7.6-4 다음은 학생들의 사회과학(x)과 자연과학(y) 점수 자료이며, y를 x에 의해 선형적으로 설명하려고 한다.

(a) $x = 17, 20, 23, 26, 29$일 때 $\mu(x)$에 대한 95% 신뢰구간을 구하라.

(b) $x = 17, 20, 23, 26, 29$일 때 Y에 대한 90% 예측구간을 구하라.

x	y	x	y	x	y
32	28	30	27	26	32
23	25	17	23	16	22
23	24	20	30	21	28
23	32	17	18	24	31
26	31	18	18	30	26

7.6-5 최소제곱법을 이용해 3차식 $y = \beta_1 + \beta_2 x + \beta_3 x^2 + \beta_4 x^3$을 아래의 10개의 관측된 자료값에 적합시켜 회귀계수를 구하라.

x	0	−1	0	1	−1	2	0	−2	−1	2
y	1	−3	3	3	−1	10	0	−9	−2	8

7.6-6 X가 어느 지역의 6월 강수량이고, Y가 그 지역에서 생산되는 딸기의 생산량을 나타낸다. 지난 12년간의 (x, y) 자료가 다음과 같다.

(4.11, 56.2) (5.49, 45.3) (5.35, 31.0) (6.53, 30.1)
(5.18, 40.0) (4.89, 38.5) (2.09, 50.0) (1.40, 45.8)
(4.52, 45.9) (1.11, 32.4) (0.60, 18.2) (3.80, 56.1)

(a) X와 Y의 상관계수를 구하라.

(b) 최소제곱 회귀추정식을 구하라.

(c) 원자료에 대한 산점도를 추정회귀직선과 함께 그려라.

(d) 잔차그림을 그려라. 선형모형이 적합한지 판단하라.

(e) 최소제곱법에 의해 2차 함수 회귀추정식을 구하라.

(f) 잔차그림을 그려라. 2차 함수 회귀모형이 적합한지 판단하라.

(g) 지금까지의 분석을 통해 X와 Y의 관계를 해석하라.

7.6-7 다음 등식을 증명하라.

$$\sum_{i=1}^{n}[Y_i - \alpha - \beta(x_i - \bar{x})]^2$$
$$= n(\widehat{\alpha} - \alpha)^2 + (\widehat{\beta} - \beta)^2 \sum_{i=1}^{n}(x_i - \bar{x})^2$$
$$+ \sum_{i=1}^{n}[Y_i - \widehat{\alpha} - \widehat{\beta}(x_i - \bar{x})]^2$$

7.6-8 σ^2의 $100(1-\gamma)\%$ 신뢰구간이 다음과 같이 됨을 증명하라.

$$\left[\frac{n\widehat{\sigma^2}}{\chi^2_{\gamma/2}(n-2)},\ \frac{n\widehat{\sigma^2}}{\chi^2_{1-\gamma/2}(n-2)}\right]$$

7.7 재표집 방법

컴퓨터 성능의 발달로 표집과 재표집 방법들이 최근 매우 유용하게 되었다. 통계량들이 분포를 가진 확률변수라는 것을 학생들이 쉽게 이해할 수 있도록 기초과목에서 이러한 방법들이 사용되고 있다. 이미 5.6절에서 표본평균이 근사적으로 정규분포를 따른다는 것을 보이기 위해 표집 방법을 이용한 바 있다.

그러나 재표집 방법은 통계량이 어떤 분포를 따른다는 사실을 보여주는 것 이상의 활용도가 있다. 이 방법은 통계적 추론을 위해 어떤 통계량의 근사분포를 찾는 데 유용하다. 이미 $\overline{X}$의 분포에 관해 많이 알고 있으며, 따라서 $\overline{X}$에 대해 재표집 방법이 필요한 것은 아니다. 특히 $\overline{X}$는 근사적으로 평균 μ와 표준편차 $\sigma/\sqrt{n}$를 가진 정규분포를 따른다. 물론 표준편차를 모르는 경우 $s/\sqrt{n}$로 추정하면 표본크기가 충분히 크고 모집단분포가 두꺼운 꼬리를 갖는 기울어진 분포가 아니라면 $(\overline{X} - \mu)/(s/\sqrt{n})$은 근사적으로 $N(0, 1)$ 분포를 따른다.

만약 정규분포 혹은 그와 매우 유사한 분포로부터 확률표본을 얻는 경우에는 S^2의 분포에 대해서도 알 수 있다. 그러나 모집단분포가 달라짐에 따라 통계량 S^2의 분포는 심하게 변하기 때문에 S^2은 안정적이지 못하다. 모집단의 평균과 분산이 주어지기만 하면 항상 근사적으로 정규분포를 따르는 $\overline{X}$와는 다른 것이다. 그렇다면 표본분산 S^2 같은 통계량들의 분포가 모집단에 심하게 의존하는 경우 어떻게 대처해야 하는가? 이러한 경우에 재표집 방법을 사용하며, 이 방법은 근본적으로 이론을 계산으로 대체한 것이다. 관심 있는 모수에 대한 통계적 추론을 하기 위해서는 그에 대한 추정량의 분포에 대한 이해가 필요한 것이다.

이제 재표집을 설명해보자. S^2과 같은 어떤 통계량의 분포를 찾아야 할 필요가 있지만 표본이 정규분포부터 추출된 것 같지는 않다고 가정해보자. $X_1, X_2, \ldots, X_n$의 관측값들이 $x_1, x_2, \ldots, x_n$이다. 사실 모집단분포에 대한 정보가 전혀 없으면 각각의 x_i값에 가중값 $1/n$을 부여한 경험분포가 그 분포에 대한 가장 좋은 추정치이다. 그러므로 S^2의 분포에 대한 아이디어를 얻기 위해 이 경험분포로부터 크기 n의 확률표본을 선택하자. 그렇게 취한 표본을 사용해 S^2을 계산하며 그 값이 s_1^2이라 하자. 그다음에는 다시 표본을 선택해 계산하는 것을 반복할 때 그 값들을 $s_2^2, s_3^2, \ldots$ 이라 하자. 우리는 이런 반복을 매우 큰 수 N만큼 계속한다. 이때 N은 1,000, 2,000 심지어 10,000일 수 있다. 일단 N개의 S^2값들을 얻은 후 S^2의 분포에 관한 정보를 얻기 위해 히스토그램, 줄기와 잎그림, q-q 플롯 등을 그릴 수 있다. 물론 이 모든 표본추출 작업들을 수행하기 위해서는 컴퓨터를 이용해야 한다. 이제 재표집 절차를 **절사평균**이라는 통계량을 이용해 예시하기로 한다.

보통은 모집단분포를 모르지만, 본 예시에서는 모집단분포가 코시 형태(Cauchy type)를 지녔다고 하자. 코시 pdf는

$$f(x) = \frac{1}{\pi(1+x^2)}, \qquad -\infty < x < \infty$$

이며, 그것의 분포함수는 다음과 같다.

$$F(x) = \int_{-\infty}^{x} \frac{1}{\pi(1+w^2)}\,dw = \frac{1}{\pi}\arctan x + \frac{1}{2}, \qquad -\infty < x < \infty$$

이 분포로부터 몇 개의 X값을 생성하고자 할 때, $U(0, 1)$ 분포를 따르는 Y에 대해

$$Y = F(X) = \frac{1}{\pi}\arctan X + \frac{1}{2}$$

즉

$$X = \tan\left[\pi\left(Y - \frac{1}{2}\right)\right]$$

로 X를 정의한다.

컴퓨터를 이용해 40개의 Y값을 생성하고 그에 따라 40개의 X값도 계산한다. 이제 각각의 X값에 $\theta = 5$를 더해 중위수 5인 코시분포로부터 표본을 생성해보자. 즉, $W = X + 5$인 40개의 W값으로 이루어진 확률표본을 갖게 된다. 이 분포의 중위수 θ를 추정하기 위한 몇 가지 통계량을 고려한다. 물론 보통의 경우 중위수의 진짜 값은 모르지만, 여기서는 그것이 $\theta = 5$라는 것을 알고 있고 우리의 통계량들은 이 값에 대한 추정치들이다. 40개의 W값을 순서대로 배열하면 아래와 같다.

−7.34	−5.92	−2.98	0.19	0.77	0.95	2.86	3.17	3.76	4.20
4.20	4.27	4.31	4.42	4.60	4.73	4.84	4.87	4.90	4.96
4.98	5.00	5.09	5.09	5.14	5.22	5.23	5.42	5.50	5.83
5.94	5.95	6.00	6.01	6.24	6.82	9.62	10.03	18.27	93.62

한 가지 흥미로운 사실은 40개의 값 중 많은 것들이 3과 7 사이의 값들로서 $\theta = 5$에 가깝다는 것이다. 마치 평균 $\mu = 5$와 $\sigma^2 = 1$인 정규분포의 확률표본과 매우 흡사하다. 그러나 이들 중에는 이상점들도 존재한다는 것을 주의해야 한다. 이들은 매우 크거나 매우 작은 값들로서 코시분포의 두껍고 긴 꼬리 때문에 발생한 것들이다. 이러한 사실로 미루어 표본평균 $\overline{X}$는 중간 위치에 대한 좋은 추정량이라 할 수 없으며, 실제로 $\bar{x} = 6.67$로서 이를 확인할 수 있다. 고급이론에 의하면 코시분포는 평균 μ와 분산 σ^2이 존재하지 않으며, 따라서 $\overline{X}$는 중위수 θ를 추정하는 데 하나의 관측값 X_i보다 나을 것이 없다. 반면 표본중위수 $\widetilde{m}$은 이상점에 영향을 받지 않으므로 θ에 대한 훨씬 좋은 추정량이다. 실제로 이 자료의 표본중위수는 4.97로서 5에 매우 가깝다. 사실 우도함수

$$L(\theta) = \prod_{i=1}^{40} \frac{1}{\pi[1 + (x_i - \theta)^2]}$$

을 최대화시키는 최우추정량이 극히 우수하지만, 이 방법은 매우 복잡한 계산 방법을 요구한다. 코시분포의 경우 고급이론에 의하면 계산이 매우 쉬운 **절사평균**(trimmed mean)이 최우추정량의 성능과 거의 비슷하다는 것이 알려져 있다. 절사평균은 표본을 순서대로 배열해 상위와 하위 각각 $3/8 = 37.5\%$를 제거하고 나머지 가운데 25% 자료들을 평균해 구한다. 이 절사평균을 보통 $\overline{X}_{0.375}$로 표기하는데 여기서는 간결하게 $\overline{X}_t$로 표현하기로 한다. 위의 자료에 대한 절사평균은 $\bar{x}_t = 4.96$이며, 표본중위수보다 못하게 보이지만 대부분의 표본에서는 더 우수하다. 절사평균은 종종 매우 유용하며 더 작은 절사비율을 가진 것들이 사용된다. 예를 들어 스케이팅이나 다이빙과 같은 스포츠에서는 심사원의 점수 중 종종 최소점수와 최대점수를 제외하게 된다.

위의 코시 예에서 40개 관측값 각각에 1/40의 '확률'을 부여해 경험분포로부터 재표집해보자. 이러한 재표집 표본마다 절사평균 $\overline{X}_t$를 계산한다. 즉, 재표집 표본을 순서대로 배열하여 가운데 25%인 10개의 순서통계량에 대한 평균을 구한다. 이것을 $N = 1{,}000$번 반복해 1,000개의 $\overline{X}_t$를 얻는다. 이들에 대한 히스토그램이 그림 7.7-1(a)에 나와 있다.

이러한 절차를 **부트스트랩 절차**(bootstrapping)라고 하며, 이를 통해 경험분포에 의해 근사되는 모집단분포를 파악하게 된다. 코시 형태의 분포로부터 추출된 표본의 경우 표본평균 $\overline{X}$ 분포는 정규분포를 따르지 않으며, 대신 $\overline{X}_t$가 근사적으로 정규분포를 따른다. 그림 7.7-1(a)에 있는 절사평균의 히스토그램으로부터 이를 확인할 수 있다. 이 사실은 또한 그림 7.7-1(b)의 q-q 플롯에서도 역시 확인할 수 있는데, 이는 표준정규분포의 값과 1,000개의 $\bar{x}_t$값들이 거의 직선을 이루기 때문이다.

θ에 대한 신뢰구간을 어떻게 찾을 수 있을까? $\overline{X}_t - \theta$의 분포의 중앙이 0이므로, θ에 대한 추측값은 $\overline{X}_t$의 히스토그램을 움직여, 그 움직여진 히스토그램의 중앙이 0이 되도록 하는 데 필요한 움직인 거리가 될 것이다. 이 히스토그램은 원래의 표본 $X_1, X_2, \ldots, X_{40}$으로부터 생성되었기 때문에 실제로는 단지 $\overline{X}_t$의 분포에 대한 추정치일 뿐이다.

이 히스토그램을 중위수(혹은 평균)가 0이 될 때까지 움직여서 θ에 대한 점추정치를 얻을 수 있을 것이다. 그러나 그렇게 함으로써 오차가 발생하기 때문에 상한과 하한을 가진 신뢰구간 형태의 추정량이 더 바람직하다.

신뢰구간을 얻기 위해 다음과 같은 절차를 생각해보자: $N = 1{,}000$개의 부트스트랩 $\overline{X}_t$값들 중에서 약 25개는 c보다 작고, 약 25개 정도는 d보다 큰 c와 d를 찾는다. 즉 c와 d는 1,000개의 부트스트랩 $\overline{X}_t$값들의 경험분포에서 각각 2.5와 97.5 백분위수이다. 따라서 θ는 $\overline{X}_t$값들의 2.5% 이상이 c보다 작도록 충분히 커야 하며, 또한 $\overline{X}_t$값들의 2.5% 이상이 d보다 크도록 충분히 작아야 한다. 이러한 조건을 만족하려면 $c < \theta$이고 $\theta < d$여

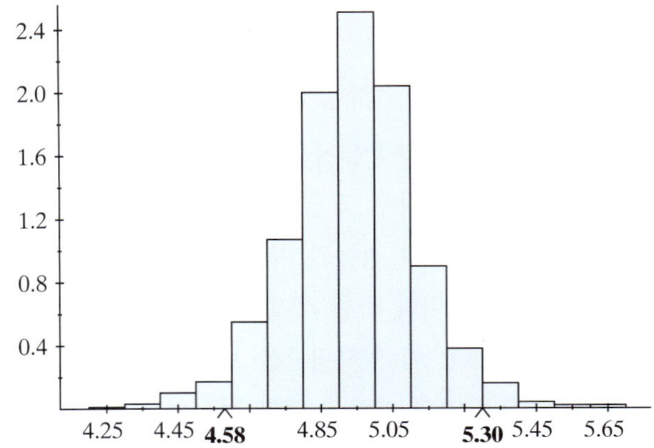

(a) 절사평균의 히스토그램

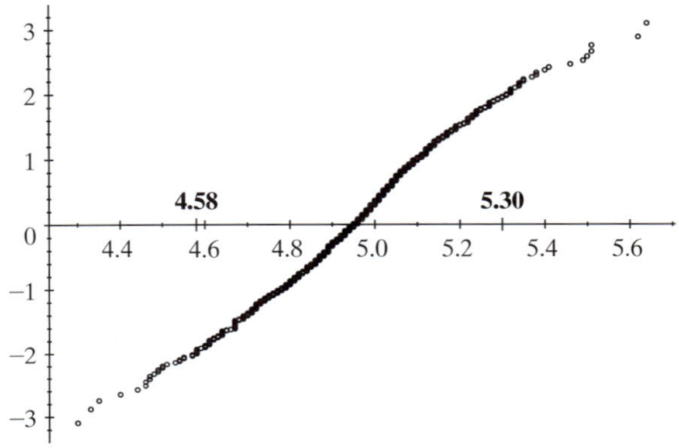

(b) $N(0, 1)$ 분위수 대 절사평균의 분위수

그림 7.7-1 $N = 1{,}000$개 절사평균

야 한다. 그러므로 $[c, d]$는 **백분위수 방법**(percentile method)에 의해 구해진 θ에 대한 근사적인 95% 신뢰구간이다. 앞에서 얻은 $N = 1{,}000$개 $\overline{X}_i$값들의 부트스트랩 분포로부터 θ에 대한 근사 신뢰구간을 구해보면 (4.58, 5.30)이며, 이 두 점은 그림 7.7-1(a)의 히스토그램과 그림 7.7-1(b)의 q-q 플롯에 표시되어 있다.

부트스트랩 방법과 연관된 이 백분위수 방법은 모집단분포에 대해 어떠한 가정도 하지 않기 때문에 비모수적인 절차이다. 위에서 얻어진 신뢰구간을 순서통계량 $Y_1 < Y_2 < \cdots < Y_{40}$을 이용해 얻는 그것과 비교해보자. 만약 표본이 연속형 분포로부터 추출되었다고 한다면, θ를 중위수라 할 때 컴퓨터를 이용해 다음과 같은 확률을 얻을 수 있다(7.5절 참조).

$$P(Y_{14} < \theta < Y_{27}) = \sum_{k=14}^{26} \binom{40}{k} \left(\frac{1}{2}\right)^{40} = 0.9615$$

예시된 자료에서 $Y_{14} = 4.42$이고 $Y_{27} = 5.23$이므로 $[4.42, 5.23]$은 θ에 대한 근사적

96% 신뢰구간이다. 물론 $\theta = 5$는 2개의 신뢰구간 내에 포함되어 있다. 이 경우 부트스트랩 신뢰구간이 $\theta = 5$에 대해서 더 대칭적이고 다소 짧지만 계산하는 데 더 수고스럽다.

지금까지 설명한 부트스트랩 절차는 모집단분포의 특성치들에 대한 통계적 추론을 이론에 의해서가 아니라 계산에 의해서 가능하게 한다. 어떠한 가정들을 확실히 만족하지 못하는 복잡한 자료를 접하게 될 때 이 방법은 더욱 중요해진다. 예를 들어 평균이 $\mu = 1$인 지수분포 $f(x) = e^{-x}$, $0 < x < \infty$로부터 표본이 추출된 경우 $T = (\overline{X} - \mu)/(S/\sqrt{n})$의 분포를 생각해보자. 먼저 재표집 방법을 사용하지 않고 대신 이 알려진 지수분포로부터 표본크기 $n = 16$인 T의 분포를 $N = 1{,}000$세트의 표본을 추출해 모의실험하기로 한다.

$$F(x) = \int_0^x e^{-w}\,dw = 1 - e^{-x}, \qquad 0 < x < \infty$$

이므로, $Y = F(X)$로부터 X를 표현하면

$$X = -\ln(1 - Y)$$

로서, Y가 균일분포 $U(0, 1)$을 따를 때 $\mu = 1$인 지수분포를 따른다. 컴퓨터를 이용해 $n = 16$개의 Y값을 선택하고 그에 대응하는 $n = 16$개의 X값을 계산한다. 마지막으로 $T = (\overline{X} - 1)/(S/\sqrt{16})$을 계산하고 그것을 T_1이라 하자. 이 절차를 계속 반복하여 $T_1, T_2, \ldots, T_{1000}$을 얻는다. 이러한 1,000개의 T값에 대한 히스토그램이 그림 7.7-2(a)에 표시되어 있다. 더욱이 y축에 $N(0, 1)$의 분위수가 표시된 q-q 플롯이 그림 7.7-2(b)에 그려져 있다. 두 그림으로 판단하건데 T의 분포가 왼쪽으로 기울어져 있음을 알 수 있다.

조금 전의 예에서는 모집단분포를 우리가 알고 있었다. 이제는 $\mu = 1$인 지수분포로부터 표본을 추출해 각각의 X값에 θ를 더한다. 따라서 새로운 평균 $\theta + 1$을 추정하려고 하는 것이다. 책의 저자들은 θ가 무엇인지 알고 있으나 독자들은 그것이 무슨 값인지 아직 모를 것이다. 이렇게 처리된 16개의 관측값은 아래와 같다.

11.9776	9.3889	9.9798	13.4676	9.2895	10.1242	9.5798	9.3148
9.0605	9.1680	11.0394	9.1083	10.3720	9.0523	13.2969	10.5852

현재 시점에서 $\mu = \theta + 1$에 대한 신뢰구간을 구하려고 노력하고 있으며, 모집단분포가 지수분포라는 것을 모르고 있다고 가정하자. 실제로 현실에서는 이처럼 모집단분포를 모른다. 그러므로 모집단분포에 대한 가장 좋은 추정치인 경험분포를 사용하기로 한다. 그것은 각 관측값에 가중값 1/16을 부여해 찾을 수 있다. 이 경험분포의 평균은 $\bar{x} = 10.3003$이다. 그러므로 경험분포로부터 $N = 1{,}000$개의 표본 세트를 추출해

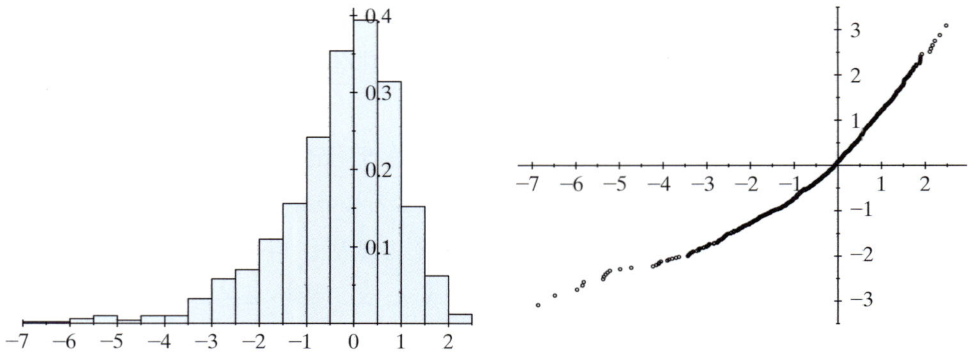

(a) 1,000개의 T 관측값 (b) $N(0, 1)$ 분위수 대 T 분위수

그림 7.7-2 지수분포로부터 계산된 T값

$$T = \frac{\overline{X} - 10.3003}{S/\sqrt{16}}$$

을 모의실험함으로써 T의 분포에 대한 아이디어를 얻을 것이다.

이렇게 $t_1, t_2, \ldots, t_{1000}$을 얻어서 히스토그램과 q-q 플롯을 그리면 각각 그림 7.7-3(a)와 그림 7.7-3(b)와 같다. 이 그림들은 그림 7.7-2의 그림들과 어느 정도 비슷하다. 더욱이 1,000개의 t값들에 대한 2.5와 97.5 백분위수는 각각 $c = -3.1384$와 $d = 1.8167$이다.

이제 2.5백분위수와 97.5백분위수에 대한 정보를 얻었으므로 매우 근사적으로 다음과 같이 말할 수 있다.

$$P\left(-3.1384 \le \frac{\overline{X} - \mu}{S/\sqrt{16}} \le 1.8167\right) \approx 0.95$$

그러므로 근사적 95% 신뢰구간은 다음과 같다.

$$[\,\overline{x} - 1.8167s/\sqrt{16},\ \overline{x} - (-3.1384)s/\sqrt{16}\,]$$

$\overline{x} = 10.3003$이고 $s = 1.4544$이므로 $\mu = \theta + 1$에 대한 95% 근사신뢰구간은 다음과 같다.

$$[10.3003 - 1.8167(1.4544)/4,\ 10.3003 + 3.1384(1.4544)/4] = [9.6397,\ 11.4414]$$

각 x값에 우리가 실제로 더한 θ값이 $\theta = 9$였기 때문에 신뢰구간이 $\theta + 1 = 10$을 잘 포함하고 있음을 확인할 수 있다.

이제 이 부트스트랩 절차의 이름이 붙여진 이유를 이해할 수 있을 것이다. 왜냐하면 그것은 경험분포를 이용해 자력으로 일을 처리할 수 있는(pulling yourself up by your own bootstraps) 방법이기 때문이다.

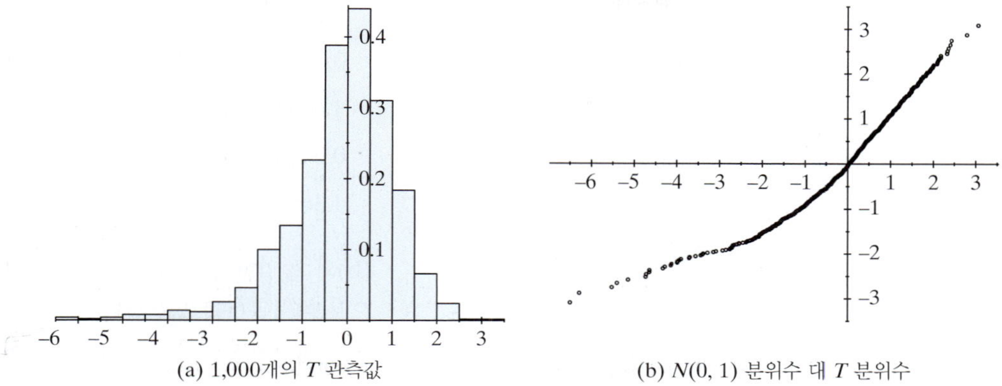

그림 7.7-3 경험분포로부터 계산된 T값

연습문제

7.7-1 예제 6.1-4의 자료에 대해 다음과 같이 부트스트랩 절차를 수행하라. 표본크기 $n = 40$의 표본을 $N = 100$번 재표집해 매번 $T = (\overline{X} - 5)/(S/\sqrt{40})$을 계산한다. 이때 T의 표현에 사용된 5는 원표본의 중위수이다. 이렇게 생성된 부트스트랩 T값들의 히스토그램을 그려라.

7.7-2 예제 7.5-1의 자료에 대해 크기 $N = 9$인 표본을 $N = 1{,}000$번 재표집해 그때마다 제5순서통계량 y_5를 계산한다.

(a) $N = 1{,}000$개의 y_5에 대한 히스토그램을 그려라.

(b) 중위수 $\pi_{0.50}$에 대한 점추정치를 계산하라.

(c) $\pi_{0.50}$에 대한 96% 신뢰구간을 2개의 숫자를 찾아서 구하라. 첫 번째 숫자는 $(1{,}000)(0.02) = 20$개가 그 숫자보다 작으며, 두 번째 숫자는 20개가 그 숫자보다 큰 것이다. 이렇게 구한 구간을 예제에서 구한 것과 비교하라.

7.7-3 $X_1, X_2, \ldots, X_{21}$과 $Y_1, Y_2, \ldots, Y_{21}$은 $N(0, 1)$로부터 추출한 각각 $n = 21$과 $m = 21$의 표본크기를 갖는 독립표본들이다. 그러면 $F = S_X^2/S_Y^2$은 자유도가 (20, 20)인 F 분포를 따른다.

(a) 100개의 F 관측값들을 다음 절차를 통해 모의실험해 경험적으로 위의 상황을 예시하라.

(i) 상대도수 히스토그램을 $F(20, 20)$ pdf와 함께 겹치게 그린다.

(ii) 모의실험된 자료의 순서통계량 대비 $F(20, 20)$의 분위수에 대한 q-q 플롯을 그린다. 플롯이 직선인가?

(b) 21개의 표준정규분포 X 관측값들이 다음과 같다.

0.1616	−0.8593	0.3105	0.3932	−0.2357
0.9697	1.3633	−0.4166	0.7540	−1.0570
−0.1287	−0.6172	0.3208	0.9637	0.2494
−1.1907	−2.4699	−0.1931	1.2274	−1.2826
−1.1532				

21개 표준정규분포 Y 관측값들이 다음과 같다.

0.4419	−0.2313	0.9233	−0.1203	1.7659
−0.2022	0.9036	−0.4996	−0.8778	−0.8574
2.7574	1.1033	0.7066	1.3595	−0.0056
−0.5545	−0.1491	−0.9774	−0.0868	1.7462
−0.2636				

각각의 표본에 대해 표본크기 21인 표본을 복원추출로 재표집해 $w = {s_X}^2/{s_Y}^2$을 계산한다. 이 절차를 100개의 W값을 얻을 때까지 반복한다. (a)에서 사용한 그래프들을 이용해 W들이 $F(20, 20)$으로부터 근사적으로 뽑힌 것들이라

고 할 수 있는지 판단하라.

(c) 평균이 1인 21개 지수분포 X 관측값들이 다음과 같다.

0.6958 1.6394 0.2464 1.5827 0.0201
0.4544 0.8427 0.6385 0.1307 1.0223
1.3423 1.6653 0.0081 5.2150 0.5453
0.0844 1.2346 0.5721 1.5167 0.4843
0.9145

평균이 1인 21개 지수분포 Y 관측값들은 다음과 같다.

1.1921 0.3708 0.0874 0.5696 0.1192
0.0164 1.6482 0.2453 0.4522 3.2312
1.4745 0.8870 2.8097 0.8533 0.1466
0.9494 0.0485 4.4379 1.1244 0.2624
1.3655

(b)와 동일한 절차를 수행해 W들이 $F(20, 20)$으로부터 근사적으로 뽑힌 것들이라고 할 수 있는지 판단하라.

역사적 해설

이 장에서 다루고 있는 많은 중요한 주제 중 하나가 회귀분석인데, 그것은 어떤 과정의 결과를 그와 관련된 (설명적인) 다른 변수들에 의해 수학적으로 모형화하는 기법이다. 만약 설명변수들에 대한 값들을 알면 반응변수의 값을 짐작할 수 있도록 모형을 만든다. 이 변수들 간 관계식의 형태에 대한 지식이 있다면, 그 모형을 자료에 '적합' 시킨다. 즉, 모형의 알려지지 않은 모수에 대한 값들을 자료로부터 근사적으로 결정할 수 있다. 사실 어느 모형도 완벽하게 정확하지는 않다. 그러나 저명한 통계학자인 조지 박스(George Box)가 말했듯이 "몇몇 모형들은 유용하다". 즉, 모형들이 비록 틀렸다 하더라도 그것들을 최대한 잘 검토해보면, 연구주제를 밝히기에 충분히 근사적인 것일 수도 있다.

일단 만족할 만한 모형이 찾아지면, 다음과 같은 목적을 달성하기 위해 사용될 수 있다.

1. 각각의 설명변수의 효과를 결정하기 위해(몇몇은 효과가 거의 미미해 모형에서 제외될 수도 있다),
2. 중요한 설명변수들의 특정 값에 대한 반응변수의 조건부 평균을 추정하기 위해
3. 향후 기대되는 매출액(매우 신중하게 계산되어야 하겠지만)과 같은 미래에 대한 예측을 하기 위해
4. 종종 획득하는 데 고가의 비용이 소요되는 설명변수를 보다 경제적인 것으로 대체하기 위해[생물학적 산소 요구량(BOD) 대신 화학적 산소 요구량(COD)].

부트스트랩(bootstrap)이라는 이름과 그에 따른 방법은 스탠퍼드대학교의 에프런(Brad Efron)에 의해 처음으로 사용되었다. 에프런은 "to pull oneself up by his or her own bootstraps(자력으로 일을 처리할 수 있는)"라는 표현이 라스페(Rudolph Erich Raspe)의 저작 **허풍선이 남작의 모험**(The Surprising Adventures of Baron Munchausen)으로부터 유래했다는 것을 알았다. 이야기속 남작은 하늘로부터 떨어져서 아홉 길(단위: 183cm 혹은 6피트) 깊이의 구덩이에 빠져서는 어떻게 빠져나올 수 있는지 도무지 아무 생각이 없었다. 그는 다음과 같이 독백한다. "내려다보니 내가 매우 튼튼한 가죽 끈이 달린 장화를 신고 있었구나. 그 끈들을 단단히 붙잡고 힘껏 잡아당겼더니, 어느새 나를 위쪽으로 들어 올려서 손쉽게 서둘러 육지로 나왔다."

물론 통계적인 **부트스트랩 절차**(bootstrapping)라는 말은, 통계학자들이 경험분포야말로 많은 다른 가정들을 하지 않고서도 얻을 수 있는 근원분포에 대한 최선의 추정치라는 것을 인식함으로써, 장화 가죽 끈(경험분포)을 잡아당겨 자신들을 끌어 올리는(자력으로 일을 처리할 수 있는) 것을 의미한다. 그러므로 관심 있는 통계량의 분포를 근사적으로 찾아내기 위해 마치 경험분포가 근원분포인 것처럼 간주해 활용한다.

Tests of Statistical Hypotheses

08 통계적 가설검정

8.1 단일평균에 대한 검정

앞 장에서 언급한 대로, 신뢰구간을 이용한 모수의 구간추정이 통계적 추론의 한 가지 중요한 형태이다. 다른 하나는 가설검정이다. 가설검정을 위해, 어떤 분포의 모수 θ는 어떤 모수공간 Θ에 존재한다고 가정하고, 이는 2개의 서로소인 집합 Θ_0과 Θ_1로 분할될 수 있다. 관심 있는 통계문제는 모수 θ가 **귀무가설**(null hypothesis) $\theta \in \Theta_0$에 포함되는지(H_0: $\theta \in \Theta_0$으로 표기) 혹은 **대립가설**(alternative hypothesis) $\theta \in \Theta_1$에 포함되는지(H_1: $\theta \in \Theta_1$로 표기)를 결정하기 위해 관측된 자료를 이용하는 것이다. 두 경쟁 가설에서 하나를 선택하기 위해 자료가 사용되는 특별한 방식을 **가설검정절차**(hypothesis testing procedure), 혹은 간단히 **검정**(test)이라 한다. 특정 모수에 대한 검정을 설명하고 그들의 특징을 규정하는 것이 이 장의 주제다.

하나의 모집단 평균 μ에 대한 가설검정으로 시작하며, 여기에서 검정과 관련된 다양한 용어를 정의한다.

예제 8.1-1 어떤 강철봉의 강도를 X라 하자. 강철봉이 공정 I에 의해 제조되면, X는 $N(50, 36)$을 따른다. 만일 공정 II(새로운 공정)가 사용되면, X가 $N(55, 36)$이 되길 희망한다. 공정 II에 의해 제조된 많은 강철봉이 있다면, 강철봉의 강도가 5단위만큼 증가했는지 어떻게 검정할 수 있는가?

이 문제에서, 우리는 X는 $N(\mu, 36)$을 따르고 μ는 50 혹은 55 둘 중 하나와 같다고 가정하고, **단순귀무가설**(simple null hypothesis) H_0: $\mu = 50$을 **단순대립가설**(simple alternative hypothesis) H_1: $\mu = 55$에 대해 검정하고자 한다. 각 가설들이 X의 분포를 완전하게 규정하기 때문에 단순이라 부른다. 즉, H_0은 X의 분포가 $N(50, 36)$ 그리고 H_1은 X의 분포가 $N(55, 36)$임을 의미한다. [만일 대립가설이 H_1: $\mu > 50$이면 **복합가설**(composite hypothesis)이다. 왜냐하면 대립가설이 분산 $\sigma^2 = 36$ 그리고 평균은 50보다 큰 모든 정규분포들로 구성되었기 때문이다.] 두 가설 중 H_0 혹은 H_1 어느 것이 옳은지를 검정하기 위해, 우리는 n개 강철봉들의 강도 $x_1, x_2, \ldots, x_n$(크기 n인 확률표본의 관측값들)에 기초해서 어떤 규칙을 만들 것이다. 이 규칙은 H_0을 기각하거나 혹은 기각에 실패하는 결정을 내린다. 그래서 표본공간을 둘로—C 그리고 C'—나눌 필요가 있다. 만일 $(x_1, x_2, \ldots, x_n) \in C$이면 H_0은 기각, 그리고 만일 $(x_1, x_2, \ldots, x_n) \in C'$이면 H_0은 기각되지 않는다. 귀무가설 H_0을 기각하는 영역 C를 검정의 **기각역**(critical region)이라 한다. 종종 표본공간의 분할은 **검정통계량**(test statistic)이라 부르는 통계량의 값에 의해 이루어진다. 이 예제에서, 우리는 $\overline{X}$를 검정통계량으로 하고, 기각역 $C = \{(x_1, x_2, \ldots, x_n): \bar{x} \geq 53\}$로 잡는다. 즉, 만일 $\bar{x} \geq 53$이면 우리는 H_0을 기각한다. 귀무가설이 참일 때 $(x_1, x_2, \ldots, x_n) \in C$이면, 귀무가설이 참인데도 기각하는 **1종 오류**(Type I error)이다. 대립가설이 참일 때 $(x_1, x_2, \ldots, x_n) \in C'$이면, 대립가설이 참인데도 귀무가설을 기각하지 않는 **2종 오류**(Type II error)를 범하게 된다. 1종 오류를 범할 확률을 검정의 **유의수준**(significance level)이라 하고, α로 표기한다. 즉, $\alpha = P[(X_1, X_2, \ldots, X_n) \in C; H_0]$는 귀무가설 H_0이 참일 때 $(X_1, X_2, \ldots, X_n)$이 기각역 C에 들어갈 확률이다. 2종 오류를 범할 확률은 β로 표기한다, 즉, $\beta = P[(X_1, X_2, \ldots, X_n) \in C'; H_1]$은 귀무가설이 거짓일 때 귀무가설 기각에 실패할 확률이다.

일례로, $n = 16$개의 강철봉을 검사했고 기각역은 $C = \{\bar{x} : \bar{x} \geq 53\}$로 정했다고 하자. 귀무가설이 참일 때, $\overline{X}$는 $N(50, 36/16)$ 분포를 따르고, 대립가설이 참일 때는 $N(55, 36/16)$을 따른다. 그러므로

$$\begin{aligned}\alpha = P(\overline{X} \geq 53; H_0) &= P\left(\frac{\overline{X} - 50}{6/4} \geq \frac{53 - 50}{6/4}; H_0\right) \\ &= 1 - \Phi(2) = 0.0228\end{aligned}$$

그리고

$$\begin{aligned}\beta = P(\overline{X} < 53; H_1) &= P\left(\frac{\overline{X} - 55}{6/4} < \frac{53 - 55}{6/4}; H_1\right) \\ &= \Phi\left(-\frac{4}{3}\right) = 1 - 0.9087 = 0.0913\end{aligned}$$

H_0과 H_1이 각각 사실일 때, $\overline{X}$의 확률밀도함수들 그래프가 그림 8.1-1에 나와 있다. α가 감소하면 β는 증가하고, 이 반대도 역시 성립한다. 만일 표본크기 n을 늘리면 α와 β 모

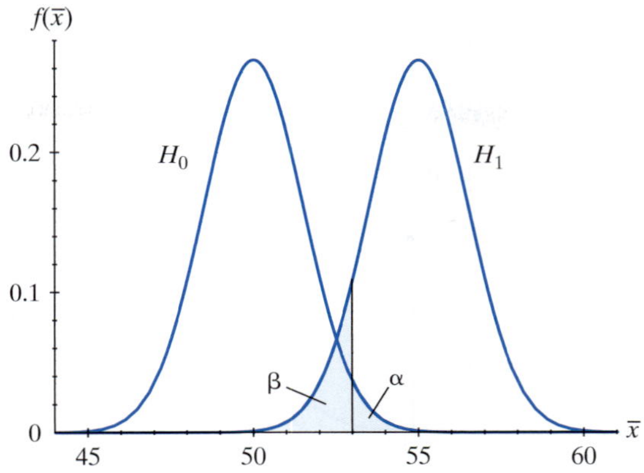

그림 8.1-1 귀무가설과 대립가설하에서 $\overline{X}$의 확률함수

두 감소할 수 있다. ■

다음 예제를 통해 평균에 대한 검정에서 p값을 정의한다.

예제 8.1-2 모집단분포가 미지의 평균 μ와 알려진 분산 $\sigma^2 = 100$을 가진 정규분포라고 가정하자. 이 때 $n = 52$개의 관측치들로부터 계산되는 표본평균 $\overline{X}$를 가지고 단순귀무가설 H_0: $\mu = 60$과 복합대립가설 H_1: $\mu > 60$에 대해 검정을 수행하고자 한다. 표본평균의 관측치가 $\overline{x} = 62.75$라 하자. $\mu = 60$일 때 $\overline{X}$가 62.75보다 크거나 같을 확률을 계산하면, 우리는 $\overline{x} = 62.75$와 관련된 **p값(p-value)**을 얻게 된다. 즉 다음과 같다.

$$\begin{aligned} p\text{값} &= P(\overline{X} \geq 62.75;\ \mu = 60) \\ &= P\left(\frac{\overline{X} - 60}{10/\sqrt{52}} \geq \frac{62.75 - 60}{10/\sqrt{52}};\ \mu = 60\right) \\ &= 1 - \Phi\left(\frac{62.75 - 60}{10/\sqrt{52}}\right) = 1 - \Phi(1.983) = 0.0237 \end{aligned}$$

만일 이 p값이 작으면, 귀무가설 H_0: $\mu = 60$을 기각하려고 할 것이다. 예를 들어 만일 p값이 $\alpha = 0.05$보다 작거나 같을 때 귀무가설 H_0: $\mu = 60$을 기각하는 것은

$$\overline{x} \geq 60 + (1.645)\left(\frac{10}{\sqrt{52}}\right) = 62.281$$

일 때 H_0을 기각하는 것과 같다. 여기에서

$$p\text{값} = 0.0237 < \alpha = 0.05, \qquad \overline{x} = 62.75 > 62.281$$

이다. p값의 정의에 대한 독자들의 기억을 돕기 위해, 귀무가설하에서 검정통계량의 분

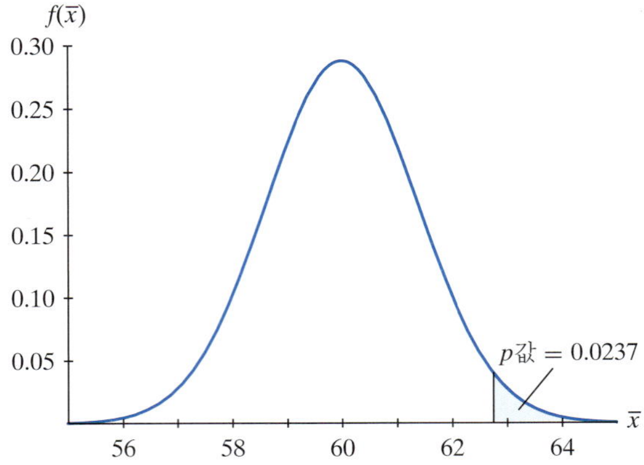

그림 8.1-2 p값의 예시

포를 구하고, 여기에서 관측된 통계량값부터 시작된 **꼬리확률**(tail-end probability)로 여길 수 있다($\bar{x} = 62.75$와 관련된 p값은 그림 8.1-2 참조). ■

일반적으로, 하나의 모수에 대한 가설검정과 관련된 p값은 귀무가설하에서 검정통계량이 관측된 값보다 더 극단값을 가질 확률이다. 여기에서 '극단'은 'H_0에서 H_1의 방향으로 멀어지는 것'을 의미한다. 따라서 만일 H_1이 귀무가설에 주어진 모수값의 오른쪽 값들로만 구성되어 있다면(예제 8.1-2의 경우처럼), 마치 확률실험이 아직 수행되지 않은 상태에서 계산된 검정통계량이 그것의 관측값보다 오른쪽에 있을 확률이다. H_1이 단측가설이고 H_0에서의 모수값보다 왼쪽 값들로만 구성되었을 때도 비슷한 얘기가 가능하다. 만일 H_1이 양측가설인 경우, 검정통계량이 매우 크거나 혹은 매우 작은 경우 극단으로 여긴다. 따라서 양측검정과 관련된 p값은 일반적으로 검정통계량이 관측된 통계량보다 크거나 같은 확률 혹은 검정통계량이 관측된 통계량보다 작거나 같은 확률의 2배와 같다. 따라서 예제 8.1-2에서 대립가설이 H_1: $\mu \neq 60$이었다면, p값은 $2(0.0237) = 0.0474$가 되었을 것이다.

위에서 정의했듯이, p값은 귀무가설의 옳음에 대한 자료기반 측도이다—p값이 작을수록 귀무가설을 덜 신뢰한다. 그 자체로, 특정한 α에 대해 "유의수준 α에서 귀무가설이 기각된다"와 같은 진술보다 더 많은 정보를 제공하는데, 이유는 이런 진술은 다른 α값에 대해 귀무가설이 기각되는지 알 수 없기 때문이다. 따라서 통계적 가설검정을 이용하는 대부분의 과학자들은 p값을 발표한다.

정규분포에서 표본을 추출할 때, 귀무가설은 보통 H_0: $\mu = \mu_0$ 형태이다. 가능한 세 가지 관심 있는 복합대립가설은 다음과 같다—(i) μ가 증가, 혹은 H_1: $\mu > \mu_0$, (ii) μ가 감소, 혹은 H_1: $\mu < \mu_0$, (iii) μ가 변했지만 증가했는지 감소했는지 모르는 경우. 이는 양측대립가설 혹은 H_1: $\mu \neq \mu_0$이다.

표 8.1-1 분산이 알려진 경우 단일 평균에 대한 가설검정

H_0	H_1	기각역
$\mu = \mu_0$	$\mu > \mu_0$	$z \geq z_\alpha$ 혹은 $\bar{x} \geq \mu_0 + z_\alpha \sigma/\sqrt{n}$
$\mu = \mu_0$	$\mu < \mu_0$	$z \leq -z_\alpha$ 혹은 $\bar{x} \leq \mu_0 - z_\alpha \sigma/\sqrt{n}$
$\mu = \mu_0$	$\mu \neq \mu_0$	$\|z\| \geq z_{\alpha/2}$ 혹은 $\|\bar{x} - \mu_0\| \geq z_{\alpha/2}\sigma/\sqrt{n}$

이 세 가지 대립가설에 대해 H_0: $\mu = \mu_0$을 검정하기 위해, 모집단으로부터 확률표본을 추출해 표본평균 $\bar{x}$를 구하고 그것이 μ_0에 가까우면 H_0을 지지한다. $\bar{x}$가 μ_0에 얼마나 가까운가 하는 것은 σ가 알려졌을 때, $\overline{X}$의 표준편차 $\sigma/\sqrt{n}$에 의해 측정되며, 이는 종종 **평균의 표준오차**(standard error of the mean)라 부른다. 그러므로 검정통계량은

$$Z = \frac{\overline{X} - \mu_0}{\sqrt{\sigma^2/n}} = \frac{\overline{X} - \mu_0}{\sigma/\sqrt{n}} \tag{8.1-1}$$

으로 정의되고, 유의수준 α에서 세 가설 각각에 대한 기각역은 (i) $z \geq z_\alpha$, (ii) $z \leq -z_\alpha$, (iii) $|z| \geq z_{\alpha/2}$이다. 이 기각역들을 $\bar{x}$에 의해 표현하면 (i) $\bar{x} \geq \mu_0 + z_\alpha(\sigma/\sqrt{n})$, (ii) $\bar{x} \leq \mu_0 - z_\alpha(\sigma/\sqrt{n})$, (iii) $|\bar{x} - \mu_0| \geq z_{\alpha/2}(\sigma/\sqrt{n})$이다.

세 가지 검정과 기각역들이 표 8.1-1에 정리되어 있다. 이때 모집단의 분포가 $N(\mu, \sigma^2)$이고 σ^2이 알려졌다고 가정한다.

실제로는 보통 분산 σ^2이 알려지지 않은 경우가 많다. 따라서 우리는 이제 분산이 알려지지 않았다는 좀 더 현실적인 입장을 취한다. 귀무가설이 H_0: $\mu = \mu_0$이고 양측대립가설이 H_1: $\mu \neq \mu_0$라 가정하자. 7.1절을 상기해보면, 정규분포 $N(\mu, \sigma^2)$에서 추출된 확률표본에 대한 μ의 신뢰구간은 다음 식을 통해 구할 수 있다.

$$T = \frac{\overline{X} - \mu}{\sqrt{S^2/n}} = \frac{\overline{X} - \mu}{S/\sqrt{n}}$$

이 사실로부터 μ를 μ_0으로 대체한 통계량 T를 이용하면 H_0: $\mu = \mu_0$에 대한 검정을 수행하기에 좋은 통계량임을 알 수 있다. 게다가 식 (8.1-1) 분모의 σ^2/n을 이것의 불편추정량 S^2/n으로 대체하면 사용하기 자연스러운 통계량이다. 만일 $\mu = \mu_0$이면, T가 자유도 $n - 1$인 t 분포를 따른다는 것을 이미 알고 있다. 그러므로 $\mu = \mu_0$일 때 다음과 같다.

$$P[\,|T| \geq t_{\alpha/2}(n-1)] = P\left[\frac{|\overline{X} - \mu_0|}{S/\sqrt{n}} \geq t_{\alpha/2}(n-1)\right] = \alpha$$

따라서 만일 $\bar{x}$와 s가 각각 표본평균과 표준편차이면,

$$|t| = \frac{|\bar{x} - \mu_0|}{s/\sqrt{n}} \geq t_{\alpha/2}(n-1)$$

표 8.1-2 분산을 모르는 경우 단일 평균에 대한 가설검정

H_0	H_1	기각역
$\mu = \mu_0$	$\mu > \mu_0$	$t \geq t_\alpha(n-1)$ 혹은 $\bar{x} \geq \mu_0 + t_\alpha(n-1)s/\sqrt{n}$
$\mu = \mu_0$	$\mu < \mu_0$	$t \leq -t_\alpha(n-1)$ 혹은 $\bar{x} \leq \mu_0 - t_\alpha(n-1)s/\sqrt{n}$
$\mu = \mu_0$	$\mu \neq \mu_0$	$\lvert t\rvert \geq t_{\alpha/2}(n-1)$ 혹은 $\lvert\bar{x} - \mu_0\rvert \geq t_{\alpha/2}(n-1)s/\sqrt{n}$

일 때 귀무가설 H_0: $\mu = \mu_0$을 기각하는 규칙은 유의수준 α에서 이 가설에 대한 검정을 제공한다. 이 규칙은 만일 μ_0가 $100(1 - \alpha)\%$ 신뢰구간

$$(\bar{x} - t_{\alpha/2}(n-1)(s/\sqrt{n}),\ \bar{x} + t_{\alpha/2}(n-1)(s/\sqrt{n}))$$

에 속하지 않으면, H_0: $\mu = \mu_0$을 기각하는 것과 동일하다.

모집단분포가 $N(\mu, \sigma^2)$이며 σ^2이 알려져 있지 않고 $t = (\bar{x} - \mu_0)/(s/\sqrt{n})$, $n \leq 30$일 때, 가능한 세 가지 대립가설에 대해 1개의 평균에 대한 가설검정이 표 8.1-2에 정리되어 있다. 만일 $n > 30$이면, 표 8.1-1에서 σ를 s로 대체한 근사검정을 이용한다.

예제 8.1-3 실험쥐에 발생한 종양의 15일 후 크기를 X(단위: mm)라 하자. X의 분포를 $N(\mu, \sigma^2)$이라 할 때, 가설 H_0: $\mu = \mu_0 = 4.0$ 대 H_1: $\mu \neq 4.0$을 검정하고자 한다. 유의수준 $\alpha = 0.1$에서 $n = 9$개의 관측치를 이용할 때, 기각역은 다음과 같다.

$$|t| = \frac{|\bar{x} - 4.0|}{s/\sqrt{9}} \geq t_{\alpha/2}(8) = 1.860$$

만일 $n = 9$, $\bar{x} = 4.3$, $s = 1.2$라 하면, 다음과 같다.

$$t = \frac{4.3 - 4.0}{1.2/\sqrt{9}} = \frac{0.3}{0.4} = 0.75$$

따라서

$$|t| = |0.75| < 1.860$$

이므로 유의수준 $\alpha = 0.1$에서 귀무가설 H_0: $\mu = \mu_0 = 4.0$을 기각하지 않는다. (그림 8.1-3 참조.) p값은 다음과 같다.

$$p\text{값} = P(|T| \geq 0.75) = 2P(T \geq 0.75)$$

자유도 8인 t 분포 확률표로는 이 p값을 정확히 계산할 수 없다. 그러나

$$P(|T| \geq 0.706) = 2P(T \geq 0.706) = 0.50$$

이기 때문에 p값이 대략 0.5 정도임을 알 수 있으며 컴퓨터를 이용해 정확한 p값을 계산

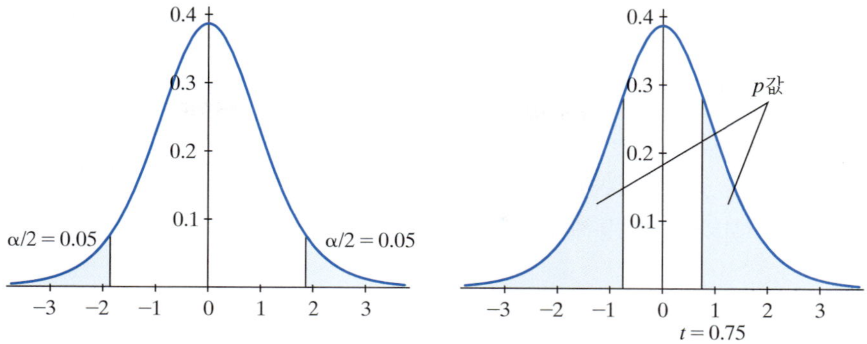

그림 8.1-3 종양 평균 크기에 대한 검정

하면 0.4747임을 알 수 있다. (그림 8.1-3 참조.)

다음 예제는 단측대립가설에서 t 통계량의 사용 예시를 보여준다.

예제 8.1-4 한 종이 회사에서는 근처에 있는 강으로 방출되는 폐기물의 강도를 조정하기 위해 여러 가지 측정을 하고 있다. 회사 관계자들은 그들의 폐기물의 산소소비량이 과거 평균(μ)인 500(ppm)보다 낮아졌다고 믿고 있다. 따라서 연속으로 $n = 25$일 측정값들을 이용해 H_0: $\mu = 500$ 대 H_1: $\mu < 500$ 가설을 검정하고자 한다. 25개 관측값을 확률표본으로 생각하면, 유의수준 $\alpha = 0.01$에서 기각역은 다음과 같다.

$$t = \frac{\bar{x} - 500}{s/\sqrt{25}} \leq -t_{0.01}(24) = -2.492$$

표본평균과 표본표준편차가 각각 $\bar{x} = 308.8$, $s = 115.15$로 계산되었다. 여기에서,

$$t = \frac{308.8 - 500}{115.15/\sqrt{25}} = -8.30 < -2.492$$

이므로 귀무가설을 기각한다. 비록 개선이 이루어졌다고는 하지만, 여전히 개선 정도가 충분한지에 대한 의문은 남아 있다. 따라서 μ에 대해 상한을 제공하는 99% 단측신뢰구간을 구해보면

$$[0, 308.8 + 2.492(115.25/\sqrt{25})] = [0,\ 366.191]$$

이고, 이것이 의문에 대한 답을 제공하는 데 도움을 줄 수 있을 것이다.

가설검정과 신뢰구간은 동등하다. 예를 들어, 실험쥐 자료에서(예제 8.1-3), 미지의 평균에 대한 90% 신뢰구간은 $t_{0.05}(8) = 1.86$이기 때문에

$$4.3 \pm (1.86)(1.2)/\sqrt{9} \qquad \text{혹은} \qquad [3.56, 5.04]$$

이다. 이 신뢰구간이 가정된 가설 $\mu = 4.0$을 포함하므로 우리는 H_0: $\mu = 4.0$을 기각하지 않는다. 만일 신뢰구간이 $\mu = 4.0$을 포함하지 않았다면, 우리는 H_0: $\mu = 4.0$을 기각했을 것이다. 많은 통계학자들은 추정이 가설검정보다 훨씬 더 중요하다고 생각하기 때문에 신뢰구간을 통해 통계적 가설검정을 접근한다. 단측검정에는 단측 신뢰구간이 사용된다.

연습문제

8.1-1 어떤 집단의 IQ가 근사적으로 $N(\mu, 100)$을 따른다고 가정하자. 단측대립가설 H_1: $\mu > 110$에 대해 귀무가설 H_0: $\mu = 110$을 검정하기 위해, 이 집단으로부터 크기 $n = 16$인 확률표본을 취해서 $\bar{x} = 113.5$를 얻었다.

(a) 유의수준 5%에서 H_0은 채택되는가, 아니면 기각되는가?

(b) 유의수준 10%에서 H_0은 채택되는가, 아니면 기각되는가?

(c) 이 검정의 p값은 얼마인가?

8.1-2 강철을 담금질 처리한 후 측정한 강도를 X라 하자. X의 분포가 $N(\mu, 100)$이라 할 때, X의 관측치 $n = 25$개를 이용해 대립가설 H_1: $\mu > 170$에 대한 귀무가설 H_0: $\mu = 170$을 검정하고자 한다.

(a) 검정통계량과 유의수준 $\alpha = 0.05$에서 기각역을 정의하고, 이 기각역을 그림으로 표현하라.

(b) 크기 $n = 25$인 X의 확률표본이 다음과 같다.

170	167	174	179	179	156	163	156	187
156	183	179	174	179	170	156	187	
179	183	174	187	167	159	170	179	

검정통계량 값을 계산하고 가설검정을 하라.

(c) 이 검정의 p값을 구하라.

8.1-3 미국의 신생아 평균 몸무게가 $\mu = 3{,}315$그램이고, 표준편차는 $\sigma = 575$이다. 예루살렘의 신생아 몸무게를 X라 하자. X의 분포가 $N(\mu, \sigma^2)$일 때, 크기 $n = 30$인 확률표본을 이용해 대립가설 H_1: $\mu < 3{,}315$에 대해 귀무가설 H_0: $\mu = 3{,}315$를 검정하고자 한다.

(a) 유의수준 $\alpha = 0.05$에서 기각역을 정의하라.

(b) 크기 $n = 30$인 확률표본의 평균이 $\bar{x} = 3{,}189$ 그리고 $s = 488$이면, 결론은 무엇인가?

(c) 이 검정의 p값을 구하라.

8.1-4 비타민 B_6는 어느 제약회사에서 생산한 복합비타민제에 함유된 비타민 중 하나이다. 이 비타민제 1정당 평균 50mg의 비타민 B_6가 함유되도록 생산한다. 회사에서는 1개월마다 1mg 감소해서 3개월 후에 $\mu = 47$이라 믿고 있고, 소비자는 3개월 후에 $\mu < 47$을 주장한다.

(a) 크기 $n = 20$인 확률표본에 기초해 유의수준 $\alpha = 0.05$에서 대립가설 H_1: $\mu < 47$에 대해 귀무가설 H_0: $\mu = 47$을 검정하기 위한 기각역을 정의하라.

(b) 비타민 20정의 평균이 $\bar{x} = 46.94$ 그리고 표준편차 $s = 0.15$이면, 결론은 무엇인가?

(c) 이 검정의 p값을 구하라.

8.1-5 관상용 지피식물 빈카(Vinca minor)는 작은 자생 초목과의 경쟁에서 이겨 호프대학(Hope College) 생태공원 전반에 빠르게 퍼지고 있다. 빈카가 자생 초목의 성장을 막기 위해 화학무기를 이용하는지 알아보기 위해 호프대학 생물학과 학생들이 실험을 했는데, 이 실험에서 33개 해바라기 씨앗을 빈카 뿌리에서 얻은 추출물로 몇 주 동안 처리를 하면서 생육을 관찰했다. 이 씨앗들의 크기를 X라 하고 X의 분포는 $N(\mu, \sigma^2)$이라 하자. 관측값은 다음과 같다(단위: cm).

11.5	11.8	15.7	16.1	14.1	10.5	15.2	19.0	12.8	12.4	19.2
13.5	16.5	13.5	14.4	16.7	10.9	13.0	15.1	17.1	13.3	12.4
8.5	14.3	12.9	11.1	15.0	13.3	15.8	13.5	9.3	12.2	10.3

학생들은 또한 대조군으로 해바라기 씨앗을 심어서 평균 15.7을 얻었다. 따라서 우리는 대립가설 H_1: $\mu < 15.7$에 대해 귀무가설 H_0: $\mu = 15.7$을 검정한다.

(a) 검정통계량 값을 계산하고 이 검정의 p값을 구하라.

(b) 결론은 무엇인가?

(c) 평균 μ에 대한 상한을 갖는 98% 단측신뢰구간을 구하라.

8.1-6 한 유제품 판매자가 이유식을 만드는 어떤 회사에 저지방 분유를 생산해서 판매한다. 분유의 지방 함량을 측정하기 위해, 회사와 판매자가 동일한 표본을 대상으로 각각 지방 함량을 퍼센트 단위로 측정했다. 측정 결과 10개 쌍은 다음과 같다.

표본	회사 측정 결과(x)	판매자 측정 결과(y)
1	0.50	0.79
2	0.58	0.71
3	0.90	0.82
4	1.17	0.82
5	1.14	0.73
6	1.25	0.77
7	0.75	0.72
8	1.22	0.79
9	0.74	0.72
10	0.80	0.91

두 관측값의 차 $x - y$들의 평균을 μ_D라 하자. 유의수준 $\alpha = 0.05$에서, 대응표본 t 검정을 이용해 대립가설 H_1: $\mu_D > 0$에 대해 귀무가설 H_0: $\mu_D = 0$을 검정하라.

8.1-7 모터를 생산하는 어느 회사는 10,000개의 터미널(terminal)로 구성된 릴을 납품받는다. 릴을 사용하기 전에 20개의 터미널을 임의로 추출해서 시험한다. 시험은 터미널이 분리되는 데 필요한 압력을 측정하는 것이다. 터미널이 분리될 때까지 계속해서 압력을 증가시킨다. (이런 종류의 실험은 파괴실험이기 때문에, 실험에 사용된 터미널은 모터에 사용될 수 없다.) D를 압력의 차이, '실험 1 압력' − '실험 2 압력'이라 하고 D의 분포가 $N(\mu_D, \sigma_D^2)$이라 하자. 20개 대응자료를 이용해 대립가설 H_1: $\mu_D < 0$ 대비 귀무가설 H_0: $\mu_D = 0$을 검정하고자 한다.

터미널	실험 1	실험 2	터미널	실험 1	실험 2
1	2.5	3.8	11	7.3	8.2
2	4.0	3.9	12	7.2	6.6
3	5.2	4.7	13	5.9	6.8
4	4.9	6.0	14	7.5	6.6
5	5.2	5.7	15	7.1	7.5
6	6.0	5.7	16	7.2	7.5
7	5.2	5.0	17	6.1	7.3
8	6.6	6.2	18	6.3	7.1
9	6.7	7.3	19	6.5	7.2
10	6.6	6.5	20	6.5	6.7

(a) 검정통계량과 유의수준 $\alpha = 0.05$에서 기각역을 구하라. 이 기각역을 그림으로 표현하라.

(b) 주어진 자료를 이용해 검정통계량 값을 계산하고, 결론을 도출하라.

(c) 유의수준 $\alpha = 0.01$이면, 결론은 무엇인가?

(d) 이 검정의 p값을 계산하라.

8.2 두 평균의 동일성에 대한 검정

종종 서로 다른 두 분포 혹은 모집단의 평균 비교에 관심이 있다. 두 모집단의 관측치가 대응표본 혹은 독립표본인지에 따라 두 가지 상황을 고려해야 한다. 먼저 대응표본을 고려하자.

만일 X와 Y가 대응표본이라면, $D = X - Y$라 하고 가설도 H_0: $\mu_X = \mu_Y$에서 H_0: $\mu_D = 0$으로 바꿔야 한다. 예를 들어, X와 Y를 8주 동안 에어로빅 프로그램에 참여하기 전과 후 안정을 취한 상태에서 측정한 맥박수라 하자. 아마 대립가설 H_1: $\mu_D > 0$(에어로빅 프로그램이 맥박수를 감소시킴) 대비 귀무가설 H_0: $\mu_D = 0$(변화 없음)을 검정하는 데 관심이 있을 것이다. X와 Y가 같은 사람에서 측정된 값이기 때문에 서로 종속적일 것이다. 만일 D의 분포가 (근사적으로) $N(\mu_D, \sigma_D^2)$이라 가정하면, 표 8.1-2의 하나의 평균에 적합한 t 검정을 사용할 수 있다. 이것은 **대응표본 t 검정**(paired t-test)이라 한다.

예제 8.2-1 중 · 고등학교 여학생 24명이 무거운 줄넘기 프로그램에 참여한다. 어떤 사람은 이 프로그램이 단거리 달리기 스피드를 향상시킬 것이라고 생각한다. D를 단거리 달리기 기록 차인 '프로그램 참여 전 기록' − '프로그램 참여 후 기록'이라 하자. D의 분포가 근사적으로 $N(\mu_D, {\sigma_D}^2)$이라 할 때, 대립가설 H_1: $\mu_D > 0$ 대비 귀무가설 H_0: $\mu_D = 0$을 검정하고자 한다. 검정통계량과 유의수준 $\alpha = 0.05$에서 기각역은 다음과 같다.

$$t = \frac{\overline{d} - 0}{s_D/\sqrt{24}} \geq t_{0.05}(23) = 1.714$$

24명 학생들의 단거리 달리기 기록 차이가 다음과 같다.

0.28	0.01	0.13	0.33	−0.03	0.07	−0.18	−0.14
−0.33	0.01	0.22	0.29	−0.08	0.23	0.08	0.04
−0.30	−0.08	0.09	0.70	0.33	−0.34	0.50	0.06

양수는 프로그램 참여 후에 기록이 좋아짐을 의미한다. 이 자료의 평균은 $\overline{d} = 0.79$, 표준편차 $s_D = 0.255$이므로, 검정통계량의 관측값은

$$t = \frac{0.079 - 0}{0.255/\sqrt{24}} = 1.518$$

이며 이 값이 1.714보다 작기 때문에 귀무가설이 기각되지 않는다. 그러나 $t_{0.10}(23) = 1.319$이므로 $t = 1.518 > 1.319$가 된다. 따라서 유의수준 $\alpha = 0.10$에서 귀무가설이 기각된다. 이것을 표현하는 다른 방법은 다음과 같다.

$$0.05 < p\text{값} < 0.10$$

■

이제 확률변수 X와 Y가 독립표본이고, 각각 정규분포 $N(\mu_X, \sigma_X^2)$과 $N(\mu_Y, \sigma_Y^2)$을 따른다고 하자. 대립가설 H_1: $\mu_X \neq \mu_Y$ 대비 귀무가설 H_0: $\mu_X = \mu_Y$를 검정하고자 할 것이다(혹은 가능한 단측대립가설 $\mu_X < \mu_Y$ 혹은 $\mu_X > \mu_Y$ 중 하나). 7.2절에서 $\mu_X -$

μ_Y에 대한 신뢰구간을 작성할 때 사용했던 것과 유사한 t 분포 해당 값을 사용해 이런 종류의 가설을 검정할 수 있다.

X와 Y가 독립이고 정규분포를 따를 때, 7.2절에서 $\mu_X - \mu_Y$에 대한 신뢰구간을 작성할 때 사용했던 t 통계량을 가지고 두 분포의 평균에 대한 가설을 검정한다. 신뢰구간을 작성할 때 사용된 t 분포 값은 두 분포의 분산이 같다는 가정하에 얻어졌음을 기억해야 한다. (이것이 다음 절에서 두 분산의 동일성에 대한 검정을 고려하는 이유다.)

예제 하나를 소개한 다음, 가설과 기각역을 열거하는 표를 제공할 것이다. 어떤 식물학자는 두 가지 수준의 호르몬 양에 따른 콩줄기의 성장 반응을 비교하려고 한다. 어린 콩줄기들로부터 5 mm가량 절개해서 각기 다른 수준의 호르몬 용액에 띄워두었다가 성장을 관측했다. X와 Y를 절개 후 26시간 동안 각각 $(0.5)(10)^{-4}$ 그리고 10^{-4} 수준의 호르몬 용액에 대응한 독립적인 성장 길이라 하자. 식물학자는 귀무가설 H_0: $\mu_X - \mu_Y = 0$ 대 대립가설 H_1: $\mu_X - \mu_Y < 0$을 검정하고자 한다. X와 Y가 독립이고 동일한 분산을 가진 정규분포를 따르며, 크기 n_X와 n_Y의 확률표본을 각각 가정한다면, 검정통계량은

$$T = \frac{\overline{X} - \overline{Y}}{\sqrt{\{[(n_X - 1)S_X^2 + (n_Y - 1)S_Y^2]/(n_X + n_Y - 2)\}(1/n_X + 1/n_Y)}} = \frac{\overline{X} - \overline{Y}}{S_P\sqrt{1/n_X + 1/n_Y}} \tag{8.2-1}$$

이고, 여기에서

$$S_P = \sqrt{\frac{(n_X - 1)S_X^2 + (n_Y - 1)S_Y^2}{n_X + n_Y - 2}} \tag{8.2-2}$$

이다. 귀무가설이 참일 때, T는 자유도가 $r = n_X + n_Y - 2$인 t 분포를 따른다. 따라서 T의 관측값이 $-t_\alpha(n_X + n_Y - 2)$보다 작거나 같을 때, 귀무가설 H_0을 기각하고 대립가설 H_1을 채택한다.

예제 8.2-2 앞에서 논의했던 식물학자가 콩줄기가 자란 길이를 밀리미터로 측정해 X의 $n_X = 11$개 관측값

0.8 1.8 1.0 0.1 0.9 1.7 1.0 1.4 0.9 1.2 0.5

와 Y의 $n_Y = 13$개 관측값

1.0 0.8 1.6 2.6 1.3 1.1 2.4
1.8 2.5 1.4 1.9 2.0 1.2

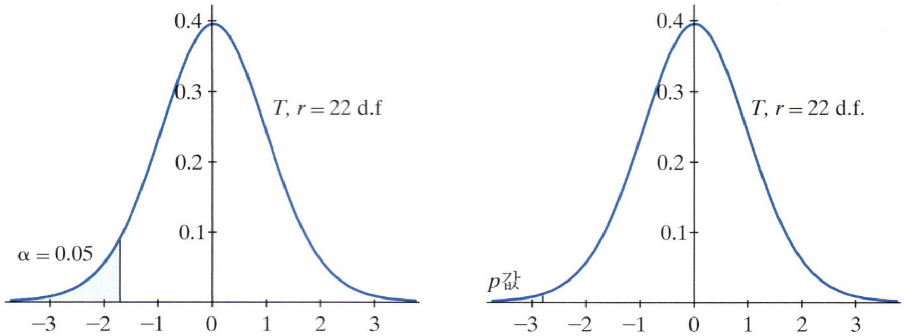

그림 8.2-1 콩 줄기 성장에 대한 기각역과 p값

를 얻었다. 이 자료로부터 $\bar{x} = 1.03$, $s_X^2 = 0.24$, $\bar{y} = 1.66$, $s_Y^2 = 0.35$를 얻었다. 가설 H_0: $\mu_X - \mu_Y = 0$ 대 H_1: $\mu_X - \mu_Y < 0$을 검정하기 위한 기각역은 $t \le -t_{0.05}(22) = -1.717$이며 이때 t는 식 (8.2-1)의 이표본 t 검정이다. 검정통계량 값이

$$t = \frac{1.03 - 1.66}{\sqrt{\{[10(0.24) + 12(0.35)]/(11 + 13 - 2)\}(1/11 + 1/13)}}$$
$$= -2.81 \ < \ -1.717$$

이므로, 유의수준 $\alpha = 0.05$에서 귀무가설은 기각된다. $-t_{0.005}(22) = -2.819$이므로 이 검정의 근사적 p값은 0.005이다(그림 8.2-1 참조). 또한 표본분산들이 많이 다르지 않기 때문에 대부분의 통계학자들은 이표본 t 검정을 사용할 것이다.

두 표본의 시각적 비교를 위해 상자그림을 그리는 것도 도움이 된다. 위의 두 자료에 대한 다섯숫자 요약(최솟값, 세 사분위수들, 최댓값)을 계산하면 X표본에 대한 값은

0.1 0.8 1.0 1.4 1.8

이고, Y표본에 대해서는

0.8 1.15 1.6 2.2 2.6

이다. 두 상자그림이 그림 8.2-2에 주어졌다. ■

크기 n_X와 n_Y인 독립 확률표본을 가정하면, $\bar{x}$, $\bar{y}$, 그리고 s_P^2은 공통분산을 가진 두 정규분포에서 대응되는 모수들 μ_X, μ_Y, 그리고 $\sigma_X^2 = \sigma_Y^2$의 불편추정량 관측치다. $\sigma_X^2 = \sigma_Y^2$일 때, 특정 가설의 유의수준 α 검정법이 표 8.2-1에 정리되어 있다. 공통분산 가정이 위배되더라도 매우 심하지 않다면 이 검정법이 만족스럽다. 하지만 이때 유의수준은 근사치일 뿐이다. t 통계량과 s_P는 식 (8.2-1)과 (8.2-2)에 각각 주어졌다.

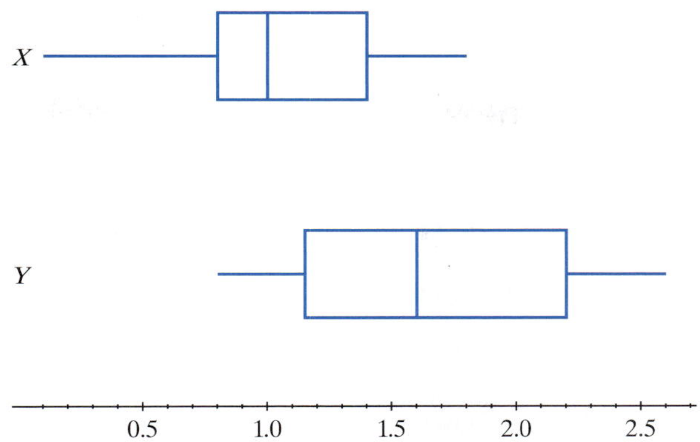

그림 8.2-2 콩 줄기 성장에 대한 상자그림

표 8.2-1 두 평균의 동일성에 대한 가설검정

H_0	H_1	기각역
$\mu_X = \mu_Y$	$\mu_X > \mu_Y$	$t \ge t_\alpha(n+m-2)$ 혹은 $\bar{x} - \bar{y} \ge t_\alpha(n_X+n_Y-2)s_P\sqrt{1/n_X + 1/n_Y}$
$\mu_X = \mu_Y$	$\mu_X < \mu_Y$	$t \le -t_\alpha(n_X+n_Y-2)$ 혹은 $\bar{x} - \bar{y} \le -t_\alpha(n_X+n_Y-2)s_P\sqrt{1/n_X + 1/n_Y}$
$\mu_X = \mu_Y$	$\mu_X \ne \mu_Y$	$\lvert t\rvert \ge t_{\alpha/2}(n_X+n_Y-2)$ 혹은 $\lvert\bar{x} - \bar{y}\rvert \ge t_{\alpha/2}(n_X+n_Y-2)s_P\sqrt{1/n_X + 1/n_Y}$

예제 8.2-3 어떤 음료 제품이 좌우측에 각각 12개씩, 총 24개의 주입기를 갖춘 기계에 의해 생산된다. X와 Y를 각각 좌측과 우측 주입구를 통해 생산된 음료의 그램 단위 무게라 하자. X와 Y는 서로 독립이고 각각 정규분포 $N(\mu_X, \sigma^2_X)$과 $N(\mu_Y, \sigma^2_Y)$을 따를 때, 가설 H_0: $\mu_X - \mu_Y = 0$ 대 H_1: $\mu_X - \mu_Y \ne 0$을 검정하고자 한다. 검정을 위해, 각 주유기에서 생산된 제품들을 임의로 하나씩 골라 무게를 쟀다. 검정통계량은 식 (8.2-1)에서 $n_X = n_Y = 12$인 경우다. 따라서 유의수준 $\alpha = 0.10$에서 기각역은 $|t| \ge t_{0.05}(22) = 1.717$이다.

X의 $n_X = 12$ 관측치는 다음과 같으며, $\bar{x} = 1{,}076.75$, $s_X^2 = 29.30$이다.

1,071	1,076	1,070	1,083	1,082	1,067
1,078	1,080	1,075	1,084	1,075	1,080

Y의 $n_Y = 12$ 관측치는 다음과 같으며 $\bar{y} = 1{,}072.33$, $s_Y^2 = 26.24$이다.

1,074	1,069	1,075	1,067	1,068	1,079
1,082	1,064	1,070	1,073	1,072	1,075

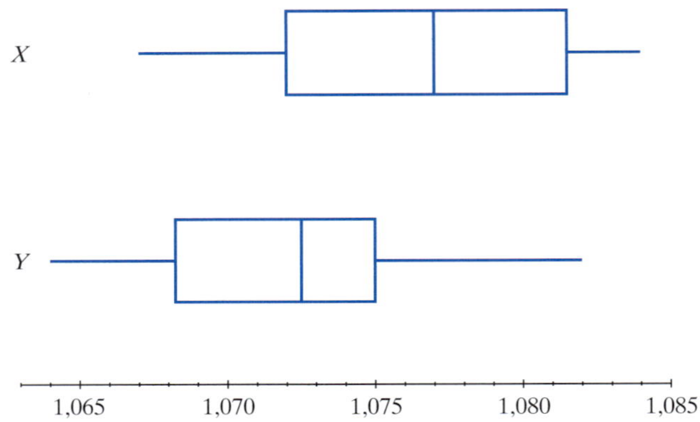

그림 8.2-3 음료 무게에 대한 상자그림

검정통계량 값은

$$t = \frac{1076.75 - 1072.33}{\sqrt{\frac{11(29.30) + 11(26.24)}{22}\left(\frac{1}{12} + \frac{1}{12}\right)}} = 2.05$$

이고

$$|t| = |2.05| = 2.05 > 1.717$$

이므로 유의수준 $\alpha = 0.10$에서 귀무가설이 기각된다. 그러나 유의수준이 $\alpha = 0.05$이면

$$|t| = 2.05 < 2.074 = t_{0.025}(22)$$

이기 때문에 유의수준 $\alpha = 0.05$에서 귀무가설이 기각되지 않는다. 즉, p값이 0.05와 0.10 사이이다.

두 자료에 대한 상자그림을 하나의 그래프에 표현하는 것은 도움이 된다. 그림 8.2-3의 상자그림들은 X 관측치들의 다섯숫자 요약(1,067, 1,072, 1,077, 1,081.5, 1,084)과 Y 관측치들의 다섯숫자 요약(1,064, 1,068.25, 1,072.5, 1,075, 1,082)을 이용해 작성되었다. 기계의 양측에 있는 주입기들이 비슷하게 주입하는지를 검정하기 위해 추가적인 표본이 필요한 것처럼 보인다. 그렇지 않다면 약간의 보정 절차가 필요하다. ■

두 평균의 동일성 검정법에 대한 두 가지 수정을 제안하고자 한다. 먼저 우리가 X와 Y의 분산을 알고 있다고 가정할 수 있으면, 귀무가설 H_0: $\mu_X = \mu_Y$ 검정에 사용하는 검정통계량은 다음과 같다.

$$Z = \frac{\overline{X} - \overline{Y}}{\sqrt{\frac{\sigma_X^2}{n_X} + \frac{\sigma_Y^2}{n_Y}}} \tag{8.2-3}$$

이 통계량은 귀무가설이 참일 때 그리고 모집단들이 정규분포를 따를 때 표준정규분포를 따른다. 둘째 분산들은 모르지만 표본크기가 클 때, 식 (8.2-3)의 σ_X^2과 σ_Y^2을 각각 S_X^2과 S_Y^2으로 교체하면 된다. 이때 검정통계량은 근사적으로 표준정규분포를 따른다.

예제 8.2-4 어느 껌 공장에서 보통 껌과 풍선껌의 두께가 6.7(1/100인치)이 되도록 생산목표를 정하고 있다. 독립인 확률변수 X와 Y를 각각 보통 껌과 풍선껌의 두께라 하고, 이들의 분포가 $N(\mu_X, \sigma_X^2)$과 $N(\mu_Y, \sigma_Y^2)$이라 하자. 풍선껌이 보통 껌보다 신축성이 좋기 때문에 목표 두께대로 생산하기가 더 어렵다. 따라서 표본 $n_X = 50$과 $n_Y = 40$을 이용해 가설 H_0: $\mu_X = \mu_Y$ 대 H_1: $\mu_X < \mu_Y$를 검정하려고 한다.

분산을 모르고 표본크기가 크기 때문에 검정통계량은 다음과 같다.

$$Z = \frac{\overline{X} - \overline{Y}}{\sqrt{\dfrac{S_X^2}{50} + \dfrac{S_Y^2}{40}}}$$

근사 유의수준 $\alpha = 0.10$에서 기각역은 다음과 같다.

$$z \le -z_{0.01} = -2.326$$

X의 관측치들은 다음과 같으며 $\overline{x} = 6.701$, $s_X = 0.108$이다.

6.85	6.60	6.70	6.75	6.75	6.90	6.85	6.90	6.70	6.85
6.60	6.70	6.75	6.70	6.70	6.70	6.55	6.60	6.95	6.95
6.80	6.80	6.70	6.75	6.60	6.70	6.65	6.55	6.55	6.60
6.60	6.70	6.80	6.75	6.60	6.75	6.50	6.75	6.70	6.65
6.70	6.70	6.55	6.65	6.60	6.65	6.60	6.65	6.80	6.60

Y의 관측치들은 다음과 같으며 $\overline{y} = 6.841$, $s_Y = 0.155$이다.

7.10	7.05	6.70	6.75	6.90	6.90	6.65	6.60	6.55	6.55
6.85	6.90	6.60	6.85	6.95	7.10	6.95	6.90	7.15	7.05
6.70	6.90	6.85	6.95	7.05	6.75	6.90	6.80	6.70	6.75
6.90	6.90	6.70	6.70	6.90	6.90	6.70	6.70	6.90	6.95

검정통계량의 값이

$$z = \frac{6.701 - 6.841}{\sqrt{0.108^2/50 + 0.155^2/40}} = -4.848 < -2.326$$

이므로 귀무가설은 기각된다.

그림 8.2-4의 상자그림들은 X 관측치들의 다섯숫자 요약(6.50, 6.60, 6.70, 6.75,

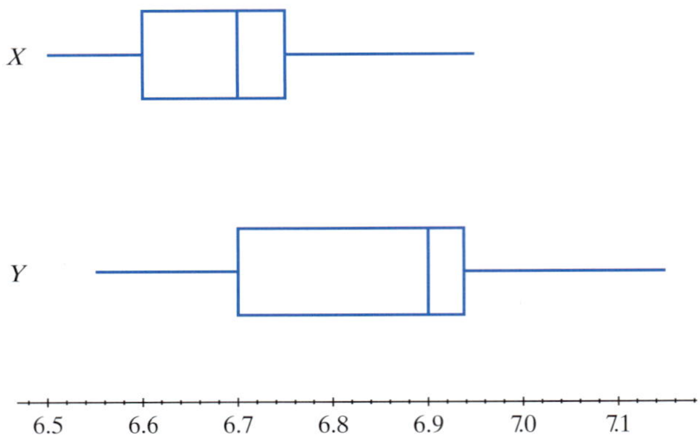

그림 8.2-4 껌 두께에 대한 상자그림

6.95)과 Y 관측치들의 다섯숫자 요약(6.55, 6.70, 6.90, 6.94, 7.15)을 이용해 작성되었다. 이 그림이 다시 한 번 우리의 결론을 확인해준다. ■

참고 검정 결과가 유효하기 위해서, 검정에 필요한 가설들이 잘 만족되어야 한다. 모집단의 분포가 지나치게 기울어진 것이 아니면, 중심극한정리에 의해 $\overline{X}$와 $\overline{Y}$가 근사적으로 정규분포를 따르기 때문에 정규성 가정이 크게 중요하지는 않다. 분포가 정규분포도 아니고 매우 기울어졌다면 표본평균과 표본분산이 더욱 종속적이 되어 T의 근사분포로 t 분포를 사용할 때 문제가 발생한다. 이와 같은 경우에는 나중에 언급될 비모수적 방법이 효과적이다(8.5절 참조).

모집단의 분포가 정규분포에는 가깝지만 두 분산의 차이가 클 때 t 분포 사용은 피해야 하고, 특히 표본크기가 다를 때는 더욱 피해야 한다. 이와 같은 경우에는 Z 통계량 혹은 모분산 대신 표본분산을 대입한 수정된 통계량을 사용하는 것이 좋다. 표본크기 n_X와 n_Y가 충분히 크면, 후자의 경우 아무 문제가 없다. 그러나 표본크기 n_X와 n_Y가 작은 경우, 많은 통계학자들이 웰치(Welch)의 제안(혹은 이것의 수정 버전)을 선호한다. 즉, 식 (7.2-1)에 주어진 자유도 r을 가진 근사 t 분포를 사용한다. 대안으로 8.5절에 언급된 비모수적 방법이 사용될 수 있다.

연습문제

연습문제 중 몇 개에서는 동일한 분산을 가진 정규분포의 존재와 같은 가정이 필요하다.

8.2-1 예제 8.2-2의 식물학자는 호르몬의 시너지 효과에 관심이 있다. 즉, 두 호르몬 GA_3(gibberrellin)과 IAA(indoleaccetic acid)가 있을 때, X_1과 X_2를 호르몬 GA_3과 IAA를 각각 따로 투여했을 때 이에 대한 작은 완두콩 줄기의 성장반응이라 하자. 또한 $X = X_1 + X_2$ 그리고 Y는 두 호르몬을 동시

에 투여했을 때 성장반응이라 하자. X와 Y의 분포가 각각 $N(\mu_X, \sigma_X^2)$과 $N(\mu_Y, \sigma_Y^2)$이라 가정할 때, 이 식물학자는 가설 H_0: $\mu_X = \mu_Y$ 대 H_1: $\mu_X < \mu_Y$를 검정하고자 한다.

(a) X와 Y의 $n_X = n_Y = 10$개 관측치를 이용해, 검정통계량과 유의수준 $\alpha = 0.05$에서 기각역을 정의하라. t 분포의 pdf를 그리고 여기에 기각역을 표시하라.

(b) X의 $n_X = 10$개 관측치는

2.1 2.6 2.6 3.4 2.1 1.7 2.6 2.6 2.2 1.2

이고, Y의 $n_Y = 10$개 관측치는

3.5 3.9 3.0 2.3 2.1 3.1 3.6 1.8 2.9 3.3

으로 주어졌을 때, 검정통계량 값을 계산하고 결론을 내려라. 위의 그림에서 검정통계량을 표시하라.

(c) 2개의 상자그림을 그려라. 이 그림이 여러분의 결론을 지지하는가?

8.2-2 X를 저지방 딸기 초콜릿의 무게라 하고, Y를 저지방 블루베리 초콜릿의 무게라 하자. X와 Y의 분포가 각각 $N(\mu_X, \sigma_X^2)$과 $N(\mu_Y, \sigma_Y^2)$이라 가정하자. X의 $n_X = 9$개 관측치는

21.7 21.0 21.2 20.7 20.4 21.9 20.2 21.6 20.6

이고, Y의 $n_Y = 13$개 관측치는

21.5	20.5	20.3	21.6	21.7	21.3	23.0
21.3	18.9	20.0	20.4	20.8	20.3	

으로 주어졌을 때, 이를 이용해 다음에 답하라.

(a) 양측대립가설에 대해 귀무가설 H_0: $\mu_X = \mu_Y$를 검정하라. 분산은 동일하다 가정하고, 유의수준은 알아서 선택하라.

(b) 상자그림을 그리고 그림이 여러분의 결론을 지지하는지 설명하라.

8.2-3 지역 보건소 간호사들이 부적절한 산전 보살핌 서비스를 받은 임산부들을 대상으로 설문조사를 실시했다. 출생신고서의 정보를 이용해 조사 대상자들이 선택되었다. 엄마들이 두 그룹으로 구분되었는데, 첫 번째 그룹은 5번 이하로 산전 보살핌 서비스를 받은 14명, 두 번째 그룹은 6번 이상 서비스를 받은 14명으로 구성되었다. X와 Y를 각각 이 두 그룹의 산모들로부터 태어난 아기들의 몸무게라 하고, 각각 $N(\mu_X, \sigma_X^2)$과 $N(\mu_Y, \sigma_Y^2)$ 분포를 따른다고 하자.

(a) 가설 H_0: $\mu_X - \mu_Y = 0$ 대 H_0: $\mu_X - \mu_Y < 0$ 검정에 필요한 검정통계량과 유의수준 $\alpha = 0.05$에서 기각역을 정의하라.

(b) X의 관측치는

49	108	110	82	93	114	134
114	96	52	101	114	120	116

이고, Y의 관측치는

133	108	93	119	119	98	106
131	87	153	116	129	97	110

으로 주어졌을 때, 검정통계량을 계산하고 결론을 내려라.

(c) 근사 p값을 계산하라.

(d) 두 자료에 대한 상자그림을 그려라. 그림들이 여러분의 결론을 지지하는가?

8.2-4 X와 Y를 각각 필터 담배와 무필터 담배의 타르양(단위: mg)이라 하고, 각각 $N(\mu_X, \sigma_X^2)$과 $N(\mu_Y, \sigma_Y^2)$ 분포를 따른다고 하자. 확률표본크기 $n_X = 9$, $n_Y = 11$개 관측치를 이용해, 가설 H_0: $\mu_X - \mu_Y = 0$ 대 H_1: $\mu_X - \mu_Y < 0$을 검정하고자 한다.

(a) 검정통계량과 유의수준 $\alpha = 0.01$에서 기각역을 정의하라. (등분산을 가정하라.) 기각역을 보여주는 그림을 그려라.

(b) X의 관측치는

0.9 1.1 0.1 0.7 0.4 0.9 0.8 1.0 0.4

이고 Y의 관측치는

1.5 0.9 1.6 0.5 1.4 1.9 1.0 1.2 1.3 1.6 2.1

로 주어졌을 때 검정통계량 값을 계산하고 결론을 내려라. 검정통계량 값을 그림에 표현하라.

8.2-5 시냇물이 혼탁하면 물속의 부유 토양 때문에 맑지 않다. 혼탁의 정도가 심할수록 물은 덜 맑게 된다. 26일 동안 시냇물을 조사했는데, 절반은 맑은 날(X의 관측치), 나머지 절반은 상당히 비가 많이 온 직후(Y의 관측치)였다. X와 Y의 분포가 각각 $N(\mu_X, \sigma_X^2)$과 $N(\mu_Y, \sigma_Y^2)$ 분포를 따른다고 하자. X와 Y의 자료는 다음과 같다.

x:	2.9	14.9	1.0	12.6	9.4	7.6	3.6
	3.1	2.7	4.8	3.4	7.1	7.2	
y:	7.8	4.2	2.4	12.9	17.3	10.4	5.9
	4.9	5.1	8.4	10.8	23.4	9.7	

(a) 유의수준 $\alpha = 0.05$에서 가설 H_0: $\mu_X = \mu_Y$ 대 H_0: $\mu_X < \mu_Y$를 검정하라.

(b) 두 자료의 상자그림을 그려라. 이 그림이 여러분의 결론을 지지하는가?

8.2-6 X와 Y를 각각 4월과 6월에 생산된 8파운드 표백제의 실제 무게라 하자. X의 $n_X = 90$개 관측치들로부터 평균 $\bar{x} = 8.10$과 $s_X = 0.117$, Y의 $n_Y = 110$개 관측치들로부터 평균 $\bar{y} = 8.07$과 $s_Y = 0.054$를 얻었을 때, 가설 H_0: $\mu_X - \mu_Y = 0$ 대 H_1: $\mu_X - \mu_Y > 0$을 검정하고자 한다.

(a) 유의수준 $\alpha = 0.05$에서 여러분의 결론은 무엇인가?

힌트: 분산들이 동일한가?

(b) 이 검정의 근사 p값을 계산하라.

8.2-7 학생들이 어떤 비료가 식물 성장에 미치는 영향에 대해 조사하고 있다. 이를 위해 한 그룹(그룹 A)의 식물들에게는 비료를 주고, 다른 그룹(그룹 B)에는 비료를 주지 않았다. 6주 후 식물 성장자료는 다음과 같다.

그룹 A:	55	61	33	57	17	46	50	42	71	51	63
그룹 B:	31	27	12	44	9	25	34	53	33	21	32

(a) 분산들이 동일하다고 가정할 때, 비료가 식물 성장에 도움이 되는지 가설검정을 하라.

(b) 두 자료에 대한 상자그림을 그려라. 이 그림이 (a)의 답을 지지하는가?

8.3 분산에 대한 검정

종종 하나의 정규분포 분산 혹은 두 정규분포의 분산들에 대한 가설검정에 관심이 있다. 이 절에서는 그런 가설검정 절차에 대해 논의한다.

그런 검정의 필요에 대한 동기를 부여하기 위해, 많은 제품을 생산하는 제조공정에서 제품 간의 변동은 작은 것이 중요하다는 것을 지적한다. 특정 의학적 현상을 치료하기 위해 약이 생산된 경우를 고려하자. 모든 약이 권장량의 유효성분을 포함하는 것이 중요하다. 왜냐하면 너무 적으면 약이 효과가 없고 너무 많으면 해로울 수 있기 때문이다. 잘 설립된 제조공정은 유효성분의 표준편차가 0.6μg(마이크로그램: 100만분의 1그램)이 되도록 약을 생산한다고 가정하자. 게다가 어느 제약회사가 표준편차가 더 작은 새로운 제조공정을 개발했다고 가정하자. 따라서 그 회사는 가설 H_0: $\sigma = 0.6$ 대 H_1: $\sigma < 0.6$을 검정하고 싶을 것이다. 이 가설의 검정은 새로운 공정을 이용한 생산라인에서 임의로 n개 약을 추출해 측정한 유효성분량의 표본표준편차 S에 기초한다. 더 구체적으로, 표본표준편차가 0.6보다 훨씬 적을 때 귀무가설을 기각하는 것이 합리적으로 보인다.

그러나 S와 0.6의 불일치를 얼마나 정확히 측정할 수 있는가? 정규분포의 모평균에 대한 가설을 검정할 때 μ와 $\overline{X}$의 차이를 우리가 어떻게 측정했는지를 유추해보면, 우선 스케일링된 차이 $(S-0.6)/\sqrt{\mathrm{Var}(S)}$를 고려할 것이다. 그러나 이 측도에는 몇 가지 어려움이 있는데, 그중 적지 않은 부분은 S가 본질적으로 음이 아니며, 이것이 비대칭에 이르게 된다. 스케일링된 차이의 분자의 하한은 0.6이지만 상한은 무한대다. 더 좋고 더 편리한 불일치 측도는 $S/0.6$이고, 이보다 더 편리한 것은 다음과 같음이 밝혀졌다.

$$\chi^2 = \frac{(n-1)S^2}{0.6^2}$$

이 통계량이 χ^2이라 불리는 이유는 만일 표본의 모집단이 정규분포이면 귀무가설이 참일 때 이 통계량이 자유도가 $n-1$인 카이제곱분포를 따르기 때문이다(정리 5.5-2). 자유도가 $n-1$인 카이제곱분포의 기댓값이 $n-1$이기 때문에, χ^2이 $n-1$에서 멀어질수록 귀무가설에서 주장된 모표준편차와 관측된 S 사이 불일치가 더 크다는 것을 알 수 있다. 따라서 χ^2을 검정통계량으로 사용하고 만일

$$\chi^2 < \chi^2_{1-\alpha}(n-1)$$

이면, 귀무가설 H_0: $\sigma = 0.6$을 기각하고 대립가설 H_1: $\sigma < 0.6$을 채택한다. 여기에서 α는 검정의 유의수준이다.

예제 8.3-1 위의 논의에서 $n = 23$, $\alpha = 0.05$이고 표본표준편차가 $s = 0.42$, 다시 말해 $s^2 = 0.42^2 = 0.1764$라고 가정하자. 가설 H_0: $\sigma = 0.6$ 대 H_1: $\sigma < 0.6$을 검정하기 위한 검정통계량은 다음과 같다.

$$\chi^2 = \frac{(n-1)s^2}{0.6^2} = \frac{(22)(0.1764)}{0.36} = 10.78$$

이 값을 $\chi^2_{0.95}(22) = 12.34$와 비교하면 귀무가설은 기각된다. 즉, 유의수준 $\alpha = 0.05$에서 새로운 제조공정이 약들의 유효성분의 변동을 줄였다고 할 수 있다. ■

단측대립가설과 양측대립가설의 경우 하나의 표준편차에 대한 가설검정을 표 8.3-1에 정리했다. 표에서 σ_0^2은 귀무가설에서 주장하는 σ^2의 값이다. 이 검정이 사용되려면, 표본의 모집단이 정규분포이거나 정규분포와 비슷해야 한다. 만일 모집단이 정규분포가 아니면, 표본크기가 매우 크더라도 검정의 성능은 좋지 않을 수 있다. 그래서 이 검정은 사용되지 않아야 한다.

하나의 분산검정에서 p값을 계산할 수 있다. 예제 8.3-1에서 p값은

$$p\text{값} = P(W \le 10.78)$$

이고, W는 자유도가 22인 카이제곱분포를 따른다. 부록 B의 표 4에서,

표 8.3-1 분산에 대한 가설검정

H_0	H_1	기각역
$\sigma^2 = \sigma_0^2$	$\sigma^2 > \sigma_0^2$	$s^2 \geq \dfrac{\sigma_0^2 \chi_\alpha^2(n-1)}{n-1}$ 혹은 $\chi^2 \geq \chi_\alpha^2(n-1)$
$\sigma^2 = \sigma_0^2$	$\sigma^2 < \sigma_0^2$	$s^2 \leq \dfrac{\sigma_0^2 \chi_{1-\alpha}^2(n-1)}{n-1}$ 혹은 $\chi^2 \leq \chi_{1-\alpha}^2(n-1)$
$\sigma^2 = \sigma_0^2$	$\sigma^2 \neq \sigma_0^2$	$s^2 \leq \dfrac{\sigma_0^2 \chi_{1-\alpha/2}^2(n-1)}{n-1}$ 혹은 $s^2 \geq \dfrac{\sigma_0^2 \chi_{\alpha/2}^2(n-1)}{n-1}$ 혹은 $\chi^2 \leq \chi_{1-\alpha/2}^2(n-1)$ or $\chi^2 \geq \chi_{\alpha/2}^2(n-1)$

$$P(W \leq 10.98) = 0.025, \qquad P(W \leq 9.542) = 0.01$$

임을 알 수 있다. 따라서

$$0.01 < p\text{값} < 0.025$$

이고, 유의수준 0.025에서 귀무가설은 기각될 것이다. 하지만 유의수준 0.01에서는 기각되지 않는다. 양측대립가설의 p값을 알아보기 위해, 만일 표본분산이 σ_0^2보다 크면 계산된 카이제곱 검정통계량보다 큰 쪽 꼬리확률의 2배를, 만일 표본분산이 σ_0^2보다 작으면 계산된 카이제곱 검정통계량보다 작은 쪽 꼬리확률의 2배를 한다. 예제 8.3-1에서, 만일 대립가설이 양측이었다면 p값은 $2P(W \leq 10.78)$가 되었을 것이고 이는 0.02와 0.05 사이 값이 된다.

정규분포의 분산 σ^2에 대한 가설을 검정하는 대신에 그것의 신뢰구간을 구한다고 하자. 이 분포에서 확률표본을 추출해 계산한 표본분산이 s^2이라 하자. $(n-1)S^2/\sigma^2$이 자유도 $n-1$인 카이제곱분포를 따르기 때문에, $\alpha \in (0, 1)$에 대해 다음이 성립한다.

$$P\left(\chi_{1-\alpha/2}^2(n-1) \leq \frac{(n-1)S^2}{\sigma^2} \leq \chi_{\alpha/2}^2(n-1)\right) = 1-\alpha$$

괄호 안의 부등식을 $(n-1)S^2$으로 나눈 다음 역수를 취하면, 부등식의 부호가 바뀐 다음과 같은 결과를 얻는다.

$$P\left(\frac{(n-1)S^2}{\chi_{\alpha/2}^2(n-1)} \leq \sigma^2 \leq \frac{(n-1)S^2}{\chi_{1-\alpha/2}^2(n-1)}\right) = 1-\alpha$$

따라서 표본의 모집단이 정규분포라고 가정할 때, σ^2에 대한 $100(1-\alpha)\%$ 양측신뢰구간은 다음과 같다.

$$\left[\frac{(n-1)s^2}{\chi_{\alpha/2}^2(n-1)}, \frac{(n-1)s^2}{\chi_{1-\alpha/2}^2(n-1)}\right]$$

7장에서 소개된 평균과 비율에 대한 양측신뢰구간과는 대조적으로, 신뢰구간의 양 끝이 점추정치 s^2에 일정한 값을 더하거나 빼는 형태로 표현되지 않는다. 따라서 일반적으로 s^2은 신뢰구간의 중앙에 존재하지 않는다. 양 끝의 양의 제곱근을 계산함으로써 σ에 대한 $100(1-\alpha)\%$ 신뢰구간을 구할 수 있다.

예제 8.3-2 예를 들어, 예제 8.3-1에 주어진 표본 $n = 23$개의 결과를 이용해 앞 절에서 언급된 약의 유효성분 함량의 분산에 대한 95% 양측신뢰구간을 구해보자. 바라는 신뢰구간은 다음과 같다.

$$\left[\frac{(22)(0.1764)}{\chi^2_{0.05}(22)}, \frac{(22)(0.1764)}{\chi^2_{0.95}(22)}\right] = \left[\frac{(22)(0.1764)}{33.92}, \frac{(22)(0.1764)}{12.34}\right] = [0.1144, 0.3145]$$ ■

여기에서 우리가 제안하는 분산에 대한 다른 검정은 두 독립된 정규모집단의 분산들의 동일성에 대한 검정이다. 독립인 확률변수 X와 Y가 각각 $N(\mu_X, \sigma_X^2)$과 $N(\mu_Y, \sigma_Y^2)$ 분포를 따른다고 하자. 귀무가설 H_0: $\sigma_X^2/\sigma_Y^2 = 1$(혹은, 동일하게 $\sigma_X^2 = \sigma_Y^2$)을 검정하기 위해, X에서 n_X개 그리고 Y에서 n_Y개 확률표본을 추출한다. 이제 $(n_X - 1)S_X^2/\sigma_X^2$과 $(n_Y - 1)S_Y^2/\sigma_Y^2$이 각각 카이제곱분포 $\chi^2(n_X - 1)$과 $\chi^2(n_Y - 1)$을 따른다. 따라서 귀무가설이 참일 때,

$$F = \frac{\dfrac{(n_X-1)S_X^2}{\sigma_X^2(n_X-1)}}{\dfrac{(n_Y-1)S_Y^2}{\sigma_Y^2(n_Y-1)}} = \frac{S_X^2}{S_Y^2}$$

은 자유도가 $r_1 = n_X - 1$ 그리고 $r_2 = n_Y - 1$인 F 분포를 따른다. 이 F 통계량이 검정통계량이다. 귀무가설이 참일 때, 우리는 F의 관측치가 1에 가까울 것을 기대한다.

정규분포에서 유의수준이 α인 기각역에 따라 가능한 세 가지 대립가설이 표 8.3-2에 정리되어 있다. F의 역수 $1/F$은 자유도 $n_Y - 1$과 $n_X - 1$을 가진 F 분포를 따른다. 그래서 모든 경우 오른쪽 기각역으로 표현될 수 있고 임계치들은 부록 B의 표 7에서 쉽게 찾을 수 있다.

두 분산의 비에 대한 신뢰구간을 원하는 경우에는 다음을 고려하자. 이 장의 앞에서 언급된

$$\frac{\dfrac{(n_Y-1)S_Y^2}{\sigma_Y^2(n_Y-1)}}{\dfrac{(n_X-1)S_X^2}{\sigma_X^2(n_X-1)}}$$

표 8.3-2 분산의 동일성에 대한 가설검정

H_0	H_1	기각역
$\sigma_X^2 = \sigma_Y^2$	$\sigma_X^2 > \sigma_Y^2$	$\dfrac{s_X^2}{s_Y^2} \geq F_\alpha(n_X-1, n_Y-1)$
$\sigma_X^2 = \sigma_Y^2$	$\sigma_X^2 < \sigma_Y^2$	$\dfrac{s_Y^2}{s_X^2} \geq F_\alpha(n_Y-1, n_X-1)$
$\sigma_X^2 = \sigma_Y^2$	$\sigma_X^2 \neq \sigma_Y^2$	$\dfrac{s_X^2}{s_Y^2} \geq F_{\alpha/2}(n_X-1, n_Y-1)$ 혹은 $\dfrac{s_Y^2}{s_X^2} \geq F_{\alpha/2}(n_Y-1, n_X-1)$

의 분포가 $F(n_Y - 1, n_X - 1)$ 분포라는 사실을 이용하면

$$\begin{aligned} 1-\alpha &= P\left[F_{1-\alpha/2}(n_Y-1, n_X-1) \leq \frac{S_Y^2/\sigma_Y^2}{S_X^2/\sigma_X^2} \leq F_{\alpha/2}(n_Y-1, n_X-1)\right] \\ &= P\left[F_{1-\alpha/2}(n_Y-1, n_X-1)(S_X^2/S_Y^2) \leq \frac{\sigma_X^2}{\sigma_Y^2} \leq F_{\alpha/2}(n_Y-1, n_X-1)(S_X^2/S_Y^2)\right] \end{aligned}$$

이다. 따라서 $\sigma_X^2\ /\sigma_Y^2$에 대한 $100(1-\alpha)\%$ 신뢰구간은

$$[F_{1-\alpha/2}(n_Y-1, n_X-1)(S_X^2/S_Y^2), F_{\alpha/2}(n_Y-1, n_X-1)(S_X^2/S_Y^2)]$$

혹은 동일하게

$$\left[\frac{S_X^2/S_Y^2}{F_{\alpha/2}(n_X-1, n_Y-1)}, F_{\alpha/2}(n_Y-1, n_X-1)(S_X^2/S_Y^2)\right]$$

으로 계산된다.

예제 8.3-3 거미를 연구하는 한 생물학자는 암컷 시라소니 거미가 수컷보다 더 길고, 암컷들의 길이가 수컷들의 길이보다 더 다양하다고 믿는다. 우리는 두 번째 믿음이 맞는지 검정하고자 한다. 수컷 거미의 길이 X의 분포가 $N(\mu_X, \sigma_X^2)$이고 암컷 거미의 길이 Y의 분포는 $N(\mu_Y, \sigma_Y^2)$이며 서로 독립이라 하자. 우리는 가설 H_0: $\sigma_X^2/\sigma_Y^2 = 1$(즉, $\sigma_X^2 = \sigma_Y^2$) 대 H_1: $\sigma_X^2/\sigma_Y^2 < 1$(즉, $\sigma_X^2 < \sigma_Y^2$)을 검정한다. X와 Y의 관측치 $n = 30$과 $m = 30$을 이용하면, 유의수준 $\alpha = 0.01$에서 기각역은 부록 B의 표 7을 이용한 보간법에 의해

$$\frac{s_Y^2}{s_X^2} \geq F_{0.01}(29, 29) \approx 2.42$$

로 계산된다(컴퓨터에 의해 얻은 더 정확한 값은 2.4234). 연습문제 7.2-3에서 X의 n_X

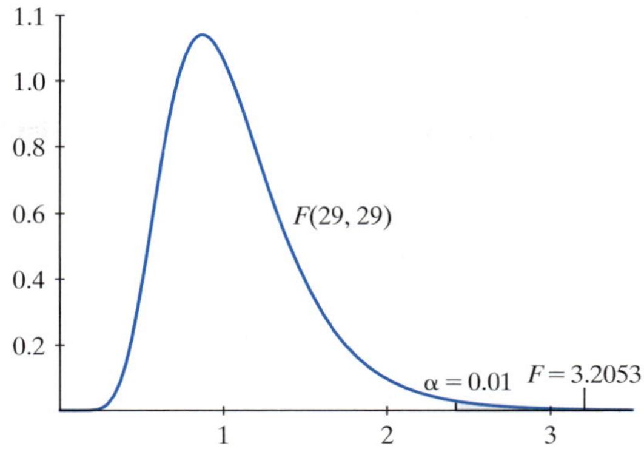

그림 8.3-1 시라소니 거미에 대한 분산 검정

$= 30$개 관측치로부터 $\bar{x} = 5.917$, $s_X^2 = 0.4399$이고 Y의 $n_Y = 30$개 관측치로부터 $\bar{y} = 8.153$, $s_Y^2 = 1.4100$로 계산되었다.

$$\frac{s_Y^2}{s_X^2} = \frac{1.4100}{0.4399} = 3.2053 > 2.42$$

이기 때문에, 귀무가설을 기각하고 생물학자의 믿음을 지지한다. 그림 8.3-1에 주어졌듯이, 컴퓨터에 의해 계산된 정확한 p값은 0.0012이다.

컴퓨터를 이용해 계산한 $F_{0.025}(29, 29) = 2.1010$을 이용해 얻은 σ_X^2/σ_Y^2에 대한 95% 신뢰구간은 다음과 같다.

$$\left[\frac{1/3.2053}{2.1010}, \frac{1}{3.2053} \cdot 2.1010\right] = [0.1485, 0.6555]$$

■

예제 8.2-2에서 분산들이 같다는 가정하에 두 평균의 동일성 검정을 위해 t 분포를 이용했다. 다음 예제에서 그 가정이 타당한지를 검정할 것이다.

예제 8.3-4 예제 8.2-2에서, X의 분포 $N(\mu_X, \sigma_X^2)$에서 $n_X = 11$개 관측치 그리고 Y의 분포 $N(\mu_Y, \sigma_Y^2)$에서 $n_Y = 13$개 관측치가 주어졌을 때, 우리는 가설 H_0: $\sigma_X^2/\sigma_Y^2 = 1$ 대 H_1: $\sigma_X^2/\sigma_Y^2 \neq 1$을 검정하고자 한다. 유의수준 $\alpha = 0.05$에서 만일

$$s_X^2/s_Y^2 \geq F_{0.025}(10, 12) = 3.37$$

혹은

$$s_Y^2/s_X^2 \geq F_{0.025}(12, 10) = 3.62$$

이면, 귀무가설은 기각된다. 예제 8.2-2 자료를 이용하면

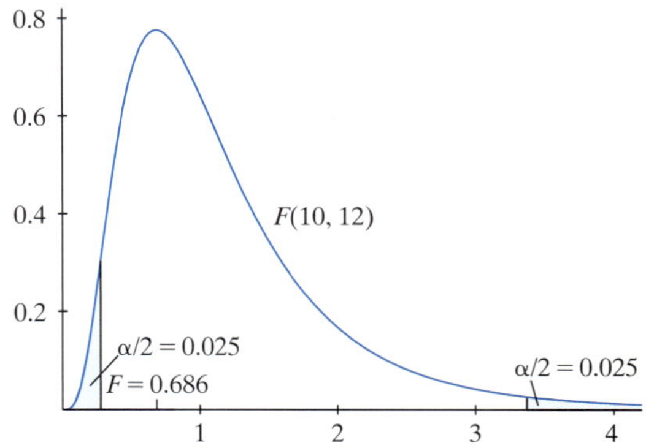

그림 8.3-2 콩 줄기 성장에 대한 분산검정

$$s_X^2/s_Y^2 = 0.24/0.35 = 0.686, \qquad s_Y^2/s_X^2 = 1.458$$

이므로 귀무가설을 기각하지 않는다. 따라서 예제 8.2-2에서 사용된 t 분포를 위한 등분산 가정이 타당한 것처럼 보인다. [그림 8.3-2에 $F_{0.975}(10, 12) = 1/F_{0.025}(12, 10) = 1/3.62 = 0.276$이 주어졌다.] ■

연습문제

8.3-1 미국에서 태어난 신생아들의 몸무게가 $N(3{,}315, 525^2)$ 분포를 따른다고 하자. 그리고 오타와 카운티에서 태어난 여자 신생아들의 몸무게 X가 $N(\mu, \sigma^2)$ 분포를 따른다고 하자.

(a) X의 관측치 11개를 이용해 가설 H_0: $\sigma^2 = 525^2$ 대 H_1: $\sigma^2 < 525^2$ 검정을 위한 검정통계량과 유의수준 $\alpha = 0.05$에서 기각역을 제시하라.

(b) 주어진 자료를 이용해 검정통계량 값을 계산하고 결론을 제시하라.

3,119 2,657 3,459 3,629 3,345 3,629
3,515 3,856 3,629 3,345 3,062

(c) 검정의 근사 p값은 얼마인가?

8.3-2 X는 홀스타인 소가 송아지를 출산한 후 305일 동안 생산하는 우유에 함유된 유지방 양이라 하자. 우리는 가설 H_0: $\sigma^2 = 140^2$ 대 H_1: $\sigma^2 > 140^2$을 검정하고자 한다.

(a) 관측치가 $n = 25$개 있다고 가정할 때, 검정통계량과 유의수준 $\alpha = 0.05$에서 기각역을 제시하라.

(b) 아래와 같이 X의 관측치가 주어졌을 때, 이를 이용해 검정통계량을 계산하고 결론을 제시하라.

425 710 661 664 732 714 934 761 744
653 725 657 421 573 535 602 537 405
874 791 721 849 567 468 975

8.3-3 미국에서 태어난 신생아 몸무게의 평균이 $\mu = 3{,}315$ 그리고 표준편차가 $\sigma = 575$이다. 르완다에서 태어난 신생아의 몸무게를 X라 하고, $N(\mu, \sigma^2)$ 분포를 따른다고 하자. 유의수준 $\alpha = 0.10$에서 가설 H_0: $\sigma = 575$ 대 H_1: $\sigma < 575$를 검정하고자 한다.

(a) 만일 확률표본 $n = 81$개의 평균이 $\bar{x} = 2{,}819$, 표준편차 $s = 496$일 때 결론은 무엇인가?

(b) 이 검정의 p값은 얼마인가?

8.3-4 정규분포 $N(\mu, \sigma^2)$으로부터 $n = 19$개 확률 표본을 $X_1, X_2, \ldots, X_{19}$라 하자.

(a) 유의수준 $\alpha = 0.05$에서 가설 H_0: $\sigma^2 = 30$ 대 H_1: $\sigma^2 = 80$ 검정에 필요한 기각역 C를 구하라.

(b) 위에서 구한 기각역에 대해, 2종 오류 확률 β를 구하라.

8.3-5 확률변수 X와 Y는 서로 독립이고, 각각 $N(\mu_X, \sigma_X^2)$과 $N(\mu_Y, \sigma_Y^2)$ 분포를 따른다고 하자. 가설 H_0: $\sigma_X^2 = \sigma_Y^2$ 대 H_1: $\sigma_X^2 > \sigma_Y^2$을 검정하고자 한다.

(a) $n_X = n_Y = 31$, $\bar{x} = 8.153$, $s_X^2 = 1.410$, $\bar{y} = 5.917$, $s_Y^2 = 0.4399$, 그리고 $s_X^2/s_Y^2 = 3.2053$일 때, 유의수준 $\alpha = 0.01$에서 $3.2053 > 2.39$이기 때문에 귀무가설이 기각됨을 밝혀라.

(b) 임계치 2.39는 어떻게 구하는가?

(c) σ_X^2/σ_Y^2에 대한 95% 양측신뢰구간을 구하라.

8.3-6 8.2절의 두 평균의 동일성 검정에서, 분산은 동일하다고 가정했다. 따라서 여기에서 우리는 H_0: $\sigma_X^2\ /\sigma_Y^2 = 1$ 대 H_1: $\sigma_X^2\ /\sigma_Y^2 \neq 1$을 검정하고자 한다. 유의수준 $\alpha = 0.05$에서 다음 연습문제들을 검정하라.

(a) 8.2-2

(b) 8.2-3

8.4 비율에 대한 검정

전자회로판을 생산하는 어느 공장에서 약 $p = 0.06$의 불량품 생산율이 관측되었다. 기술자이면서 통계전문가인 직원이 제품의 품질 향상을 위한 변화를 제안한다. 새로운 방법으로 $n = 200$개 제품을 생산해 검사함으로써 새 방법을 평가해보기로 결정했다. 200개의 시제품 중에서 불량품의 개수를 Y라 할 때, 만약 $Y/200$가 0.06과 비슷하면 당연히 새로운 방법이 품질 개선효과가 없다고 판단할 수 있을 것이다. 반면 $Y/200$가 0.02 혹은 0.03처럼 현저히 작다면 새로운 방법이 기존의 방법보다 우수하다고 할 수 있을 것이다. 물론 $Y/200$가 0.09 혹은 0.10처럼 크면, 새로운 방법의 불량률이 더 크다고 하겠다.

새로운 방법이 품질 개선을 이루었다고 인정할 공식적인 판단 기준을 설립할 필요가 있다. 이런 기준의 예로, 만일 $Y \leq 7$, 혹은 동일하게 $Y/n \leq 0.035$이면 새로운 방법이 효과가 있다고 선언할 것이다. 그러나 실제 불량률이 여전히 $p = 0.06$임에도 불구하고 $n = 200$개의 시제품 중에서 7개 이하의 불량품을 관측할 수 있음을 유념해야 한다. 즉, 실제로는 더 우수하지 않은데, 우수하다고 잘못 판단할 수 있다. 이것이 1종 오류의 예다. 이와 반대로, 새로운 방법이 훨씬 우수해서 불량률이 $p = 0.03$임에도 불구하고, $y = 9$개의 불량품, 즉, $y/200 = 0.045$를 관측할 수도 있다. 이때 우리는 새로운 방법이 우수함에도 불구하고 그렇지 않다고 잘못 판단할 것이다. 이것이 2종 오류이다. 판단 기준의 결과를 충분히 이해하기 위해 이러한 두 가지 오류에 대한 확률을 검토해야 한다.

이런 상황의 모델링을 고민해보자. 새로운 방법에 의해 생산된 시제품이 서로 독립이고, 그래서 각 시제품들의 불량률이 p라고 하면, Y는 이항분포 $b(200, p)$를 따른다. 이 때, p의 불편추정량 $\widehat{p} = Y/200$를 이용해 p에 대한 통계적 추론을 하고자 한다. 물론 95%

신뢰수준하에서 p에 대한 상한을 제공하는 다음과 같은 단측신뢰구간을 구할 수 있다.

$$\left[0,\ \widehat{p}+1.645\sqrt{\frac{\widehat{p}(1-\widehat{p})}{200}}\right]$$

만일 이 신뢰구간이 0.06을 포함하면 새로운 방법이 더 좋다고 할 수 없다. 그러나 신뢰구간의 상한이 0.06보다 작으면 새로운 방법의 실제 불량률이 0.06보다 작다고 95% 확신할 것이다. 따라서 이 경우 전자회로판 품질의 향상이 있다고 할 것이다.

p에 대한 신뢰구간을 이렇게 사용하는 것이 이제부터 언급할 p에 대한 가설검정과 관련이 있다. 현 예제에서, 새로운 제조방법이 사용되었을 때 불량률이 0.06인지 혹은 0.06보다 작은지를 검정하고 있다. 즉, 귀무가설 H_0: $p = 0.06$ 그리고 대립가설 H_1: $p < 0.06$이다. 실제로 $p = 0.06$일 때 만일 $Y \le 7$이면 1종 오류를 범하기 때문에, 이 오류에 대한 확률을 계산할 수 있다. 이를 α로 표시하고 검정의 유의수준이라 부른다. 이러한 가정하에서,

$$\alpha = P(Y \le 7;\ p = 0.06) = \sum_{y=0}^{7}\binom{200}{y}(0.06)^y(0.94)^{200-y}$$

이다. n이 다소 크고 p가 작기 때문에, 이항확률은 $\lambda = 200(0.06) = 12$인 푸아송 확률에 의해 잘 근사된다. 즉, 푸아송분포표에 의한 1종 오류 확률은

$$\alpha \approx \sum_{y=0}^{7}\frac{12^y e^{-12}}{y!} = 0.090$$

이다. (이항분포를 이용한 α의 정확한 값은 0.0829이다.)

α값이 상당히 작다. 하지만 $p = 0.03$으로 품질이 좋아진 경우 2종 오류의 확률은 얼마인가? 실제 $p = 0.03$일 때, 만일 $Y > 7$이면 이 오류가 발생한다. 따라서 β로 표현되는 이 확률은 다음과 같다.

$$\beta = P(Y > 7;\ p = 0.03) = \sum_{y=8}^{200}\binom{200}{y}(0.03)^y(0.97)^{200-y}$$

다시 $\lambda = 200(0.03) = 6$인 푸아송 근사를 이용하면

$$\beta \approx 1 - \sum_{y=0}^{7}\frac{6^y e^{-6}}{y!} = 1 - 0.744 = 0.256$$

이다. (이항분포에 의한 정확한 값은 0.2539이므로 근사가 매우 정확하다.) 새로운 방법

을 제안한 직원은 이 값에 만족하지 못할 것이다. 즉, 새로운 방법을 사용해 불량률이 0.06에서 0.03으로 크게 감소했음에도 불구하고 H_0: $p = 0.06$이 채택되어 새로운 방법의 우수성이 기각될 확률이 0.256이기 때문이다. 8.6절에서는 두 종류의 오류 확률 α와 β에서 모두 만족스러운 값을 얻을 수 있도록 검정절차를 조절하는 것에 대해 공부하기로 한다. 두 종류의 오류를 모두 줄이기 위해서는 더 많은 표본이 필요하다.

2종 오류 확률에 대한 걱정은 잠시 접어두고, p_0가 어떤 정해진 성공 확률일 때 가설 H_0: $p = p_0$ 검정에 자주 사용되는 절차를 제시한다. 이 검정은 n번의 독립적인 시행에서 성공의 횟수 Y에 기초하는데, H_0: $p = p_0$가 사실이고 n이 크면 Y/n가 근사적으로 정규분포 $N(p_0, p_0\,(1 - p_0)/n)$을 따른다는 사실에 기초한다. 대립가설이 H_1: $p > p_0$, 즉 성공 확률을 높이기 위해 어떤 것이 행해졌다고 가정하자. 가설 H_0: $p = p_0$ 대 H_1: $p > p_0$ 검정 규칙은 다음과 같다.

$$Z = \frac{Y/n - p_0}{\sqrt{p_0(1 - p_0)/n}} \ge z_\alpha$$

즉, Y/n가 p_0을 Y/n의 표준편차의 z_α배보다 크면, 귀무가설 H_0을 기각하고 $p > p_0$라 결론 내린다. 귀무가설하에서, Z가 근사적으로 $N(0, 1)$이기 때문에, H_0: $p = p_0$이 사실일 때 이것이 발생할 근사 확률이 α이다. 그래서 이 검정의 유의수준은 근사적으로 α이다.

만일 대립가설이 H_1: $p > p_0$ 대신에 H_1: $p < p_0$이면, 근사적 유의수준 α검정은 $Z \le -z_\alpha$로 주어진다. 따라서 만일 Y/n가 p_0보다 Y/n의 표준편차의 z_α배보다 작으면, 우리는 $p < p_0$라고 결론 내린다.

예제 8.4-1 시중에 팔리고 있는 주사위의 점들이 실제로 음각으로 표현되기 때문에 6이 있는 면은 1이 있는 면보다 가볍다. 그래서 주사위가 공평하지 못하다는 주장이 있다. 주사위를 던져 6이 나올 확률을 p라 하자. 가설 H_0: $p = 1/6$ 대 H_1: $p > 1/6$을 검정하기 위해, 주사위 여러 개로 총 8,000번 실험을 했다. 이 중에서 6이 나온 횟수를 Y라 하면, 검정통계량은

$$Z = \frac{Y/n - 1/6}{\sqrt{(1/6)(5/6)/n}} = \frac{Y/8{,}000 - 1/6}{\sqrt{(1/6)(5/6)/8{,}000}}$$

이고 유의수준 $\alpha = 0.05$에서 기각역은 다음과 같다.

$$z \ge z_{0.05} = 1.645$$

실험 결과 $y = 1{,}389$일 때 계산된 검정통계량 값은

$$z = \frac{1{,}389/8{,}000 - 1/6}{\sqrt{(1/6)(5/6)/8{,}000}} = 1.670$$

이고

$$z = 1.670 > 1.645$$

이기 때문에, 귀무가설은 기각된다. 따라서 실험 결과 시중에 파는 주사위들이 공평한 주사위보다 6이 더 자주 나온다는 것을 의미한다. (다른 주사위 확인을 위해 여러분도 실험해볼 수 있다.) ■

종종 양측대립가설, 즉 H_0: $p = p_0$ 대 H_1: $p \neq p_0$가 적절한 경우가 있다. 예를 들어, 기초 통계학 과목에서 학생들이 낙제하지 않고 무사히 통과하는 비율을 p_0이라 하자. 어떤 조치가 내려지면(이를테면 새로운 교수법) 통과 비율이 오를지, 내려갈지, 혹은 변화가 없을지 모른다. 이 경우 귀무가설은 H_0: $p = p_0$이고 대립가설은 H_1: $p \neq p_0$이다. 귀무가설 하에서 $P(|Z| \geq z_{\alpha/2}) \approx \alpha$이기 때문에, 근사적 유의수준 α에서 검정은 만일

$$|Z| = \frac{|Y/n - p_0|}{\sqrt{p_0(1-p_0)/n}} \geq z_{\alpha/2}$$

이면 귀무가설 H_0: $p = p_0$을 기각한다. 근사적 유의수준 α 검정들은 표 8.4-1에 정리되어 있다.

어느 검정과 관련된 p값은 귀무가설하에서 검정통계량이 검정통계량의 관측값보다 대립가설을 지지하는 쪽으로 극단값을 가질 확률임을 기억하자. 기각역을 미리 정하기보다, p값을 산출해주고 스스로 의사결정을 하게 한다. 예제 8.4-1에서, 검정통계량 값이 $z = 1.67$이었다. 대립가설이 H_1: $p > 1/6$이기 때문에, p값은 다음과 같다.

$$P(Z \geq 1.67) = 0.0475$$

표 8.4-1 단일 비율에 대한 가설검정

H_0	H_1	기각역
$p = p_0$	$p > p_0$	$z = \dfrac{y/n - p_0}{\sqrt{p_0(1-p_0)/n}} \geq z_\alpha$
$p = p_0$	$p < p_0$	$z = \dfrac{y/n - p_0}{\sqrt{p_0(1-p_0)/n}} \leq -z_\alpha$
$p = p_0$	$p \neq p_0$	$\lvert z \rvert = \dfrac{\lvert y/n - p_0 \rvert}{\sqrt{p_0(1-p_0)/n}} \geq z_{\alpha/2}$

이 p값은 $\alpha = 0.05$보다 작아서 유의수준 $\alpha = 0.05$에서 귀무가설을 기각하게 된다. 만일 대립가설이 양측이면 H_1: $p \neq 1/6$, p값은 $P(|Z| \geq 1.67) = 0.095$가 되어 유의수준 $\alpha = 0.05$에서 귀무가설을 기각할 수 없게 된다.

두 분포의 성공 확률들 혹은 어떤 특성을 갖는 두 모집단의 비율들, p_1과 p_2에 대한 검정에 종종 관심이 있다. 예를 들면, 자기 집을 소유한 사람들과 세를 사는 사람들 중에서 재산세 경감에 찬성하는 비율을 각각 p_1과 p_2라 할 때, 정치인은 가설 H_0: $p_1 = p_2$ 대 H_1: $p_1 > p_2$ 검정에 관심이 있을 것이다.

성공 확률이 각각 p_1과 p_2인 n_1과 n_2번의 독립적인 베르누이 시행에서 관측된 성공횟수를 Y_1과 Y_2라 하자. $\widehat{p}_1 = Y_1/n_1$의 분포는 근사적으로 $N[p_1, p_1(1-p_1)/n_1]$이고 $\widehat{p}_2 = Y_2/n_2$의 분포는 근사적으로 $N[p_2, p_2(1-p_2)/n_2]$일 때, $\widehat{p}_1 - \widehat{p}_2 = Y_1/n_1 - Y_2/n_2$의 분포는 근사적으로 $N[p_1 - p_2, p_1(1-p_1)/n_1 + p_2(1-p_2)/n_2]$이다. 따라서

$$Z = \frac{Y_1/n_1 - Y_2/n_2 - (p_1 - p_2)}{\sqrt{p_1(1-p_1)/n_1 + p_2(1-p_2)/n_2}} \tag{8.4-1}$$

는 근사적으로 $N(0, 1)$ 분포를 따른다. 가설 H_0: $p_1 - p_2 = 0$ 혹은 동일하게 H_0: $p_1 = p_2$를 검정하기 위해, 귀무가설하에서 공통값을 $p = p_1 = p_2$라 하면 p에 대한 추정치는 $\widehat{p} = (Y_1 + Y_2)/(n_1 + n_2)$이다. 식 (8.4-1)의 분모에 있는 p_1과 p_2를 이 추정치로 대치하면 검정통계량은

$$Z = \frac{\widehat{p}_1 - \widehat{p}_2 - 0}{\sqrt{\widehat{p}(1-\widehat{p})(1/n_1 + 1/n_2)}}$$

이 되고, 이는 귀무가설이 참일 때 근사적으로 $N(0, 1)$ 분포를 따른다.

세 가지 가능한 대립가설과 그에 따른 기각역이 표 8.4-2에 나와 있다.

표 8.4-2 두 비율에 대한 가설검정

H_0	H_1	기각역
$p_1 = p_2$	$p_1 > p_2$	$z = \dfrac{\widehat{p}_1 - \widehat{p}_2}{\sqrt{\widehat{p}(1-\widehat{p})(1/n_1 + 1/n_2)}} \geq z_\alpha$
$p_1 = p_2$	$p_1 < p_2$	$z = \dfrac{\widehat{p}_1 - \widehat{p}_2}{\sqrt{\widehat{p}(1-\widehat{p})(1/n_1 + 1/n_2)}} \leq -z_\alpha$
$p_1 = p_2$	$p_1 \neq p_2$	$\lvert z\rvert = \dfrac{\lvert\widehat{p}_1 - \widehat{p}_2\rvert}{\sqrt{\widehat{p}(1-\widehat{p})(1/n_1 + 1/n_2)}} \geq z_{\alpha/2}$

참고 가설 H_0: $p = p_0$ 그리고 H_0: $p_1 = p_2$를 검정할 때, 통계학자들이 종종 z의 다른 분모를 사용한다. 단일 비율 검정에서, $\sqrt{p_0(1-p_0)/n}$ 대신에 $\sqrt{(y/n)(1-y/n)/n}$을 사용하고, 두 비율의 동일성 검정에서는

$$\sqrt{\frac{\widehat{p}_1(1-\widehat{p}_1)}{n_1}+\frac{\widehat{p}_2(1-\widehat{p}_2)}{n_2}}$$

이 대신 사용될 수 있다. 두 방법이 거의 같은 수치적 결과를 주기 때문에, 어느 하나를 선호하거나 그렇지는 않다. 귀무가설이 명백히 거짓일 때 대체값들이 분모의 표준편차에 있어 더 좋은 추정치를 제공한다. 그래서 귀무가설이 거짓인 것 같을 때 이 방법이 더 유용하다. 게다가 대체값을 사용하면 신뢰구간 사용과 가설검정이 일치한다. 예를 들어, 귀무가설이 H_0: $p = p_0$일 때, 만일

$$z=\frac{\widehat{p}-p_0}{\sqrt{\dfrac{\widehat{p}(1-\widehat{p})}{n}}}\le -z_\alpha$$

이면, 귀무가설을 기각하고 대립가설 H_1: $p < p_0$을 채택한다. 이 공식은 p에 대한 상한을 제공하는 단측신뢰구간에서

$$p_0 \notin \left[0, \widehat{p}+z_\alpha\sqrt{\frac{\widehat{p}(1-\widehat{p})}{n}}\right)$$

과 같다. 혹은 대립가설이 H_1: $p \neq p_0$일 때 만일

$$\frac{|\widehat{p}-p_0|}{\sqrt{\dfrac{\widehat{p}(1-\widehat{p})}{n}}}\ge z_{\alpha/2}$$

이면, 귀무가설은 기각된다. 이는 p에 대한 신뢰구간에서

$$p_0 \notin \left(\widehat{p}-z_{\alpha/2}\sqrt{\frac{\widehat{p}(1-\widehat{p})}{n}}, \widehat{p}+z_{\alpha/2}\sqrt{\frac{\widehat{p}(1-\widehat{p})}{n}}\right)$$

과 동일하다. 그러나 표 8.4-1과 표 8.4-2에 주어진 형식을 사용하면, 유의수준 α검정에 대한 더 좋은 근사를 얻는다. 따라서 장단점이 있기 때문에 어느 하나가 더 좋다 얘기하기 어렵다. 다행히도, 두 방법이 거의 같은 답을 제공한다.

p_1과 p_2의 추정치가 각각 관측값 $\widehat{p}_1 = y_1/n_1$과 $\widehat{p}_2 = y_2/n_2$인 경우에, n_1과 n_2가 클 때, $p_1 - p_2$에 대한 근사적 95% 신뢰구간은

$$\frac{y_1}{n_1}-\frac{y_2}{n_2}\pm 1.96\sqrt{\frac{(y_1/n_1)(1-y_1/n_1)}{n_1}+\frac{(y_2/n_2)(1-y_2/n_2)}{n_2}}$$

이다. 만일 $p_1 - p_2 = 0$이 이 구간에 포함되지 않으면, 유의수준 $\alpha = 0.05$에서 귀무가설 H_0: $p_1 - p_2 = 0$을 기각한다. 이것은 만일

$$\frac{\left|\dfrac{y_1}{n_1} - \dfrac{y_2}{n_2}\right|}{\sqrt{\dfrac{(y_1/n_1)(1 - y_1/n_1)}{n_1} + \dfrac{(y_2/n_2)(1 - y_2/n_2)}{n_2}}} \geq 1.96$$

일 때, 귀무가설 H_0: $p_1 - p_2 = 0$을 기각하는 것과 동일하다.

일반적으로 θ의 추정량 $\widehat{\theta}$(종종, 최우추정량)이 근사적 (혹은 정확히) 정규분포 $N(\theta, \sigma^2_{\widehat{\theta}})$을 따를 때, 만일

$$\theta_0 \notin (\widehat{\theta} - z_{\alpha/2}\,\sigma_{\widehat{\theta}},\ \widehat{\theta} + z_{\alpha/2}\,\sigma_{\widehat{\theta}})$$

이면, 혹은 동등하게

$$\frac{|\widehat{\theta} - \theta_0|}{\sigma_{\widehat{\theta}}} \geq z_{\alpha/2}$$

이면, 근사적 (혹은 정확히) 유의수준 α에서 귀무가설 H_0: $\theta = \theta_0$을 기각하고 H_1: $\theta \neq \theta_0$을 채택한다. $\sigma_{\widehat{\theta}}$이 종종 미지의 모수를 포함하고 있어서 이를 추정해서 대체시키면 $\widehat{\sigma_{\widehat{\theta}}}$을 얻는다. 종종 $\sigma_{\widehat{\theta}}$ 혹은 이것의 추정치가 $\widehat{\theta}$의 **표준오차**로 불린다. 이것이 $\theta = p_1 - p_2$인 마지막 예에서 $\widehat{\theta} = \widehat{p}_1 - \widehat{p}_2$의 표준오차를 얻기 위해

$$\sqrt{\frac{p_1(1 - p_1)}{n_1} + \frac{p_2(1 - p_2)}{n_2}}$$

에서 p_1 대신 y_1/n_1 그리고 p_2 대신 y_2/n_2를 대체한 경우이다.

연습문제

8.4-1 Y가 $b(100, p)$ 분포를 따른다고 하자. 가설 H_0: $p = 0.08$ 대 H_1: $p < 0.08$ 검정에서, 만일 $Y \leq 6$이면 귀무가설을 기각하고 대립가설을 채택한다.

(a) 이 검정의 유의수준 α를 계산하라.

(b) 실제 $p = 0.04$일 때, 2종 오류의 확률을 구하라.

8.4-2 Y가 $b(192, p)$ 분포를 따른다고 하자. 이때 $Y \geq 152$이면 귀무가설 H_0: $p = 0.75$를 기각하고 대립가설 H_1: $p > 0.75$를 채택한다. 다음을 계산하기 위해 정규근사를 이용하라.

(a) $\alpha = P(Y \geq 152; p = 0.75)$

(b) $p = 0.80$일 때, $\beta = P(Y < 152)$

8.4-3 신생아의 몸무게가 2,500g보다 작으면 보통 저체중아라고 한다. 저체중아의 비율이 산모의 영양상태의 지표가 된다. 미국에서 신생아의 약 7%가 저체중이다. 수단에서의 저체중아 비율을 p라 할 때, 가설 H_0: $p = 0.07$ 대 H_1: $p > 0.07$을 검정하려고

한다. $n = 209$명의 확률표본에서 2,500g 미만인 신생아의 수가 $y = 23$이었다.

(a) 유의수준 $\alpha = 0.05$에서 결론은 무엇인가?

(b) 유의수준 $\alpha = 0.01$에서 결론은 무엇인가?

(c) 이 검정의 p값은 얼마인가?

8.4-4 어느 프로야구단의 경영자 측은 팬들의 난폭한 행동을 줄이기 위해 야구장 내에서 저알코올 맥주만을 팔기로 결정했다. 그들은 팬들의 40% 이상이 이 결정에 동의할 것이라고 주장했다. 경기 개막일에 이 결정에 동의한 팬들의 비율을 p라 하자. 가설 H_0: $p = 0.40$ 대 H_1: $p > 0.40$을 검정하려고 한다.

(a) 유의수준 $\alpha = 0.05$에서 기각역을 구하라.

(b) 확률표본 $n = 1{,}278$ 중에서 $y = 550$명이 이 결정에 동의했다면, 여러분의 결론은 무엇인가?

8.4-5 1986년 미국의 인구조사 결과에서, 18세와 19세 기혼 남성자의 비율이 3.7%였다. 1986년에 비해 1988년 이 비율이 증가했는지 검정하고자 한다.

(a) 귀무가설과 대립가설을 정하라.

(b) 근사적 유의수준 $\alpha = 0.01$에서 기각역을 구하라. 표준정규분포 pdf에 기각역을 표시하라.

(c) 1988년에 18세와 19세 남성 $n = 300$명에 대한 조사에서 $y = 20$명이 기혼자였다면, 여러분의 결론은 무엇인가? (b)의 그림에 계산된 검정통계량 값을 표시하라.

8.4-6 공구를 생산하는 어느 공장은 주간 생산조와 야간 생산조를 운영하고 있다. 주간 생산조 그리고 야간 생산조가 생산한 공구의 불량률을 각각 p_1과 p_2라 하자. 각 조에서 생산된 제품 1,000개씩을 임의로 뽑아, 가설 H_0: $p_1 = p_2$ 대 H_1: $p_1 \neq p_2$를 검정하고자 한다.

(a) 검정통계량과 유의수준 $\alpha = 0.05$에서 기각역을 정의하라. 표준정규분포 pdf에 이 기각역을 표시하라.

(b) 주간 생산조와 야간 생산조 제품에서 각각 불량품이 $y_1 = 37$ 그리고 $y_2 = 53$개씩 관측되었을 때 검정통계량 값을 계산해 (a)그림에 이 값을 표시하고 결론을 도출하라.

8.4-7 어느 새의 수컷과 암컷이 자신들이 부화한 장소로 돌아오는 비율을 p_m, p_f라 하자. 894마리 수컷 중 124마리가 그리고 700마리 암컷 중 70마리가 돌아왔다면, $p_m - p_f$에 대한 95% 신뢰구간을 구하라. 이 결과가 유의수준 $\alpha = 0.05$에서 가설 H_0: $p_m = p_f$ 대 H_1: $p_m \neq p_f$ 검정 결과와 일치하는가?

8.4-8 6명의 학생이 각각 카드 한 벌씩을 가지고 있으며, 각자 가지고 있는 카드에서 임의로 1장의 카드를 뽑는다고 하자.

(a) 적어도 한 쌍이 일치할 확률이 0.259임을 밝혀라.

(b) 각 학생이 1부터 52까지 숫자 중에서 한 숫자를 임의로 선택한다고 하자. 적어도 한 쌍이 일치할 확률을 p라고 할 때, 귀무가설 H_0: $p = 0.259$ 대 적절한 대립가설을 검정하라. 이런 대립가설을 선택한 이유를 제시하라.

(c) 이러한 실험을 여러 차례 실시한 후 여러분의 결론은 무엇인가?

8.5 분포무관 검정

이 교재의 앞에서도 언급했듯이, 정규분포 가정이 만족되지 않아서 **비모수적**(nonparametric) 혹은 **분포무관**(distribution-free) 방법을 고려해야 하는 경우가 종종 있다. 예를 들어, 어떤 연속형 분포의 미지의 중위수 m에 대한 가설, 즉 H_0: $m = m_0$ 대 H_1: $m \neq m_0$이 있다고 하자. 자료로부터 m에 대한 $100(1 - \alpha)$% 신뢰구간을 구할 수 있으며,

만일 m_0이 이 구간에 속하지 않으면 유의수준 α에서 귀무가설을 기각할 것이다.

이제 X는 연속형 확률변수라 하고 m은 X의 중위수라 하자. 가설 H_0: $m = m_0$을 검정하기 위해 **부호검정**(sign test)을 사용할 수 있다. 즉, $X_1, X_2, \ldots, X_n$이 확률표본의 관측치들이고, $X_1 - m_0, X_2 - m_0, \ldots, X_n - m_0$에서 음인 값들의 수를 Y라 하면, Y는 귀무가설하에서 이항분포 $b(n, 1/2)$을 따른다. 그래서 이것이 부호검정을 위한 검정 통계량이다. Y가 너무 크거나 혹은 너무 작으면 우리는 귀무가설 H_0: $m = m_0$을 기각한다.

예제 8.5-1 어느 콜센터에 걸려오는 전화들 간의 간격 시간을 초 단위로 나타낸 것을 X라 하자. 이 연속형 분포의 유일한 중위수를 m이라 하자. 우리는 가설 H_0: $m = 6.2$ 대 H_1: $m < 6.2$를 검정하고자 한다. 크기가 20인 확률표본 중에서 6.2초보다 작은 시간간격들의 개수를 Y라 하면, 기각역 $C = \{y : y \geq 14\}$는 유의수준 $\alpha = 0.0577$을 갖는다(부록 B의 표 2 참조). 크기 20인 확률표본은 다음과 같다.

6.8	5.7	6.9	5.3	4.1	9.8	1.7	7.0
2.1	19.0	18.9	16.9	10.4	44.1	2.9	2.4
4.8	18.9	4.8	7.9				

$y = 9$는 기각역에 포함되지 않으므로, 귀무가설은 기각되지 않는다. ■

부호검정은 종속인 두 연속형 확률변수 X와 Y가 $p = P(X > Y) = 1/2$을 만족하는지 검정하기 위해 사용될 수도 있다. 귀무가설 H_0: $p = 1/2$을 감정하기 위해, 독립적인 쌍들 $(X_1, Y_1), (X_2, Y_2), \ldots, (X_n, Y_n)$을 고려한다. $X_k - Y_k > 0$을 만족하는 쌍들의 수를 W라 하자. 귀무가설이 참일 때, W는 이항분포 $b(n, 1/2)$을 따르므로 통계량 W에 기초한 검정이 가능하다. 예를 들어, 어떤 사람의 오른발 길이를 X 그리고 왼발 길이를 Y라 하면, 자연스럽게 짝을 이루게 된다. 여기에서 H_0: $p = P(X > Y) = 1/2$은 한 사람의 어느 한쪽 발이 다른 쪽보다 길 가능성이 같다는 것을 의미한다.

부호검정의 가장 큰 단점은 차이들 $X_1 - m_0, \ldots, X_n - m_0$의 크기를 고려하지 않는다. 지금부터 차이들 $|X_k - m_0|$, $k = 1, 2, \ldots, n$의 크기를 고려하는 **윌콕슨 부호순위 검정**(Wilcoxon's signed rank test)에 대해 논의해보자. 새로운 통계량의 분포를 구하기 위해서는 확률변수 X가 연속형이라는 가정에 추가로 X의 pdf가 중위수에 대해 좌우가 대칭이라는 가정이 반드시 필요하다. 연속형 가정 때문에, 지금부터 동일한 관측치가 존재하지 않고 또한 중위수와 동일한 관측치가 없다고 가정한다.

m_0이 주어진 상수일 때, 우리는 가설 H_0: $m = m_0$ 검정에 관심이 있다. 확률표본 X_1, $X_2, \ldots, X_n$을 가지고, 절댓값 $|X_1 - m_0|, |X_2 - m_0|, \ldots, |X_n - m_0|$을 계산해 값의 크기에 의해 오름차순으로 정리한다. 즉, $k = 1, 2, \ldots, n$에 대해, R_k가 $|X_k - m_0|$에 해당

하는 순위라 하면, $R_1, R_2, \ldots, R_n$은 처음 n개의 양의 정수 $1, 2, \ldots, n$의 한 순열이다. 이제 차이 $X_k - m_0$의 부호와 R_k와 연결한다. 즉, $X_k - m_0 > 0$이면 그냥 R_k이지만, $X_k - m_0 < 0$이면 $-R_k$가 된다. 윌콕슨 부호순위 통계량 W는 이러한 n개의 부호순위들의 합이다.

예제 8.5-2 $n = 10$마리의 개복치(sunfish)의 길이(X)가 다음과 같다.

$$x_i: \; 5.0 \quad 3.9 \quad 5.2 \quad 5.5 \quad 2.8 \quad 6.1 \quad 6.4 \quad 2.6 \quad 1.7 \quad 4.3$$

우리는 가설 H_0: $m = 3.7$ 대 H_1: $m > 3.7$을 검정하고자 한다. 주어진 자료를 이용하여 계산하면 다음과 같다.

$x_k - m_0$:	1.3,	0.2,	1.5,	1.8,	−0.9,	2.4,	2.7,	−1.1,	−2.0,	0.6
$\lvert x_k - m_0 \rvert$:	1.3,	0.2,	1.5,	1.8,	0.9,	2.4,	2.7,	1.1,	2.0,	0.6
순위:	5,	1,	6,	7,	3,	9,	10,	4,	8,	2
부호순위:	5,	1,	6,	7,	−3,	9,	10,	−4,	−8,	2

그러므로 윌콕슨 부호순위 통계량은 $W = 5 + 1 + 6 + 7 - 3 + 9 + 10 - 4 - 8 + 2 = 25$이다. 10개 중에서 3개가 3.7보다 작기 때문에, 통계량이 양수임이 타당해 보인다. ■

만일 귀무가설 H_0: $m = m_0$이 참이면, 약 차이의 절반이 음수일 것이고 따라서 부호의 절반이 음수일 것이다. 그러므로 W의 관측값이 0에 가까우면 귀무가설을 지지하게 된다. 만일 대립가설이 H_1: $m > m_0$이면, 관측값 $W = w$가 매우 클 때 귀무가설을 기각할 것이다. 왜냐하면 이 경우에는 큰 편차들 $|X_k - m_0|$이 $x_k - m_0 > 0$인 관측치들과 관련이 있기 때문이다. 즉, 기각역은 $\{w\colon w \ge c_1\}$의 형태를 갖는다. 만약 대립가설이 H_1: $m < m_0$이면, 기각역은 $\{w\colon w \le c_2\}$의 형태를 갖는다. 물론 양측대립가설 H_1: $m \ne m_0$에 대한 기각역은 $\{w\colon w \le c_3 \text{ 혹은 } w \ge c_4\}$ 형태가 될 것이다. 원하는 유의수준을 충족시키는 c_1, c_2, c_3, c_4를 찾기 위해서는, 귀무가설하에서 W의 분포를 알아야 한다. 따라서 이 분포의 성질에 대해 알아보자.

귀무가설 H_0: $m = m_0$이 참일 때,

$$P(X_k < m_0) = P(X_k > m_0) = \frac{1}{2}, \qquad k = 1, 2, \ldots, n$$

이므로 $|X_k - m_0|$의 순위 R_k가 음의 부호일 확률이 1/2이다. 게다가 $X_1, X_2, \ldots, X_n$이 상호 독립이므로 부호 n개의 할당은 독립이다. 또한, W는 음 혹은 양의 부호를 갖는 정수 1부터 n까지 합이다. 모집단의 분포가 대칭이므로, W가 확률변수

$$V = \sum_{k=1}^{n} V_k$$

와 같은 분포를 갖는 것은 직관적으로 당연해 보이며, 여기에서 $V_1, V_2, \ldots, V_n$은 독립이고

$$P(V_k = k) = P(V_k = -k) = \frac{1}{2}, \qquad k = 1, 2, \ldots, n$$

이다. 즉, V는 독립적으로 부호가 할당된 정수 1부터 n까지 합이다.

W와 V가 동일한 분포를 따르므로 그들의 평균과 분산은 같으며 V의 평균과 분산은 쉽게 구할 수 있다. V_k의 평균이

$$E(V_k) = -k\left(\frac{1}{2}\right) + k\left(\frac{1}{2}\right) = 0$$

이므로

$$E(W) = E(V) = \sum_{k=1}^{n} E(V_k) = 0$$

이다. V_k의 분산이

$$\text{Var}(V_k) = E(V_k^2) = (-k)^2\left(\frac{1}{2}\right) + (k)^2\left(\frac{1}{2}\right) = k^2$$

이므로

$$\text{Var}(W) = \text{Var}(V) = \sum_{k=1}^{n} \text{Var}(V_k) = \sum_{k=1}^{n} k^2 = \frac{n(n+1)(2n+1)}{6}$$

이다.

W의 pmf가 간단히 표현되지 않기 때문에 일반적으로 W의 분포를 찾으려 하지 않는다. 하지만 인내심을 갖고 컴퓨터의 도움을 받아 W의 분포를 구하는 방법에 대해 소개한다. V_k의 적률생성함수는 다음과 같다.

$$M_k(t) = e^{t(-k)}\left(\frac{1}{2}\right) + e^{t(+k)}\left(\frac{1}{2}\right) = \frac{e^{-kt} + e^{kt}}{2}, \quad k = 1, 2, \ldots, n, \quad -\infty < t < \infty$$

$n = 2$인 경우, $V_1 + V_2$의 적률생성함수는 다음과 같다.

$$M(t) = E[e^{t(V_1+V_2)}], \qquad -\infty < t < \infty$$

V_1과 V_2가 독립이기 때문에,

$$\begin{aligned} M(t) &= E(e^{tV_1})E(e^{tV_2}) \\ &= \left(\frac{e^{-t}+e^{t}}{2}\right)\left(\frac{e^{-2t}+e^{2t}}{2}\right) \\ &= \frac{e^{-3t}+e^{-t}+e^{t}+e^{3t}}{4}, \qquad -\infty < t < \infty \end{aligned}$$

이다. 이는 $V_1 + V_2$의 공간의 각 점들 $-3, -1, 1, 3$에서 각각 확률 $1/4$을 가짐을 의미한다.

다음으로, $n = 3$인 경우 $V_1 + V_2 + V_3$의 적률생성함수는 다음과 같다.

$$\begin{aligned} M(t) &= E[e^{t(V_1+V_2+V_3)}] \\ &= E[e^{t(V_1+V_2)}]E(e^{tV_3}) \\ &= \left(\frac{e^{-3t}+e^{-t}+e^{t}+e^{3t}}{4}\right)\left(\frac{e^{-3t}+e^{3t}}{2}\right) \\ &= \frac{e^{-6t}+e^{-4t}+e^{-2t}+2e^{0}+e^{-2t}+e^{-4t}+e^{-6t}}{8}, \qquad -\infty < t < \infty \end{aligned}$$

이는 $V_1 + V_2 + V_3$의 공간의 각 점들 $-6, -4, -2, 0, 2, 4, 6$에서 각각 확률 $1/8, 1/8, 1/8, 2/8, 1/8, 1/8, 1/8$을 가짐을 의미한다. 이러한 과정이 $n = 4, 5, 6, \ldots$인 경우에도 계속될 수 있지만 계산이 복잡하다. 하지만, 다행히도 $V_1, V_2, \ldots, V_n$들이 동일한 분포를 따르는 확률변수가 아닐지라도, 그들의 합 W는 여전히 정규분포 근사가 가능하다. V(혹은 W)의 정규근사를 구하기 위해, 귀무가설이 참일 때 표준화된 확률변수

$$Z = \frac{W - 0}{\sqrt{n(n+1)(2n+1)/6}}$$

의 분포가 근사적으로 $N(0, 1)$임을 보이기 위해, 5.9절에서 제공된 중심극한정리의 좀 더 일반적인 버전이 필요하다. 우리는 일반화된 중심극한정리를 증명 없이 받아들이고 이를 이용해 c가 주어진 상수이고 표본크기 n이 충분히 클 때, 정규근사 확률 $P(W \ge c; H_0) \approx P(Z \ge z_\alpha; H_0)$을 계산한다. 다음 예제들이 이러한 근사의 예시이다.

예제 8.5-3 W 혹은 V의 적률생성함수는 다음과 같이 주어진다.

$$M(t) = \prod_{k=1}^{n} \frac{e^{-kt}+e^{kt}}{2}, \qquad -\infty < t < \infty$$

컴퓨터 프로그램을 이용해 $M(t)$를 전개하면 e^{kt}의 계수, 즉 $P(W = k)$를 구할 수 있다. 그림 8.5-1에는 $n = 4$ 그리고 $n = 10$일 때 W의 확률히스토그램과 근사 정규분포 $N[0, n(n+1)(2n+1)/6]$의 pdf가 함께 그려져 있다. 확률히스토그램에서 사각형의 밑변의

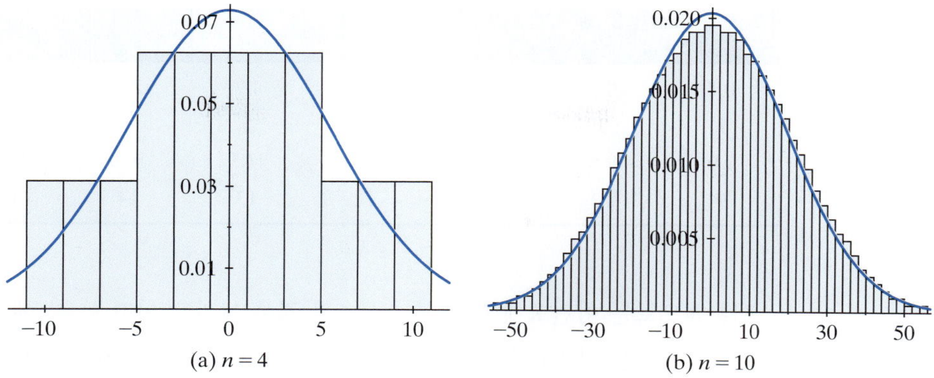

그림 8.5-1 윌콕슨분포

길이가 2이므로 1/2단위 연속성 보정이 1임을 주목하자. ■

예제 8.5-4 대칭적 분포를 갖는 어떤 연속형 확률변수의 중위수를 m이라 하자. 가설 H_0: $m = 160$ 대 H_1: $m > 160$을 검정하기 위해 크기 $n = 16$인 확률표본을 구한다. 관측값들이 다음과 같다.

176.9	158.3	152.1	158.8	172.4	169.8	159.7	162.7
156.6	174.5	184.4	165.2	147.8	177.8	160.1	160.5

표 8.5-1에 차이들 $|x_k - 160|$이 크기 순서대로 정리되어 있다. 차이 $x_k - 160$이 음수인 경우는 밑줄이 그어져 있고, 정렬된 값들 아래 순위가 매겨져 있다. 이 자료에 대해,

$$w = 1 - 2 + 3 - 4 - 5 + 6 + \cdots + 16 = 60$$

이다.

근사 p값은 다음과 같다.

$$\begin{aligned} p\text{값} &= P(W \geq 60) \\ &= P\left(\frac{W - 0}{\sqrt{(16)(17)(33)/6}} \geq \frac{60 - 1 - 0}{\sqrt{(16)(17)(33)/6}}\right) \\ &\approx P(Z \geq 1.525) \;=\; 0.0636 \end{aligned}$$

이런 p값은 자료가 너무 적어서 유의수준 $\alpha = 0.05$에서 귀무가설을 기각할 수 없음을 의미할 수도 있다, 하지만 더 큰 표본에서도 같은 패턴이 계속되면 확실히 귀무가설을 기각할 것이다. ■

표 8.5-1 $|x_k - 160|$의 순서통계량

0.1	<u>0.3</u>	0.5	<u>1.2</u>	<u>1.7</u>	2.7	<u>3.4</u>	5.2
1	2	3	4	5	6	7	8
<u>7.9</u>	9.8	<u>12.2</u>	12.4	14.5	16.9	17.8	24.4
9	10	11	12	13	14	15	16

이론적으로는 어떤 k에 대해 $x_k = m_0$인 경우 그리고 어떤 $k \neq j$에 대해 $|x_k - m_0| = |x_j - m_0|$인 경우에 대한 가능성을 무시할 수 있지만, 현실에서는 이러한 상황이 발생한다. 보통 실제로 $x_k = m_0$인 경우가 발생하면, 이 관측치는 제외하고 감소된 표본을 이용해 검정을 수행한다. 2개 혹은 그 이상의 값들이 m_0과 차이의 절댓값들과 같다면, 각 관측치들에게 대응 순위들의 평균을 부여한다. 이것이 가져오는 W분포에서의 변화는 크지 않다. 그래서 같은 정규 근사를 계속 사용한다. 다음 예제에서는 몇 개의 동일한 값을 갖는 관측치들이 발생한 경우를 다룬다.

예제 8.5-5 학기 초와 학기 말에 측정된 한 쌍의 체지방 비율에 대한 자료들을 고려하자. 각 쌍의 차이들의 중위수를 m이라 하자. 각 쌍의 차이가 다음과 같이 주어졌을 때, 가설 H_0: $m = 0$ 대 H_1: $m > 0$을 검정하기 위해 윌콕슨 부호순위 검정을 이용할 것이다.

1.8	−3.1	0.1	1.1	0.6	−5.1	9.2	0.2	0.4
0.0	1.9	−0.4	−1.5	1.4	−1.0	2.2	0.8	−0.4
2.0	−5.8	−3.4	−2.3	3.0	2.7	0.2	3.2	

26개 차이가 있지만, 차이가 0인 값은 무시하고 나머지 0이 아닌 25개를 가지고 진행한다. 0이 아닌 절댓값들을 순서대로 나열해 표 8.5-2에 정리했고, 원래 음수값에는 밑줄로 표시했다. 순위는 각 관측치 아래 표시했다. 값이 동일한 경우에는 순위들의 평균이 부여된다.

윌콕슨 부호순위 통계량 값은 다음과 같다.

$$w = 1 + 2.5 + 2.5 + 5 - 5 - 5 + \cdots + 25 = 51$$

연속성 보정을 이용한 이 검정의 근사적 p값은 다음과 같다.

$$\begin{aligned} p\text{값} &= P(W \geq 51) \\ &\approx P\left(Z \geq \frac{51 - 1 - 0}{\sqrt{(25)(26)(51)/6}}\right) = P(Z \geq 0.673) = 0.2505 \end{aligned}$$

따라서 유의수준 $\alpha = 0.05$에서 혹은 심지어 $\alpha = 0.25$에서 귀무가설을 기각하지 않는다. ■

표 8.5-2 체지방 비율 변화 절댓값의 순서통계량

0.1	0.2	0.2	0.4	0.4	0.4	0.6	0.8	1.0	1.1	1.4	1.5	1.8
1	2.5	2.5	5	5	5	7	8	9	10	11	12	13
1.9	2.0	2.2	2.3	2.7	3.0	3.1	3.2	3.4	5.1	5.8	9.2	
14	15	16	17	18	19	20	21	22	23	24	25	

윌콕슨의 또 다른 방법인 **윌콕슨 순위 합 검정**(Wilcoxon's rank sum test)은 두 표본의 관측치들의 순위를 이용해 두 연속형 분포의 동일성을 검정한다. 이 검정을 위해 두 cdf F와 G는 같은 형태임을 가정한다. 즉, 모든 x에 대해 $F(x) = G(x + c)$를 만족하는 상수 c가 존재한다. 검정을 진행하기 위해, 통합표본 $x_1, x_2, \ldots, x_{n_X}$ 그리고 $y_1, y_2, \ldots, y_{n_Y}$를 크기에 의해 오름차순으로 정리한 다음 차례대로 순위 $1, 2, \ldots, n_X + n_Y$를 부여한다. 값이 같은 경우, 같은 값들의 순위의 평균을 부여한다. x들 $x_1, x_2, \ldots, x_{n_X}$ 순위 합을 w라 하자. 만일 Y의 분포가 X의 분포보다 오른쪽에 있으면 X의 값들이 Y의 값들보다 작은 경향이 있으므로 w는 $F(z) = G(z)$일 때보다 보통 더 작을 것이다. 각각의 중위수를 m_X와 m_Y라 하면, 가설 H_0: $m_X = m_Y$ 대 H_1: $m_X < m_Y$ 검정을 위한 기각역은 $w \le c$형태일 것이다. 반면에 대립가설이 H_1: $m_X > m_Y$인 경우, 기각역은 $w \ge c$형태일 것이다.

순위합 통계량 W의 분포를 유도하지 않을 것이다. 그러나 n_X와 n_Y 둘 다 7보다 큰 경우에 정규근사가 사용될 수 있다. 귀무가설하에서, W의 평균과 분산은 각각 다음과 같다.

$$\mu_W = \frac{n_X(n_X + n_Y + 1)}{2}$$

$$\mathrm{Var}(W) = \frac{n_X n_Y(n_X + n_Y + 1)}{12}$$

통계량 Z는 근사적으로 $N(0, 1)$ 분포를 따른다.

$$Z = \frac{W - n_X(n_X + n_Y + 1)/2}{\sqrt{n_X n_Y(n_X + n_Y + 1)/12}}$$

예제 8.5-6 A와 B회사로부터 생산된 계피통 중에서 각각 $n_X = 8$ 그리고 $n_Y = 8$개씩 임의로 추출해 무게를 쟀더니 다음과 같았다.

x:	117.1	121.3	127.8	121.9	117.4	124.5	119.5	115.1
y:	123.5	125.3	126.5	127.9	122.1	125.6	129.8	117.2

기각역 $w \le c$를 이용해 가설 H_0: $m_X = m_Y$ 대 H_1: $m_X < m_Y$를 검정하고자 한다.

표 8.5-3 계피가루 무게의 등맞댄 줄기와 잎그림

x 잎		줄기	y 잎	
	51	11f		
	71	11s	72	
74	95	11•		
19	13	12*		
		12t	21	35
	45	12f	53	56
	78	12s	65	79
		12•	98	

숫자에 10^{-1}을 곱함

표 8.5-4 통합 표본 순서통계량

115.1	117.1	117.2	117.4	119.5	121.3	121.9	122.1
1	2	3	4	5	6	7	8
123.5	124.5	125.3	125.6	126.5	127.8	127.9	129.8
9	10	11	12	13	14	15	16

W의 값을 계산하기 위해, 종종 **등맞댄 줄기와 잎그림**(back-to-back stem-and-leaf display)을 그리는 것이 도움이 된다. 이 그림에서 줄기는 중앙에 그리고 잎은 양쪽에 배치한다(표 8.5-3 참조). 표 8.5-4에서 A회사(x) 제품 무게는 밑줄로 표시된 통합표본의 수치를 양측 줄기와 잎그림에서 확인할 수 있다. 순위는 값들 아래 주어졌다.

표 8.5-4로부터 W를 계산하면

$$w = 1 + 2 + 4 + 5 + 6 + 7 + 10 + 14 = 49$$

이고, 1/2단위 연속성 보정을 통한 이검정의 p값은 다음과 같다.

$$\begin{aligned} p\text{값} &= P(W \le 49) \\ &= P\left(\frac{W-68}{\sqrt{90.667}} \le \frac{49.5-68}{\sqrt{90.667}}\right) \\ &\approx P(Z \le -1.943) = 0.0260 \end{aligned}$$

따라서 유의수준 $\alpha = 0.05$에서 귀무가설이 기각되어 A회사에서 생산된 계피통 무게의 중위수가 B회사 계피통 무게의 중위수보다 작다고 결론 내린다. ■

연습문제

8.5-1 어떤 회사 사탕 한 박스 무게의 중위수 m이 40, 000파운드라고 알려져 있다.

(a) 근사적 유의수준 $\alpha = 0.05$에서 가설 H_0: $m = 40,000$ 대 H_1: $m < 40,000$을 검정하기 위해 아래 13개 관측치와 윌콕슨 부호순위 통계량을 이용하라.

41,195 39,485 41,229 36,840 38,050 40,890
38,345 34,930 39,245 31,031 40,780 38,050
30,906

(b) 근사적 p값은 얼마인가?

(c) 부호 검정을 이용해 같은 가설을 검정하라.

(d) 부호 검정의 p값을 계산하고 이를 (b)의 값과 비교하라.

8.5-2 어떤 포도사탕의 무게(단위: g)를 X라 하고 그것의 중위수를 m이라 하자. 근사적 유의수준 $\alpha = 0.05$에서 가설 H_0: $m = 5.900$ 대 H_1: $m > 5.900$을 검정하고자 한다. 확률표본 $n = 25$개가 다음과 같은 크기 순서로 주어졌다.

5.625 5.665 5.697 5.837 5.863 5.870 5.878
5.884 5.908 5.967 6.019 6.020 6.029 6.032
6.037 6.045 6.049 6.050 6.079 6.116 6.159
6.186 6.199 6.307 6.387

(a) 부호 검정을 이용해 가설을 검정하라.

(b) 윌콕슨 부호순위검정을 이용해 가설을 검정하라.

(c) t 검정을 실시하라.

(d) 위의 세 가지 검정을 비교하라.

8.5-3 학생들의 1학기 성적을 x 그리고 2학기 성적을 y라 하자. $x - y$ 값들의 중위수를 m이라 하자. 가설 H_0: $m = 0$ 대 적절한 대립가설(여러분이 선택)을 검정할 것이다. 근사적 유의수준 $\alpha = 0.05$에서 주어진 가설을 검정하기 위해, 다음 15쌍의 자료를 이용해 윌콕슨 부호순위 검정을 실시하라.

x	y	x	y
2.88	3.22	3.98	3.76
3.67	3.49	4.00	3.96
2.76	2.54	3.39	3.52
2.34	2.17	2.59	2.36
2.46	2.53	2.78	2.62
3.20	2.98	2.85	3.06
3.17	2.98	3.25	3.16
2.90	2.84		

8.5-4 '1kg'짜리 당근 한 봉지의 실제 무게를 X라 하자. 당근 봉지들의 실제 무게의 중위수를 m이라 할 때, 가설 H_0: $m = 1.14$ 대 H_1: $m > 1.14$를 검정하고자 한다.

(a) 관측된 무게가 다음과 같다.

1.12 1.13 1.19 1.25 1.06 1.31 1.12
1.23 1.29 1.17 1.20 1.11 1.18 1.23

부호순위 검정을 이용해 근사적 유의수준 $\alpha = 0.05$에서 가설을 검정하라.

(b) 검정의 p값은 얼마인가?

(c) 윌콕슨 부호순위 검정을 이용해 같은 가설을 검정하라.

(d) (c)의 p값은 얼마인가?

8.5-5 두 회사에서 생산되는 전구의 수명 X와 Y를 비교하기 위해, 두 회사에서 생산되는 제품을 각각 10개씩 임의로 추출해 시험한다. 시험 결과(단위: 100시간) 자료는 다음과 같다.

x:	5.6	4.6	6.8	4.9	6.1	5.3	4.5	5.8	5.4	4.7
y:	7.2	8.1	5.1	7.3	6.9	7.8	5.9	6.7	6.5	7.1

(a) 윌콕슨 부호순위 검정을 이용해 근사적 유의수준 $\alpha = 0.05$에서 두 회사 전구 수명의 중위수가 같은지를 검정하라. p값은 얼마인가?

(b) 자료의 q-q 플롯 그림을 그리고 해석하라.

힌트: X의 경험분포(empirical distribution)와 Y의 경험분포에 대한 q-q 플롯.

8.5-6 어느 대형마트 두 지점에서의 주문배달 규모를 X와 Y라 하자. 아래 주어진 자료를 이용해 귀무가설 H_0: $m_X = m_Y$ 대 양측대립가설을 검정하고자 한다.

x:	5.13	8.22	11.81	13.77	15.36
	23.71	31.39	34.65	40.17	75.58
y:	4.42	6.47	7.12	10.50	12.12
	12.57	21.29	33.14	62.84	72.05

(a) 근사적 유의수준 $\alpha = 0.05$에서 윌콕슨 순위 합 검정을 이용하라. 양측검정의 p값은 얼마인가?

(b) 자료의 q-q 플롯 그림을 그리고 해석하라.

힌트: X의 경험분포와 Y의 경험분포에 대한 q-q 플롯.

8.5-7 6kg짜리 가루비누를 생산하는 어느 회사의 품질관리 부서에서 두 생산라인에서 생산된 제품의 실제 무게를 비교하고자 한다. 두 라인으로부터 확률표본을 추출해 다음과 같은 자료를 얻었다.

동쪽 라인(x):	6.06	6.04	6.11	6.06	6.06
	6.07	6.06	6.08	6.05	6.09
서쪽 라인(y):	6.08	6.03	6.04	6.07	6.11
	6.08	6.08	6.10	6.06	6.04

(a) 두 라인에서 생산된 제품 무게의 중위수를 각각 m_X 그리고 m_Y라고 할 때, 근사적 유의수준 $\alpha = 0.05$에서 윌콕슨 순위 합 검정을 이용해 가설 H_0: $m_X = m_Y$ 대 양측대립가설을 검정하라.

(b) 자료의 q-q 플롯 그림을 그리고 해석하라.

8.5-8 플로리다 거미 수컷 10마리와 암컷 10마리의 크기(단위: mm)를 몇 가지 측정했다. 즉, 전체 길이, 앞다리 길이, 뒷다리 길이가 다음과 같다.

암컷			수컷		
전체 길이	앞다리 길이	뒷다리 길이	전체 길이	앞다리 길이	뒷다리 길이
11.06	15.03	19.29	12.26	21.22	25.54
13.87	17.96	22.74	11.66	18.62	23.94
12.93	17.56	21.28	12.53	18.62	23.94
15.08	21.22	25.54	13.00	19.95	25.80
17.82	22.61	28.86	11.79	19.15	25.40
14.14	20.08	25.14	12.46	19.02	25.27
12.26	16.49	20.22	10.65	17.29	22.21
17.82	18.75	24.61	10.39	17.02	21.81
20.17	23.01	28.46	12.26	18.49	23.41
16.88	22.48	28.59	14.07	22.61	28.86

이 문제에서, 윌콕슨 순위 합 검정을 이용해 암컷과 수컷의 크기를 비교하고자 한다. 아래 설명에 따라 등맞댄 줄기와 잎그림을 그려라.

(a) 근사적 유의수준 $\alpha = 0.05$에서 암컷과 수컷의 전체 길이가 같다는 귀무가설을 암컷이 더 크다는 대립가설에 대해 검정하라.

(b) 근사적 유의수준 $\alpha = 0.05$에서 암컷과 수컷의 앞다리 길이가 같다는 귀무가설 대 양측대립가설을 검정하라.

(c) 근사적 유의수준 $\alpha = 0.05$에서 암컷과 수컷의 뒷다리 길이가 같다는 귀무가설 대 양측대립가설을 검정하라.

8.6 통계적 검정의 검정력

8장에서 유의수준 α와 p값 설명을 중심으로 흔히 사용되는 통계적 가설검정 몇 가지를 살펴보았다. 검정의 유의수준은 1종 오류를 범할 확률, 즉 귀무가설이 참일 때 이를 기각할 확률이다. 이 절에서는 다른 형태의 오류(대립가설이 참일 때 귀무가설을 채택하는 오류)를 범할 확률을 생각해보기로 한다. 이런 생각이 결과적으로 귀무가설 H_0 대 대립가설 H_1에 대한 최강력검정을 찾는 방법에 이르게 된다.

다음 예제에서는 일련의 독립적인 베르누이 시행에서 성공확률 p에 대한 검정을 이용해 새로운 개념을 소개한다. 부록 B의 표 2가 확률 계산에 사용될 수 있도록 표본크기는 작게 유지한다.

예제 8.6-1 사람들에게 이름표를 나눠주면 그것을 왼쪽 혹은 오른쪽에 붙인다고 가정하자. 이름표를 오른쪽에 붙일 확률을 p라 할 때, 우리는 가설 H_0: $p = 1/2$ 대 H_1: $p < 1/2$을 검정하고자 한다. $n = 20$명의 사람들에게 이름표를 나눠주고 그들의 이름표 위치를 베르누이 확률변수 $X_1, X_2, \ldots, X_{20}$이라 하자. 여기에서 어떤 사람이 이름표를 오른쪽에 붙이면 $X_i = 1$, 왼쪽에 붙이면 $X_i = 0$이라 하자. 검정통계량으로 우리는 $Y = \sum_{i=1}^{20} X_i$를 이용하는데, 이는 이항분포 $b(20, p)$를 따른다. 기각역은 $C = \{y : y \le 6\}$ 혹은 동등하게, $\{(x_1, x_2, \ldots, x_{20}): \sum_{i=1}^{20} x_i \le 6\}$로 정의하자. 만일 $p = 1/2$이면 Y는 $b(20, 1/2)$이기 때문에, 검정의 유의수준은 부록 B의 표 2로부터 다음과 같다.

$$\alpha = P\left(Y \le 6;\ p = \frac{1}{2}\right) = \sum_{y=0}^{6} \binom{20}{y} \left(\frac{1}{2}\right)^{20} = 0.0577$$

이다. 물론 2종 오류 확률 β는 대립가설 H_1: $p < 1/2$의 p값에 따라 변한다. 예를 들어, $p = 1/4$인 경우

$$\beta = P\left(7 \le Y \le 20;\ p = \frac{1}{4}\right) = \sum_{y=7}^{20} \binom{20}{y} \left(\frac{1}{4}\right)^{y} \left(\frac{3}{4}\right)^{20-y} = 0.2142$$

$p = 1/10$인 경우

$$\beta = P\left(7 \le Y \le 20;\ p = \frac{1}{10}\right) = \sum_{y=7}^{20} \binom{20}{y} \left(\frac{1}{10}\right)^{y} \left(\frac{9}{10}\right)^{20-y} = 0.0024$$

이다. 대립가설 H_1이 참일 때 귀무가설 H_0 기각에 실패할 확률 β를 고려하는 대신, 대립가설이 참일 때 귀무가설을 기각하는 확률을 계산한다. 결국 β와 $K = 1 - \beta$는 같은 정보를 제공한다. K는 p의 함수이므로, $K(p)$로 표기한다. p의 함수인 다음 확률을 **검정력 함수**(power function of the test)라고 한다.

$$K(p) = \sum_{y=0}^{6} \binom{20}{y} p^y (1-p)^{20-y}, \qquad 0 < p \le \frac{1}{2}$$

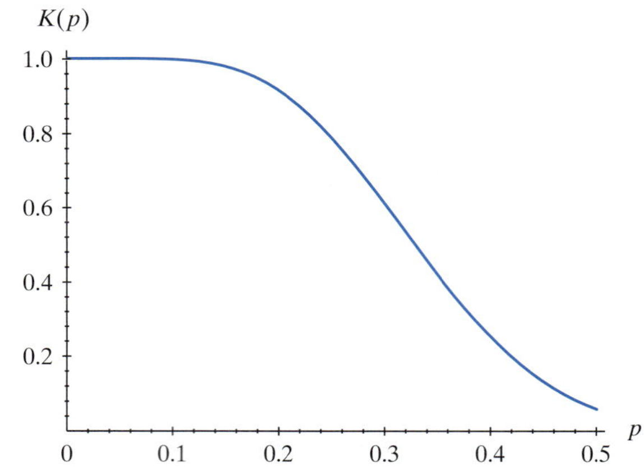

그림 8.6-1 Y가 $b(20, p)$일 때, 검정력함수 : $K(p) = P(Y \le 6; p)$

우리는 이 함수를 대립가설에 있는 p값에 대해서뿐만 아니라 귀무가설에 있는 p값에 대해서도 정의한다. 물론, $\alpha = K(1/2) = 0.0577$, $1 - K(1/4) = 0.2142$, 그리고 $1 - K(1/10) = 0.0024$이다. 특정 p에서의 검정력 함숫값을 그 점에서의 **검정력**(power)이라 한다. 예를 들어, $K(1/4) = 0.7858$ 그리고 $K(1/10) = 0.9976$들이 각각 $p = 1/4$과 $p = 1/10$에서의 검정력이다. 바람직한 검정력 함수는 귀무가설이 참일 때 작은 값을 가져야 하고, p가 1/2보다 훨씬 작을 때 큰 값을 가져야 한다. (이 검정력 함수 그래프는 그림 8.6-1 참조.) ■

예제 8.6-2 X_1, X_2, X_3, X_4를 자유도 θ인 카이제곱 분포로부터 크기 4인 확률표본이라 하자. 여기에서 θ는 미지의 양의 정수이다. 검정의 유의수준이 0.025가 되도록 선택된 상수 c를 가진 기각역 $C = \{(x_1, x_2, x_3, x_4): \sum_{i=1}^{4} x_i \ge c\}$를 이용해 가설 $H_0: \theta = 1$ 대 $H_1: \theta > 1$을 검정하고자 한다. 서로 독립인 n개 카이제곱 확률변수들의 합은 카이제곱분포를 따르는데, 자유도는 n개 확률변수 자유도의 합이다. 따라서 Y가 $\chi^2(4)$ 분포를 따를 때 $P(Y > c) = 0.025$를 만족하는 상수 c를 찾고 싶어 한다. 부록 B의 표 2를 이용하면 $c = 11.14$임을 알 수 있다.

$\theta = 5$일 때 유의수준이 0.025인 검정의 검정력을 알아보자. $\theta = 5$일 때, $\sum_{i=1}^{4} X_i$는 자유도가 20인 카이제곱분포를 따른다. 따라서 Y의 분포가 $\chi^2(20)$이라 할 때, $P(Y > 11.4)$를 계산해야 한다. 앞에서 언급된 표를 이용하면 검정력이 0.90과 0.95 사이이다. 컴퓨터를 이용해 소수점 셋째 자리까지 구한 검정력은 0.943이다. ■

예제 8.6-1에서 검정력 함수라는 새로운 개념을 소개했다. 이제 원하는 검정력을 가진 검정을 찾기 위해 표본크기를 어떻게 정하는지에 대해 알아보자.

예제 8.6-3 새로운 교수법에 의해 배운 학생들의 기초통계학 점수 분포가 정규분포 $N(\mu, 100)$을 따르고, 이 분포로부터 추출한 크기 n의 확률표본을 $X_1, X_2, \ldots, X_n$이라 하자. 가설 H_0: $\mu = 60$(기존의 교수법에 의한 평균이 60, 즉 변화 없음) 대 H_1: $\mu > 60$(새로운 교수법이 우수)을 검정하고자 한다. 표본크기는 $n = 25$라 하자. 물론, 표본평균 $\overline{X}$는 모수 μ의 최우추정량이기 때문에 이 통계량에 근거해 의사결정을 내리는 것이 타당해 보인다. 우선 만일 $\bar{x} \geq 62$이면 귀무가설을 기각하기로 규칙을 정했다. 이 검정의 결과는? 결과는 검정력 함수에 잘 정리되어 표현된다.

먼저 $\mu \geq 60$인 다양한 값에 대해 귀무가설 H_0: $\mu = 60$을 기각할 확률을 계산해보자. $\bar{x} \geq 62$일 때 귀무가설을 기각하기 때문에 이 확률은 다음과 같이 주어진다.

$$K(\mu) = P(\overline{X} \geq 62; \mu)$$

새로운 교수법에 의한 학생들의 평균점수를 μ라 하면 $\overline{X}$는 $N(\mu, 100/25 = 4)$ 분포를 따른다. 따라서 검정력 함수 $K(\mu)$

$$\begin{aligned} K(\mu) &= P\left(\frac{\overline{X} - \mu}{2} \geq \frac{62 - \mu}{2}; \mu\right) \\ &= 1 - \Phi\left(\frac{62 - \mu}{2}\right), \qquad 60 \leq \mu \end{aligned}$$

는 이 검정에 의해 귀무가설을 기각하는 확률이다. $K(\mu)$값 몇 개가 표 8.6-1에 정리되어 있고, 검정력 함수의 그래프는 그림 8.6-2에 주어졌다.

$\mu = 60$에서 검정력은 $K(60) = 0.1587$이고, 이는 검정의 유의수준이다. $\mu = 65$에서

표 8.6-1 검정력 함수 값

μ	$K(\mu)$
60	0.1587
61	0.3085
62	0.5000
63	0.6915
64	0.8413
65	0.9332
66	0.9772

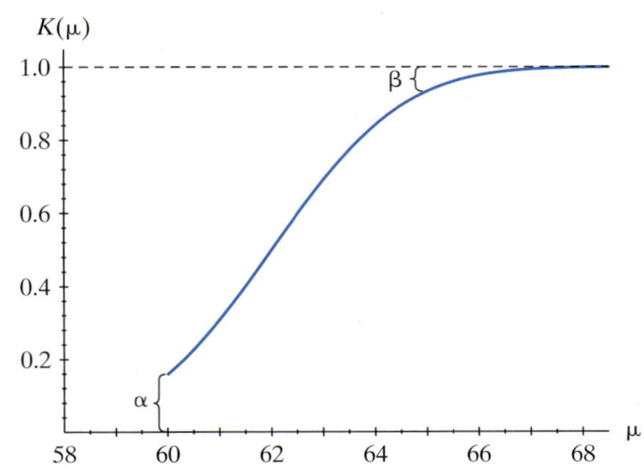

그림 8.6-2 검정력 함수 $K(\mu) = 1 - \Phi([62 - \mu]/2)$

검정력은 $K(65) = 0.9332$이고, 이는 옳은 결정을 내릴 확률인데, 이 값이 커서 만족한다. 한편, $1 - K(65) = 0.0688$은 $\mu = 65$일 때 귀무가설을 채택하는 확률, 즉 2종 오류를 범할 확률이어서 $\beta = 0.0668$로 표시한다. 명백히 2종 오류의 확률 $\beta = 1 - K(\mu_1)$은 대립가설의 μ_1값에 따라 달라진다. $\mu = 65$일 때 $\beta = 0.0068$인 반면, $\mu = 63$일 때 $\beta = 1 - K(63) = 0.3085$이다.

통계학자들은 종종 유의수준 α가 1종 오류이기 때문에 0.1587보다 작기를, 즉 0.05 혹은 이보다 작기를 바란다. 따라서 $n = 25$일 때 $\alpha = 0.05$를 원한다면, 기각역 $\bar{x} \geq 62$를 더 이상 사용할 수 없다. 오히려

$$K(60) = P\left(\frac{\overline{X} - 60}{2} \geq \frac{c - 60}{2};\ \mu = 60\right)$$
$$= 1 - \Phi\left(\frac{c - 60}{2}\right) = 0.05$$

를 만족하는 상수 c를 찾고 이를 이용한 기각역 $\bar{x} \geq c$를 이용해야 한다. 부록 B의 표 5a로부터

$$\frac{c - 60}{2} = 1.645 = z_{0.05}, \qquad c = 60 + 3.29 = 63.29$$

이다. 비록 이런 변화가 α를 0.1587에서 0.05로 줄였지만, 이는 $\mu = 65$에서 β를 0.0668에서

$$\beta = 1 - P(\overline{X} \geq 63.29;\ \mu = 65)$$
$$= 1 - P\left(\frac{\overline{X} - 65}{2} \geq \frac{63.29 - 65}{2};\ \mu = 65\right)$$
$$= \Phi(-0.855) = 0.1963$$

으로 증가시킨다. 일반적으로 표본크기나 가설검정의 형태를 바꾸지 않고는, α의 감소는 β의 증가를 가져오고, β의 감소는 α의 증가를 가져온다. 두 종류의 오류 α와 β 모두 감소는 표본크기를 늘리거나 혹은 더 좋은 가설검정법을 이용할 때에만 가능하다.

예를 들어, 표본크기를 $n = 100$으로 늘리고, 유의수준 $\alpha = 0.05$에서 기각역의 형태가 $\bar{x} \geq c$인 검정을 찾는다고 하자. $\overline{X}$의 분포는 $N(\mu, 100/100 = 1)$이기 때문에,

$$\alpha = P(\overline{X} \geq c;\ \mu = 60) = 0.05$$

혹은, 동등하게,

$$P\left(\frac{\overline{X} - 60}{1} \geq \frac{c - 60}{1};\ \mu = 60\right) = 0.05$$

를 만족하는 상수 c를 선택해야 하면, $c = 61.645$이다. 검정력 함수는 다음과 같다.

$$K(\mu) = P(\overline{X} \geq 61.645;\ \mu)$$
$$= P\left(\frac{\overline{X}-\mu}{1} \geq \frac{61.645-\mu}{1};\ \mu\right) = 1 - \Phi(61.645-\mu)$$

특히 $\mu = 65$일 때,

$$\beta = 1 - K(\mu) = \Phi(61.645 - 65) = \Phi(-3.355) = 0.0004$$

이다. 따라서 β는 $n = 25$일 때 0.1963에서 $n = 100$일 때 0.0004로 감소했다.

사실 검정력 함수는 1종 오류와 2종 오류를 원하는 만큼 작게 만드는 데 필요한 표본 크기를 정할 때 사용될 수 있다. 예를 들어, $\bar{x} \geq c$ 형태의 기각역을 다시 사용하기로 하고 $\alpha = 0.025$와 $\mu = 65$일 때 $\beta = 0.05$를 원한다고 하자. $\overline{X}$의 분포는 $N(\mu, 100/n)$이기 때문에,

$$0.025 = K(60) = P(\overline{X} \geq c;\ \mu = 60) = 1 - \Phi\left(\frac{c-60}{10/\sqrt{n}}\right)$$

그리고

$$0.05 = 1 - K(65) = 1 - P(\overline{X} \geq c;\ \mu = 65) = \Phi\left(\frac{c-65}{10/\sqrt{n}}\right)$$

이다. 즉,

$$\frac{c-60}{10/\sqrt{n}} = 1.96, \qquad \frac{c-65}{10/\sqrt{n}} = -1.645$$

이다. 두 연립방정식을 풀면

$$c = 60 + 1.96\,\frac{5}{3.605} = 62.718$$
$$\frac{10}{\sqrt{n}} = \frac{5}{3.605}$$

이다. 따라서 $\sqrt{n} = 7.21$, 즉 $n = 51.98$인데 n은 정수여야 하므로 $n = 52$가 되고 이로 인해 $\alpha \approx 0.025$ 그리고 $\beta \approx 0.05$를 얻게 된다. ■

다음의 예제는 예제 8.6-1을 확장한 것이다.

예제 8.6-4 가설 H_0: $p = 1/2$ 대 H_1: $p < 1/2$을 검정하기 위해, 베르누이 시행으로부터 확률표본 $X_1, X_2, \ldots, X_n$을 취해 이항분포 $b(n, p)$를 따르는 검정통계량 $Y = \sum_{i=1}^{n} X_i$에 사용한다.

기각역을 $C = \{y: y \le c\}$로 정의하면, 검정력 함수는 $K(p) = P(Y \le c; p)$로 정의된다. 이때 $\alpha = K(1/2) \approx 0.05$와 $K(1/4) \approx 0.90$을 만족하는 n과 c를 구하고자 한다. 즉, 유의수준은 $\alpha = K(1/2) = 0.05$이고 $p = 1/4$에서 검정력은 0.90이길 원한다. 따라서

$$\begin{aligned}0.05 = P\left(Y \le c;\, p = \frac{1}{2}\right) &= P\left(\frac{Y - n/2}{\sqrt{n(1/2)(1/2)}} \le \frac{c - n/2}{\sqrt{n(1/2)(1/2)}}\right)\\ &\approx \Phi\left(\frac{c + 0.5 - n/2}{\sqrt{n/4}}\right)\end{aligned}$$

이기 때문에,

$$(c + 0.5 - n/2)/\sqrt{n/4} \approx -1.645$$

가 되고,

$$\begin{aligned}0.90 = P\left(Y \le c;\, p = \frac{1}{4}\right) &= P\left(\frac{Y - n/4}{\sqrt{n(1/4)(3/4)}} \le \frac{c - n/4}{\sqrt{n(1/4)(3/4)}}\right)\\ &\approx \Phi\left(\frac{c + 0.5 - n/4}{\sqrt{3n/16}}\right)\end{aligned}$$

이기 때문에

$$(c + 0.5 - n/4)/\sqrt{3n/16} \approx 1.282$$

가 된다. 그러므로 다음과 같다.

$$\frac{n}{4} \approx 1.645\sqrt{\frac{n}{4}} + 1.282\sqrt{\frac{3n}{16}}, \qquad \sqrt{n} \approx 4(1.378) = 5.512$$

따라서 n은 대략 31 정도 되고, 처음 두 근사등식 중 어느 하나로부터 c는 대략 10.9가 됨을 알 수 있다. $n = 31$과 $c = 10.9$를 사용해 얻게 되는 $K(1/2) = 0.05$와 $K(1/4) = 0.90$은 단지 근삿값들일 뿐이다. 사실 Y는 정수여야 하므로 $c = 10$이라 할 수 있다. 이때, $n = 31$인 경우 정규근사를 이용하면 다음과 같다.

$$\begin{aligned}\alpha = K\left(\frac{1}{2}\right) &= P\left(Y \le 10;\, p = \frac{1}{2}\right) \approx 0.0362\\ K\left(\frac{1}{4}\right) &= P\left(Y \le 10;\, p = \frac{1}{4}\right) \approx 0.8730\end{aligned}$$

또한 $c = 11$, $n = 31$인 경우 정규근사를 이용하면 다음과 같다.

$$\alpha = K\left(\frac{1}{2}\right) = P\left(Y \le 11;\ p = \frac{1}{2}\right) \approx 0.0754$$

$$K\left(\frac{1}{4}\right) = P\left(Y \le 11;\ p = \frac{1}{4}\right) \approx 0.9401$$

이항분포를 이용해 계산한 값들은 0.0354, 0.8716, 0.0748, 0.9356이다. ■

연습문제

8.6-1 감자 25파운드를 담기 위한 특정 크기의 가방이 제작되었다. 농부가 가방에 감자를 채운 다음 측정한 가방의 무게 X가 $N(\mu, 9)$라 하자. 이때 가설 H_0: $\mu = 25$ 대 H_1: $\mu < 25$를 검정하고자 한다. 크기 4의 확률표본을 X_1, X_2, X_3, X_4라 하고 기각역 C의 형태는 $\bar{x} \le 22.5$로 정의하자.

(a) 검정력 함수 $K(\mu)$를 구하라. 특히 이 검정에서 유의수준 $\alpha = K(25)$를 구하라.

(b) 확률표본 관측치가 $x_1 = 21.24$, $x_2 = 24.81$, $x_3 = 23.62$, $x_4 = 26.82$라 할 때, 가설을 검정하라.

(c) 위의 (b)에서 p값은 얼마인가?

8.6-2 아이오와주립대학교 학생들 중에서 아이오와주에서 태어나지 않은 학생의 비율을 p라 하자. 이때 가설 H_0: $p = 0.4$ 대 H_1: $p \ne 0.4$를 검정하고자 한다. $n = 25$명의 확률표본을 추출해서 아이오와주에서 태어나지 않은 학생이 6명보다 적거나 혹은 14명보다 많으면 귀무가설을 기각하기로 했다.

(a) 검정의 유의수준을 구하라.

(b) 검정의 검정력 함수를 구하라.

(c) $p = 0.2$인 경우 검정력을 구하라.

8.6-3 매년 단위 면적당 옥수수 생산량(단위: 톤)을 X라 하고, X의 분포는 $N(1.5, 0.09)$라 하자. 새로 개발된 비료가 평균 생산량을 증가시킬 것으로 기대한다. 즉, 가설 H_0: $\mu = 1.5$ 대 H_1: $\mu > 1.5$를 검정하고자 한다. 새로운 비료 사용에도 분산의 변화는 없다고 가정하자. 크기 n의 확률표본평균 $\overline{X}$를 검정통계량으로 사용해 만일 $\bar{x} \ge c$면 귀무가설을 기각한다. 검정력 함수 $K(\mu) = P(\overline{X} \ge c;\ \mu)$가 $\alpha = K(1.5) = 0.05$ 그리고 $K(1.7) = 0.95$를 만족하는 n과 c를 구하라.

8.6-4 어느 테니스 선수가 첫 번째 서브를 성공할 확률을 p라 하자. $p = 0.40$으로 낮아서 성공률을 높이기 위해 이 선수가 레슨을 받기로 했다. 레슨을 받은 후에 $n = 25$회 서브를 실시해 가설 H_0: $p = 0.40$ 대 H_1: $p > 0.40$을 검정하고자 한다. 첫 번째 서브 성공 횟수를 y라 하고, 기각역을 $C = \{y : y \ge 14\}$로 정의하자.

(a) 검정력 함수 $K(p)$를 구하라.

(b) 유의수준 $\alpha = K(0.40)$을 구하라. 부록 B의 표 2를 이용하라.

(c) $p = 0.45, 0.50, 0.60, 0.70, 0.80, 0.90$인 경우, 검정력 $K(p)$를 구하라.

(d) 검정력 함수 그래프를 그려라.

(e) 레슨을 받은 후 $y = 15$이면 귀무가설은 기각되는가?

(f) $y = 15$일 때 p값은 얼마인가?

8.6-5 어떤 제품의 불량률을 p라 하자. 가설 H_0: $p = 1/26$ 대 H_1: $p > 1/26$을 검정하기 위해, 임의로 선택된 n개 제품을 조사해 불량품의 개수를 Y라 하자. 만일 $y \ge c$면 귀무가설을 기각한다. 검정력 함수 $K(p) = P(Y \ge c;\ p)$가 $\alpha = K(1/26) \approx 0.05$와 $K(1/10) \approx 0.90$을 만족하는 n과 c를 구하라.

힌트: 이 문제를 풀기 위해 정규근사 혹은 푸아송 근사를 이용하라.

8.6-6 평균이 $\theta > 0$인 지수분포로부터 크기 $n = 3$인 확률표본을 X_1, X_2, X_3이라 하자. 가설 H_0: $\theta = 2$ 대 H_1: $\theta < 2$를 검정하기 위해 $\sum_{i=1}^{3} x_i \le 2$이면 귀무가설을 기각하기로 규칙을 정했다.

(a) 적분으로 표현된 검정력 함수 $K(\theta)$를 구하라.

(b) 부분적분을 이용해 검정력 함수를 합으로 표현하라.

(c) 부록 B의 표 3을 이용해, $\alpha = K(2)$, $K(1)$, $K(1/2)$, $K(1/4)$을 구하라.

8.7 최량기각역

이 절에서는 바람직한 검정 방법의 기각역이 지녀야 할 몇 가지 성질을 논의한다. 논의를 도입하기 위해 비통계적인 예제와 함께 시작하자.

예제 8.7-1 여러분이 α달러를 가지고 책을 산다고 하자. 여러분은 책 자체에 관심이 있는 것이 아니라, 단지 책장을 가능한 한 많이 채우는 데 관심이 있다. 어떤 책을 구매할지를 어떻게 결정하겠는가? 다음과 같은 방식은 그럴듯해 보이는가? 일단, 모든 무료 책들을 가져온 다음 책장을 1인치 채우는 데 가장 비용이 적게 드는 책들을 고른다. 즉, w가 책의 두께(단위: 인치)이고 c가 책값이라고 할 때, c/w를 최소로 하는 책들을 고른다. 이런 식으로 α달러를 다 소비할 때까지 책들을 고른다. ■

예제 8.7-1이 크기 α인 좋은 기각역을 고르는 데 어떻게 도움이 되는지를 알아보기 위해, 단순귀무가설 H_0: $\theta = \theta_0$ 대 단순대립가설 H_1: $\theta = \theta_1$ 검정을 생각해보자. 이 논의에서, 고려 중인 확률변수들 $X_1, X_2, \ldots, X_n$은 $L(\theta; x_1, x_2, \ldots, x_n)$으로 표시되는 이산형 결합 확률질량함수를 갖는다고 하자. 즉 다음과 같다고 한다.

$$P(X_1 = x_1, X_2 = x_2, \ldots, X_n = x_n; \theta) = L(\theta; x_1, x_2, \ldots, x_n)$$

크기 α인 기각역 C는 $\theta = \theta_0$일 때 확률이 α인 점$(x_1, x_2, \ldots, x_n)$들의 집합이다. 바람직한 검정은 $\theta = \theta_1$일 때 이 집합 C의 확률이 커야 한다. 왜냐하면 대립가설 H_1: $\theta = \theta_1$이 참일 때 우리는 귀무가설을 기각하기를 바라기 때문이다. 따라서 기각역 C에 처음으로 포함해야 할 점은 비율

$$\frac{L(\theta_0; x_1, x_2, \ldots, x_n)}{L(\theta_1; x_1, x_2, \ldots, x_n)}$$

이 가장 작은 점이다. 즉, 귀무가설 H_0: $\theta = \theta_0$하에서 확률에 의한 '비용'이 만일 $\theta = \theta_1$인 경우 우리가 '구매'할 수 있는 확률에 대비해 작다. 기각역 C에 포함해야 할 다음 점은 두 번째로 작은 비율을 가진 점일 것이다. 이런 식으로 귀무가설 H_0: $\theta = \theta_0$이 참일 때, C의 확률이 α가 될 때까지 계속해서 점을 추가한다. 이렇게 하면, 주어진 유의수준

α에 대해, 대립가설 H_1: $\theta = \theta_1$이 참일 때 기각역 C의 확률이 최대가 된다. 이제 최량기각역을 정의한 다음 잘 알려진 네이만-피어슨 보조정리(Neyman-Pearson lemma)를 제공함으로써 이 논의를 정리하고자 한다.

정의 8.7-1

단순귀무가설 H_0: $\theta = \theta_0$과 단순대립가설 H_1: $\theta = \theta_1$의 검정을 고려하자. C를 크기 α인 기각역, 즉 $\alpha = P(C; \theta_0)$이라 하자. 이때 크기 α인 모든 다른 기각역 D에 대해, 만일

$$P(C; \theta_1) \geq P(D; \theta_1)$$

를 만족하면 C는 크기 α인 최량기각역이라 한다. 즉 H_1: $\theta = \theta_1$이 참일 때, 기각역 C를 이용해 귀무가설 H_0: $\theta = \theta_0$을 기각할 확률이 크기 α인 다른 어떤 기각역 D를 사용해서 귀무가설을 기각할 확률보다 크거나 같다.

따라서 크기 α인 최량기각역은 모든 크기 α인 기각역 중에서 가장 큰 검정력을 가진 기각역이다. 네이만-피어슨 보조정리가 크기 α인 최량기각역을 위한 충분조건을 제공해준다.

정리 8.7-1 **(네이만-피어슨 보조정리)** $X_1, X_2, \ldots, X_n$을 확률함수 $f(x; \theta)$를 갖는 분포로부터 얻은 크기 n의 확률표본이라 하자. θ의 두 가지 가능한 값이 θ_0과 θ_1이다. $X_1, X_2, \ldots, X_n$의 결합확률함수를 다음과 같은 우도함수로 표현하자.

$$L(\theta) = L(\theta; x_1, x_2, \ldots, x_n) = f(x_1; \theta) f(x_2; \theta) \cdots f(x_n; \theta)$$

만일 다음 세 가지 조건

(a) $P[(X_1, X_2, \ldots, X_n) \in C; \theta_0] = \alpha$

(b) $\dfrac{L(\theta_0)}{L(\theta_1)} \leq k$, $(x_1, x_2, \ldots, x_n) \in C$

(c) $\dfrac{L(\theta_0)}{L(\theta_1)} \geq k$, $(x_1, x_2, \ldots, x_n) \in C'$

을 만족하는 양의 상수 k와 표본공간의 부분집합 C가 존재하면, C는 단순귀무가설 H_0: $\theta = \theta_0$과 단순대립가설 H_1: $\theta = \theta_1$을 결정하는 크기 α인 최량기각역이다.

증명 우리는 확률변수가 연속형일 때 이 정리를 증명한다. 이산형인 경우, 적분을 합으로 바꾸면 된다. 간략한 표현을 위해 다음의 기호를 사용한다.

$$\int_B L(\theta) = \int \cdots_B \int L(\theta; x_1, x_2, \ldots, x_n)\, dx_1\, dx_2 \cdots dx_n$$

크기 α인 다른 기각역 D가 있다고 가정하자. 즉,

$$\alpha = \int_C L(\theta_0) = \int_D L(\theta_0)$$

이때

$$\begin{aligned} 0 &= \int_C L(\theta_0) - \int_D L(\theta_0) \\ &= \int_{C\cap D'} L(\theta_0) + \int_{C\cap D} L(\theta_0) - \int_{C\cap D} L(\theta_0) - \int_{C'\cap D} L(\theta_0) \end{aligned}$$

이며, 따라서

$$0 = \int_{C\cap D'} L(\theta_0) - \int_{C'\cap D} L(\theta_0)$$

이다. (b)에 의해, C에 있는 모든 점, 즉 $C\cap D'$에 있는 모든 점에서 $kL(\theta_1) \geq L(\theta_0)$이므로

$$k\int_{C\cap D'} L(\theta_1) \geq \int_{C\cap D'} L(\theta_0)$$

이다. (c)에 의해 C'에 있는 모든 점, 즉 $C'\cap D$에 있는 모든 점에서 $kL(\theta_1) \leq L(\theta_0)$이므로

$$k\int_{C'\cap D} L(\theta_1) \leq \int_{C'\cap D} L(\theta_0)$$

이다. 결과적으로,

$$0 = \int_{C\cap D'} L(\theta_0) - \int_{C'\cap D} L(\theta_0) \leq (k)\left\{\int_{C\cap D'} L(\theta_1) - \int_{C'\cap D} L(\theta_1)\right\}$$

즉

$$0 \leq (k)\left\{\int_{C\cap D'} L(\theta_1) + \int_{C\cap D} L(\theta_1) - \int_{C\cap D} L(\theta_1) - \int_{C'\cap D} L(\theta_1)\right\}$$

혹은, 동등하게

$$0 \leq (k)\left\{\int_C L(\theta_1) - \int_D L(\theta_1)\right\}$$

이다. 따라서

$$\int_C L(\theta_1) \geq \int_D L(\theta_1)$$

이다. 즉, $P(C;\theta_1) \geq P(D;\theta_1)$이다. 이는 α인 모든 기각역 D에 대해 성립하기 때문에, C는 크기 α인 최량기각역이다.

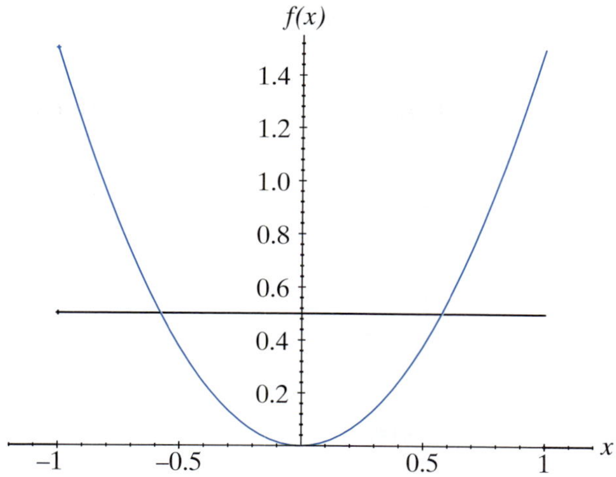

그림 8.7-1 $\theta = 0$ 혹은 2일 때 X의 확률밀도함수

이제 네이만−피어슨 보조정리 예시를 살펴보자. 아래와 같은 pdf

$$f(x;\theta) = \left(\frac{\theta+1}{2}\right)x^{\theta}, \quad -1 < x < 1$$

를 가진 연속형 분포로부터의 확률표본을 $X_1, X_2, \ldots, X_n$이라 하고 여기에서 θ는 음이 아닌 짝수 정수이다. 가설 H_0: $\theta = 0$ 대 H_1: $\theta = 2$의 검정을 생각해보자. 네이만−피어슨 보조정리에 의해 이 검정의 최량기각역의 형태는 $L(0)/L(2) \le k$인데 여기에서 $L(\theta)$는 다음과 같다.

$$L(\theta) = \prod_{i=1}^{n}\left(\frac{\theta+1}{2}\right)x_i^{\theta} = \left(\frac{\theta+1}{2}\right)^n\left(\prod_{i=1}^{n}x_i^{\theta}\right)$$

$\theta = 0$과 $\theta = 2$에서 $L(\theta)$를 계산하면, 최량기각역의 형태는 $1/[3^n(\prod_{i=1}^{n}x_i^2)] \le k$, 혹은 동등하게, $\prod_{i=1}^{n}x_i^2 \ge c$로 주어지고, 여기에서 $c = 1/(3^n k)$이다. 귀무가설하에서 X는 균일분포 $U(-1, 1)$을 따르지만, 대립가설하에서는 -1과 1에서 상대적으로 큰 확률을 갖고 0에서는 작은 확률을 갖는다(그림 8.7-1 참조). 따라서 최강력검정은 X_i^2의 관측값들이 전체적으로 크면(1에 가까운), 그들의 곱도 크기 때문에 귀무가설을 기각하는 것이 바람직해 보인다.

자주 사용되는 분포에 네이만−피어슨 보조정리를 적용하기 위해, 다음 예제에서는 정규분포의 확률표본에 기반하는 경우를 알아보자.

예제 8.7-2 정규분포 $N(\mu, 36)$에서의 확률표본을 $X_1, X_2, \ldots, X_n$이라 하자. 가설 H_0: $\mu = 50$ 대 H_1: $\mu = 55$ 검정을 위한 최량기각역을 찾기 위해 우도함수 비 $L(50)/L(55)$를 이용하

여, 표본공간에서 비율이 k보다 작거나 같은 점들을 찾으려 한다. 즉, 다음 부등식을 푼다.

$$\frac{L(50)}{L(55)} = \frac{(72\pi)^{-n/2}\exp\left[-\left(\frac{1}{72}\right)\sum_{i=1}^{n}(x_i-50)^2\right]}{(72\pi)^{-n/2}\exp\left[-\left(\frac{1}{72}\right)\sum_{i=1}^{n}(x_i-55)^2\right]}$$
$$= \exp\left[-\left(\frac{1}{72}\right)\left(10\sum_{i=1}^{n}x_i + n50^2 - n55^2\right)\right] \le k$$

양변에 자연로그를 취하면

$$-10\sum_{i=1}^{n}x_i - n50^2 + n55^2 \le (72)\ln k$$

임을 알 수 있다. 따라서

$$\frac{1}{n}\sum_{i=1}^{n}x_i \ge -\frac{1}{10n}\left[n50^2 - n55^2 + (72)\ln k\right]$$

혹은, 동등하게

$$\bar{x} \ge c$$

이며, $c = -(1/10n)[n50^2 - n55^2 + (72)\ln k]$이다. 따라서 $L(50)/L(55) \le k$는 $\bar{x} \ge c$와 동일하다. 네이만-피어슨 보조정리에 따라 최량기각역은

$$C = \{(x_1, x_2, \ldots, x_n)\colon \bar{x} \ge c\}$$

가 되고, 상수 c는 기각역의 크기가 α가 되도록 정한다. 만약 $n = 16$이고 $c = 53$이면, 귀무가설하에서 $\overline{X}$는 $N(50, 36/16)$ 분포를 따르므로 다음과 같다.

$$\alpha = P(\overline{X} \ge 53;\ \mu = 50)$$
$$= P\left(\frac{\overline{X}-50}{6/4} \ge \frac{3}{6/4};\ \mu = 50\right) = 1 - \Phi(2) = 0.0228$$ ■

위의 예제에서도 알 수 있듯이, 부등식

$$L(\theta_0)/L(\theta_1) \le k$$

이 함수 $u(x_1, x_2, \ldots, x_n)$에 의해 표현될 수 있다. 즉

$$u(x_1, \ldots, x_n) \le c_1$$

혹은

$$u(x_1, \ldots, x_n) \geq c_2$$

와 같이 표현되고 c_1과 c_2는 기각역의 크기가 α가 되도록 선택된다. 그러므로 통계량 $u(x_1, x_2, \ldots, x_n)$을 이용해 검정을 수행할 수 있다. 만약 α가 0.05로 주어지면, c_1과 c_2를 정할 수 있다. 예제 8.7-2에서, $\alpha = 0.05$이면 다음과 같다.

$$\begin{aligned} 0.05 &= P(\overline{X} \geq c;\ \mu = 50) \\ &= P\left(\frac{\overline{X} - 50}{6/4} \geq \frac{c - 50}{6/4};\ \mu = 50\right) \ = 1 - \Phi\left(\frac{c - 50}{6/4}\right) \end{aligned}$$

따라서 $(c - 50)/(3/2) = 1.645$, 즉

$$c = 50 + \frac{3}{2}(1.645) \approx 52.47$$

이다.

예제 8.7-3 평균이 λ인 푸아송분포로부터 크기 n인 확률표본을 $X_1, X_2, \ldots, X_n$이라 하자. 가설 H_0: $\lambda = 2$ 대 H_1: $\lambda = 5$를 검정하기 위한 최량기각역은 다음과 같이 주어진다.

$$\frac{L(2)}{L(5)} = \frac{2^{\Sigma x_i} e^{-2n}}{x_1! x_2! \cdots x_n!} \, \frac{x_1! x_2! \cdots x_n!}{5^{\Sigma x_i} e^{-5n}} \leq k$$

이 부등식은

$$\left(\frac{2}{5}\right)^{\Sigma x_i} e^{3n} \leq k \qquad \text{혹은} \qquad (\Sigma x_i) \ln\left(\frac{2}{5}\right) + 3n \leq \ln k$$

과 같다. $\ln(2/5) < 0$이기 때문에 마지막 부등식이 다음과 같다.

$$\sum_{i=1}^{n} x_i \geq \frac{\ln k - 3n}{\ln(2/5)} = c$$

만약 $n = 4$, $c = 13$이면, $\lambda = 2$일 때 $\sum_{i=1}^{4} X_i$가 평균 8인 푸아송분포를 따르므로, 부록 B의 표 3에 의해 다음과 같음을 알 수 있다.

$$\alpha = P\left(\sum_{i=1}^{4} X_i \geq 13;\ \lambda = 2\right) = 1 - 0.936 = 0.064$$

H_0: $\theta = \theta_0$과 H_1: $\theta = \theta_1$ 모두 단순가설인 경우, 대립가설 H_1이 참일 때, 어떤 크기

α인 기각역이 다른 크기 α인 기각역들에 비해 귀무가설 H_0을 기각할 확률이 크다면 이는 최량기각역이다. 최량 기각역을 이용하는 검정을 **최강력검정**(most powerful test)이라 하는데, 이유는 유의수준 α인 다른 검정들의 $\theta = \theta_1$에서의 검정력에 비해 이 검정이 더 큰 검정력을 갖기 때문이다. 만약 H_1이 복합가설이면, 검정력은 H_1에 속한 단순대립가설 각각에 의존한다.

정의 8.7-2

크기 α인 기각역 C에 의해 정의된 검정이 H_1에 속해 있는 모든 단순대립가설에 대해 최강력검정이면 이는 **균일최강력검정**(uniformly most powerful test)이다. 이때 기각역 C는 **크기 α인 균일최량기각역**(uniformly most powerful critical region of size α)이라 한다.

대립가설이 복합가설일 때 예제 8.7-2를 다시 생각해보자.

예제 8.7-4 정규분포 $N(\mu, 36)$으로부터 확률표본을 $X_1, X_2, \ldots, X_n$이라 하자. 가설 H_0: $\mu = 50$ 대 H_1: $\mu = 55$를 검정할 때 최량기각역이 $C = \{(x_1, x_2, \ldots, x_n): \bar{x} \ge c\}$로 정의되고 c는 유의수준이 α가 되도록 선택됨을 앞에서 확인했다. 이제 단측 복합대립가설 H_1: $\mu > 50$을 고려하자. H_1에 속한 각 단순가설 $\mu = \mu_1$에 대해 우도함수의 비율은 다음과 같다.

$$\frac{L(50)}{L(\mu_1)} = \frac{(72\pi)^{-n/2}\exp\left[-\left(\frac{1}{72}\right)\sum_{i=1}^{n}(x_i - 50)^2\right]}{(72\pi)^{-n/2}\exp\left[-\left(\frac{1}{72}\right)\sum_{i=1}^{n}(x_i - \mu_1)^2\right]}$$

$$= \exp\left[-\frac{1}{72}\left\{2(\mu_1 - 50)\sum_{i=1}^{n} x_i + n(50^2 - \mu_1^2)\right\}\right]$$

따라서 $L(50)/L(\mu_1) \le k$는 다음과 같다.

$$\bar{x} \ge \frac{(-72)\ln(k)}{2n(\mu_1 - 50)} + \frac{50 + \mu_1}{2} = c$$

그러므로 $\mu_1 > 50$인 μ_1에 대해 H_0: $\mu = 50$ 대 H_1: $\mu = \mu_1$을 검정하기 위한 크기 α인 최량기각역은 $C = \{(x_1, x_2, \ldots, x_n): \bar{x} \ge c\}$로 주어지고 c는 $P(\overline{X} \ge c;\, \mu = 50) = \alpha$가 되도록 선택된다. 이때 각각의 $\mu_1 > 50$에 대해 같은 c가 사용될 수 있으나 k는 다르다는 것을 주의할 필요가 있다. 이 기각역 C는 모든 단순대립가설 $\mu_1 > 50$에 대해 최강력검정이기 때문에, 이것이 균일최강력검정이 되고 C는 크기 α인 균일최량기각역이 된다. 만일 $\alpha = 0.05$이면 $c \approx 52.47$이다. ■

예제 8.7-5 확률변수 Y가 이항분포 $b(n, p)$를 따른다고 하자. 단순귀무가설 H_0: $p = p_0$ 대 단측 복합대립가설 H_1: $p > p_0$의 균일최강력검정을 구하기 위해, $p_1 > p_0$에 대해 다음을 정리한다.

$$\frac{L(p_0)}{L(p_1)} = \frac{\binom{n}{y} p_0^y (1-p_0)^{n-y}}{\binom{n}{y} p_1^y (1-p_1)^{n-y}} \le k$$

이는

$$\left[\frac{p_0(1-p_1)}{p_1(1-p_0)}\right]^y \left[\frac{1-p_0}{1-p_1}\right]^n \le k$$

와 같고, 로그를 취하면

$$y \ln\left[\frac{p_0(1-p_1)}{p_1(1-p_0)}\right] \le \ln k - n \ln\left[\frac{1-p_0}{1-p_1}\right]$$

이 된다. $p_0 < p_1$이기 때문에 $p_0(1 - p_1) < p_1(1 - p_0)$이고 따라서 $\ln [p_0(1 - p_1)/p_1(1 - p_0)] < 0$이다. 모든 $p_1 > p_0$에 대해 다음과 같다.

$$\frac{y}{n} \ge \frac{\ln k - n \ln[(1-p_0)/(1-p_1)]}{n \ln[p_0(1-p_1)/p_1(1-p_0)]} = c$$

만일 대립가설이 H_1: $p < p_0$으로 단측이면, 같은 방식으로 균일최강력검정이 $(y/n) \le c$ 형태로 표현된다. 따라서 표 8.4-1에 주어진 단측대립가설에 대해 H_0: $p = p_0$ 가설검정은 균일최강력검정이다. ■

연습문제 8.7-3은 균일최강력검정이 항상 존재하는 것은 아니라는 것을 보여준다. 특히 복합대립가설이 양측일 때, 균일최강력검정은 항상 존재하지 않는다.

참고 만약 θ에 대한 충분통계량 $Y = u(X_1, X_2, \ldots, X_n)$이 존재한다면, 인수분해 정리에 의해 다음과 같다.

$$\begin{aligned}\frac{L(\theta_0)}{L(\theta_1)} &= \frac{\phi[u(x_1, x_2, \ldots, x_n); \theta_0]\, h(x_1, x_2, \ldots, x_n)}{\phi[u(x_1, x_2, \ldots, x_n); \theta_1]\, h(x_1, x_2, \ldots, x_n)} \\ &= \frac{\phi[u(x_1, x_2, \ldots, x_n); \theta_0)}{\phi[u(x_1, x_2, \ldots, x_n); \theta_1]}\end{aligned}$$

그러므로 $L(\theta_0)/L(\theta_1) \le k$로부터 기각역은 오직 충분통계량 $y = u(x_1, x_2, \ldots, x_n)$을 통해 표현되는 관측값 $x_1, x_2, \ldots, x_n$의 함수임을 알 수 있다. 따라서 최량기각역 그리고 균일최량기각역 모두 충분통계량이 존재하면 이에 기초해 구성된다.

연습문제

8.7-1 정규분포 $N(\mu, 64)$로부터 확률표본을 $X_1, X_2, \ldots, X_n$이라 하자.

(a) 가설 H_0: $\mu = 80$ 대 H_1: $\mu = 76$ 검정을 위한 최량기각역이 $C = \{(x_1, x_2, \ldots, x_n): \bar{x} \le c\}$임을 밝혀라.

(b) $\alpha \approx 0.05$, $\beta \approx 0.05$를 만족하는 n과 c를 구하라.

8.7-2 확률변수 X는 평균이 θ인 지수분포를 따른다. 즉, X의 pdf는 $f(x; \theta) = (1/\theta)e^{-x/\theta}$, $0 < x < \infty$이다. 이 분포에서의 확률표본을 $X_1, X_2, \ldots, X_n$이라 하자.

(a) 가설 H_0: $\theta = 3$ 대 H_1: $\theta = 5$ 검정을 위한 최량기각역이 통계량 $\sum_{i=1}^{n} X_i$에 의해 구성된다는 것을 밝혀라.

(b) $n = 12$일 때, $(2/\theta) \sum_{i=1}^{12} X_i$가 $\chi^2(24)$를 따른다는 사실을 이용해 크기 $\alpha = 0.10$인 최량기각역을 찾아라.

(c) $n = 12$일 때, 가설 H_0: $\theta = 3$ 대 H_1: $\theta = 7$ 검정을 위한 크기 $\alpha = 0.10$인 최량기각역을 찾아라.

(d) 대립가설이 H_1: $\theta > 3$이면, (b)와 (c)에서 얻은 공통 영역이 크기 $\alpha = 0.10$인 균일최량기각역인가?

8.7-3 정규분포 $N(\mu, 36)$으로부터 확률표본을 $X_1, X_2, \ldots, X_n$이라 하자.

(a) 가설 H_0: $\mu = 50$ 대 H_1: $\mu < 50$ 검정을 위한 균일최량기각역이 $C_2 = \{\bar{x} : \bar{x} \le c\}$임을 보여라.

(b) 이 결과와 예제 8.7-4의 결과를 이용해 가설 H_0: $\mu = 50$ 대 H_1: $\mu \ne 50$ 검정을 위한 균일최강력검정이 존재하지 않음을 논하라.

8.7-4 평균이 μ인 푸아송분포로부터 크기 10인 확률표본을 $X_1, X_2, \ldots, X_{10}$이라 하자.

(a) 가설 H_0: $\mu = 0.5$ 대 H_1: $\mu > 0.5$ 검정을 위한 균일최량기각역이 통계량 $\sum_{i=1}^{10} X_i$를 이용해 구성할 수 있음을 밝혀라.

(b) 크기 $\alpha = 0.068$인 균일최량기각역은 무엇인가? 통계량 $\sum_{i=1}^{10} X_i$가 평균 10μ인 푸아송분포를 따른다는 사실을 참조하라.

(c) 이 검정의 검정력함수를 그려라.

8.7-5 베르누이분포 $p(x; \theta) = \theta^x(1-\theta)^{1-x}$, $x = 0, 1$로부터 확률표본을 $X_1, X_2, \ldots, X_5$라 하자. 만일 $\sum_{i=1}^{5} X_i \le c$이면 귀무가설 H_0: $\theta = 1/2$을 기각하고 대립가설 H_1: $\theta < 1/2$을 채택한다. 이것이 균일최강력검정임을 보이고 $c = 1$일 때 검정력함수 $K(\theta)$를 구하라.

8.8 우도비 검정

이 절에서는 귀무가설 H_0과 대립가설 H_1이 복합가설일 때 사용할 수 있는 일반적인 검정법에 대해 알아보자. 여전히 pdf의 함수 형태는 알려졌지만, 하나 혹은 그 이상의 미지의 모수에 의존한다고 가정하자. 즉, X의 pdf는 $f(x; \theta)$이고 θ는 하나 혹은 그 이상의 미지의 모수들을 나타낸다. Ω는 전체 모수공간, 즉 H_0과 H_1에 속한 모든 가능한 모수의 값들의 집합이라 하자. 가설들은

$$H_0 : \theta \in \omega, \qquad H_1 : \theta \in \omega'$$

으로 표현되고, ω는 Ω의 부분집합 그리고 ω'은 Ω에서 ω의 여집합이다. ω와 Ω 내에서 각각 최대인 우도함수들의 비를 이용해 검정법이 만들어진다. 어떤 의미에서 이는 두 가설이 단순가설일 때 네이만-피어슨 보조정리의 비율의 자연스러운 확장으로 볼 수 있다.

정의 8.8-1

ω에 속한 θ에 대한 우도함수의 최댓값이 $L(\widehat{\omega})$이고 Ω에 속한 θ에 대한 우도함수의 최댓값이 $L(\widehat{\Omega})$라 할때, **우도비**(likelihood ratio)는 두 값의 비율

$$\lambda = \frac{L(\widehat{\omega})}{L(\widehat{\Omega})}$$

이다.

λ는 음이 아닌 함수들의 비율이기 때문에 $\lambda \geq 0$이다. 게다가 $\omega \subset \Omega$이므로 $L(\widehat{\omega}) \leq L(\widehat{\Omega})$이고 따라서 $\lambda \leq 1$이다. 만일 ω 내에서 최댓값이 Ω 내에서의 최댓값보다 훨씬 작다면, 자료 $x_1, x_2, \ldots, x_n$이 가설 H_0: $\theta \in \omega$를 지지하지 않는 것처럼 보일 것이다. 반대로 λ가 1에 가까우면 귀무가설을 지지할 것이다. 이런 논리가 다음 정의로 이어진다.

정의 8.8-2

H_0: $\theta \in \omega$ 대 H_1: $\theta \in \omega'$을 검정하기 위한 우도비 검정의 기각역은

$$\lambda = \frac{L(\widehat{\omega})}{L(\widehat{\Omega})} \leq k$$

를 만족하는 표본공간 내의 점들의 집합이다. 이때 k는 $0 < k < 1$ 그리고 검정이 원하는 유의수준 α를 갖도록 선택된다.

예제 8.8-1 설탕 한 봉지의 무게(단위: g) X가 $N(\mu, 5)$ 분포를 따른다고 할 때, 가설 H_0: $\mu = 162$ 대 H_1: $\mu \neq 162$를 검정하고자 한다. 따라서 $\omega = \{162\}$ 그리고 $\Omega = \{\mu: -\infty < \mu < \infty\}$이다. 우도비 계산을 위해, $L(\widehat{\omega})$과 $L(\widehat{\Omega})$이 필요하다. H_0이 참일 때, μ는 오직 한 값을 취할 수 있다. 즉, $\mu = 162$이다. 그러므로 $L(\widehat{\omega}) = L(162)$이다. $L(\widehat{\Omega})$ 계산을 위해, $L(\mu)$를 최대로 하는 μ값을 찾아야 한다. $\widehat{\mu} = \overline{x}$가 μ의 최우추정량임을 상기하자. 따라서 $L(\widehat{\Omega}) = L(\overline{x})$ 그리고 우도비 $\lambda = L(\widehat{\omega})/ L(\widehat{\Omega})$는 다음과 같이 주어진다.

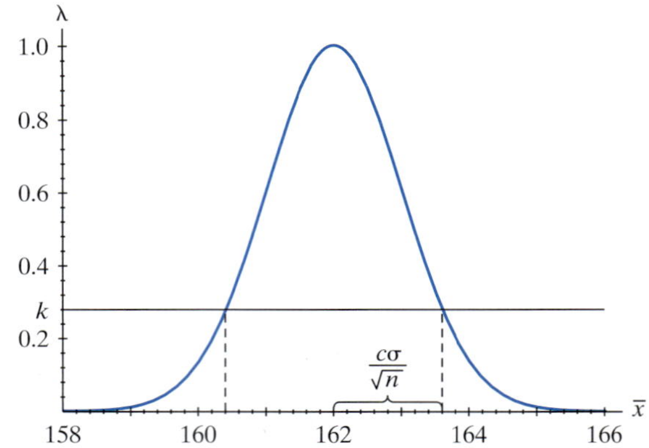

그림 8.8-1 $H_0: \mu = 162$ 검정을 위한 우도비

$$\lambda = \frac{(10\pi)^{-n/2}\exp\left[-\left(\frac{1}{10}\right)\sum_{i=1}^{n}(x_i-162)^2\right]}{(10\pi)^{-n/2}\exp\left[-\left(\frac{1}{10}\right)\sum_{i=1}^{n}(x_i-\bar{x})^2\right]}$$

$$= \frac{\exp\left[-\left(\frac{1}{10}\right)\sum_{i=1}^{n}(x_i-\bar{x})^2-\left(\frac{n}{10}\right)(\bar{x}-162)^2\right]}{\exp\left[-\left(\frac{1}{10}\right)\sum_{i=1}^{n}(x_i-\bar{x})^2\right]}$$

$$= \exp\left[-\frac{n}{10}(\bar{x}-162)^2\right]$$

$\bar{x}$가 162에 가까우면 귀무가설을 지지하는 경향이 있고 이 경우에는 λ가 1에 가깝다. 한편 $\bar{x}$가 162와 꽤 차이가 나면 대립가설을 지지하는 경향이 있다. ($n = 5$일 때 우도비함수의 그래프는 그림 8.8-1 참조.)

우도비 검정의 기각역은 $\lambda \le k$로 주어지고, k는 검정의 유의수준이 α가 되도록 정해진다. 네이만-피어슨 보조정리에서처럼 부등식을 간략히 하면 $\lambda \le k$는 다음과 같다.

$$-\left(\frac{n}{10}\right)(\bar{x}-162)^2 \le \ln k$$

$$(\bar{x}-162)^2 \ge -\left(\frac{10}{n}\right)\ln k$$

$$\frac{|\bar{x}-162|}{\sqrt{5}/\sqrt{n}} \ge \frac{\sqrt{-(10/n)\ln k}}{\sqrt{5}/\sqrt{n}} = c$$

H_0: $\mu = 162$가 참일 때, $Z = (\overline{X}-162)/(\sqrt{5}/\sqrt{n})$는 $N(0, 1)$이므로 $c = z_{\alpha/2}$가 된다. 따라서 기각역은

$$C = \left\{ \bar{x}: \frac{|\bar{x} - 162|}{\sqrt{5}/\sqrt{n}} \geq z_{\alpha/2} \right\}$$

이며, $\alpha = 0.05$일 때 $z_{0.025} = 1.96$이다. ■

예제 8.8-1에서 볼 수 있듯이 부등식 $\lambda \leq k$는 종종 분포가 알려진 통계량에 의해 표현될 수 있다. 또한 비록 우도비 검정이 직관적인 검정이지만 가설들이 단순가설일 때 네이만-피어슨 보조정리에 의해 주어진 기각역과 같은 기각역을 도출한다는 것을 유념할 필요가 있다.

확률표본들 $X_1, X_2, \ldots, X_n$이 μ와 σ^2이 모두 미지인 정규분포 $N(\mu, \sigma^2)$으로부터 추출된 것이라 하자. 가설 $H_0: \mu = \mu_0$ 대 $H_1: \mu \neq \mu_0$ 검정을 위해 우도비 검정을 고려하자. 이 검정에서

$$\omega = \{(\mu, \sigma^2): \mu = \mu_0,\ 0 < \sigma^2 < \infty\}$$

그리고

$$\Omega = \{(\mu, \sigma^2): -\infty < \mu < \infty,\ 0 < \sigma^2 < \infty\}$$

이다. 만일 $(\mu, \sigma^2) \in \Omega$이면 최우추정치는 $\widehat{\mu} = \bar{x}$ 그리고 $\widehat{\sigma^2} = (1/n) \sum_{i=1}^{n} (x_i - \bar{x})^2$이다. 따라서 다음과 같다.

$$\begin{aligned} L(\widehat{\Omega}) &= \left[\frac{1}{2\pi (1/n) \sum_{i=1}^{n} (x_i - \bar{x})^2} \right]^{n/2} \exp\left[-\frac{\sum_{i=1}^{n} (x_i - \bar{x})^2}{(2/n) \sum_{i=1}^{n} (x_i - \bar{x})^2} \right] \\ &= \left[\frac{ne^{-1}}{2\pi \sum_{i=1}^{n} (x_i - \bar{x})^2} \right]^{n/2} \end{aligned}$$

마찬가지로 만약 $(\mu, \sigma^2) \in \omega$이면 최우추정치는 $\widehat{\mu} = \mu_0$ 그리고 $\widehat{\sigma^2} = (1/n) \sum_{i=1}^{n} (x_i - \mu_0)^2$이다. 따라서 다음과 같다.

$$\begin{aligned} L(\widehat{\omega}) &= \left[\frac{1}{2\pi (1/n) \sum_{i=1}^{n} (x_i - \mu_0)^2} \right]^{n/2} \exp\left[-\frac{\sum_{i=1}^{n} (x_i - \mu_0)^2}{(2/n) \sum_{i=1}^{n} (x_i - \mu_0)^2} \right] \\ &= \left[\frac{ne^{-1}}{2\pi \sum_{i=1}^{n} (x_i - \mu_0)^2} \right]^{n/2} \end{aligned}$$

이 검정의 우도비 $\lambda = L(\widehat{\omega})/L(\widehat{\Omega})$은 다음과 같다.

$$\lambda = \frac{\left[\dfrac{ne^{-1}}{2\pi \sum_{i=1}^{n}(x_i-\mu_0)^2}\right]^{n/2}}{\left[\dfrac{ne^{-1}}{2\pi \sum_{i=1}^{n}(x_i-\overline{x})^2}\right]^{n/2}} = \left[\frac{\sum_{i=1}^{n}(x_i-\overline{x})^2}{\sum_{i=1}^{n}(x_i-\mu_0)^2}\right]^{n/2}$$

이다. 그러나

$$\sum_{i=1}^{n}(x_i-\mu_0)^2 = \sum_{i=1}^{n}(x_i-\overline{x}+\overline{x}-\mu_0)^2 = \sum_{i=1}^{n}(x_i-\overline{x})^2 + n(\overline{x}-\mu_0)^2$$

이므로 λ의 분모에 대입하면 다음과 같다.

$$\begin{aligned}\lambda &= \left[\frac{\sum_{i=1}^{n}(x_i-\overline{x})^2}{\sum_{i=1}^{n}(x_i-\overline{x})^2 + n(\overline{x}-\mu_0)^2}\right]^{n/2} \\ &= \left[\frac{1}{1+\dfrac{n(\overline{x}-\mu_0)^2}{\sum_{i=1}^{n}(x_i-\overline{x})^2}}\right]^{n/2}\end{aligned}$$

$\overline{x}$가 μ_0에 가까울 때 λ는 1에 가깝고 $\overline{x}$가 μ_0과 차이가 클 때 λ는 작아진다. 부등식 $\lambda \le k$에 의해 주어진 우도비 검정은 다음과 같다.

$$\frac{1}{1+\dfrac{n(\overline{x}-\mu_0)^2}{\sum_{i=1}^{n}(x_i-\overline{x})^2}} \le k^{2/n}$$

이는 또한

$$\frac{n(\overline{x}-\mu_0)^2}{[1/(n-1)]\sum_{i=1}^{n}(x_i-\overline{x})^2} \ge (n-1)(k^{-2/n}-1)$$

과 같다. 귀무가설 H_0이 참일 때 $\sqrt{n}(\overline{X}-\mu_0)/\sigma$은 $N(0, 1)$이며, $\sum_{i=1}^{n}(X_i-\overline{X})^2/\sigma^2$은 독립적인 카이제곱분포 $\chi^2(n-1)$을 따른다. 그러므로 귀무가설하에서

$$T = \frac{\sqrt{n}(\overline{X}-\mu_0)/\sigma}{\sqrt{\sum_{i=1}^{n}(X_i-\overline{X})^2/[\sigma^2(n-1)]}} = \frac{\sqrt{n}(\overline{X}-\mu_0)}{\sqrt{\sum_{i=1}^{n}(X_i-\overline{X})^2/(n-1)}} = \frac{\overline{X}-\mu_0}{S/\sqrt{n}}$$

은 자유도가 $r = n-1$인 t 분포를 따른다. 우도비 검정 규칙에 따라, 만일

$$T^2 \ge (n-1)(k^{-2/n}-1)$$

이 관측되면 귀무가설이 기각된다. 즉, 관측된 통계량 $|T| \ge t_{\alpha/2}(n-1)$이면 유의수준

α에서 귀무가설을 기각하고 대립가설을 채택한다.

이 검정법이 H_0: $\mu = \mu_0$ 대 H_1: $\mu \neq \mu_0$ 검정에 대해 표 8.1-2에 정리된 것들과 정확히 같다. 즉, 그 표에 정리된 내용들이 우도비 검정이다. 사실 표 8.1-2와 표 8.2-1에 주어진 검정 6개 모두 우도비 검정이다. 따라서 이 표들과 관련된 예제와 연습문제들이 이 검정법의 사용 예시들이다.

이 절의 마지막 내용으로 정규분포의 분산에 대한 검정을 생각해보자. μ와 σ^2이 모두 미지인 정규분포 $N(\mu, \sigma^2)$으로부터의 확률표본을 $X_1, X_2, \ldots, X_n$이라 할 때, 가설 H_0: $\sigma^2 = \sigma_0^2$ 대 H_1: $\sigma^2 \neq \sigma_0^2$을 검정하고자 한다. 이 검정에서

$$\omega = \{(\mu, \sigma^2): -\infty < \mu < \infty,\ \sigma^2 = \sigma_0^2\}$$

그리고

$$\Omega = \{(\mu, \sigma^2): -\infty < \mu < \infty,\ 0 < \sigma^2 < \infty\}$$

이다. 평균에 대한 검정에서

$$L(\widehat{\Omega}) = \left[\frac{ne^{-1}}{2\pi \sum_{i=1}^{n}(x_i - \overline{x})^2}\right]^{n/2}$$

임을 알고 있다. 만일 $(\mu, \sigma^2) \in \omega$이면 $\widehat{\mu} = \overline{x}$ 그리고 $\widehat{\sigma^2} = \sigma_0^2$이다. 그래서

$$L(\widehat{\omega}) = \left(\frac{1}{2\pi\sigma_0^2}\right)^{n/2} \exp\left[-\frac{\sum_{i=1}^{n}(x_i - \overline{x})^2}{2\sigma_0^2}\right]$$

이다. 그러므로 우도비 검정 $\lambda = L(\widehat{\omega})/L(\widehat{\Omega})$은

$$\lambda = \left(\frac{w}{n}\right)^{n/2} \exp\left(-\frac{w}{2} + \frac{n}{2}\right) \le k$$

이며 $\omega = \sum_{i=1}^{n}(x_i - \overline{x})^2/\sigma_0^2$이다. 이 부등식을 w에 대해 풀면, 해의 형태는 $w \le c_1$ 혹은 $w \ge c_2$이며 상수들 c_1과 c_2는 유의수준이 α가 되도록 상수들 k와 n의 함수들이다. 그러나 c_1과 c_2값들이 반드시 두 영역 $w \le c_1$ 그리고 $w \ge c_2$에서 확률이 $\alpha/2$일 필요는 없다. 귀무가설 H_0: $\sigma^2 = \sigma_0^2$이 참일 때, $W = \sum_{i=1}^{n}(X_i - \overline{X})^2/\sigma_0^2$은 $\chi^2(n-1)$이므로 대부분의 통계학자들은 이 검정법을 약간 수정해 $c_1 = \chi^2_{1-\alpha/2}(n-1)$과 $c_2 = \chi^2_{\alpha/2}(n-1)$로 놓는다. 사실, 정규성 가정을 포함하고 있는 대부분의 검정들이 우도비 검정이거나 이 방법의 약간의 변형이다. 회귀분석이나 분산분석과 관련된 검정들이 이에 해당한다.

참고 최량기각역 그리고 균일최량기각역이 그러하듯, 충분통계량이 존재할 때 우도비 검정도 이에 기초해 구성된다.

연습문제

8.8-1 예제 8.8-1에서 $n = 20$, $\bar{x} = 161.1$이라 하자.

(a) $\alpha = 0.10$이면 귀무가설은 채택되는가?

(b) $\alpha = 0.05$이면 귀무가설은 채택되는가?

(c) 이 검정의 p값은 얼마인가?

8.8-2 정규분포 $N(\mu,\ 100)$으로부터 크기 n인 확률표본을 $X_1, X_2, \ldots, X_n$이라 하자.

(a) 가설 H_0: $\mu = 230$ 대 H_1: $\mu > 230$ 검정을 위해 우도비 검정을 사용할 때 기각역은 무엇인가?

(b) 이 검정이 균일최강력검정인가?

(c) 만일 크기 $n = 16$인 확률표본의 $\bar{x} = 232.6$이면 유의수준 $\alpha = 0.10$에서 귀무가설은 채택되는가?

(d) 이 검정의 p값은 얼마인가?

8.8-3 가설 H_0: $\mu = 30$ 대 H_1: $\mu \neq 30$을 검정하려고 한다. 이때 정규분포의 평균 μ와 분산 σ^2은 알려지지 않았다. 만일 크기 $n = 9$인 확률표본에서 $\bar{x} = 32.8$ 그리고 $s = 4$이면 유의수준 $\alpha = 0.05$에서 귀무가설은 채택되는가? 이 검정의 근사적 p값은 얼마인가?

8.8-4 확률변수 X는 평균 μ와 분산 σ^2이 모두 미지인 정규분포를 따른다고 하자. 유의수준 $\alpha = 0.10$에서 가설 H_0: $\mu = 1.8$ 대 H_1: $\mu > 1.8$을 검정하고자 한다. 크기 $n = 121$인 확률표본으로부터 $\bar{x} = 1.84$ 그리고 $s = 0.20$이면 귀무가설이 채택되는가, 아니면 기각되는가? 이 검정의 p값은 얼마인가?

8.8-5 2개의 독립적인 정규분포로부터 크기가 각각 n, m인 확률표본들이 있다. 평균들 μ_X와 μ_Y 그리고 분산들 σ_X^2과 σ_Y^2이 모두 알려지지 않았다.

(a) $\sigma_X^2 = \sigma_Y^2$일 때 가설 H_0: $\mu_X = \mu_Y$ 대 H_1: $\mu_X \neq \mu_Y$ 검정을 위한 우도비 검정이 두 표본 t 통계량의 함수임을 밝혀라.

(b) 가설 H_0: $\sigma_X^2 = \sigma_Y^2$ 대 H_1: $\sigma_X^2 \neq \sigma_Y^2$ 검정을 위한 우도비 검정이 두 표본 F 통계량의 함수임을 밝혀라.

8.8-6 정규분포 $N(\beta x_i,\ \sigma^2)$으로부터 n개의 독립적인 확률변수를 $Y_1, Y_2, \ldots, Y_n$이라 하자. 여기에서 $x_1, x_2, \ldots, x_n$은 알려져 있고 모두 같지는 않으며 β와 σ^2은 미지의 모수들이다.

(a) 우도비 검정을 이용해 가설 H_0: $\beta = 0$ 대 H_1: $\beta \neq 0$을 검정하라.

(b) 이 검정이 잘 알려진 분포를 갖는 통계량에 기반해 구성되는가?

역사적 해설

이 장에서 다루어진 대부분의 검정 방법들은 네이만(Jerzy Neyman)과 에곤 피어슨(Egon Pearson: 칼 피어슨의 아들)의 이론에서 발견된 방법들의 사용에서 유래했다. 네이만과 피어슨은 1920년대와 1930년대에 한 팀을 이루어 통계적 가설검정 분야에 매우 중요한 공헌을 한 이론적인 결과물들을 내놓았다.

네이만과 피어슨은 가설검정에서 대립가설이 참일 때 상당히 큰 확률을 갖는 기각역이 필요하다는 것을 알았지만, 최량기각역을 찾는 방법을 알지는 못했다. 네이만은 어느 날 그의 부인이 콘서트에 가야 한다고 얘기한 마지막 순간까지도 이 문제에 대해 생각하고 있었다. 콘서트가 진행 중에도 그는 계속해서 이 문제를 생각했고, 마침내 콘서트 중간에 이 문제에 대한 답을 찾았다. 즉 대립가설과 귀무가설하에서의 각각의 pdf의 비율이 가능한 최대가 되게 하는 기각역의 점들을 선택하는 것이었다. 이렇게 해서 네이만-피어슨 보조정리가 탄생했다. 종종 해답은 기장 기묘한 시간에 발생하기도 한다.

윌콕슨이 두 표본 검정을 제안한 직후, 만(Mann)과 휘트니(Whitney)는 확률 $P(X < Y)$의 추정치에 근거한 검정 방법을 고안했다. 이 검정에서 U는 $X_i < Y_j$, $i = 1, 2, \ldots, n_X$, $j = 1, 2, \ldots, n_Y$를 만족하는 횟수이다. 예제 8.5-6의 자료를 이용해 U를 계산하면, 총 $n_X n_Y = (8)(8) = 64$개의 (X, Y)쌍 중에서 $u = 51$이다. 따라서 $P(X < Y)$의 추정치는 51/64, 일반적으로 $u/n_X n_Y$이다. 만과 휘트니가 제안했을 당시, U는 윌콕슨 W의 선형함수이며, 따라서 실질적으로는 같은 검정임이 인지되었다. 그래서 윌콕슨 순위 합 검정은 또한 만-휘트니 검정으로도 알려져 있다.

윌콕슨 순위 합 검정은 $\overline{X} - \overline{Y}$에 기반한 t 검정보다 극단값에 덜 민감하다. 그러므로 분포가 기울어졌거나 오염된 자료가 있는 경우, 위와 같은 분포무관 검정들이 훨씬 안전하다. 특히 윌콕슨 순위 합 검정은 분포가 정규분포에 가까울 때도 검정력 손실이 많지 않은 좋은 방법이다. 1표본 윌콕슨 검정은 분포의 대칭성을 요구하지만 2표본 윌콕슨 검정은 요구하지 않는다. 그래서 기울어진 분포에도 사용할 수 있다.

이 책의 범위를 넘어서는 이론 결과들로부터, 두 윌콕슨 검정이 보통의 정규성 가정에 기반한 1표본 그리고 2표본 검정의 강력한 경쟁자임을 알 수 있다. 그래서 가정이 의심스러울 때는 윌콕슨 검정을 고려해야 한다.

대부분의 통계 프로그램들은 윌콕슨 순위 합 혹은 만-휘트니 통계량 값을 계산해준다. 하지만 손으로 계산해 검정해보는 것도 어떻게 계산되는지 확인할 수 있어 교육적으로 도움이 되겠다.

09 추가적 검정방법

9.1 카이제곱 적합도 검정

1900년 피어슨(Karl Pearson)에 의해 처음 제안된 매우 중요한 카이제곱 통계량의 응용에 대해 생각해보자. 여러분도 차츰 알게 되겠지만 카이제곱 통계량은 여러 형태의 검정에 사용될 수 있도록 매우 융통성이 뛰어나다. 특별히 일례로 다른 확률 모형의 적합성 검정에 사용이 가능하다.

피어슨이 최초로 카이제곱 통계량을 제안하게 된 배경에 대한 이해를 돕기 위해, 이항의 경우로 시작해보자. 즉, $0 < p_1 < 1$이고, Y_1은 $b(n, p_1)$ 분포를 따른다고 하자. 중심극한정리에 의해

$$Z = \frac{Y_1 - np_1}{\sqrt{np_1(1 - p_1)}}$$

은 n이 클 때, 특히 $np_1 \ge 5$ 그리고 $n(1 - p_1) \ge 5$일 때, 근사적으로 $N(0, 1)$ 분포를 따른다. 따라서 $Q_1 = Z^2$이 근사적으로 $\chi^2(1)$ 분포인 것은 놀랍지 않다. $Y_2 = n - Y_1$ 그리고 $p_2 = 1 - p_1$이라 하면, Q_1은 다음과 같이 표현된다.

$$Q_1 = \frac{(Y_1 - np_1)^2}{np_1(1 - p_1)} = \frac{(Y_1 - np_1)^2}{np_1} + \frac{(Y_1 - np_1)^2}{n(1 - p_1)}$$

또한

$$(Y_1 - np_1)^2 = (n - Y_1 - n[1 - p_1])^2 = (Y_2 - np_2)^2$$

이기 때문에 다음을 얻는다.

$$Q_1 = \frac{(Y_1 - np_1)^2}{np_1} + \frac{(Y_2 - np_2)^2}{np_2}$$

이제 위의 Q_1 식의 각 항을 주의 깊게 생각해보자. Y_1은 '성공'횟수 그리고 np_1은 '성공'의 기댓값이다. 즉, $E(Y_1) = np_1$이다. 유사하게, Y_2와 np_2도 각각 '실패'횟수와 '실패' 기댓값이다. 각 항의 분자들은 관측치와 기대치 차이의 제곱으로 구성되어 있다. 정리하면 Q_1은

$$Q_1 = \sum_{i=1}^{2} \frac{(Y_i - np_i)^2}{np_i} \tag{9.1-1}$$

으로 표현되고 이는 직관적으로 자유도 1인 카이제곱분포를 근사적으로 따름을 알 수 있다. 어떤 의미에서 Q_1은 관측치와 이에 대응하는 기대치의 '가까움'을 측정한다. 예를 들어, Y_1과 Y_2의 관측치가 기댓값과 같다면 Q_1의 계산값은 $q_1 = 0$이 된다. 하지만 두 값이 많이 다르면 Q_1의 계산값 q_1은 상대적으로 클 것이다.

일반화를 위해, 어떤 실험이 k개(2개 대신) 상호배반이고 포괄적인 결과, 즉 $A_1, A_2, \ldots,$ A_k를 갖는다고 하자. $p_i = P(A_i)$라 하고, 따라서 $\sum_{i=1}^{k} p_i = 1$이라 하자. 이 실험을 독립적으로 n번 반복하고 Y_i를 실험 결과가 A_i, $i = 1, 2, \ldots, k$인 경우의 횟수라 하자. Y_1, $Y_2, \ldots, Y_{k-1}$의 결합분포는 이항분포의 자연스러운 확장이다.

결합 pmf는

$$f(y_1, y_2, \ldots, y_{k-1}) = P(Y_1 = y_1, Y_2 = y_2, \ldots, Y_{k-1} = y_{k-1})$$

이고, $y_1, y_2, \ldots, y_{k-1}$은 $y_1+y_2+\cdots+y_{k-1} \le n$을 만족하는 음이 아닌 정수들이다. 여기에서 Y_k는 다른 변수들이 $y_1, y_2, \ldots, y_{k-1}$로 관측되면,

$$Y_k = n - y_1 - y_2 - \cdots - y_{k-1} = y_k$$

임을 알 수 있기 때문에 고려하지 않아도 된다. 독립적 시행으로 인해, 어느 특정 배열 A_1이 y_1번, A_2는 y_2번, $\ldots$, 그리고 A_k가 y_k일 확률은 다음과 같다.

$$p_1^{y_1} p_2^{y_2} \cdots p_k^{y_k}$$

이러한 배열의 경우의 수는 다항계수

$$\binom{n}{y_1, y_2, \ldots, y_k} = \frac{n!}{y_1!\, y_2! \cdots y_k!}$$

이다. 따라서 $Y_1, Y_2, \ldots, Y_{k-1}$의 결합 pmf는 두 식의 곱으로 표현된다.

$$f(y_1, y_2, \dots, y_{k-1}) = \frac{n!}{y_1!\, y_2! \cdots y_k!} p_1^{y_1} p_2^{y_2} \cdots p_k^{y_k}$$

여기에서 $y_1 + y_2 + \cdots + y_{k-1}$은 $y_1 + y_2 + \cdots + y_{k-1} \le n$을 만족하는 음이 아닌 정수들이다. 이때 $Y_1, Y_2, \dots, Y_{k-1}$은 모수 n 그리고 $p_1, p_2, \dots, p_{k-1}$을 가진 **다항분포**(multinomial distribution)라고 한다. 물론 $y_k = n - y_1 - y_2 - \cdots - y_{k-1}$이고 $p_k = (p_1 + p_2 + \cdots + p_{k-1})$이다.

피어슨이 Y_1과 $Y_2 = n - Y_1$을 포함하고 있는 Q_1[식 (9.1-1)]을 $Y_1, Y_2, \dots, Y_{k-1}$ 그리고 Y_k를 포함하고 있는 Q_{k-1}, 즉

$$Q_{k-1} = \sum_{i=1}^{k} \frac{(Y_i - np_i)^2}{np_i}$$

으로 확장했다. 그는 Q_1이 근사적으로 $\chi^2(1)$ 분포를 따르는 것처럼 Q_{k-1}이 자유도 $k - 1$인 카이제곱분포를 근사적으로 따른다고 주장했다. 이 증명은 이 책의 범위를 넘기 때문에, 증명 없이 피어슨의 주장을 받아들인다.

근사분포를 적용하기 위해서는 $np_i \ge 5,\ i = 1, 2, \dots, k$가 될 정도로 n이 충분히 커야 한다고 주장되기도 한다. 비록 $np_i \ge 1,\ i = 1, 2, \dots, k$일 때도 근사가 매우 좋은 경우도 있지만, 앞의 주장이 초보자들이 따를 만한 좋은 조언이다. 주의할 점은 특정한 np_i가 너무 작아서 Q_{k-1}에서 여기에 대응되는 항 $(Y_i - np_i)^2/np_i$의 분모가 너무 작아서 이 값이 다른 항 값들에 비해 너무 큰 경우를 경계해야 한다. 어느 경우든 Q_{k-1}은 단지 근사적 카이제곱분포를 갖는다는 것을 인식하는 것이 중요하다.

이제 다양한 결과의 확률에 대한 가설을 검정하기 위해 Q_{k-1}이 근사적으로 $\chi^2(k-1)$이라는 사실을 어떻게 사용하는지 알아보자. 어떤 실험이 k개 상호배반 그리고 포괄적인 결과 $A_1, A_2, \dots, A_k$를 갖는다고 하자. 확률 $p_i = P(A_i)$가 알려진 수 $p_{i0},\ i = 1, 2, \dots, k$인지 검정하고자 한다. 즉, 귀무가설

$$H_0\colon\ p_i = p_{i0}, \qquad i = 1, 2, \dots, k$$

를 적어도 하나는 다르다는 대립가설에 대해서 검정할 것이다. 이를 위해 크기 n인 확률표본을 취한다. 즉, 실험을 n번 독립적으로 반복한다. A_i 발생 관측횟수인 y_i와, 귀무가설이 참일 때 A_i 발생 기댓값인 np_{i0}가 거의 같으면 귀무가설을 선호한다. 즉, 만일

$$q_{k-1} = \sum_{i=1}^{k} \frac{(y_i - np_{i0})^2}{np_{i0}}$$

이 '작으면', 귀무가설을 선호한다. Q_{k-1}의 분포가 근사적으로 $\chi^2(k-1)$이므로, $q_{k-1} \ge \chi^2_\alpha(k-1)$이면 귀무가설을 기각한다. 여기에서 α는 검정에서 원하는 유의수준이다.

예제 9.1-1 사람들에게 0부터 9까지의 숫자를 아래와 같이 임의로 계속 적게 하면,

$$3 \quad 7 \quad 2 \quad 4 \quad 1 \quad 9 \quad 7 \quad 2 \quad 1 \quad 5 \quad 0 \quad 8 \ldots,$$

연이어서 같은 숫자 혹은 이웃한 숫자를 적는 것을 꺼린다. 하지만 기계적인 무작위 생성에서, 연이어 같은 숫자가 나올 확률은 $p_{10} = 1/10$이고, 하나 차이(0과 9도 1 차이라 가정할 때)일 확률은 $p_{20} = 2/10$, 그리고 다른 경우는 $p_{30} = 7/10$이다. 어떤 사람에게 연속으로 51개의 숫자를 무작위로 적게 한 다음 그 사람의 무작위의 개념을 검정하려고 한다. 따라서 다음 가설을 검정할 것이다.

$$H_0: \ p_1 = p_{10} = \frac{1}{10}, \quad p_2 = p_{20} = \frac{2}{10}, \quad p_3 = p_{30} = \frac{7}{10}$$

유의수준 $\alpha = 0.05$에서 검정의 기각역은 $q_2 \geq \chi^2_{0.05}(2) = 5.991$이다. 무작위로 적은 51개 숫자는 다음과 같다.

5	8	3	1	9	4	6	7	9	2	6	3	0
8	7	5	1	3	6	2	1	9	5	4	8	0
3	7	1	4	6	0	4	3	8	2	7	3	9
8	5	6	1	8	7	0	3	5	2	5	2	

이 자료로부터 연속된 숫자의 차가 0인지, 혹은 1인지를 조사해 아래 표에 정리했다.

	도수	기대도수
차이 0	0	50(1/10) = 5
차이 1	8	50(2/10) = 10
그 외	42	50(7/10) = 35
총계	50	50

계산된 카이제곱 통계량은 다음과 같다.

$$\frac{(0-5)^2}{5} + \frac{(8-10)^2}{10} + \frac{(42-35)^2}{35} = 6.8 > 5.991 = \chi^2_{0.05}(2)$$

따라서 51개 정수의 나열은 무작위적으로 보이지 않는다. ■

카이제곱검정의 사용에서 한 가지 중요한 단점은 이것이 다면(many-sided)검정이라는 것이다. 즉, 대립가설이 매우 일반적이어서 대립가설을 H_1: $p_1 > p_{10}$, $p_2 < p_{20}$, $p_3 < p_{30}$와 같은 상황으로 제한하기가 어렵다. 사실 어떤 통계학자들은 아마도 가설 H_0 대 이 특별한 대립가설검정을 Y_1, Y_2, Y_3의 선형함수를 이용해 검정할 것이다. 하지만 이러한 논의는 서로 종속인 확률변수 Y_1, Y_2, Y_3의 선형함수에 대한 분포를 알아야 하기 때

문에 이 책의 범위를 넘어간다. 어떤 경우든, 이런 카이제곱검정 통계량이 모든 대립가설에 대해 귀무가설 H_0: $p_i = p_{i0}$, $i = 1, 2, \ldots, k$를 검정한다는 것을 인식하는 학생들은 어떤 적절한 '단측' 검정통계량 이용이 가능할 때보다 주어진 유의수준 α에서 카이제곱검정 통계량을 사용해서 귀무가설을 기각하기가 더 어렵다는 사실을 인식할 것이다.

많은 확률실험에서는 한 세트의 자료 $x_1, x_2, \ldots, x_n$이 생성되고 이 자료들이 어느 주어진 분포로부터 확률표본 $X_1, X_2, \ldots, X_n$의 관측값으로 생각할 수 있는지를 결정하는 데 종종 관심이 있다. 즉, 제안된 분포가 생성된 표본들의 확률모형으로 적합한가? 카이제곱검정이 이러한 질문에 답하는 데 도움이 되는지 알아보기 위해, 매우 간단한 예제를 살펴보자.

예제 9.1-2 동전 4개를 임의로 던져 관측된 앞면의 개수를 X라 하자. 4개의 동전은 서로 독립이고 각 동전에서 앞면이 관측될 확률은 1/2이라는 가정하에서 X는 $b(4, 1/2)$이다. 이 실험을 100번 반복해 앞면이 나온 동전의 수가 0, 1, 2, 3, 4인 횟수가 각각 7, 18, 40, 31, 4번이다. 이 결과가 가정을 지지하는가? 즉, $b(4, 1/2)$이 X의 분포에 대한 적절한 모형인가? 이 문제에 답하기 위해, $A_1 = \{0\}$, $A_2 = \{1\}$, $A_3 = \{2\}$, $A_4 = \{3\}$, $A_5 = \{4\}$라 하자. X의 분포가 $b(4, 1/2)$일 때, p_{i0} $P(X \in A_i)$는 다음과 같다.

$$p_{10} = p_{50} = \binom{4}{0}\left(\frac{1}{2}\right)^4 = \frac{1}{16} = 0.0625$$

$$p_{20} = p_{40} = \binom{4}{1}\left(\frac{1}{2}\right)^4 = \frac{4}{16} = 0.25$$

$$p_{30} = \binom{4}{2}\left(\frac{1}{2}\right)^4 = \frac{6}{16} = 0.375$$

근사적 유의수준 $\alpha = 0.05$에서, 만일 Q_4의 관측값이 $\chi^2_{0.05}(4) = 9.488$보다 크면 귀무가설

$$H_0\colon\ p_i = p_{i0}, \qquad i = 1, 2, \ldots, 5$$

는 기각된다. 이 실험을 100번 반복해 $Y_1, Y_2, \ldots, Y_5$의 관측치 $y_1 = 7$, $y_2 = 18$, $y_3 = 40$, $y_4 = 31$, $y_5 = 4$를 얻었다면, 계산된 Q_4의 값은 다음과 같다.

$$q_4 = \frac{(7-6.25)^2}{6.25} + \frac{(18-25)^2}{25} + \frac{(40-37.5)^2}{37.5} + \frac{(31-25)^2}{25} + \frac{(4-6.25)^2}{6.25} = 4.47$$

$4.47 < 9.488$이므로, 귀무가설은 기각되지 않는다. 즉, 자료들이 $b(4, 1/2)$ 분포가 X의 확률모형으로 적절하다는 것을 지지한다. 카이제곱 확률변수의 평균은 자유도이다. 이 예제에서 평균은 4이고 Q_4의 관측값 4.47은 평균보다 살짝 큰 값이다. ■

지금까지 카이제곱 통계량 Q_{k-1}으로 검정하는 모든 가설 H_0는 단순했다(귀무가설에서 완전히 특정되는, 즉 H_0: $p_i = p_{i0}, i = 1, 2, \ldots, k$, 각 p_{i0}는 알려짐). 항상 이렇지는 않고, 종종 하나 혹은 그 이상의 미지 모수들의 함수로 $p_{10}, p_{20}, \ldots, p_{k0}$이 표현된다. 예를 들어, 예제 9.1-2에서 X의 가정모형이 H_0: $X \sim b(4, p)$, $0 < p < 1$라 하자. 이때

$$p_{i0} = P(X \in A_i) = \frac{4!}{(i-1)!(5-i)!} p^{i-1}(1-p)^{5-i}, \qquad i = 1, 2, \ldots, 5$$

이고, 이는 미지의 모수 p의 함수이다. 물론 H_0: $p_i = p_{i0}, i = 1, 2, \ldots, 5$가 사실이라면, n이 클 때

$$Q_4 = \sum_{i=1}^{5} \frac{(Y_i - np_{i0})^2}{np_{i0}}$$

은 여전히 자유도 4인 근사 카이제곱분포를 갖는다. 문제는 $Y_1, Y_2, \ldots, Y_5$의 관측값이 $y_1, y_2, \ldots, y_5$일 때 $p_{10}, p_{20}, \ldots, p_{50}$(그래서 Q_4)가 미지의 모수 p의 함수여서 Q_4를 계산할 수 없다는 것이다.

이 문제를 해결하는 한 가지 방법은 자료로부터 p를 추정해 이 추정치를 이용해 계산하는 것이다. Q_4를 p에 대해 최소로 해주는 p의 추정량을 $\tilde{p}$라 할 때, 이를 p의 **최소 카이제곱추정량**(minimum chi-square estimator)이라 부른다. 이 $\tilde{p}$를 Q_4에 사용하면 통계량 Q_4는 여전히 근사적 카이제곱분포를 따르지만, 자유도는 $4 - 1 = 3$이 된다. 즉, 근사 카이제곱분포의 자유도는 최소 카이제곱추정법에 의해 추정된 모수의 수만큼 감소된 자유도를 갖는다(우리는 증명 없이 이 결과를 받아들인다). 비록 $p_{i0}, i = 1, 2, \ldots, k$가 미지의 모수 하나에 대한 함수인 경우만 고려했지만 1개 이상, 즉, d개의 미지 모수들의 함수인 경우도 성립한다. 따라서 좀 더 일반적인 경우, q_{k-1}(최소 카이제곱추정치)를 계산하기 위해 Y_i 그리고 추정된 $p_{i0}, i = 1, 2, \ldots, k$를 이용해 Q_{k-1}을 계산한 뒤 검정이 마무리된다. 이 값 q_{k-1}은 임계치 $\chi^2_\alpha(k-1-d)$와 비교된다. 위의 예에서는 최소 카이제곱통계량 q_4가 $\chi^2_\alpha(3)$과 비교된다.

여전히 한 가지 문제가 남아 있다: 최소 카이제곱추정량을 찾는 것은 보통 매우 어렵다. 그래서 대부분 통계학자들은 보통 모수를 추정하는 합리적인 방법(최우추정량)을 사용한다. 그렇게 계산된 q_{k-1}은 최소 카이제곱통계량보다 약간 더 크기 때문에 H_0을 기각할 확률이 최소 카이제곱통계량을 사용할 때보다 더 크다.

예제 9.1-3 0.1초 동안 바륨-133에서 방출된 알파입자의 수를 X라 하자. X의 다음 50개 자료는 고정된 위치에서 가이거 계수기에 의해 측정된 자료이다.

7	4	3	6	4	4	5	3	5	3
5	5	3	2	5	4	3	3	7	6
6	4	3	11	9	6	7	4	5	4
7	3	2	8	6	7	4	1	9	8
4	8	9	3	9	7	7	9	3	10

X가 푸아송분포를 따르는지에 관심이 있다. 가설 H_0: X는 푸아송분포를 따른다 대 H_1: X는 푸아송분포가 아니다. λ를 검정하기 위해 먼저 X의 평균 λ를 50개 관측치의 표본평균 $\bar{x} = 5.4$로 추정한다. 실험 결과를 집합 $A_1 = \{0, 1, 2, 3\}$, $A_2 = \{4\}$, $A_3 = \{5\}$, $A_4 = \{6\}$, $A_5 = \{7\}$, $A_6 = \{8, 9, 10, \ldots\}$으로 분할한다. 귀무가설이 참일 때 각 집합의 기댓값이 적어도 5가 되도록 A_1과 A_6에는 여러 개를 포함시켰다. 표 9.1-1에는 자료를 그룹으로 나누고, X가 추정된 평균 $\widehat{\lambda} = \bar{x} = 5.4$를 갖는 푸아송분포를 따른다는 가정하에 계산된 확률이 주어졌다. 모수 1개가 추정되기 때문에 Q_{6-1}은 자유도가 $r = 6 - 1 - 1 = 4$인 근사 카이제곱분포를 따른다. 또한

$$\begin{aligned} q_5 &= \frac{[13 - 50(0.213)]^2}{50(0.213)} + \cdots + \frac{[10 - 50(0.178)]^2}{50(0.178)} \\ &= 2.763 < 9.488 = \chi^2_{0.05}(4) \end{aligned}$$

이기 때문에, 유의수준 5%에서 귀무가설은 기각되지 않는다. 즉, 단지 이 자료로는 X가 푸아송분포를 따른다는 가설을 기각할 이유가 없다. ■

이제 연속형 확률변수 X의 분포에 대한 모형을 검정하는 문제를 생각해보자. 즉, $F(x)$가 X의 분포함수이면, 모든 x에 대해 다음과 같은 가설을 검증하고자 한다.

$$H_0:\ F(x) = F_0(x)$$

대립가설은 '적어도 하나의 x에 대해 두 분포함수가 다르다'이고, $F_0(x)$는 알려진 어떤 연속형 분포함수이다. q-q 플롯을 사용할 때 이런 종류의 문제를 고려했었다. 카이제곱 통계량을 사용하기 위해 가능한 X값들의 집합을 k개 집합으로 분할한다. 한 가지 방법은 구간 [0, 1]을 점들 $b_0, b_1, b_2, \ldots, b_k$를 기준으로

표 9.1-1 그룹별 가이거 계수기 자료

	결과					
	A_1	A_2	A_3	A_4	A_5	A_6
도수	13	9	6	5	7	10
확률	0.213	0.160	0.173	0.156	0.120	0.178
기대도수($50p_i$)	10.65	8.00	8.65	7.80	6.00	8.90

$$0 = b_0 < b_1 < b_2 < \cdots < b_k = 1$$

k개 집합으로 분할한다. 이제 $a_i = F_0^{-1}(b_i)$, $i = 1, 2, \ldots, k-1$; $A_1 = (-\infty, a_1]$, $i = 2, 3, \ldots, k-1$인 경우 $A_i = (a_{i-1}, a_i]$, 그리고 $A_k = (a_{k-1}, \infty)$라 하고 $p_i = P(X \in A_i)$, $i = 1, 2, \ldots, k$라 하자. 또한 Y_i는 n번 반복실험에서 X의 관측값이 A_i, $i = 1, 2, \ldots, k$에 속한 횟수라 하자. 따라서 $Y_1, Y_2, \ldots, Y_k$는 모수 $n, p_1, p_2, \ldots, p_{k-1}$을 가진 다항분포를 따른다. X의 분포함수가 $F_0(x)$일 때 $p_{i0} = P(X \in A_i)$라 하면, 우리가 검정할 가설은 다음과 같다.

$$H_0': \ p_i = p_{i0}, \qquad i = 1, 2, \ldots, k$$

이 가설은 카이제곱 통계량

$$Q_{k-1} = \sum_{i=1}^{k} \frac{(Y_i - np_{i0})^2}{np_{i0}}$$

이 $\chi^2_\alpha(k-1)$보다 크거나 같으면 기각된다. 만일 가설 H_0': $p_i = p_{i0}$, $i = 1, 2, \ldots, k$가 기각되지 않으면 가설 H_0: $F(x) = F_0(x)$도 기각되지 않는다.

예제 9.1-4 예제 6.1-5에서는 119에 걸려온 전화들 사이의 간격 시간에 대한 105개 자료가 있고, 그림 6.1-4에는 이 자료의 히스토그램과 평균 $\theta = 20$인 지수분포가 함께 그려져 있다. 이제 이것이 자료에 적합한 모형인지 알아보기 위해 카이제곱 적합도검정을 이용해보자. 즉, 만일 X가 119에 걸려온 전화들 간의 간격 시간이라고 할 때, X의 분포가 평균 $\theta = 20$인 지수분포라는 귀무가설을 검정할 것이다. 표 9.1-2는 자료를 9개 구간으로 나누고 이 구간들의 확률과 기댓값이 나와 있다. 관측치와 기댓값을 이용해 계산한 카이제곱 적합

표 9.1-2 119에 걸려온 전화들 간의 시간 요약

구간	도수	확률	기대도수
$A_1 = [0, 9]$	41	0.3624	38.0520
$A_2 = (9, 18]$	22	0.2311	24.2655
$A_3 = (18, 27]$	11	0.1473	15.4665
$A_4 = (27, 36]$	10	0.0939	9.8595
$A_5 = (36, 45]$	9	0.0599	6.2895
$A_6 = (45, 54]$	5	0.0382	4.0110
$A_7 = (54, 63]$	2	0.0244	2.5620
$A_8 = (63, 72]$	3	0.0155	1.6275
$A_9 = (72, \infty)$	2	0.0273	2.8665

도 통계량은 다음과 같다.

$$q_8 = \frac{(41-38.0520)^2}{38.0520} + \frac{(22-24.2655)^2}{24.2655} + \cdots + \frac{(2-2.8665)^2}{2.8665} = 4.6861$$

이 검정의 p값은 0.7905인데 이는 지수분포에 매우 잘 적합된다는 것을 의미한다.

위의 검정에서는 $\theta = 20$을 알고 있다고 가정했다. 동일한 검정을 $\theta = \bar{x}$로 놓고 수행할 수 있으며, 이때는 자유도가 하나 감소함을 기억해야 한다. 이 예제에서는 결과가 비슷할 것이다. ■

연속형 확률변수 모형을 다룰 때 모르는 모수를 추정해야 한다. 예를 들어, 귀무가설은 X가 미지의 μ와 σ^2을 가진 정규분포 $N(\mu, \sigma^2)$이라고 하자. 확률표본 $X_1, X_2, \ldots, X_n$을 가지고 우선 μ와 σ^2을 $\bar{x}$와 s_X^2으로 추정할 수 있다. 공간 $\{x: -\infty < x < \infty\}$을 k개 상호배반인 집합 $A_1, A_2, \ldots, A_k$로 분할한다. 그리고 확률

$$p_{i0} = \int_{A_i} \frac{1}{s_X\sqrt{2\pi}} \exp\left[-\frac{(x-\bar{x})^2}{2s_X^2}\right] dx$$

를 계산하기 위해 μ와 σ^2의 추정치 $\bar{x}$와 s_X^2을 이용한다. 확률표본 관측치 $x_1, x_2, \ldots, x_n$으로부터 집합 $A_1, A_2, \ldots, A_k$의 관측도수와 $\bar{x}$와 s_X^2을 이용해 계산한 $\widehat{p}_{10}, \widehat{p}_{20}, \ldots, \widehat{p}_{k0}$을 이용해 계산된

$$q_{k-1} = \sum_{i=1}^{k} \frac{(y_i - n\widehat{p}_{i0})^2}{n\widehat{p}_{i0}}$$

을 $\chi_\alpha^2(k-1-2)$와 비교한다. 이 q_{k-1}값은 최소 카이제곱검정통계량보다는 약간 더 클 것이라서 주의가 필요하다. 연습문제 중 몇 개는 모수를 1개 혹은 그 이상을 추정하는 방법과 관련이 있다. 마지막으로 이 절에서 논의된 방법들이 적합도 검정으로 분류되는데 특히 **카이제곱 적합도 검정**(chi-square goodness-of-fit tests)일 것이다.

연습문제

9.1-1 사탕 한 봉지에는 224개의 갈색, 빨간색, 초록색, 노란색 사탕이 담겨 있다. 사탕을 담는 기계가 4가지 색깔의 사탕을 동일한 비율로, 즉

$$H_0: p_B = p_O = p_G = p_Y = \frac{1}{4}$$

로 채우고 있는지 검정하라. 관측된 각 색깔의 사탕 수는 갈색이 42개, 빨간색이 64개, 초록색이 53개, 노란색이 65개였다. 유의수준을 선택하거나 근사 p값을 구하라.

9.1-2 0부터 9까지의 정수를 무작위로 자동 생성하는 어느 로또 게임에서 p_i는 숫자 i, $i = 0, 1, \ldots, 9$를 생성할 확률이라 하자. 기계에서 생성된 50개의 숫자가 다음과 같을 때

1	6	9	9	3	8	5	0	6	7
4	7	5	9	4	6	5	6	4	4
4	8	0	9	3	2	1	5	4	5
7	3	2	1	4	6	7	1	3	4
4	8	8	6	1	6	1	2	8	8

유의수준 $\alpha = 0.05$에서 가설 H_0: $p_0 = p_1 = \cdots = p_9 = 1/10$을 검정하라.

9.1-3 자녀가 셋인 가정에서 여자 아이의 수를 X라 하자. X의 분포가 $b(3, 0.5)$라는 귀무가설을 검정하기 위해 카이제곱 적합도 검정을 이용할 것이다.

(a) 검정통계량을 정의하고 유의수준 $\alpha = 0.05$에서 기각역을 구하라.

(b) 통계학을 수강하는 학생들 중 자녀가 셋인 가정의 학생들은 52명이었다. $x = 0, 1, 2, 3$인 가정의 수는 5, 17, 24, 6이었다. 표본이 어떻게 선택되었는지를 고려해 검정통계량 값을 계산하고 결론을 내려라.

9.1-4 어떤 희귀한 유전 변형이 있으면 대장균 세균이 스트렙토마이신 약에 대해 내성을 갖게 된다. 이런 변형은 항생 매개체를 담고 있는 페트리 접시(세균 배양용)에 세균을 배양함으로써 감지될 수 있다. 하나의 돌연변이 세포만 있어도 매개체 위에서 군체가 자라게 된다. 스트렙토마이신 세균배양기 $n = 150$개 페트리 접시에는 각각 10^6 세균을 배양했으며, 각 접시에서의 군체의 수를 셌다. 그중에서 92개 접시에서 0개, 46개 접시에서 1개, 8개 접시에서 2개, 3개 접시에서 3개, 1개 접시에서 4개 군체가 발견되었다. 접시당 군체의 개수를 X라 할 때, X가 푸아송 분포를 따르는지 검정하라. λ의 추정치 $\bar{x} = 0.5$를 이용하고 유의수준은 $\alpha = 0.01$이다.

9.1-5 어느 지역에서 꿩의 상대적인 양과 지리적인 분포를 추정하기 위해, 국가에서 길가 관측을 통한 꿩의 모집단을 조사했다. 지역에서 임의로 5개 구간을 선정해(구간 A, B, C, D, E) 관측한 꿩의 수가 다음과 같다.

구간	꿩	관측 길 길이
A	3	1
B	8	1
C	9	2
D	5	1
E	11	3

공간 임의성 가정(spatial randomness hypothesis)으로 알려진 생물의 지리적인 분포에 대한 가설이 꿩의 조사에 적용될 때 길에서 관측될 꿩의 수 예측치는 관측한 길의 길이에 비례해 구간 전체에 균일하게 분포한다고 주장한다. 각 구간에서 관측한 길의 길이가 표의 마지막 열에 주어졌다. 위의 자료가 이 지역에서 꿩의 공간 임의성 가정을 지지하는가, 아니면 가정에 회의적인가? 유의수준 $\alpha = 0.05$이다.

9.1-6 90마리 젖소가 첫 번째 송아지를 출산 후 305일 동안 생산한 우유에서 유지방 양(단위: 파운드)을 X라 하자. X의 분포가 $N(\mu, \sigma^2)$이라는 가설을 검정하라. 동일한 확률의 $k = 10$개의 구간을 이용하고, μ와 σ의 추정치가 각각 $\bar{x} = 511.633$과 $s_X = 87.576$이다. 자료는 다음과 같다.

486	537	513	583	453	510	570	500	458	555
618	327	350	643	500	497	421	505	637	599
392	574	492	635	460	696	593	422	499	524
539	339	472	427	532	470	417	437	388	481
537	489	418	434	466	464	544	475	608	444
573	611	586	613	645	540	494	532	691	478
513	583	457	612	628	516	452	501	453	643
541	439	627	619	617	394	607	502	395	470
531	526	496	561	491	380	345	274	672	509

9.1-7 다음은 합금 필라멘트 50개의 용해점 자료이다. 이 자료가 정규분포를 따르는지 검정하라. 두

모수 μ와 σ^2을 추정해야 한다.

320 326 325 318 322 320 329 317 316 331
320 320 317 329 316 308 321 319 322 335
318 313 327 314 329 323 327 323 324 314
308 305 328 330 322 310 324 314 312 318
313 320 324 311 317 325 328 319 310 324

9.2 분할표

이 절에서는 카이제곱 검정의 유연성에 대해서 알아보자. 먼저 2개 혹은 그 이상의 다항분포들이 같은지를 검정하는 **동질성 검정**에 대해 알아보자. 그다음 **분류 속성들의 독립에 대한 검정**을 알아보자. 둘 다 비슷한 검정통계량으로 귀결된다.

서로 독립인 두 실험이 상호배반적이고 완전히 포괄적인 k개의 사상 $A_1, A_2, \ldots, A_k$를 실험 결과로 갖는다고 하자. 각 확률을 다음과 같다고 하자.

$$p_{ij} = P(A_i), \qquad i = 1, 2, \ldots, k, \qquad j = 1, 2$$

즉, $p_{11}, p_{21}, \ldots, p_{k1}$은 첫 번째 실험에서 사상들의 확률이고, $p_{12}, p_{22}, \ldots, p_{k2}$는 두 번째 실험에서 사상들의 확률이다. 실험들이 독립적으로 각각 n_1 그리고 n_2회 반복된다고 하자. 또한, Y_{11}, Y_{21}, $\ldots$, Y_{k1}은 첫 번째 실험의 n_1번 독립시행에서 사상 A_1, A_2, $\ldots$, A_k의 관측빈도라 하고, Y_{12}, Y_{22}, $\ldots$, Y_{k2}는 두 번째 실험의 n_2번 독립시행에서 사상 A_1, A_2, $\ldots$, A_k의 관측빈도라 하자. 물론 $\sum_{i=1}^{k} Y_{ij} = n_j, j = 1, 2$이다. 카이제곱검정의 표본분포이론으로부터,

$$\sum_{i=1}^{k} \frac{(Y_{ij} - n_j p_{ij})^2}{n_j p_{ij}}, \qquad j = 1, 2$$

는 자유도가 $k-1$인 근사 카이제곱분포를 갖는다. 두 실험이 독립이므로

$$\sum_{j=1}^{2} \sum_{i=1}^{k} \frac{(Y_{ij} - n_j p_{ij})^2}{n_j p_{ij}}$$

은 자유도가 $k - 1 + k - 1 = 2k - 2$인 근사 카이제곱분포를 따른다.

보통 p_{ij}, $i = 1, 2, \ldots, k$, $j = 1, 2$는 알려지지 않아서 종종 가설

$$H_0\colon\ p_{11} = p_{12},\ p_{21} = p_{22},\ \ldots,\ p_{k1} = p_{k2}$$

즉, 두 독립실험에서 대응되는 확률이 같다는 귀무가설을 검정하고자 한다. 대립가설은 귀무가설에서 등식 중 적어도 하나는 거짓이다. 귀무가설하에서 미지의 모수

$$p_{i1} = p_{i2}, \qquad i = 1, 2, \ldots, k$$

를 상대도수 $(Y_{i1} + Y_{i2})/(n_1 + n_2)$, $i = 1, 2, \ldots, k$로 추정할 수 있다. 즉, 귀무가설이 참일 때, 두 실험은 사실 큰 실험의 부분이고 이 큰 실험에서 $Y_{i1} + Y_{i2}$는 사상 A_i, $i = 1, 2, \ldots, k$의 빈도이다. k개 확률들의 합은 1이므로 $k - 1$개의 확률 $p_{i1} = p_{i2}$의 추정량으로

$$\frac{Y_{i1} + Y_{i2}}{n_1 + n_2}, \qquad i = 1, 2, \ldots, k-1$$

을 이용하고, $p_{k1} = p_{k2}$의 추정량으로는 다음을 사용한다.

$$1 - \frac{Y_{11} + Y_{12}}{n_1 + n_2} - \cdots - \frac{Y_{k-1,1} + Y_{k-1,2}}{n_1 + n_2} = \frac{Y_{k1} + Y_{k2}}{n_1 + n_2}$$

이러한 추정량들을 카이제곱통계량에 대입하면, 통계량

$$Q = \sum_{j=1}^{2}\sum_{i=1}^{k} \frac{[Y_{ij} - n_j(Y_{i1} + Y_{i2})/(n_1 + n_2)]^2}{n_j(Y_{i1} + Y_{i2})/(n_1 + n_2)}$$

은 자유도가 $2k - 2 - (k - 1) = k - 1$인 근사 카이제곱분포를 갖는다. 여기에서 추정된 모수의 수가 $k - 1$이기 때문에 $2k - 2$에서 $k - 1$을 뺀다. 유의수준 α에서 귀무가설을 검정하는 기각역은 다음과 같은 형태이다.

$$q \geq \chi^2_{\alpha}(k-1)$$

예제 9.2-1 두 가지 교육법을 검정하기 위해 두 그룹으로부터 각각 임의로 50명씩 추출했다. 교육기간이 끝나면 평가팀에 의해 각 학생들은 학점(A, B, C, D, F)을 부여받는다. 자료는 다음과 같다.

	학점					
	A	B	C	D	F	합계
그룹 I	8	13	16	10	3	50
그룹 II	4	9	14	16	7	50

따라서 상응하는 확률들이 동일하다는 귀무가설 H_0이 사실일 때, 확률들의 각 추정치는

$$\frac{8+4}{100} = 0.12,\ 0.22,\ 0.30,\ 0.26,\ \frac{3+7}{100} = 0.10$$

이고 $n_1 p_{i1} = n_2 p_{i2}$의 추정치들은 각각 6, 11, 15, 13, 5이다. 그러므로 Q의 계산값은 다음과 같다.

$$q = \frac{(8-6)^2}{6} + \frac{(13-11)^2}{11} + \frac{(16-15)^2}{15} + \frac{(10-13)^2}{13} + \frac{(3-5)^2}{5}$$

$$+\frac{(4-6)^2}{6}+\frac{(9-11)^2}{11}+\frac{(14-15)^2}{15}+\frac{(16-13)^2}{13}+\frac{(7-5)^2}{5}$$
$$=\frac{4}{6}+\frac{4}{11}+\frac{1}{15}+\frac{9}{13}+\frac{4}{5}+\frac{4}{6}+\frac{4}{11}+\frac{1}{15}+\frac{9}{13}+\frac{4}{5} = 5.18$$

귀무가설이 참일 때, Q는 자유도가 $k-1=4$인 근사 카이제곱분포를 가지므로 유의수준 $\alpha=0.05$에서 기각역은 $q \geq 9.488 = \chi^2_{0.05}(4)$이다. 여기에서 $q=5.18<9.488$이므로 유의수준 5%에서 귀무가설은 기각되지 않는다. 더욱이 $q=5.18$에 대한 p값이 0.268인데, 이는 보통의 유의수준보다 크다. 그러므로 이 자료를 통해 두 교육법 간에 차이가 있다고 볼 수 없다. ■

위의 절차가 서로 독립인 h개 다항분포의 동질성 검정으로 어떻게 확장될 수 있는지는 꽤 자명하다. 즉,

$$p_{ij}=P(A_i), \qquad i=1,2,\ldots,k, \qquad j=1,2,\ldots,h$$

라 하고 가설

$$H_0\colon\ p_{i1}=p_{i2}=\cdots=p_{ih}=p_i, \qquad i=1,2,\ldots,k$$

를 검정하면 된다. j번째 실험은 n_j번 반복하고, $Y_{1j}, Y_{2j}, \ldots, Y_{kj}$는 각각 사상 $A_1, A_2, \ldots, A_k$의 관측빈도라 하자. 검정통계량

$$Q=\sum_{j=1}^{h}\sum_{i=1}^{k}\frac{(Y_{ij}-n_jp_{ij})^2}{n_jp_{ij}}$$

은 자유도가 $h(k-1)$인 근사 카이제곱분포를 갖는다. 귀무가설이 사실일 때, p_k의 추정치는 $\widehat{p}_k=1-\widehat{p}_1-\widehat{p}_2-\cdots-\widehat{p}_{k-1}$로부터 구해지므로,

$$\widehat{p}_i=\frac{\sum_{j=1}^{h}Y_{ij}}{\sum_{j=1}^{h}n_j}, \qquad i=1,2,\ldots,k-1$$

를 이용해 $k-1$개의 확률을 추정해야 한다. 이 추정치를 이용해

$$Q=\sum_{j=1}^{h}\sum_{i=1}^{k}\frac{(Y_{ij}-n_j\widehat{p}_i)^2}{n_j\widehat{p}_i}$$

을 얻는데, 이는 자유도가 $h(k-1)-(k-1)=(h-1)(k-1)$인 근사 카이제곱분포를 따른다.

이제는 꼭 다항분포가 아니더라도 서로 독립인 2개 이상의 분포들의 동질성을 검정하기 위해 위의 절차들을 어떻게 사용할 수 있는지 알아보자. 확률변수 U와 V가 각각 cdf

$F(u)$와 $G(v)$를 가질 때 모든 x에 대해 가설 H_0: $F(x) = G(x)$를 검정하고자 한다. 이전에 정규성과 등분산성을 가정해 평균의 동질성 $\mu_U = \mu_V$ 검정(두 표본 t 검정) 그리고 정규성 가정하에 분산의 동질성 $\sigma^2{}_U = \sigma^2{}_V$ 검정(F 검정)을 고려했다. 또한 F와 G가 형태와 퍼짐이 같다는 가정하에 중위수의 동질성 $m_U = m_V$ 검정도 고려했다. 이제 분포들의 독립만 가정하자.

모든 x에 대해 가설 H_0: $F(x) = G(x)$를 검정하고자 한다. 이 가설은 다른 것으로 교체될 것이다. 실수 공간을 k개의 상호배반인 구간들 $A_1, A_2, \ldots, A_k$로 분할하고

$$p_{i1} = P(U \in A_i), \qquad i = 1, 2, \ldots, k$$

그리고

$$p_{i2} = P(V \in A_i), \qquad i = 1, 2, \ldots, k$$

라 하자. 모든 x에 대해 $F(x) = G(x)$라면 $p_{i1} = p_{i2}$, $i = 1, 2, \ldots, k$이다. 이제 가설 H_0: $F(x) = G(x)$를 보다 덜 제한적인 가설 H_0': $p_{i1} = p_{i2}$, $i = 1, 2, \ldots, k$로 대체한다. 즉, 본질적으로 두 다항분포의 동질성 검정에 관심이 있다.

n_1과 n_2는 각각 U와 V의 독립인 관측값들의 수이고, Y_{ij}는 구간 A_i, $i = 1, 2, \ldots, k$에 속하는 U와 V, $j = 1, 2$의 관측값들의 수를 나타낸다고 하자. 이 지점에서 앞에서처럼 H_0' 검정을 고려하는데, 만일 H_0'이 (근사) 유의수준 α에서 기각되면 같은 확률로 H_0도 기각된다. 그러나 만일 H_0'이 사실이어도 반드시 H_0가 사실은 아니다. 따라서 H_0'이 채택되면, H_0이 채택됐다고 말하기보다 H_0을 기각하지 않는다고 말하는 것이 더 낫다.

실제 응용에서는 $A_1, A_2, \ldots, A_k$를 어떻게 선택하는가의 문제가 빈번히 제기된다. k 혹은 분할 경계점을 선택하는 유일한 방법은 없다. 그러나 Q의 근사 분포를 해치지 않으면서 통합 표본이 이러한 선택에 사용될 수 있다는 것은 매우 흥미롭다. 예를 들어, $n_1 = n_2 = 20$이라 할 때, $k = 4$ 그리고 4개의 구간 각각에 통합표본의 1/4씩 포함되도록 분할할 수 있다.

예제 9.2-2 서로 경쟁적인 두 자동차회사의 주모델인 자동차를 비교하기 위해 각각 20대의 자동차를 무작위로 선택해 총 40대의 자동차를 가속수명 검사했다. 즉, 자동차로 짧은 시간 동안 매우 험난한 길에서 주행한 후, 고장시각까지의 시간(단위: 주)을 기록한 자료가 다음과 같다.

모델 U:	25	31	20	42	39	19	35	36	44	26
	38	31	29	41	43	36	28	31	25	38
모델 V:	28	17	33	25	31	21	16	19	31	27
	23	19	25	22	29	32	24	20	34	26

분할의 경계점을 23.5, 28.5, 34.5로 정하면, 40대 자동차의 정확하게 1/4이 각 구간에 할당된다. 따라서 자료는 다음과 같이 정리된다.

	A_1	A_2	A_3	A_4	합계
모델 U	2	4	4	10	20
모델 V	8	6	6	0	20

각 p_i의 추정치는 $10/40 = 1/4$이고 $np_i = (20)(1/4) = 5$이므로 검정통계량은 다음과 같다.

$$\begin{aligned} q &= \frac{(2-5)^2}{5} + \frac{(4-5)^2}{5} + \frac{(4-5)^2}{5} + \frac{(10-5)^2}{5} + \frac{(8-5)^2}{5} \\ &\quad + \frac{(6-5)^2}{5} + \frac{(6-5)^2}{5} + \frac{(0-5)^2}{5} \\ &= \frac{72}{5} = 14.4 > 7.815 = \chi^2_{0.05}(3) \end{aligned}$$

또한 p값이 0.0028이므로 가속수명 검사에서 두 자동차회사 차들의 수명에 대한 분포가 다른 것처럼 보인다. ■

이 방법이 2개 이상의 분포에 어떻게 확장되는지는 명확하다. 그래서 이 확장은 연습문제에서 다루기로 한다.

이제 어떤 확률실험이 키와 몸무게 같은 2개의 다른 속성에 의해 구분되는 결과들을 생성한다고 하자. 첫 번째 속성은 k개의 상호배반적이고 완전히 포괄적인 사상들 $A_1, A_2, \ldots, A_k$ 중 한 사상에 속하고, 두 번째 속성은 h의 상호배반적이고 완전히 포괄적인 사상들 $B_1, B_2, \ldots, B_h$ 중 한 사상에 속한다고 하자. 사상 $A_i \cap B_j$의 확률은 다음과 같이 정의하자.

$$p_{ij} = P(A_i \cap B_j), \qquad i = 1, 2, \ldots, k, \qquad j = 1, 2, \ldots, h$$

확률실험이 n번 독립적으로 반복되고, Y_{ij}는 사상 $A_i \cap B_j$의 도수라 하자. 여기에는 kh개의 $A_i \cap B_j$ 사상들이 있기 때문에, 확률변수

$$Q_{kh-1} = \sum_{j=1}^{h}\sum_{i=1}^{k} \frac{(Y_{ij} - np_{ij})^2}{np_{ij}}$$

은 n이 클 때 자유도가 $kh - 1$인 근사 카이제곱분포를 따른다.

두 속성 A와 B의 독립에 대한 가설

$$H_0\colon\ P(A_i \cap B_j) = P(A_i)P(B_j), \qquad i = 1, 2, \ldots, k, \quad j = 1, 2, \ldots, h$$

를 이 등식 중 적어도 하나는 거짓이라는 대립가설에 대한 검정에 관심이 있다. $P(A_i)$는 $p_{i\cdot}$ 그리고 $P(B_j)$는 $p_{\cdot j}$라 하자. 즉

$$p_{i\cdot} = \sum_{j=1}^{h} p_{ij} = P(A_i), \qquad p_{\cdot j} = \sum_{i=1}^{k} p_{ij} = P(B_j)$$

라 하자. 물론

$$1 = \sum_{j=1}^{h}\sum_{i=1}^{k} p_{ij} = \sum_{j=1}^{h} p_{\cdot j} = \sum_{i=1}^{k} p_{i\cdot}$$

이다. 이때 가설을 다음과 같이 표현할 수 있다.

$$H_0\colon\ p_{ij} = p_{i\cdot}p_{\cdot j}, \qquad i = 1, 2, \ldots, k, \qquad j = 1, 2, \ldots, h$$

가설 H_0을 검정하기 위해, p_{ij}를 $p_{i\cdot}p_{\cdot j}$로 대체한 Q_{kh-1}을 사용할 수 있다. 그러나 만일 $p_{i\cdot}, i = 1, 2, \ldots, k$, 그리고 $p_{\cdot j}, j = 1, 2, \ldots, h$가 알려지지 않은 모수이면, 일단 관측이 이루어져도 Q_{kh-1}을 계산할 수 없다. 그러한 경우에 미지의 모수들을

$$\widehat{p}_{i\cdot} = \frac{y_{i\cdot}}{n}$$

로 추정하는데 여기에서 $y_{i\cdot} = \sum_{j=1}^{h} y_{ij}$는 사상 $A_i, i = 1, 2, \ldots, k$의 관측 빈도이다. 그리고

$$\widehat{p}_{\cdot j} = \frac{y_{\cdot j}}{n}$$

로 추정하는데 여기에서 $y_{\cdot j} = \sum_{i=1}^{k} y_{ij}$는 사상 B_j, $j = 1, 2, \ldots, h$의 관측 빈도이다. $\sum_{i=1}^{k} p_{i\cdot} = \sum_{j=1}^{h} p_{\cdot j} = 1$이기 때문에 실제로 추정하는 모수의 수는 $k - 1 + h - 1 = k + h - 2$개다. 그래서 위의 추정치들을 대입하면 확률변수

$$Q = \sum_{j=1}^{h}\sum_{i=1}^{k} \frac{[Y_{ij} - n(Y_{i\cdot}/n)(Y_{\cdot j}/n)]^2}{n(Y_{i\cdot}/n)(Y_{\cdot j}/n)}$$

은 귀무가설이 참일 때, 자유도가 $kh - 1 - (k + h - 2) = (k - 1)(h - 1)$인 근사 카이제곱분포를 따른다. 계산된 검정통계량 값이 $\chi^2_\alpha[(k-1)(h-1)]$보다 크면 유의수준 α에서 귀무가설이 기각된다.

예제 9.2-3 어느 대학 학부생들 중 임의로 추출된 400명 학생들을 그들이 속한 단과대학과 성별에

표 9.2-1 대학생 분할표 자료

성별	대학					합계
	경영대학	공과대학	인문대학	간호대학	약학대학	
남성	21	16	145	2	6	190
	(16.625)	(9.5)	(152)	(7.125)	(4.75)	
여성	14	4	175	13	4	210
	(18.375)	(10.5)	(168)	(7.875)	(5.25)	
합계	35	20	320	15	10	400

의해 분류했다. 분류 결과가 $\boldsymbol{k \times h}$ **분할표**($k \times h$ contingency table)라 불리는 표 9.2-1에 정리되었는데, 여기에서 $k = 2$ 그리고 $h = 5$이다. 이 자료가 실제로 대학의 구성을 반영하고 있지만, 이 예제에서는 계산의 편의를 위해 약간 수정되었다.

여기에서 학생이 소속된 단과대학이 학생의 성별과 독립이라는 가설 H_0: $p_{ij} = p_{i\cdot}p_{\cdot j}$, $i = 1, 2$, $j = 1, 2, 3, 4, 5$를 검정하고자 한다. 귀무가설하에서 확률의 추정치는

$$\widehat{p}_{1\cdot} = \frac{190}{400} = 0.475, \qquad \widehat{p}_{2\cdot} = \frac{210}{400} = 0.525$$

그리고

$$\widehat{p}_{\cdot 1} = \frac{35}{400} = 0.0875,\ \widehat{p}_{\cdot 2} = 0.05,\ \widehat{p}_{\cdot 3} = 0.8,\ \widehat{p}_{\cdot 4} = 0.0375,\ \widehat{p}_{\cdot 5} = 0.025$$

이다. 기댓값 계산은 다음과 같다.

$$400(0.475)(0.0875) = 16.625$$
$$400(0.525)(0.0875) = 18.375$$
$$400(0.475)(0.05) = 9.5$$

등등. 이 값들이 표 9.2-1 괄호 안에 적혀 있다. 따라서 계산된 카이제곱통계량은 다음과 같다.

$$\begin{aligned} q &= \frac{(21 - 16.625)^2}{16.625} + \frac{(14 - 18.375)^2}{18.375} + \cdots + \frac{(4 - 5.25)^2}{5.25} \\ &= 1.15 + 1.04 + 4.45 + 4.02 + 0.32 + 0.29 + 3.69 \\ &\quad + 3.34 + 0.33 + 0.30 \;=\; 18.93 \end{aligned}$$

자유도가 $(k - 1)(h - 1) = 4$이고 $q = 18.93 > 13.28 = \chi^2_{0.01}(4)$이므로 유의수준 $\alpha = 0.01$에서 귀무가설을 기각한다. 더욱이 q에서 처음 두 항은 경영대학, 그다음 두 항은 공과대학 등이다. 공과대학과 간호대학 항이 카이제곱통계량 값의 대부분을 차지하기

때문에 공과대학과 간호대학 학생들이 다른 단과대학에 비해 성별에 매우 종속됨이 분명하다. 또한 기댓값 중 하나가 5보다 작은, 즉 4.75인 것은 흥미롭다. 하지만 q에서 여기에 대응하는 값이 카이제곱값에 특별히 큰 비중을 차지하지 않기 때문에 문제는 없어 보인다. ■

위의 절차를 속성이 2개 이상인 경우로 확장하는 것이 가능하다. 예를 들면, 세 번째 속성이 m개의 상호배반적이고 완전히 포괄적인 사상들 $C_1, C_2, \ldots, C_m$ 중 어느 하나에 속한다면 세 속성의 독립성 검정은 통계량

$$Q = \sum_{r=1}^{m}\sum_{j=1}^{h}\sum_{i=1}^{k} \frac{[Y_{ijr} - n(Y_{i\cdot\cdot}/n)(Y_{\cdot j\cdot}/n)(Y_{\cdot\cdot r}/n)]^2}{n(Y_{i\cdot\cdot}/n)(Y_{\cdot j\cdot}/n)(Y_{\cdot\cdot r}/n)}$$

을 이용해 가능하고, 여기에서 Y_{ijr}, $Y_{i\cdot\cdot}$, $Y_{\cdot j\cdot}$, $Y_{\cdot\cdot r}$은 실험의 독립적인 n번 반복에서 각각 사상 $A_i \cap B_j \cap C_r$, A_i, B_j, C_r의 관측도수이다. n이 크고 세 속성이 독립이면 Q는 자유도가 $khm - 1 - (k-1) - (h-1) - (m-1) = khm - k - h - m + 2$인 근사 카이제곱분포를 따른다.

이 확장에 대해 좀 더 알아보기보다, 흥미로운 몇 가지 분할표 사용 예를 알아보는 것이 더 유익하다.

예제 9.2-4 확률표본의 30개 관측값 $x_1, x_2, \ldots, x_{30}$이 있다. 즉, 상응하는 확률변수 $X_1, X_2, \ldots, X_{30}$은 서로 독립이고 동일한 분포를 갖는다고 가정한다. 그러나 30개의 관측값들을 관찰해 보니 상승세가 감지되었다. 이는 확률변수들 사이에 종속관계가 있음 혹은/그리고 확률변수들이 같은 분포를 따르지 않음을 의미한다. 확률표본의 관측값으로 여겨질 수 있는지 검정하는 한 가지 방법은 다음과 같다. 각 x가 표본중위수보다 큰지 혹은 작은지에 따라 H(큰 경우) 혹은 L(작은 경우)로 표시한다. 다음 x값들을 $x_1, \ldots, x_{10}$; $x_{11}, \ldots, x_{20}$; $x_{21}, \ldots, x_{30}$ 세 그룹으로 나눈다. 관측값들이 확률표본이라면 각 그룹에서 5개 H와 5개 L을 기대할 것이다. 즉, H와 L로 표현되는 속성이 그룹 번호와 독립이어야 한다. 이 자료를 정리하면 3×2 분할표가 된다. 예를 들어, 30개 값들이 다음과 같다고 하자.

5.6	8.2	7.8	4.8	5.5	8.1	6.7	7.7	9.3	6.9
8.2	10.1	7.5	6.9	11.1	9.2	8.7	10.3	10.7	10.0
9.2	11.6	10.3	11.7	9.9	10.6	10.0	11.4	10.9	11.1

중위수는 두 관측치 9.2와 9.3의 평균 9.25이고, 관측값들을 이 값과 비교해 H와 L로 표현하면 다음과 같은 3×2 분할표를 얻는다.

그룹	L	H	합계
1	9	1	10
2	5	5	10
3	1	9	10
합계	15	15	30

여기에서 각 기댓값은 $n(y_{i\cdot}/n)(y_{\cdot j}/n) = 30(10/30)(15/30) = 5$이므로 Q를 계산하면

$$q = \frac{(9-5)^2}{5} + \frac{(1-5)^2}{5} + \frac{(5-5)^2}{5} + \frac{(5-5)^2}{5} + \frac{(1-5)^2}{5} + \frac{(9-5)^2}{5}$$
$$= 12.8 > 5.991 = \chi^2_{0.05}(2)$$

이고 자유도는 $(k-1)(h-1) = 2$이다(p값은 0.0017이다). 따라서 관측값들이 확률표본이라는 가설을 기각한다. 물론 이 방법을 약간 수정할 수 있다. 표본을 세 그룹보다 많게 혹은 적게 나눌 수 있고 값들도 더 다양하게 하위(L), 중간(M), 상위(H)로 나눌 수 있다. ■

독립성이 존재해야 하는 거의 모든 상황에서 카이제곱통계량이 꽤 효과적으로 사용될 수 있다는 점은 아무리 강조해도 지나치지 않다. 예를 들어, 동일한 능력(훈련, 기술 등)을 가진 노동자들이 있다고 하자. 많은 사람들은 이 노동자들의 성별과 급여는 독립적인 속성이라 믿는다. 그러나 이런 문제와 관련된 속성들이 종속(혹은 차별)이 존재하는 특별한 경우에 대한 주장들도 있다.

예제 9.2-5 두 그룹의 노동자들이 특별한 직종에 적합한 동일한 능력을 갖추고 있다. 그들의 월급에 대해 2×5 분할표를 작성하면 다음과 같다.

그룹	월급(단위: 1,000달러) 27~29	29~31	31~33	33~35	35 이상	합계
1	6	11	16	14	13	60
2	5	9	8	6	2	30
합계	11	20	24	20	15	90

이 자료를 가지고 유의수준 $\alpha = 0.05$에서 그룹과 월급이 독립인지 검정하기 위해 계산한 검정통계량은 다음과 같다.

$$q = \frac{[6 - 90(60/90)(11/90)]^2}{90(60/90)(11/90)} + \cdots + \frac{[2 - 90(30/90)(15/90)]^2}{90(30/90)(15/90)}$$
$$= 4.752 < 9.488 = \chi^2_{0.05}(4)$$

또한 p값은 0.313이다. 따라서 이 제한된 자료에서 그룹과 월급은 서로 독립처럼 보인다. ■

연습문제로 가기 전에, 마지막 두 예제는 2개 이상의 다항분포의 동질성 검정으로 생각할 수 있다는 것을 유념할 필요가 있다. 예제 9.2-4에서 세 그룹이 세 이항분포를 정의하고, 예제 9.2-5에서 두 그룹은 두 다항분포를 정의한다. 앞에서처럼 동질성 검정을 하게 되면 어떻게 될까? 정확히 같은 카이제곱통계량을 얻게 되고 각 경우에 자유도가 $(k-1)(h-1)$이 된다는 것을 아는 것은 흥미롭다. 따라서 독립성 검정으로 생각하든 여러 다항분포의 동질성 검정으로 생각하든 차이가 없다. 상황에 맞춰 더 자연스러운 용어를 사용하는 것을 권한다.

연습문제

9.2-1 두 그룹의 간호사들이 서로 다른 6가지 업무에 투자하는 시간의 분포가 같은지에 관심이 있다. 즉, 고려 중인 가설이 H_0: $p_{i1} = p_{i2}$, $i = 1, 2, \ldots, 6$이다. 이 가설을 검정하기 위해, 간호사들을 무작위로 여러 날 관찰해 다음의 자료를 얻었다.

	업무 분야						
	1	2	3	4	5	6	합계
그룹 I	95	36	71	21	45	32	300
그룹 II	53	26	43	18	32	28	200

유의수준 $\alpha = 0.05$에서 카이제곱검정을 하라.

9.2-2 15명의 학생으로 구성된 2개 반을 각각 두 가지 다른 교수법으로 수업을 받게 한 후 표준화된 시험에 대한 점수가 다음과 같다.

A반	91	42	39	62	55	82	67	44
	51	77	61	52	76	41	59	
B반	80	71	55	67	61	93	49	78
	57	88	79	81	63	51	75	

표본을 통합해 세 부분(상, 중, 하)으로 나누어 유의수준 $\alpha = 0.05$에서 카이제곱검정을 이용해 시험점수 분포의 동질성을 검정하라.

9.2-3 다음 분할표에는 1,015명이 성별과 공공장소에서 흡연 전면금지에 대한 의견(찬성, 반대, 무의견)에 의해 분류되어 있다.

	공공장소에서 흡연의 전면금지			
성별	찬성	반대	무의견	합계
남	262	231	10	503
여	302	205	5	512
합계	564	436	15	1,015

공공장소에서 흡연에 대한 의견과 성별이 독립이라는 가설을 검정하라. 이 검정의 근사 p값을 계산하라.

9.2-4 100명의 음악 전공자들이 성별과 그들이 연주하는 악기(성악 포함)의 종류에 의해 다음과 같이 분류되었다.

	악기					
성별	피아노	목관악기	금관악기	현악기	성악	합계
남	4	11	15	6	9	45
여	7	18	6	6	18	55
합계	11	29	21	12	27	100

연주하는 악기 선택이 성별과 독립인지 검정하라. 이 검정의 근사 p값을 계산하라.

9.2-5 여고생들을 설문조사해 두 특성에 따라 분류했다: 운동 참가 여부와 오빠의 존재 여부. 이 두 분류 속성이 독립이라는 귀무가설을 검정하기 위해 다음 자료를 이용하라.

오빠의 존재	운동 참가 예	운동 참가 아니요	합계
예	12	8	20
아니요	13	27	40
합계	25	35	60

이 검정의 근사 p값을 계산하라. 유의수준 $\alpha = 0.05$에서 귀무가설을 기각하는가?

9.2-6 고등학교 성적과 수학능력시험점수가 대학교 1학년 성적을 예측하는 데 사용될 수 있지만, 많은 교육전문가들은 1학년 성적에 더 중요한 영향을 미치는 요인은 생활환경이라고 주장한다. 특히 방을 같이 사용하는 동숙인이 가장 큰 영향을 미친다고 주장한다. 이 가설을 검정하기 위해 학생 200명을 임의로 추출해 다음 두 속성에 따라 분류했다.

(a) 동숙인을 5점 척도로 평가하는데, 1은 같이 살기 힘든 사람, 5는 마음이 잘 맞는 사람이다.

(b) 1학년 성적

이런 분류를 통해 다음과 같은 5 × 4 분할표를 얻었다.

동숙인 5점 척도	1학년 성적 2.0 미만	2.00 ~2.69	2.70 ~3.19	3.20 ~4.00	합계
1	8	9	10	4	31
2	5	11	15	11	42
3	6	7	20	14	47
4	3	5	22	23	53
5	1	3	11	12	27
합계	23	35	78	64	200

두 속성의 독립을 검정하기 위해 카이제곱통계량을 계산하고 이를 유의수준 $\alpha = 0.05$에서 임계치와 비교하라.

9.2-7 뉴스를 전달하는 대중매체의 신뢰도를 결정하기 위해 연령별, 성별, 교육별로 가장 신뢰하는 대중매체에 관해 조사한 결과가 다음과 같다.

연령	가장 신뢰하는 대중매체 신문	TV	라디오	합계
35세 미만	30	68	10	108
35~54세	61	79	20	160
54세 이상	98	43	21	162
합계	189	190	51	430

성별	가장 신뢰하는 대중매체 신문	TV	라디오	합계
남	92	108	19	219
여	97	81	32	210
합계	189	189	51	429

교육	가장 신뢰하는 대중매체 신문	TV	라디오	합계
초졸	45	22	6	73
중 · 고졸	94	115	30	239
대졸	49	52	13	114
합계	188	189	49	426

(a) 대중매체 신뢰도와 연령이 독립인지 유의수준 $\alpha = 0.05$에서 검정하라.

(b) 대중매체 신뢰도와 성별이 독립인지 유의수준 $\alpha = 0.05$에서 검정하라.

(c) 대중매체 신뢰도와 교육수준이 독립인지 유의수준 $\alpha = 0.05$에서 검정하라.

(d) 이 검정의 근사 p값을 계산하라.

9.3 1요인 분산분석

가끔 실험자들은 2개보다 많은 모집단의 평균을 비교하고 싶어 한다. 예를 들면, 여러 가지 벼 품종의 평균 수확량, 여러 가지 교수법 후 평균 시험점수, 여러 소형차의 리터당 평균 주행거리. 종종 모집단들이 특정 인자의 여러 수준(어떤 약의 여러 복용량)이 있는 실험에서 기인하기도 한다. 따라서 여러 분포에 대한 평균들의 동일성에 관한 것들은 **1요인 실험 분석**(one-factor experiment)으로 분류된다.

8.2절에서 두 정규분포의 평균들을 비교하는 방법에 대해 논의했다. 여기에서는 좀 더 일반적으로 미지의 평균들 $\mu_1, \mu_2, \ldots, \mu_m$과 미지의 공통 분산 σ^2을 가진 m개의 정규분포를 고려하자. 여기에서 m개 평균들의 동질성 검정, 즉 H_0: $\mu_1 = \mu_2 = \cdots = \mu_m = \mu$ 대 적어도 하나의 평균이 다르다는 대립가설을 검정하는 데 관심이 있다. 이 가설을 검정하기 위해, 정규분포들로부터 서로 독립인 확률표본을 추출한다. 각 정규분포 $N(\mu_i, \sigma^2)$, $i = 1, 2, \ldots, m$으로부터 크기 n_i인 확률표본을 $X_{i1}, X_{i2}, \ldots, X_{in_i}$라 하고, 이 확률표본들과 함께 행 평균들이 표 9.3-1에 정리되어 있다. 여기에서 $n = n_1 + n_2 + \cdots + n_m$이라 하면,

$$\overline{X}_{\cdot\cdot} = \frac{1}{n}\sum_{i=1}^{m}\sum_{j=1}^{n_i} X_{ij} \qquad \text{그리고} \qquad \overline{X}_{i\cdot} = \frac{1}{n_i}\sum_{j=1}^{n_i} X_{ij}, \qquad i = 1, 2, \ldots, m$$

으로 표현된다. 평균 $\overline{X}_{\cdot\cdot}$ 그리고 $\overline{X}_{i\cdot}$에서 점은 여기에 해당하는 지표에서 평균을 취한다는 것을 의미한다. $\overline{X}_{\cdot\cdot}$는 두 지표에서 전체 평균을 의미하는 반면 $\overline{X}_{i\cdot}$는 지표 j에서 평균이 계산됨을 의미한다.

귀무가설 H_0 검정을 위한 기각역을 결정하기 위해, 먼저 통합표본의 분산과 관련된 제곱합을 다음과 같이 분해한다.

표 9.3-1 1요인 확률표본

					평균
X_1:	X_{11}	X_{12}	$\cdots$	X_{1n_1}	$\overline{X}_{1\cdot}$
X_2:	X_{21}	X_{22}	$\cdots$	X_{2n_2}	$\overline{X}_{2\cdot}$
$\vdots$	$\vdots$	$\vdots$	$\vdots$	$\vdots$	$\vdots$
X_m:	X_{m1}	X_{m2}	$\cdots$	X_{mn_m}	$\overline{X}_{m\cdot}$
전체 평균					$\overline{X}_{\cdot\cdot}$

$$
\begin{aligned}
SS(TO) &= \sum_{i=1}^{m}\sum_{j=1}^{n_i}(X_{ij}-\overline{X}_{\cdot\cdot})^2 \\
&= \sum_{i=1}^{m}\sum_{j=1}^{n_i}(X_{ij}-\overline{X}_{i\cdot}+\overline{X}_{i\cdot}-\overline{X}_{\cdot\cdot})^2 \\
&= \sum_{i=1}^{m}\sum_{j=1}^{n_i}(X_{ij}-\overline{X}_{i\cdot})^2+\sum_{i=1}^{m}\sum_{j=1}^{n_i}(\overline{X}_{i\cdot}-\overline{X}_{\cdot\cdot})^2 \\
&\quad + 2\sum_{i=1}^{m}\sum_{j=1}^{n_i}(X_{ij}-\overline{X}_{i\cdot})(\overline{X}_{i\cdot}-\overline{X}_{\cdot\cdot})
\end{aligned}
$$

오른쪽 마지막 항이

$$
2\sum_{i=1}^{m}\left[(\overline{X}_{i\cdot}-\overline{X}_{\cdot\cdot})\sum_{j=1}^{n_i}(X_{ij}-\overline{X}_{i\cdot})\right]=2\sum_{i=1}^{m}(\overline{X}_{i\cdot}-\overline{X}_{\cdot\cdot})(n_i\overline{X}_{i\cdot}-n_i\overline{X}_{i\cdot})=0
$$

이고 두 번째 항은

$$
\sum_{i=1}^{m}\sum_{j=1}^{n_i}(\overline{X}_{i\cdot}-\overline{X}_{\cdot\cdot})^2=\sum_{i=1}^{m}n_i(\overline{X}_{i\cdot}-\overline{X}_{\cdot\cdot})^2
$$

으로 표현된다. 따라서

$$
SS(TO)=\sum_{i=1}^{m}\sum_{j=1}^{n_i}(X_{ij}-\overline{X}_{i\cdot})^2+\sum_{i=1}^{m}n_i(\overline{X}_{i\cdot}-\overline{X}_{\cdot\cdot})^2
$$

으로 표현이 가능하다. 각 항들을 다음과 같이 부르기로 한다.

$SS(TO)=\sum_{i=1}^{m}\sum_{j=1}^{n_i}(X_{ij}-\overline{X}_{\cdot\cdot})^2$, 총제곱합

$SS(E)=\sum_{i=1}^{m}\sum_{j=1}^{n_i}(X_{ij}-\overline{X}_{i\cdot})^2$, 처리(그룹) 내 제곱합, 혹은 잔차제곱합

$SS(T)=\sum_{i=1}^{m}n_i\,(\overline{X}_{i\cdot}-\overline{X}_{\cdot\cdot})^2$, 처리(그룹) 간 제곱합

그러므로

$$
SS(TO)=SS(E)+SS(T)
$$

로 표현이 가능하다.

귀무가설이 참일 때, $X_{ij}, i=1,2,\ldots,m, j=1,2,\ldots,n_i$를 정규분포 $N(\mu,\sigma^2)$으로부터 크기 $n=n_1+n_2+\cdots+n_m$인 확률표본으로 간주할 수 있다. 따라서 $SS(TO)/\sigma^2$

$\sim\chi^2(n-1)$이므로 SS(TO)/$(n-1)$은 σ^2의 불편추정량이다. i번째 분포에서의 표본만으로 구성된 σ^2의 불편추정량은

$$W_i = \frac{\sum_{j=1}^{n_i}(X_{ij}-\overline{X}_{i\cdot})^2}{n_i-1}, \qquad i=1,2,\ldots,m$$

이다. 왜냐하면 $(n_i-1)W_i/\sigma^2$이 $\chi^2(n_i-1)$ 분포를 따르기 때문이다. 즉,

$$E\left[\frac{(n_i-1)W_i}{\sigma^2}\right] = n_i - 1$$

이므로

$$E(W_i) = \sigma^2, \qquad i=1,2,\ldots,m$$

이다. 이러한 m개의 독립적인 카이제곱 확률변수들의 합, 즉

$$\sum_{i=1}^{m}\frac{(n_i-1)W_i}{\sigma^2} = \frac{\text{SS(E)}}{\sigma^2}$$

역시 자유도 $(n_1-1)+(n_2-1)+\cdots+(n_m-1)=n-m$을 가진 카이제곱분포를 따른다. 그러므로 SS(E)/$(n-m)$은 σ^2의 불편추정량이다. 이제

$$\frac{\text{SS(TO)}}{\sigma^2} = \frac{\text{SS(E)}}{\sigma^2} + \frac{\text{SS(T)}}{\sigma^2}$$

이며, 이때

$$\frac{\text{SS(TO)}}{\sigma^2} \sim \chi^2(n-1), \qquad \frac{\text{SS(E)}}{\sigma^2} \sim \chi^2(n-m)$$

이다. SS(T) ≥ 0이기 때문에, SS(T)와 SS(E)가 독립이고 따라서 S(T)/σ^2이 $\chi^2(m-1)$ 분포를 따른다는 정리(아래 참고)가 있다.

> **참고** 제곱합들 SS(T), SS(E), SS(TO)는 X_{ij}, $i=1,2,\ldots,m$, $j=1,2,\ldots,n_i$의 **2차형식**(quadratic form)의 예들이다. 즉, 제곱합들에서 각 항이 X_{ij}의 2차식이다. 게다가 변수들의 계수가 실수여서 이 제곱합들을 **실수 2차형식**(real quadratic form)이라 한다. 증명 없이 기술된 다음 정리가 이 장에서 사용된다.

정리 9.3-1 $Q, Q_1, \ldots, Q_k$들이 분산이 σ^2인 n개의 서로 독립인 정규분포 확률변수들로 구성된 $k+1$개의 2차식이고, $Q = Q_1 + Q_2 + \cdots + Q_k$라 하자.

$Q/\sigma^2, Q_1/\sigma^2, \ldots, Q_{k-1}/\sigma^2$이 각각 자유도가 $r, r_1, \ldots, r_{k-1}$인 카이제곱 분포를 갖는다고 하자. 만일 Q_k가 음이 아니면,

(a) $Q_1, \ldots, Q_k$가 서로 독립이다. 그래서

(b) Q_k/σ^2는 자유도 $r - (r_1 + \cdots + r_{k-1}) = r_k$인 카이제곱 분포를 갖는다.

귀무가설하에서 $\mathrm{SS(T)}/\sigma^2$의 분포가 $\chi^2(m-1)$이기 때문에, $E[\mathrm{SS(T)}/\sigma^2] = m-1$이므로 $E[\mathrm{SS(T)}(m-1)] = \sigma^2$이다. 한편 σ^2의 불편추정량 $\mathrm{SS(E)}/(n-m)$은 귀무가설이 참이든 거짓이든 항상 불편추정량이다. 그러나 $\mu_1, \mu_2, \ldots, \mu_m$이 같지 않으면 E[SS(T)/$(m-1)$]은 다음과 같은 이유로 σ^2보다 크게 된다.

$$
\begin{aligned}
E[\mathrm{SS(T)}] &= E\left[\sum_{i=1}^{m} n_i(\overline{X}_{i\cdot} - \overline{X}_{\cdot\cdot})^2\right] = E\left[\sum_{i=1}^{m} n_i\overline{X}_{i\cdot}^2 - n\overline{X}_{\cdot\cdot}^2\right] \\
&= \sum_{i=1}^{m} n_i\{\mathrm{Var}(\overline{X}_{i\cdot}) + [E(\overline{X}_{i\cdot})]^2\} - n\{\mathrm{Var}(\overline{X}_{\cdot\cdot}) + [E(\overline{X}_{\cdot\cdot})]^2\} \\
&= \sum_{i=1}^{m} n_i\left\{\frac{\sigma^2}{n_i} + \mu_i^2\right\} - n\left\{\frac{\sigma^2}{n} + \overline{\mu}^2\right\} \\
&= (m-1)\sigma^2 + \sum_{i=1}^{m} n_i(\mu_i - \overline{\mu})^2
\end{aligned}
$$

여기에서 $\overline{\mu} = (1/n)\sum_{i=1}^{m} n_i\mu_i$이다. 만일 $\mu_1 = \mu_2 = \cdots = \mu_m = \mu$이면

$$
E\left(\frac{\mathrm{SS(T)}}{m-1}\right) = \sigma^2
$$

이 되고, 평균들이 모두 같지 않으면 다음과 같이 된다.

$$
E\left[\frac{\mathrm{SS(T)}}{m-1}\right] = \sigma^2 + \sum_{i=1}^{m} n_i\frac{(\mu_i - \overline{\mu})^2}{m-1} > \sigma^2
$$

귀무가설 H_0의 검정은 $\mathrm{SS(T)}/(m-1)$과 $\mathrm{SS(E)}/(n-m)$의 비율에 기초하는데, 이 둘은 귀무가설 H_0: $\mu_1 = \mu_2 = \cdots = \mu_m$이 참일 때 σ^2의 불편추정량이다. 그러므로 귀무가설이 참일 때 이 비율은 1에 가까울 것이고, 평균이 다를 경우에는 $E[\mathrm{SS(T)}/(m-1)]$이 커지기 때문에 이 비율도 커지는 경향이 있다. 귀무가설하에서 $\mathrm{SS(T)}/\sigma^2$과 $\mathrm{SS(E)}/\sigma^2$이 서로 독립인 카이제곱 변수이므로, 이 비율

표 9.3-2 분산분석표

요인	제곱합(SS)	자유도	제곱평균(MS)	F 통계량
처리	SS(T)	$m-1$	$\text{MS(T)} = \dfrac{\text{SS(T)}}{m-1}$	$\dfrac{\text{MS(T)}}{\text{MS(E)}}$
잔차	SS(E)	$n-m$	$\text{MS(E)} = \dfrac{\text{SS(E)}}{n-m}$	
계	SS(TO)	$n-1$		

$$\frac{\text{SS(T)}/(m-1)}{\text{SS(E)}/(n-m)} = \frac{[\text{SS(T)}/\sigma^2]/(m-1)}{[\text{SS(E)}/\sigma^2]/(n-m)} = F$$

는 자유도 $m-1$과 $n-m$을 가지는 F 분포를 따르게 된다. 관측된 F값이 크면 이는 상대적으로 SS(T)가 크다는 것을 의미하고, 이는 평균이 다르다는 것을 의미하기 때문에 귀무가설을 기각한다. 따라서 유의수준 α에서 기각역은 $F \ge F_\alpha(m-1, n-m)$의 형태이다.

여러 개의 평균들의 동일성을 검정하는 데 사용된 정보들은 표 9.3-2처럼 **분산분석표**(analysis of variance table, ANOVA table)에 정리 요약된다. 여기에서 제곱평균은 제곱합을 그것의 자유도로 나눈 것이다.

예제 9.3-1 정규분포들 $N(\mu_i, \sigma^2)$, $i = 1, 2, 3, 4$를 따르는 독립인 확률변수들을 X_1, X_2, X_3, X_4라 하자. 각 분포에서 크기 $n_i = 3$인 확률표본을 이용해 가설

$$H_0: \mu_1 = \mu_2 = \mu_3 = \mu_4 = \mu$$

대 모든 대립가설을 검정하고자 한다. 유의수준 $\alpha = 0.05$에서 기각역은 다음과 같이 주어진다.

$$F = \frac{\text{SS(T)}/(4-1)}{\text{SS(E)}/(12-4)} \ge 4.07 = F_{0.05}(3, 8)$$

관측자료들이 표 9.3-3에 주어졌다(분명히 이 자료들은 정규분포로부터 관측치가 아니며, 계산 예시를 위해 선택되었다).

표 9.3-3 예시 자료

	관측치			$\bar{x}_{i\cdot}$
x_1:	13	8	9	10
x_2:	15	11	13	13
x_3:	8	12	7	9
x_4:	11	15	10	12
$\bar{x}_{\cdot\cdot}$				11

표 9.3-4 예시 자료에 대한 분산분석표

요인	제곱합	자유도	제곱평균	F 통계량	p값
처리	30	3	30/3	1.6	0.264
잔차	50	8	50/8		
계	80	11			

주어진 자료를 이용해 SS(TO), SS(E), SS(T)를 계산하면 다음과 같다.

$$\begin{aligned}\mathrm{SS(TO)} &= (13-11)^2 + (8-11)^2 + \cdots + (15-11)^2 + (10-11)^2 = 80\\ \mathrm{SS(E)} &= (13-10)^2 + (8-10)^2 + \cdots + (15-12)^2 + (10-12)^2 = 50\\ \mathrm{SS(T)} &= 3[(10-11)^2 + (13-11)^2 + (9-11)^2 + (12-11)^2] = 30\end{aligned}$$

SS(TO) = SS(E) + SS(T)이기 때문에 셋 중에서 두 개만 계산하면 된다. 계산한 F값이

$$\frac{30/3}{50/8} = 1.6 < 4.07$$

이므로 귀무가설은 기각되지 않는다. p값은 귀무가설하에서 계산된 F보다 크거나 같을 확률인데 이는 보통 컴퓨터 프로그램에서 주어진다. 이 예제에 대한 분산분석표는 표 9.3-4와 같다. F 검정통계량은 2개의 적절한 제곱평균들의 비율이다. ■

대수적으로는 같지만 제곱합들을 계산하는 다른 방법은 다음과 같다.

$$\mathrm{SS(TO)} = \sum_{i=1}^{m}\sum_{j=1}^{n_i} X_{ij}^2 - \frac{1}{n}\left[\sum_{i=1}^{m}\sum_{j=1}^{n_i} X_{ij}\right]^2$$

$$\mathrm{SS(T)} = \sum_{i=1}^{m}\frac{1}{n_i}\left[\sum_{j=1}^{n_i} X_{ij}\right]^2 - \frac{1}{n}\left[\sum_{i=1}^{m}\sum_{j=1}^{n_i} X_{ij}\right]^2$$

$$\mathrm{SS(E)} = \mathrm{SS(TO)} - \mathrm{SS(T)}$$

이다. 이 공식에서 각각의 제곱을 제곱된 항들의 합의 개수로 나눈 것을 관측하는 것은 흥미롭다. 즉, X_{ij}^2은 1로 나누고, $(\sum_{j=1}^{n_i} X_{ij})^2$은 n_i로, $(\sum_{i=1}^{m}\sum_{j=1}^{n_i} X_{ij})^2$은 n으로 나눈다. 이 공식들이 예제 9.3-2에서 사용된다. 비록 이러한 공식들이 계산에 유용하지만, 컴퓨터 패키지의 도움을 받는 것을 권장한다.

표본크기가 모두 최소 7 이상이면, 각 표본에 대한 상자그림을 한 그림에 표현함으로써 영감을 얻을 수 있다. 이를 예제 9.3-2에서 살펴보자.

표 9.3-5 실험자료

	관측치							$\sum_{j=1}^{7} x_{ij}$	$\sum_{j=1}^{7} x_{ij}^2$
x_1:	92	90	87	105	86	83	102	645	59,847
x_2:	100	108	98	110	114	97	94	721	74,609
x_3:	143	149	138	136	139	120	145	970	134,936
x_4:	147	144	160	149	152	131	134	1,017	148,367
x_5:	142	155	119	134	133	146	152	981	138,415
합								4,334	556,174

예제 9.3-2 자동차 창문에는 그것을 고정하는 데 필요한 5개의 못이 달려 있다. 창문을 생산하는 공장에서 창문 고정 못을 뽑아내는 데 얼마나 힘이 필요한지 검사를 진행한다. i번째 위치에서 필요한 힘을 X_i, $i = 1, 2, 3, 4, 5$라 하고 X_i의 분포는 정규분포 $N(\mu, \sigma^2)$을 가정하자. 각 위치에서 7개의 독립적인 관측값을 이용해 가설 H_0: $\mu_1 = \mu_2 = \mu_3 = \mu_4 = \mu_5$를 검정하고자 한다. 유의수준 $\alpha = 0.01$에서 계산된 F값이

$$F = \frac{SS(T)/(5-1)}{SS(E)/(35-5)} \geq 4.02 = F_{0.01}(4, 30)$$

이면 귀무가설은 기각된다.

관측자료와 그들의 합이 표 9.3-5에 주어졌다. 이 자료에서

$$SS(TO) = 556,174 - \frac{1}{35}(4334)^2 = 19,500.97$$

$$SS(T) = \frac{1}{7}(645^2 + 721^2 + 970^2 + 1,017^2 + 981^2) - \frac{1}{35}(4,334)^2 = 16,672.11$$

$$SS(E) = 19,500.97 - 16,672.11 = 2,828.86$$

이고, 계산된 F값이

$$F = \frac{16,672.11/4}{2,828.86/30} = 44.20$$

표 9.3-6 시험자료에 대한 분산분석표

요인	제곱합(SS)	자유도	제곱평균(MS)	F 통계량
처리	16,672.11	4	4,168.03	44.20
잔차	2,828.86	30	94.30	
계	19,500.97	34		

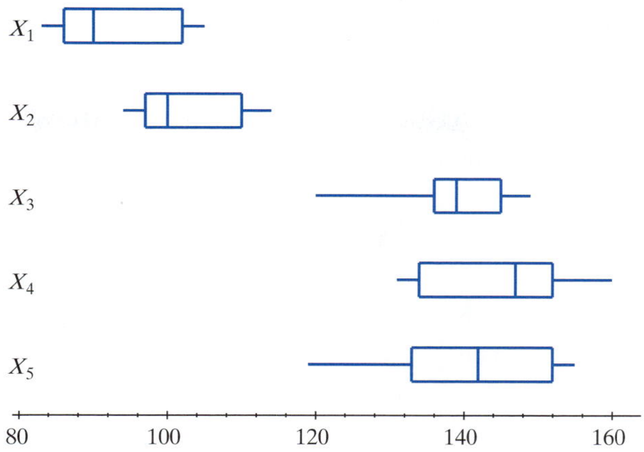

그림 9.3-1 시험자료 상자그림

이므로 귀무가설이 명백히 기각된다. 이에 대한 분산분석표는 표 9.3-6에 정리되어 있다.

왜 귀무가설이 기각되는가? 답은 그림 9.3-1의 상자그림을 보면 알 수 있다. 1번과 2번 위치 못을 뽑는 데 필요한 힘은 비슷해 보인다. 그리고 3번, 4번, 5번 위치 못들도 서로 비슷하지만 이들이 1번, 2번과는 다르다. ■

이표본 t 검정처럼, F 검정도 모집단이 정규분포가 아니어도, 너무 심하게 치우쳤거나 분산이 너무 다르거나 하지만 않으면 검정 능력이 꽤 좋다. 분포가 심하게 치우쳤거나 분산이 너무 다른 경우에는 비슷한 분산을 가지며 대칭이 되도록 자료를 변환하거나 아니면 이 책의 범위는 넘지만 어떤 비모수방법을 이용할 필요가 있을 것이다.

연습문제

9.3-1 미지의 공통분산 σ^2을 갖는 독립인 세 정규분포의 평균을 각각 μ_1, μ_2, μ_3이라 하자. 유의수준 $\alpha = 0.05$에서 가설 H_0: $\mu_1 = \mu_2 = \mu_3$을 검정하기 위해, 각 분포들로부터 크기 4인 확률표본을 추출했다. 관측치가 다음과 같을 때 귀무가설을 채택할지 기각할지 결정하라.

x_1:	5	9	6	8
x_2:	11	13	10	12
x_3:	10	6	9	9

9.3-2 3마리씩으로 구성된 네 그룹의 돼지들에게 네 종류의 사료를 각각 일정 기간 동안 제공해 몸무게를 측정했다. 여기에서 μ_i, $i = 1, 2, 3, 4$는 각 사료를 먹은 돼지들의 평균 몸무게이다. 관측치가 다음과 같을 때 유의수준 $\alpha = 0.05$에서 가설 H_0: $\mu_1 = \mu_2 = \mu_3 = \mu_4$를 검정하라.

x_1:	194.11	182.80	187.43
x_2:	216.06	203.50	216.88
x_3:	178.10	189.20	181.33
x_4:	197.11	202.68	209.18

9.3-3 뻐꾸기 암컷들은 다른 새의 둥지에 알을 낳

는다. 다른 새들은 자신의 알들과 뻐꾸기 알들의 크기가 비슷하기 때문에 보통 속는다. 이러한 설명이 타당한지 알아보기 위해 세 가지 다른 종류의 새 둥지에서 발견된 알의 크기(단위: mm)를 측정한 자료는 다음과 같다.

참새	22.0	23.9	20.9	23.8	25.0
	24.0	21.7	23.8	22.8	23.1
	23.1	23.5	23.0	23.0	
개똥지빠귀	21.8	23.0	23.3	22.4	23.0
	23.0	23.0	22.4	23.9	22.3
	22.0	22.6	22.0	22.1	21.1
	23.0				
굴뚝새	19.8	22.1	21.5	20.9	22.0
	21.0	22.3	21.0	20.3	20.9
	22.0	20.0	20.8	21.2	21.0

(a) 세 평균의 동일성을 검정하기 위해 분산분석표를 작성하라.
(b) 각 자료에 대한 상자그림을 같은 그래프에 그려라.
(c) 결과를 해석하라.

9.3-4 면이 함유된 비율에 따른 인조섬유의 강도를 조사하기 위해, 면의 비율 다섯 수준이 고려되었다. 각 수준에서 5개 관측치가 다음과 같을 때, 섬유의 비율에 따른 평균 강도에서의 차이가 있는지를 알아보기 위해 유의수준 $\alpha = 0.05$에서 F 검정하라.

면의 비율	섬유강도(lb/in^2)				
15	7	7	15	11	9
20	12	17	12	18	18
25	14	18	18	19	19
30	19	25	22	19	23
35	7	10	11	15	11

9.3-5 티샷에서 골프공이 날아간 비거리를 X_i, $i = 1, 2, 3, 4$라 하자. 여기에서 i는 i번째 골프공 생산업체를 의미한다. 한 선수가 쳤을 때 공이 날아가는 거리 분포 X_i가 정규분포 $N(\mu_i, \sigma^2)$을 따른다고 하자. 각 확률변수의 3개 관측값을 이용해 가설 H_0: $\mu_1 = \mu_2 = \mu_3 = \mu_4$를 검정하고자 한다.

(a) 유의수준 $\alpha = 0.05$에서 기각역을 구하라.
(b) 관측값이 아래와 같을 때 분산분석표를 작성하고 결론을 내려라.

x_1:	240	221	265
x_2:	286	256	272
x_3:	259	245	232
x_4:	239	215	223

(c) 유의수준 $\alpha = 0.025$에서 결론은 무엇인가?
(d) 이 검정의 근사 p값은 얼마인가?

9.3-6 디젤차 운전자는 세 가지 다른 종류 디젤의 연비를 비교하고자 한다. 다음 자료를 이용해 유의수준 $\alpha = 0.05$에서 세 가지 디젤의 평균연비가 동일한지 검정하라.

제품 A:	38.7	39.2	40.1	38.9	
제품 B:	41.9	42.3	41.3		
제품 C:	40.8	41.2	39.5	38.9	40.3

9.3-7 스프레이용 살충제에서 압축 불활성 가스의 무게를 측정했다. 임의로 3일을 선택해 측정한 무게를 X_1, X_2, X_3이라 하자. 독립인 확률변수들이 공통 분산을 갖는 정규분포를 따르고, 평균은 각각 μ_1, μ_2, μ_3이라 하자. 각 확률변수들의 9개 관측치를 이용해 가설 H_0: $\mu_1 = \mu_2 = \mu_3$을 검정하고자 한다.

(a) 유의수준 $\alpha = 0.05$에서 기각역을 구하라.
(b) 관측값이 아래와 같을 때 분산분석표를 작성하고 결론을 내려라.

x_1:	43.06	43.32	42.63	42.86	43.05
	42.87	42.94	42.80	42.36	
x_2:	42.33	42.81	42.13	42.41	42.39
	42.10	42.42	41.42	42.52	
x_3:	42.83	42.57	42.96	43.16	42.25
	42.24	42.20	41.97	42.61	

(c) 각 변수 관측값들의 상자그림을 함께 그려서 비교하고, (b)에서 내린 결론과 일치하는지 검토해보라.

9.3-8 어느 가축 사육장의 주인이 세 가지 소 먹이의 효율성을 비교하고자 한다. 1년생 암소 15마리를 임의로 세 그룹으로 나누고 각 그룹은 다른 먹이를 먹게 된다. 사고로 잃은 그룹 A에서 한 마리를 제외한 6개월 후의 몸무게 증가량은 다음과 같다.

그룹 A:	500	650	530	680	
그룹 B:	700	620	780	830	860
그룹 C:	500	520	400	580	410

(a) 세 가지 먹이에 따른 몸무게 증가량에 차이가 있는지를 검정하라.

(b) 자료의 상자그림이 (b)에서의 결론과 일치하는가?

9.4 2요인 분산분석

9.3절에서 살펴본 여러 평균의 동질성 검정은 분산분석(ANOVA)이라는 하나의 통계적 추론 방법의 예다. 이 방법의 이름은 2차식 $SS(TO) = (n-1)S^2$, 통합표본평균에 대한 총제곱합을 성분별로 분해해서 분석하기 때문에 붙여진 것이다. 이제 분산분석의 다른 예제들을 살펴보자. 여기에서는 2요인 분산분석만을 고려하지만 독자들은 3요인 그리고 다른 경우로 어떻게 확장이 되는지 알 수 있을 것이다.

두 가지 요인이 실험의 결과에 영향을 미치는 상황을 생각해보자. 예를 들어, 교수법(강의, 토론, 컴퓨터활용 등)과 학급의 규모가 학생들의 성적에 영향을 미칠 것이다. 혹은 자동차 종류와 연료의 등급이 리터당 주행거리에 영향을 줄 것이다. 자동차 예제에서 리터당 주행거리가 연료등급에 영향을 받지 않는다면 소비자들은 가장 저렴한 연료를 사용할 것이다.

먼저 **각 셀마다 하나의 관측값을 갖는 2원배치법**(two-way classification with one observation per cell)을 생각하자. 두 인자(A, B)가 있는데, 인자 A는 수준이 a개, 인자 B는 수준이 b개, 따라서 가능한 조합이 총 $n = ab$가지이고 각 조합이 하나의 셀에 해당한다. 자료를 a행 b열로 생각하자. i번째 행과 j번째 열의 관측값을 X_{ij}로 표시하고, 이것의 분포는 $N(\mu_{ij}, \sigma^2)$, $i = 1, 2, \ldots, a$, $j = 1, 2, \ldots, b$이고 $n = ab$개의 확률변수들은 독립이라고 가정하자. 셀 평균 μ_{ij}는 행 효과, 열 효과, 그리고 전체효과로 구성되어 있어서 $\mu_{ij} = \mu + \alpha_i + \beta_j$로 표현되고 여기서 $\sum_{i=1}^{a} \alpha_i = 0$ 그리고 $\sum_{j=1}^{b} \beta_j = 0$이다. 모수 α_i는 i번째 행 효과, 모수 β_j는 j번째 열 효과를 나타낸다.

참고 일반적으로 다음을 가정한다.

$$\sum_{i=1}^{a} \alpha_i = \sum_{j=1}^{b} \beta_j = 0$$

이를 알아보기 위해, $\mu_{ij} = \mu' + \alpha_i' + \beta_j'$라 하자.

$$\overline{\alpha}' = \left(\frac{1}{a}\right)\sum_{i=1}^{a} \alpha_i', \qquad \overline{\beta}' = \left(\frac{1}{b}\right)\sum_{j=1}^{b} \beta_j'$$

라고 하면,

$$\mu_{ij} = (\mu' + \overline{\alpha}' + \overline{\beta}') + (\alpha_i' - \overline{\alpha}') + (\beta_j' - \overline{\beta}') = \mu + \alpha_i + \beta_j$$

로 표현이 가능하고 여기에서 $\sum_{i=1}^{a} \alpha_i = 0$ 그리고 $\sum_{j=1}^{b} \beta_j = 0$이다.

행 효과가 없다는 가설을 검정하기 위해, $\sum_{i=1}^{a} \alpha_i = 0$이기 때문에 귀무가설 H_A: $\alpha_1 = \alpha_2 = \cdots = \alpha_a = 0$을 검정할 것이다. 대립가설은 H_A에 있는 등식들 중 적어도 하나가 거짓이다. 마찬가지로 열 효과가 없다는 가설을 검정하기 위해, $\sum_{j=1}^{b} \beta_j = 0$이기 때문에 귀무가설 H_B: $\beta_1 = \beta_2 = \cdots = \beta_b = 0$을 검정할 것이다. 대립가설은 H_B에 있는 등식들 중 적어도 하나가 거짓이다. 이러한 가설들을 검정하기 위해 총제곱합을 성분별로 분해한다.

$$\overline{X}_{i\cdot} = \frac{1}{b}\sum_{j=1}^{b} X_{ij}, \quad \overline{X}_{\cdot j} = \frac{1}{a}\sum_{i=1}^{a} X_{ij}, \quad \overline{X}_{\cdot\cdot} = \frac{1}{ab}\sum_{i=1}^{a}\sum_{j=1}^{b} X_{ij}$$

라고 하면, 다음을 얻는다.

$$\begin{aligned}
\text{SS(TO)} &= \sum_{i=1}^{a}\sum_{j=1}^{b} (X_{ij} - \overline{X}_{\cdot\cdot})^2 \\
&= \sum_{i=1}^{a}\sum_{j=1}^{b} [(\overline{X}_{i\cdot} - \overline{X}_{\cdot\cdot}) + (\overline{X}_{\cdot j} - \overline{X}_{\cdot\cdot}) + (X_{ij} - \overline{X}_{i\cdot} - \overline{X}_{\cdot j} + \overline{X}_{\cdot\cdot})]^2 \\
&= b\sum_{i=1}^{a} (\overline{X}_{i\cdot} - \overline{X}_{\cdot\cdot})^2 + a\sum_{j=1}^{b} (\overline{X}_{\cdot j} - \overline{X}_{\cdot\cdot})^2 \\
&\qquad + \sum_{i=1}^{a}\sum_{j=1}^{b} (X_{ij} - \overline{X}_{i\cdot} - \overline{X}_{\cdot j} + \overline{X}_{\cdot\cdot})^2 \\
&= \text{SS(A)} + \text{SS(B)} + \text{SS(E)}
\end{aligned}$$

여기에서 SS(A)는 요인 A의 수준 간 혹은 행 간 제곱합이고, SS(B)는 요인 B의 수준 간 제곱합이며, SS(E)는 잔차제곱합이다. 위의 두 번째 전개식에서 제곱식 내에 있는 세 항의 세 가지 교차제곱들의 합은 모두 0이다. SS(E)의 분포는 가법모형이 맞으면 셀 평균 μ_{ij}에 의존하지 않는다. 그러므로 그것의 분포는 가설 H_A 혹은 H_B가 사실이든 상관없이 같다. 따라서 SS(E)는 9.3절에서처럼 '측량자' 역할을 한다. 이것은 다음과 같이 표현함으로써 더 명확해진다.

$$\text{SS(E)} = \sum_{i=1}^{a}\sum_{j=1}^{b} (X_{ij} - \overline{X}_{i\cdot} - \overline{X}_{\cdot j} + \overline{X}_{\cdot\cdot})^2$$

$$= \sum_{i=1}^{a}\sum_{j=1}^{b}[X_{ij} - (\overline{X}_{i\cdot} - \overline{X}_{\cdot\cdot}) - (\overline{X}_{\cdot j} - \overline{X}_{\cdot\cdot}) - \overline{X}_{\cdot\cdot}]^2$$

에서 우변의 괄호 안은

$$X_{ij} - \mu_{ij} = X_{ij} - \alpha_i - \beta_j - \mu$$

와 유사함을 알 수 있다.

이제 만일 H_A와 H_B가 모두 참이면, 즉 모든 평균 μ_{ij}가 μ일 때 SS(A)/σ^2, SS(B)/σ^2, SS(E)/σ^2들이 서로 독립인 카이제곱 확률변수임을 보인다. 이를 위해 먼저 SS(TO)/σ^2이 $\chi^2(ab - 1)$임을 언급한다. 게다가 9.3절에서 SS(A)/σ^2과 SS(B)/σ^2이 각각 $\chi^2(a - 1)$과 $\chi^2(b - 1)$ 확률변수, 즉 9.3절에서의 n_i 대신 a와 b를 갖는 확률변수라는 것을 알 수 있다. 분명히 SS(E) $\geq$ 0, 그래서 정리 9.3-1에 의해, SS(A)/σ^2, SS(B)/σ^2, SS(E)/σ^2은 각각 자유도 $a - 1$, $b - 1$, $ab - 1 - (a - 1) - (b - 1) = (a - 1)(b - 1)$을 갖는 독립인 카이제곱 변수다.

가설 H_A: $\alpha_1 = \alpha_2 = \cdots = \alpha_a = 0$을 검정하기 위해, 행 제곱합 SS(A)와 잔차제곱합 SS(E)를 이용한다. 가설 H_A가 참이면 SS(A)/σ^2 그리고 SS(E)/σ^2이 각각 자유도 $a - 1$과 $(a - 1)(b - 1)$을 갖는 독립인 카이제곱 변수다. 따라서 H_A가 참일 때 SS(A)/$(a - 1)$과 SS(E)/$[(a - 1)(b - 1)]$은 모두 σ^2의 불편추정량이다. 그러나 H_A가 참이 아니면 E[SS(A)/$(a - 1)$] $> \sigma^2$이므로

$$F_A = \frac{\text{SS(A)}/[\sigma^2(a-1)]}{\text{SS(E)}/[\sigma^2(a-1)(b-1)]} = \frac{\text{SS(A)}/(a-1)}{\text{SS(E)}/[(a-1)(b-1)]}$$

이 매우 크면 귀무가설 H_A를 기각하게 된다. 귀무가설이 참일 때 F_A는 자유도가 $a - 1$과 $(a - 1)(b - 1)$인 F 분포를 따르므로 관측된 F_A값이 $F_\alpha[(a - 1), (a - 1)(b - 1)]$보다 크면 유의수준 α에서 귀무가설 F는 기각된다.

유사하게, 가설 H_B: $\beta_1 = \beta_2 = \cdots = \beta_b = 0$ 검정은 귀무가설 H_B가 참일 때 자유도 $b - 1$과 $(a - 1)(b - 1)$을 갖는 F 분포를 따르는 통계량

$$F_B = \frac{\text{SS(B)}/[\sigma^2(b-1)]}{\text{SS(E)}/[\sigma^2(a-1)(b-1)]} = \frac{\text{SS(B)}/(b-1)}{\text{SS(E)}/[(a-1)(b-1)]}$$

에 기반한다.

이러한 가설검정에 필요한 정보들이 표 9.4-1에 정리되어 있다. F_A와 F_B 공식은 각각 이 두 평균제곱의 비율임을 보여준다.

표 9.4-1 반복이 없는 이원배치 분산분석표

요인	제곱합(SS)	자유도	제곱평균(MS)	F
인자 A(행)	SS(A)	$a-1$	$MS(A)=\dfrac{SS(A)}{a-1}$	$\dfrac{MS(A)}{MS(E)}$
인자 B(열)	SS(B)	$b-1$	$MS(B)=\dfrac{SS(B)}{b-1}$	$\dfrac{MS(B)}{MS(E)}$
잔차	SS(E)	$(a-1)(b-1)$	$MS(E)=\dfrac{SS(E)}{(a-1)(b-1)}$	
계	SS(TO)	$ab-1$		

예제 9.4-1 3대의 자동차에 다른 4종류의 가솔린 연료를 주입해 갤런당 주행거리를 측정한 결과, 즉 $ab=(3)(4)=12$가지 다른 조합에서의 결과가 표 9.4-2에 주어졌다. 다른 4종류 연료의 갤런당 주행거리가 같은지 알아보기 위해 가설

$$H_B: \beta_1=\beta_2=\beta_3=\beta_4=0$$

을 검정하고자 한다. 유의수준 1%에서

$$F_B=\frac{SS(B)/(4-1)}{SS(E)/[(3-1)(4-1)]}\geq 9.78=F_{0.01}(3,6)$$

이면 가설 H_B를 기각한다. 여기에서

$$SS(B)=3[(25-27)^2+(26-27)^2+(29-27)^2+(28-27)^2]=30$$
$$SS(E)=(26-29-25+27)^2+(24-26-25+27)^2+\cdots+(26-26-28+27)^2=4$$

이므로, 계산된 F값은 다음과 같다.

$$\frac{30/3}{4/6}=15>9.78$$

따라서 가설 H_B는 기각된다. 즉, 연료들이 다른 성능을 보여주는 것처럼 보인다(최소한 여기 세 차에서만큼은). 이 예제에 대한 정보는 표 9.4-3에 정리되어 있다. ■

표 9.4-2 주행거리 자료

자동차	가솔린 1	2	3	4	$\bar{x}_{i\cdot}$
1	26	28	31	31	29
2	24	25	28	27	26
3	25	25	28	26	26
$\bar{x}_{\cdot j}$	25	26	29	28	27

표 9.4-3 주행거리 자료에 대한 분산분석표

요인	제곱합(SS)	자유도	제곱평균(MS)	F 통계량	p값
행(A)	24	2	12	18	0.003
열(B)	30	3	10	15	0.003
잔차	4	6	2/3		
계	58	11			

이원배치 문제에서 두 인자의 특정 조합이 가법모형에서 기대했던 것과 다르게 작용할 수도 있다. 예를 들어 예제 9.4-1에서 연료 3이 최고 연료이고 자동차 1이 최고의 차처럼 보였다. 하지만 종종 두 최고의 조합에서의 성능이 좋지 않은 경우가 있다. 즉, 차와 자동차의 조합에서 이상한 교호작용이 있을 수 있다. 따라서 결합성능이 기대만큼 좋지 않을 수 있다. 종종 각 인자의 좋지 않은 수준의 조합에서 좋은 결과를 얻기도 한다. 이러한 현상을 **교호작용**(interaction)이라 하고, 실제로 화학분야에서 자주 발생한다. 교호작용을 검정하기 위해 셀마다 $c > 1$개 독립 관측치가 주어지는 이원배치법을 고려할 것이다.

$X_{ijk}, i = 1, 2, \ldots, a; j = 1, 2, \ldots, b, k = 1, 2, 3, \ldots, c$는 $n = abc$개의 서로 독립인 확률변수이고 미지의 공통분산 σ^2을 갖는 정규분포를 따른다고 하자. $X_{ijk}, k = 1, 2, \ldots, c$의 평균은 $\mu_{ij} = \mu + \alpha_i + \beta_j + \gamma_{ij}$이며 $\sum_{i=1}^{a}\alpha_i = 0, \sum_{j=1}^{b}\beta_j = 0, \sum_{i=1}^{a}\gamma_{ij} = 0, \sum_{j=1}^{b}\gamma_{ij} = 0$이다. 모수 γ_{ij}는 셀 (i, j)에서의 교호작용이라 부른다. 즉, 한 인자 i번째 수준과 다른 인자 j번째 수준의 교호작용이 γ_{ij}이다.

가설 (a) 행 효과가 없다, (b) 열 효과가 없다, (c) 교호작용이 없다를 검정하기 위해, 다시 총제곱합을 여러 성분으로 분해한다. 우선

$$\overline{X}_{ij\cdot} = \frac{1}{c}\sum_{k=1}^{c} X_{ijk}$$

$$\overline{X}_{i\cdot\cdot} = \frac{1}{bc}\sum_{j=1}^{b}\sum_{k=1}^{c} X_{ijk}$$

$$\overline{X}_{\cdot j\cdot} = \frac{1}{ac}\sum_{i=1}^{a}\sum_{k=1}^{c} X_{ijk}$$

$$\overline{X}_{\cdots} = \frac{1}{abc}\sum_{i=1}^{a}\sum_{j=1}^{b}\sum_{k=1}^{c} X_{ijk}$$

라 하자.

$$\begin{aligned}
\text{SS(TO)} &= \sum_{i=1}^{a}\sum_{j=1}^{b}\sum_{k=1}^{c}(X_{ijk}-\overline{X}_{\cdots})^2\\
&= bc\sum_{i=1}^{a}(\overline{X}_{i\cdot\cdot}-\overline{X}_{\cdots})^2 + ac\sum_{j=1}^{b}(\overline{X}_{\cdot j\cdot}-\overline{X}_{\cdots})^2\\
&\quad + c\sum_{i=1}^{a}\sum_{j=1}^{b}(\overline{X}_{ij\cdot}-\overline{X}_{i\cdot\cdot}-\overline{X}_{\cdot j\cdot}+\overline{X}_{\cdots})^2 + \sum_{i=1}^{a}\sum_{j=1}^{b}\sum_{k=1}^{c}(X_{ijk}-\overline{X}_{ij\cdot})^2\\
&= \text{SS(A)} + \text{SS(B)} + \text{SS(AB)} + \text{SS(E)}
\end{aligned}$$

여기에서 SS(A)는 행 제곱합, 혹은 인자 A의 수준들 간의 제곱합, SS(B)는 열 제곱합, 혹은 인자 B의 수준들 간의 제곱합, SS(AB)는 제곱합의 교호작용, SS(E)는 오차제곱합이다. 항들의 교차 곱들의 합은 0이다.

SS(A), SS(B), SS(AB), SS(E)의 결합분포를 구하기 위해 모든 평균이 μ로 같다고 하자. 물론 SS(TO)/σ^2이 $\chi^2(abc-1)$ 분포임은 알고 있다. 또한 9.3절에서 n_i를 bc와 ac라 하면 SS(A)/σ^2과 SS(B)/σ^2이 각각 $\chi^2(a-1)$과 $\chi^2(b-1)$이 됨을 알고 있다. 게다가

$$\frac{\sum_{k=1}^{c}(X_{ijk}-\overline{X}_{ij\cdot})^2}{\sigma^2}$$

이 $\chi^2(c-1)$이다. 따라서 SS(E)/σ^2은 이와 독립인 ab 카이제곱 변수들의 합이므로 $\chi^2[ab(c-1)]$이 된다. 물론 SS(AB) $\geq$ 0이므로 정리 9.3-1에 의해 SS(A)/σ^2, SS(B)/σ^2, SS(AB)/σ^2, SS(E)/σ^2은 서로 독립이며 자유도가 각각 $a-1$, $b-1$, $(a-1)(b-1)$, $ab(c-1)$인 카이제곱분포이다.

행 효과, 열 효과, 교호작용에 관한 검정을 위해 F 통계량을 이용하는데 각 분자들은 대응되는 가설들로부터 편차에 의해 영향을 받는 반면, 분모는 셀 평균값에는 영향을 받지 않고 오로지 σ^2의 값에만 의존하는 분포를 갖는 SS(E)의 함수이다. 따라서 SS(E)는 측량자로서 역할을 한다. 가설

$$H_{AB}: \gamma_{ij}=0,\ i=1,2,\ldots,a;\ j=1,2,\ldots,b$$

대 여기에서 적어도 하나는 거짓이라는 대립가설을 검정하기 위한 통계량은

$$\begin{aligned}
F_{AB} &= \frac{c\sum_{i=1}^{a}\sum_{j=1}^{b}(\overline{X}_{ij\cdot}-\overline{X}_{i\cdot\cdot}-\overline{X}_{\cdot j\cdot}+\overline{X}_{\cdots})^2/[\sigma^2(a-1)(b-1)]}{\sum_{i=1}^{a}\sum_{j=1}^{b}\sum_{k=1}^{c}(X_{ijk}-\overline{X}_{ij\cdot})^2/[\sigma^2 ab(c-1)]}\\
&= \frac{\text{SS(AB)}/[(a-1)(b-1)]}{\text{SS(E)}/[ab(c-1)]}
\end{aligned}$$

인데, 이는 귀무가설 H_{AB}가 참일 때 자유도 $(a-1)(b-1)$과 $ab(c-1)$을 갖는 F 분포를 따른다. 만일 계산된 값이 $F_{AB} \geq F_{\alpha}[(a-1)(b-1), ab(c-1)]$이면 유의수준 α에서

표 9.4-4 반복이 있는(인자 조합당 c개 관측치를 갖는) 이원배치 분산분석표

요인	제곱합(SS)	자유도	제곱평균(MS)	F 통계량
인자 A(행)	SS(A)	$a-1$	$\text{MS(A)} = \dfrac{\text{SS(A)}}{a-1}$	$\dfrac{\text{MS(A)}}{\text{MS(E)}}$
인자 B(열)	SS(B)	$b-1$	$\text{MS(B)} = \dfrac{\text{SS(B)}}{b-1}$	$\dfrac{\text{MS(B)}}{\text{MS(E)}}$
인자 AB (교호작용)	SS(AB)	$(a-1)(b-1)$	$\text{MS(AB)} = \dfrac{\text{SS(AB)}}{(a-1)(b-1)}$	$\dfrac{\text{MS(AB)}}{\text{MS(E)}}$
잔차	SS(E)	$ab(c-1)$	$\text{MS(E)} = \dfrac{\text{SS(E)}}{ab(c-1)}$	
계	SS(TO)	$abc-1$		

H_{AB}를 기각하고 교호작용이 있는 것처럼 보이기 때문에 평균들 간에 차이가 있다고 말한다. H_{AB}가 기각되면 많은 통계학자들은 행 효과와 열 효과를 검정하지 않는다. 가설

$$H_A: \alpha_1 = \alpha_2 = \cdots = \alpha_a = 0$$

을 검정하기 위한 통계량은

$$F_A = \frac{bc\sum_{i=1}^{a}(\overline{X}_{i\cdot\cdot} - \overline{X}_{\cdot\cdot\cdot})^2/[\sigma^2(a-1)]}{\sum_{i=1}^{a}\sum_{j=1}^{b}\sum_{k=1}^{c}(X_{ijk} - \overline{X}_{ij\cdot})^2/[\sigma^2 ab(c-1)]} = \frac{\text{SS(A)}/(a-1)}{\text{SS(E)}/[ab(c-1)]}$$

이고, 이는 H_A가 참일 때 자유도 $(a-1)$과 $ab(c-1)$을 갖는 F 분포를 따른다. 가설

$$H_B: \beta_1 = \beta_2 = \cdots = \beta_b = 0$$

을 검정하기 위한 통계량은

$$F_B = \frac{ac\sum_{j=1}^{b}(\overline{X}_{\cdot j\cdot} - \overline{X}_{\cdot\cdot\cdot})^2/[\sigma^2(b-1)]}{\sum_{i=1}^{a}\sum_{j=1}^{b}\sum_{k=1}^{c}(X_{ijk} - \overline{X}_{ij\cdot})^2/[\sigma^2 ab(c-1)]} = \frac{\text{SS(B)}/(b-1)}{\text{SS(E)}/[ab(c-1)]}$$

이고, 이는 H_B가 참일 때 자유도 $(b-1)$과 $ab(c-1)$을 갖는 F 분포를 따른다. 각 가설들은 바라는 유의수준을 만족하기 위해 선택된 상수보다 관측된 F값이 더 크면 기각된다.

이러한 검정에 필요한 정보들을 요약한 분산분석표가 표 9.4-4에 주어졌다.

예제 9.4-2 다음과 같은 실험을 고려하자. 108명을 임의로 18명씩 6그룹으로 나누었다. 각각의 사람에게 3개의 숫자를 주고 그 숫자들을 더하도록 요구했다. 숫자들은 세로 혹은 가로배열, 즉 인자 A의 2수준을 나타낸다. 인자 B 수준은 제시된 숫자들의 자릿수(1자리, 2자리, 3자리)이다. 표 9.4-5는 예시를 통해 이 실험을 설명한다. 그러나 각 개인은 이 중 한

표 9.4-5 숫자 배열 예시

배열	자릿수 1	자릿수 2	자릿수 3
세로	5	25	259
2	3	69	597
3	8	37	130
가로, $\bar{x}_{\cdot j}$	5 + 3 + 8 =	25 + 69 + 37 =	259 + 567 + 130 =

표 9.4-6 행, 열, 각 칸의 평균

배열	자릿수 1	자릿수 2	자릿수 3	행 평균
세로	23.806	10.694	6.278	13.593
가로	26.056	6.750	3.944	12.250
열 평균	24.931	8.722	5.111	

표 9.4-7 숫자 배열에 대한 분산분석표

요인	제곱합(SS)	자유도	제곱평균	F 통계량	p값
인자 A(배열)	48.678	1	48.669	2.885	0.0925
인자 B(자릿수)	8,022.73	2	4,011.363	237.778	<0.0001
교호작용	185.92	2	92.961		0.0053
잔차	1,720.76	102	16.870	5.510	
계	9,978.08	107			

가지 형태의 문제를 풀게 된다. 각 개인은 6그룹 중 하나에 속해서 90초 동안 최대한 많은 문제를 풀도록 요구받는다. 두 번의 시행에서 정답을 맞힌 문제 수의 평균을 측정한다.

컴퓨터를 이용해 행과 열, 그리고 각 셀의 평균을 표 9.4-6에 요약했다. 각 셀의 평균은 18명에 대한 평균이다.

단순히 이 평균들을 살펴보면, 열의 효과가 존재함을 분명히 알 수 있다. 세 자리 숫자보다 한 자리 숫자들을 더하는 것이 쉽다는 것은 전혀 놀랄 일이 아니다.

이 결과에서 가장 흥미로운 점은 교호작용의 가능성을 보여준다는 것이다. 가장 큰 셀 평균이 가로배열로 주어진 한 자리 숫자들을 더하는 곳에서 발생했다. 그러나 두 자리 그리고 세 자리 숫자들에서는 가로배열보다 세로배열에서 셀 평균이 더 크다.

컴퓨터가 제공한 분산분석표가 표 9.4-7에 주어졌다. SS(E)에 대한 자유도가 부록 B

의 F 분포 확률표에는 없다. 하지만 컴퓨터로 출력한 분산분석표 가장 오른쪽 열은 각 검정의 p값, 즉 계산된 F값보다 크거나 같은 F값을 얻을 확률을 제공한다. 이 예제에서 교호작용 검정은 $F = 5.51$이고 p값은 0.0053이다. 따라서 교호작용이 없다는 가설이 유의수준 $\alpha = 0.05$ 혹은 $\alpha = 0.01$에서 기각될 것이다. 그러나 $\alpha = 0.001$에서는 기각되지 않을 것이다. ■

연습문제

9.4-1 예제 9.4-1에 주어진 자료를 이용해 유의수준 $\alpha = 0.05$에서 가설

$$H_A: \alpha_1 = \alpha_2 = \alpha_3 = 0$$

을 검정하라.

9.4-2 콘크리트 압축 강도가 $a = 3$가지 다른 건조방법과 $b = 5$가지 혼합방법에 따라 달라지는지를 비교하고자 한다(교호작용은 없다 판단되어 인자 조합에서 하나의 관측치가 존재한다).

	혼합방법				
건조방법	B_1	B_2	B_3	B_4	B_5
A_1	52	47	44	51	42
A_1	60	5	49	52	43
A_3	56	48	45	44	38

(a) 유의수준 $\alpha = 0.05$에서 가설 H_A: $\alpha_1 = \alpha_2 = \alpha_3 = 0$을 검정하라.

(b) 유의수준 $\alpha = 0.05$에서 가설 H_B: $\beta_1 = \beta_2 = \beta_3 = 0$를 검정하라.

9.4-3 어느 심리학과 학생이 쥐의 음식 소비량이 특정 약에 영향을 받는지 알아보고자 한다. 첫 번째 속성의 두 수준, 즉 약과 위약(placebo), 그리고 두 번째 속성의 네 수준, 즉 수컷(M: male), 거세된 수컷(C: castrated), 암컷(F: female), 난소절제된 암컷(O: ovariectomized)을 이용했다. 각 셀에는 5마리 쥐가 할당되고, 이들이 24시간 동안 소비한 음식량을 측정해 아래 표에 정리했다.

	M	C	F	O
약	22.56	16.54	18.58	18.20
	25.02	24.64	15.44	14.56
	23.66	24.62	16.12	15.54
	17.22	19.06	16.88	16.82
	22.58	20.12	17.58	14.56
위약	25.64	22.50	17.82	19.74
	28.84	24.48	15.76	17.48
	26.00	25.52	12.96	16.46
	26.02	24.76	15.00	16.44
	23.24	20.62	19.54	15.70

(a) 유의수준 $\alpha = 0.05$에서 가설 H_{AB}: $\gamma_{ij} = 0$, $i = 1, 2$, $j = 1, 2, 3, 4$를 검정하라.

(b) 유의수준 $\alpha = 0.05$에서 가설 H_A: $\alpha_1 = \alpha_2 = 0$을 검정하라.

(c) 유의수준 $\alpha = 0.05$에서 가설 H_B: $\beta_1 = \beta_2 = \beta_3 = \beta_4 = 0$을 검정하라.

(d) 세 속성이 각각 두 수준을 갖도록 이 모형을 수정하라.

9.4-4 다른 4종류의 가솔린 연비가 동일한지 검정하기 위해 3종류의 자동차로 실험했다. 가능한 12가지 조합에서 4회 반복실험했다. 각 셀에는 측정된 연비자료 4개가 주어졌고 자료들이 다음 표에 정리되어 있다.

자동차	가솔린 종류 1		2		3		4	
1	31.0	24.9	26.3	30.0	25.8	29.4	27.8	27.3
	26.2	28.8	25.2	31.6	24.5	24.8	28.2	30.4
2	30.6	29.5	25.5	26.8	26.6	23.7	28.1	27.1
	30.8	28.9	27.4	29.4	28.2	26.1	31.5	29.1
3	24.2	23.1	27.4	28.1	25.2	26.7	26.3	26.4
	26.8	27.4	26.4	26.9	27.7	28.1	27.9	28.8

유의수준 $\alpha = 0.05$에서 가설 H_{AB} : 교호작용 없음, H_A : 행 효과 없음, H_B : 열 효과 없음을 검정하라.

9.4-5 흡연자들(골초 그리고 보통)과 비흡연자들을 각각 9명씩 모집했다. 각 그룹에서 3명씩 각각 세 가지 테스트에 할당된다: 자전거 에르고미터(ergometer), 러닝머신, 스텝스트레스 테스트(step stress test). 분당 최고산소흡입량 자료는 다음과 같다.

흡연 여부	테스트 자전거	러닝머신	스텝 테스트
비흡연	12.8, 13.5, 11.2	16.2, 18.1, 17.8	22.6, 19.3, 18.9
보통	10.9, 11.1, 9.8	15.5, 13.8, 16.2	20.1, 21.0, 15.9
골초	8.7, 9.2, 7.5	14.7, 13.2, 8.1	16.2, 16.1, 17.8

(a) 이 실험의 결과를 분석하라. 행 효과, 열 효과, 교호작용이 있는지 분산분석표를 작성하라.

(b) 자료를 그래프로 비교하기 위해 상자그림을 이용하라.

9.5 일반 요인계획법과 2^k요인계획법

9.4절에서 요인 A의 수준이 a개, 요인 B의 수준이 b개인 2요인계획법을 공부했다. 반복이 없다면 ab개 수준조합이 필요하고, 각 수준조합에서 반복이 c회면, 총 abc회 실험이 필요하다.

이제 요인이 3개인 경우, 즉, A, B, C인자가 각각 a, b, c 수준인 경우를 고려하자. 총 abc개의 수준조합이 존재하고, 만일 각 수준조합에서 반복이 d회면 총 $abcd$회 실험이 필요하다. 일단 실험이 임의의 순서로 진행되고 자료가 수집되면, 컴퓨터를 이용해 표 9.5-1의 분산분석표 작성이 가능하다.

표 9.5-1 분산분석표

요인	제곱합(SS)	자유도	제곱평균(MS)	F 통계량
A	SS(A)	$a-1$	MS(A)	MS(A)/MS(E)
B	SS(B)	$b-1$	MS(B)	MS(B)/MS(E)
C	SS(C)	$c-1$	MS(C)	MS(C)/MS(E)
AB	SS(AB)	$(a-1)(b-1)$	MS(AB)	MS(AB)/MS(E)
AC	SS(AC)	$(a-1)(c-1)$	MS(AC)	MS(AC)/MS(E)
BC	SS(BC)	$(b-1)(c-1)$	MS(BC)	MS(BC)/MS(E)
ABC	SS(ABC)	$(a-1)(b-1)(c-1)$	MS(ABC)	MS(ABC)/MS(E)
잔차	SS(E)	$abc(d-1)$	MS(E)	
계	SS(TO)	$abcd-1$		

주효과(A, B, C) 그리고 2요인 교호작용들(AB, AC, BC)은 2요인 분산분석과 동일하게 해석하면 된다. 3요인 교호작용은 평균 μ_{ijh}, $i = 1, 2, \ldots, a$, $j = 1, 2, \ldots, b$, $h = 1, 2, \ldots, c$에 대한 모형에서 주효과와 2요인 교호작용으로는 설명이 안 되는 부분을 의미한다. 특히, 고정된 h에 대해, μ_{ijh}에 의해 형성된 '평면(plane)'이 다른 고정된 h에 대해 만들어진 평면과 '평행'이면, 3요인 교호작용은 0이 된다. 보통 고차원의 교호작용은 작은 경향이 있다.

일련의 검정에서 가장 먼저 다음을 확인해 3요인 교호작용을 검정한다.

$$\mathrm{MS(ABC)}/\mathrm{MS(E)} \geq F_{\alpha}[(a-1)(b-1)(c-1), abc(d-1)]$$

이 부등식이 유효하면 교호작용 ABC는 유의수준 α에서 유의하다. 이 경우 2요인 교호작용과 주효과 검정을 계속할 필요가 없지만, 그렇지 않은 경우는 자료를 계속 분석해야 한다. 예를 들어 각 고정된 h에 대해 요인 A와 B에 대한 2요인 분산분석을 시행한다. 물론 부등식이 성립하지 않으면 적절한 F값을 가지고 2요인 교호작용을 검정한다. 만일 2요인 교호작용도 유의하지 않으면 주효과 A, B, C를 검정한다.

요인의 개수가 3개 이상인 요인계획법은 요인의 수준이 많을 경우 특히 많은 실험을 요구한다. 의학, 사회과학, 자연과학에서 종종 실험자들이 여러 인자(10개나 20개, 혹은 심지어 100개)를 고려하기를 원하지만 그렇게 많은 실험을 감당할 수가 없다. 이는 중요한 인자들을 선택하기 위한 사전조사 혹은 예비조사에서 특별히 더 그러하다. 이러한 경우에 종종 k요인들 각각은 2^k 수준, 그리고 반복이 없는 요인계획법을 사용한다. 많은 다양한 방법들이 있겠지만, 여기에서는 이 경우만을 고려한다. 특별히, 요인배치법의 일부만을 연구하는 방법들이 있다. 이와 관련해 더 많은 정보들은 실험계획법 교재들을 참고하기 바란다. 산업현장에 있는 많은 통계학자들은 이런 통계적 기법들이 생산과 공정계획을 개선하는 데 매우 유용하다고 믿는다. 많은 산업들이 생산품의 품질에 대단히 관심이 많기 때문에 이 주제는 매우 중요하다.

k개 요인이 오직 2개 수준에서만 고려되는 요인실험에서, 수준들은 적당한 수준의 높은 값과 낮은 값으로 구성된다. 즉, 그 분야의 전문가의 조언에 따라 각 요인의 적절한 범위가 고려된다. 예를 들어 빵 굽는 온도를 300°에서 375° 사이에서 고려한다면, 낮은 수준은 320° 그리고 높은 수준은 355° 정도가 대푯값이 될 수 있다. 이러한 선택에 대한 특별한 공식은 없으며 실험에 익숙한 사람의 도움을 받는다. 단지 두 종류의 다른 재료가 고려되는 경우 하나는 낮은 수준 다른 하나는 높은 수준으로 하는 경우가 종종 있다.

각 요인에 대해 낮은 수준과 높은 수준을 정하고, 그들을 각각 -1과 $+1$로 혹은 더 간단하게 $-$와 $+$로 표현한다. 표 9.5-2, 표 9.5-3, 표 9.5-4에 $k = 2, 3, 4$일 때의 2^k 요인계획이 표준적인 순서대로 표시되어 있다. 이 표들로부터 표준적인 순서가 무슨 의미인지 쉽게 인식할 수 있다. A열은 $-$부호로 시작해서 다음은 $+$부호가 계속 교대로 나타난다.

표 9.5-2 2^2요인계획

	2^2요인계획		
시행	A	B	관측값
1	−	−	X_1
2	+	−	X_2
3	−	+	X_3
4	+	+	X_4

표 9.5-3 2^3요인계획

	2^3요인계획			
시행	A	B	C	관측값
1	−	−	−	X_1
2	+	−	−	X_2
3	−	+	−	X_3
4	+	+	−	X_4
5	−	−	+	X_5
6	+	−	+	X_6
7	−	+	+	X_7
8	+	+	+	X_8

B열은 2개의 −부호로 시작해서 다음은 +부호 2개, C열은 4개의 −부호로 시작해서 다음은 +부호 4개, D열은 −부호 8개 그리고 +부호 8개 등이다. 이 아이디어는 $k \geq 5$인 경우의 요인계획에도 쉽게 확장이 가능하다. 예를 들어, 2^5요인계획에서 E열은 −부호 16개 그리고 +부호 16개 총 32개 실험으로 구성된다.

표에 나타난 시행들이 정확히 무엇을 의미하는지 알아보기 위해 표 9.5-4의 12번째 시행을 고려하자. A는 높은 수준, B도 높은 수준, C는 낮은 수준, D는 높은 수준을 의미한다. 값 X_{12}는 네 인자의 이런 수준조합에서 실험결과의 관측값이다. 실험순서는 1, 2, 3, . . . , 2^k 순서대로 진행할 필요가 없이 가능하면 임의의 순서대로 진행되어야 한다. 즉, 2^3요인계획에서 1부터 8까지 정수의 무작위 순열이 3, 2, 8, 6, 5, 1, 4, 7이라면 이 순서대로 실험해야 한다.

일단 2^k개의 실험이 모두 시행되면, 총제곱합

$$\sum_{i=1}^{2^k} (X_i - \overline{X})^2$$

계산이 가능하고, 이는 $2^k - 1$개로 분해가 가능한데 각각이 k개의 주효과, $\binom{k}{2}$개의 2요

표 9.5-4 2^4요인계획

시행	2^4요인계획 A	B	C	D	관측값
1	−	−	−	−	X_1
2	+	−	−	−	X_2
3	−	+	−	−	X_3
4	+	+	−	−	X_4
5	−	−	+	−	X_5
6	+	−	+	−	X_6
7	−	+	+	−	X_7
8	+	+	+	−	X_8
9	−	−	−	+	X_9
10	+	−	−	+	X_{10}
11	−	+	−	+	X_{11}
12	+	+	−	+	X_{12}
13	−	−	+	+	X_{13}
14	+	−	+	+	X_{14}
15	−	+	+	+	X_{15}
16	+	+	+	+	X_{16}

인 교호작용, $\binom{k}{3}$개의 3요인 교호작용, . . . , k요인 교호작용을 의미한다. 2^3요인 계획에서 이러한 분해의 예가 표 9.5-5에 주어졌다. AB열은 A열의 성분과 B열에 대응되는 성분을 곱해 계산한다. AC열도 A열의 성분과 C열에 대응되는 성분을 곱해 계산하고, ABC도 A열, B열, C열을 곱해 계산한다. 그다음 7개 열들의 부호와 대응되는 관측치를 이용해 7개 선형식을 만든다. 주효과(A, B, C), 2요인 교호작용(AB, AC, BC), 3요인 교호작용(ABC)의 결과 측정치들(추정치들)은 선형식을 $2^k = 2^3 = 8$로 나눔으로써 얻을 수 있다(어떤 학자들은 $2^{k-1} = 2^{3-1} = 4$로 나눈다). 이들은 다음과 같이 표현된다.

$$[A] = (-X_1 + X_2 - X_3 + X_4 - X_5 + X_6 - X_7 + X_8)/8$$
$$[B] = (-X_1 - X_2 + X_3 + X_4 - X_5 - X_6 + X_7 + X_8)/8$$
$$[C] = (-X_1 - X_2 - X_3 - X_4 + X_5 + X_6 + X_7 + X_8)/8$$
$$[AB] = (+X_1 - X_2 - X_3 + X_4 + X_5 - X_6 - X_7 + X_8)/8$$
$$[AC] = (+X_1 - X_2 + X_3 - X_4 - X_5 + X_6 - X_7 + X_8)/8$$
$$[BC] = (+X_1 + X_2 - X_3 - X_4 - X_5 - X_6 + X_7 + X_8)/8$$
$$[ABC] = (-X_1 + X_2 + X_3 - X_4 + X_5 - X_6 - X_7 + X_8)/8$$

표 9.5-5 2^3요인계획 분해

시행	A	B	C	AB	AC	BC	ABC	관측값
	2^3요인계획							
1	−	−	−	+	+	+	−	X_1
2	+	−	−	−	−	+	+	X_2
3	−	+	−	−	+	−	+	X_3
4	+	+	−	+	−	−	−	X_4
5	−	−	+	+	−	−	+	X_5
6	+	−	+	−	+	−	−	X_6
7	−	+	+	−	−	+	−	X_7
8	+	+	+	+	+	+	+	X_8

정규성, 상호 독립, 그리고 공통분산 σ^2의 가정과 함께, 모든 평균이 동일하다는 귀무가설하에서 각 측정치들은 평균 0 그리고 분산이 $\sigma^2/8$(일반적으로 $\sigma^2/2^k$)인 정규분포를 따른다. 이는 각 측정치들의 제곱을 $\sigma^2/8$으로 나누면 $\chi^2(1)$ 분포임을 의미한다. 또한 총 제곱합은

$$\sum_{i=1}^{8}(X_i-\overline{X})^2$$
$$=8([A]^2+[B]^2+[C]^2+[AB]^2+[AC]^2+[BC]^2+[ABC]^2)$$

으로 분해가 되고, 정리 9.3-1에 의해 우측 각 항을 σ^2으로 나누면 각각이 상호 독립인 확률변수이다. 약간의 추가이론이 필요하지만 선형식들 [A], [B], [C], [AB], [AC], [BC], [ABC]가 서로 독립인 $N(0, \sigma^2/8)$ 확률변수이다.

반복실험이 없다고 가정했기 때문에, 주효과 혹은 교호작용이 유의한지를 알아보기 위해 σ^2 추정치를 어떻게 얻을 것인가? 귀무가설하에서 7개 측정치가 상호 독립이고, 동일한 평균과 분산을 갖는 정규분포를 따르기 때문에 q-q 플롯을 사용하는 것이 도움이 된다. 귀무가설이 참이면, 정규분포의 백분위수와 대응되는 측정치들의 순서통계량 q-q의 플롯이 거의 직선이어야 한다. 이 점들 중 하나가 직선에서 벗어나면 귀무가설이 참이 아니다. 그래서 그 점으로 표현된 인자와 관련된 효과가 유의하다고 믿게 될 것이다. 둘 혹은 세 점이 직선에서 벗어나는 것도 가능하다. 이때 모든 대응되는 효과(주효과 혹은 교호작용)들은 조사해야 한다. 이는 공식적인 검정은 아니지만, 실전에서는 매우 유용하다.

일례로, 방화처리된 섬유에 세탁이 미치는 영향을 평가하기 위해 고안된 실험으로부터 얻은 자료를 고려하자. 요인 A는 섬유의 종류, B는 두 가지 다른 방화처리, C는 세탁 상태를 나타낸다. 관측치는 화염검사 후 연소된 섬유의 크기이다. 자료들이 표준순서대로 다음과 같다.

표 9.5-6 일곱 요인들의 순서값

요인	순서효과	백분위수	$N(0,1)$ 백분위수
[A]	−8.06	12.5	−1.15
[AB]	−2.19	25.0	−0.67
[AC]	−0.31	37.5	−0.32
[ABC]	0.31	50.0	0.00
[C]	0.56	62.5	0.32
[BC]	0.81	75.0	0.67
[B]	1.56	87.5	1.15

$$x_1 = 41.0,\ x_2 = 30.5,\ x_3 = 47.5,\ x_4 = 27.0$$
$$x_5 = 39.5,\ x_6 = 26.5,\ x_7 = 48.0,\ x_8 = 27.5$$

따라서 요인들의 효과는 다음과 같다.

$$[A] = (-41.0 + 30.5 - 47.5 + 27.0 - 39.5 + 26.5 - 48.0 + 27.5)/8 = -8.06$$
$$[B] = (-41.0 - 30.5 + 47.5 + 27.0 - 39.5 - 26.5 + 48.0 + 27.5)/8 = 1.56$$
$$[C] = (-41.0 - 30.5 - 47.5 - 27.0 + 39.5 + 26.5 + 48.0 + 27.5)/8 = 0.56$$
$$[AB] = (+41.0 - 30.5 - 47.5 + 27.0 + 39.5 - 26.5 - 48.0 + 27.5)/8 = -2.19$$
$$[AC] = (+41.0 - 30.5 + 47.5 - 27.0 - 39.5 + 26.5 - 48.0 + 27.5)/8 = -0.31$$
$$[BC] = (+41.0 + 30.5 - 47.5 - 27.0 - 39.5 - 26.5 + 48.0 + 27.5)/8 = 0.81$$
$$[ABC] = (-41.0 + 30.5 + 47.5 - 27.0 + 39.5 - 26.5 - 48.0 + 27.5)/8 = 0.31$$

표 9.5-6에서 7개 값의 순서를 잡아 그들의 백분위수를 계산하고 정규분포에서 대응되는 백분위수도 계산했다.

q-q 플롯이 그림 9.5-1에 주어졌다. 각 점들은 관련된 효과로 구분된다. 6개의 점은 직선 가까이에 놓여 있지만, 효과 [A] = − 8.06은 직선에서 꽤 떨어져 있다. 따라서 인자 A의 주효과(섬유의 종류)는 유의한 것처럼 보인다. 세탁요인 C가 유의한 요인처럼 보이지 않는 점이 흥미롭다.

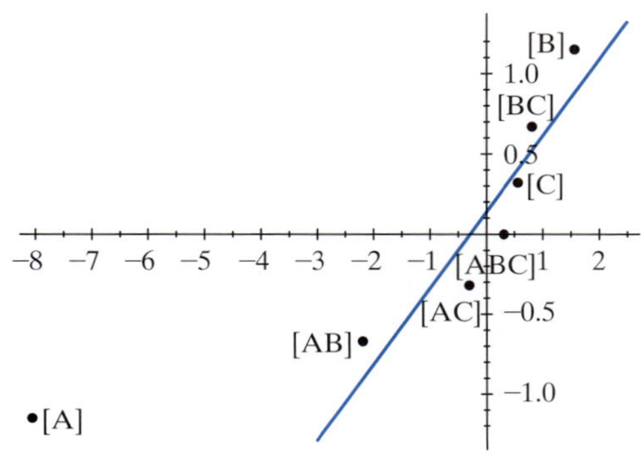

그림 9.5-1 추정된 효과 대 정규백분위수 q-q 플롯

연습문제

9.5-1 2^2 요인계획법에서 다음 물음에 답하라.

(a) X_1, X_2, X_3, X_4가 표준순서로 된 관측값이라고 할 때, 두 주효과 [A], [B]와 교호작용 [AB]를 측정하기 위한 선형식을 써라. 선형식은 $2^2 = 4$로 나누는 것을 포함해야 한다.

(b) $\sum_{i=1}^{4}(X_i - \overline{X})^2 = 4([A]^2 + [B]^2 + [AB]^2)$이 성립함을 밝혀라.

(c) 모든 평균이 같다는 귀무가설과 보통 설정되는 가정(정규성, 독립성, 공통분산 가정)하에서 $4[A]^2/\sigma^2$, $4[B]^2/\sigma^2$, $4[AB]^2/\sigma^2$의 분포는 어떻게 되는가?

9.5-2 크기 $n = 2$인 표본으로부터 분산의 불편추정량은 $(X_1 - X_2)^2/2$임을 밝혀라. 만일 2^k 요인계획실험이 반복, 즉 X_{i1} 그리고 X_{i2}, $i = 1, 2, \ldots, 2^k$이면, 공통분산 σ^2의 추정치는 다음과 같음을 밝혀라.

$$\frac{1}{2^{k+1}}\sum_{i=1}^{2^k}(X_{i1} - X_{i2})^2 = \text{MS(E)}$$

보통의 가정하에서, 이 식은 귀무가설하에서 $2^k[A]^2/\text{MS(E)}$, $2^k[B]^2/\text{MS(E)}$, $2^k[AB]^2/\text{MS(E)}$가 $F(1, 2^k)$ 분포를 따름을 의미한다. 물론 이러한 방법이 교호작용을 포함한 다양한 효과의 유의성 검정을 제공한다.

9.5-3 Box와 그의 동료들은 촉매(10파운드 $= -1$, 20파운드 $= +1$), 온도(220°C -1, 240°C $+1$), 압력(50 psi $= +1$, 80 psi $= +1$), 농도(10% $= -1$, 12% $= +1$)가 어떤 화합물질의 변화율(X)에 미치는 영향을 연구했다. 표준순서대로 2^4 요인계획법 결과들이 다음과 같다.

$x_1 = 71$, $x_2 = 61$, $x_3 = 90$, $x_4 = 82$, $x_5 = 68$
$x_6 = 61$, $x_7 = 87$, $x_8 = 80$, $x_9 = 61$, $x_{10} = 50$
$x_{11} = 89$, $x_{12} = 83$, $x_{13} = 59$, $x_{14} = 51$
$x_{15} = 85$, $x_{16} = 78$

(a) 주효과, 2차, 3차, 4차 교호작용을 추정하라.

(b) 적절한 q-q 플롯을 그리고, 여러 가지 효과의 유의성을 평가하라.

9.6 회귀와 상관에 관한 검정

6.5절에서는 단순회귀모형에서 모수를 추정하는 문제를 생각해보았다. 그들에 대한 가설검정을 위해 모수들의 신뢰구간을 사용할 수 있다. 예를 들어, 6.5절에서 다루었던 회귀모형에서, 신뢰구간을 구할 때 사용된 t 확률변수

$$T_1 = \frac{\widehat{\beta} - \beta_0}{\sqrt{\dfrac{n\widehat{\sigma^2}}{(n-2)\sum_{i=1}^{n}(x_i - \overline{x})^2}}}$$

를 이용해 가설 H_0: $\beta = \beta_0$을 검정할 수 있다. 세 가지 가능한 대립가설과 이에 대한 기각역이 표 9.6-1에 주어졌다. 이 검정은 만일 β_0이 어떤 특정 구간에 있지 않으면 귀무가설 H_0을 기각하는 것과 동일하다. 예를 들어 첫 번째 검정은 만일 β_0이 하한이

$$\widehat{\beta} - t_\alpha(n-2)\sqrt{\frac{n\widehat{\sigma^2}}{(n-2)\sum_{i=1}^{n}(x_i - \overline{x})^2}}$$

표 9.6-1 회귀직선의 기울기에 대한 검정

H_0	H_1	기각역
$\beta = \beta_0$	$\beta > \beta_0$	$t_1 \ge t_\alpha(n-2)$
$\beta = \beta_0$	$\beta < \beta_0$	$t_1 \le -t_\alpha(n-2)$
$\beta = \beta_0$	$\beta \ne \beta_0$	$\lvert t_1 \rvert \ge t_{\alpha/2}(n-2)$

인 단측신뢰구간에 포함되지 않으면 귀무가설 H_0을 기각하는 것과 동일하다.

종종 기울기가 0이라는 귀무가설, 즉 가설 H_0: $\beta = 0$을 검정하는 것에 관심이 있다.

예제 9.6-1 심리학 수업에서 어느 학생의 중간고사 점수를 x라 하고, 기말고사 점수를 y라 하자. $n = 10$명의 학생을 표본으로 유의수준 $\alpha = 0.01$에서 가설 H_0: $\beta = 0$ 대 H_1: $\beta \ne 0$을 검정하기 위한 기각역은 $|t_1| \ge t_{0.005}(8) = 3.355$이다. 예제 6.5-1 자료를 이용하면 T_1 관측값은 다음과 같다.

$$t_1 = \frac{0.742 - 0}{\sqrt{10(21.7709)/8(756.1)}} = \frac{0.742}{0.1897} = 3.911$$

따라서 귀무가설 H_0을 기각하고 기말고사 점수는 중간고사 점수와 관련이 있다고 결론 내린다. ■

이제 이변량 정규분포의 상관계수 ρ에 대한 검정을 생각해보자. X와 Y가 이변량 정규분포를 따른다고 할 때 상관계수 ρ가 0이면 X와 Y는 독립인 확률변수이다. 게다가 ρ의 값은 X와 Y의 선형관계의 측도를 제공한다. 이제 표본상관계수를 사용해 가설 H_0: $\rho = 0$을 검정하고, ρ에 대한 신뢰구간을 구성하는 방법을 소개한다.

모수 μ_X, μ_Y, σ^2_X, σ^2_Y, ρ를 가진 이변량 정규분포로부터 확률표본을 (X_1, Y_1), $(X_2, Y_2), \ldots, (X_n, Y_n)$이라 하자. 즉, n쌍의 (X, Y)가 독립이고, 각 쌍은 같은 이변량 정규분포를 갖는다. 이때 표본상관계수는 다음과 같다.

$$R = \frac{[1/(n-1)]\sum_{i=1}^{n}(X_i - \overline{X})(Y_i - \overline{Y})}{\sqrt{[1/(n-1)]\sum_{i=1}^{n}(X_i - \overline{X})^2}\sqrt{[1/(n-1)]\sum_{i=1}^{n}(Y_i - \overline{Y})^2}} = \frac{S_{XY}}{S_X S_Y}$$

또한

$$R\frac{S_Y}{S_X} = \frac{S_{XY}}{S_X^2} = \frac{[1/(n-1)]\sum_{i=1}^{n}(X_i - \overline{X})(Y_i - \overline{Y})}{[1/(n-1)]\sum_{i=1}^{n}(X_i - \overline{X})^2}$$

는 6.5절에서 X값들이 $X_1 = x_1, X_2 = x_2, \ldots, X_n = x_n$으로 고정되었을 때 $\widehat{\beta}$의 추정량과 정확히 일치한다. $X_1 = x_1, X_2 = x_2, \ldots, X_n = x_n$이 주어졌을 때 조건부 분포를 고

려하기 위해 잠시 이 값들로 고정되어 있다고 하자. 귀무가설 H_0: $\rho = 0$이 사실일 때 $Y_1, Y_2, \ldots, Y_n$은 $X_1, X_2, \ldots, X_n$과 독립이고 $\beta = \rho\sigma_Y/\sigma_X = 0$이다. 이러한 조건하에서, $X_1 = x_1, X_2 = x_2, \ldots, X_n = x_n$이 주어졌을 때

$$\widehat{\beta} = \frac{\sum_{i=1}^{n} (X_i - \overline{X})(Y_i - \overline{Y})}{\sum_{i=1}^{n} (X_i - \overline{X})^2}$$

의 조건부 분포는 $s_X^2 > 0$일 때 $N[0, \sigma_Y^2/(n-1)s_X^2]$이다. 게다가 6.5절에서 $X_1 = x_1$, $X_2 = x_2, \ldots, X_n = x_n$이 주어졌을 때

$$\frac{\sum_{i=1}^{n} [Y_i - \overline{Y} - (S_{XY}/S_X^2)(X_i - \overline{X})]^2}{\sigma_Y^2} = \frac{(n-1)S_Y^2(1-R^2)}{\sigma_Y^2}$$

의 조건부 분포는 $\chi^2(n-2)$이고 $\widehat{\beta}$과는 독립이다. 따라서 $\rho = 0$일 때

$$T = \frac{(RS_Y/S_X)/(\sigma_Y/\sqrt{n-1}\,S_X)}{\sqrt{[(n-1)\,S_Y^2\,(1-R^2)/\sigma_Y^2][1/(n-2)]}} = \frac{R\sqrt{n-2}}{\sqrt{1-R^2}}$$

의 조건부 분포는 자유도가 $n-2$인 t 분포이다. 그러나 $X_1 = x_1, X_2 = x_2, \ldots, X_n = x_n$이 주어졌을 때 T의 조건부 분포가 $x_1, x_2, x_3, \ldots, x_n$에 종속하지 않기 때문에 T의 분포가 $t(n-2)$이어야 하고, $\rho = 0$일 때 T와 $(X_1, X_2, \ldots, X_n)$은 독립이다.

> **참고** T의 분포에 대한 논의에서 (X, Y)가 이변량 정규분포를 따른다는 가정이 완화될 수 있다는 것은 흥미롭다. 특히 X와 Y가 독립이고 Y가 정규분포를 따르면, X의 분포에 관계없이 T는 t 분포를 따른다. 이러한 논의에서 X와 Y의 역할을 바꿔도 성립한다. 특별히 X와 Y가 독립이면 T와 $Y_1, Y_2, \ldots, Y_n$ 또한 독립이다.

이제 T는 가설 H_0: $\rho = 0$을 검정하기 위해 사용될 수 있다. T가 크다는 것이 R이 크다는 것을 의미하기 때문에 대립가설이 H_1: $\rho > 0$이면, 관측된 $T \geq t_\alpha(n-2)$ 형태의 기각역을 사용할 것이다. 약간의 수정을 통해 대립가설 H_1: $\rho < 0$ 그리고 H_1: $\rho \neq 0$에 대한 기각역도 얻을 수 있다.

T의 확률밀도함수 $h(t)$를 이용해 $\rho = 0$ 그리고 $-1 < r < 1$일 때 R의 pdf와 cdf를 계산할 수 있다.

$$\begin{aligned} G(r) = P(R \leq r) &= P\left(T \leq \frac{r\sqrt{n-2}}{\sqrt{1-r^2}}\right) \\ &= \int_{-\infty}^{r\sqrt{n-2}/\sqrt{1-r^2}} h(t)\,dt \end{aligned}$$

$$= \int_{-\infty}^{r\sqrt{n-2}/\sqrt{1-r^2}} \frac{\Gamma[(n-1)/2]}{\Gamma(1/2)\,\Gamma[(n-2)/2]} \frac{1}{\sqrt{n-2}} \left(1 + \frac{t^2}{n-2}\right)^{-(n-1)/2} dt$$

r에 대한 $G(r)$의 도함수는

$$g(r) = h\left(\frac{r\sqrt{n-2}}{\sqrt{1-r^2}}\right) \frac{d(r\sqrt{n-2}/\sqrt{1-r^2})}{dr}$$

인데, 이는

$$g(r) = \frac{\Gamma[(n-1)/2]}{\Gamma(1/2)\,\Gamma[(n-2)/2]} (1-r^2)^{(n-4)/2}, \qquad -1 < r < 1$$

과 같다. 그러므로 유의수준 α에서 가설 H_0: $\rho = 0$ 대 H_1: $\rho \neq 0$을 검정하기 위해, 이용 가능한 R 혹은 T의 확률표에서

$$\alpha = P(\,|\,R\,|\, \geq r_{\alpha/2}(n-2); H_0) = P(\,|\,T\,|\, \geq t_{\alpha/2}(n-2); H_0)$$

을 만족하는 상수 $r_{\alpha/2}(n-2)$ 혹은 $t_{\alpha/2}(n-2)$에서 하나를 선택하면 된다.

R의 pdf 그래프를 그리는 것은 흥미롭다. 특히 $n = 4$, $g(r) = 1/2$, $-1 < r < 1$ 경우와 $n = 6$, $g(r) = (3/4)(1 - r^2)$, $-1 < r < 1$ 경우를 주목하라. $n = 8$ 그리고 $n = 14$일 때 R의 pdf 그래프가 그림 9.6-1에 주어졌다. 이것은 $\rho = 0$일 때 R의 pdf이다. n이 증가함에 따라 R은 0에 더욱더 가까워지는 경향이 있다.

$\rho = 0$일 때 R의 분포함수로부터 선정된 값들이 부록 B의 표 9에 실려 있다. 예를 들어 $n = 8$이면 자유도는 6이고 $P(R \leq 0.7887) = 0.99$이다. 또한, $\alpha = 0.10$이면 $r_{\alpha/2}(6) = r_{0.05}(6) = 0.6215$이다[그림 9.6-1(a) 참조].

또한

$$W = \frac{1}{2} \ln \frac{1+R}{1-R}$$

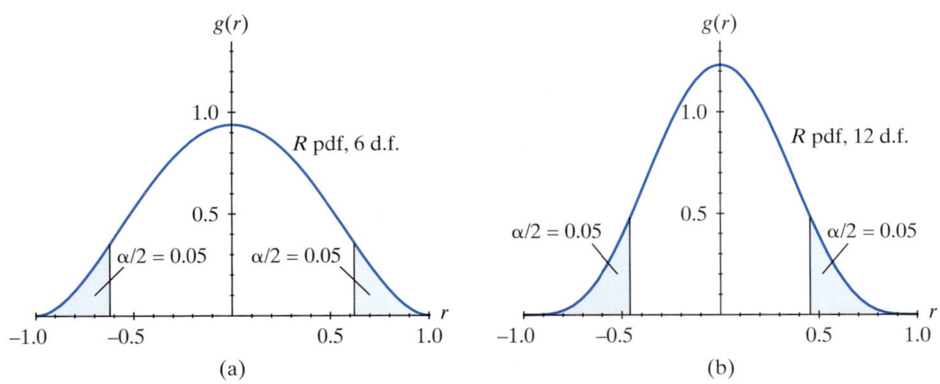

그림 9.6-1 $n = 8$과 $n = 14$일 경우 R의 pdf

이 평균 $(1/2)\ln[(1+\rho)/(1-\rho)]$ 그리고 분산 $1/(n-3)$인 근사정규분포를 따른다는 사실을 이용해 크기 α의 근사검정이 가능하다. W의 근사분포에 대한 얘기는 증명 없이 받아들인다. 따라서 가설 H_0: $\rho = \rho_0$ 검정은 귀무가설하에서 근사적으로 $N(0, 1)$ 분포를 따르는 통계량

$$Z = \frac{\dfrac{1}{2}\ln\dfrac{1+R}{1-R} - \dfrac{1}{2}\ln\dfrac{1+\rho_0}{1-\rho_0}}{\sqrt{\dfrac{1}{n-3}}}$$

을 검정통계량으로 사용한다. 이 근사적 크기 α 검정은 모집단 상관계수 ρ가 0이 아닌 귀무가설을 검정하기 위해 사용될 수 있는 반면 정확한 크기 α 검정은 귀무가설 H_0: $\rho = 0$에서만 사용될 수 있다. 또한 근사적 검정을 사용하기 위해서는 표본크기가 적어도 $n = 4$ 이상 되어야 하지만, 정확한 검정은 $n = 3$이면 충분하다.

예제 9.6-2 유의수준 $\alpha = 0.05$에서 가설 H_0: $\rho = 0$ 대 H_1: $\rho \neq 0$을 검정하고자 한다. 이변량 정규분포로부터 크기 18인 확률표본으로부터 표본상관계수 $r = 0.35$를 얻었다. 부록 B의 표 9로부터 $0.35 < 0.4683$이므로 유의수준 $\alpha = 0.05$에서 귀무가설 H_0은 채택된다(기각되지 않는다). t 분포를 이용하면, 만일 $|t| \geq 2.120 = t_{0.025}(16)$이면 귀무가설을 기각한다.

$$t = \frac{0.35\sqrt{16}}{\sqrt{1-(0.35)^2}} = 1.495$$

이므로 귀무가설은 기각되지 않는다. Z에 대한 정규근사를 사용했다면, $|z| \geq 1.96$일 때 귀무가설을 기각할 것이다.

$$z = \frac{(1/2)\ln[(1+0.35)/(1-0.35)] - 0}{\sqrt{1/(18-3)}} = 1.415$$

이므로 귀무가설은 기각되지 않는다. ■

ρ에 대한 근사 $100(1-\alpha)\%$ 신뢰구간을 구하기 위해, Z의 분포에 대한 정규근사를 이용한다. 따라서 부록 B의 표 5로부터

$$P\left(-c \leq \frac{(1/2)\ln[(1+R)/(1-R)] - (1/2)\ln[(1+\rho)/(1-\rho)]}{\sqrt{1/(n-3)}} \leq c\right) \approx 1-\alpha$$

를 만족하는 상수 $c = z_{\alpha/2}$를 찾는다. 위의 부등식을 정리하면 다음과 같다.

$$P\left(\frac{1+R-(1-R)\exp(2c/\sqrt{n-3})}{1+R+(1-R)\exp(2c/\sqrt{n-3})} \le \rho \le \right.$$
$$\left.\frac{1+R-(1-R)\exp(-2c/\sqrt{n-3})}{1+R+(1-R)\exp(-2c/\sqrt{n-3})}\right) \approx 1-\alpha$$

예제 9.6-3 이변량 정규분포에서 크기 12인 확률표본으로부터 표본상관계수 $r = 0.6$을 얻었다고 하자. 이때 ρ에 대한 95% 근사 신뢰구간은 다음과 같을 것이다.

$$\left[\frac{1+0.6-(1-0.6)\exp\left(\dfrac{2(1.96)}{3}\right)}{1+0.6+(1-0.6)\exp\left(\dfrac{2(1.96)}{3}\right)}, \frac{1+0.6-(1-0.6)\exp\left(\dfrac{-2(1.96)}{3}\right)}{1+0.6+(1-0.6)\exp\left(\dfrac{-2(1.96)}{3}\right)}\right]$$

$$= [0.040, 0.873]$$

만일 표본크기가 $n = 39$ 그리고 $r = 0.6$이면 95% 근사 신뢰구간은 [0.351, 0.770]일 것이다. ■

연습문제

9.6-1 연습문제 6.5-2의 자료를 이용해 가설 H_0: $\beta = 0$ 대 H_1: $\beta > 0$ 검정을 위해 유의수준 $\alpha = 0.025$에서 t 검정을 하라.

9.6-2 크기 $n = 27$인 이변량 정규분포 확률표본으로부터 표본상관계수 $r = -0.45$를 얻었다. 유의수준 $\alpha = 0.05$에서 가설 H_0: $\rho = 0$ 대 H_1: $\rho \neq 0$을 검정하라.

9.6-3 크기 $n = 28$인 이변량 정규분포 확률표본으로부터 표본상관계수 $r = 0.65$를 얻었다. ρ에 대한 90% 근사 신뢰구간을 구하라.

9.6-4 닭들이 그들의 짝을 선택할 때 짝의 몸무게에 근거해 결정하는지 알아보기 위해 14쌍의 닭을 포획해 무게를 측정했다. 유의수준 $\alpha = 0.01$에서 가설 H_0: $\rho = 0$ 대 H_1: $\rho \neq 0$을 검정하라. $n = 14$쌍 닭의 몸무게 표본상관계수가 $r = -0.252$이면, 귀무가설은 기각되는가?

9.6-5 $\rho = 0$일 때 다음을 증명하라.

(a) R의 pdf 그래프에서 $n \geq 7$일 때 변곡점이 $r = \pm 1/\sqrt{n-5}$에서 발생한다.

(b) $E(R) = 0$

(c) $n \geq 3$일 때 $\text{Var}(R) = 1/(n-1)$

힌트: $E(R^2) = E[1-(1-R^2)]$

9.6-6 X와 Y는 상관계수가 ρ인 이변량 정규분포를 따른다. n쌍의 확률표본을 관측해 가설 H_0: $\rho = 0$ 대 H_1: $\rho \neq 0$을 검정하려고 한다. 표본상관계수 $r = 0.68$일 때, 유의수준 $\alpha = 0.05$에서 귀무가설이 기각되는 n의 최솟값을 구하라.

9.7 통계적 품질관리

통계적 방법들은 의학, 공학, 화학, 심리학과 같은 다양한 과학적 분야에서 사용될 수 있다. 보통 어떤 일을 할 때, 기존의 방법 혹은 새로운 방법, 즉 두 가지 방법을 비교할 때가 있다. 실험실에서 각각의 방식을 적용해 자료를 얻고, 새로운 방법이 기존의 방법보다 더 우수한지 알아보려고 한다. 엄청난 비용을 들여 새로운 방식으로 바꿨는데, 새로운 방식이 기존의 방식보다 좋지 않다는 것을 알게 된다면 두말할 필요 없이 끔찍한 일이다. 어떤 실험실의 결과가 통계적 방법에 의해 새로운 방식이 기존의 방식보다 좋은 것처럼 보인다고 하자. 실험실에서의 결과를 실제 현장으로 확장할 수 있을까? 분명히 통계학자는 그러한 결정을 내릴 수 없으며, 그런 결정은 통계학과 그 분야의 특수성을 동시에 잘 아는 전문가에 의해 내려져야 한다. 통계적 분석이 도움이 되는 기준을 제공하지만, 여전히 최종 결정을 위해서는 전문가가 필요하다.

그러나 어느 공정에서 어떤 변화가 가능한지 알아보기 전에, 관련된 공정이 현재 정확히 무엇을 하고 있는지를 아는 것이 가장 중요하다. 종종 조직의 책임자들이 많은 공정들의 능력을 잘 이해하지 못한다. 단지 진행과정만 잘 측정해도 개선에 이르게 되는 경우가 자주 있다. 많은 경우, 측정은 볼트의 지름을 재는 것처럼 쉬운 것도 있지만, 훌륭한 교육이나 다른 많은 서비스 활동들을 평가하는 것처럼 매우 어려운 것도 있다. 그러나 가능하면 관계자들이 그들의 공정에 '귀를 기울이기를' 권한다. 즉, 조직 내에서 무엇이 어떻게 돌아가고 있는지를 측정해야 한다. 이러한 측정값들 자체만으로도 종종 바람직한 개선의 시발점이 된다. 여기에서 대부분의 언급이 제조업에 관한 것이지만, 서비스 산업에서도 마찬가지로 유용하다.

특정 장비를 구성하는 부품들을 생산하는 어느 제조공장을 생각해보자. 어떤 부품을 만드는 특정 생산라인에서 매일 수백 개씩 생산한다고 하자. 이 부품들을 검사실로 보내, 며칠 혹은 몇 주 후에 품질검사를 받을 것이다. 예를 들어 2주 전에 생산된 부품들 중에 불량품이 많다면 폐기하거나 재가공 외에는 달리 방법이 없다. 어느 경우든지 비용이 많이 발생한다.

1920년대에 AT&T Bell 연구소에 근무하고 있었던 슈하르트(Walter Andrew Shewhart)는 이것은 전혀 바람직하지 않은 상황이라고 인식하고 부품이 생산되고 있을 때 적당한 빈도로 일부 부품의 표본을 추출해야 한다고 제안했다. 만일 표본조사 결과가 만족스러우면 공정은 계속 유지하지만, 그렇지 않으면 공정을 교정해 만족스럽게 만든다. 이러한 생각이 소위 **슈하르트 관리도**(Shewhart control chart) 탄생으로 이어졌는데, 이는 초기 **통계적 품질관리**(statistical quality control)의 기초가 되었다. 오늘날 그것은 **통계적 공정관리**(statistical process control)라 불린다.

슈하르트 관리도는 통계량, 예를 들어 $\bar{x}$의 계산값들을 연속적으로 그려 나가는 것으

표 9.7-1 관리도에서 사용되는 상수들

n	A_3	B_3	B_4	A_2	D_3	D_4
4	1.63	0	2.27	0.73	0	2.28
5	1.43	0	2.09	0.58	0	2.11
6	1.29	0.03	1.97	0.48	0	2.00
8	1.10	0.185	1.815	0.37	0.14	1.86
10	0.98	0.28	1.72	0.31	0.22	1.78
20	0.68	0.51	1.49	0.18	0.41	1.59

로 구성되어 있다. 즉, 어떤 생산공정에서 일정한 시간 간격으로 크기가 n인 표본을 추출해 측정했을 때 관측값 $x_1, x_2, \ldots, x_n$을 얻는다. 평균 $\bar{x}$와 표준편차 s 계산이 k번 반복되므로 k개 $\bar{x}$와 s들의 평균을 계산하면 각각 $\bar{\bar{x}}$와 $\bar{s}$가 된다. 보통 k는 10에서 30 사이 숫자를 이용한다.

만일 공정의 평균과 표준편차의 참값 μ와 σ가 알려져 있으면 공정상의 변화가 없는 경우 중심극한정리에 의해 $\bar{x}$의 거의 모든 값이 $\mu - 3\sigma/\sqrt{n}$과 $\mu + 3\sigma/\sqrt{n}$ 사이에 있게 될 것이다. 그러나 μ와 σ가 미지의 경우에는 μ는 $\bar{\bar{x}}$로 추정되고, $3\sigma/\sqrt{n}$은 $A_3\bar{s}$로 추정되는데, 여기에서 A_3은 n에 따라 달라지는 인자로서 보통 통계적 품질관리 교재에 제시되어 있다. 몇 개의 A_3에 대한 값들이 표 9.7-1에 주어졌다.

$\mu \pm 3\sigma/\sqrt{n}$의 추정치에서 $\bar{\bar{x}}+A_3\bar{s}$는 **관리상한**(upper control limit, UCL), $\bar{\bar{x}} - A_3\bar{s}$는 **관리하한**(lower control limit, LCL), 그리고 $\bar{\bar{x}}$는 관리도의 중심선의 추정값으로 사용된다. 전형적인 관리도가 그림 9.7-1에 주어졌다. 여기에서 13번째 샘플링에서 $\bar{x}$가 관리한계선을 벗어났는데, 이는 공정에 변화가 있음을 암시하며 이를 바로잡기 위해 공정을 조사한 후 적절한 조치가 취해져야 할 것이다.

s에 대한 관리도 또한 존재한다. B_3과 B_4에 대한 값들이 표본분포 이론으로부터 결정

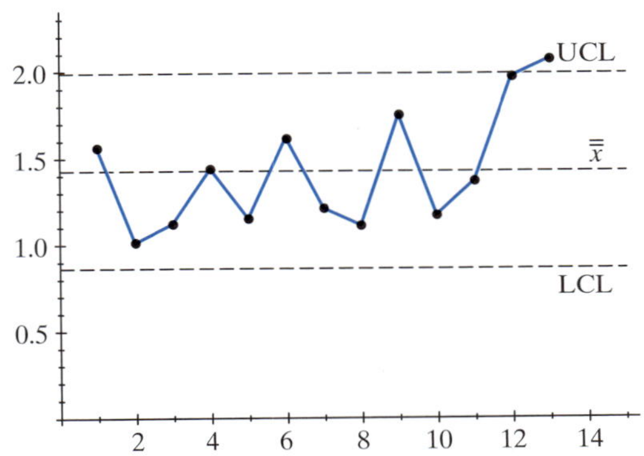

그림 9.7-1 $\bar{x}$ 관리도

되며 이 값들이 표 9.7-1에 주어졌다. 모집단 분포의 변화가 없다면 거의 모든 s값들이 $B_3\bar{s}$와 $B_4\bar{s}$ 사이에 있어야 한다. 만일 어떤 s값이 관리한계선 밖에 있다면, 모집단의 분산의 변화가 있는 것처럼 보이기 때문에 어떤 조치가 필요하다.

$k = 10$ 혹은 30번의 샘플링 후에 처음으로 관리도를 작성하면 종종 많은 점들이 관리한계선 밖에 존재한다. 노동자, 공정의 책임자, 감독관, 심지어 통계학자로 구성된 팀은 이것이 발생한 원인을 파악하고, 이에 대한 조치를 취해야 한다. 조치가 취해지고 점들이 관리한계선 안에 있을 때, 공정은 '통계적 관리하에' 있다. 그러나 통계적 관리하에 있다는 것이 제품에 대해 만족한다는 것을 의미하는 것은 아니다. $A_3\bar{s}$가 $3\sigma/\sqrt{n}$의 추정치이기 때문에 $\sqrt{n}A_3\bar{s}$는 3σ의 추정치가 되고 정규분포에 가까운 모집단에서 거의 모든 점들이 $\bar{\bar{x}} \pm \sqrt{n}A_3\bar{s}$ 사이에 있을 것이다. 이 한계선들이 너무 넓으면 공정을 다시 수정해야 한다.

만일 변이가 관리하에 있게 되면(즉, $\bar{x}$와 s가 관리한계선 이내에 있으면), $\bar{x}$와 s에서 보이는 변이는 일반적인 원인에 기인한다고 말한다. 이렇게 일반적인 원인이 존재하는 시스템하에서 생산되는 제품들이 만족스러우면 생산은 계속된다. 그러나 $\bar{x}$나 s 중 어느 하나가 관리한계를 벗어나면, 특별한 원인이 작동하고 있음을 의미하므로 공정의 교정이 필요하다. 즉, 팀 구성원이 함께 문제를 조사하고 조치를 취해야 한다.

예제 9.7-1 저장장치를 생산하는 어느 회사에서 9가지 중요한 특성을 테스트하기 위해 생산라인에서 생산된 제품 5개를 임의로 추출해서 하루에 2번 테스트를 실시한다. 9가지 특성 중 하나가 저장장치 문이 완전히 열리는 데 걸리는 시간이다. 1주일 동안 테스트에서 문이 열리는 데 걸리는 시간(단위: 초)이 표 9.7-2에 기록되어 있다. 표에는 표본평균, 표본표

표 9.7-2 품질조사 자료

그룹	x_1	x_2	x_3	x_4	x_5	$\bar{x}$	s	R
1	1.2	1.8	1.7	1.3	1.4	1.480	0.259	0.60
2	1.5	1.2	1.0	1.0	1.8	1.300	0.346	0.80
3	0.9	1.6	1.0	1.0	1.0	1.100	0.283	0.70
4	1.3	0.9	0.9	1.2	1.0	1.060	0.182	0.40
5	0.7	0.8	0.9	0.6	0.8	0.760	0.114	0.30
6	1.2	0.9	1.1	1.0	1.0	1.040	0.104	0.30
7	1.1	0.9	1.1	1.0	1.4	1.100	0.187	0.50
8	1.4	0.9	0.9	1.1	1.0	1.060	0.207	0.50
9	1.3	1.4	1.1	1.5	1.6	1.380	0.192	0.50
10	1.6	1.5	1.4	1.3	1.5	1.460	0.114	0.30
						$\bar{\bar{x}} = 1.174$	$\bar{s} = 0.200$	$\bar{R} = 0.49$

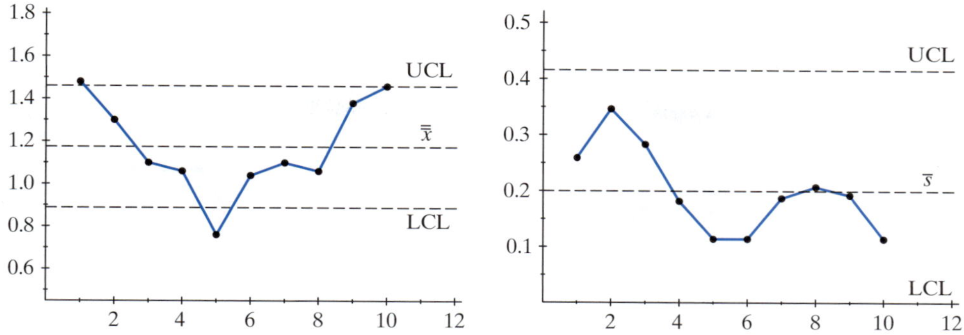

그림 9.7-2 $\bar{x}$ 관리도와 s 관리도

준편차, 범위도 포함되어 있다.

$n = 5$일 때 표 9.7-1의 A_3을 이용해 계산한 $\bar{x}$에 대한 관리한계선은 다음과 같다.

$$\text{UCL} = \bar{\bar{x}} + A_3\bar{s} = 1.174 + 1.43(0.20) = 1.460$$

$$\text{LCL} = \bar{\bar{x}} - A_3\bar{s} = 1.174 - 1.43(0.20) = 0.888$$

$\bar{x}$에 대한 관리한계선과 표본평균이 그림 9.7-2의 $\bar{x}$ 관리도에 주어졌다. 다섯 번째 샘플링 시기에 약간의 우려가 있다. 따라서 $\bar{x}$가 관리한계선 하한보다 밑에 있는 이유를 규명하는 조사가 필요해 보인다.

$n = 5$일 때 표 9.7-1의 B_3과 B_4를 이용해 계산한 s에 대한 관리한계선은 다음과 같다.

$$\text{UCL} = B_4\bar{s} = 2.09(0.200) = 0.418$$

$$\text{LCL} = B_3\bar{s} = 0(0.200) = 0$$

관리한계선과 표본표준편차가 그림 9.7-2의 s 관리도에 주어졌다.

거의 모든 관측치들이 $\bar{\bar{x}} \pm \sqrt{n}\,A_3\bar{s}$ 사이, 즉

$$1.174 + \sqrt{5}\,(1.43)(0.20) = 1.814$$

그리고

$$1.174 - \sqrt{5}\,(1.43)(0.20) = 0.535$$

사이에 존재해야 한다. 이런 상황이 그림 9.7-3에 나타나 있는데, 즉 50개 관측치들이 관리한계선 이내에 존재한다. ■

통계적 품질관리에 관한 많은 서적에서 $\bar{x}$ 관리도에서 관리한계선을 결정하는 다른 방법이 소개된다. 각 표본에서 범위 R, 즉 최댓값과 최솟값 차이를 계산한다. k개 샘플을 취한 후에, 이러한 R값들의 평균, $\bar{\bar{x}}$뿐만 아니라 $\overline{R}$를 계산한다. 이 통계량 $A_2\,\overline{R}$가

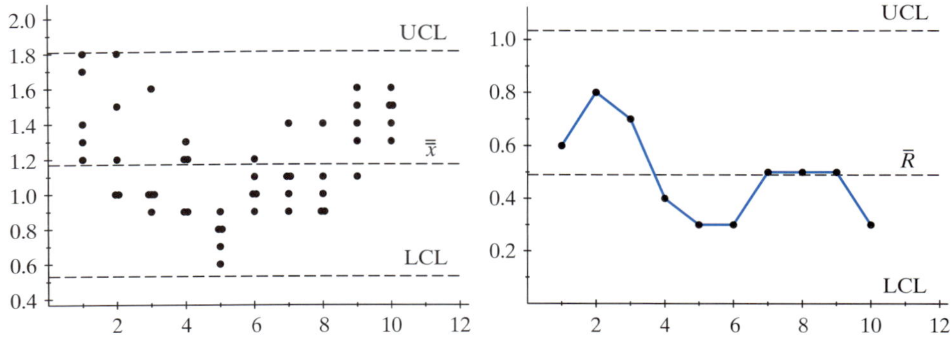

그림 9.7-3 50개 품질조사 자료와 R 관리도

$3\sigma/\sqrt{n}$의 추정치 역할을 하는데, 여기에서 A_2는 표 9.7-1에 주어졌다. 따라서 $\mu \pm 3\sigma/\sqrt{n}$의 추정치, 즉 $\bar{\bar{x}} \pm A_2\bar{R}$가 $\bar{x}$ 관리도의 관리한계선으로 사용될 수 있다.

게다가, $\sqrt{n}A_2\bar{R}$가 3σ의 추정치이므로 정규분포에 가까운 모집단에서 거의 모든 관측치들은 관리한계선 $\bar{\bar{x}} \pm \sqrt{n}A_2\bar{R}$ 내에 존재함을 알 수 있다.

더욱이, 관리도 중앙선 $\bar{R}$ 그리고 관리한계선 $D_3\bar{R}$와 $D_4\bar{R}$로 표현된 R 관리도 또한 만들 수 있는데, 여기에서 표 9.7-1에 주어진 D_3과 D_4는 만일 모집단에 변화가 없다면 거의 모든 R값이 관리한계선 내에 있도록 선택되었다. 따라서 이 한계선 밖에 있는 R값은 모집단 분포의 산포에서 변화가 있음을 의미하므로 교정이 고려되어야 한다.

다음 예제에서 s 대신 R 사용 예시가 주어졌다.

예제 9.7-2 예제 9.7-1의 자료를 이용해, $\bar{x}$ 관리도에 대한 관리한계선 $\bar{\bar{x}} \pm A_2\bar{R}$를 계산했다.

$$\text{UCL} = \bar{\bar{x}} + A_2\bar{R} = 1.174 + 0.58(0.49) = 1.458$$
$$\text{LCL} = \bar{\bar{x}} - A_2\bar{R} = 1.174 - 0.58(0.49) = 0.890$$

이 값들이 그림 9.7-2에 있는 $\bar{\bar{x}} \pm A_3\bar{s}$를 이용해 계산한 $\bar{x}$ 관리도와 매우 비슷하다. 게다가, 거의 모든 점이 관리한계선 $\bar{\bar{x}} + \sqrt{n}A_2\bar{R}$

$$\text{UCL} = 1.174 + \sqrt{5}(0.58)(0.49) = 1.809$$

과

$$\text{LCL} = 1.174 - \sqrt{5}(0.58)(0.49) = 0.539$$

이내에 있어야 한다. 이 값들이 예제 9.7-1에 계산된 한계선과 같고 그림 9.7-3에 그려져 있다.

중심선 $\bar{R} = 0.49$와 관리한계선

$$\text{UCL} = D_4\overline{R} = 2.11(0.49) = 1.034$$
$$\text{LCL} = D_3\overline{R} = 0(0.49) = 0$$

을 갖는 R 관리도를 만들 수 있다. 범위에 대한 관리도 예시가 그림 9.7-3에 주어졌고, 그림에서의 패턴이 그림 9.7-2의 s 관리도의 패턴과 유사하다. ■

이 외에도 2개의 다른 슈하르트 관리도인 p 관리도와 c 관리도가 있다. $\bar{x}$ 관리도에서 3σ 한계선에 대한 정당화를 제공하는 중심극한정리가 p 관리도에서 관리한계선에 대한 정당화 또한 제공한다. 임의로 추출한 n개 제품에서 불량품의 개수 D가 이항분포 $b(n, p)$를 따른다고 하자. 이때 한계선 $p \pm 3\sqrt{p(1-p)/n}$이 거의 모든 D/n값들을 포함해야 한다. 그러나 p는 k개의 D값, $D_1, D_2, \ldots, D_k$를 관측해, 즉

$$\overline{p} = \frac{D_1 + D_2 + \cdots + D_k}{kn}$$

를 계산함으로써 근사되어야 한다. 따라서 불량품 비율 D/n에 대한 관리한계선은 각각 다음과 같다.

$$\text{LCL} = \overline{p} - 3\sqrt{\overline{p}(1-\overline{p})/n}$$
$$\text{UCL} = \overline{p} + 3\sqrt{\overline{p}(1-\overline{p})/n}$$

만일 공정의 관리가 잘 되고 있다면, 거의 모든 D/n값들이 LCL과 UCL 사이에 있을 것이다. 여전히 만족스럽지 않아서 $\overline{p}$를 낮추기 위해 개선이 필요할 수도 있다. 그러나 만족스럽다면, 일반적인 원인들하에 있는 이 공정을 어떤 점 D/n가 관리한계선을 벗어나 특정 원인이 변동에 변화를 주었음을 시사할 때까지 계속한다. [만일 D/n가 LCL보다 아래에 있으면, 이는 더 좋은 방향으로 변화가 발생했음을 의미하고, 이에 대한 원인이 궁금해진다. 일반적으로 한계를 벗어난 통계량은 종종 개선(혹은 개악)이 이루어졌음을 의미하기도 한다.]

다음 예제는 여러분이 쉽게 실행할 수 있는 단순한 실험의 결과를 제공한다.

예제 9.7-3 D_i는 50g들이 봉지에 들어 있는 노란색 사탕의 수이다. 사탕의 수는 봉지마다 조금씩 다르므로 관리한계를 구할 때 n_i개의 평균 $\overline{n}$를 이용한다. 표 9.7-3에는 20봉지에서 사탕의 개수, 노란색 사탕의 수, 그리고 노란색 사탕의 비율이 나타나 있다.

이 자료에서

$$\sum_{i=1}^{20} n_i = 1{,}124, \qquad \sum_{i=1}^{20} D_i = 219$$

표 9.7-3 노란색 사탕 자료

봉지	n_i	D_i	D_i/n_i	봉지	n_i	D_i	D_i/n_i
1	55	8	0.14	11	57	10	0.18
2	56	13	0.24	12	59	8	0.14
3	58	12	0.21	13	54	10	0.19
4	56	13	0.23	14	55	11	0.20
5	57	14	0.25	15	56	12	0.21
6	54	5	0.09	16	57	11	0.19
7	56	14	0.25	17	54	6	0.11
8	57	15	0.26	18	58	7	0.12
9	54	11	0.20	19	58	12	0.21
10	55	13	0.24	20	58	14	0.24

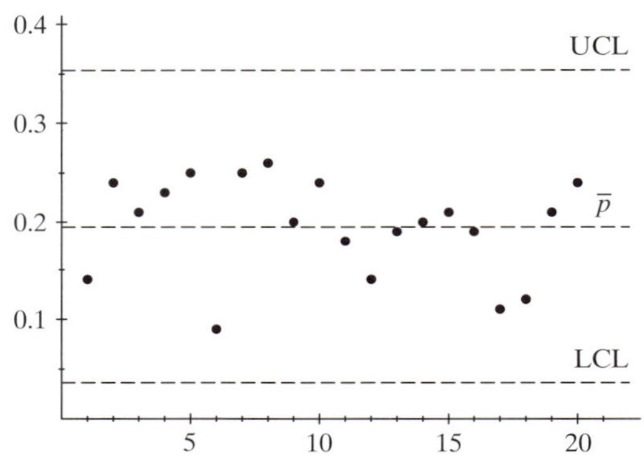

그림 9.7-4 p 관리도

이며, 따라서

$$\overline{p} = \frac{219}{1,124} = 0.195 \qquad \text{그리고} \qquad \overline{n} = \frac{1,124}{20} \approx 56$$

이다. 관리한계선은 각각 다음과 같다.

$$\text{LCL} = \overline{p} - 3\sqrt{\overline{p}(1-\overline{p})/56} = 0.195 - 3\sqrt{0.195(0.805)/56} = 0.036$$

$$\text{UCL} = \overline{p} + 3\sqrt{\overline{p}(1-\overline{p})/56} = 0.195 + 3\sqrt{0.195(0.805)/56} = 0.354$$

이다. p에 대한 관리도는 그림 9.7-4에 주어졌다(참고로 p에 대한 참값은 0.2이다). ■

이제 마지막으로 c 관리도에 대해 알아보자. 어떤 생산품 중에서 흠의 개수가 평균 λ인 푸아송분포를 따른다고 하자. 예제 5.7-5에서처럼, λ가 충분히 크면 연속형분포 $N(\lambda, \lambda)$

를 가지고 이산형 푸아송분포 근사를 고려한다. 이때 $\lambda - 3\sqrt{\lambda}$부터 $\lambda+3\sqrt{\lambda}$까지 구간이 모든 C값을 포함해야 한다. 그러나 λ를 모르기 때문에 k개의 c값 $c_1, c_2, \ldots, c_k$들의 평균 $\bar{c}$로 근사해야 한다. 따라서 C에 대한 관리한계선은 다음과 같이 주어진다.

$$\text{LCL} = \bar{c} - 3\sqrt{\bar{c}}, \qquad \text{UCL} = \bar{c} + 3\sqrt{\bar{c}}$$

$\bar{x}$ 관리도와 $\bar{p}$ 관리도에 대한 참고사항들이 c 관리도에도 역시 적용된다. 그러나 각 c값은 평균 $\bar{x}$ 혹은 결함비율 D/n와 달리, 하나의 제품에서 흠의 개수라는 것을 명심해야 한다.

연습문제

9.7-1 다음 표는 주방용 액체세제의 점도를 5개씩 20회 관측한 표이다. 다음을 구하라.

측정값					$\bar{x}$	s	R
158	147	158	159	169	158.20	7.79	22
151	166	151	143	169	156.00	11.05	26
153	174	151	164	185	165.40	14.33	34
168	140	180	176	154	163.60	16.52	40
160	187	145	164	158	162.80	15.29	42
169	153	149	144	157	154.40	9.48	25
156	183	157	140	162	159.60	15.47	43
158	160	180	154	160	162.40	10.14	26
164	168	154	158	164	161.60	5.55	14
159	153	170	158	170	162.00	7.65	17
150	161	169	166	154	160.00	7.97	19
157	138	155	134	165	149.80	13.22	31
161	172	156	145	153	157.40	10.01	27
143	152	152	156	163	153.20	7.26	20
179	157	135	172	143	157.20	18.63	44
154	165	145	152	145	152.20	8.23	20
171	189	144	154	147	161.00	18.83	45
187	147	159	167	151	162.20	15.85	40
153	168	148	188	152	161.80	16.50	40
165	155	140	157	176	158.60	13.28	36

(a) $\bar{\bar{x}}, \bar{s}, \bar{R}$를 계산하라.

(b) A_3와 $\bar{s}$를 이용해 $\bar{x}$ 관리도를 그려라.

(c) s 관리도를 그려라.

(d) A_2와 $\bar{R}$를 이용해 $\bar{x}$ 관리도를 그려라.

(e) R 관리도를 그려라.

(f) 관리도들은 점도가 통계적으로 관리상태에 있음을 나타내는가?

9.7-2 제조업체에서 생산되는 포장제품의 포장지에 적힌 중량표시와 실제 중량은 같아야 하기 때문에 생산라인에서는 매일 이들 포장제품을 임의로 추출해 중량 검사를 한다. 다음의 표는 포장제품의 중량을 5개씩 20회 관측한 자료이다. 다음을 구하라.

측정값					$\bar{x}$	s	R
7.97	8.10	7.73	8.26	7.30	7.872	0.3740	0.96
8.11	7.26	7.99	7.88	8.88	8.024	0.5800	1.62
7.60	8.23	8.07	8.51	8.05	8.092	0.3309	0.91
8.44	4.35	4.33	4.48	3.89	5.098	1.8815	4.55
5.11	4.05	5.62	4.13	5.01	4.784	0.6750	1.57
4.79	5.25	5.19	5.23	3.97	4.886	0.5458	1.28
4.47	4.58	5.35	5.86	5.61	5.174	0.6205	1.39
5.82	4.51	5.38	5.01	5.54	5.252	0.5077	1.31
5.06	4.98	4.13	4.58	4.35	4.620	0.3993	0.93
4.74	3.77	5.05	4.03	4.29	4.376	0.5199	1.28
4.05	3.71	4.73	3.51	4.76	4.152	0.5748	1.25
3.94	5.72	5.07	5.09	4.61	4.886	0.6599	1.78

(계속)

측정값					$\bar{x}$	s	R
4.63	3.79	4.69	5.13	4.66	4.580	0.4867	1.34
4.30	4.07	4.39	4.63	4.47	4.372	0.2079	0.56
4.05	4.14	4.01	3.95	4.05	4.040	0.0693	0.19
4.20	4.50	5.32	4.42	5.24	4.736	0.5094	1.12
4.54	5.23	4.32	4.66	3.86	4.522	0.4999	1.37
5.02	4.10	5.08	4.94	5.18	4.864	0.4360	1.08
4.80	4.73	4.82	4.69	4.27	4.662	0.2253	0.55
4.55	4.76	4.45	4.85	4.02	4.526	0.3249	0.83

(a) $\bar{\bar{x}}$, $\bar{s}$, $\bar{R}$를 계산하라.

(b) A_3와 $\bar{s}$를 이용해 $\bar{x}$ 관리도를 그려라.

(c) s 관리도를 그려라.

(d) A_2와 $\bar{R}$를 이용해 $\bar{x}$ 관리도를 그려라.

(e) R 관리도를 그려라.

(f) 관리도들은 무게가 통계적으로 관리상태에 있음을 나타내는가?

9.7-3 표 9.7-1 값들이 어떻게 계산되는지 약간의 힌트를 주기 위해, 이 연습문제에서는 A_3값을 살펴보자. 정규분포 $N(\mu, \sigma^2)$으로부터 크기 n의 확률표본을 $X_1, X_2, \ldots, X_n$이라 하자. 이 확률표본의 표본분산은 S^2이라 하자.

(a) $Y = (n-1)S^2/\sigma^2$이 $\chi^2(n-1)$ 분포를 갖는다는 사실을 이용해 $E[S^2] = \sigma^2$임을 밝혀라.

(b) $\chi^2(n-1)$ 분포의 확률밀도함수를 이용해 $E(\sqrt{Y})$를 계산하라.

(c) 다음을 증명하라.

$$E\left[\frac{\sqrt{n-1}\,\Gamma\left(\frac{n-1}{2}\right)}{\sqrt{2}\,\Gamma\left(\frac{n}{2}\right)}S\right] = \sigma$$

(d) $n = 5, 6$일 때 표 9.7-1에 제시된

$$\frac{3}{\sqrt{n}}\left[\frac{\sqrt{n-1}\,\Gamma\left(\frac{n-1}{2}\right)}{\sqrt{2}\,\Gamma\left(\frac{n}{2}\right)}\right] = A_3$$

을 검증하라. 따라서 $A_3\,\bar{s}$는 $3\sigma/\sqrt{n}$을 근사한다.

9.7-4 과거에 매 시간마다 $n = 50$개의 퓨즈를 검사해 관측된 불량률이 $\bar{p} = 0.03$이었다. 관리한계선을 계산하라. p의 참값이 0.05라 하자.

(a) 다음 관측치가 UCL을 넘을 확률은 얼마인가?

(b) 향후 관측치 5개 중 적어도 하나가 UCL을 넘을 확률은 얼마인가?

힌트: 독립성을 가정하고 5개 모두가 UCL을 넘지 않을 확률을 계산하라.

9.7-5 스테인레스 강관 (stainless steel pipe) 제조과정에서 100피트당 흠의 개수가 관리되어야 한다. 임의로 추출된 15개의 강관으로부터 관측된 흠의 개수는 다음과 같다.

6 10 8 1 7 9 7 4 5 10 3 4 9 8 5

(a) c 관리도의 관리한계선을 계산하고 이를 그려라.

(b) 이 공정이 통계적 관리하에 있는가?

역사적 해설

이 장에서 카이제곱 검정방법은(모수들을 추정하는 경우에는 오류가 있었지만) 피어슨(Karl Pearson)에 의해 발명되었다. 피셔(R.A. Fisher)가 성마른 젊은이였을 때, 그의 선배인 피어슨에게 모수를 하나 추정할 때마다 카이제곱분포의 자유도를 하나씩 줄여야 한다고 말했다. 피어슨은 그것을 결코 받아들이지 않았으며(물론, 피셔가 옳았다.) 매우 저명한 저널인 Biometrika의 편집장인 그는 이후에 피셔의 논문이 이 저널에 실리지 못하도록 막았다. 피셔는 실망했고, 둘은 평생 동안 싸웠다. 그러나 피셔는 이를 계기로 응용학술지에 관심을 갖고 논문을 발표하게 되었고, 결과적으로 더 훌륭하고, 다재다능한 과학자가 됨으로써 훗날 과거의 논쟁이 그에게 약이 되었다는 것을 알게 되었다.

이 장의 중요한 다른 주제는 분산분석(ANOVA)이다. 여기에서 우리는 이 주제와 피셔에 의해 개발된 실험계획법에 관한 주제의 일부만 다루었다. 본문에 나와 있는 간단한 경우에서처럼, 피셔는 1요인 그리고 2요인 배치에서 요인들의 최고 수준을 어떻게 검정하는지를 보여주었다. 9.5절에서 몇 가지 중요한 일반화 내용을 공부했다. 이러한 계획된 실험의 분석에서 피셔는 엄청난 공헌을 했다.

1920년대 초반 슈하르트 관리도에 의한 품질개선은 생산에서 엄청난 변화를 가져왔다. 공평하게 말하자면, 영국인들도 동시대에 비슷한 프로그램을 시작했다는 점을 주목해야 한다. 9.7절에서 언급한 대로, 통계적 품질관리는 제2차 세계대전 중에 많은 대학들이 이 주제에 관한 단기 강좌를 개설할 정도로 엄청난 영향을 미쳤다. 이러한 강좌들은 전후에도 계속되었으나, 종합품질개선의 중요성에 대한 전개는 뒤처져 있었다. 데밍(W. Edwards Deming)은 1950년대 초부터 일본은 그의 품질에 관한 아이디어를 활용한 반면, 미국은 1980년까지도 받아들이지 않았다고 불평했다. 그해에 NBC 방송국에서 'If Japan can, why can't we?' (일본이 할 수 있다면, 우리는 왜 못해?)라는 프로그램을 방영했고, 데밍은 이 방송의 스타가 되었다. 다음날 그의 전화가 끊임없이 울리기 시작했다고 그는 말했다. 다양한 회사가 그에게 하루만 시간을 내어서 그들이 올바른 길로 나아갈 수 있도록 도와달라고 요청했다. 데밍의 이야기에 따르면 그들은 즉석처방을 원했지만, 그는 그전에 일본인들에게 자신이 개척한 개선을 달성하기 위해 5년을 요청했었다는 점을 상기시켰다고 한다. 실제로 그의 철학을 따른 다수의 회사들이 그 기간보다 훨씬 일찍 품질에서 엄청난 성과를 달성했다. 그러나 NBC 프로그램 방영 후에 데밍의 유명한 4일 과정 강의가 시작되었고, 93세로 세상을 떠나기 10일 전인 1993년 12월 마지막 강의까지 계속되었다.

1970년대와 1980년대에 이러한 많은 품질관리 노력들은 '종합품질관리(Total Quality Management)' 혹은 나중에 '연속공정향상(Continuous Process Improvements)'이라는 용어를 사용했다. 그러나 1980년대 후반에 시작해서 30년 이상 계속되었던 모토로라의 식스 시그마(Six Sigma)가 엄청난 영향을 미쳤다. 모토로라뿐만 아니라, GE, 얼라이드, 그리고 그밖의 많은 회사들이 이 시스템을 이용했다.

부록 A 참고문헌

Aspin, A. A., "Tables for Use in ComparisonsWhose Accuracy Involves Two Variances, Separately Estimated," *Biometrika*, **36** (1949), pp. 290–296.

Agresti, A., and B.A. Coull, "Approximate is Better than 'Exact' for Interval Estimation of Binomial Proportions," *Amer. Statist.*, **52** (1998), pp. 119–126.

Basu, D., "On Statistics Independent of a Complete Sufficient Statistic," *Sankhya*, **15** (1955), pp. 377–380.

Bernstein, P. L., *Against the Gods: The Remarkable Story of Risk*. New York: John Wiley & Sons, Inc., 1996.

Box, G. E. P., J. S. Hunter, andW. G. Hunter, *Statistics for Experimenters: Design, Innovation, and Discovery,* 2nd ed., New York: JohnWiley & Sons, Inc., 2005.

Box, G. E. P. and M. E. Muller, "A Note on the Generation of Random Normal Deviates," *Ann. Math. Statist.*, **29** (1958), pp. 610–611.

Hogg, R. V., "Testing the Equality of Means of Rectangular Populations," *Ann. Math. Statist.*, **24** (1953), p. 691.

Hogg, R. V., and A. T. Craig, *Introduction to Mathematical Statistics*, 3rd ed., New York: Macmillan Publishing Co., 1970.

Hogg, R. V., J. W. McKean, and A. T. Craig, *Introduction to Mathematical Statistics*, 7th ed. Upper Saddle River, NJ: Prentice Hall, 2013.

Hogg, R. V., and A. T. Craig, "On the Decomposition of Certain Chi-Square Variables," *Ann. Math. Statist.*, **29** (1958), pp. 608–610.

Karian, Z. A. and E. A. Tanis, *Probability & Statistics: Explorations with MAPLE*, 2nd ed. Upper Saddle River, NJ: Prentice Hall, 1999.

Latter, O. H. "The Cuckoo's Egg," *Biometrika*, **1** (1901), pp. 164–176.

Ledolter, J. and R. V. Hogg, *Applied Statistics for Engineers and Scientists*, 3rd ed. Upper Saddle River, NJ: Prentice Hall, 2010.

Montgomery, D. C., *Design and Analysis of Experiments*, 2nd ed. New York: John Wiley & Sons, Inc., 1984.

Natrella, M. G., Experimental Statistics, *National Bureau of Standards Handbook 91*. Washington, DC: U.S. Government Printing Office, 1963.

Nicol, S. J., "Who's Picking Up the Pieces?" *Primus*, **4** (1994), pp. 182–184.

Pearson, K., "On the Criterion That a Given System of Deviations from the Probable in the Case of a Correlated System of Variables Is Such That It Can Be Reasonably Supposed to Have Arisen from Random Sampling," *Phil. Mag.*, Series 5, **50** (1900), pp. 157–175.

Putz, J., "The Golden Section and the Piano Sonatas of Mozart," *Mathematics Magazine*, **68** (1995), pp. 275–282.

Rafter, J. A., M. L. Abell, and J. P. Braselton, *Statistics with Maple*. Amsterdam and Boston: Academic Press, An imprint of Elsevier Science (USA), 2003.

Raspe, R. E. *The Surprising Adventures of Baron Munchausen*, IndyPublish.com, 2001.

Snee, R. D., "Graphical Analysis of Process Variation Studies," *Journal of Quality Technology*, **15** (1983), pp. 76–88.

Snee, R.D., L. B. Hare, and J. R. Trout, *Experiments in Industry*, Milwaukee: American Society of Quality Control, 1985.

Stigler, S. M., *The History of Statistics: The Measurement of Uncertainty Before 1900*. Cambridge, MA: Harvard University Press, 1986.

Tanis, E. A., "Maple Integrated Into the Instruction of Probability and Statistics," *Proceedings of the Statistical Computing Section* (1998), American Statistical Association, pp. 19–24.

Tanis, E. A. and R. V. Hogg, *A Brief Course in Mathematical Statistics*. Upper Saddle River, NJ: Prentice Hall, 2008.

Tukey, J. W., *Exploratory Data Analysis*. Reading, MA: Addison-Wesley Publishing Company, 1977.

Velleman, P. F. and D. C. Hoaglin, *Applications, Basics, and Computing of Exploratory Data Analysis*, Boston: Duxbury Press, 1981.

Wilcoxon, F., "Individual Comparisons by Ranking Methods," *Biometrics Bull.*, **1** (1945), pp. 80–83.

Zerger, M., "Mean Meets Variance," *Primus*, **4** (1994), pp. 106–108.

부록 B 표

Table

표 1 이항계수

$$\binom{n}{r} = \frac{n!}{r!(n-r)!} = \binom{n}{n-r}$$

n	$\binom{n}{0}$	$\binom{n}{1}$	$\binom{n}{2}$	$\binom{n}{3}$	$\binom{n}{4}$	$\binom{n}{5}$	$\binom{n}{6}$	$\binom{n}{7}$	$\binom{n}{8}$	$\binom{n}{9}$	$\binom{n}{10}$	$\binom{n}{11}$	$\binom{n}{12}$	$\binom{n}{13}$
0	1													
1	1	1												
2	1	2	1											
3	1	3	3	1										
4	1	4	6	4	1									
5	1	5	10	10	5	1								
6	1	6	15	20	15	6	1							
7	1	7	21	35	35	21	7	1						
8	1	8	28	56	70	56	28	8	1					
9	1	9	36	84	126	126	84	36	9	1				
10	1	10	45	120	210	252	210	120	45	10	1			
11	1	11	55	165	330	462	462	330	165	55	11	1		
12	1	12	66	220	495	792	924	792	495	220	66	12	1	
13	1	13	78	286	715	1,287	1,716	1,716	1,287	715	286	78	13	1
14	1	14	91	364	1,001	2,002	3,003	3,432	3,003	2,002	1,001	364	91	14
15	1	15	105	455	1,365	3,003	5,005	6,435	6,435	5,005	3,003	1,365	455	105
16	1	16	120	560	1,820	4,368	8,008	11,440	12,870	11,440	8,008	4,368	1,820	560
17	1	17	136	680	2,380	6,188	12,376	19,448	24,310	24,310	19,448	12,376	6,188	2,380
18	1	18	153	816	3,060	8,568	18,564	31,824	43,758	48,620	43,758	31,824	18,564	8,568
19	1	19	171	969	3,876	11,628	27,132	50,388	75,582	92,378	92,378	75,582	50,388	27,132
20	1	20	190	1,140	4,845	15,504	38,760	77,520	125,970	167,960	184,756	167,960	125,970	77,520
21	1	21	210	1,330	5,985	20,349	54,264	116,280	203,490	293,930	352,716	352,716	293,930	203,490
22	1	22	231	1,540	7,315	26,334	74,613	170,544	319,770	497,420	646,646	705,432	646,646	497,420
23	1	23	253	1,771	8,855	33,649	100,947	245,157	490,314	817,190	1,144,066	1,352,078	1,352,078	1,144,066
24	1	24	276	2,024	10,626	42,504	134,596	346,104	735,471	1,307,504	1,961,256	2,496,144	2,704,156	2,496,144
25	1	25	300	2,300	12,650	53,130	177,100	480,700	1,081,575	2,042,975	3,268,760	4,457,400	5,200,300	5,200,300
26	1	26	325	2,600	14,950	65,780	230,230	657,800	1,562,275	3,124,550	5,311,735	7,726,160	9,657,700	10,400,600

$r > 13$에 대해서는 $\binom{n}{r} = \binom{n}{n-r}$을 사용할 수 있다.

표 2 이항분포

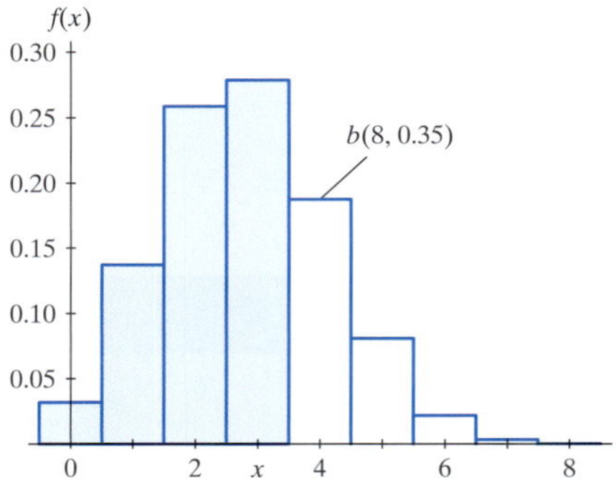

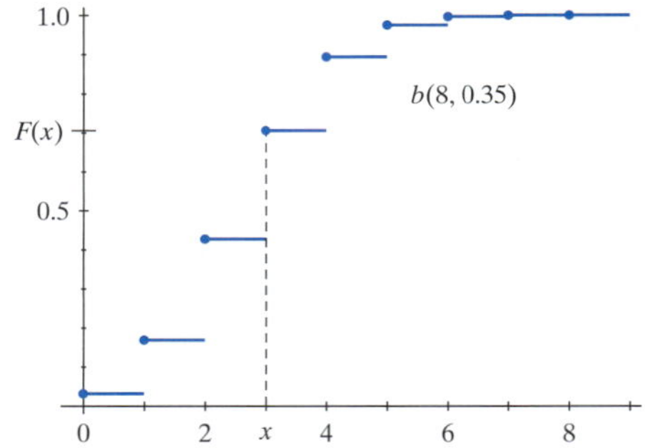

$$F(x) = P(X \le x) = \sum_{k=0}^{x} \frac{n!}{k!(n-k)!} p^k (1-p)^{n-k}$$

		p									
n	*x*	0.05	0.10	0.15	0.20	0.25	0.30	0.35	0.40	0.45	0.50
2	0	0.9025	0.8100	0.7225	0.6400	0.5625	0.4900	0.4225	0.3600	0.3025	0.2500
	1	0.9975	0.9900	0.9775	0.9600	0.9375	0.9100	0.8775	0.8400	0.7975	0.7500
	2	1.0000	1.0000	1.0000	1.0000	1.0000	1.0000	1.0000	1.0000	1.0000	1.0000
3	0	0.8574	0.7290	0.6141	0.5120	0.4219	0.3430	0.2746	0.2160	0.1664	0.1250
	1	0.9928	0.9720	0.9392	0.8960	0.8438	0.7840	0.7182	0.6480	0.5748	0.5000
	2	0.9999	0.9990	0.9966	0.9920	0.9844	0.9730	0.9571	0.9360	0.9089	0.8750
	3	1.0000	1.0000	1.0000	1.0000	1.0000	1.0000	1.0000	1.0000	1.0000	1.0000
4	0	0.8145	0.6561	0.5220	0.4096	0.3164	0.2401	0.1785	0.1296	0.0915	0.0625
	1	0.9860	0.9477	0.8905	0.8192	0.7383	0.6517	0.5630	0.4752	0.3910	0.3125
	2	0.9995	0.9963	0.9880	0.9728	0.9492	0.9163	0.8735	0.8208	0.7585	0.6875
	3	1.0000	0.9999	0.9995	0.9984	0.9961	0.9919	0.9850	0.9744	0.9590	0.9375
	4	1.0000	1.0000	1.0000	1.0000	1.0000	1.0000	1.0000	1.0000	1.0000	1.0000
5	0	0.7738	0.5905	0.4437	0.3277	0.2373	0.1681	0.1160	0.0778	0.0503	0.0312
	1	0.9774	0.9185	0.8352	0.7373	0.6328	0.5282	0.4284	0.3370	0.2562	0.1875
	2	0.9988	0.9914	0.9734	0.9421	0.8965	0.8369	0.7648	0.6826	0.5931	0.5000
	3	1.0000	0.9995	0.9978	0.9933	0.9844	0.9692	0.9460	0.9130	0.8688	0.8125
	4	1.0000	1.0000	0.9999	0.9997	0.9990	0.9976	0.9947	0.9898	0.9815	0.9688
	5	1.0000	1.0000	1.0000	1.0000	1.0000	1.0000	1.0000	1.0000	1.0000	1.0000
6	0	0.7351	0.5314	0.3771	0.2621	0.1780	0.1176	0.0754	0.0467	0.0277	0.0156
	1	0.9672	0.8857	0.7765	0.6553	0.5339	0.4202	0.3191	0.2333	0.1636	0.1094
	2	0.9978	0.9842	0.9527	0.9011	0.8306	0.7443	0.6471	0.5443	0.4415	0.3438
	3	0.9999	0.9987	0.9941	0.9830	0.9624	0.9295	0.8826	0.8208	0.7447	0.6562
	4	1.0000	0.9999	0.9996	0.9984	0.9954	0.9891	0.9777	0.9590	0.9308	0.8906
	5	1.0000	1.0000	1.0000	0.9999	0.9998	0.9993	0.9982	0.9959	0.9917	0.9844
	6	1.0000	1.0000	1.0000	1.0000	1.0000	1.0000	1.0000	1.0000	1.0000	1.0000
7	0	0.6983	0.4783	0.3206	0.2097	0.1335	0.0824	0.0490	0.0280	0.0152	0.0078
	1	0.9556	0.8503	0.7166	0.5767	0.4449	0.3294	0.2338	0.1586	0.1024	0.0625

표 2 이항분포(계속)

		p									
n	*x*	0.05	0.10	0.15	0.20	0.25	0.30	0.35	0.40	0.45	0.50
	2	0.9962	0.9743	0.9262	0.8520	0.7564	0.6471	0.5323	0.4199	0.3164	0.2266
	3	0.9998	0.9973	0.9879	0.9667	0.9294	0.8740	0.8002	0.7102	0.6083	0.5000
	4	1.0000	0.9998	0.9988	0.9953	0.9871	0.9712	0.9444	0.9037	0.8471	0.7734
	5	1.0000	1.0000	0.9999	0.9996	0.9987	0.9962	0.9910	0.9812	0.9643	0.9375
	6	1.0000	1.0000	1.0000	1.0000	0.9999	0.9998	0.9994	0.9984	0.9963	0.9922
	7	1.0000	1.0000	1.0000	1.0000	1.0000	1.0000	1.0000	1.0000	1.0000	1.0000
8	0	0.6634	0.4305	0.2725	0.1678	0.1001	0.0576	0.0319	0.0168	0.0084	0.0039
	1	0.9428	0.8131	0.6572	0.5033	0.3671	0.2553	0.1691	0.1064	0.0632	0.0352
	2	0.9942	0.9619	0.8948	0.7969	0.6785	0.5518	0.4278	0.3154	0.2201	0.1445
	3	0.9996	0.9950	0.9786	0.9437	0.8862	0.8059	0.7064	0.5941	0.4770	0.3633
	4	1.0000	0.9996	0.9971	0.9896	0.9727	0.9420	0.8939	0.8263	0.7396	0.6367
	5	1.0000	1.0000	0.9998	0.9988	0.9958	0.9887	0.9747	0.9502	0.9115	0.8555
	6	1.0000	1.0000	1.0000	0.9999	0.9996	0.9987	0.9964	0.9915	0.9819	0.9648
	7	1.0000	1.0000	1.0000	1.0000	1.0000	0.9999	0.9998	0.9993	0.9983	0.9961
	8	1.0000	1.0000	1.0000	1.0000	1.0000	1.0000	1.0000	1.0000	1.0000	1.0000
9	0	0.6302	0.3874	0.2316	0.1342	0.0751	0.0404	0.0207	0.0101	0.0046	0.0020
	1	0.9288	0.7748	0.5995	0.4362	0.3003	0.1960	0.1211	0.0705	0.0385	0.0195
	2	0.9916	0.9470	0.8591	0.7382	0.6007	0.4628	0.3373	0.2318	0.1495	0.0898
	3	0.9994	0.9917	0.9661	0.9144	0.8343	0.7297	0.6089	0.4826	0.3614	0.2539
	4	1.0000	0.9991	0.9944	0.9804	0.9511	0.9012	0.8283	0.7334	0.6214	0.5000
	5	1.0000	0.9999	0.9994	0.9969	0.9900	0.9747	0.9464	0.9006	0.8342	0.7461
	6	1.0000	1.0000	1.0000	0.9997	0.9987	0.9957	0.9888	0.9750	0.9502	0.9102
	7	1.0000	1.0000	1.0000	1.0000	0.9999	0.9996	0.9986	0.9962	0.9909	0.9805
	8	1.0000	1.0000	1.0000	1.0000	1.0000	1.0000	0.9999	0.9997	0.9992	0.9980
	9	1.0000	1.0000	1.0000	1.0000	1.0000	1.0000	1.0000	1.0000	1.0000	1.0000
10	0	0.5987	0.3487	0.1969	0.1074	0.0563	0.0282	0.0135	0.0060	0.0025	0.0010
	1	0.9139	0.7361	0.5443	0.3758	0.2440	0.1493	0.0860	0.0464	0.0233	0.0107
	2	0.9885	0.9298	0.8202	0.6778	0.5256	0.3828	0.2616	0.1673	0.0996	0.0547
	3	0.9990	0.9872	0.9500	0.8791	0.7759	0.6496	0.5138	0.3823	0.2660	0.1719
	4	0.9999	0.9984	0.9901	0.9672	0.9219	0.8497	0.7515	0.6331	0.5044	0.3770
	5	1.0000	0.9999	0.9986	0.9936	0.9803	0.9527	0.9051	0.8338	0.7384	0.6230
	6	1.0000	1.0000	0.9999	0.9991	0.9965	0.9894	0.9740	0.9452	0.8980	0.8281
	7	1.0000	1.0000	1.0000	0.9999	0.9996	0.9984	0.9952	0.9877	0.9726	0.9453
	8	1.0000	1.0000	1.0000	1.0000	1.0000	0.9999	0.9995	0.9983	0.9955	0.9893
	9	1.0000	1.0000	1.0000	1.0000	1.0000	1.0000	1.0000	0.9999	0.9997	0.9990
	10	1.0000	1.0000	1.0000	1.0000	1.0000	1.0000	1.0000	1.0000	1.0000	1.0000
11	0	0.5688	0.3138	0.1673	0.0859	0.0422	0.0198	0.0088	0.0036	0.0014	0.0005
	1	0.8981	0.6974	0.4922	0.3221	0.1971	0.1130	0.0606	0.0302	0.0139	0.0059
	2	0.9848	0.9104	0.7788	0.6174	0.4552	0.3127	0.2001	0.1189	0.0652	0.0327
	3	0.9984	0.9815	0.9306	0.8389	0.7133	0.5696	0.4256	0.2963	0.1911	0.1133
	4	0.9999	0.9972	0.9841	0.9496	0.8854	0.7897	0.6683	0.5328	0.3971	0.2744
	5	1.0000	0.9997	0.9973	0.9883	0.9657	0.9218	0.8513	0.7535	0.6331	0.5000
	6	1.0000	1.0000	0.9997	0.9980	0.9924	0.9784	0.9499	0.9006	0.8262	0.7256

표 2 이항분포(계속)

		p									
n	*x*	0.05	0.10	0.15	0.20	0.25	0.30	0.35	0.40	0.45	0.50
		0.05	0.10	0.15	0.20	0.25	0.30	0.35	0.40	0.45	0.50
	7	1.0000	1.0000	1.0000	0.9998	0.9988	0.9957	0.9878	0.9707	0.9390	0.8867
	8	1.0000	1.0000	1.0000	1.0000	0.9999	0.9994	0.9980	0.9941	0.9852	0.9673
	9	1.0000	1.0000	1.0000	1.0000	1.0000	1.0000	0.9998	0.9993	0.9978	0.9941
	10	1.0000	1.0000	1.0000	1.0000	1.0000	1.0000	1.0000	1.0000	0.9998	0.9995
	11	1.0000	1.0000	1.0000	1.0000	1.0000	1.0000	1.0000	1.0000	1.0000	1.0000
12	0	0.5404	0.2824	0.1422	0.0687	0.0317	0.0138	0.0057	0.0022	0.0008	0.0002
	1	0.8816	0.6590	0.4435	0.2749	0.1584	0.0850	0.0424	0.0196	0.0083	0.0032
	2	0.9804	0.8891	0.7358	0.5583	0.3907	0.2528	0.1513	0.0834	0.0421	0.0193
	3	0.9978	0.9744	0.9078	0.7946	0.6488	0.4925	0.3467	0.2253	0.1345	0.0730
	4	0.9998	0.9957	0.9761	0.9274	0.8424	0.7237	0.5833	0.4382	0.3044	0.1938
	5	1.0000	0.9995	0.9954	0.9806	0.9456	0.8822	0.7873	0.6652	0.5269	0.3872
	6	1.0000	0.9999	0.9993	0.9961	0.9857	0.9614	0.9154	0.8418	0.7393	0.6128
	7	1.0000	1.0000	0.9999	0.9994	0.9972	0.9905	0.9745	0.9427	0.8883	0.8062
	8	1.0000	1.0000	1.0000	0.9999	0.9996	0.9983	0.9944	0.9847	0.9644	0.9270
	9	1.0000	1.0000	1.0000	1.0000	1.0000	0.9998	0.9992	0.9972	0.9921	0.9807
	10	1.0000	1.0000	1.0000	1.0000	1.0000	1.0000	0.9999	0.9997	0.9989	0.9968
	11	1.0000	1.0000	1.0000	1.0000	1.0000	1.0000	1.0000	1.0000	0.9999	0.9998
	12	1.0000	1.0000	1.0000	1.0000	1.0000	1.0000	1.0000	1.0000	1.0000	1.0000
13	0	0.5133	0.2542	0.1209	0.0550	0.0238	0.0097	0.0037	0.0013	0.0004	0.0001
	1	0.8646	0.6213	0.3983	0.2336	0.1267	0.0637	0.0296	0.0126	0.0049	0.0017
	2	0.9755	0.8661	0.6920	0.5017	0.3326	0.2025	0.1132	0.0579	0.0269	0.0112
	3	0.9969	0.9658	0.8820	0.7473	0.5843	0.4206	0.2783	0.1686	0.0929	0.0461
	4	0.9997	0.9935	0.9658	0.9009	0.7940	0.6543	0.5005	0.3530	0.2279	0.1334
	5	1.0000	0.9991	0.9924	0.9700	0.9198	0.8346	0.7159	0.5744	0.4268	0.2905
	6	1.0000	0.9999	0.9987	0.9930	0.9757	0.9376	0.8705	0.7712	0.6437	0.5000
	7	1.0000	1.0000	0.9998	0.9988	0.9944	0.9818	0,9538	0.9023	0.8212	0.7095
	8	1.0000	1.0000	1.0000	0.9998	0.9990	0.9960	0.9874	0.9679	0.9302	0.8666
	9	1.0000	1.0000	1.0000	1.0000	0.9999	0.9993	0.9975	0.9922	0.9797	0.9539
	10	1.0000	1.0000	1.0000	1.0000	1.0000	0.9999	0.9997	0.9987	0.9959	0.9888
	11	1.0000	1.0000	1.0000	1.0000	1.0000	1.0000	1.0000	0.9999	0.9995	0.9983
	12	1.0000	1.0000	1.0000	1.0000	1.0000	1.0000	1.0000	1.0000	1.0000	0.9999
	13	1.0000	1.0000	1.0000	1.0000	1.0000	1.0000	1.0000	1.0000	1.0000	1.0000
14	0	0.4877	0.2288	0.1028	0.0440	0.0178	0.0068	0.0024	0.0008	0.0002	0.0001
	1	0.8470	0.5846	0.3567	0.1979	0.1010	0.0475	0.0205	0.0081	0.0029	0.0009
	2	0.9699	0.8416	0.6479	0.4481	0.2811	0.1608	0.0839	0.0398	0.0170	0.0065
	3	0.9958	0.9559	0.8535	0.6982	0.5213	0.3552	0.2205	0.1243	0.0632	0.0287
	4	0.9996	0.9908	0.9533	0.8702	0.7415	0.5842	0.4227	0.2793	0.1672	0.0898
	5	1.0000	0.9985	0.9885	0.9561	0.8883	0.7805	0.6405	0.4859	0.3373	0.2120
	6	1.0000	0.9998	0.9978	0.9884	0.9617	0.9067	0.8164	0.6925	0.5461	0.3953
	7	1.0000	1.0000	0.9997	0.9976	0.9897	0.9685	0.9247	0.8499	0.7414	0.6047
	8	1.0000	1.0000	1.0000	0.9996	0.9978	0.9917	0.9757	0.9417	0.8811	0.7880
	9	1.0000	1.0000	1.0000	1.0000	0.9997	0.9983	0.9940	0.9825	0.9574	0.9102
	10	1.0000	1.0000	1.0000	1.0000	1.0000	0.9998	0.9989	0.9961	0.9886	0.9713

표 2 이항분포(계속)

n	x	p 0.05	0.10	0.15	0.20	0.25	0.30	0.35	0.40	0.45	0.50
	11	1.0000	1.0000	1.0000	1.0000	1.0000	1.0000	0.9999	0.9994	0.9978	0.9935
	12	1.0000	1.0000	1.0000	1.0000	1.0000	1.0000	1.0000	0.9999	0.9997	0.9991
	13	1.0000	1.0000	1.0000	1.0000	1.0000	1.0000	1.0000	1.0000	1.0000	0.9999
	14	1.0000	1.0000	1.0000	1.0000	1.0000	1.0000	1.0000	1.0000	1.0000	1.0000
15	0	0.4633	0.2059	0.0874	0.0352	0.0134	0.0047	0.0016	0.0005	0.0001	0.0000
	1	0.8290	0.5490	0.3186	0.1671	0.0802	0.0353	0.0142	0.0052	0.0017	0.0005
	2	0.9638	0.8159	0.6042	0.3980	0.2361	0.1268	0.0617	0.0271	0.0107	0.0037
	3	0.9945	0.9444	0.8227	0.6482	0.4613	0.2969	0.1727	0.0905	0.0424	0.0176
	4	0.9994	0.9873	0.9383	0.8358	0.6865	0.5155	0.3519	0.2173	0.1204	0.0592
	5	0.9999	0.9978	0.9832	0.9389	0.8516	0.7216	0.5643	0.4032	0.2608	0.1509
	6	1.0000	0.9997	0.9964	0.9819	0.9434	0.8689	0.7548	0.6098	0.4522	0.3036
	7	1.0000	1.0000	0.9994	0.9958	0.9827	0.9500	0.8868	0.7869	0.6535	0.5000
	8	1.0000	1.0000	0.9999	0.9992	0.9958	0.9848	0.9578	0.9050	0.8182	0.6964
	9	1.0000	1.0000	1.0000	0.9999	0.9992	0.9963	0.9876	0.9662	0.9231	0.8491
	10	1.0000	1.0000	1.0000	1.0000	0.9999	0.9993	0.9972	0.9907	0.9745	0.9408
	11	1.0000	1.0000	1.0000	1.0000	1.0000	0.9999	0.9995	0.9981	0.9937	0.9824
	12	1.0000	1.0000	1.0000	1.0000	1.0000	1.0000	0.9999	0.9987	0.9989	0.9963
	13	1.0000	1.0000	1.0000	1.0000	1.0000	1.0000	1.0000	1.0000	0.9999	0.9995
	14	1.0000	1.0000	1.0000	1.0000	1.0000	1.0000	1.0000	1.0000	1.0000	1.0000
	15	1.0000	1.0000	1.0000	1.0000	1.0000	1.0000	1.0000	1.0000	1.0000	1.0000
16	0	0.4401	0.1853	0.0743	0.0281	0.0100	0.0033	0.0010	0.0003	0.0001	0.0000
	1	0.8108	0.5147	0.2839	0.1407	0.0635	0.0261	0.0098	0.0033	0.0010	0.0003
	2	0.9571	0.7892	0.5614	0.3518	0.1971	0.0994	0.0451	0.0183	0.0066	0.0021
	3	0.9930	0.9316	0.7899	0.5981	0.4050	0.2459	0.1339	0,0651	0.0281	0.0106
	4	0.9991	0.9830	0.9209	0.7982	0.6302	0.4499	0.2892	0.1666	0.0853	0.0384
	5	0.9999	0.9967	0.9765	0.9183	0.8103	0.6598	0.4900	0.3288	0.1976	0.1051
	6	1.0000	0.9995	0.9944	0.9733	0.9204	0.8247	0.6881	0.5272	0.3660	0.2272
	7	1.0000	0.9999	0.9989	0.9930	0.9729	0.9256	0.8406	0.7161	0.5629	0.4018
	8	1.0000	1.0000	0.9998	0.9985	0.9925	0.9743	0.9329	0.8577	0.7441	0.5982
	9	1.0000	1.0000	1.0000	0.9998	0.9984	0.9929	0.9771	0.9417	0.8759	0.7728
	10	1.0000	1.0000	1.0000	1.0000	0.9997	0.9984	0.9938	0.9809	0.9514	0.8949
	11	1.0000	1.0000	1.0000	1.0000	1.0000	0.9997	0.9987	0.9951	0.9851	0.9616
	12	1.0000	1.0000	1.0000	1.0000	1.0000	1.0000	0.9998	0.9991	0.9965	0.9894
	13	1.0000	1.0000	1.0000	1.0000	1.0000	1.0000	1.0000	0.9999	0.9994	0.9979
	14	1.0000	1.0000	1.0000	1.0000	1.0000	1.0000	1.0000	1.0000	0.9999	0.9997
	15	1.0000	1.0000	1.0000	1.0000	1.0000	1.0000	1.0000	1.0000	1.0000	1.0000
	16	1.0000	1.0000	1.0000	1.0000	1.0000	1.0000	1.0000	1.0000	1.0000	1.0000
20	0	0.3585	0.1216	0.0388	0.0115	0.0032	0.0008	0.0002	0.0000	0.0000	0.0000
	1	0.7358	0.3917	0.1756	0.0692	0.0243	0.0076	0.0021	0.0005	0.0001	0.0000
	2	0.9245	0.6769	0.4049	0.2061	0.0913	0.0355	0.0121	0.0036	0.0009	0.0002
	3	0.9841	0.8670	0.6477	0.4114	0.2252	0.1071	0.0444	0.0160	0.0049	0.0013
	4	0.9974	0.9568	0.8298	0.6296	0.4148	0.2375	0.1182	0.0510	0.0189	0.0059

표 2 이항분포(계속)

n	x	p=0.05	0.10	0.15	0.20	0.25	0.30	0.35	0.40	0.45	0.50
	5	0.9997	0.9887	0.9327	0.8042	0.6172	0.4164	0.2454	0.1256	0.0553	0.0207
	6	1.0000	0.9976	0.9781	0.9133	0.7858	0.6080	0.4166	0.2500	0.1299	0.0577
	7	1.0000	0.9996	0.9941	0.9679	0.8982	0.7723	0.6010	0.4159	0.2520	0.1316
	8	1.0000	0.9999	0.9987	0.9900	0.9591	0.8867	0.7624	0.5956	0.4143	0.2517
	9	1.0000	1.0000	0.9998	0.9974	0.9861	0.9520	0.8782	0.7553	0.5914	0.4119
	10	1.0000	1.0000	1.0000	0.9994	0.9961	0.9829	0.9468	0.8725	0.7507	0.5881
	11	1.0000	1.0000	1.0000	0.9999	0.9991	0.9949	0.9804	0.9435	0.8692	0.7483
	12	1.0000	1.0000	1.0000	1.0000	0.9998	0.9987	0.9940	0.9790	0.9420	0.8684
	13	1.0000	1.0000	1.0000	1.0000	1.0000	0.9997	0.9985	0.9935	0.9786	0.9423
	14	1.0000	1.0000	1.0000	1.0000	1.0000	1.0000	0.9997	0.9984	0.9936	0.9793
	15	1.0000	1.0000	1.0000	1.0000	1.0000	1.0000	1.0000	0.9997	0.9985	0.9941
	16	1.0000	1.0000	1.0000	1.0000	1.0000	1.0000	1.0000	1.0000	0.9997	0.9987
	17	1.0000	1.0000	1.0000	1.0000	1.0000	1.0000	1.0000	1.0000	1.0000	0.9998
	18	1.0000	1.0000	1.0000	1.0000	1.0000	1.0000	1.0000	1.0000	1.0000	1.0000
	19	1.0000	1.0000	1.0000	1.0000	1.0000	1.0000	1.0000	1.0000	1.0000	1.0000
	20	1.0000	1.0000	1.0000	1.0000	1.0000	1.0000	1.0000	1.0000	1.0000	1.0000
25	0	0.2774	0.0718	0.0172	0.0038	0.0008	0.0001	0.0000	0.0000	0.0000	0.0000
	1	0.6424	0.2712	0.0931	0.0274	0.0070	0.0016	0.0003	0.0001	0.0000	0.0000
	2	0.8729	0.5371	0.2537	0.0982	0.0321	0.0090	0.0021	0.0004	0.0001	0.0000
	3	0.9659	0.7636	0.4711	0.2340	0.0962	0.0332	0.0097	0.0024	0.0005	0.0001
	4	0.9928	0.9020	0.6821	0.4207	0.2137	0.0905	0.0320	0.0095	0.0023	0.0005
	5	0.9988	0.9666	0.8385	0.6167	0.3783	0.1935	0.0826	0.0294	0.0086	0.0020
	6	0.9998	0.9905	0.9305	0.7800	0.5611	0.3407	0.1734	0.0736	0.0258	0.0073
	7	1.0000	0.9977	0.9745	0.8909	0.7265	0.5118	0.3061	0.1536	0.0639	0.0216
	8	1.0000	0.9995	0.9920	0.9532	0.8506	0.6769	0.4668	0.2735	0.1340	0.0539
	9	1.0000	0.9999	0.9979	0.9827	0.9287	0.8106	0.6303	0.4246	0.2424	0.1148
	10	1.0000	1.0000	0.9995	0.9944	0.9703	0.9022	0.7712	0.5858	0.3843	0.2122
	11	1.0000	1.0000	0.9999	0.9985	0.9893	0.9558	0.8746	0.7323	0.5426	0.3450
	12	1.0000	1.0000	1.0000	0.9996	0.9966	0.9825	0.9396	0.8462	0.6937	0.5000
	13	1.0000	1.0000	1.0000	0.9999	0.9991	0.9940	0.9745	0.9222	0.8173	0.6550
	14	1.0000	1.0000	1,0000	1.0000	0.9998	0.9982	0.9907	0.9656	0.9040	0.7878
	15	1.0000	1.0000	1.0000	1.0000	1.0000	0.9995	0.9971	0.9868	0.9560	0.8852
	16	1.0000	1.0000	1.0000	1.0000	1.0000	0.9999	0.9992	0.9957	0.9826	0.9461
	17	1.0000	1.0000	1.0000	1.0000	1.0000	1.0000	0.9998	0.9988	0.9942	0.9784
	18	1.0000	1.0000	1.0000	1.0000	1.0000	1.0000	1.0000	0.9997	0.9984	0.9927
	19	1.0000	1.0000	1.0000	1.0000	1.0000	1.0000	1.0000	0.9999	0.9996	0.9980
	20	1.0000	1.0000	1.0000	1.0000	1.0000	1.0000	1.0000	1.0000	0.9999	0.9995
	21	1.0000	1.0000	1.0000	1.0000	1.0000	1.0000	1.0000	1.0000	1.0000	0.9999
	22	1.0000	1.0000	1.0000	1.0000	1.0000	1.0000	1.0000	1.0000	1.0000	1.0000
	23	1.0000	1.0000	1.0000	1.0000	1.0000	1.0000	1.0000	1.0000	1.0000	1.0000
	24	1.0000	1.0000	1.0000	1.0000	1.0000	1.0000	1.0000	1.0000	1.0000	1.0000
	25	1.0000	1.0000	1.0000	1.0000	1.0000	1.0000	1.0000	1.0000	1.0000	1.0000

표 3 푸아송분포

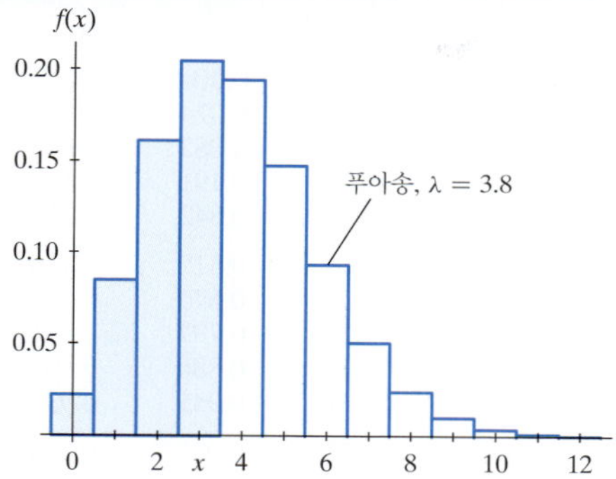

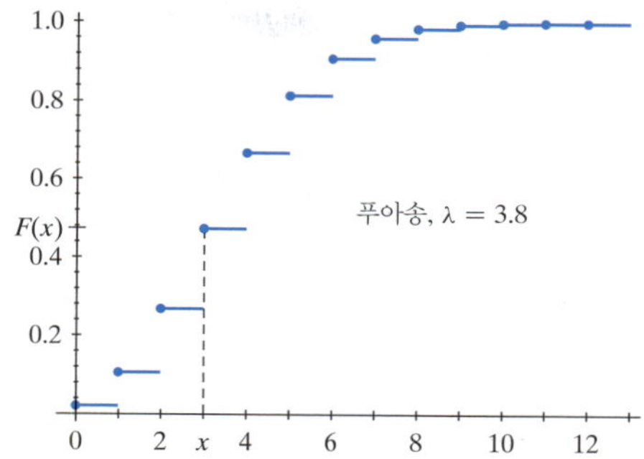

$$F(x) = P(X \le x) = \sum_{k=0}^{x} \frac{\lambda^k e^{-\lambda}}{k!}$$

	$\lambda = E(X)$									
x	0.1	0.2	0.3	0.4	0.5	0.6	0.7	0.8	0.9	1.0
0	0.905	0.819	0.741	0.670	0.607	0.549	0.497	0.449	0.407	0.368
1	0.995	0.982	0.963	0.938	0.910	0.878	0.844	0.809	0.772	0.736
2	1.000	0.999	0.996	0.992	0.986	0.977	0.966	0.953	0.937	0.920
3	1.000	1.000	1.000	0.999	0.998	0.997	0.994	0.991	0.987	0.981
4	1.000	1.000	1.000	1.000	1.000	1.000	0.999	0.999	0.998	0.996
5	1.000	1.000	1.000	1.000	1.000	1.000	1.000	1.000	1.000	0.999
6	1.000	1.000	1.000	1.000	1.000	1.000	1.000	1.000	1.000	1.000
x	1.1	1.2	1.3	1.4	1.5	1.6	1.7	1.8	1.9	2.0
0	0.333	0.301	0.273	0.247	0.223	0.202	0.183	0.165	0.150	0.135
1	0.699	0.663	0.627	0.592	0.558	0.525	0.493	0.463	0.434	0.406
2	0.900	0.879	0.857	0.833	0.809	0.783	0.757	0.731	0.704	0.677
3	0.974	0.966	0.957	0.946	0.934	0.921	0.907	0.891	0.875	0.857
4	0.995	0.992	0.989	0.986	0.981	0.976	0.970	0.964	0.956	0.947
5	0.999	0.998	0.998	0.997	0.996	0.994	0.992	0.990	0.987	0.983
6	1.000	1.000	1.000	0.999	0.999	0.999	0.998	0.997	0.997	0.995
7	1.000	1.000	1.000	1.000	1.000	1.000	1.000	0.999	0.999	0.999
8	1.000	1.000	1.000	1.000	1.000	1.000	1.000	1.000	1.000	1.000
x	2.2	2.4	2.6	2.8	3.0	3.2	3.4	3.6	3.8	4.0
0	0.111	0.091	0.074	0.061	0.050	0.041	0.033	0.027	0.022	0.018
1	0.355	0.308	0.267	0.231	0.199	0.171	0.147	0.126	0.107	0.092
2	0.623	0.570	0.518	0.469	0.423	0.380	0.340	0.303	0.269	0.238
3	0.819	0.779	0.736	0.692	0.647	0.603	0.558	0.515	0.473	0.433
4	0.928	0.904	0.877	0.848	0.815	0.781	0.744	0.706	0.668	0.629
5	0.975	0.964	0.951	0.935	0.916	0.895	0.871	0.844	0.816	0.785
6	0.993	0.988	0.983	0.976	0.966	0.955	0.942	0.927	0.909	0.889
7	0.998	0.997	0.995	0.992	0.988	0.983	0.977	0.969	0.960	0.949
8	1.000	0.999	0.999	0.998	0.996	0.994	0.992	0.988	0.984	0.979
9	1.000	1.000	1.000	0.999	0.999	0.998	0.997	0.996	0.994	0.992
10	1.000	1.000	1.000	1.000	1.000	1.000	0.999	0.999	0.998	0.997
11	1.000	1.000	1.000	1.000	1.000	1.000	1.000	1.000	0.999	0.999
12	1.000	1.000	1.000	1.000	1.000	1.000	1.000	1.000	1.000	1.000

표 3 푸아송분포(계속)

x	4.2	4.4	4.6	4.8	5.0	5.2	5.4	5.6	5.8	6.0
0	0.015	0.012	0.010	0.008	0.007	0.006	0.005	0.004	0.003	0.002
1	0.078	0.066	0.056	0.048	0.040	0.034	0.029	0.024	0.021	0.017
2	0.210	0.185	0.163	0.143	0.125	0.109	0.095	0.082	0.072	0.062
3	0.395	0.359	0.326	0.294	0.265	0.238	0.213	0.191	0.170	0.151
4	0.590	0.551	0.513	0.476	0.440	0.406	0.373	0.342	0.313	0.285
5	0.753	0.720	0.686	0.651	0.616	0.581	0.546	0.512	0.478	0.446
6	0.867	0.844	0.818	0.791	0.762	0.732	0.702	0.670	0.638	0.606
7	0.936	0.921	0.905	0.887	0.867	0.845	0.822	0.797	0.771	0.744
8	0.972	0.964	0.955	0.944	0.932	0.918	0.903	0.886	0.867	0.847
9	0.989	0.985	0.980	0.975	0.968	0.960	0.951	0.941	0.929	0.916
10	0.996	0.994	0.992	0.990	0.986	0.982	0.977	0.972	0.965	0.957
11	0.999	0.998	0.997	0.996	0.995	0.993	0.990	0.988	0.984	0.980
12	1.000	0.999	0.999	0.999	0.998	0.997	0.996	0.995	0.993	0.991
13	1.000	1.000	1.000	1.000	0.999	0.999	0.999	0.998	0.997	0.996
14	1.000	1.000	1.000	1.000	1.000	1.000	0.999	0.999	0.999	0.999
15	1.000	1.000	1.000	1.000	1.000	1.000	1.000	1.000	1.000	0.999
16	1.000	1.000	1.000	1.000	1.000	1.000	1.000	1.000	1.000	1.000

x	6.5	7.0	7.5	8.0	8.5	9.0	9.5	10.0	10.5	11.0
0	0.002	0.001	0.001	0.000	0.000	0.000	0.000	0.000	0.000	0.000
1	0.011	0.007	0.005	0.003	0.002	0.001	0.001	0.000	0.000	0.000
2	0.043	0.030	0.020	0.014	0.009	0.006	0.004	0.003	0.002	0.001
3	0.112	0.082	0.059	0.042	0.030	0.021	0.015	0.010	0.007	0.005
4	0.224	0.173	0.132	0.100	0.074	0.055	0.040	0.029	0.021	0.015
5	0.369	0.301	0.241	0.191	0.150	0.116	0.089	0.067	0.050	0.038
6	0.527	0.450	0.378	0.313	0.256	0.207	0.165	0.130	0.102	0.079
7	0.673	0.599	0.525	0.453	0.386	0.324	0.269	0.220	0.179	0.143
8	0.792	0.729	0.662	0.593	0.523	0.456	0.392	0.333	0.279	0.232
9	0.877	0.830	0.776	0.717	0.653	0.587	0.522	0.458	0.397	0.341
10	0.933	0.901	0.862	0.816	0.763	0.706	0.645	0.583	0.521	0.460
11	0.966	0.947	0.921	0.888	0.849	0.803	0.752	0.697	0.639	0.579
12	0.984	0.973	0.957	0.936	0.909	0.876	0.836	0.792	0.742	0.689
13	0.993	0.987	0.978	0.966	0.949	0.926	0.898	0.864	0.825	0.781
14	0.997	0.994	0.990	0.983	0.973	0.959	0.940	0.917	0.888	0.854
15	0.999	0.998	0.995	0.992	0.986	0.978	0.967	0.951	0.932	0.907
16	1.000	0.999	0.998	0.996	0.993	0.989	0.982	0.973	0.960	0.944
17	1.000	1.000	0.999	0.998	0.997	0.995	0.991	0.986	0.978	0.968
18	1.000	1.000	1.000	0.999	0.999	0.998	0.096	0.993	0.988	0.982
19	1.000	1.000	1.000	1.000	0.999	0.999	0.998	0.997	0.994	0.991
20	1.000	1.000	1.000	1.000	1.000	1.000	0.999	0.998	0.997	0.995
21	1.000	1.000	1.000	1.000	1.000	1.000	1.000	0.999	0.999	0.998
22	1.000	1.000	1.000	1.000	1.000	1.000	1.000	1.000	0.999	0.999
23	1.000	1.000	1.000	1.000	1.000	1.000	1.000	1.000	1.000	1.000

표 3 푸아송분포(계속)

x	11.5	12.0	12.5	13.0	13.5	14.0	14.5	15.0	15.5	16.0
0	0.000	0.000	0.000	0.000	0.000	0.000	0.000	0.000	0.000	0.000
1	0.000	0.000	0.000	0.000	0.000	0.000	0.000	0.000	0.000	0.000
2	0.001	0.001	0.000	0.000	0.000	0.000	0.000	0.000	0.000	0.000
3	0.003	0.002	0.002	0.001	0.001	0.000	0.000	0.000	0.000	0.000
4	0.011	0.008	0.005	0.004	0.003	0.002	0.001	0.001	0.001	0.000
5	0.028	0.020	0.015	0.011	0.008	0.006	0.004	0.003	0.002	0.001
6	0.060	0.046	0.035	0.026	0.019	0.014	0.010	0.008	0.006	0.004
7	0.114	0.090	0.070	0.054	0.041	0.032	0.024	0.018	0.013	0.010
8	0.191	0.155	0.125	0.100	0.079	0.062	0.048	0.037	0.029	0.022
9	0.289	0.242	0.201	0.166	0.135	0.109	0.088	0.070	0.055	0.043
10	0.402	0.347	0.297	0.252	0.211	0.176	0.145	0.118	0.096	0.077
11	0.520	0.462	0.406	0.353	0.304	0.260	0.220	0.185	0.154	0.127
12	0.633	0.576	0.519	0.463	0.409	0.358	0.311	0.268	0.228	0.193
13	0.733	0.682	0.629	0.573	0.518	0.464	0.413	0.363	0.317	0.275
14	0.815	0.772	0.725	0.675	0.623	0.570	0.518	0.466	0.415	0.368
15	0.878	0.844	0.806	0.764	0.718	0.669	0.619	0.568	0.517	0.467
16	0.924	0.899	0.869	0.835	0.798	0.756	0.711	0.664	0.615	0.566
17	0.954	0.937	0.916	0.890	0.861	0.827	0.790	0.749	0.705	0.659
18	0.974	0.963	0.948	0.930	0.908	0.883	0.853	0.819	0.782	0.742
19	0.986	0.979	0.969	0.957	0.942	0.923	0.901	0.875	0.846	0.812
20	0.992	0.988	0.983	0.975	0.965	0.952	0.936	0.917	0.894	0.868
21	0.996	0.994	0.991	0.986	0.980	0.971	0.960	0.947	0.930	0.911
22	0.999	0.997	0.995	0.992	0.989	0.983	0.976	0.967	0.956	0.942
23	0.999	0.999	0.998	0.996	0.994	0.991	0.986	0.981	0.973	0.963
24	1.000	0.999	0.999	0.998	0.997	0.995	0.992	0.989	0.984	0.978
25	1.000	1.000	0.999	0.999	0.998	0.997	0.996	0.994	0.991	0.987
26	1.000	1.000	1.000	1.000	0.999	0.999	0.998	0.997	0.995	0.993
27	1.000	1.000	1.000	1.000	1.000	0.999	0.999	0.998	0.997	0.996
28	1.000	1.000	1.000	1.000	1.000	1.000	0.999	0.999	0.999	0.998
29	1.000	1.000	1.000	1.000	1.000	1.000	1.000	1.000	0.999	0.999
30	1.000	1.000	1.000	1.000	1.000	1.000	1.000	1.000	1.000	0.999
31	1.000	1.000	1.000	1.000	1.000	1.000	1.000	1.000	1.000	1.000
32	1.000	1.000	1.000	1.000	1.000	1.000	1.000	1.000	1.000	1.000
33	1.000	1.000	1.000	1.000	1.000	1.000	1.000	1.000	1.000	1.000
34	1.000	1.000	1.000	1.000	1.000	1.000	1.000	1.000	1.000	1.000
35	1.000	1.000	1.000	1.000	1.000	1.000	1.000	1.000	1.000	1.000

표 4 카이제곱분포

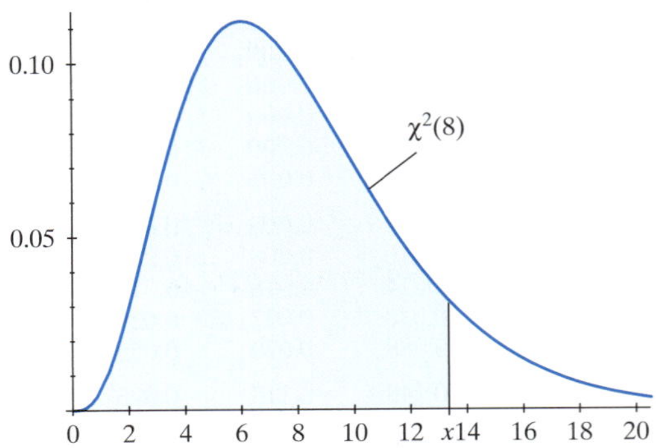

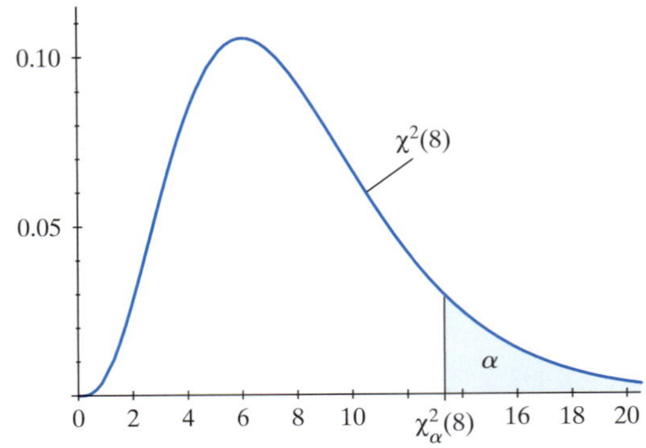

$$P(X \le x) = \int_0^x \frac{1}{\Gamma(r/2)2^{r/2}} w^{r/2-1} e^{-w/2} dw$$

	$P(X \le x)$							
	0.010	0.025	0.050	0.100	0.900	0.950	0.975	0.990
r	$\chi^2_{0.99}(r)$	$\chi^2_{0.975}(r)$	$\chi^2_{0.95}(r)$	$\chi^2_{0.90}(r)$	$\chi^2_{0.10}(r)$	$\chi^2_{0.05}(r)$	$\chi^2_{0.025}(r)$	$\chi^2_{0.01}(r)$
1	0.000	0.001	0.004	0.016	2.706	3.841	5.024	6.635
2	0.020	0.051	0.103	0.211	4.605	5.991	7.378	9.210
3	0.115	0.216	0.352	0.584	6.251	7.815	9.348	11.34
4	0.297	0.484	0.711	1.064	7.779	9.488	11.14	13.28
5	0.554	0.831	1.145	1.610	9.236	11.07	12.83	15.09
6	0.872	1.237	1.635	2.204	10.64	12.59	14.45	16.81
7	1.239	1.690	2.167	2.833	12.02	14.07	16.01	18.48
8	1.646	2.180	2.733	3.490	13.36	15.51	17.54	20.09
9	2.088	2.700	3.325	4.168	14.68	16.92	19.02	21.67
10	2.558	3.247	3.940	4.865	15.99	18.31	20.48	23.21
11	3.053	3.816	4.575	5.578	17.28	19.68	21.92	24.72
12	3.571	4.404	5.226	6.304	18.55	21.03	23.34	26.22
13	4.107	5.009	5.892	7.042	19.81	22.36	24.74	27.69
14	4.660	5.629	6.571	7.790	21.06	23.68	26.12	29.14
15	5.229	6.262	7.261	8.547	22.31	25.00	27.49	30.58
16	5.812	6.908	7.962	9.312	23.54	26.30	28.84	32.00
17	6.408	7.564	8.672	10.08	24.77	27.59	30.19	33.41
18	7.015	8.231	9.390	10.86	25.99	28.87	31.53	34.80
19	7.633	8.907	10.12	11.65	27.20	30.14	32.85	36.19
20	8.260	9.591	10.85	12.44	28.41	31.41	34.17	37.57
21	8.897	10.28	11.59	13.24	29.62	32.67	35.48	38.93
22	9.542	10.98	12.34	14.04	30.81	33.92	36.78	40.29
23	10.20	11.69	13.09	14.85	32.01	35.17	38.08	41.64
24	10.86	12.40	13.85	15.66	33.20	36.42	39.36	42.98
25	11.52	13.12	14.61	16.47	34.38	37.65	40.65	44.31
26	12.20	13.84	15.38	17.29	35.56	38.88	41.92	45.64
27	12.88	14.57	16.15	18.11	36.74	40.11	43.19	46.96
28	13.56	15.31	16.93	18.94	37.92	41.34	44.46	48.28
29	14.26	16.05	17.71	19.77	39.09	42.56	45.72	49.59
30	14.95	16.79	18.49	20.60	40.26	43.77	46.98	50.89
40	22.16	24.43	26.51	29.05	51.80	55.76	59.34	63.69
50	29.71	32.36	34.76	37.69	63.17	67.50	71.42	76.15
60	37.48	40.48	43.19	46.46	74.40	79.08	83.30	88.38
70	45.44	48.76	51.74	55.33	85.53	90.53	95.02	100.4
80	53.34	57.15	60.39	64.28	96.58	101.9	106.6	112.3

출처: Table III in Biometrika Tables for Statisticians, E.S.Pearson and H.O.Hartley.

표 5a 표준정규분포함수

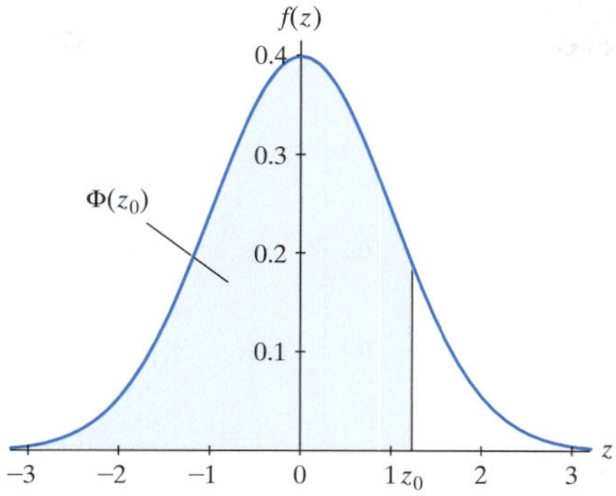

$$P(Z \le z) = \Phi(z) = \int_{-\infty}^{z} \frac{1}{\sqrt{2\pi}} e^{-w^2/2}\, dw$$

$$\Phi(-z) = 1 - \Phi(z)$$

z	0.00	0.01	0.02	0.03	0.04	0.05	0.06	0.07	0.08	0.09
0.0	0.5000	0.5040	0.5080	0.5120	0.5160	0.5199	0.5239	0.5279	0.5319	0.5359
0.1	0.5398	0.5438	0.5478	0.5517	0.5557	0.5596	0.5636	0.5675	0.5714	0.5753
0.2	0.5793	0.5832	0.5871	0.5910	0.5948	0.5987	0.6026	0.6064	0.6103	0.6141
0.3	0.6179	0.6217	0.6255	0.6293	0.6331	0.6368	0.6406	0.6443	0.6480	0.6517
0.4	0.6554	0.6591	0.6628	0.6664	0.6700	0.6736	0.6772	0.6808	0.6844	0.6879
0.5	0.6915	0.6950	0.6985	0.7019	0.7054	0.7088	0.7123	0.7157	0.7190	0.7224
0.6	0.7257	0.7291	0.7324	0.7357	0.7389	0.7422	0.7454	0.7486	0.7517	0.7549
0.7	0.7580	0.7611	0.7642	0.7673	0.7703	0.7734	0.7764	0.7794	0.7823	0.7852
0.8	0.7881	0.7910	0.7939	0.7967	0.7995	0.8023	0.8051	0.8078	0.8106	0.8133
0.9	0.8159	0.8186	0.8212	0.8238	0.8264	0.8289	0.8315	0.8340	0.8365	0.8389
1.0	0.8413	0.8438	0.8461	0.8485	0.8508	0.8531	0.8554	0.8577	0.8599	0.8621
1.1	0.8643	0.8665	0.8686	0.8708	0.8729	0.8749	0.8770	0.8790	0.8810	0.8830
1.2	0.8849	0.8869	0.8888	0.8907	0.8925	0.8944	0.8962	0.8980	0.8997	0.9015
1.3	0.9032	0.9049	0.9066	0.9082	0.9099	0.9115	0.9131	0.9147	0.9162	0.9177
1.4	0.9192	0.9207	0.9222	0.9236	0.9251	0.9265	0.9279	0.9292	0.9306	0.9319
1.5	0.9332	0.9345	0.9357	0.9370	0.9382	0.9394	0.9406	0.9418	0.9429	0.9441
1.6	0.9452	0.9463	0.9474	0.9484	0.9495	0.9505	0.9515	0.9525	0.9535	0.9545
1.7	0.9554	0.9564	0.9573	0.9582	0.9591	0.9599	0.9608	0.9616	0.9625	0.9633
1.8	0.9641	0.9649	0.9656	0.9664	0.9671	0.9678	0.9686	0.9693	0.9699	0.9706
1.9	0.9713	0.9719	0.9726	0.9732	0.9738	0.9744	0.9750	0.9756	0.9761	0.9767
2.0	0.9772	0.9778	0.9783	0.9788	0.9793	0.9798	0.9803	0.9808	0.9812	0.9817
2.1	0.9821	0.9826	0.9830	0.9834	0.9838	0.9842	0.9846	0.9850	0.9854	0.9857
2.2	0.9861	0.9864	0.9868	0.9871	0.9875	0.9878	0.9881	0.9884	0.9887	0.9890
2.3	0.9893	0.9896	0.9898	0.9901	0.9904	0.9906	0.9909	0.9911	0.9913	0.9916
2.4	0.9918	0.9920	0.9922	0.9925	0.9927	0.9929	0.9931	0.9932	0.9934	0.9936
2.5	0.9938	0.9940	0.9941	0.9943	0.9945	0.9946	0.9948	0.9949	0.9951	0.9952
2.6	0.9953	0.9955	0.9956	0.9957	0.9959	0.9960	0.9961	0.9962	0.9963	0.9964
2.7	0.9965	0.9966	0.9967	0.9968	0.9969	0.9970	0.9971	0.9972	0.9973	0.9974
2.8	0.9974	0.9975	0.9976	0.9977	0.9977	0.9978	0.9979	0.9979	0.9980	0.9981
2.9	0.9981	0.9982	0.9982	0.9983	0.9984	0.9984	0.9985	0.9985	0.9986	0.9986
3.0	0.9987	0.9987	0.9987	0.9988	0.9988	0.9989	0.9989	0.9989	0.9990	0.9990

α	0.400	0.300	0.200	0.100	0.050	0.025	0.020	0.010	0.005	0.001
z_α	0.253	0.524	0.842	1.282	1.645	1.960	2.054	2.326	2.576	3.090
$z_{\alpha/2}$	0.842	1.036	1.282	1.645	1.960	2.240	2.326	2.576	2.807	3.291

표 5b 표준정규분포의 오른쪽 꼬리 부분 확률

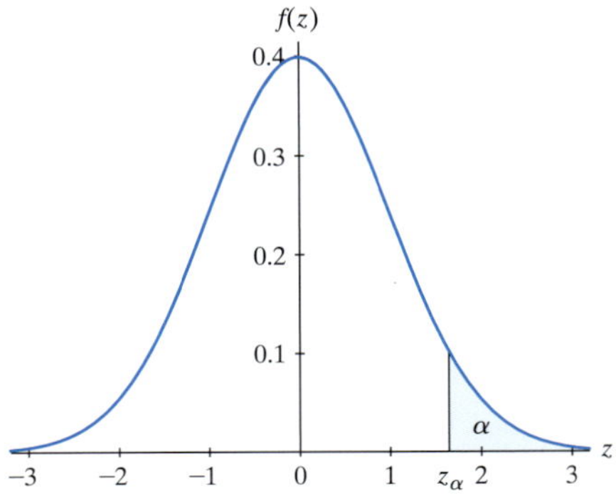

$$P(Z > z_\alpha) = \alpha$$

$$P(Z > z) = 1 - \Phi(z) = \Phi(-z)$$

z_α	0.00	0.01	0.02	0.03	0.04	0.05	0.06	0.07	0.08	0.09
0.0	0.5000	0.4960	0.4920	0.4880	0.4840	0.4801	0.4761	0.4721	0.4681	0.4641
0.1	0.4602	0.4562	0.4522	0.4483	0.4443	0.4404	0.4364	0.4325	0.4286	0.4247
0.2	0.4207	0.4168	0.4129	0.4090	0.4052	0.4013	0.3974	0.3936	0.3897	0.3859
0.3	0.3821	0.3783	0.3745	0.3707	0.3669	0.3632	0.3594	0.3557	0.3520	0.3483
0.4	0.3446	0.3409	0.3372	0.3336	0.3300	0.3264	0.3228	0.3192	0.3156	0.3121
0.5	0.3085	0.3050	0.3015	0.2981	0.2946	0.2912	0.2877	0.2843	0.2810	0.2776
0.6	0.2743	0.2709	0.2676	0.2643	0.2611	0.2578	0.2546	0.2514	0.2483	0.2451
0.7	0.2420	0.2389	0.2358	0.2327	0.2296	0.2266	0.2236	0.2206	0.2177	0.2148
0.8	0.2119	0.2090	0.2061	0.2033	0.2005	0.1977	0.1949	0.1922	0.1894	0.1867
0.9	0.1841	0.1814	0.1788	0.1762	0.1736	0.1711	0.1685	0.1660	0.1635	0.1611
1.0	0.1587	0.1562	0.1539	0.1515	0.1492	0.1469	0.1446	0.1423	0.1401	0.1379
1.1	0.1357	0.1335	0.1314	0.1292	0.1271	0.1251	0.1230	0.1210	0.1190	0.1170
1.2	0.1151	0.1131	0.1112	0.1093	0.1075	0.1056	0.1038	0.1020	0.1003	0.0985
1.3	0.0968	0.0951	0.0934	0.0918	0.0901	0.0885	0.0869	0.0853	0.0838	0.0823
1.4	0.0808	0.0793	0.0778	0.0764	0.0749	0.0735	0.0721	0.0708	0.0694	0.0681
1.5	0.0668	0.0655	0.0643	0.0630	0.0618	0.0606	0.0594	0.0582	0.0571	0.0559
1.6	0.0548	0.0537	0.0526	0.0516	0.0505	0.0495	0.0485	0.0475	0.0465	0.0455
1.7	0.0446	0.0436	0.0427	0.0418	0.0409	0.0401	0.0392	0.0384	0.0375	0.0367
1.8	0.0359	0.0351	0.0344	0.0336	0.0329	0.0322	0.0314	0.0307	0.0301	0.0294
1.9	0.0287	0.0281	0.0274	0.0268	0.0262	0.0256	0.0250	0.0244	0.0239	0.0233
2.0	0.0228	0.0222	0.0217	0.0212	0.0207	0.0202	0.0197	0.0192	0.0188	0.0183
2.1	0.0179	0.0174	0.0170	0.0166	0.0162	0.0158	0.0154	0.0150	0.0146	0.0143
2.2	0.0139	0.0136	0.0132	0.0129	0.0125	0.0122	0.0119	0.0116	0.0113	0.0110
2.3	0.0107	0.0104	0.0102	0.0099	0.0096	0.0094	0.0091	0.0089	0.0087	0.0084
2.4	0.0082	0.0080	0.0078	0.0075	0.0073	0.0071	0.0069	0.0068	0.0066	0.0064
2.5	0.0062	0.0060	0.0059	0.0057	0.0055	0.0054	0.0052	0.0051	0.0049	0.0048
2.6	0.0047	0.0045	0.0044	0.0043	0.0041	0.0040	0.0039	0.0038	0.0037	0.0036
2.7	0.0035	0.0034	0.0033	0.0032	0.0031	0.0030	0.0029	0.0028	0.0027	0.0026
2.8	0.0026	0.0025	0.0024	0.0023	0.0023	0.0022	0.0021	0.0021	0.0020	0.0019
2.9	0.0019	0.0018	0.0018	0.0017	0.0016	0.0016	0.0015	0.0015	0.0014	0.0014
3.0	0.0013	0.0013	0.0013	0.0012	0.0012	0.0011	0.0011	0.0011	0.0010	0.0010
3.1	0.0010	0.0009	0.0009	0.0009	0.0008	0.0008	0.0008	0.0008	0.0007	0.0007
3.2	0.0007	0.0007	0.0006	0.0006	0.0006	0.0006	0.0006	0.0005	0.0005	0.0005
3.3	0.0005	0.0005	0.0005	0.0004	0.0004	0.0004	0.0004	0.0004	0.0004	0.0003
3.4	0.0003	0.0003	0.0003	0.0003	0.0003	0.0003	0.0003	0.0003	0.0003	0.0002

표 6 t 분포

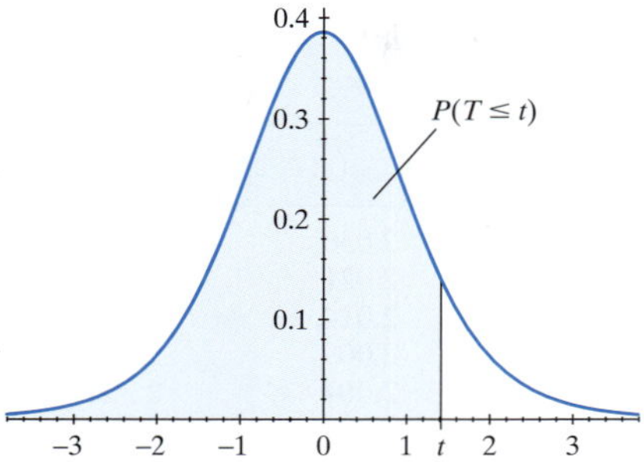

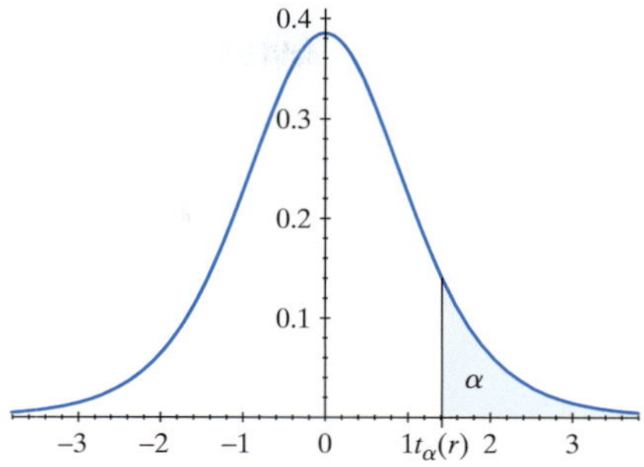

$$P(T \le t) = \int_{-\infty}^{t} \frac{\Gamma[(r+1)/2]}{\sqrt{\pi r}\,\Gamma(r/2)(1+w^2/r)^{(r+1)/2}}\,dw$$

$$P(T \le -t) = 1 - P(T \le t)$$

	$P(T \le t)$						
	0.60	0.75	0.90	0.95	0.975	0.99	0.995
r	$t_{0.40}(r)$	$t_{0.25}(r)$	$t_{0.10}(r)$	$t_{0.05}(r)$	$t_{0.025}(r)$	$t_{0.01}(r)$	$t_{0.005}(r)$
1	0.325	1.000	3.078	6.314	12.706	31.821	63.657
2	0.289	0.816	1.886	2.920	4.303	6.965	9.925
3	0.277	0.765	1.638	2.353	3.182	4.541	5.841
4	0.271	0.741	1.533	2.132	2.776	3.747	4.604
5	0.267	0.727	1.476	2.015	2.571	3.365	4.032
6	0.265	0.718	1.440	1.943	2.447	3.143	3.707
7	0.263	0.711	1.415	1.895	2.365	2.998	3.499
8	0.262	0.706	1.397	1.860	2.306	2.896	3.355
9	0.261	0.703	1.383	1.833	2.262	2.821	3.250
10	0.260	0.700	1.372	1.812	2.228	2.764	3.169
11	0.260	0.697	1.363	1.796	2.201	2.718	3.106
12	0.259	0.695	1.356	1.782	2.179	2.681	3.055
13	0.259	0.694	1.350	1.771	2.160	2.650	3.012
14	0.258	0.692	1.345	1.761	2.145	2.624	2.997
15	0.258	0.691	1.341	1.753	2.131	2.602	2.947
16	0.258	0.690	1.337	1.746	2.120	2.583	2.921
17	0.257	0.689	1.333	1.740	2.110	2.567	2.898
18	0.257	0.688	1.330	1.734	2.101	2.552	2.878
19	0.257	0.688	1.328	1.729	2.093	2.539	2.861
20	0.257	0.687	1.325	1.725	2.086	2.528	2.845
21	0.257	0.686	1.323	1.721	2.080	2.518	2.831
22	0.256	0.686	1.321	1.717	2.074	2.508	2.819
23	0.256	0.685	1.319	1.714	2.069	2.500	2.807
24	0.256	0.685	1.318	1.711	2.064	2.492	2.797
25	0.256	0.684	1.316	1.708	2.060	2.485	2.787
26	0.256	0.684	1.315	1.706	2.056	2.479	2.779
27	0.256	0.684	1.314	1.703	2.052	2.473	2.771
28	0.256	0.683	1.313	1.701	2.048	2.467	2.763
29	0.256	0.683	1.311	1.699	2.045	2.462	2.756
30	0.256	0.683	1.310	1.697	2.042	2.457	2.750

출처: Table III of Fisher and Yates: Statistical Tables for Biological, Agricultural, and Medical Research, published by Longman Group Ltd., London (previously published by Oliver and Boyd, Edinburgh).

표 6 *t* 분포(계속)

	$P(T \le t)$						
	0.60	0.75	0.90	0.95	0.975	0.99	0.995
r	$t_{0.40}(r)$	$t_{0.25}(r)$	$t_{0.10}(r)$	$t_{0.05}(r)$	$t_{0.025}(r)$	$t_{0.01}(r)$	$t_{0.005}(r)$
35	0.255	0.682	1.306	1.690	2.030	2.438	2.724
40	0.255	0.681	1.303	1.684	2.021	2.423	2.705
45	0.255	0.680	1.301	1.679	2.014	2.412	2.690
50	0.255	0.679	1.299	1.676	2.009	2.403	2.678
55	0.255	0.679	1.297	1.673	2.004	2.396	2.668
60	0.254	0.679	1.296	1.671	2.000	2.390	2.660
65	0.254	0.678	1.295	1.669	1.997	2.385	2.654
70	0.254	0.678	1.294	1.667	1.994	2.381	2.648
75	0.254	0.678	1.293	1.665	1.992	2.377	2.643
80	0.254	0.677	1.292	1.664	1.990	2.374	2.639
85	0.254	0.677	1.292	1.663	1.988	2.371	2.635
90	0.254	0.677	1.291	1.662	1.987	2.369	2.632
95	0.254	0.677	1.291	1.661	1.985	2.366	2.629
100	0.254	0.677	1.290	1.660	1.984	2.364	2.626
110	0.254	0.677	1.289	1.659	1.982	2.361	2.621
120	0.254	0.677	1.289	1.658	1.980	2.358	2.617
150	0.254	0.676	1.287	1.655	1.976	2.351	2.609
200	0.254	0.676	1.286	1.653	1.972	2.345	2.601
250	0.254	0.675	1.285	1.651	1.969	2.341	2.596
300	0.254	0.675	1.284	1.650	1.968	2.339	2.592
350	0.254	0.675	1.284	1.649	1.967	2.337	2.590
400	0.254	0.675	1.284	1.649	1.966	2.336	2.588
450	0.253	0.675	1.283	1.648	1.965	2.335	2.587
500	0.253	0.675	1.283	1.648	1.965	2.334	2.586
600	0.253	0.675	1.283	1.647	1.964	2.333	2.584
700	0.253	0.675	1.283	1.647	1.963	2.332	2.583
800	0.253	0.675	1.283	1.647	1.963	2.331	2.582
900	0.253	0.675	1.282	1.647	1.963	2.330	2.581
1,000	0.253	0.675	1.282	1.646	1.962	2.330	2.581
∞	0.253	0.674	1.282	1.645	1.960	2.326	2.576

표 7 F 분포

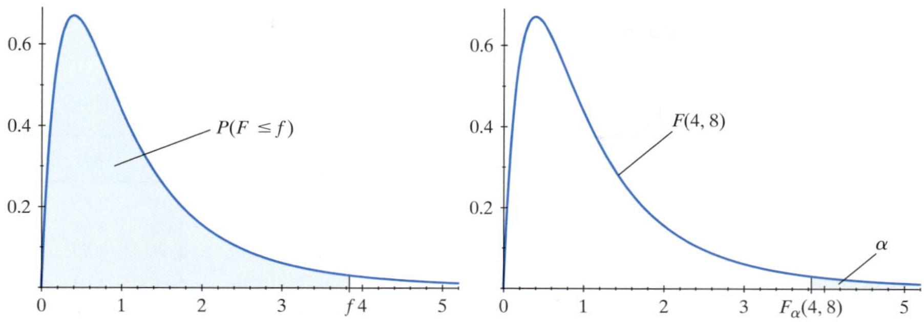

$$P(F \le f) = \int_0^f \frac{\Gamma[(r_1+r_2)/2](r_1/r_2)^{r_1/2} w^{r_1/2-1}}{\Gamma(r_1/2)\Gamma(r_2/2)(1+r_1 w/r_2)^{(r_1+r_2)/2}}\,dw$$

α	$P(F \le f)$	분모 자유도, r_2	분자 자유도, r_1									
			1	2	3	4	5	6	7	8	9	10
0.05	0.95	1	161.4	199.5	215.7	224.6	230.2	234.0	236.8	238.9	240.5	241.9
0.025	0.975		647.79	799.50	864.16	899.58	921.85	937.11	948.22	956.66	963.28	968.63
0.01	0.99		4052	4999.5	5403	5625	5764	5859	5928	5981	6022	6056
0.05	0.95	2	18.51	19.00	19.16	19.25	19.30	19.33	19.35	19.37	19.38	19.40
0.025	0.975		38.51	39.00	39.17	39.25	39.30	39.33	39.36	39.37	39.39	39.40
0.01	0.99		98.50	99.00	99.17	99.25	99.30	99.33	99.36	99.37	99.39	99.40
0.05	0.95	3	10.13	9.55	9.28	9.12	9.01	8.94	8.89	8.85	8.81	8.79
0.025	0.975		17.44	16.04	15.44	15.10	14.88	14.73	14.62	14.54	14.47	14.42
0.01	0.99		34.12	30.82	29.46	28.71	28.24	27.91	27.67	27.49	27.35	27.23
0.05	0.95	4	7.71	6.94	6.59	6.39	6.26	6.16	6.09	6.04	6.00	5.96
0.025	0.975		12.22	10.65	9.98	9.60	9.36	9.20	9.07	8.98	8.90	8.84
0.01	0.99		21.20	18.00	16.69	15.98	15.52	15.21	14.98	14.80	14.66	14.55
0.05	0.95	5	6.61	5.79	5.41	5.19	5.05	4.95	4.88	4.82	4.77	4.74
0.025	0.975		10.01	8.43	7.76	7.39	7.15	6.98	6.85	6.76	6.68	6.62
0.01	0.99		16.26	13.27	12.06	11.39	10.97	10.67	10.46	10.29	10.16	10.05
0.05	0.95	6	5.99	5.14	4.76	4.53	4.39	4.28	4.21	4.15	4.10	4.06
0.025	0.975		8.81	7.26	6.60	6.23	5.99	5.82	5.70	5.60	5.52	5.46
0.01	0.99		13.75	10.92	9.78	9.15	8.75	8.47	8.26	8.10	7.98	7.87
0.05	0.95	7	5.59	4.74	4.35	4.12	3.97	3.87	3.79	3.73	3.68	3.64
0.025	0.975		8.07	6.54	5.89	5.52	5.29	5.12	4.99	4.90	4.82	4.76
0.01	0.99		12.25	9.55	8.45	7.85	7.46	7.19	6.99	6.84	6.72	6.62
0.05	0.95	8	5.32	4.46	4.07	3.84	3.69	3.58	3.50	3.44	3.39	3.35
0.025	0.975		7.57	6.06	5.42	5.05	4.82	4.65	4.53	4.43	4.36	4.30
0.01	0.99		11.26	8.65	7.59	7.01	6.63	6.37	6.18	6.03	5.91	5.81
0.05	0.95	9	5.12	4.26	3.86	3.63	3.48	3.37	3.29	3.23	3.18	3.14
0.025	0.975		7.21	5.71	5.08	4.72	4.48	4.32	4.20	4.10	4.03	3.96
0.01	0.99		10.56	8.02	6.99	6.42	6.06	5.80	5.61	5.47	5.35	5.26
0.05	0.95	10	4.96	4.10	3.71	3.48	3.33	3.22	3.14	3.07	3.02	2.98
0.025	0.975		6.94	5.46	4.83	4.47	4.24	4.07	3.95	3.85	3.78	3.72
0.01	0.99		10.04	7.56	6.55	5.99	5.64	5.39	5.20	5.06	4.94	4.85

표 7 F 분포(계속)

$$P(F \le f) = \int_0^f \frac{\Gamma[(r_1+r_2)/2](r_1/r_2)^{r_1/2} w^{r_1/2-1}}{\Gamma(r_1/2)\Gamma(r_2/2)(1+r_1 w/r_2)^{(r_1+r_2)/2}}\, dw$$

α	$P(F \le f)$	분모 자유도, r_2	분자 자유도, r_1									
			1	2	3	4	5	6	7	8	9	10
0.05	0.95	12	4.75	3.89	3.49	3.26	3.11	3.00	2.91	2.85	2.80	2.75
0.025	0.975		6.55	5.10	4.47	4.12	3.89	3.73	3.61	3.51	3.44	3.37
0.01	0.99		9.33	6.93	5.95	5.41	5.06	4.82	4.64	4.50	4.39	4.30
0.05	0.95	15	4.54	3.68	3.29	3.06	2.90	2.79	2.71	2.64	2.59	2.54
0.025	0.975		6.20	4.77	4.15	3.80	3.58	3.41	3.29	3.20	3.12	3.06
0.01	0.99		8.68	6.36	5.42	4.89	4.56	4.32	4.14	4.00	3.89	3.80
0.05	0.95	20	4.35	3.49	3.10	2.87	2.71	2.60	2.51	2.45	2.39	2.35
0.025	0.975		5.87	4.46	3.86	3.51	3.29	3.13	3.01	2.91	2.84	2.77
0.01	0.99		8.10	5.85	4.94	4.43	4.10	3.87	3.70	3.56	3.46	3.37
0.05	0.95	24	4.26	3.40	3.01	2.78	2.62	2.51	2.42	2.36	2.30	2.25
0.025	0.975		5.72	4.32	3.72	3.38	3.15	2.99	2.87	2.78	2.70	2.64
0.01	0.99		7.82	5.61	4.72	4.22	3.90	3.67	3.50	3.36	3.26	3.17
0.05	0.95	30	4.17	3.32	2.92	2.69	2.53	2.42	2.33	2.27	2.21	2.16
0.025	0.975		5.57	4.18	3.59	3.25	3.03	2.87	2.75	2.65	2.57	2.51
0.01	0.99		7.56	5.39	4.51	4.02	3.70	3.47	3.30	3.17	3.07	2.98
0.05	0.95	40	4.08	3.23	2.84	2.61	2.45	2.34	2.25	2.18	2.12	2.08
0.025	0.975		5.42	4.05	3.46	3.13	2.90	2.74	2.62	2.53	2.45	2.39
0.01	0.99		7.31	5.18	4.31	3.83	3.51	3.29	3.12	2.99	2.89	2.80
0.05	0.95	60	4.00	3.15	2.76	2.53	2.37	2.25	2.17	2.10	2.04	1.99
0.025	0.975		5.29	3.93	3.34	3.01	2.79	2.63	2.51	2.41	2.33	2.27
0.01	0.99		7.08	4.98	4.13	3.65	3.34	3.12	2.95	2.82	2.72	2.63
0.05	0.95	120	3.92	3.07	2.68	2.45	2.29	2.17	2.09	2.02	1.96	1.91
0.025	0.975		5.15	3.80	3.23	2.89	2.67	2.52	2.39	2.30	2.22	2.16
0.01	0.99		6.85	4.79	3.95	3.48	3.17	2.96	2.79	2.66	2.56	2.47
0.05	0.95	∞	3.84	3.00	2.60	2.37	2.21	2.10	2.01	1.94	1.88	1.83
0.025	0.975		5.02	3.69	3.12	2.79	2.57	2.41	2.29	2.19	2.11	2.05
0.01	0.99		6.63	4.61	3.78	3.32	3.02	2.80	2.64	2.51	2.41	2.32

표 7 *F* 분포(계속)

$$P(F \le f) = \int_0^f \frac{\Gamma[(r_1 + r_2)/2](r_1/r_2)^{r_1/2} w^{r_1/2-1}}{\Gamma(r_1/2)\Gamma(r_2/2)(1 + r_1 w/r_2)^{(r_1+r_2)/2}} dw$$

α	$P(F \le f)$	분모 자유도, r_2	분자 자유도, r_1								
			12	15	20	24	30	40	60	120	∞
0.05	0.95	1	243.9	245.9	248.0	249.1	250.1	251.1	252.2	253.3	254.3
0.025	0.975		976.71	984.87	993.10	997.25	1001.4	1005.6	1009.8	1014.0	1018.3
0.01	0.99		6106	6157	6209	6235	6261	6287	6313	6339	6366
0.05	0.95	2	19.41	19.43	19.45	19.45	19.46	19.47	19.48	19.49	19.50
0.025	0.975		39.42	39.43	39.45	39.46	39.47	39.47	39.48	39.49	39.50
0.01	0.99		99.42	99.43	99.45	99.46	99.47	99.47	99.48	99.49	99.50
0.05	0.95	3	8.74	8.70	8.66	8.64	8.62	8.59	8.57	8.55	8.53
0.025	0.975		14.34	14.25	14.17	14.12	14.08	14.04	13.99	13.95	13.90
0.01	0.99		27.05	26.87	26.69	26.60	26.50	26.41	26.32	26.22	26.13
0.05	0.95	4	5.91	5.86	5.80	5.77	5.75	5.72	5.69	5.66	5.63
0.025	0.975		8.75	8.66	8.56	8.51	8.46	8.41	8.36	8.31	8.26
0.01	0.99		14.37	14.20	14.02	13.93	13.84	13.75	13.65	13.56	13.46
0.05	0.95	5	4.68	4.62	4.56	4.53	4.50	4.46	4.43	4.40	4.36
0.025	0.975		6.52	6.43	6.33	6.28	6.23	6.18	6.12	6.07	6.02
0.01	0.99		9.89	9.72	9.55	9.47	9.38	9.29	9.20	9.11	9.02
0.05	0.95	6	4.00	3.94	3.87	3.84	3.81	3.77	3.74	3.70	3.67
0.025	0.975		5.37	5.27	5.17	5.12	5.07	5.01	4.96	4.90	4.85
0.01	0.99		7.72	7.56	7.40	7.31	7.23	7.14	7.06	6.97	6.88
0.05	0.95	7	3.57	3.51	3.41	3.41	3.38	3.34	3.30	3.27	3.23
0.025	0.975		4.67	4.57	4.47	4.42	4.36	4.31	4.25	4.20	4.14
0.01	0.99		6.47	6.31	6.16	6.07	5.99	5.91	5.82	5.74	5.65
0.05	0.95	8	3.28	3.22	3.15	3.12	3.08	3.04	3.01	2.97	2.93
0.025	0.975		4.20	4.10	4.00	3.95	3.89	3.84	3.78	3.73	3.67
0.01	0.99		5.67	5.52	5.36	5.28	5.20	5.12	5.03	4.95	4.86
0.05	0.95	9	3.07	3.01	2.94	2.90	2.86	2.83	2.79	2.75	2.71
0.025	0.975		3.87	3.77	3.67	3.61	3.56	3.51	3.45	3.39	3.33
0.01	0.99		5.11	4.96	4.81	4.73	4.65	4.57	4.48	4.40	4.31

표 7 F 분포(계속)

$$P(F \le f) = \int_0^f \frac{\Gamma[(r_1 + r_2)/2](r_1/r_2)^{r_1/2} w^{r_1/2-1}}{\Gamma(r_1/2)\Gamma(r_2/2)(1 + r_1 w/r_2)^{(r_1+r_2)/2}}\, dw$$

α	$P(F \le f)$	분모 자유도, r_2	분자 자유도, r_1								
			12	15	20	24	30	40	60	120	∞
0.05	0.95	10	2.91	2.85	2.77	2.74	2.70	2.66	2.62	2.58	2.54
0.025	0.975		3.62	3.52	3.42	3.37	3.31	3.26	3.20	3.14	3.08
0.01	0.99		4.71	4.56	4.41	4.33	4.25	4.17	4.08	4.00	3.91
0.05	0.95	12	2.69	2.62	2.54	2.51	2.47	2.43	2.38	2.34	2.30
0.025	0.975		3.28	3.18	3.07	3.02	2.96	2.91	2.85	2.79	2.72
0.01	0.99		4.16	4.01	3.86	3.78	3.70	3.62	3.54	3.45	3.36
0.05	0.95	15	2.48	2.40	2.33	2.29	2.25	2.20	2.16	2.11	2.07
0.025	0.975		2.96	2.86	2.76	2.70	2.64	2.59	2.52	2.46	2.40
0.01	0.99		3.67	3.52	3.37	3.29	3.21	3.13	3.05	2.96	2.87
0.05	0.95	20	2.28	2.20	2.12	2.08	2.04	1.99	1.95	1.90	1.84
0.025	0.975		2.68	2.57	2.46	2.41	2.35	2.29	2.22	2.16	2.09
0.01	0.99		3.23	3.09	2.94	2.86	2.78	2.69	2.61	2.52	2.42
0.05	0.95	24	2.18	2.11	2.03	1.98	1.94	1.89	1.84	1.79	1.73
0.025	0.975		2.54	2.44	2.33	2.27	2.21	2.15	2.08	2.01	1.94
0.01	0.99		3.03	2.89	2.74	2.66	2.58	2.49	2.40	2.31	2.21
0.05	0.95	30	2.09	2.01	1.93	1.89	1.84	1.79	1.74	1.68	1.62
0.025	0.975		2.41	2.31	2.20	2.14	2.07	2.01	1.94	1.87	1.79
0.01	0.99		2.84	2.70	2.55	2.47	2.39	2.30	2.21	2.11	2.01
0.05	0.95	40	2.00	1.92	1.84	1.79	1.74	1.69	1.64	1.58	1.51
0.025	0.975		2.29	2.18	2.07	2.01	1.94	1.88	1.80	1.72	1.64
0.01	0.99		2.66	2.52	2.37	2.29	2.20	2.11	2.02	1.92	1.80
0.05	0.95	60	1.92	1.84	1.75	1.70	1.65	1.59	1.53	1.47	1.39
0.025	0.975		2.17	2.06	1.94	1.88	1.82	1.74	1.67	1.58	1.48
0.01	0.99		2.50	2.35	2.20	2.12	2.03	1.94	1.84	1.73	1.60
0.05	0.95	120	1.83	1.75	1.66	1.61	1.55	1.50	1.43	1.35	1.25
0.025	0.975		2.05	1.95	1.82	1.76	1.69	1.61	1.53	1.43	1.31
0.01	0.99		2.34	2.19	2.03	1.95	1.86	1.76	1.66	1.53	1.38
0.05	0.95	∞	1.75	1.67	1.57	1.52	1.46	1.39	1.32	1.22	1.00
0.025	0.975		1.94	1.83	1.71	1.64	1.57	1.48	1.39	1.27	1.00
0.01	0.99		2.18	2.04	1.88	1.79	1.70	1.59	1.47	1.32	1.00

표 8 구간(0, 1)에서의 난수

3407	1440	6960	8675	5649	5793	1514
5044	9859	4658	7779	7986	0520	6697
0045	4999	4930	7408	7551	3124	0527
7536	1448	7843	4801	3147	3071	4749
7653	4231	1233	4409	0609	6448	2900
6157	1144	4779	0951	3757	9562	2354
6593	8668	4871	0946	3155	3941	9662
3187	7434	0315	4418	1569	1101	0043
4780	1071	6814	2733	7968	8541	1003
9414	6170	2581	1398	2429	4763	9192
1948	2360	7244	9682	5418	0596	4971
1843	0914	9705	7861	6861	7865	7293
4944	8903	0460	0188	0530	7790	9118
3882	3195	8287	3298	9532	9066	8225
6596	9009	2055	4081	4842	7852	5915
4793	2503	2906	6807	2028	1075	7175
2112	0232	5334	1443	7306	6418	9639
0743	1083	8071	9779	5973	1141	4393
8856	5352	3384	8891	9189	1680	3192
8027	4975	2346	5786	0693	5615	2047
3134	1688	4071	3766	0570	2142	3492
0633	9002	1305	2256	5956	9256	8979
8771	6069	1598	4275	6017	5946	8189
2672	1304	2186	8279	2430	4896	3698
3136	1916	8886	8617	9312	5070	2720
6490	7491	6562	5355	3794	3555	7510
8628	0501	4618	3364	6709	1289	0543
9270	0504	5018	7013	4423	2147	4089
5723	3807	4997	4699	2231	3193	8130
6228	8874	7271	2621	5746	6333	0345
7645	3379	8376	3030	0351	8290	3640
6842	5836	6203	6171	2698	4086	5469
6126	7792	9337	7773	7286	4236	1788
4956	0215	3468	8038	6144	9753	3131
1327	4736	6229	8965	7215	6458	3937
9188	1516	5279	5433	2254	5768	8718
0271	9627	9442	9217	4656	7603	8826
2127	1847	1331	5122	8332	8195	3322
2102	9201	2911	7318	7670	6079	2676
1706	6011	5280	5552	5180	4630	4747
7501	7635	2301	0889	6955	8113	4364
5705	1900	7144	8707	9065	8163	9846
3234	2599	3295	9160	8441	0085	9317
5641	4935	7971	8917	1978	5649	5799
2127	1868	3664	9376	1984	6315	8396

표 9 $\rho = 0$일 때 상관계수 R의 분포함수

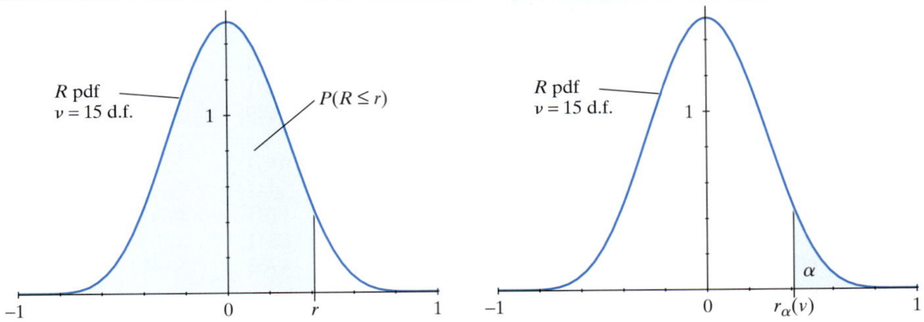

$$P(R \le r) = \int_{-1}^{r} \frac{\Gamma[(n-1)/2]}{\Gamma(1/2)\Gamma[(n-2)/2]} (1 - w^2)^{(n-4)/2}\, dw$$

자유도 $\nu = n - 2$	$P(R \le r)$			
	0.95	0.975	0.99	0.995
	$r_{0.05}(\nu)$	$r_{0.025}(\nu)$	$r_{0.01}(\nu)$	$r_{0.005}(\nu)$
1	0.9877	0.9969	0.9995	0.9999
2	0.9000	0.9500	0.9800	0.9900
3	0.8053	0.8783	0.9343	0.9587
4	0.7292	0.8113	0.8822	0.9172
5	0.6694	0.7544	0.8329	0.8745
6	0.6215	0.7067	0.7887	0.8343
7	0.5822	0.6664	0.7497	0.7977
8	0.5493	0.6319	0.7154	0.7646
9	0.5214	0.6020	0.6850	0.7348
10	0.4972	0.5759	0.6581	0.7079
11	0.4761	0.5529	0.6338	0.6835
12	0.4575	0.5323	0.6120	0.6613
13	0.4408	0.5139	0.5922	0.6411
14	0.4258	0.4973	0.5742	0.6226
15	0.4123	0.4821	0.5577	0.6054
16	0.4000	0.4683	0.5425	0.5897
17	0.3887	0.4555	0.5285	0.5750
18	0.3783	0.4437	0.5154	0.5614
19	0.3687	0.4328	0.5033	0.5487
20	0.3597	0.4226	0.4920	0.5367
25	0.3232	0.3808	0.4450	0.4869
30	0.2959	0.3494	0.4092	0.4487
35	0.2746	0.3246	0.3809	0.4182
40	0.2572	0.3044	0.3578	0.3931
45	0.2428	0.2875	0.3383	0.3721
50	0.2306	0.2732	0.3218	0.3541
60	0.2108	0.2500	0.2948	0.3248
70	0.1954	0.2318	0.2736	0.3017
80	0.1829	0.2172	0.2565	0.2829
90	0.1725	0.2049	0.2422	0.2673
100	0.1638	0.1946	0.2300	0.2540

부록 C 해답

1장

1.1-1 0.68

1.1-2 **(a)** 12/52, **(b)** 2/52, **(c)** 16/52, **(d)** 1, **(e)** 0

1.1-3 **(a)** 1/6, **(b)** 5/6, **(c)** 1

1.1-4 0.63

1.1-5 **(a)** $3(1/3) - 3(1/3)^2 + (1/3)^3 = 19/27$
(b) $P(A_1 \cup A_2 \cup A_3)$
$= 1 - [1 - 3(1/3) + 3(1/3)^2 - (1/3)^3]$
$= 1 - (1 - 1/3)^3 = 19/27$

1.1-6 **(a)** $S = \{00, 0, 1, 2, 3, \ldots, 36\}$
(b) $P(A) = 2/38 = 1/19$
(c) $P(B) = 4/38 = 2/19$
(d) $P(D) = 18/38 = 9/19$

1.1-7 2/3

1.1-8 **(a)** $1 = P(S) = P\left(\bigcup_{i=1}^{m} A_i\right)$

$$= \sum_{i=1}^{m} P(A_i) = mP(A_i)$$

$$\therefore P(A_i) = \frac{1}{m},\ i = 1, \ldots, m$$

(b) $P(A) = P\left(\bigcup_{i=1}^{r} A_i\right) = \sum_{i=1}^{h} P(A_i) = h \cdot \frac{1}{m}$

1.2-1 1,000

1.2-2 **(a)** 6,760,000, **(b)** 17,576,000

1.2-3 **(a)** 24, **(b)** 256

1.2-4 **(a)** 0.00240, **(b)** 0.0012
(c) 0.0006, **(d)** 0.0004

1.2-5 **(a)** 2, **(b)** 8, **(c)** 20, **(d)** 40

1.2-6 **(a)** 362,880, **(b)** 84, **(c)** 512

1.2-7 **(a)** 0.00539, **(b)** 0.00882
(c) 0.00539, **(d)** 그렇다

1.2-8 증명

$$\binom{n}{n_1, n_2, \ldots, n_s}$$
$$= \binom{n}{n_1}\binom{n - n_1}{n_2}\cdots\binom{n - n_1 - \cdots - n_{s-1}}{n_s}$$
$$= \frac{n!}{n_1!n_2!\cdots n_s!}$$

1.2-9 **(a)** 0.00024, **(b)** 0.00144, **(c)** 0.02113
(d) 0.04754, **(e)** 0.42257

1.3-1 **(a)** 5,000/1,000,000 = 1/200
(b) 78,515/1,000,000
(c) 73,630/955,000
(d) 4,885/78,515
(e) (c)는 HIV균을 보유하지 않은 사람이 검사 결과가 양성일 확률, (d)는 검사 결과가 양성인 사람이 HIV균을 보유할 확률

1.3-2 **(a)** 5/35, **(b)** 26/35, **(c)** 5/19
(d) 9/23, **(e)** 왼쪽

1.3-3 **(a)** $S = \{(R, R), (R, W), (W, R), (W, W)\}$
(b) 1/3

1.3-4 1/5

1.3-5 **(f)** $1 - 1/e$

1.3-6 **(a)** 365^r, **(b)** ${}_{365}P_r$
(c) $1 - {}_{365}P_r/365^r$, **(d)** 23

1.3-7 **(b)** 8/36, **(c)** 5/11

(e) $8/36 + 2[(5/36)(5/11) + (4/36)(4/10) + (3/36)(3/9)] = 0.49293$

1.3-8 11

1.4-1 **(a)** 0.14, **(b)** 0.76, **(c)** 0.86

1.4-2 **(a)** 1/6, **(b)** 1/12, **(c)** 1/4, **(d)** 1/4, **(e)** 1/2

1.4-3 독립이다. $0.9 = 0.8 + 0.5 - (0.8)(0.5)$

1.4-4 **(a)** 0.29, **(b)** 0.44

1.4-5 **(a)** 0.36, **(b)** 0.49, **(c)** 0.01

1.4-6 **(a)** 아니다. $A = \emptyset$ 혹은 $B = \emptyset$일 때 상호배반이고 독립이다.
(b) $P(A) = 0$ 혹은 $P(B) = 1$일 때만

1.4-7 **(a)** $(1/3)^2(2/3)^3 + (1/3)^3(2/3)^2 = 12/243$
(b) $\frac{2}{3} \times \frac{2}{5} \times \frac{3}{4} \times \frac{1}{3} \times 1 = 1/15$

1.4-8 **(a)** 1/16, 1/8, 5/32, 5/32
(b) 14/323, 35/323, 105/646, 60/323
(c) 두 모형 모두 적합하진 않다.

1.4-9 **(a)** $1 - (11/12)^{12}$, **(b)** $1 - (11/12)^{11}$

1.4-10 **(b)** $1 - 1/e$

1.5-1 **(a)** 21/32, **(b)** 16/21

1.5-2 15.1%

1.5-3 $60/95 = 0.632$

1.5-4 0.8182

1.5-5 **(a)** $495/30{,}480 = 0.016$
(b) $29{,}985/30{,}480 = 0.984$

1.5-6 1/4

1.5-7 0.54229

2장

2.1-2 **(a)** 10, **(b)** 1/55, **(c)** 3, **(d)** 1/30
(e) $n(n+1)/2$, **(f)** 1

2.1-3 **(b)**

x	도수	상대도수	$f(x)$
1	38	0.38	0.40
2	27	0.27	0.30
3	21	0.21	0.20
4	14	0.14	0.10

2.1-4 **(a)** $f(x) = \dfrac{13-2x}{36}$, $x = 1, 2, 3, 4, 5, 6$
(b) $g(0) = \dfrac{6}{36}$, $g(y) = \dfrac{12-2y}{36}$
$y = 1, 2, 3, 4, 5$

2.1-6 0.4

2.2-1 **(a)** 3, **(b)** 7, **(c)** 4/3, **(d)** 7/3, **(e)** $(2n+1)/3$
(f) $E(X) = +\infty$, 존재하지 않는다.

2.2-3 360달러

2.2-4 **(a)** $h(z) = (4 - z^{1/3})/6$, $z = 1, 8, 27$
(b) 23/3달러
(c) 7/3달러

2.2-5 $E(X) = -17/216 = -0.0787$달러

2.2-6 **(a)** $-1/19$달러, **(b)** $-1/37$달러

2.2-7 -0.01414달러

2.3-1 **(a)** 5, 0, 분산이 0이기 때문에 왜도는 정의되지 않는다.
(b) 3, 2, 0, **(c)** 7, 8, 0
(d) $7/3$, $5/9$, $-7\sqrt{5}/25$
(e) 0, 4/5, 0, **(f)** 0, 1/2, 0

2.3-2 **(a)** (ii) 127/64, (iii) $\sqrt{7{,}359}/64$, (iv) 1.6635
(b) (ii) 385/64, (iii) $\sqrt{7{,}359}/64$, (iv) -1.6635

2.3-3 $f(x) = 1/13$, $x = 1, 2, \ldots, 13$, $\mu = 7$

2.3-4 $m = 7$

2.3-5 1,809.80달러

2.3-6 $\mu = 2, \sigma^2 = \dfrac{4}{5}$

2.3-7 $(4/5)^3(1/5)$

2.3-8 **(a)** 0.4604, **(b)** 0.5580, **(c)** 0.0184

2.3-9 **(a)** $f(x) = (x-1)/2^x$, $x = 2, 3, \ldots$
(c) $\mu = 4, \sigma^2 = 4$
(d) **(i)** 1/2, **(ii)** 5/16, **(iii)** 1/4

2.3-10 **(a)** $\mu = 1, \sigma^2 = 1$, **(b)** 19/30

2.4-1 $f(x) = (7/18)^x(11/18)^{1-x}$, $x = 0, 1$
$\mu = 7/18$, $\sigma^2 = 77/324$

2.4-2 **(a)** $(1/5)^2(4/5)^4 = 0.0164$
(b) $\dfrac{6!}{2!4!}(1/5)^2(4/5)^4 = 0.2458$

2.4-3 **(a)** 0.4207, **(b)** 0.5793, **(c)** 0.1633

(d) $\mu = 5, \sigma^2 = 4, \sigma = 2$

2.4-4 **(a)** b(2,000, $\pi/4$)
(b) 1,570.796, 337.096, 18.360
(c) π
(f) 2,000개 n차원 벡터 $X_1, \ldots, X_{2000}$을 생성하라. 이들 중에서 $A = \{(x_1, \ldots, x_n); \sum_i x_i^2 \le 1\}$에 해당하는 점들의 수를 W라 하자. 이때 $W \cdot 2^n/2000$이 근삿값이다.

2.4-5 **(a)** $b(20, 0.80)$
(b) $\mu = 16, \sigma^2 = 3.2, \sigma = 1.789$
(c) **(i)** 0.1746, **(ii)** 0.6296, **(iii)** 0.3704

2.4-6 $\gamma = (1-2p)/\sqrt{np(1-p)}$

2.4-7 **(a)** 0.6513, **(b)** 0.7941

2.4-8 0.178

2.4-9 **(a)** 0.0778, **(b)** 0.3456, **(c)** 0.9898

2.4-10 **(a)** $b(1, 2/3), \mu = 2/3, \mu^2 = 2/9, \sigma = \sqrt{2}/3$
(b) $b(12, 0.75), \mu = 9, \sigma^2 = 2.25, \sigma = 1.5$

2.5-1 0.416

2.5-2 **(a)** 19/20, **(b)** 1/20, **(c)** 9/20

2.5-3 **(c)**

x	도수	상대도수	$f(x)$
0	13	0.325	0.2532
1	16	0.400	0.4220
2	9	0.225	0.2509
3	2	0.050	0.0660
4	0	0.000	0.0076
5	0	0.000	0.0003

2.5-4 **(a)** 1/10, 737, 573 **(b)** 82/3, 579, 191
(c) 4,100/3,579,191
(d) 213,200/10,737,573
(e) −0.636달러, **(f)** −0.543달러

2.5-5 **(a)** 39/98, **(b)** 221/245

2.5-6 **(b)** 모드는 75이다.
(c) $\mu = 1{,}824/25$

2.6-1 **(a)** $0.9^{12} = 0.2824$, **(b)** 0.0236

2.6-2 **(a)** $\mu = 10/0.60, \sigma^2 = 4/0.36, \sigma = 2/0.60$
(b) 0.1240

2.6-4 $M(t) = e^{5t}, -\infty < t < \infty, f(5) = 1$

2.6-5 25/3

2.7-1 **(a)** 0.547, **(b)** 0.762, **(c)** 0.433

2.7-2 0.540

2.7-3 0.558

2.7-4 0.947

2.7-5 0.937

2.7-6 **(a)** 이항분포를 사용했을 때 0.564,
푸아송 근사를 사용했을 때 0.560
(b) 이항분포를 사용했을 때 598.56달러,
푸아송 근사를 사용했을 때 613.90달러

2.7-7 21/16

3장

3.1-2 **(a)** $f(x) = 1/10,\ 0 < x < 10$, **(b)** 2/10
(c) 6/10, **(d)** $\mu = 5$, **(e)** $\sigma^2 = 25/3$

3.1-3 **(a)** $G(w) = (w-a)/(b-a),\ a \le w \le b$
(b) $U(a, b)$

3.1-4 **(a)** **(i)** 3, **(ii)** $F(x) = x^4,\ 0 \le x \le 1$
(iv) $\mu = 4/5,\ \sigma^2 = 2/75, \gamma = -3\sqrt{6}/7$
(b) **(i)** 3/16, **(ii)** $F(x) = (1/8)x^{3/2},\ 0 \le x \le 4$
(iv) $\mu = 12/5\ \sigma^2 = 192/175$
$\gamma = -2\sqrt{21}/27$
(c) **(i)** 1/4, **(ii)** $F(x) = x^{1/4},\ 0 \le x \le 1$
(iv) $\mu = 1/5, \sigma^2 = 16/225, \gamma = 18/13$

3.1-5 **(b)**

$$F(x) = \begin{cases} 0, & x < 0 \\ x(2-x), & 0 \le x < 1 \\ 1, & 1 \le x \end{cases}$$

(c) **(i)** 3/4, **(ii)** 1/2, **(iii)** 0, **(iv)** 1/16

3.1-6 **(a)** $c = 2$, **(b)** $E(Y) = 2$, **(c)** $E(Y^2) = \infty$

3.1-7 $$f(x) = \frac{e^{-x}}{(1+e^{-x})^2} = \frac{e^{-x}}{(1+e^{-x})^2}\frac{e^{2x}}{e^{2x}} = \frac{e^x}{(e^x+1)^2} = f(-x)$$

3.1-8 **(a)** $1/e$, **(b)** $1/e^{19/8}$

3.1-9 740.74달러

3.1-10 **(a)** $\mu = 28{,}571.43$달러, $\sigma = 15{,}971.91$달러

(b) 0.6554

3.1-11 **(a)** $\int_{-\infty}^{\infty} \sum_{i=1}^{k} c_i f_i(x)\,dx$
$= \sum_{i=1}^{k} c_i \int_{-\infty}^{\infty} f_i(x)\,dx = \sum_{i=1}^{k} c_i = 1$
(b) $\mu = \sum_{i=1}^{k} c_i \mu_i$
$\sigma^2 = \sum_{i=1}^{k} c_i(\sigma_i^2 + \mu_i^2) - \mu^2$

3.1-12 **(b)**

$$F(x) = \begin{cases} 0 & x \le 0 \\ x/2 & 0 < x < 1 \\ 1/2 & 1 \le x \le 2 \\ (1/2)x - 1/2 & 2 < x < 3 \\ 1 & x \ge 3 \end{cases}$$

(c) 0.5
(d) $1 \le \pi_{0.5} \le 2$, 유일하지 않음
(e) 2.5

3.1-13 **(a)** 0.6, **(b)** 0, **(c)** 0.8

3.2-1 **(a)** $f(x) = (1/3)e^{-x/3},\ 0 < x < \infty$
$\mu = 3, \sigma^2 = 9$
(b) $f(x) = 3e^{-3x},\ 0 < x < \infty$
$\mu = 1/3, \sigma^2 = 1/9$

3.2-2
$$P(X > x+y \mid X > x) = \frac{P(X > x+y)}{P(X > x)} = \frac{e^{-(x+y)/\theta}}{e^{-x/\theta}} = P(X > y)$$

3.2-3 **(a)** $F(x) = 1 - e^{-(x-\delta)/\theta},\ \delta \le x < \infty$
(b) $\theta + \delta,\ \theta^2$

3.2-5 $f(x) = \dfrac{1}{\Gamma(20)7^{20}} x^{19} e^{-x/7}$
$0 \le x < \infty,\ \mu = 140,\ \sigma^2 = 980$

3.2-6 **(a)** $E(1/X) = 1/[\theta(\alpha - 1)]$

3.2-7 **(a)** 0.80, **(b)** $a = 11.69$, $b = 38.08$
(c) $\mu = 23$, $\sigma^2 = 46$, **(d)** 35.17, 13.09

3.2-8 **(a)** $r - 2$, **(b)** $x = r - 2 \pm \sqrt{2r - 4}$, $r \ge 4$

3.2-9 0.9444

3.2-10 1.96 혹은 1,960 봉지/일
기대이익 3,304.96달러

3.2-11 $e^{-1/2}$

3.2-12 $M = 83.38$

3.3-1 **(a)** 0.3026, **(b)** 0.7320, **(c)** 0.9406, **(d)** 0.0027
(e) 0.9500, **(f)** 0.6826, **(g)** 0.9544, **(h)** 0.9974

3.3-2 **(a)** 1.96, **(b)** 1.96, **(c)** 1.645, **(d)** 1.645

3.3-3 **(a)** 0.4452, **(b)** 0.6006, **(c)** 0.0923, **(d)** 0.0359
(e) 0.6826, **(f)** 0.9544, **(g)** 0.9974, **(h)** 0.9868

3.3-4 **(a)** 0.6853, **(b)** 39.2

3.3-5 **(a)** Gamma $(\alpha = 1/2,\ \theta = 8)$
(b) Gamma $(\alpha = 1/2,\ \theta = 2\sigma^2)$

3.3-6 **(a)** 0.0401, **(b)** 0.8159

3.3-7 0.1998

3.3-8 **(a)** $\sigma = 0.043$, **(b)** $\mu = 12.116$

3.3-9 **(a)** $N(0, 1)$, **(b)** $N(-1, 1)$, **(c)** $N(2, 1)$

3.3-10 $g_1(t)$, $g_2(t)$, $g_3(t)$는 각각 $\theta = 4$를 갖는 지수분포, $\chi^2(4)$, $N(4, 1)$ 분포의 mgf이다. 이들 분포의 평균은 모두 4이다. 따라서 mgf의 기울기는 $t = 0$에서 4와 같다.

3.4-1 $e^{-(5/10)^2} = e^{-1/4} = 0.7788$

3.4-2 모수 α와 $\beta/3^{1/\alpha}$을 갖는 와이블분포

3.4-3 **(a)** 0.5, **(b)** 0, **(c)** 0.25, **(d)** 0.75
(e) 0.625, **(f)** 0.75

3.4-4 **(b)** $\mu = 31/24$, $\sigma^2 = 167/576$
(c) 15/64, 1/40, 11/16

3.4-5 **(a)**

$$F(x) = \begin{cases} 0, & x < 0 \\ x/2, & 0 \le x < 1 \\ 1/2, & 1 \le x < 2 \\ 4/6, & 2 \le x < 4 \\ 5/6, & 4 \le x < 6 \\ 1, & 6 \le x \end{cases}$$

(b) 2.25달러

3.4-6 $3 + 5e^{-3/5} = 5.744$

3.4-7 $\mu = 226.21$달러, $\sigma = 1{,}486.92$달러

3.4-8 $\mu = 345.54$달러, $\sigma = 780.97$달러

3.4-9 0.4219

3.4-10 **(a)** $e^{-(125/216)}$, **(b)** $120 \cdot \Gamma(4/3) = 107.1575$

4장

4.1-1 **(a)** 1/33, **(b)** 1/24, **(c)** 1/18, **(d)** 6

4.1-2 **(a)** $f_X(x) = (2x+5)/16,\ x = 1, 2$
(b) $f_Y(y) = (2y+3)/32,\ y = 1, 2, 3, 4$
(c) 3/32, **(d)** 9/32, **(e)** 3/16, **(f)** 1/4, **(g)** 종속
(h) $\mu_X = 25/16$, $\mu_Y = 45/16$
$\sigma_X^2 = 63/256$, $\sigma_Y^2 = 295/256$

4.1-3 **(b)** $f(x, y) = 1/16,\ x = 1, 2, 3, 4$
$y = x+1, x+2,\ x+3, x+4$
(c) $f_X(x) = 1/4,\ x = 1, 2, 3, 4$
(d) $f_Y(y) = (4 - |y-5|)/16$
$y = 2, 3, 4, 5, 6, 7, 8$
(e) 공간이 직사각형이 아니므로 종속

4.1-4 **(a)** 4개의 점 $(\pm 1, 0)$, $(0, \pm 1)$은 확률 9/64,
8개의 점 $(\pm 2, \pm 1)$, $(\pm 1, \pm 2)$은 확률 3/64,
4개의 점 $(3, \pm 0)$, $(0, \pm 3)$은 확률 1/64
(b) $b(6, 1/2)$, $b(6, 1/2)$

4.1-5 **(a)** $f(x, y)$
$$= \frac{15!}{x!\,y!\,(15-x-y)!}\left(\frac{6}{10}\right)^x\left(\frac{3}{10}\right)^y\left(\frac{1}{10}\right)^{15-x-y},$$
$0 \le x+y \le 15$
(b) 공간이 직사각형이 아니므로 종속
(c) 0.0735
(d) $X \sim b(15, 0.6)$
(e) 0.9095

4.1-6 **(a)** $x = 0, 1, 2, 3, 4,\ y = 0 \ldots, x$
$f_X(x) = (x+1)/15,\ x = 0, 1, 2, 3, 4$
$f_Y(y) = (5-y)/15,\ y = 0, 1, 2, 3, 4$
(b) $x = 0, 1, 2, 3, 4,\ y = 0 \ldots, 4-x$
$f_X(x) = (5-x)/15,\ x = 0, 1, 2, 3, 4$
$f_Y(y) = (5-y)/15,\ y = 0, 1, 2, 3, 4$
(c) $x = 0, 1, 2, 3, 4,\ y = x, \ldots, 4$
$f_X(x) = (5-x)/15,\ x = 0, 1, 2, 3, 4$
$f_Y(y) = (y+1)/15,\ y = 0, 1, 2, 3, 4$
(c) $x = 0, 1, 2, 3, 4,\ y = 4-x, \ldots, 4$
$f_X(x) = (x+1)/15,\ x = 0, 1, 2, 3, 4$
$f_Y(y) = (y+1)/15,\ y = 0, 1, 2, 3, 4$

4.2-1 $\mu_X = 25/16$, $\mu_Y = 45/16$, $\sigma_X^2 = 63/256$,
$\sigma_Y^2 = 295/256$
$$\text{Cov}(X, Y) = -\frac{5}{256},\ \rho = -\frac{\sqrt{2{,}065}}{1{,}239}$$
$$= -\frac{1}{3}\sqrt{\frac{5}{413}} = -0.0367,\ \text{종속}$$

4.2-2 **(a)** $\mu_X = 5/2$, $\mu_Y = 5$, $\sigma_X^2 = 5/4$
$\sigma_Y^2 = 5/2$, $\text{Cov}(X, Y) = 5/4$, $\rho = \sqrt{2}/2$
(b) $y = x + 5/2$

4.2-3 $a = \mu_Y - \mu_X b$, $b = \text{Cov}(X, Y)/\sigma_X^2$

4.2-4 **(a)** 독립 아님, **(b)** $\text{Cov}(X, Y) = 0$, $\rho = 0$

4.2-5 **(a)** $c = 1/154$
(c) $f_X(0) = 6/77, f_X(1) = 21/77$
$f_X(2) = 30/77, f_X(3) = 20/77$
$f_Y(0) = 30/77, f_Y(1) = 32/77$
$f_Y(2) = 15/77$
(d) 독립 아님
(e) $\mu_X = 141/77$, $\sigma_X^2 = 4{,}836/5{,}929$
(f) $\mu_Y = 62/77$, $\sigma_Y^2 = 3{,}240/5{,}929$
(g) $\text{Cov}(X, Y) = 1{,}422/5{,}929$
(h) $\rho = 79\sqrt{12{,}090}/24{,}180$
(i) $y = 215/806 + (237/806)x$

4.3-1 **(a)** $f_X(x) = (4x+10)/32,\ x = 1, 2$
$f_Y(y) = (3+2y)/32,\ y = 1, 2, 3, 4$
(b) $g(x\,|\,y) = (x+y)/(3+2y)$,
$x = 1, 2,\ y = 1, 2, 3, 4$
(c) $h(y\,|\,x) = (x+y)/(4x+10)$
$y = 1, 2, 3, 4,\ x = 1, 2$
(d) 9/14, 7/18, 5/9
(e) 20/7, 55/49

4.3-2 **(a)** $f(x, y)$
$$= \frac{50!}{x!\,y!\,(50-x-y)!}(0.02)^x(0.90)^y(0.08)^{50-x-y},$$
$0 \le x+y \le 50$
(b) $Y \sim b(50, 0.90)$
(c) $b(47, 0.90/0.98)$
(d) 2,115/49
(e) $\rho = -3/7$

4.3-3 **(a)** $E(Y\,|\,x) = 2(2/3) - (2/3)x,\ x = 0, 1, 2$
(b) 같다.

4.3-4 $E(Y\,|\,x) = x + 5/2,\ x = 1, 2, 3, 4$, 그렇다.

4.3-5 **(a)** $f_X(x) = 1/8,\ x = 0, 1, \ldots, 7$
(b) $h(y\,|\,x) = 1/3,\ y = x, x+1, x+2$,
$x = 0, 1, \ldots, 7$
(c) $E(Y\,|\,x) = x+1,\ x = 0, 1, \ldots, 7$
(d) $\sigma_{Y|x}^2 = 2/3$
(e) $$f_Y(y) = \begin{cases} 1/24, & y = 0, 9 \\ 2/24, & y = 1, 8 \\ 3/24, & y = 2, 3, 4, 5, 6, 7 \end{cases}$$

4.3-6 $E(Y) = 1/p$, $\text{Var}(Y) = 1/p^2$

4.4-1 **(a)** $f_X(x) = x/2,\ 0 \le x \le 2, f_Y(y) = 3y^2/8,$
$0 \le y \le 2$
(b) 독립, $f_X(x)f_Y(y) = f(x, y)$
(c) $\mu_X = 4/3, \mu_Y = 3/2$
$\sigma_X^2 = 2/9, \sigma_Y^2 = 3/20$
(d) 3/5

4.4-2 $f_X(x) = 2e^{-2x},\ 0 < x < \infty$
$f_Y(y) = 2e^{-y}(1 - e^{-y}),$
$0 < y < \infty$, 독립 아님

4.4-3 **(a)** $c = 24$, **(b)** $c = 30/17$
(c) $c = 2/(e-2)$, **(d)** $c = 1/2$

4.4-4 **(b)** 1/3

4.4-5 11/30

4.4-6 **(a)** $c = 8$, **(b)** 29/93

4.4-7 **(a)** $f_X(x) = 2x,\ 0 \le x \le 1$
$f_Y(y) = 2(1-y),\ 0 \le y \le 1$
(b) $\mu_X = 2/3,\ \mu_Y = 1/3,\ \sigma_X^2 = 1/18$
$\sigma_Y^2 = 1/18, \text{Cov}(X, Y) = 1/36, \rho = 1/2$
(c) $y = (1/2)x$

4.4-8 $E(Y|x) = x, E(X) = 0.700$, 따라서 700달러

4.4-9 **(b)** $f_X(x) = 1/10,\ 0 \le x \le 10$
(c) $h(y\,|\,x) = 1/4,\ 10 - x \le y \le 14 - x,$
$0 \le x \le 10$
(d) $E(Y\,|\,x) = 12 - x$

4.4-10 **(a)** $f(x, y) = 1/(2x^2),\ 0 < x < 2, 0 < y < x^2$
(b) $f_Y(y) = (2 - \sqrt{y})/(4\sqrt{y}),\ 0 < y < 4$
(c) $E(X\,|\,y) = [2\sqrt{y}\ \ln(2/\sqrt{y})]/[2 - \sqrt{y}]$
(d) $E(Y\,|\,x) = x^2/2$

4.4-11 $1 - \ln 2$

4.4-12 (a) $\text{Var}(X) = 3/5, \text{Var}(Y) = 1/6$
(b) 1/2

4.4-13 $E(X) = 5/14, \text{Var}(X) = 83/196$
$E(Y) = 5/7, \text{Var}\ (Y) = 5/98$

4.5-1 **(a)** 0.6006, **(b)** 0.7888, **(c)** 0.8185, **(d)** 0.9371

4.5-2 **(a)** 0.5245, **(b)** 0.7357

4.5-3 **(a)** $N(86.4, 40.96)$, **(b)** 0.4192

4.5-4 **(a)** 0.8248
(b) $E(Y\,|\,x) = 457.1735 - 0.2655x$
(c) $\text{Var}(Y\,|\,x) = 645.9375$
(d) 0.8079

4.5-5 $a(x) = x - 11,\ b(x) = x + 5$

4.5-6 **(a)** 0.2857, **(b)** $\mu_{Y|x} = -0.2x + 4.7$
(c) $\sigma_{Y|x}^2 = 8.0784$, **(d)** 0.4228

4.5-7 **(a)** 0.3721, **(b)** 0.1084

5장

5.1-1 **(a)** $g(y) = (1-p)^{(y/2)-1}p, \quad y = 2, 4, 6, \ldots$
(b) $g(y) = (1-p)^{\sqrt{y}-1}p, \quad y = 1, 4, 9, \ldots$

5.1-2 $g(y) = 2y,\ 0 < y < 1$

5.1-3 $g(y) = (1/8)y^5 e^{-y^2/2},\ 0 < y < \infty$

5.1-4 평균 2를 갖는 지수분포

5.1-5 **(a)** $G(y) = P(Y \le y) = P(X \le \ln y)$
$= 1 - e^{-y},\ 0 \le y < \infty$
(b) $G(y) = 1 - \exp[-e^{(\ln y - \theta_1)/\theta_2}], 0 \le y < \infty$
$g(y) = \exp[-e^{(\ln y - \theta_1)/\theta_2}][e^{(\ln y - \theta_1)/\theta_2}]$
$[1/\theta_2 y], 0 \le y < \infty$
(c) Y는 형태모수 α와 척도모수 β를 갖는 와이블분포, $G(y) = 1 - e^{-(y/\beta)^\alpha},\ 0 \le y < \infty$
$g(y) = (\alpha y^{\alpha-1}/\beta^\alpha)e^{-(y/\beta)^\alpha}, 0 < y < \infty$
(d) $\exp(-e^{-2}) = 0.873$

5.1-6 **(a)** $\dfrac{1}{2} - \dfrac{\arctan 1}{\pi} = 0.25$
(b) $\dfrac{1}{2} - \dfrac{\arctan 5}{\pi} = 0.0628$
(c) $\dfrac{1}{2} - \dfrac{\arctan 10}{\pi} = 0.0317$

5.1-7 **(b)** **(i)** $\exp(\mu + \sigma^2/2)$, **(ii)** $\exp(2\mu + 2\sigma^2)$
(iii) $\exp(2\mu + 2\sigma^2) - \exp(2\mu + \sigma^2)$

5.1-8 **(a)** $g(y) = \dfrac{1}{\sqrt{2\pi y}} \exp(-y/2), \quad 0 < y < \infty$
(b) $g(y) = \dfrac{3}{2}\sqrt{y}, \quad 0 < y < 1$

5.2-1 $g(y_1, y_2) = (1/4)e^{-y_2/2},\ 0 < y_1 < y_2 < \infty$
$g_1(y_1) = (1/2)e^{-y_1/2},\ 0 < y_1 < \infty$
$g_2(y_2) = (y_2/4)e^{-y_2/2},\ 0 < y_2 < \infty$, 독립 아님

5.2-2 $\mu = \dfrac{r_2}{r_2 - 2}, \quad r_2 > 2$
$$\sigma^2 = \frac{2r_2^2(r_1 + r_2 - 2)}{r_1(r_2-2)^2(r_2-4)}, \quad r_2 > 4$$

5.2-3 **(a)** 14.80, **(b)** 1/7.01 = 0.1427, **(c)** 0.95

5.2-5 840

5.2-6 **(a)**

$$G(y_1, y_2) = \int_0^{y_1}\int_u^{y_2} 2(1/1{,}000^2)\exp[-(u+v)/1{,}000]\,dv\,du = 2\exp[-(y_1+y_2)/1{,}000] - \exp[-y_1/500] - 2\exp[-y_2/1{,}000] + 1,\ 0 < y_1 < y_2 < \infty$$

(b) $2e^{-6/5} - e^{-12/5} \approx 0.5117$

5.3-1 **(a)** 0.0182, **(b)** 0.0337

5.3-2 **(a)** 36/125, **(b)** 2/7

5.3-3

$$g(y) = \begin{cases} 1/36, & y = 2 \\ 4/36, & y = 3 \\ 10/36, & y = 4 \\ 12/36, & y = 5 \\ 9/36, & y = 6 \end{cases}$$

$\mu = 14/3, \sigma^2 = 10/9$

5.3-4 2/5

5.3-5 $E(Y_k) = \begin{cases} \mu, & k\text{는 홀수} \\ 0, & k\text{는 짝수} \end{cases}$

(b) $\mathrm{Var}(Y_k) = \sum_{i=1}^{k}[(-1)^{i-1}]^2\sigma^2 = k\sigma^2$

5.3-6 **(a)** 0.0035, **(b)** 8, **(c)** $\mu_Y = 6, \sigma_Y^2 = 4$

5.3-7 $1 - e^{-3/100} \approx 0.03$

5.3-8 21,816달러

5.3-9 5

5.4-1 **(a)**

$$g(y) = \begin{cases} 1/64, & y = 3, 12 \\ 3/64, & y = 4, 11 \\ 6/64, & y = 5, 10 \\ 10/64, & y = 6, 9 \\ 12/64, & y = 7, 8 \end{cases}$$

5.4-2 **(a)** $M(t) = e^{7(e^t-1)},\ -\infty < t < \infty$
(b) $\lambda = 7$을 갖는 푸아송분포
(c) 0.800

5.4-3 0.925

5.4-4 **(a)** $M(t) = 1/(1-5t)^{21},\ t < 1/5$
(b) $\alpha = 21, \theta = 5$를 갖는 감마분포
(c) $\alpha = 21, \theta = 5/3$를 갖는 감마분포

5.4-6 **(a)** $g(w) = 1/12,\ w = 0, 1, 2, \ldots, 11$
(b) $g(w) = 1/36,\ w = 0, 1, 2, \ldots, 35$

5.4-7 **(a)**

$$h_1(w_1) = \begin{cases} 1/36, & w_1 = 0 \\ 4/36, & w_1 = 1 \\ 10/36, & w_1 = 2 \\ 12/36, & w_1 = 3 \\ 9/36, & w_1 = 4 \end{cases}$$

(b) $h_2(w) = h_1(w)$

(c)

$$h(w) = \begin{cases} 1/1{,}296, & w = 0 \\ 8/1{,}296, & w = 1 \\ 36/1{,}296, & w = 2 \\ 104/1{,}296, & w = 3 \\ 214/1{,}296, & w = 4 \\ 312/1{,}296, & w = 5 \\ 324/1{,}296, & w = 6 \\ 216/1{,}296, & w = 7 \\ 81/1{,}296, & w = 8 \end{cases}$$

(d)

$$h(y) = \begin{cases} 1/6^8, & w = 0 \\ 16/6^8, & w = 1 \\ 136/6^8, & w = 2 \\ 784/6^8, & w = 3 \\ 3{,}388/6^8, & w = 4 \\ 11{,}536/6^8, & w = 5 \\ 31{,}864/6^8, & w = 6 \\ 72{,}592/6^8, & w = 7 \\ 137{,}638/6^8, & w = 8 \\ 217{,}776/6^8, & w = 9 \\ 286{,}766/6^8, & w = 10 \\ 311{,}472/6^8, & w = 11 \\ 274{,}428/6^8, & w = 12 \\ 190{,}512/6^8, & w = 13 \\ 99{,}144/6^8, & w = 14 \\ 34{,}992/6^8, & w = 15 \\ 6{,}561/6^8, & w = 16 \end{cases}$$

(e) n의 값이 커짐에 따라 더욱더 대칭이 될 것이다.

5.4-8 **(b)** $\mu_Y = 25/3, \sigma_Y = 130/9$

(c)

$$P(Y = y) = \begin{cases} 96/1{,}024, & y = 4 \\ 144/1{,}024, & y = 5 \\ 150/1{,}024, & y = 6 \\ 135/1{,}024, & y = 7 \end{cases}$$

5.4-9 $Y - X + 25 \sim b(50, 1/2)$

$$P(Y - X \geq 2) = \sum_{k=27}^{50}\binom{50}{k}\left(\frac{1}{2}\right)^{50} = 0.3359$$

5.4-10 $1 - 17/2e^3 = 0.5768$

5.4-11 0.4207

5.5-1 **(a)** 0.4772, **(b)** 0.8561

5.5-2 **(a)** 46.58, 2.56, **(b)** 0.8447

5.5-3 **(b)** 0.05466, 0.3102

5.5-4 0.9830

5.5-5 **(a)** 0.3085, **(b)** 0.2267

5.5-6 **(a)** $t(2)$, **(c)** $\mu_V = 0$, **(d)** $\sigma_V = 1$
(e) (b)에서 분자와 분모가 독립이 아니다.

5.5-7 **(a)** 2.567, **(b)** −1.740, **(c)** 0.90

5.6-1 0.4772

5.6-2 0.8185

5.6-3 **(a)** $\chi^2(18)$, **(b)** 0.0756, 0.9974

5.6-4 0.6247

5.6-5 $P(1.7 \le Y \le 3.2) = 0.6749$, 정규근사: 0.6796

5.6-6 0.9522

5.6-7 **(a)** $\int_0^{25} \frac{1}{\Gamma(13)2^{13}} y^{13-1} e^{-y/2}\, dy = 0.4810$

(메이플을 사용)

(b) 정규근사: 0.4449

5.7-1 **(a)** 0.2878, 0.2881, **(b)** 0.4428, 0.4435
(c) 0.1550, 0.1554

5.7-2 정규근사: 0.9258, 이항분포: 0.9258

5.7-3 정규근사: 0.3085, 이항분포: 0.3164

5.7-4 정규근사: 0.6247, 푸아송분포: 0.6148

5.7-5 **(a)** 0.5548, **(b)** 0.3823

5.7-6 0.9901(정확한 확률은 0.9875)

5.7-7 **(a)** 0.3802, **(b)** 0.7571

5.7-8 정규근사: 0.4734
푸아송 근사($\lambda = 50$): 0.4749
이항근사 $b(5{,}000, 0.01)$: 0.4769

5.7-9 정규근사: 0.6455, 푸아송분포: 0.6449

5.7-10 444,305.2달러

5.8-1 **(a)** 0.84, **(b)** 0.082

5.8-2 $k = 1.464$, 8/15

5.8-3 **(a)** 0.25, **(b)** 0.85, **(c)** 0.925

5.8-4 **(a)** $E(W) = 0$, 분산은 존재하지 않는다.

5.9-1 **(a)** 0.9984, **(b)** 0.9982

5.9-2 $M(t) = \left[1 - \frac{2t\sigma^2}{n-1}\right]^{-(n-1)/2}$

$\to e^{\sigma^2 t}, \ -\infty < t < \infty$

6장

6.1-1 **(a)** $\bar{x} = 1.1$, **(b)** $s^2 = 0.0350$, **(c)** $s = 0.1871$

6.1-2 **(a)** $\bar{x} = 16.706$, $s = 1.852$
(b) 도수: [1, 1, 2, 14, 18, 16, 23, 10, 7, 2, 1, 1]

6.1-3 **(a)** $\bar{x} = 112.12$, $s = 231.3576$
(d) 관측값의 절반이 48보다 작다.

6.1-4 **(b)** $\bar{x} = 7.275$, $s = 1.967$, **(c)** 47, 61

6.1-5 **(a)** 경계: 90.5, 108.5, 126.5, . . . , 306.5
도수: [8, 11, 4, 1, 0, 0, 0, 1, 2, 12, 12, 3]
(b) $\bar{x} = 201$
(c) 경계: s 47.5, 52.5, . . . , 107.5
도수: [4, 4, 9, 4, 4, 0, 3, 9, 7, 5, 4, 1]
(d) $\bar{x} = 76.35$

6.1-6 **(a)** 0.261, 0.196, **(b)** 0.327, 0.315
(c) 0.270, 0.273, **(d)** 심슨의 역설의 예

6.2-1 **(a)**

줄기	잎	도수
11	9	1
12	3	1
13	6 7	2
14	1 1 4 4 4 6 7 8 8 8 8 9 9 9	14
15	0 0 1 3 4 5 5 6 6 6 6 6 7 8 8 9 9 9	18
16	1 1 1 1 1 3 3 5 5 6 6 6 7 7 8 9	16
17	0 1 1 1 1 1 2 2 2 3 4 4 4 6 6 7 7 8 8 8 8 8 8	23
18	0 0 0 1 1 4 5 8 9 9	10
19	0 1 3 3 4 7 8 7	7
20	2 8	2
21	5	1
22	1	1

(단위: 10^{-1})

(b) 11.9, 15.5, 16.65, 17.8, 22.1
(c) 의사 이상치: 11.9, 21.5, 22.1

6.2-2 **(a)** 남학생 도수: [1, 1, 3, 4, 20, 23, 16, 10, 3, 0, 1]
여학생 도수: [5, 14, 32, 36, 13]
(c) 다섯숫자 요약(남학생): 1.4, 3.5, 4.0, 4.525, 6.5
다섯숫자 요약(여학생): 0.5, 1.325, 1.7, 2.0, 2.7

6.2-3 **(b)** 다섯숫자 요약: 5, 35/2, 48, 173/2, 1,815
(d) 안쪽 울타리: 190, 바깥쪽 울타리: 293.5
(e) 중위수

6.2-4 **(a)**

줄기	잎	도수
127	8	1
128	8	1
129	5 8 9	3
130	8	1
131	2 3 4 4 5 5 7	7
132	2 7 7 8	4
133	7 9	2
134	8	1

(단위: 10^{-1})

(b) 131.3, 7.0, 2.575, 131.45, 131.47, 3.034
(c) 다섯숫자 요약: 127.8, 130.125, 131.45, 132.70, 134.8

6.2-5 **(a)**

계급구간	도수
(2.5, 4.31]	1
(4.31, 6.12]	2
(6.12, 7.94]	5
(7.94, 9.75]	31
(9.75, 11.6]	17
(11.6, 13.4]	6
(13.4, 15.2]	1
(15.2, 17]	1

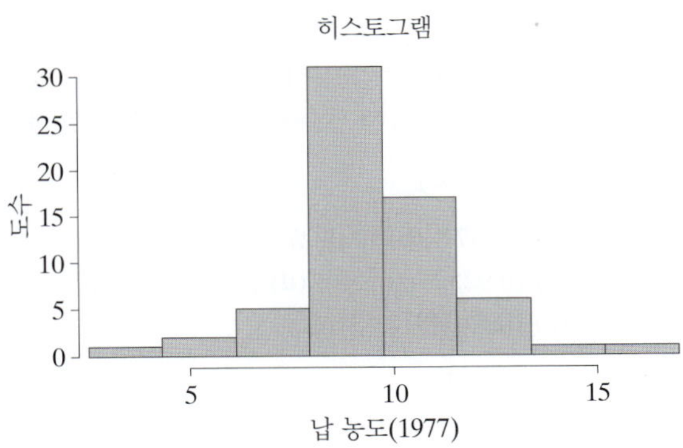

(b) $\bar{x} = 9.42$, $s = 2.08$
(c) $\bar{x} \pm 2s$: 48개, $\bar{x} \pm 2s$: 60개
(d)

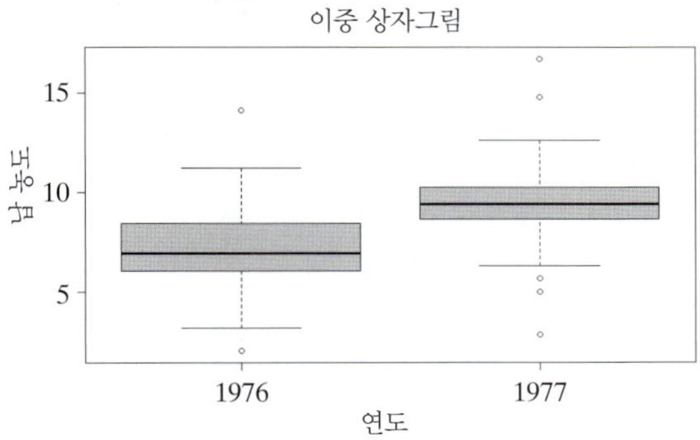

6.3-1 **(b)** $\widetilde{m} = 146$, $\widetilde{\pi}_{0.80} = 270$
(c) $\widetilde{q}_1 = 95$, $\widetilde{q}_3 = 225$

6.3-2 **(a)** $g_3(y) = 10(1 - e^{-y/3})^2 e^{-y},\ 0 < y < \infty$
(b) $5(1 - e^{-5/3})^4 e^{-5/3} + (1 - e^{-5/3})^5 = 0.7599$
(c) $e^{-5/3} = 0.1889$

6.3-3 **(a)** 0.2553, **(b)** 0.7483

6.3-4 **(a)** $g_1(y) = (19/\theta)(e^{-19y/\theta}),\ 0 < y < \infty$
(b) 1/20

6.3-5 **(a)** $g_r(y)$
$$= \frac{n!}{(r-1)!(n-r)!}(1-e^{-y})^{r-1}(e^{-y})^{n-r}e^{-y},$$
$0 < y < \infty$
(b) 베타 pdf, $\alpha = n - r + 1, \beta = r$

6.3-6 **(a)** $g(y_1, y_n) = n(n-1)(y_n - y_1)^{n-2},$ $0 < y_1 < y_n < 1$
(b) $h(w_1, w_2) = n(n-1)w_2^{n-1}(1 - w_1)^{n-2},$ $0 < w_1 < 1,\ 0 < w_2 < 1$
$h_1(w_1) = (n-1)(1 - w_1)^{n-2},$ $0 < w_1 < 1$
$h_2(w_2) = nw_2^{n-1},\ 0 < w_2 < 1$
(c) 그렇다

6.3-7 암수 모두 q-q 플롯이 선형이므로 정규분포를 따름

6.4-2 **(b)** $\bar{x} = 89/40 = 2.225$

6.4-3 **(a)** $\widehat{\theta} = \overline{X}/2$
(b) $\widehat{\theta} = \overline{X}/3$
(c) $\widehat{\theta}$: 표본중위수

6.4-4 **(c)** **(i)** $\widehat{\theta} = 0.5493,\ \widetilde{\theta} = 0.5975$
(ii) $\widehat{\theta} = 2.2101,\ \widetilde{\theta} = 2.4004$
(iii) $\widehat{\theta} = 0.9588,\ \widetilde{\theta} = 0.8646$

6.4-5 **(c)** $\bar{x} = 3.48$

6.4-7 **(a)** $\widetilde{\theta} = \overline{X}$, **(b)** 그렇다, **(c)** 7.382, **(d)** 7.485

6.4-8 $\bar{x} = \alpha\theta,\ v = \alpha\theta^2$ 그러므로
$\widetilde{\theta} = v/\bar{x} = 0.0658,$
$\widetilde{\alpha} = \bar{x}^2/v = 102.4991$

6.4-9 $\widehat{\mu} = \dfrac{\sum_{i=1}^{n} y_i/x_i^2}{\sum_{i=1}^{n} 1/x_i^2},\ \widehat{\gamma^2} = \dfrac{1}{n}\sum_{i=1}^{n}\dfrac{(y_i - \widehat{\mu})^2}{x_i^2}$

6.5-2 **(a)** $\widehat{y} = 86.8 + (842/829)(x - 74.5)$
(c) $\widehat{\sigma^2} = 17.9998$

6.5-3 **(a)** $\widehat{y} = 10.6 - 0.015x$
(c) $\widehat{y} = 5.47 + 0.0004x$
(e) 마력

6.5-4 **(a)** $\widehat{y} = 0.819x + 2.575$
(c) $\widehat{\alpha} = 10.083,\ \widehat{\beta} = 0.819,\ \widehat{\sigma^2} = 3.294$

6.5-5 **(a)** $\widehat{y} = 46.59 + 1.085x$

6.6-1 **(b)** σ^2/n, **(c)** $2/n$

6.6-2 **(a)** $2\theta^2/n$, **(b)** $N(\theta, 2\theta^2/n)$, **(c)** $\chi^2(n)$

6.7-1 **(a)** $\sum_{i=1}^{n} X_i^2$, **(b)** $\widehat{\sigma^2} = \left(\dfrac{1}{n}\right)\sum_{i=1}^{n} X_i^2$, **(c)** 그렇다

6.7-4 **(a)** $f(x;p) = \exp\{x\ln(1-p) + \ln[p/(1-p)]\}$
$K(x) = x,\ \sum_{i=1}^{n} X_i$: 충분통계량
(b) $\overline{X}$

6.7-7 **(a)** $f(x;\theta) = \exp[\,|x| \cdot (-1/\theta)] - \ln(2\theta);$
$K(x) = |x|,\ Y = \sum_{i=1}^{n} |X_i|$: 충분통계량
(b) $\widehat{\theta} = \dfrac{1}{n} \cdot Y$
(c) $\widehat{\theta}$이 충분통계량 Y의 단일값 함수이므로 충분통계량임

6.8-1 **(a)** $k(\theta \mid y) \propto \theta^{\alpha+y-1}e^{-\theta(n+1/\beta)}$
모수 $\alpha + y$와 $1/(n+1/\beta)$를 가진 감마분포
(b) $w(y) = E(\theta \mid y) = (\alpha + y)/(n + 1/\beta)$
(c) $w(y) = \left(\dfrac{y}{n}\right)\left(\dfrac{n}{n+1/\beta}\right) + (\alpha\beta)\left(\dfrac{1/\beta}{n+1/\beta}\right)$

6.8-2 **(a)** $E[\{w(Y) - \theta\}^2]$
$= \{E[w(Y) - \theta]\}^2 + \text{Var}[w(Y)]$
$= (74\theta^2 - 114\theta + 45)/500$
(b) $\theta = 0.569 \sim \theta = 0.872$

6.8-3 사후 pdf가 대칭이기 때문에 사후중위수 혹은 사후평균

6.8-4 $d = 2/n$

7장

7.1-1 [71.35, 76.25]

7.1-2 **(a)** $\bar{x} = 15.757$
(b) $s = 1.792$
(c) [14.441, 17.073]

7.1-3 [48.467, 72.266] 혹은 [48.076, 72.657]

7.1-4 [19.47, 22.33]

7.1-5 $[21.373, \infty)$

7.1-6 [128.77, 135.23]

7.1-7 **(a)** 29.49, 3.41, **(b)** [0, 31.259]
(c) q-q 플롯이 선형이므로 그렇다.

7.1-8 **(a)** $\bar{x} = 25.475,\ s = 2.4935$, **(b)** $[24.059, \infty)$

7.2-1 $[-59.725, -43.275]$

7.2-2 $[-5.845, 0.845]$

7.2-3 $(-\infty, -1.828]$

7.2-4 **(a)** 그렇다(μ_X에 대한 95% 신뢰하한이 25.511이므로)
(b) [11.47, 13.72]
(c) 교체하지 않는다(μ_Y에 대한 95% 신뢰하한이 12.238이므로)

7.2-5 **(a)** $[-0.556, 1.450]$
(b) [0.367, 1.863]
(c) 남학생: 아니다(신뢰구간이 0을 포함)
여학생: 그렇다(신뢰구간이 0을 포함하지 않음)

7.2-6 $[157.227, \infty)$

7.3-1 **(a)** 0.0374, **(b)** [0.0227, 0.0521]
(c) [0.0252, 0.0550], **(d)** [0.0250, 0.0553]
(e) [0, 0.0497]

7.3-2 **(a)** 0.5061
(b) [0.4608, 0.5513] 혹은 [0.4609, 0.5511] 혹은 [0.4607, 0.5513]

7.3-3 **(a)** $\widehat{p} = 0.857$, [0.827, 0.887]
(b) [0.825, 0.884]
(c) $\widetilde{p} = 0.854$, [0.824, 0.884]
(d) [0, 0.881], 실시함

7.3-4 [0.207, 0.253]

7.3-5 **(a)** 0.2115, **(b)** [0.1554, 0.2676]

7.3-6 [0.011, 0.089]

7.3-7 **(a)** $\widehat{p}_1 = 0.600$, $\widehat{p}_2 = 0.667$
(b) [−0.108, −0.025]

7.4-1 117

7.4-2 **(a)** 1,083
(b) [6.047, 6.049], **(c)** 58,800달러
(d) 0.0145

7.4-3 **(a)** 257, **(b)** 그렇다.

7.4-4 **(a)** 1,068, **(b)** 2,401, **(c)** 752

7.4-5 2,305

7.4-6 **(a)** 38, **(b)** [0.621, 0.845]

7.4-7 235

7.5-1 **(a)** 0.7812, **(b)** 0.7844, **(c)** 0.4528

7.5-2 **(a)** (6.31, 7.40), **(b)** (6.58, 7.22), 0.8204

7.5-3 (15.40, 17.05)

7.5-4 **(a)**

줄기	잎	도수
101	7	1
102	0 0 0	3
103		0
104		0
105	8 9	2
106	1 3 3 6 6 7 7 8 8	9
107	3 7 9	3
108	8	1
109	1 3 9	3
110	0 2 2	3

(b) $\widetilde{\pi}_{0.25} = 106.0$, $\widetilde{m} = 106.7$, $\widetilde{\pi}_{0.75} = 108.95$
(c) **(i)** (102.0, 106.6), 89.66%
(ii) (106.3, 107.7), 89.22%
(iii) (107.3, 110.0), 89.66%

(d) [105.89, 107.61], 89.22%
[105.87, 107.63], 90%

7.5-5 **(a)** $\widetilde{\pi}_{0.50} = \widetilde{m} = 0.92$
(b) $(y_{41}, y_{60}) = (0.92, 0.93)$
0.9426(정규근사), 0.9431(이항분포 이용)
(c) $\widetilde{\pi}_{0.25} = 0.89$
(d) $(y_{17}, y_{34}) = (0.88, 0.90)$
0.9504(정규근사), 0.9513(이항분포 이용)
(e) $\widetilde{\pi}_{0.75} = 0.97$
(f) $(y_{67}, y_{84}) = (0.95, 0.98)$
0.9504(정규근사), 0.9513(이항분포 이용)

7.5-6 $y_4 = 5.08 < \pi_{0.25} < y_{15} = 5.27$
$y_{14} = 5.27 < \pi_{0.5} < y_{26} = 5.31$
$y_{24} = 5.30 < \pi_{0.75} < y_{35} = 5.35$

7.6-1 **(a)** 평균 α_1,

분산 $\sigma^2\left(\dfrac{1}{n} + \dfrac{\bar{x}^2}{\sum_{i=1}^{n}(x_i - \bar{x})^2}\right)$인 정규분포

(b) $\widehat{\alpha}_1 \pm h t_{\gamma/2}(n-2)$, 이때

$$h = \widehat{\sigma}\sqrt{\frac{n}{n-2}}\sqrt{\frac{1}{n} + \frac{\bar{x}^2}{\sum_{i=1}^{n}(x_i - \bar{x})^2}}$$

7.6-2 **(a)** [75.283, 85.113], [83.838, 90.777], [89.107, 99.728]
(b) [68.206, 92.190], [75.833, 98.783], [82.258, 106.577]

7.6-3 **(a)** [4.897, 8.444], [9.464, 12.068], [12.718, 17.004]
(b) [1.899, 11.442], [6.149, 15.383], [9.940, 19.782]

7.6-4 **(a)** [19.669, 26.856], [22.122, 27.441], [24.048, 28.551], [25.191, 30.445], [25.791, 32.882]
(b) [15.530, 30.996], [17.306, 32.256], [18.915, 33.684], [20.351, 35.285], [21.618, 37.055]

7.6-5 $\widehat{y} = 1.1037 + 2.0327x - 0.2974x^2 + 0.6204x^3$

7.6-6 **(a)** $r = 0.143$
(b) $\widehat{y} = 37.68 + 0.83x$
(d) 적합하지 않음
(e) $\widehat{y} = 12.845 + 22.566x - 3.218x^2$
(f) 적합함

8장

8.1-1 **(a)** $1.4 < 1.645$, H_0 채택
(b) $1.4 > 1.282$, H_0 기각
(c) p값 $= 0.0808$

8.1-2 **(a)** $z = (\bar{x} - 170)/2$, $z \ge 1.645$
(b) $1.260 < 1.645$, H_0 채택
(c) 0.1038

8.1-3 **(a)** $t = (\bar{x} - 3{,}315)/(s/\sqrt{30}) \le -1.699$
(b) $-1.414 > -1.699$, H_0 채택
(c) $0.05 < p$값 < 0.10, 혹은 p값 ≈ 0.08

8.1-4 **(a)** $t = (\bar{x} - 47)/(s/\sqrt{20}) \le -1.729$
(b) $-1.789 < -1.729$, H_0 기각
(c) $0.025 < p$값 < 0.05, p값 ≈ 0.045

8.1-5 **(a)** -4.60, p값 < 0.0001
(b) H_0 기각
(c) [0, 14.612] 혹은 [0, 14.573] 정규근사 이용

8.1-6 $1.477 < 1.833$, H_0 채택

8.1-7 **(a)** $t \le -1.729$
(b) $t = -1.994 < -1.729$, H_0 기각
(c) $t = -1.994 > -2.539$, H_0 채택
(d) $0.025 < p$값< 0.05
실제로, p값$= 0.0304$

8.2-1 **(a)** $t \le -1.734$
(b) $t = -2.221 < -1.734$, H_0 기각

8.2-2 **(a)** $|t| = 0.374 < 2.086$, H_0 채택
$\alpha = 0.05$

8.2-3 **(a)** $t < -1.706$, **(b)** $-1.714 < -1.706$,
H_0 기각
(c) $0.025 < p$값 < 0.05

8.2-4 **(a)** $t < -2.552$
(b) $t = -3.638 < -2.552$, H_0 기각

8.2-5 **(a)** $t = -1.67$, $0.05 < p$값 < 0.10,
p값$= 0.054$, H_0 채택

8.2-6 **(a)** $z = 2.245 > 1.645$, H_0 기각
(b) p값 $= 0.0124$

8.2-7 **(a)** $t = 3.440$, p값 < 0.005, H_0 기각

8.3-1 **(a)** $\chi^2 = \dfrac{10s^2}{525^2} \le 3.940$
(b) $4.104 > 3.940$, H_0 채택
(c) $0.05 < p$값 < 0.10, p값 $= 0.057$
컴퓨터 이용

8.3-2 **(a)** $\chi^2 = \dfrac{24s^2}{140^2}$, $\chi^2 \ge 36.42$
(b) $29.18 < 36.42$, H_0 채택

8.3-3 **(a)** $59.53 < 64.28$, H_0 기각
(b) $0.025 < p$값 < 0.05, p값 $= 0.042$
컴퓨터 이용

8.3-4 **(a)** $\chi^2 \ge 28.87$ 혹은 $s^2 \ge 48.117$
(b) $\beta \approx 0.10$

8.3-5 **(a)** 만일 $F = \dfrac{s_X^2}{s_Y^2} = 3.2053 \ge F_{0.01}(30, 30)$이면 귀무가설 기각
(b) $F_{0.01}(30, 30) = 2.39$ 그래서 H_0 기각
(c) [1.548, 6.635]

8.3-6 **(a)** $s_X^2/s_Y^2 = 0.362 < F_{0.025}(8, 12) = 3.51$,
$s_Y^2/s_X^2 = 2.759 < F_{0.025}(12, 8) = 4.20$,
H_0 채택

(b) $s_X^2/s_Y^2 = 1.836 < F_{0.025}(13, 13) = 3.115$,
$s_Y^2/s_X^2 = 0.545 < F_{0.025}(13, 13) = 3.115$,
H_0 채택

8.4-1 **(a)** 0.3032 [$b(100, 0.08)$ 이용],
0.313(푸아송 근사),
0.2902(정규근사, 연속성 수정)

(b) 0.1064 [$b(100, 0.04)$ 이용],
0.111(푸아송 근사),
0.1010(정규근사, 연속성 수정)

8.4-2 **(a)** $\alpha = 0.1056$, **(b)** $\beta = 0.3524$

8.4-3 **(a)** $z = 2.269 > 1.645$, H_0 기각
(b) $z = 2.269 < 2.326$, H_0 기각 실패
(c) p값 $= 0.0116$

8.4-4 **(a)** $z = \dfrac{y/n - 0.40}{\sqrt{(0.40)(0.60)/n}} \ge 1.645$
(b) $z = 2.215 > 1.645$, H_0 기각

8.4-5 **(a)** H_0: $p = 0.037$, H_1: $p > 0.037$
(b) $z \ge 2.326$
(c) $z = 2.722 > 2.326$, H_0 기각

8.4-6 **(a)** $|z| \ge 1.960$
(b) $1.726 < 1.960$, H_0 기각하지 않음

8.4-7 [0.007, 0.071], $z = 2.346 > 1.96$이기 때문에 그렇다.

8.4-8 **(a)** P(적어도 한 쌍 일치)
$= 1 - P$(일치한 쌍 없음)
$= 1 - \frac{52}{52} \cdots \frac{47}{52} = 0.259$

8.5-1 **(a)** $-55 < -47.08$, H_0 기각
(b) 0.0296
(c) $9 < 10$, H_0 채택
(d) p값 $= 0.1334$

8.5-2 **(a)** $y = 17$, p값 $= 0.0539$,
(b) $w = 171$, p값 $= 0.0111$
(c) $t = 2.608$, p값 $= 0.0077$

8.5-3 $w = 54$, 단측 검정에 대한 p값 ≈ 0.0661, H_0 채택

8.5-4 **(a)** $y = 5$, H_0 채택
(b) p값 $= 0.2120$
(c) $z = 2.072 > 1.645$ for $\alpha = 0.05$, H_0 기각
(d) p값 $= 0.0191$

8.5-5 **(a)** $w = 65$, p값 ≈ 0.0028, H_0 기각

8.5-6 **(a)** $w = 115$, p값 ≈ 0.4727, H_0 채택

8.5-7 **(a)** $w = 102.5$, p값 $\approx= 0.8798$, H_0 채택

8.5-8 **(a)** $w = 139$, p값 ≈ 0.0057, H_0 기각
(b) $w = 109$, p값 ≈ 0.7913, H_0 채택
(c) $w = 102$, p값 ≈ 0.8499, H_0 채택

8.6-1 **(a)** $K(\mu) = \Phi\left(\frac{22.5 - \mu}{3/2}\right)$, $\alpha = 0.0478$
(b) $\bar{x} = 24.1225 > 22.5$, H_0 채택
(c) 0.2793

8.6-2 아이오와주 태생이 아닌 학생 수 X는 귀무가설 하에서 $b(25, 0.4)$ 분포를 따른다.
(a) $\alpha = 0.0638$
(b) $K(p) = 1 - \sum_{k=6}^{14} \binom{25}{k} p^k (1-p)^{25-k}$
(c) $K(0.2) = 0.6167$

8.6-3 $n = 25$, $c = 1.6$

8.6-4 **(a)** $K(p) = \sum_{y=14}^{25} \binom{25}{y} p^y (1-p)^{25-y}$,
$0.40 \le p \le 1.0$
(b) $\alpha = 0.0778$
(c) 0.1827, 0.3450, 0.7323, 0.9558, 0.9985, 1.0000
(e) 그렇다.
(f) 0.0344

8.6-5 $n = 130$, $c = 8.61$일 때 정규근사를 이용하면 $\alpha = 0.0498$, $\beta = 0.0997$; $Y \ge 9$이고 기각역 $n = 130$인 이항분포를 사용하면 $\alpha = 0.0643$, $\beta = 0.0880$

8.6-6 **(a)** $K(\theta) = \int_0^2 \frac{1}{\Gamma(3)\theta^3} x^{3-1} e^{-x/\theta} dx$
(b) $K(\theta) = 1 - \sum_{y=0}^{2} \frac{(2/\theta)^y}{y!} e^{-2/\theta}$
(c) $K(2) = 0.080$, $K(1) = 0.323$, $K(1/2) = 0.762$, $K(1/4) = 0.986$

8.7-1 **(a)** $\frac{L(80)}{L(76)} = \exp\left[\frac{8}{128}\sum_{i=1}^{n} x_i - \frac{624n}{128}\right] \le k$
혹은 $\bar{x} \le c$
(b) $n = 43$, $c = 78$

8.7-2 **(a)** $\frac{L(3)}{L(5)} \le k$,
$\sum_{i=1}^{n} x_i \ge (-15/2)[\ln(k) - \ln(5/3)^n] = c$
(b) $\bar{x} \ge 4.15$ **(c)** $\bar{x} \ge 4.15$ **(d)** 그렇다

8.7-3 **(a)** $\frac{L(50)}{L(\mu_1)} \le k \Leftrightarrow$
$\bar{x} \le \frac{(-72)\ln(k)}{2n(\mu_1 - 50)} + \frac{50 + \mu_1}{2} = c$

8.7-4 **(a)** $\frac{L(0.5)}{L(\mu)} \le k \Leftrightarrow$
$\sum_{i=1}^{n} x_i \ge \frac{\ln(k) + n(0.5 - \mu)}{\ln(0.5/\mu)} = c$
(b) $\sum_{i=1}^{10} x_i \ge 9$

8.7-5 $K(\theta) = P(Y \le 1) = (1-\theta)^5 + 5\theta(1-\theta)^4 = (1-\theta)^4(1+4\theta)$, $0 < \theta \le 1/2$

8.8-1 **(a)** $|-1.80| > 1.645$, H_0 기각
(b) $|-1.80| < 1.96$, H_0 채택
(c) p값 $= 0.0718$

8.8-2 **(a)** $\bar{x} \ge 230 + 10z_\alpha/\sqrt{n}$, 혹은 $\frac{\bar{x} - 230}{10/\sqrt{n}} \ge z_\alpha$
(b) 그렇다.

(c) $1.04 < 1.282$, H_0 채택
(d) p값 $= 0.1492$

8.8-3 **(a)** $|2.10| < 2.306$, H_0 채택
$0.05 < p$값 < 0.10 (p값 $= 0.069$)

8.8-4 $2.20 > 1.282$, H_0 기각, p값 $= 0.0139$

8.8-5 **(a)** $\mu_X = \mu_Y = \mu$, $\sigma_X^2 = \sigma_Y^2 = \sigma^2$일 때

$$\widehat{\mu} = \frac{\sum_{i=1}^{n_X} x_i + \sum_{i=1}^{n_Y} y_i}{n_X + n_Y},\quad \widehat{\sigma^2} = \frac{\sum_{i=1}^{n_X}(x_i - \widehat{\mu})^2 + \sum_{i=1}^{n_Y}(y_i - \widehat{\mu})^2}{n_X + n_Y}$$

$\mu_X \neq \mu_Y$, $\sigma_X^2 = \sigma_Y^2 = \sigma^2$일 때

$$\widehat{\mu_X} = \bar{x},\ \widehat{\mu_Y} = \bar{y},$$

$$\widehat{\sigma^2} = \frac{\sum_{i=1}^{n_X}(x_i - \bar{x})^2 + \sum_{i=1}^{n_Y}(y_i - \bar{y})^2}{n_X + n_Y}$$

$$\lambda = \frac{1}{\{1 + (\bar{x} - \bar{y})^2/[\sum_{i=1}^{n_X}(x_i - \bar{x})^2 + \sum_{i=1}^{n_Y}(y_i - \bar{y})^2]\}^{(n_X+n_Y)/2}},$$

자유도 $n_X + n_Y - 2$인 다음 t확률 변수의 함수

$$t = c\frac{\bar{x} - \bar{y}}{\sqrt{\sum_{i=1}^{n_X}(x_i - \bar{x})^2 + \sum_{i=1}^{n_Y}(y_i - \bar{y})^2}}$$

(b) H_0가 참일 때, $\widehat{\mu_X} = \bar{x}$, $\widehat{\mu_Y} = \bar{y}$,

$$\widehat{\sigma^2} = \frac{\sum_{i=1}^{n_X}(x_i - \bar{x})^2 + \sum_{i=1}^{n_Y}(y_i - \bar{y})^2}{n_X + n_Y}$$

H_1이 참일 때, $\widehat{\mu_X} = \bar{x}$, $\widehat{\mu_Y} = \bar{y}$,

$$\widehat{\sigma_X^2} = \frac{1}{n_X}\sum_{i=1}^{n_X}(x_i - \bar{x})^2,\quad \widehat{\sigma_Y^2} = \frac{1}{n_Y}\sum_{i=1}^{n_Y}(y_i - \bar{y})^2$$

$$\lambda = \frac{(n_X + n_Y)^{(n_X+n_Y)/2}}{n_X^{n_X/2} n_Y^{n_Y/2}}$$

$$\frac{[\sum_{i=1}^{n_Y}(y_i - \bar{y})^2/\sum_{i=1}^{n_X}(x_i - \bar{x})^2]^{n_Y/2}}{[1 + \sum_{i=1}^{n_Y}(y_i - \bar{y})^2/\sum_{i=1}^{n_X}(x_i - \bar{x})^2]^{(n_X+n_Y)/2}}$$

이는 자유도 $n_Y - 1$과 $n_X - 1$을 가진 F 확률변수의 함수이다.

$$F = \frac{\sum_{i=1}^{n_Y}(y_i - \bar{y})^2/(n_Y - 1)}{\sum_{i=1}^{n_X}(x_i - \bar{x})^2/(n_X - 1)}$$

8.8-6 **(a)** $\widehat{\beta} = \dfrac{\sum_{i=1}^{n} x_i y_i}{\sum_{i=1}^{n} x_i^2}$, $\widehat{\sigma^2} = \dfrac{1}{n}\sum_{i=1}^{n}(y_i - \widehat{\beta}x_i)^2$

$$\lambda = \left[\frac{1}{1 + \widehat{\beta}^2\sum_{i=1}^{n} x_i^2/\sum_{i=1}^{n}(y_i - \widehat{\beta}x_i)^2}\right]^{n/2}$$

(b) λ는 자유도 $n - 1$인 t 확률변수

$$T = c\frac{\widehat{\beta}\sqrt{\sum_{i=1}^{n} x_i^2}}{\sqrt{\sum_{i=1}^{n}(y_i - \widehat{\beta}x_i)^2}}$$의 함수이다.

9장

9.1-1 $6.25 < 7.815$, $\alpha = 0.05$이면 H_0 채택
p값 ≈ 0.10

9.1-2 $7.60 < 16.92$, H_0 채택

9.1-3 **(a)** $q_3 \geq 7.815$
(b) $q_3 = 1.744 < 7.815$, H_0 채택

9.1-4 표 III을 이용하면 마지막 두 그룹을 합칠 경우 $2.750 < 9.210$, 그렇지 않은 경우 $3.464 < 11.34$, 컴퓨터를 이용하면 합친 경우 $2.589 < 9.210$, 그렇지 않은 경우 $3.730 < 11.34$. 두 경우 모두 H_0 채택

9.1-5 $q_4 = 3.741 < \chi_{0.05}^2(4) = 9.488$, 관측값은 공간 임의성 가정을 지지한다.

9.1-6 동일한 확률의 10개 집합을 이용하면
$4.44 < 14.07 = \chi_{0.05}^2(7)$, 그래서 H_0 채택

9.1-7 $\bar{x} = 320.10$, $s^2 = 45.56$
계급 경계를 이용하면 303.5, 307.5, . . . , 335.5,
$q = 3.21 < 11.07 = \chi_{0.05}^2(5)$, 채택

9.2-1 $3.23 < 11.07$, H_0 채택

9.2-2 $2.40 < 5.991$, H_0 채택

9.2-3 $5.975 < \chi_{0.05}^2(2) = 5.991$, H_0 채택,
p값 ≈ 0.05

9.2-4 $8.449 < \chi_{0.05}^2(4) = 9.488$, H_0 채택,
$0.05 < p$값 < 0.10, p값 $= 0.076$

9.2-5 $4.149 > \chi_{0.05}^2(1) = 3.841$, H_0 기각,
$0.025 < p$값 < 0.05, p값 ≈ 0.042

9.2-6 $23.78 > 21.03$,
독립성 가정을 기각

9.2-7 **(a)** $39.591 > 9.488$,
독립성 가정을 기각
(b) $7.117 > 5.991$,
독립성 가정을 기각
(c) $11.398 > 9.488$,
독립성 가정을 기각
(d) 각 p값들은
$< 0.001, 0.028, 0.022$

9.3-1 $7.875 > 4.26$, H_0 기각

9.3-2 $13.773 > 4.07$, H_0 기각

9.3-3 **(a)**

요인	SS	자유도	MS	F	p값
처리	31.112	2	15.556	22.33	0.000
잔차	29.261	42	0.697		
계	60.372	44			

(b) 각각의 평균: 23.114, 22.556, 21.120,

9.3-4 14.757 > 2.87, H_0 기각

9.3-5 **(a)** $F \geq 4.07$
(c) 4.106 > 4.07, H_0 기각
(d) $0.025 < p$값 < 0.05, p값 ≈ 0.05
p값 $= 0.049$

9.3-6 10.224 > 4.26, H_0 기각

9.3-7 **(a)** $F \geq 5.61$
(b) 6.337 > 5.61, H_0 기각

9.3-8 **(a)** $F = 12.47$, p값 $= 0.00149$,
먹이에 따른 차이가 있어 보인다.
(b) 그렇다. 먹이 B가 가장 좋고 먹이 C가 가장 나쁘다. 평균들은 $\bar{x}_1 = 590$, $\bar{x}_2 = 758$, $\bar{x}_3 = 482$이다.

9.4-1 18.00 > 5.14, H_A 기각

9.4-2 **(a)** 7.624 > 4.46, H_A 기각
(b) 15.538 > 3.84, H_B 기각

9.4-3 **(a)** 1.723 < 2.90, H_{AB} 채택
(b) 5.533 > 4.15, H_A 기각
(c) 28.645 > 2.90, H_B 기각

9.4-4 **(a)** 1.727 < 2.37, H_{AB} 채택
(b) 2.238 < 3.27, H_A 채택
(c) 2.063 < 2.87, H_B 채택

9.4-5 **(a)**

요인	SS	자유도	MS	F	p값
흡연 유무	84.899	2	42.449	12.90	0.000
테스트	298.072	2	149.039	45.28	0.000
교호작용	2.815	4	0.704	0.21	0.927
잔차	59.247	18	3.291		
계	445.032	26			

9.5-1 2^2요인계획

시행	A	B	AB	관측값
1	−	−	+	X_1
2	+	−	−	X_2
3	−	+	−	X_3
4	+	+	+	X_4

(a) $[A] = (-X_1 + X_2 - X_3 + X_4)/4$
$[B] = (-X_1 - X_2 + X_3 + X_4)/4$
$[AB] = (X_1 - X_2 - X_3 + X_4)/4$
(b) 식 양변의 X_2^1, X_1X_2, X_1X_3, X_1X_4 계수들을 비교하면 충분하다. 각각 3/4, −1/2, −1/2, −1/2이다.
(c) 각각 $\chi^2(1)$이다.

9.5-2 [A] 는 $N\left(0, \frac{\sigma^2}{2}\right)$ 분포를 갖는다. 그래서

$E[(X_2 - X_1)^2/4] = \frac{\sigma^2}{2}$ 혹은

$E[(X_2 - X_1)^2/2] = \sigma^2$이다.

9.5-3 **(a)** [A] = −4, [B] = 12, [C]= −1.125
[D]= −2.75, [AB] = 0.5, [AC] = 0.375
[AD] = 0, [BC] = −0.625, [BD] = 2.25
[CD] = −0.125, [ABC] = −0.375
[ABD] = 0.25, [ACD]= −0.125
[BCD] = −0.375, [ABCD]= −0.125
(b) 분명히 온도(B) 효과가 존재한다. 또한 촉매(A) 효과도 존재하고 아마도 농도(D) 효과와 온도−농도(BD) 교호작용도 존재할 것이다.

9.6-1 4.359 > 2.306, H_0 기각

9.6-2 −0.45 < −0.3808, H_0 기각

9.6-3 [0.419, 0.802].

9.6-4 $|r| = 0.252 < 0.6613$, H_0 채택

9.6-5 $n = 9$

9.7-1 **(a)** $\bar{\bar{x}} = 158.97$, $\bar{s} = 12.1525$, $\overline{R} = 30.55$
(f) 그렇다.

9.7-2 **(a)** $\bar{\bar{x}} = 5.176+330 = 335.176$, $\bar{s} = 0.5214$
$\overline{R} = 1.294$
(f) 아니다.

9.7-3 **(b)** $E(\sqrt{Y}) = \dfrac{\sqrt{2}\,\Gamma\left(\frac{n}{2}\right)}{\Gamma\left(\frac{n-1}{2}\right)}$

(b) $S = \dfrac{\sigma\sqrt{Y}}{\sqrt{n-1}}$, 그래서

$$E(S) = \frac{\sqrt{2}\,\Gamma\left(\frac{n}{2}\right)}{\sqrt{n-1}\,\Gamma\left(\frac{n-1}{2}\right)}\sigma$$

9.7-4 LCL = 0, UCL = 0.1024
(a) 0.0378, **(b)** 0.1752

9.7-5 **(a)** LCL = 0, UCL = 13.99
(b) 그렇다.

부록 D

Review of Selected Mathematical Techniques

선별 수학적 기법

D.1 집합대수

고려되는 대상의 전체를 **전체집합**(universal set)이라 하고 S로 나타낸다. S의 각 대상을 S의 **원소**(element)라 한다. 집합 A가 S에 속하는 원소들의 모임이라면 A는 S의 **부분집합**(subset)이다. 확률의 적용에서 S는 보통 **표본공간**(sample space)을 나타낸다. **사상**(event) A는 확률실험의 모든 가능한 결과들 중 하나이며 S의 부분집합이다. 확률실험 결과가 사상 A의 원소라면 사상 A가 **일어났다**고 말한다. 집합 혹은 사상 A는 그것의 모든 원소를 나열하거나 또는 그 원소들이 만족시켜야 하는 성질들을 정의함으로써 기술한다.

예제 D.1-1 정사면체 주사위의 4면에는 각각 1, 2, 3, 4라는 번호가 적혀 있다. 주사위를 던졌을 때 실험의 결과는 바닥 면의 번호이다. 만약 주사위를 두 번 던져서, 첫 번째 던졌을 때와 두 번째 던졌을 때의 실험결과를 관찰한다면 표본공간은 그림 D.1-1에 나타나 있다.

A를 두 번째 던져서 1 혹은 2가 나온 사상이라고 한다면

$$A = \{(x, y):\ y = 1 \quad \text{혹은} \quad y = 2\}$$

이다. 또한,

$$B = \{(x, y):\ x + y = 6\} = \{(2, 4), (3, 3), (4, 2)\}$$

와

$$C = \{(x, y):\ x + y \ge 7\} = \{(4, 3), (3, 4), (4, 4)\}$$

라고 놓자. 사상 A, B, C는 그림 D.1-1에 나타나 있다. ■

a가 A의 원소일 때 $a \in A$라 쓰고, a가 A의 원소가 아닐 때 $a \notin A$라 쓴다. 따라서 예제 D.1-1에서 $(3, 1) \in A$이고 $(1, 3) \notin A$이다. A의 모든 원소가 또한 B의 원소라면 A는 B의 부분집합이고 $A \subset B$로 나타낸다. 확률의 적용에서 사상 A가 일어날 때는 언

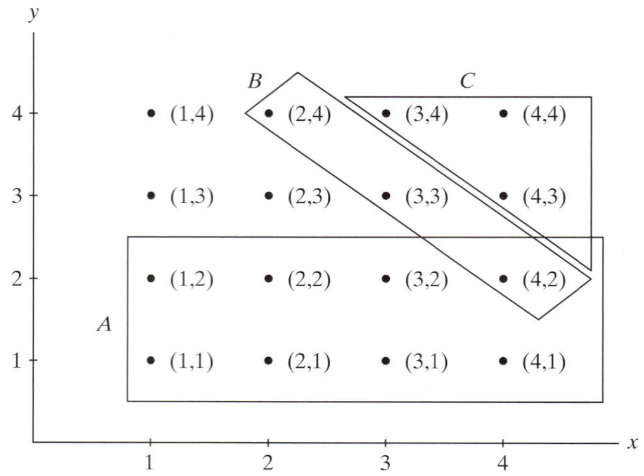

그림 D.1-1 정사면체 주사위를 두 번 던지는 확률실험에서의 표본공간

제든지 사상 B가 일어난다면 $A \subset B$이다. $A \subset B$이고 $B \subset A$이라면 두 집합 A와 B는 같다(즉, $A = B$). $A \subset A$와 $A \subset S$는 항상 성립한다. 여기서 S는 전체집합이다. 어떤 원소도 포함하지 않는 집합을 ϕ라 표시하고 **공집합**(null set 혹은 empty set)이라 한다. 모든 집합 A에 대해, $\phi \subset A$이다.

집합 A 혹은 B에 속하거나, 또는 A와 B에 속하는 원소들의 집합을 A와 B의 **합집합**(union)이라 하고 $A \cup B$로 나타낸다. 집합 A와 B에 동시에 속하는 원소들의 집합을 A와 B의 **교집합**(intersection)이라 하고 $A \cap B$로 나타낸다. 집합 A의 **여집합**(complement)은 전체집합 S에는 속하나 A에는 속하지 않은 원소들의 집합을 의미하며 A'으로 나타낸다. 확률에서는 A와 B가 두 사상이라면 A와 B 중 최소한 한 사상이 일어날 사상은 $A \cup B$로 표시하고, A와 B 두 사상이 모두 일어나는 사상은 $A \cap B$로 나타낸다. 사상 A가 일어나지 않았다면 그 사상은 A'이라 표시하고, 사상 A는 일어나지 않았지만 사상 B는 일어났다면 그 사상은 $A' \cap B$로 나타낸다. $A \cap B = \phi$이라면 A와 B는 **상호배반**(mutually exclusive)이라 한다. 예제 D.1-1에서 $B \cup C = \{(x, y) : x + y \geq 6\}$, $A \cap B = \{(4, 2)\}$ 그리고 $A \cap C = \phi$이다. 또한 A와 C는 상호배반이고 $C' = \{(x, y): x + y \leq 6\}$이다.

합집합과 교집합의 연산은 2개 이상의 집합으로 확장될 수 있다. $A_1, A_2, \ldots, A_n$을 집합들의 유한개의 모임이라 하자. 그러면 합집합

$$A_1 \cup A_2 \cup \cdots \cup A_n = \bigcup_{k=1}^{n} A_k$$

는 최소한 하나의 A_k, $k = 1, 2, \ldots, n$에 속하는 원소들의 집합이다. 교집합

$$A_1 \cap A_2 \cap \cdots \cap A_n = \bigcap_{k=1}^{n} A_k$$

는 모든 A_k, $k = 1, 2, \ldots, n$에 속하는 원소들의 집합이다. 비슷하게 $A_1, A_2, \ldots, A_n, \ldots$을 집합들의 가산적인 모임이라 하자. x가 최소한 하나의 A_k, $k = 1, 2, 3, \ldots$에 속한다면 x는 합집합

$$A_1 \cup A_2 \cup A_3 \cup \cdots = \bigcup_{k=1}^{\infty} A_k$$

의 원소이다. 또한 x가 모든 A_k, $k = 1, 2, 3, \ldots$에 속한다면 x는 교집합

$$A_1 \cap A_2 \cap A_3 \cap \cdots = \bigcap_{k=1}^{\infty} A_k$$

의 원소이다.

예제 D.1-2 다음과 같은 집합열을 생각하자.

$$A_k = \left\{x\colon\ \frac{10}{k+1} \le x \le 10\right\}, \qquad k = 1, 2, 3, \ldots$$

이 경우,

$$\bigcup_{k=1}^{8} A_k = \left\{x\colon\ \frac{10}{9} \le x \le 10\right\}$$

$$\bigcup_{k=1}^{\infty} A_k = \{x\colon\ 0 < x \le 10\}$$

이다. 0은 $A_1, A_2, A_3, \ldots$ 중 최소한 하나의 A_k에도 속하지 않으므로 위 두 번째 합집합의 원소가 아니다. 또한 $A_1 \subset A_k$, $k = 1, 2, 3, \ldots$이므로

$$\bigcap_{k=1}^{8} A_k = \{x\colon\ 5 \le x \le 10\} = A_1$$

$$\bigcap_{k=1}^{\infty} A_k = \{x\colon\ 5 \le x \le 10\} = A_1$$

이다. ■

집합 연산을 설명하기 위해 **벤다이어그램**(Venn diagram)을 사용하면 매우 편리하다. 벤다이어그램이 그려져 있는 그림 D.1-2에서 사각형 안의 점들은 전체집합 S의 원

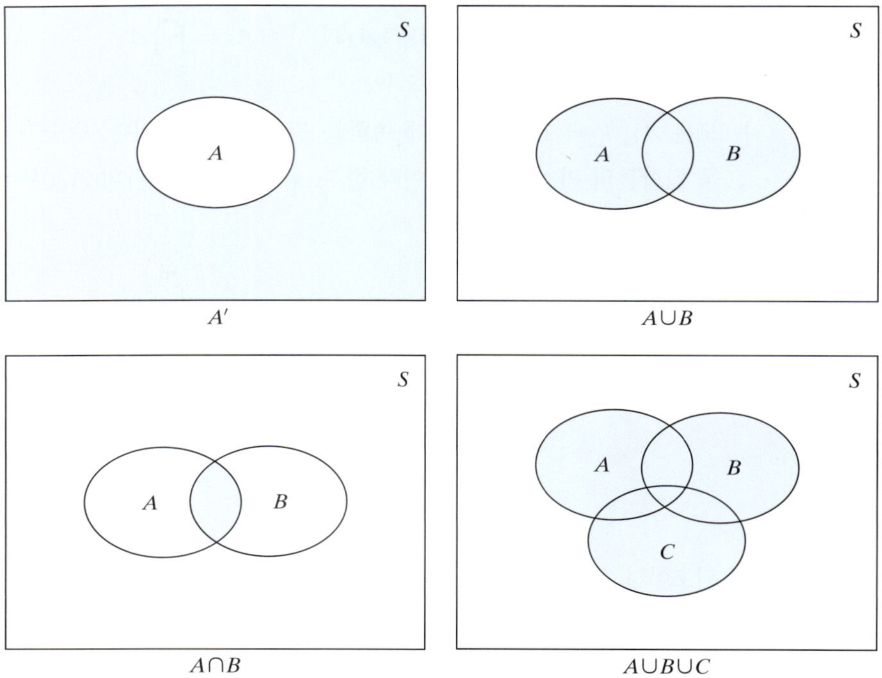

그림 D.1-2 집합대수

소이고 원 안의 점들은 각각 A와 B의 원소이다. 고려되는 집합은 음영 부분으로 나타나 있다.

집합 연산은 다음과 같은 성질을 가지고 있다. A, B, C가 S의 부분집합이라 하면 다음의 법칙들이 성립한다.

교환법칙: $A \cup B = B \cup A$
$A \cap B = B \cap A$

결합법칙: $(A \cup B) \cup C = A \cup (B \cup C)$
$(A \cap B) \cap C = A \cap (B \cap C)$

분배법칙: $A \cap (B \cup C) = (A \cap B) \cup (A \cap C)$
$A \cup (B \cap C) = (A \cup B) \cap (A \cup C)$

드모르간법칙: $(A \cup B)' = A' \cap B'$
$(A \cap B)' = A' \cup B'$

드모르간(De Morgan)의 첫 번째 법칙은 벤다이어그램에 의해 쉽게 증명된다. 그림 D.1-3(a)에서 수평선 표시 부분은 $A \cup B$를, 수직선 표시 부분은 $(A \cup B)'$을 의미한다. 또한 그림 D.1-3(b)에서 A'은 수평선으로, B'은 수직선으로 나타냈다. 그러므로 그림 D.1-3(b)에서 십자 표시 부분인 $A' \cap B'$은 그림 D.1-3(a)에서 수직선 표시 부분과 동일하다.

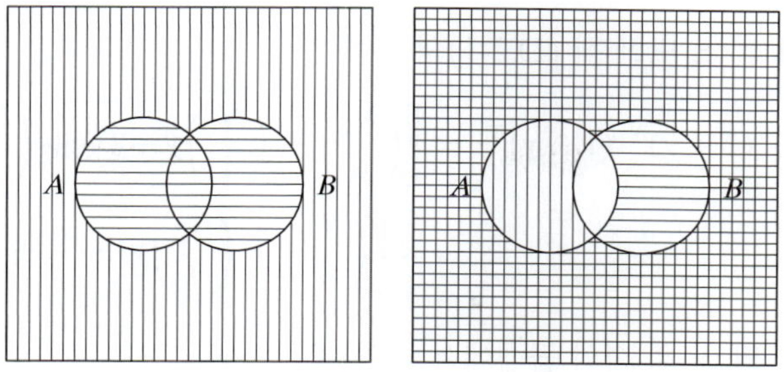

(a) (b)

그림 D.1-3 드모르간법칙을 설명하는 벤다이어그램

D.2 초기하분포에 유용한 수학적 기법

X가 초기하분포를 갖는다고 하자. 즉, X의 pmf는 다음과 같이 정의된다.

$$f(x) = \frac{\binom{N_1}{x}\binom{N_2}{n-x}}{\binom{N_1+N_2}{n}} = \frac{\binom{N_1}{x}\binom{N_2}{n-x}}{\binom{N}{n}}, \qquad x \le n,\ x \le N_1,\ n-x \le N_2$$

이제 $\sum_{x=0}^{n} f(x) = 1$을 밝히고 X의 평균과 분산을 구하기 위해 다음의 정리를 사용한다.

정리 D.2-1

$$\binom{N}{n} = \sum_{x=0}^{n} \binom{N_1}{x}\binom{N_2}{n-x}$$

여기서 $N = N_1 + N_2$이고 $\binom{k}{j} = 0,\ j > k$이다.

증명 $N = N_1 + N_2$이므로 다음 등식이 성립한다.

$$(1+y)^N \equiv (1+y)^{N_1}(1+y)^{N_2} \tag{D.2-1}$$

이제, 이항전개식을 사용해 식 (D.2-1)의 좌변을 전개하면

$$(1+y)^N = \sum_{k=0}^{N} \binom{N}{k} y^k = \binom{N}{0} + \binom{N}{1}y + \cdots + \binom{N}{n}y^n + \cdots + \binom{N}{N}y^N$$

이 된다. 또한 식 (D.2-1)의 우변은

$$(1+y)^{N_1}(1+y)^{N_2} = \left[\binom{N_1}{0} + \binom{N_1}{1}y + \cdots + \binom{N_1}{n}y^n + \cdots + \binom{N_1}{N_1}y^{N_1}\right] \times \left[\binom{N_2}{0} + \binom{N_2}{1}y + \cdots + \binom{N_2}{n}y^n + \cdots + \binom{N_2}{N_2}y^{N_2}\right]$$

로 되고, 위 식의 곱셈에서 y^n의 계수는

$$\binom{N_1}{0}\binom{N_2}{n} + \binom{N_1}{1}\binom{N_2}{n-1} + \cdots + \binom{N_1}{n}\binom{N_2}{0} = \sum_{x=0}^{n}\binom{N_1}{x}\binom{N_2}{n-x}$$

가 되어 이 합은 식 (D.2-1)의 좌변에서 y^n의 계수인 $\binom{N}{n}$과 같아야 한다.

X가 pmf $f(x)$를 갖는 초기하분포를 갖는다면

$$\sum_{x=0}^{n} f(x) = \sum_{x=0}^{n} \frac{\binom{N_1}{x}\binom{N_2}{n-x}}{\binom{N}{n}} = 1$$

이 되는 것은 정리 D.2-1을 사용해 보일 수 있다.

초기하 확률변수의 평균과 분산을 구할 때, $n > 0$에 대해 다음 등식은 매우 유용하게 이용된다.

$$\binom{N}{n} = \frac{N!}{n!\,(N-n)!} = \frac{N}{n} \cdot \frac{(N-1)!}{(n-1)!\,(N-n)!} = \frac{N}{n}\binom{N-1}{n-1}$$

초기하 확률변수 X의 평균은 다음과 같이 계산된다.

$$\begin{aligned}
\mu &= \sum_{x=0}^{n} xf(x) \\
&= \frac{\displaystyle\sum_{x=1}^{n} x \cdot \frac{N_1!}{x!\,(N_1-x)!} \cdot \frac{N_2!}{(n-x)!\,(N_2-n+x)!}}{\binom{N}{n}} \\
&= \frac{\displaystyle N_1 \sum_{x=1}^{n} \frac{(N_1-1)!}{(x-1)!\,(N_1-x)!} \cdot \frac{N_2!}{(n-x)!\,(N_2-n+x)!}}{\binom{N}{n}}
\end{aligned}$$

위 분자의 총합에서 $k = x - 1$로 변수변환을 하고, 분모의 $\binom{N}{n}$을 $\left(\frac{N}{n}\right)\binom{N-1}{n-1}$으로 대치하면 위 μ의 마지막 계산식은 다음과 같다.

$$\mu = \frac{N_1}{\binom{N}{n}} \frac{\sum_{k=0}^{n-1} \frac{(N_1-1)!}{k!\,(N_1-1-k)!} \cdot \frac{N_2!}{(n-k-1)!\,(N_2-n+k+1)!}}{\binom{N-1}{n-1}}$$

$$= n\left(\frac{N_1}{N}\right) \frac{\sum_{k=0}^{n-1} \binom{N_1-1}{k}\binom{N_2}{n-1-k}}{\binom{N-1}{n-1}} = n\left(\frac{N_1}{N}\right)$$

위 분자에서 총합은 정리 D.2-1에 의해 $\binom{N-1}{n-1}$과 같다. 분산에 관해서는 다음 등식을 이용한다.

$$\begin{aligned} \mathrm{Var}(X) \;=\; \sigma^2 &= E[(X-\mu)^2] \\ &= E[X^2] - \mu^2 \\ &= E[X(X-1)] + E(X) - \mu^2 \end{aligned}$$

이제 X의 분산을 구하기 위해서 $E[X(X-1)]$을 구해보면 다음을 얻는다.

$$E[X(X-1)] = \sum_{x=0}^{n} x(x-1)f(x)$$

$$= \frac{\sum_{x=2}^{n} x(x-1) \frac{N_1!}{x!\,(N_1-x)!} \cdot \frac{N_2!}{(n-x)!\,(N_2-n+x)!}}{\binom{N}{n}}$$

$$= N_1(N_1-1) \frac{\sum_{x=2}^{n} \frac{(N_1-2)!}{(x-2)!\,(N_1-x)!} \cdot \frac{N_2!}{(n-x)!\,(N_2-n+x)!}}{\binom{N}{n}}$$

위 식의 총합에서 $k = x - 2$로 변수변환을 하고, 분모는

$$\binom{N}{n} = \frac{N!}{n!(N-n)!} = \frac{N(N-1)}{n(n-1)} \binom{N-2}{n-2}$$

가 성립하므로 정리 D.2-1을 사용하면 다음과 같다.

$$E[X(X-1)] = \frac{N_1(N_1-1)}{\dfrac{N(N-1)}{n(n-1)}} \sum_{k=0}^{n-2} \frac{\dbinom{N_1-2}{k}\dbinom{N_2}{n-2-k}}{\dbinom{N-2}{n-2}}$$
$$= \frac{N_1(N_1-1)(n)(n-1)}{N(N-1)}$$

따라서, 몇 번의 계산 이후에 초기하 확률변수의 분산은 다음과 같다.

$$\sigma^2 = \frac{N_1(N_1-1)(n)(n-1)}{N(N-1)} + \frac{nN_1}{N} - \left(\frac{nN_1}{N}\right)^2$$
$$= n\left(\frac{N_1}{N}\right)\left(\frac{N_2}{N}\right)\left(\frac{N-n}{N-1}\right)$$

D.3 극한

다음에서 소개하는 극한에 관한 기법들은 확률 및 통계에서 매우 유용하게 사용된다. 해석학 입문에서는 문자 e로 나타내는 다음과 같은 극한이 논의된다.

$$e = \lim_{t\to 0}(1+t)^{1/t} = \lim_{n\to\infty}\left(1+\frac{1}{n}\right)^n$$

물론, e는 여섯자리 유효숫자가 2.71828인 무리수이다.

흔히 어떤 극한값을 구하는 것은 어렵지 않다. 예를 들면, $-1 < r < 1$에 대해 기하급수의 합은 다음과 같이 계산된다.

$$\lim_{n\to\infty}(1+r+r^2+\cdots+r^{n-1}) = \lim_{n\to\infty}\left(\frac{1-r^n}{1-r}\right) = \frac{1}{1-r}$$

그러나 모든 비의 극한을 구하는 것이 쉽지는 않다. 예를 들어, 다음을 생각해보자.

$$\lim_{b\to\infty}(be^{-b}) = \lim_{b\to\infty}\left(\frac{b}{e^b}\right)$$

우변 식에서 비의 분자와 분모의 극한이 무한값이 되므로 **로피탈의 정리**(L'Hospital's rule)를 사용해 분모의 도함수에 대한 분자의 도함수의 비에 극한을 취한다. 따라서 다음과 같다.

$$\lim_{b\to\infty}\left(\frac{b}{e^b}\right) = \lim_{b\to\infty}\left(\frac{1}{e^b}\right) = 0$$

이 결과는 다음과 같이 적분의 계산에 사용될 수 있다.

$$\begin{aligned}\int_0^\infty xe^{-x}\,dx &= \lim_{b\to\infty}\int_0^b xe^{-x}\,dx \\ &= \lim_{b\to\infty}[-xe^{-x}-e^{-x}]_0^b \\ &= \lim_{b\to\infty}[1-be^{-b}-e^{-b}] = 1\end{aligned}$$

또 다른 중요한 극한은

$$\lim_{n\to\infty}\left(1+\frac{b}{n}\right)^n = \lim_{n\to\infty} e^{n\ln(1+b/n)}$$

이다. 여기서 b는 상수이다. 지수함수는 연속함수이므로 극한은 멱지수에 취해질 수 있다. 즉 다음과 같다.

$$\lim_{n\to\infty}\exp[n\ln(1+b/n)] = \exp[\lim_{n\to\infty} n\ln(1+b/n)]$$

지수식에서 극한은 로피탈의 정리를 사용해 다음과 같이 된다.

$$\lim_{n\to\infty}\frac{\ln(1+b/n)}{1/n} = \lim_{n\to\infty}\frac{\dfrac{-b/n^2}{1+b/n}}{-1/n^2} = \lim_{n\to\infty}\frac{b}{1+b/n} = b$$

따라서 원 식의 극한은 다음과 같이 된다.

$$\lim_{n\to\infty}\left(1+\frac{b}{n}\right)^n = e^b$$

확률에서 이 극한의 적용 예는 $b = -1$을 대입한 결과인

$$\lim_{n\to\infty}\left(1-\frac{1}{n}\right)^n = e^{-1}$$

이다.

D.4 무한급수

$x = b$에서 모든 차수의 도함수를 갖는 함수 $f(x)$는 다음의 **테일러급수**(Taylor's series)로 전개될 수 있다.

$$f(x) = f(b) + \frac{f'(b)}{1!}(x-b) + \frac{f''(b)}{2!}(x-b)^2 + \frac{f'''(b)}{3!}(x-b)^3 + \cdots$$

특히, $b = 0$인 경우인

$$f(x) = f(0) + \frac{f'(0)}{1!}x + \frac{f''(0)}{2!}x^2 + \frac{f'''(0)}{3!}x^3 + \cdots$$

를 **맥로린급수**(Maclaurin's series)라고 한다.

예를 들면, $f(x) = e^x$의 모든 도함수는 $f^{(r)}(x) = e^x$이므로 $f^{(r)}(0) = 1$, $r = 1, 2, 3, \ldots$이다. 따라서 $f(x) = e^x$의 맥로린급수 전개는 다음과 같다.

$$e^x = 1 + \frac{x}{1!} + \frac{x^2}{2!} + \frac{x^3}{3!} + \frac{x^4}{4!} + \cdots$$

비 검정(ratio test)

$$\lim_{n\to\infty}\left|\frac{x^n/n!}{x^{n-1}/(n-1)!}\right| = \lim_{n\to\infty}\left|\frac{x}{n}\right| = 0$$

은 e^x의 맥로린급수 전개가 x의 모든 실숫값에 대해 수렴함을 보여준다.

예를 들면,

$$e = 1 + \frac{1}{1!} + \frac{1}{2!} + \frac{1}{3!} + \cdots$$

과

$$e^{-1} = 1 - \frac{1}{1!} + \frac{1}{2!} - \frac{1}{3!} + \cdots + \frac{(-1)^n}{n!} + \cdots$$

은 수렴한다.

또 다른 예로서 다음과 같은 함수

$$h(w) = (1-w)^{-r},\ r\text{은 양의 정수}$$

를 생각하자. 함수 $h(w)$의 도함수들은 아래와 같다.

$$\begin{aligned} h'(w) &= r(1-w)^{-(r+1)} \\ h''(w) &= (r)(r+1)(1-w)^{-(r+2)} \\ h'''(w) &= (r)(r+1)(r+2)(1-w)^{-(r+3)} \\ &\ \vdots \end{aligned}$$

일반적으로 $h^{(k)}(0) = (r)(r+1)\cdots(r+k-1) = (r+k-1)!/(r-1)!$이다. 따라서

$$\begin{aligned}(1-w)^{-r} &= 1 + \frac{(r+1-1)!}{(r-1)!\,1!}w + \frac{(r+2-1)!}{(r-1)!\,2!}w^2 + \cdots + \frac{(r+k-1)!}{(r-1)!\,k!}w^k + \cdots \\ &= \sum_{k=0}^{\infty}\binom{r+k-1}{r-1}w^k\end{aligned}$$

이것을 흔히 음이항 급수라고 한다. 비 검정을 사용하면

$$\lim_{n\to\infty}\left|\frac{w^n(r+n-1)!/[(r-1)!\,n!]}{w^{n-1}(r+n-2)!/[(r-1)!\,(n-1)!]}\right| = \lim_{n\to\infty}\left|\frac{w(r+n-1)}{n}\right| = |w|$$

가 되므로 급수는 $|w| < 1$일 때 수렴한다.

음이항 확률변수의 이름은 바로 이 음이항 급수로부터 유래한다. 그 관계를 보이기 전에 다음 함수와 그것의 도함수에 주목한다. $-1 < w < 1$에 대해

$$h(w) = \sum_{k=0}^{\infty} \binom{r+k-1}{r-1} w^k = (1-w)^{-r}$$

$$h'(w) = \sum_{k=1}^{\infty} \binom{r+k-1}{r-1} k w^{k-1} = r(1-w)^{-r-1}$$

$$h''(w) = \sum_{k=2}^{\infty} \binom{r+k-1}{r-1} k(k-1) w^{k-2} = r(r+1)(1-w)^{-r-2}$$

음이항 확률변수 X의 pmf는 다음과 같다.

$$g(x) = \binom{x-1}{r-1} p^r q^{x-r}, \qquad x = r, r+1, r+2, \ldots$$

$h(w) = (1-w)^{-r}$의 급수전개에서 $x = k + r$이라 놓자. 그러면

$$\sum_{x=r}^{\infty} \binom{x-1}{r-1} w^{x-r} = (1-w)^{-r}$$

이고, 이 식에서 $w = q$이라 놓으면 다음과 같다.

$$\sum_{x=r}^{\infty} g(x) = \sum_{x=r}^{\infty} \binom{x-1}{r-1} p^r q^{x-r} = p^r (1-q)^{-r} = 1$$

즉, $g(x)$는 pmf의 성질을 만족시킨다.

X의 평균을 얻기 위해서는 먼저

$$E(X-r) = \sum_{x=r}^{\infty} (x-r) \binom{x-1}{r-1} p^r q^{x-r} = \sum_{x=r+1}^{\infty} (x-r) \binom{x-1}{r-1} p^r q^{x-r}$$

을 구한다. 위 마지막 등식에서 $k = x - r$이라 놓고 $h'(w)$의 전개식을 이용하면

$$\begin{aligned} E(X-r) &= \sum_{k=1}^{\infty} (k) \binom{r+k-1}{r-1} p^r q^k \\ &= p^r q \sum_{k=1}^{\infty} \binom{r+k-1}{r-1} k q^{k-1} \\ &= p^r q r (1-q)^{-r-1} = r\left(\frac{q}{p}\right) \end{aligned}$$

가 된다. 따라서

$$\begin{aligned} E(X) &= r + r\left(\frac{q}{p}\right) \\ &= r\left(1 + \frac{q}{p}\right) = r\left(\frac{1}{p}\right) \end{aligned}$$

비슷하게, $h''(w)$를 사용하면

$$E[(X-r)(X-r-1)] = \left(\frac{q^2}{p^2}\right)(r)(r+1)$$

이 되고, 따라서

$$\mathrm{Var}(X) = \mathrm{Var}(X-r) = \left(\frac{q^2}{p^2}\right)(r)(r+1) + r\left(\frac{q}{p}\right) - r^2\left(\frac{q^2}{p^2}\right) = r\left(\frac{q}{p^2}\right)$$

임을 보일 수 있다.

음이항 급수의 매우 특별한 경우는 $r = 1$일 때 기하급수로 잘 알려진

$$(1-w)^{-1} = 1 + w + w^2 + w^3 + \cdots$$

이다. 여기서 $-1 < w < 1$이다.

기하 확률분포의 이름은 기하급수와 관련된다. $-1 < r < 1$에 대해 기하급수는

$$g(r) = \sum_{k=0}^{\infty} ar^k = \frac{a}{1-r} \tag{D.4-1}$$

임을 기억한다. 기하 확률변수 X의 평균과 분산을 구하기 위해 음이항 확률변수의 평균과 분산의 식에 $r = 1$을 대입한다. 그러나 평균과 분산을 직접 구하려면

$$g'(r) = \sum_{k=1}^{\infty} akr^{k-1} = \frac{a}{(1-r)^2} \tag{D.4-2}$$

과

$$g''(r) = \sum_{k=2}^{\infty} ak(k-1)r^{k-2} = \frac{2a}{(1-r)^3} \tag{D.4-3}$$

를 사용해 각각 $E(X)$와 $E[X(X-1)]$을 구한다.

기하 확률변수와 관련된 응용에서 기하급수의 n번째 부분 합

$$s_n = \sum_{k=0}^{n-1} ar^k = \frac{a(1-r^n)}{1-r}$$

은 매우 유용하다.

마지막으로 실생활에 매우 유용한 대수의 급수를 소개한다. 다음과 같은 함수 $f(x)$와

그것의 도함수를 생각하자.

$$\begin{aligned} f(x) &= \ln(1+x) \\ f'(x) &= (1+x)^{-1} \\ f''(x) &= (-1)(1+x)^{-2} \\ f'''(x) &= (-1)(-2)(1+x)^{-3} \\ &\vdots \end{aligned}$$

따라서 $f^{(r)}(0) = (-1)^{r-1}(r-1)!$이고

$$\begin{aligned} \ln(1+x) &= \frac{0!}{1!}x - \frac{1!}{2!}x^2 + \frac{2!}{3!}x^3 - \frac{3!}{4!}x^4 + \cdots \\ &= x - \frac{x^2}{2} + \frac{x^3}{3} - \frac{x^4}{4} + \cdots \end{aligned}$$

의 급수는 $-1 < x \le 1$에 대해 수렴한다.

이제 다음의 질문을 생각해보자. "이자율이 i이라면 원금의 2배가 되기까지 걸리는 기간은 얼마인가?" 원금은 1달러로 시작해 연 단위로 복리식 이자 계산을 한다고 가정한다. 1년 후에는 $(1+i)$달러가 되고 2년 후에 갖게 되는 액수는 다음과 같다.

$$(1+i) + i(1+i) = (1+i)^2$$

이 과정을 계속해 결국 풀어야 할 방정식은

$$(1+i)^n = 2$$

이고, 이 방정식의 해는 다음과 같다.

$$n = \frac{\ln 2}{\ln(1+i)}$$

n의 근삿값을 얻기 위해 $\ln 2 \approx 0.693$이라 놓고 $f(x) = \ln(1+x)$의 급수전개를 사용해 다음을 얻는다.

$$n \approx \frac{0.693}{i - \frac{i^2}{2} + \frac{i^3}{3} - \cdots}$$

분모에서 급수의 각 항은 부호가 번갈아 변하므로 분모의 값은 i보다 약간 작다. 빈번히, 중개인들은 0.72로 약간 증가시킨 분자의 값을 i로 나누어 '유명한 72 법칙', 즉

$$n \approx \frac{72}{100i} \qquad \text{(D.4-4)}$$

를 얻는다. 예를 들어, $i = 0.08$일 때 $n \approx 72/8 = 9$는 정답 9.006에 매우 근사한다.

D.5 적분

$F'(t) = f(t)$, $a \le t \le b$라 놓자. 그러면 다음과 같다.

$$\int_a^b f(t)\,dt = F(b) - F(a)$$

따라서 함수 $u(x)$의 도함수 $u'(x)$가 존재하고 $a \le u(x)$라면

$$\int_a^{u(x)} f(t)\,dt = F[u(x)] - F(a)$$

이다. 위의 식을 미분하면 다음과 같다.

$$\frac{d}{dx}\left[\int_a^{u(x)} f(t)\,dt\right] = F'[u(x)]u'(x) = f[u(x)]u'(x)$$

예를 들어, $v > 0$에 대해

$$\frac{d}{dv}\left[2\int_0^{\sqrt{v}} \frac{1}{\sqrt{2\pi}} e^{-z^2/2}\,dz\right] = \left(\frac{2}{\sqrt{2\pi}} e^{-v/2}\right)\frac{1}{2\sqrt{v}} = \frac{v^{(1/2)-1}\,e^{-v/2}}{\sqrt{\pi}\,2^{1/2}}$$

이다. 이것은 Z가 $N(0, 1)$일 때 Z^2이 $\chi^2(1)$이라는 것을 증명하는 데 이용된다.

위 예제는 먼저 변수변환을 함으로써 적분 계산을 시작한다. 즉, 먼저 단조 증가(감소) 함수 $x = w(y)$가 도함수 $w'(y)$와 역함수 $y = u(x)$를 가질 때

$$\int_a^b f(x)\,dx = \int_{u(a)}^{u(b)} f[w(y)]\,w'(y)\,dy$$

의 사실을 사용한다. 위 예제의 적분에서 $a = 0$, $b = \sqrt{v}$, $z = \sqrt{t}$, $z' = 1/2\sqrt{t}$, 그리고 $t = z^2$이라 놓으면 다음과 같이 된다.

$$2\int_0^{\sqrt{v}} \frac{1}{\sqrt{2\pi}} e^{-z^2/2}\,dz = 2\int_0^{v} \frac{1}{\sqrt{2\pi}} e^{-t/2}\left(\frac{1}{2\sqrt{t}}\right)dt$$

우변의 식을 미분하면 다음과 같다.

$$2\,\frac{1}{\sqrt{2\pi}} e^{-v/2}\left(\frac{1}{2\sqrt{v}}\right) = \frac{v^{(1/2)-1}\,e^{-v/2}}{\sqrt{\pi}\,2^{1/2}}$$

부분적분은 매우 자주 이용된다. 부분적분은 x의 두 함수 $u(x)$와 $v(x)$의 곱의 도함수

에 기초한다. 즉,

$$\frac{d}{dx}[u(x)v(x)] = u(x)v'(x) + v(x)u'(x)$$

이므로

$$[u(x)v(x)]_a^b = \int_a^b u(x)v'(x)\,dx + \int_a^b v(x)u'(x)\,dx$$

혹은

$$\int_a^b u(x)v'(x)\,dx = [u(x)v(x)]_a^b - \int_a^b v(x)u'(x)\,dx$$

예를 들어, $u(x) = x$, $v'(x) = e^{-x}$라 놓으면 $u'(x) = 1$, $v(x) = -e^{-x}$이므로

$$\begin{aligned}\int_0^b xe^{-x}\,dx &= \left[-xe^{-x}\right]_0^b - \int_0^b (1)(-e^{-x})\,dx \\ &= -be^{-b} + \left[-e^{-x}\right]_0^b = -be^{-b} - e^{-b} + 1\end{aligned}$$

이다.

그러나 $u(x)$와 $v'(x)$를 항상 지정할 필요는 없다. 예를 들어, 처음에는 $u(x) = x^3$, $v'(x) = e^{-x}$라 놓고 세 번의 부분적분을 필요로 하는 다음과 같은 적분을 생각해보자.

$$\int_0^b x^3e^{-x}\,dx$$

이제 다음의 관계에 주목한다.

$$\frac{d}{dx}(-x^3e^{-x}) = x^3e^{-x} - 3x^2e^{-x}$$

여기서 $-3x^2e^{-x}$만 없으면 $-x^3e^{-x}$는 x^3e^{-x}의 '거의' 역 도함수이다. 명백하게

$$\frac{d}{dx}(-x^3e^{-x} - 3x^2e^{-x}) = x^3e^{-x} - 3x^2e^{-x} + 3x^2e^{-x} - 6xe^{-x} = x^3e^{-x} - 6xe^{-x}$$

이다. 그러나 또 불필요한 항 $-6xe^{-x}$가 남아 있으므로 같은 방법에 의해

$$\frac{d}{dx}(-x^3e^{-x} - 3x^2e^{-x} - 6xe^{-x}) = x^3e^{-x} - 6e^{-x}$$

과 마지막으로

$$\frac{d}{dx}(-x^3e^{-x} - 3x^2e^{-x} - 6xe^{-x} - 6e^{-x}) = x^3e^{-x}$$

을 얻는다. 즉, u와 v를 전혀 지정하지 않고서도 x^3e^{-x}의 역 도함수

$$-x^3e^{-x} - 3x^2e^{-x} - 6xe^{-x} - 6e^{-x}$$

을 구할 수 있다.

이 기법의 연습을 위해 다음과 같은 적분을 생각해보자.

$$\int_0^{\pi/2} x^2 \cos x\, dx = \left[x^2 \sin x + 2x \cos x - 2 \sin x\right]_0^{\pi/2}$$

먼저 미분한 결과에 $x^2 \cos x$가 포함되는 식인 $x^2 \sin x$에서 시작한다.

$$\frac{d}{dx}(x2 \sin x) = 2x \sin x + x^2 \cos x$$

여기서 $2x \sin x$를 없애기 위해서는 $\cos x$의 도함수가 $-\sin x$이므로 $2x \cos x$를 더해 미분한다.

$$\begin{aligned}\frac{d}{dx}(x^2 \sin x + 2x \cos x) &= 2x \sin x + x^2 \cos x + 2 \cos x - 2x \sin x \\ &= x^2 \cos x + 2 \cos x\end{aligned}$$

다시 $2 \cos x$를 없애기 위해서는 $-\sin x$의 도함수가 $-\cos x$이므로 $-\ 2 \sin x$를 더해 미분하면 마지막으로

$$\frac{d}{dx}(x^2 \sin x + 2x \cos x - 2 \sin x) = x^2 \cos x + 2 \cos x - 2 \cos x = x^2 \cos x$$

를 얻는다.

이렇게 하여 $x^2 \cos x$의 역 도함수

$$x^2 \sin x + 2x \cos x - 2 \sin x$$

를 얻을 수 있다. 같은 방법으로

$$\int x^4 e^{-x}\, dx, \quad \int x^3 \sin x\, dx, \quad \int x^5 e^x\, dx$$

와 같은 적분을 부분적분에 의하지 않고 구할 수 있다.

D.6 다변량 해석

두 변수의 함수인

$$z = f(x, y)$$

에 관해 몇 가지 언급을 하자. 물론 이 절에서의 논의는 3개 이상의 변수들로도 확장될 수 있다. x와 y에 관한 1차 편도함수는 $\frac{\partial z}{\partial x}$와 $\frac{\partial z}{\partial y}$로 나타내고, 다른 변수들은 상수로 간주하고 보통처럼 미분함으로써 얻을 수 있다. 예를 들면,

$$\frac{\partial(x^2y + \sin x)}{\partial x} = 2xy + \cos x$$

이고

$$\frac{\partial(e^{xy^2})}{\partial y} = (e^{xy^2})(2xy)$$

이다.

2차 편도함수는 1차 편도함수의 1차 편도함수이다. 만약 $= e^{xy^2}$이라면,

$$\frac{\partial}{\partial x}\left(\frac{\partial z}{\partial y}\right) = \frac{\partial}{\partial x}(2xye^{xy^2}) = 2xye^{xy^2}(y^2) + 2ye^{xy^2}$$

이 된다. 또 다른 2차 편도함수들은 다음과 같다.

$$\frac{\partial}{\partial x}\left(\frac{\partial z}{\partial x}\right) = \frac{\partial^2 z}{\partial x^2}, \qquad \frac{\partial}{\partial x}\left(\frac{\partial z}{\partial y}\right) = \frac{\partial^2 z}{\partial x \partial y}$$

$$\frac{\partial}{\partial y}\left(\frac{\partial z}{\partial x}\right) = \frac{\partial^2 z}{\partial y \partial x}, \qquad \frac{\partial}{\partial y}\left(\frac{\partial z}{\partial y}\right) = \frac{\partial^2 z}{\partial y^2}$$

일반적으로, 관련된 편도함수들이 연속함수라면 다음이 성립한다.

$$\frac{\partial^2 z}{\partial x \partial y} = \frac{\partial^2 z}{\partial y \partial x}$$

$z = f(x, y)$의 도함수가 존재한다면 상대적인 최댓값 혹은 상대적인 최솟값에서

$$\frac{\partial z}{\partial x} = 0, \qquad \frac{\partial z}{\partial y} = 0$$

을 갖는다. $z = f(x, y)$가 최댓값 혹은 최솟값을 가지려면 다음이 성립해야 한다.

$$\left(\frac{\partial^2 z}{\partial x^2}\right)\left(\frac{\partial^2 z}{\partial y^2}\right) - \left(\frac{\partial^2 z}{\partial x \partial y}\right)^2 > 0$$

게다가 $\frac{\partial^2 z}{\partial x^2} > 0$이라면 상대적인 최솟값을, $\frac{\partial^2 z}{\partial x^2} < 0$이라면 상대적인 최댓값을 갖는다.

최소제곱이라 일컫는 통계학에서의 주요한 문제는

$$K(a, b) = \sum_{i=1}^{n} (y_i - a - bx_i)^2$$

을 최소로 하는 a와 b를 찾는 것이다. 따라서 다음 두 방정식

$$\frac{\partial K}{\partial a} = \sum_{i=1}^{n} 2(y_i - a - bx_i)(-1) = 0$$

과

$$\frac{\partial K}{\partial b} = \sum_{i=1}^{n} 2(y_i - a - bx_i)(-x_i) = 0$$

의 해는 $K(a, b)$를 최소로 하는 점 (a, b)일 것이다. 이제 2차 편도함수들은

$$\frac{\partial^2 K}{\partial a^2} = \sum_{i=1}^{n} 2(-1)(-1) = 2n > 0$$

$$\frac{\partial^2 K}{\partial b^2} = \sum_{i=1}^{n} 2(-x_i)(-x_i) = 2\sum_{i=1}^{n} x_i^2 > 0$$

그리고

$$\frac{\partial^2 K}{\partial a \partial b} = \sum_{i=1}^{n} 2(-1)(-x_i) = 2\sum_{i=1}^{n} x_i$$

이며, 또한 모든 x_i가 같지 않다면 $(\sum_{i=1}^{n} x_i)^2 < n\sum_{i=1}^{n} x_i^2$이므로

$$\left(2\sum_{i=1}^{n} x_i\right)^2 - (2n)\left(2\sum_{i=1}^{n} x_i^2\right) < 0$$

이 성립한다. $\dfrac{\partial^2 z}{\partial x^2} > 0$임을 주목할 때 $\dfrac{\partial K}{\partial a} = 0$과 $\dfrac{\partial K}{\partial b} = 0$의 해는 오직 최솟값 해를 준다.

이중적분(double integral)

$$P(A) = \int_A\int f(x, y)\, dx\, dy$$

는 보통 단일적분의 반복에 의해 계산될 수 있다. 예를 들면, 그림 D.6-1에 주어진 것처럼 $A = \{(x, y): 0 \le x \le 1, 0 \le y \le x\}$가 정의되면

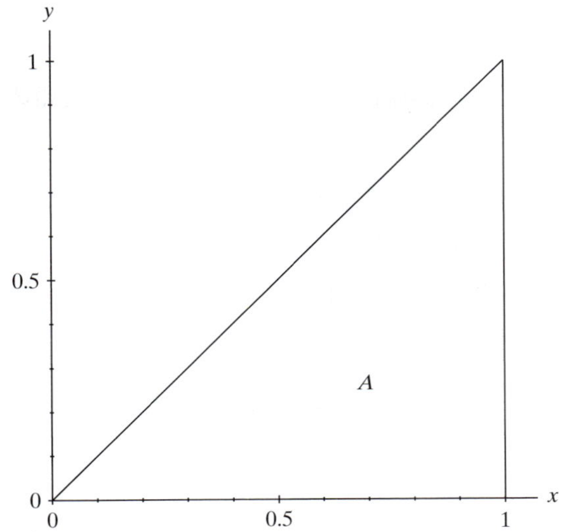

그림 D.6-1 $A = \{(x, y): 0 \le x \le 1, 0 \le y \le x\}$

$$\iint_A (x + x^3y^2)\,dx\,dy = \int_0^1 \left[\int_0^x (x + x^3y^2)\,dy\right] dx$$

$$= \int_0^1 \left[xy + \frac{x^3y^3}{3}\right]_0^x dx$$

$$= \int_0^1 \left(x^2 + \frac{x^6}{3}\right) dx = \left[\frac{x^3}{3} + \frac{x^7}{3 \cdot 7}\right]_0^1$$

$$= \frac{1}{3} + \frac{1}{21} = \frac{8}{21}$$

이다. 집합 A에서 (x, y)는 $0 \le y \le x \le 1$을 만족하므로 y에서 1까지 x에 관해 먼저 적분하고 다음으로 0에서 1까지 y에 관해 적분을 해도 같은 결과를 얻게 된다. 즉 다음과 같다.

$$\int_0^1 \left[\int_y^1 (x + x^3y^2)\,dx\right] dy = \int_0^1 \left[\frac{x^2}{2} + \frac{x^4y^2}{4}\right]_y^1 dy$$

$$= \int_0^1 \left[\frac{1}{2} + \frac{y^2}{4} - \frac{y^2}{2} - \frac{y^6}{4}\right] dy$$

$$= \left[\frac{y}{2} - \frac{y^3}{3 \cdot 4} - \frac{y^7}{7 \cdot 4}\right]_0^1$$

$$= \frac{1}{2} - \frac{1}{12} - \frac{1}{28} = \frac{8}{21}$$

이중적분

$$P(A) = \iint_A f(x, y)\, dx\, dy$$

에서 변수변환을 생각해보자. $f(x, y)$가 연속형 확률변수 X와 Y의 결합 pdf라면 이중적분은 $P[(X, Y) \in A]$를 나타낸다. 역변환 $x = v_1(z, w)$와 $y = v_2(z, w)$를 갖는 $z = u_1(x, y)$와 $w = u_2(x, y)$는 A에서 (z, w) 공간의 집합 B로의 1대1 변환이다. 다음의 행렬식을 역변환의 야코비안(Jacobian)이라 한다.

$$J = \begin{vmatrix} \dfrac{\partial x}{\partial z} & \dfrac{\partial x}{\partial w} \\ \\ \dfrac{\partial y}{\partial z} & \dfrac{\partial y}{\partial w} \end{vmatrix}$$

이 책에서는 확률을 다루기 때문에 적분값이 양수가 되도록 야코비안의 절댓값을 사용하기로 한다. 그러면 다음이 성립한다.

$$\iint_A f(x, y)\, dx\, dy = \iint_B f[v_1(z, w), v_2(z, w)]\, |J|\, dz\, dw$$

예를 들어, 평균 0, 분산 1을 갖는 서로 독립인 두 정규 확률변수의 결합 pdf는 다음과 같다.

$$f(x, y) = \frac{1}{2\pi} e^{-(x^2+y^2)/2}, \qquad -\infty < x < \infty, \quad -\infty < y < \infty$$

$A = \{(x, y): 0 \le x^2 + y^2 \le 1\}$에서 확률

$$P(A) = \iint_A f(x, y)\, dx\, dy$$

의 계산은 x, y 변수를 직접 다루어서는 불가능하다. 그러나 극 좌표로의 역변환, $x = r\cos\theta$, $y = r\sin\theta$를 생각해보자. 이제 A에서 $B = \{(r, \theta): 0 \le r \le 1, 0 \le \theta < 2\pi\}$로의 1대1 변환의 야코비안은

$$J = \begin{vmatrix} \cos\theta & -r\sin\theta \\ \sin\theta & r\cos\theta \end{vmatrix} = r(\cos^2\theta + \sin^2\theta) = r$$

이므로 다음과 같이 계산된다.

$$
\begin{aligned}
P(A) &= \int_0^{2\pi} \left(\int_0^1 \frac{1}{2\pi}\, e^{-r^2/2}\, r\, dr \right) d\theta \\
&= \int_0^{2\pi} \left[-\frac{1}{2\pi}\, e^{-r^2/2} \right]_0^1 d\theta \\
&= \int_0^{2\pi} \frac{1}{2\pi} (1 - e^{-1/2})\, d\theta \\
&= \frac{1}{2\pi} (1 - e^{-1/2})\, 2\pi = 1 - e^{-1/2}
\end{aligned}
$$

찾아보기

ㄹ

ㅁ

ㅂ

ㅅ

ㅇ

ㅈ

ㅎ

기타